PRÁCTICA PROFESIONAL de la ADMINISTRACIÓN PÚBLICA

Estatal, Autonómica y Local

Víctor Manteca Valdelande

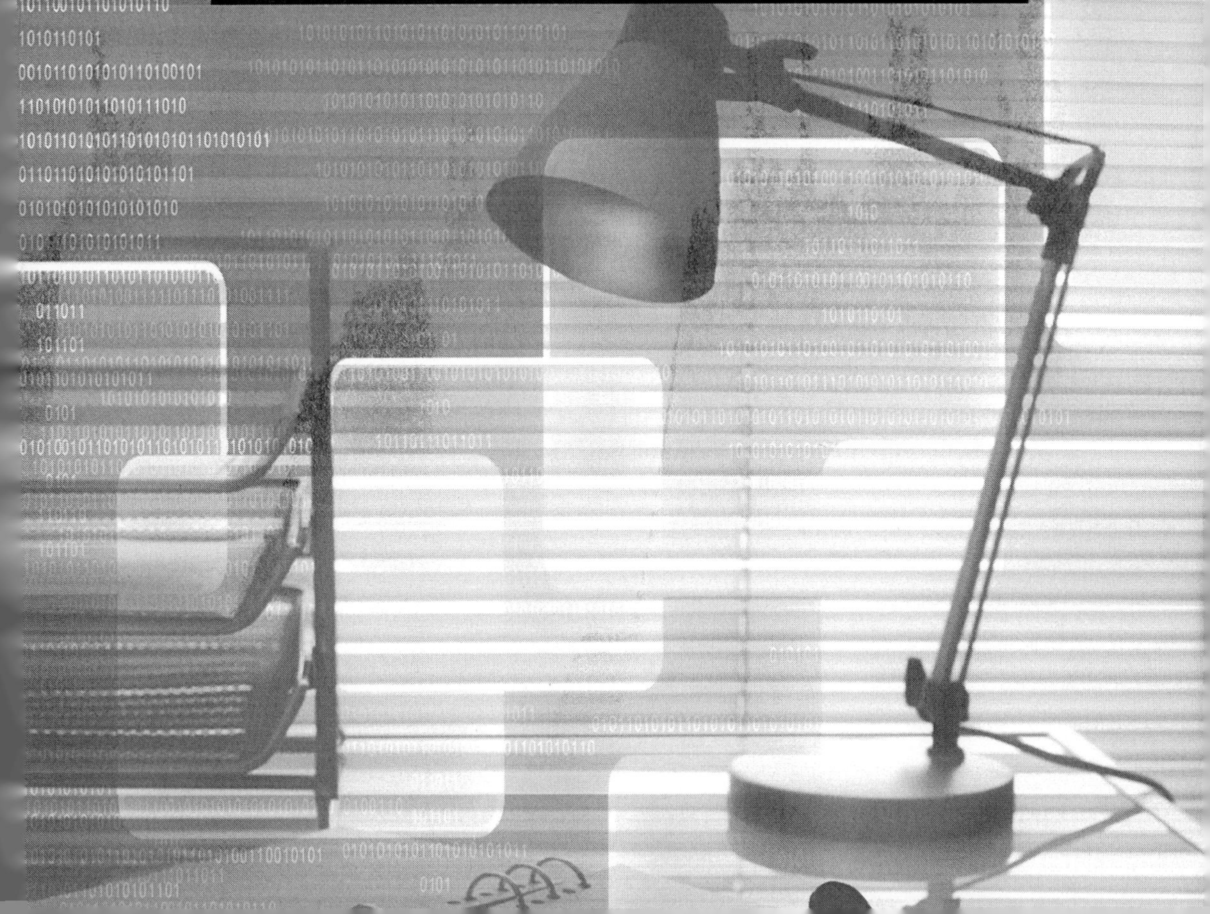

PRÁCTICA PROFESIONAL DE LA ADMINISTRACIÓN PÚBLICA

Estatal, Autonómica y Local

Autor

Víctor Manteca Valdelande

Coordinación editorial: Isabel Aylagas Rodríguez
Diseño de la portada: Raquel Fernández Cestero

1.ª edición marzo 2013

EL CONSULTOR DE LOS AYUNTAMIENTOS (LA LEY)
C/ Collado Mediano, 9
28230 - Las Rozas (Madrid)
Tel.: 902 42 00 10 - Fax: 902 42 00 12

ISBN: 978-84-7052-651-0
Depósito Legal: M-6253-2013

Preimpresión e impresión por Wolters Kluwer España, S.A.
Printed in Spain

Para Dori con todo cariño y agradecimiento.
Para nuestros hijos Paula, Víctor e Inés Manteca Rodríguez.

SUMARIO

PRESENTACIÓN

El lector tiene en sus manos un *practicón* para gestores públicos dado que está redactado desde dentro de la Administración Pública. Pero por ello también es de suma utilidad para quien desee abordar asuntos con las Administraciones Públicas, dada la importancia práctica y utilidad de los temas que desarrolla. En resumidas cuentas, estamos ante una obra de autoayuda para moverse en el proceloso mundo de la Administración, no ante un Tratado universitario. Y ello sin desmerecer un ápice de la calidad técnica de la obra.

Se trata de un manual que desarrolla diversos aspectos de la práctica profesional en las Administraciones Públicas redactado desde un punto de vista del gestor público en la Administración que es a quien toca resolver los asuntos. Por eso también resulta de suma utilidad para quien está fuera de la Administración. Es un libro redactado desde la práctica y para la práctica administrativa en el ámbito del sector público.

El libro desarrolla diversos temas caracterizados todos ellos por su importancia en la práctica habitual eludiendo los aspectos teóricos de los tratados académicos. Se desarrollan temas que aunque en manuales académicos no suelen ser tratados –como por ejemplo las ejecuciones forzosas, la documentación, la técnica normativa, etc.–, en la práctica tienen suma importancia.

Dada la prudencia y el realismo con que está escrito y sobre todo porque no trata asuntos desde un punto de vista especulativo sino desde la práctica de una profesión, que es la del gestor público que afronta cotidianamente estos temas en su trabajo en la Administración Pública y tiene que tener en cuenta lo que establece la Ley y lo que pide el ciudadano y conocer cuál es el criterio de los Tribunales de Justicia y otros órganos de control de la Administración Pública, auguramos un seguro éxito al manual.

El autor, Víctor MANTECA VALDELANDE, es un alto funcionario de la Administración Estatal, con largos años de experiencia, pese a su juventud, en diversos destinos. Y desde hace más de una década su inquietud profesional y ánimo de perfeccionismo le ha llevado a escribir habitualmente en revistas especializadas. Así, ha sido frecuente su aportación en *El Consultor de los Ayuntamientos*, *Actualidad Administrativa* o *Contratación Administrativa Práctica*.

Hace unos años, cuando el que suscribe tenía a su cargo la responsabilidad editorial de, entre otras publicaciones, la prestigiosa revista *Actualidad Administrativa*, hubimos de afrontar una remodelación de la revista. Por ello, además de otros cambios que se hicieron, se nos ocurrió proponer a su Director y Fundador, don Rafael DE MENDIZÁBAL la inclusión de una Sección llamada «Práctica Profesional», en la que se fueran desbrozando los asuntos prácticos que se dan en la vida administrativa. Aunque la Sección se perfilaba como abierta, para recibir colaboraciones de diversos autores, era preciso contar con alguna persona de garantía que asegurase que la Sección no se viera abocada a su desaparición por falta de aportaciones espontáneas, por lo que propusimos a Víctor MANTECA como sostén de la Sección. Y desde entonces ha cumplido sobradamente, hasta el punto que sigue apareciendo con habitualidad su colaboración. Como en su día intuí, el crecimiento en número y materias de estas colaboraciones podrían servir de embrión a una obra práctica, sin más que tener que poner al día las *Prácticas* publicadas los últimos años, completándolas sistemáticamente con algunos temas pendientes.

La edición de la obra estaba inicialmente prevista en otro ámbito, pero estando convencido de que los que más rendimiento pueden sacar de ella son nuestros amigos de los Ayuntamientos de toda España, hemos conseguido traerla a la Colección de monografías de El Consultor. Confiamos en que el éxito respalde nuestra intuición.

Fernando Castro Abella

Director de Publicaciones

Marzo 2013

Capítulo 1

Las potestades administrativas: significado y dinámica

Las potestades administrativas son poderes reconocidos expresamente por el Ordenamiento Jurídico, que atribuyen a las Administraciones Públicas, titulares de los mismos, una habilitación para desarrollar actuaciones ejecutivas específicas que produzcan efectos actuales o potenciales sobre los particulares y sus ámbitos de interés, en una esfera concreta y que tienen por objeto la satisfacción de los intereses generales. En este capítulo examinamos el régimen general de las potestades administrativas.

1. INTRODUCCIÓN

Las potestades administrativas pueden definirse como las prerrogativas que corresponden a la Administración pública para el cumplimiento de sus fines, y que le permiten ejercer sus funciones desde una posición de preferencia jurídica que se concreta en la sujeción, general o especial, de los particulares a los actos que dicta la Administración en ejercicio de estas potestades. La potestad administrativa es, en esencia, la manifestación en un ámbito específico de relaciones jurídicas del poder público genérico del que están investidos los poderes públicos, y constituye un elemento definitorio básico del estatuto de la Administración en cuanto sujeto del Derecho público. En definitiva, se trata de títulos de intervención que deben desarrollarse o ejecutarse para lograr las finalidades especialmente previstas por el Ordenamiento al establecerlos y caso de que no fueran aplicados, de este modo, los actos y disposiciones, a través de los cuales se canalizan, serán objeto de un vicio de desviación de poder.

La justificación de la exorbitancia, que supone atribuir a la Administración pública estas potestades, reside en la satisfacción del interés público al que, de modo inmediato, tiene que tender toda la conducta administrativa, por mandato del artículo 103 de la Constitución Española (CE) (1).

---

(1)   Artículo 103 CE «1. La Administración Pública sirve con objetividad los intereses generales y actúa de acuerdo con los principios de eficacia, jerarquía, descentralización y, desconcentración y coordinación con sometimiento pleno a la Ley y al Derecho.»

El concepto de potestad se delimita a través de su comparación con el derecho subjetivo dado que ambas figuras constituyen poderes jurídicos en tanto que facultades otorgadas por el Ordenamiento jurídico a determinados sujetos. Pero mientras que los derechos subjetivos se caracterizan por tener su origen en relaciones jurídicas concretas, consistir en una pretensión concreta y objeto específico y tener correspondencia con un deber atribuido a un sujeto obligado; la potestad no tiene su origen en ningún tipo de relación, pacto, negocio o acto singular, sino que tiene un carácter genérico y se refiere a un ámbito de actuación previamente definido por la Ley; además no consiste en una pretensión concreta, sino en una posibilidad general y abstracta de producir efectos de los cuales pueden surgir relaciones jurídicas particulares; en consecuencia puede decirse que la potestad no se corresponde con ningún deber sino que consiste en un mero sometimiento de los sujetos a soportar los efectos derivados del ejercicio de la misma; esta sujeción puede resultar ventajosa u desventajosa para los sujetos en función de que la potestad les genere un beneficio o, por el contrario, un gravamen. Por ello puede decirse que frente a la potestad no se encuentra un sujeto concreto gravado, sino que se da una situación de sometimiento que el ejercicio de la potestad es susceptible de generar. Es preciso subrayar que las potestades administrativas, no se originan en actos jurídicos determinados sino que tienen su origen en el Ordenamiento jurídico, es decir un origen legal y no contractual. En consecuencia son inalienables, irrenunciables e indisponibles y el titular de la potestad podrá ejercitarla o no; pero no puede trasferirla. La potestad es, asimismo, imprescriptible aunque su ejercicio pueda ser sometido a caducidad. Finalmente las potestades administrativas no son susceptibles de modificación por su titular sino que es preciso el concurso de la ley para alterarlas o extinguirlas.

2. CARACTERÍSTICAS GENERALES

El ejercicio de potestades administrativas siempre se encuentra condicionado por el respeto al principio de legalidad. El Tribunal Supremo tiene definida la potestad como una expresión de supremacía administrativa por razón del interés general (2), en consecuencia se trata de una figura jurídica que no debe con el privilegio o la derogación subjetiva singular del ordenamiento común que no tiene justificación en una finalidad objetiva superior (3). La potestad administrativa no puede existir sin habilitación previa regulada por el Ordenamiento jurídico; por ello, cualquier acción administrativa, para que sea válida, debe basarse en la previa habilitación normativa. En estos casos, el Ordenamiento jurídico atribuye a la Administración pública en cuestión, potestades concretas y, a su vez, la habilita, expresamente, para actuar, incluso en casos en que la actividad administrativa no sea, *stricto sensu*, manifestación del ejercicio de una potestad específica. Por

---

(2)   STS 20.3.1995.
(3)   STS 27.3.1986.

ello puede distinguirse entre potestades administrativas y derechos subjetivos de la Administración, que son ambas especies del género poder jurídico (4). Pero, como, acertadamente, ha declarado el Tribunal Constitucional tampoco deben confundirse las potestades administrativas con aquellos mecanismos privilegiados o exorbitantes que el Ordenamiento atribuye, para su ejercicio, a las Administraciones públicas titulares de aquellas; esto es, con las prerrogativas funcionales (5), de las que se sirven, dichas Administraciones, para actuar, efectivamente, las potestades; es el caso de figuras administrativas como, por ejemplo, la autotutela, sea declarativa o ejecutiva. No obstante, hay casos en que la diferencia entre la figura de la potestad y la de la prerrogativa es bastante difusa.

Con todo, puede decirse que, las potestades administrativas presentan unas características comunes:

a) Necesaria previsión normativa. La potestad normativa no existe sin regulación previa, por razón del principio de legalidad, salvo que entendiéramos que pueden existir potestades implícitas.

b) Generalidad y abstracción. La potestad administrativa no tiene origen en una relación jurídica concreta, sino que procede directamente del Ordenamiento jurídico. Asimismo, no consiste en una pretensión particular, sino en la posibilidad abstracta de desarrollar actuaciones gubernativas productoras de efectos jurídicos.

c) Ausencia, al menos inicial, de una posición concreta de sujeto obligado a su cumplimiento, semejante a la de las relaciones obligatorias civiles.

d) Vinculación plena al interés público de la Administración.

e) Obligatoriedad de ejercicio. Las potestades administrativas son de ejercicio imperativo para la administración titular de las mismas que no sólo puede, sino que debe ejercerlas, en tanto no concurra prescripción o caducidad del plazo para hacerlas efectivas en un caso concreto. Esto debe entenderse sin perjuicio de que se hayan sucedido intentos anteriores de ejercicio de la potestad que, por las razones que sean, hayan sido anulados en sede de revisión administrativa o judicial.

Se pueden señalar potestades administrativas específicas cuya cobertura está en la Ley; no obstante, la exigencia de ajuste estricto a la Ley (6) debe matizarse. Así, es posible que el legislador deje de regular minuciosamente determinada materia,

---

(4)   STS 20.12.1994.
(5)   STC 206/1993.
(6)   La Constitución Española proclama en su artículo 9.1 que «Los ciudadanos y los poderes públicos están sujetos a la constitución y al resto del ordenamiento jurídico». Por su parte el artículo 103.1 dispone que «La Administración Pública sirve con objetividad los intereses generales y actúa de acuerdo con los principios de eficacia, jerarquía, descentralización, desconcentración y coordinación con sometimiento a la Ley y al Derecho».

o bien que la propia Ley permita que la Administración complete, por vía reglamentaria, la acción del legislativo, siempre que ello no conlleve una innovación respecto de la Ley (7), o lo que es lo mismo, que la habilitación no siempre debe ser aprobada mediante una ley formal, sino que puede intervenir en ella la potestad reglamentaria de la Administración Pública.

f) Carácter indisponible e irrenunciable. Las exigencias del interés público que justifican la potestad administrativa implican que su actuación no puede encontrar límite en los convenios que la Administración haya concluido con los administrados. Por ello, no resulta admisible la disposición de la potestad administrativa por vía contractual (8), en relación con la potestad de innovación en el ámbito de la contratación pública. Por ejemplo, en materia de urbanismo la potestad de planeamiento, a través de convenios urbanísticos, sin perjuicio, como ha reconocido el Tribunal Supremo, de las consecuencias que en otros ámbitos como la responsabilidad por incumplimiento o la responsabilidad patrimonial, pueda desencadenar la eliminación de dichos convenios (9).

g) Intransmisibilidad. La Administración pública titular de la potestad no puede enajenar o transmitir la misma, sin perjuicio de poder emplear técnicas de alteración del ejercicio de la competencia para ejercerla. De acuerdo con ello, no resulta, técnicamente, posible que ciertos sujetos de Derecho privado actúen las potestades administrativas o incluso, participen en su ejercicio como mandatarios o delegados de la Administración titular, al menos en cuanto pueda suponer desarrollar funciones o actuaciones de poder público si bien existen algunos ejemplos que siguen un criterio contrario (10).

h) Territorialidad. Como consecuencia de su vinculación al ejercicio del poder público y su carácter de policía, las potestades administrativas sólo se pueden ejercer en el territorio propio de la Administración titular sea nacional, autonómica o local, a partir de hechos jurídicos producidos en dicho territorio o sobre sujetos vinculados o que tengan cierta conexión con el mismo. Lo cual, debe entenderse sin perjuicio de que sean ejecutables los actos derivados de la potestad ejercida

---

(7)   STS 20.12.1994.
(8)   STS 19.11.1991.
(9)   SSTS 20.12.1991 y 13.12.1992.
(10)   La normativa de la Comunidad Autónoma de Castilla-La Mancha prevé que la recaudación de los costes de urbanización sea asumida y gestionada por el agente urbanizador cuando la urbanización se realice por gestión indirecta. Es decir, tramitación de apremio administrativo por aquél (Ley 2/1998 de Castilla-La Mancha artículo 53.2 en redacción actual). Un supuesto similar sucede en la legislación de la Comunidad Autónoma de Canarias donde la entidad Gestión Recaudatoria de Canarias, S.A. (Ley 4/2001 de Canarias en su disposición. adicional. Segunda y el Decreto 27/2002 de Canarias), lo que conlleva el ejercicio de potestades administrativas por sociedades mercantiles sujetas a Derecho privado, aunque su capital social sea íntegramente público.

fuera de dicho ámbito territorial, por medio de la colaboración de otras administraciones públicas. En todo caso, el ejercicio de potestades administrativas fuera del territorio nacional no es posible, a salvo de su ejercicio en misiones diplomáticas, aeronaves o naves españolas.

i) Carácter fiduciario, en la medida en que no hay identidad necesaria entre el titular de la potestad —siempre una administración pública— y el beneficiario último de las consecuencias de su ejercicio, que puede ser un particular.

j) Inmodificabilidad por parte de la Administración pública titular. Para alterar los términos de la potestad administrativa no basta la voluntad de los sujetos implicados en su ejercicio, sino que es necesaria la alteración normativa previa y genérica.

k) No sujeción a transacción, ya en su contenido abstracto ya en las consecuencias de su actuación en casos concretos. Por ello, las potestades administrativas no pueden someterse a arbitraje, mediación u otros mecanismos similares de composición, salvo previsión legal concreta respecto de sectores específicos (11).

l) Objetividad, en el sentido, expresado por el Tribunal Supremo, de que la potestad no se ejerce para satisfacer una finalidad o intención subjetiva del titular del órgano que la actúa, sino el fin público al que atiende (12).

m) Posibilidad de ejercicio reiterado mientras esté abierto el plazo de prescripción, en su caso, al que se sujete su actuación, no obstante los intentos previos inválidos de aplicación de la potestad de que se trate, incluso la sancionadora. Como excepción se ha formulado, en el ámbito de la potestad tributaria, la denominada teoría del tiro único, según la cual el derecho a liquidar o comprobar valores por parte de la administración tributaria sólo puede ejercerse una vez; por lo que, si la administración no prueba el valor comprobado o no liquida correctamente, se extingue su derecho a tal liquidación o comprobación.

n) Carácter no ilimitado, especialmente las potestades de policía.

ñ) No sujeción, como regla, a imposición. En relación con las potestades relativas a la ordenación territorial y el urbanismo (13).

Todo lo anterior salvo de la potestad sancionadora en el ámbito tributario, cuyo ejercicio se haya abortado por caducidad procedimental, pues en tal caso no se puede incoarse otro procedimiento posterior por los mismos hechos (14).

---

(11)   LRJ artículo 107.2.
(12)   STS 19.5.1990.
(13)   STS 31.1.2005.
(14)   LGT Artículo 211.4

En la LGT se recoge expresamente en diversos supuestos la posible reiteración del ejercicio de la potestad (15).

En relación con el ejercicio reiterado de la potestad, el Tribunal Supremo ha considerado, en contra de lo anterior, que la anulación de un acto administrativo no significa en absoluto que decaiga o extinga el derecho de la administración tributaria a retrotraer actuaciones y volver a actuar, pues los actos administrativos faltos de motivación o viciados, son anulables (16). Sin embargo, la Administración no sólo está facultada para dictar uno nuevo en sustitución del anulado, sino que está obligada a ello, en defensa del interés público y de los derechos de la hacienda pública. No obstante, lo anterior debe modularse por fuerza de los principios de buena fe y equidad, pues la reiteración de anulaciones hasta que la administración acierte no puede decirse que sea lo más compatible con la tutela judicial efectiva que proclama la Constitución en su artículo art. 24 (17).

El contenido de las potestades administrativas no es ilimitado. Su actuación se ha de regir siempre por el principio de proporcionalidad y a sí lo recogen diversas normas de nuestro Ordenamiento que regulan esta figura (18) de forma que se contemplen los distintos intereses en juego, siempre que tengan relevancia bastante para merecer protección jurídica (19).

Es esencial al correcto ejercicio de las potestades administrativas su canalización mediante el correspondiente procedimiento administrativo, pues éste es el camino que ha de seguirse para la realización de la actividad jurídica de la administración (20). El procedimiento administrativo es garantía tanto de los derechos individuales como de orden de la administración y de justicia y acierto de sus resoluciones. Los trámites procedimentales han de ser entendidos como garantía para los administrados, para propiciar el acierto en las decisiones y como protección frente al ejercicio precipitado o desmedido de la potestad administrativa (21). El exceso en el ejercicio de la misma equivale a su ausencia, desde el prisma de la validez del acto producido (22).

---

(15)   LGT artículos 130 b, 133.1 d) y 139.1 b).
(16)   SSTS 29.12.1998 y 7.10.2000.
(17)   STS 27.12.1999.
(18)   Ley 7/1985 de Bases del Régimen Local que en su artículo 84.2 dispone que la actividad se ajustará, en todo caso, a los principios de igualdad de trato, congruencia con los motivos y fines justificativos y respeto a la libertad individual así como el Reglamento de Servicios de las Corporaciones Locales en su artículo seis.
(19)   STS 30.1.1987.
(20)   STC 227/1988.
(21)   STS 30.11.1993.
(22)   STS 16.11.1998.

En el actuar de las potestades no queda excluida, necesariamente, la consideración de la oportunidad, aunque normalmente, sea un condicionante meramente accesorio. Influye intensamente en el ejercicio de la potestad reglamentaria (23).

El sujeto afectado por el ejercicio de la potestad administrativa puede ser otra administración pública que se encuentre en una determinada situación de sujeción respecto de la actuante (24), lo que supone modular en ciertos aspectos la ejecución forzosa de los actos en los que se concreta aquélla.

3. RÉGIMEN JURÍDICO DE LAS POTESTADES ADMINISTRATIVAS

Nuestro ordenamiento jurídico carece de una definición positiva del concepto de potestad administrativa, y tampoco recoge una enumeración general y exhaustiva de las potestades que tiene atribuidas la Administración pública. No obstante, existen varios preceptos que permiten, al menos, perfilar el conjunto de potestades administrativas:

a) La propia Constitución contiene referencias a algunas de las potestades más características, como la expropiatoria (25) o la reglamentaria (26).

b) La Ley de Bases de Régimen Local, contiene una relación de las potestades propias de las entidades locales, que es en buena medida extrapolable a las demás Administraciones públicas de índole territorial. Las potestades a las que se refiere el citado precepto son las siguientes: reglamentaria, de autoorganización, tributaria y financiera, de programación o planificación, expropiatoria, de investigación, deslinde y recuperación de oficio de sus bienes, de ejecución forzosa, sancionadora, y de revisión de oficio de sus actos y acuerdos (27).

---

(23)   SSTS 16.5.1990 y 23.5.1995.
(24)   STS 26.7.2002.
(25)   Artículo 33 Constitución Española (CE).
(26)   Artículo 97 CE.
(27)   Ley 7/1985 de 2 de abril Reguladora de las Bases del Régimen Local, artículo 4:
       1. En su calidad de Administraciones Públicas de carácter territorial y dentro de la esfera de sus competencias, corresponden, en todo caso, a los municipios, las provincias y las islas:
       a) Las potestades reglamentaria y de autoorganización.
       b) Las potestades tributaria y financiera.
       c) La potestad de programación o planificación.
       d) Las potestades expropiatoria y de investigación, deslinde y recuperación de oficio de sus bienes.
       e) La presunción de legitimidad y ejecutividad de sus actos.
       f) Las potestades de ejecución forzosa y sancionadora.
       g) La potestad de revisión de oficio de sus actos y acuerdos.

c) Algunos estatutos de autonomía también se aproximan a la enumeración de las potestades propias de la Administración regional correspondiente (28).

Las Administraciones públicas de base territorial son las que pueden ejercer este conjunto de potestades administrativas, mientras que las Administraciones de índole institucional reciben de la ley la capacidad de ejercer sólo determinadas potestades, limitadas normalmente al ámbito material en el que desarrollan sus competencias (29).

La doctrina y la jurisprudencia han destacado diversos caracteres características de las potestades administrativas:

a) El ejercicio de potestades administrativas abarca subjetivamente toda la diversidad de órganos de las Administraciones Públicas en la extensión que a este concepto legal reconoce la ley.

b) La actividad administrativa puede consistir tanto en un hacer activo (30) como en una deliberada pasividad consistente en soportar (31) cuando, en el órgano administrativo competente, concurre una obligación específica de actuación positiva de conformidad con la reiterada jurisprudencia del Tribunal Supremo que se ha pronunciado en este sentido (32).

c) Aunque el terreno más apropiado para su desarrollo es el de la denominada actividad discrecional de la Administración, no hay obstáculo que impida de antemano su aplicación, pues si el vicio de desviación de poder es más difícil aislarlo en el uso de potestades o facultades regladas, no lo es menos el hecho de que nada se opone a la eventual coexistencia en los elementos reglados del acto producido para cubrir, precisamente, esa desviación de poder del la finalidad concreta a la que había asignado la norma de regulación.

d) Por lo que hace a la prueba de los hechos en estos casos y siendo bastante difícil de obtener una prueba directa, resulta viable a juicio del Tribunal Supremo acudir a la prueba de presunciones que exigen unos datos completamente acre-

---

h) Posteriormente puntualiza que lo dispuesto en este apartado puede ser aplicado a las entidades territoriales de ámbito inferior al municipal y a las comarcas, áreas metropolitanas y otras entidades locales.

(28) Por ejemplo el Estatuto de Autonomía de Canarias que en su artículo 41 dispone que en el ejercicio de sus competencias la Comunidad Autónoma gozará de las potestades y privilegios propios de la Administración del Estado (menciona entre otras: la potestad expropiatoria, los poderes de investigación, deslinde y recuperación de oficio, la potestad de sanción, etc.).

(29) Puede mencionarse por ejemplo la potestad sancionadora y tributaria de ciertas entidades públicas como la Autoridad Estatal de Navegación Aérea (AENA).

(30) Un «facere».

(31) Un «pati».

(32) SSTS 25.5.1999 y 5.4.2000 entre otras.

ditados, al amparo del artículo 1.249 del Código Civil, de la persecución de una finalidad diferente de la prevista en la norma y por ello estamos ante la figura de la desviación de poder.

e) Finalmente la necesaria constatación de que en la génesis del acto administrativo se detecta la concurrencia de una causa ilícita, reflejada en la disfunción manifiesta entre el fin objetivo que emana de su naturaleza y de su integración en el Ordenamiento jurídico y el fin subjetivo instrumental propuesto por el órgano administrativo que decide, se erigen como elemento determinantes para la estimación de la desviación de poder.

f) El Tribunal Supremo ha reiterado en numerosas ocasiones que, el vicio de desviación de poder, consagrado a nivel constitucional (33), precisa para poder ser apreciado que quien lo invoque alegue los supuestos de hecho en que se funde, los pruebe cumplidamente, no se funde en meras opiniones subjetivas ni suspicacias administrativas, ni tampoco se base en una oculta intención que lo determine (34).

Hay que tener en cuenta que es a través de las potestades administrativas como se materializa el denominado poder público el cual tiene su concreción jurídica en un conjunto de potestades singulares que se atribuyen a las Administraciones públicas por el Ordenamiento jurídico. La potestad administrativa atribuye un poder de actuación frente a ámbitos indeterminados de sujetos potencialmente sometidos a la misma y estos efectos jurídicos pueden consistir en gravamen de cuyo ejercicio surjan obligaciones, deberes, cargas o restricciones que convierte el poder público en situaciones jurídicas de exigencia concreta y específica.

La ley define y atribuye potestades a la Administración y la acción administrativa constituye el ejercicio de dichas potestades, ejercicio que crea, modifica, extingue o ejercita relaciones jurídicas concretas.

4. LÍMITES AL EJERCICIO DE LAS POTESTADES ADMINISTRATIVAS

El hecho de que las potestades se ejerzan en condiciones de supremacía jurídica por parte de la Administración titular de las mismas, esto es, en régimen de autotutela, no puede suponer, en modo alguno, que su ejercicio se halle exento de limitaciones.

Al contrario, las potestades administrativas han de ejercerse con estricto respeto a las siguientes limitaciones:

---

(33)   Artículo 106 CE.
(34)   SSTS 6.3.1992, 25.21993, 2.4.1993, 27.4.1993, 25.5.1999 y 5.4.2000.

a) Intrínseca, o endógenas, fundamentalmente el sometimiento de la actividad de ejercicio de la potestad de que se trate al fin para cuya satisfacción se confiere la potestad. La conculcación de este límite supone incurrir en el vicio de la desviación de poder (35), con las consecuencias asociadas a ello de acuerdo con lo previsto en la Ley 30/1992 (LRJ) (36).

b) Extrínsecas, o exógenas, fundamentalmente la vinculación a las normas jurídicas-sustantivas que regulan la atribución y ejercicio de la potestad (37), por un lado, y a las normas formales que disciplinan el procedimiento aplicable, que es el cauce por el que fluye la actividad de ejercicio de la potestad administrativa, por el otro; así como, finalmente, el respeto a los derechos de los particulares, toda vez que determinadas potestades administrativas suponen una agresión lícita a estos derechos, siempre que se ejerciten con arreglo a la ley (38).

5. CLASIFICACIÓN DE LAS POTESTADES ADMINISTRATIVAS

Las potestades administrativas pueden clasificarse atendiendo a diferentes criterios:

Según su grado de sujeción a la norma o de predeterminación por la misma, en potestades regladas y discrecionales, a partir de su incidencia sobre situaciones jurídicas preexistentes, se diferencia entre potestades de innovación y de conservación, en función del tipo de relación jurídico-administrativa en la que se encuentran los sujetos afectados por el ejercicio de las potestades, se distingue entre potestades de supremacía general y de supremacía especial y finalmente, atendiendo a la incidencia restrictiva o limitadora o a la ausencia de tal incidencia sobre la esfera jurídica o patrimonial de los administrados, se distingue entre potestades que limitan derechos subjetivos o intereses legítimos y potestades que no limitan los mismos.

A) Potestades regladas. Son potestades regladas aquéllas en las que, el margen de decisión entre opciones posibles, admitidas jurídicamente, es inexistente, de forma que el órgano competente ha de aplicar la única opción aceptable en Derecho, previa interpretación, en su caso, de la norma de cobertura del ejerci-

---

(35)   La desviación de poder constitucionalmente conectada con las facultades de control de los tribunales sobre el ejercicio de la potestad reglamentaria y legalidad de la actuación administrativa y el sometimiento de ésta a los fines que la justifican es definida en nuestro Ordenamiento jurídico como el ejercicio de potestades administrativas para fines distintos a los fijados por el Ordenamiento jurídico. Ver SSTS 25.5.1999 y 5.4.2000.

(36)   Cuyo artículo 63 regula la anulabilidad disponiendo que son anulables los actos de la Administración que incurran en cualquier infracción del Ordenamiento Jurídico incluso la desviación de poder. Sobre desviación de poder ver SSTS 25.5.1999 y 2.4.2000.

(37)   Es decir respeto a las exigencias del principio de legalidad.

(38)   Por ejemplo la potestad sancionadora o expropiatoria.

cio de la potestad, aun cuando ésta contenga conceptos jurídicos indeterminados (39). Una característica del ejercicio de las potestades regladas es la existencia de conceptos genéricos que no pueden llegar a mayor precisión, dejando un amplio margen de apreciación a la interpretación.

Este margen de apreciación se ha tratado de reducir a través de instrumentos doctrinales y jurisprudenciales como la denominada técnica de las tres zonas de la verdad, que diferencia en todo concepto jurídico indeterminado:

a)   Una zona de certidumbre positiva, que determina sin duda lo que entra en el concepto;

b)   Otra de certidumbre negativa, que excluye sin duda ciertos contenidos; y

c)   La zona de incertidumbre, a la que se restringe el margen de apreciación.

B) Potestades discrecionales. Son potestades discrecionales las que permiten al órgano competente la elección entre diversas opciones, todas admisibles en lo jurídico, siempre que no se incurra en arbitrariedad y en el bien entendido de que el ejercicio de la discrecionalidad administrativa ha de ir dirigido al cumplimiento del fin perseguido en la norma en que aquélla se fundamente (40).

Al respecto del otorgamiento y denegación de licencias de armas, se confiere a la administración competente una potestad discrecional en aras de la defensa de interés general e incluso del mismo solicitante, sometida al control jurisdiccional (41). Dicha potestad no se reduce a un mero control formal o de legalidad del acto, sino que alcanza a los hechos, datos y circunstancias que impidan a una determinada persona poseer un arma (42). La potestad ha de usarse en el sentido de comprobar la adecuación entre los hechos determinantes y la decisión tomada (43). Además este tipo de potestades está sometido a control judicial como veremos en números posteriores al completar el examen del régimen general de las potestades administrativas y abordar el análisis del régimen específico en que se concreta cada potestad.

---

(39)   Por ejemplo el interés público, la diligencia de un buen padre de familia o de un administrador diligente.
(40)   STS 7.5.1992.
(41)   SSTS 4.5.1990, 16.6.1992 y 15.1.1996.
(42)   STS 12.4.1995.
(43)   SSTS 29.2.1980, 8.3.1993 y 12.4.1995.

Capítulo 2

Las potestades administrativas: organización, planificación y autotutela

En este apartado examinamos las potestades administrativas concretas de organización, planificación y autotutela que son aquellas en las que se fundamenta la existencia y funcionamiento de las administraciones públicas. También examinamos el régimen de titularidad de las potestades administrativas y el control judicial de la discrecionalidad en el ejercicio de dichas potestades.

1. TITULARIDAD DE LAS POTESTADES ADMINISTRATIVAS

La titularidad de cada potestad administrativa no corresponde, necesariamente, a una sola administración pública, sino que, en ocasiones, existen titularidades compartidas de una misma potestad, lo cual se produce, normalmente, en los supuestos de confluencia de intereses de diverso alcance en el ejercicio de la misma; por ejemplo, la potestad de planeamiento urbanístico, titularidad que, se comparte entre los ayuntamientos, las Comunidades Autónomas y la Administración del Estado, en el caso de las ciudades autónomas de Ceuta y Melilla, dada la relevancia supramunicipal de los intereses implicados (1). Como consecuencia de ello, es la existencia de procedimientos bifásicos en la producción de los actos o disposiciones de que se trate, con una fase ante cada administración pública cotitular; también el litisconsorcio pasivo necesario en los procesos en los que se impugnen actos o disposiciones así aprobados y en caso de responsabilidad patrimonial, la imputabilidad a ambas administraciones de los perjuicios causados en el ejercicio de la potestad, incluso solidariamente (2).

2. CONTROL JURISDICCIONAL DE LA DISCRECIONALIDAD

El Tribunal Supremo tiene declarado que la revisión jurisdiccional de los actos discrecionales es perfectamente posible (3). Viene impuesta por el principio

---

(1)   STS 13.2.1992.
(2)   LRJ artículo 140 Responsabilidad concurrente de las Administraciones públicas.
(3)   Ver entre otras STS 20.2.1998.

según el cual la potestad de la Administración no es omnímoda, sino que está condicionada en todo caso por la norma general imperativa del cumplimiento de sus fines, al servicio del bien común y del ordenamiento jurídico. Por tal causa, el enjuiciamiento de actos discrecionales no puede detenerse en cuestiones relativas a la competencia y procedimiento sino que ha de adentrarse en el fondo, penetrando en la forma de ejercitarse la discrecionalidad, a través del control de los hechos sobre los que se mueve, así como también sobre su uso proporcional y racional, es decir que discrecionalidad no significa arbitrariedad (4), pues ésta implica actuación caprichosa, irracional e injustificada (5). En cualquier caso, la revisión jurisdiccional es de legalidad, no puede fundarse en consideraciones de otro orden, ya sean de carácter técnico, económico o social (6). El contraste jurisdiccional del ejercicio de estas potestades, además de sus elementos reglados, debe emplear todas o alguna de las siguientes técnicas:

a) Control a través de los hechos determinantes, es decir, de los presupuestos objetivos legalmente exigibles para que pueda realizarse por la administración la consecuencia jurídica contemplada en norma. Estos son tal como la realidad los exterioriza, sin que la Administración pueda alterarlos, aunque disponga de facultades discrecionales para su valoración. De esta forma, la decisión discrecional debe guardar coherencia lógica con los hechos, de suerte que cuando se aprecie una discordancia de la solución elegida con la realidad que constituye su presupuesto, se han de entender sobrepasados los límites de la discrecionalidad (7).

b) Enjuiciamiento a través de los Principios Generales del Derecho (8). Esto es aplicable incluso a la potestad reglamentaria, pues, entre los límites materiales del Reglamento, figura no sólo la Ley, sino también los principios generales del Derecho, que tienen prioridad sobre cualquier disposición administrativa; afirmándose como primero de esos principios el de congruencia o armonía del ordenamiento jurídico.

c) Control a través de la técnica de la desviación de poder. Se produce dicha desviación en el caso de ejercicio de potestades administrativas para fines distintos de los establecidos por el ordenamiento jurídico al reconocerlas (9); sean esos fines públicos y legales o particulares e ilegales (10). Tradicionalmente, se ha discutido que pueda tener lugar con ocasión del ejercicio de la potestad regla-

---

(4)   SSTS entre otras 13.6.1988 y 8.5.1998.
(5)   SSTS 15.12.1998, 27.5.2003 y 23.6.2003.
(6)   STS 20.2.1998.
(7)   SSTS 16.6.1989, 19.6.1996 y 6.2.1998.
(8)   SSTS 11.2.1991, 20.1.1992 y 15.3.1993.
(9)   LRJ artículo 63 y Ley 56/1998 LJCA artículo 83.
(10)   SSTS 11.11.1993 y 14.7.1995.

mentaria, siendo más propia del ámbito del acto administrativo; sin embargo, la jurisprudencia ha admitido reiteradamente dicha posibilidad (11).

La carga de la prueba de que existe desviación de poder corresponde a quien la alega, sin que pueda basarse en meras presunciones (12). Es decir, alegada la desviación de poder ésta ha de poderse objetivar y debe probarse con toda certeza que la Administración se apartó de la legalidad. No valen, al efecto, meras presunciones ni espaciosas interpretaciones del hacer administrativo. Aunque el ámbito natural del ejercicio desviado de potestades administrativas es el de las discrecionales, puede darse también el caso de las potestades regladas es el caso de la potestad sancionadora, con la peculiaridad de que en estas hipótesis es más difícil detectar y aislar el vicio (13).

Discrecionalidad técnica. La denominada discrecionalidad técnica impide la sustitución del criterio de la Administración por otro distinto, basado en la opinión subjetiva del recurrente, cuando, en una materia atribuida a la competencia de aquélla, no se demuestra la existencia de defecto que vicie el acto administrativo y con ello la presunción de legalidad que le es inherente.

No cabe sustitución en el ejercicio de la actuación administrativa especializada por parte de un órgano jurisdiccional. Lo contrario sería peligroso e ilegal (14). Especialmente, se niega la facultad de los órganos jurisdiccionales para sustituir la calificación de los órganos de selección o tribunales de oposiciones, salvo conculcación de norma, en procedimientos selectivos y de concurrencia competitiva, pues los tribunales de oposición gozan de aquella facultad discrecional y técnica, dificilísima de suplir, dada la especialización que le es propia, por un organismo jurisdiccional (15).

Al respecto hay que tener en cuenta las siguientes observaciones:

a) La discrecionalidad técnica de los órganos de la Administración tiene lugar en los casos en que aplican criterios resultantes de los concretos conocimientos especializados, requeridos por la naturaleza de la actividad desplegada por el órgano administrativo; criterios que escapan al control jurídico. Por ejemplo, análisis organoléptico de vinos por expertos catadores de los consejos reguladores de denominaciones de origen (16).

---

(11)   SSTS 28.10.1995 y 10.6.1997.
(12)   SSTS 5.5.1987 y 10.5.1995.
(13)   SSTS 8.11.1978, 26.12.2001.
(14)   STS 17.12.1986.
(15)   STS 28.5.1979.
(16)   STS 16.4.2002.

b) La modulación o limitación al principio de plenitud de control jurisdiccional sólo se justifica en la presunción de certeza o razonabilidad de la actuación administrativa, apoyada en la especialización y la imparcialidad de los órganos establecidos para realizar la calificación (17).

c) la presunción es destruible si se acredita la infracción o el desconocimiento del proceder razonable que se presume en el órgano calificador, bien por desviación de poder, arbitrariedad o ausencia de toda posible justificación del criterio adoptado o por patente error en el mismo (18).

d) El juicio técnico puede invalidarse en la medida en que no se encuadre en el marco legal vigente.

e) La facultad de los órganos judiciales de intervenir en las decisiones de las comisiones o tribunales calificadores es plena cuando se han infringido o inaplicado normas en las que todos los elementos son reglados; es el caso del procedimiento o la regulación de titulaciones, de modo que valoradas éstas expresamente en el baremo aplicable, sólo quienes las ostenten conforme a su régimen concreto podrán recibir la puntuación correspondiente a las mismas. Caso distinto es el de aquellas partes del baremo en la que los méritos no tienen una referencia normativa estricta, sino que su grado de valoración se encomienda al órgano calificador dentro de unos límites prefijados. Es aquí donde la discrecionalidad técnica despliega toda su eficacia.

Potestades de innovación y conservación: Las primeras implican el poder de alterar la situación jurídica o de hecho anterior al ejercicio de la potestad, tanto en el plano fáctico como en el jurídico (situaciones jurídicas, relaciones jurídicas, titularidades, negocios jurídicos, etc.). Las segundas pretenden precisamente lo contrario: conservar o mantener la situación jurídica o de hecho existente en un momento dado.

Potestades generales y especiales. Las potestades generales o de supremacía general inciden sobre sujetos sometidos a situaciones de sujeción general o administrados simples, es decir, personas físicas o jurídicas cuya dependencia de la administración pública no se basa en títulos de especial intensidad, sino en la genérica sumisión resultante de la nacionalidad, residencia o estancia un territorio determinado. Por ejemplo, la potestad sancionadora.

Las potestades especiales o de supremacía especial afectan a situaciones de sumisión intensa a partir de títulos específicos, no concurrentes en la generalidad de los administrados (19). Por ejemplo, la potestad disciplinaria.

---

(17)   Presunción que admite prueba en contrario (*juris tantum*).

(18)   Así lo tienen declarado el Tribunal Constitucional y el Tribunal Supremo STC 353/1993 y SSTS 5.11.1990 y 5.7.1993.

(19)   Funcionarios, reclusos, conesionarios, etc.

Potestades limitativas y no limitativas. Es nota común a la potestad administrativa el efecto, real o potencial, de restricción de derechos de los particulares, aunque no es un elemento natural de aquélla.

En cualquier caso, algunas potestades restringen o afectan, por necesidad, los citados derechos; otras, sólo eventualmente y, en todo caso, en una medida menor.

Como ejemplos de las primeras tenemos las potestades sancionadora y expropiatoria. Son ejemplo de las segundas, la potestad de autoorganización y la de deslinde de inmuebles propios.

Se emplea también el concepto de potestades de intervención, por las que debe entenderse las tendentes a restringir la esfera jurídica de los particulares, de afectarla en sentido negativo, bien mediante disposiciones normativas de índole reglamentaria, bien mediante actos administrativos, ajenos a toda relación contractual o insertos en ella, como en las relaciones concesionales. El ejercicio de una potestad también puede afectar restrictivamente, a la esfera jurídica de una administración distinta, como por ejemplo la expropiación forzosa de bienes patrimoniales de una administración pública efectuada por otra Administración de base territorial.

3. LA POTESTAD DE AUTOORGANIZACIÓN DE LAS ADMINISTRACIONES PÚBLICAS

La potestad de autoorganización es aquélla que permite a cada administración pública estructurar sus propios medios y servicios del modo que más conveniente resulte para el mejor ejercicio de sus competencias y la más adecuada satisfacción de sus fines. Cada administración tiene que decidir cómo articula los servicios públicos de su competencia (20).

De acuerdo con lo que establece la Ley 30/1992 de Régimen Jurídico de las Administraciones Públicas y del Procedimiento Administrativo común (LRJ) (21), corresponde a cada Administración pública delimitar, en su propio ámbito competencial, las unidades administrativas que configuran los órganos administrativos propios de las especialidades derivadas de su organización. Lo cual tiene unas consecuencias jurídicas entre las que pueden mencionarse las siguientes:

a) Las disposiciones generales de índole organizativa no se someten a dictamen consultivo ni a trámite de audiencia (22). Estas especialidades se basan en el hecho de que la norma orgánica, al no trascender la esfera jurídica interna de la

---

(20)   STS 10.6.2004.
(21)   Artículo 11 LRJ.
(22)   Ver Ley 50/1997 de 27 de noviembre, del Gobierno regula, en su artículo 24, el procedimiento de elaboración de los reglamentos.

Administración, no puede incidir sobre los derechos e intereses de terceros pues en este caso no hay más interesado que la propia Administración en su actividad de autoorganización.

b) En general, el fondo de decisiones adoptadas por la Administración pública en el ejercicio de su potestad de autoorganización no resulta susceptible de revisión judicial, en la medida en que el juez de lo contencioso-administrativo no puede sustituir el ánimo de organización de la Administración. Esta potestad se ejerce en condiciones de amplia discrecionalidad.

c) La Administración dispone de un margen amplio en lo que se refiere a la ordenación del modo en el que prestan servicios sus funcionarios, por ejemplo, a efectos de elaborar las relaciones de puestos de trabajo.

En todo caso, esta potestad no se ejerce de modo libérrimo sino que se somete a límites claros, tanto de orden interno, como el respeto al régimen de competencias de la Administración a la hora de organizar sus servicios, como de orden externo, como puede ser el respeto a los derechos adquiridos por parte del personal estatutario. Y sin perjuicio de la sujeción a los límites que, de modo general, constriñen el ejercicio de las potestades administrativas.

En particular, se ha considerado que pese a la extrema discrecionalidad que impera en este ámbito no puede considerarse que la potestad de autoorganización administrativa exceptúe la aplicación de las normas en materia de contratación del sector público, que habrán de aplicarse en lo que proceda cuando la Administración decida gestionar de modo indirecto los servicios de su competencia.

Hay que señalar que el mismo precepto dispone que la creación de cualquier órgano administrativo, exige el cumplimiento de ciertos requisitos:

— Delimitación de su forma de integración en la Administración pública de que se trate y su dependencia jerárquica. Delimitación de sus funciones y competencias.

— Dotación de los créditos necesarios para su puesta en marcha y funcionamiento.

Además no pueden crearse nuevos órganos que supongan duplicación de otros ya existentes si al mismo tiempo no se suprime o restringe debidamente la competencia de éstos.

La Ley 6/1997 de Organización y Funcionamiento de la Administración General del Estado (LOFAGE) define (23) lo que debe entenderse por órgano administrativo cuando dispone que tendrán la consideración de órganos las unidades a las que se

---

(23)   Artículo 5 LOFAGE.

les atribuyan funciones que tengan efectos jurídicos frente a terceros, o cuya actuación tenga carácter preceptivo. El órgano administrativo realiza, normalmente, sus funciones o potestades administrativas; porque las funciones o potestades se llevan a cabo a través de una organización administrativa. El órgano administrativo constituye el centro de imputación de la actuación administrativa y lo caracterizan, principalmente las notas siguientes:

a)   Su carácter discrecional en lo relativo a la organización administrativa con un límite preciso que es, que la organización cumpla las funciones a que está destinada con la mayor eficacia posible.

b)   La competencia organizativa no está limitada por hipotéticos derechos de los empleados públicos (24).

El artículo 11 LRJ recoge una serie de requisitos de obligado cumplimiento para la creación de cualquier órgano administrativo:

—   La norma de creación debe fijar las funciones y competencias del nuevo órgano.

—   Debe quedar determinada la forma la integración del órgano nuevo en la administración de que se trate: estatal, autonómica o local (25); además deberá concretarse si el órgano se crea con estructura unipersonal o colegiada; con facultades de gestión, consultivas o de control.

—   Debe dotarse de presupuesto, personal y una estructura adecuada a las competencias que debe llevar a cabo.

—   No hay reserva de ley para la creación de órganos administrativos, de manera que cada Administración puede delimitar en su propio ámbito competencial las unidades de administración propias de las especialidades derivadas de su organización (26).

—   La Constitución española establece que los órganos de la Administración del Estado son creados, regidos y coordinados de acuerdo con la ley (27), en este caso se refiere a la LOFAGE que enumera los órganos superiores y directivos de la

---

(24)   El Tribunal Supremo ha declarado que los hipotéticos derechos al cargo no pueden mermar las facultades discrecionales y soberanas de la administración para reorganizar o extinguir sus servicios, en suma para elaborar cuantas disposiciones se dicten sobre estructura orgánica, que el interés público o la economía del Tesoro reclame STS 12.11.1958.

(25)   En el caso de la primera habrá que adscribir el órgano a un departamento ministerial y dentro del ministerio a un Centro directivo concreto ubicándolo jerárquicamente en un lugar de organigrama ministerial.

(26)   Ver STS 23.9.2000.

(27)   Artículo 103.2 CE.

organización central (28); por otra parte La Ley 7/1985, de 2 de abril, de Bases del Régimen Local (LBRL) atribuye a la administración local la potestad de autoorganización (29) y la ley señala los órganos cuya creación y existencia es obligatoria y otros en que es potestativa además la organización puede estar jerarquizada administrativamente en servicios, secciones, negociados, etc. con áreas de competencia diferenciadas.

En definitiva en el campo de la Administración local, es una manifestación singular de la potestad estudiada la de autoorganización complementaria que corresponde a los propios municipios, singularizada respecto de la potestad reglamentaria local.

Comprende el establecimiento y regulación de la organización y de las relaciones en el ámbito interno, funcionalmente requeridas para el desenvolvimiento de la actividad cuya gestión autónoma se encomienda a la entidad local, dentro del marco que diseñan los principios de competencia, reserva de ley, legalidad y jerarquía normativa que articulan el carácter plural y complejo de nuestro ordenamiento.

En este sentido, se establece un modelo organizativo común y uniforme para las entidades municipales, a partir del cual, y con pleno respeto al mismo, las propias entidades locales pueden dotarse de una organización complementaria en virtud de los correspondientes reglamentos orgánicos (30).

Esto supone que los reglamentos locales gozan de la primacía derivada de la competencia que la Ley atribuye a las entidades locales, al margen de la específica jerarquía normativa. Pero la autonomía de las entidades locales, que lleva consigo un poder de autoorganización y de ejercicio de las potestades administrativas según opciones políticas propias no puede ignorar la primacía de las leyes estatales sobre los reglamentos aprobados por los entes locales. Los reglamentos orgánicos se someten también a la normativa autonómica de régimen local, con cuyo contenido se rellenan sus lagunas (31).

En las Comunidades Autónomas es su estatuto de autonomía y su propia legislación los textos en que se regula la capacidad de autoorganización.

Administraciones autonómicas. En el ámbito autonómico, a efectos del reparto de competencias constitucionales entre el Estado y las Comunidades Autónomas, la potestad de autoorganización, identificada con la competencia de libre organización propia, se considera exclusiva en éstas, en la medida en que se circuns-

(28)   Artículo 6 LOFAGE.
(29)   Artículo 4 LBRL.
(30)   STS 11.5.1998.
(31)   SSTS 24.9.1997, 26.9.1997 y 21.9.1998 y STC 214/1989.

© EL CONSULTOR DE LOS AYUNTAMIENTOS

criba exclusivamente a creación, modificación y supresión de órganos o unidades administrativos o entidades integrantes de las mismas (32). El Estado debe, por tanto, abstenerse de cualquier ingerencia al respecto. Sin embargo, fuera de dichas materias, el Estado puede producir principios y reglas básicas sobre aspectos organizativos aplicables a todas las administraciones públicas, incluso en lo referente a organización interna y funcionamiento (33). No obstante, las bases estatales son menos penetrantes en aspectos organizativos en los que no se afecta directamente la actividad externa de la administración, que en cuestiones en las que se da esta afectación, en las que el nivel de penetración de las bases puede ser mayor.

En relación con los órganos tasadores o valorativos regulados y creados por algunas comunidades (34), la creación de estos órganos es una manifestación de la potestad auto-organizatoria autonómica que no puede ubicarse en sede de competencia constitucional estatal sobre legislación expropiatoria, sino en régimen jurídico de las Administraciones públicas, encajando en las competencias autonómicas de desarrollo de las bases estatales sobre órganos colegiados (35).

La potestad de autoorganización es en definitiva el derecho de la administración a organizar, por su propia voluntad unilateral, los servicios a su cargo, en la forma que estime más conveniente a los intereses públicos. Comprende la configuración y ordenación de los órganos de mayor jerarquía, la distribución de los órganos menores, su ordenación y coordinación, así como la asignación de competencias a estos órganos.

No obstante, esta potestad no supone que la atribución de competencias pueda invadir esferas jurídicas de determinados individuos o colectivos en contra de lo dispuesto en la Ley. Así, por vía de atribución de competencias no se puede privar de derechos a los particulares ni contravenir las leyes, no siendo válida a estos efectos una invocación general de la potestad de autoorganización (36). La potestad de autoorganización se extiende tanto a la creación de órganos y organismos necesarios, así como a la de aquellos cuya creación no es necesaria, siempre que se considere que estos órganos van a coadyuvar a la consecución de interés público. La potestad se ha venido configurando como ampliamente discrecional; sin embargo, este criterio ha sido revisado, en la medida en que la organización administrativa puede afectar a terceros de manera directa e importante, en el sentido de puntualizar que la discrecionalidad que caracteriza la potestad de organización no significa en absoluto exención del control jurisdiccional (37). Por otra parte, se

(32)   SSTC 165/1986, 13/1988 y 227/1988.
(33)   SSTC 76/1983 y 50/1999.
(34)   Jurados territoriales de expropiación o semejantes.
(35)   Artículo 22 LRJ ver asimismo SSTC 251, 313, 314, 315 y 364 todas de 2006.
(36)   Ver STS 30.6.1993.
(37)   STS 10.10.1987.

ha precisado que la estructuración orgánica de la Administración pública, especialmente en períodos de transformación y modificación, debe inspirarse en los principios de coordinación y especialización funcional.

Dentro de la potestad de autoorganización se incluyen las relaciones profesionales de servicios retribuidos, que unen a los funcionarios públicos con la Administración. En lo relativo a las relaciones estatutarias en el seno de la administración, el funcionario no puede oponer más que los derechos que por consolidación hayan alcanzado la cualidad de adquiridos, limitados por la jurisprudencia a los de orden económico o al contenido de la función a realizar. En este sentido, sólo pueden oponerse los derechos adquiridos a título individual, de un funcionario en concreto, no de un cuerpo o colectivo funcionarial (38). En resumen, la facultad organizativa de la Administración pública comprende la regulación de los servicios de la forma que estime más conveniente, sin trabas derivadas del mantenimiento de formas de organización o de situaciones que pretenda superar e incluyendo la potestad de clasificar las escalas, cuerpos, relaciones de puestos de trabajo, etc., en atención a las funciones encomendadas (39).

La forma u organización precedente de la Administración de que se trate no supone un límite de esta potestad, dado que no toda reforma supone necesariamente menoscabo de los derechos adquiridos por los funcionarios, ya que las normas orgánicas y las condiciones en que han de prestar sus servicios no son inalterables; por otra parte la reorganización de servicios y de su estructura orgánica no supone ir en contra del principio de los propios actos, cuando atienda a consideraciones de orden económico o, simplemente, a los resultados de la experiencia. La regulación y ordenación del protocolo y precedencia de autoridades, también queda incluida dentro del ámbito de la potestad de autoorganización.

4. POTESTAD PLANIFICADORA

La potestad planificadora es una derivación específica de la reglamentaria. Por tal se entiende la potestad administrativa conferida a los órganos competentes para la aprobación del planeamiento de cualquier clase, fundamentalmente el relativo a la ordenación del territorio y el urbanismo, los recursos naturales, etc.

Se trata de una potestad especialmente intensa, en la medida en que supone no sólo la creación de normas jurídicas de validez general, sino también la determinación y definición del contenido de los derechos subjetivos patrimoniales inmobiliarios de los particulares y administrados, señaladamente, del derecho de propiedad.

---

(38)   STS 28.3.1984.
(39)   STS 13.4.1988.

Esta potestad se configura como esencial y profundamente discrecional (40), lo que supone que la administración goza de casi toda libertad para determinar la forma en que ha de quedar ordenado el territorio y cuales sean los destinos de los inmuebles. Esta potestad de planificación, programación o planeamiento consiste en la prerrogativa que permite a la Administración establecer directrices generales de ordenación de determinadas materias, que normalmente tienen dimensión económica y que se pueden referir tanto a las competencias de la propia Administración que planifica como a la actividad de los interesados. En definitiva, se trata, de una potestad que concreta, respecto de determinados ámbitos, la cláusula de planificación general de la actividad económica a que se refiere el artículo 131 de la CE.

Algunos de los ámbitos materiales en los que más importancia tiene la potestad administrativa de planificación son lo siguientes:

a)   Urbanismo y ordenación del territorio.

b)   Carreteras, puertos, aeropuertos y transportes terrestres.

c)   Energía.

d)   Protección y conservación de los espacios naturales.

Puede diferenciarse entre planificación general o sectorial y vinculante o indicativa, en función del ámbito del planeamiento administrativo y de los efectos del plan sobre la propia Administración que lo elabora y sobre terceros.

La titularidad de esta potestad corresponde siempre a las Comunidades autónomas y a las corporaciones locales. El Estado carece de título competencia sobre la misma (41), sin perjuicio de que pueda planificar territorialmente, a través de diversos instrumentos (que no son planeamiento territorial ni urbanístico), el ejercicio de sus competencias sectoriales, por ejemplo, carreteras o redes de comunicación, que inciden en el planeamiento territorial y urbanístico. La denominada discrecionalidad técnica del órgano planificador en materia de urbanismo no es susceptible de enjuiciamiento en su totalidad, de manera que la revisión judicial se concreta en el control de los elementos reglados, a la verificación de la existencia de un desacomodamiento legal o reglamentario, a la irracionalidad de la solución adoptada, a una desviación de poder o a una arbitrariedad (42). No obstante, en el planeamiento existen aspectos rigurosamente reglados. La carga de la prueba de la irracionalidad de la opción del instrumento corresponde a quien pretende su invalidación, como hecho constitutivo de su pretensión. Rige, además,

---

(40)   STS 21.9.1993.
(41)   STC 61/1997.
(42)   STS 2.1.1992.

una presunción de legalidad del planeamiento, para cuya destrucción se exige una clara actividad probatoria que deje seriamente probado el desacierto, error o irracionalidad de la Administración (43).

5. POTESTADES DE INVESTIGACIÓN, DESLINDE Y RECUPERACIÓN DE OFICIO

Se trata de las tres potestades en las que se concreta, en muy buena medida, la autotutela administrativa en materia patrimonial, pues constituyen prerrogativas exorbitantes que la Administración pública sólo puede ejercer respecto de sus bienes propios, y que le permiten:

a) Investigar el estado de los bienes y derechos que presumiblemente formen parte de su patrimonio, con objeto de determinar la titularidad de los mismos, cuando ésta no les conste de modo cierto, así como concretar la precisa situación en la que se encuentren.

La potestad de investigación suele ser previa al ejercicio de las potestades de deslinde o de recuperación de oficio, en función del resultado de la acción investigadora, y no tiene eficacia declarativa respecto de la propiedad sobre los bienes investigados.

b) Deslindar los bienes inmuebles de su patrimonio de otros pertenecientes a terceros, cuando los límites entre ellos sean imprecisos o existan indicios de usurpación.

El ejercicio de la potestad de deslinde de los bienes demaniales da lugar a la declaración de la propiedad de los bienes deslindados a favor de la Administración titular, y en el caso de los bienes de dominio público deja sin efecto las titularidades privadas que, por imperativo del artículo 132 de la CE, no caben sobre el demanio (44).

c) Recuperar, por sí misma, la posesión indebidamente perdida sobre los bienes y derechos de su patrimonio. El ejercicio de esta potestad, que se extiende sólo a la posesión material de los bienes, exige la previa acreditación de la posesión pública del bien y de la perturbación posesoria del mismo, que, además, debe quedar perfectamente delimitado, pues en caso contrario sería preciso acudir a la potestad de deslinde (45).

---

(43)   SSTS entre otras, 19.7.1994 y 15.11.1995.
(44)   STS 5.3.2004.
(45)   STS 13.2.2006.

Estas potestades se ejercen respecto de toda clase de bienes públicos, tanto patrimoniales como demaniales, tienen una marcada finalidad defensiva del patrimonio administrativo y cada una de ellas cuenta con un procedimiento específico.

La potestad de revisión de oficio permite a las Administraciones públicas proceder a la revisión de sus propios actos y disposiciones generales, siempre que los mismos adolezcan de nulidad, con objeto de expulsarlos del ordenamiento jurídico previo dictamen consultivo y de acuerdo con el procedimiento establecido al efecto.

Una modalidad específica de revisión de oficio es la declaración de lesividad, que afecta a actos administrativos favorables viciados de anulabilidad y que actúa como requisito previo para que la propia Administración impugne su acto ante los órganos de la jurisdicción contencioso-administrativa (46). En lo relativo a los límites de esta potestad, la LRJ dispone que las facultades de revisión no podrán ser ejercitadas cuando su ejercicio resulte contrario a la equidad, a la buena fe, al derecho de los particulares o a las leyes, por prescripción de acciones, por el tiempo transcurrido o por cualesquiera otras circunstancias (47).

---

(46)   Ver Artículo 103 LRJ.

(47)   Artículo 106 LRJ.

Capítulo 3

La potestad reglamentaria de las Administraciones Públicas

En este apartado se aborda el examen de la potestad reglamentaria y los reglamentos de la Administración. Con el nombre de potestad reglamentaria se denomina la capacidad legítima para establecer normas jurídicas con rango subordinado a la Ley en forma y bajo denominación de disposiciones generales, a las que, se encuentran vinculados tanto los poderes públicos como los ciudadanos, en virtud del principio de legalidad. La Constitución española atribuye, expresamente, esta potestad al Gobierno de la Nación y de manera implícita, a los órganos ejecutivos de las Comunidades Autónomas, así como a las entidades locales (1), convirtiendo a estas instancias no sólo en sujetos pasivos, sino, también, en sujetos activos del Ordenamiento. Por ello puede decirse que la potestad reglamentaria no tiene consideración de poder administrativo autónomo, sino que se sitúa entre los poderes emanados de la Constitución. También se examina, en el capítulo, la competencia para ejercicio de la potestad reglamentaria en concreto para inicio, tramitación y aprobación de las disposiciones reglamentarias de carácter general y examinando la iniciativa y sus requisitos y otras fases de la instrucción especialmente las condiciones del trámite de audiencia. Además de la regulación de la potestad reglamentaria en los ámbitos autonómico y local, también se analizan otros aspectos como el principio de inderogabilidad singular del reglamento, el de irretroactividad y demás límites a la potestad reglamentaria.

1. ÓRGANOS CON POTESTAD REGLAMENTARIA

La potestad de aprobar reglamentos puede ser originaria o derivada.

La potestad originaria corresponde al Gobierno de la Nación, a los órganos ejecutivos superiores de las Comunidades Autónomas y Comunidad Foral de Navarra, además de las Diputaciones forales de los Territorios Históricos del País Vasco, potestad que ejercen, estas últimas, mediante la aprobación de decretos forales (2).

---

(1)   Artículos 97 y 137 CE.
(2)   Los diputados forales de los Territorios Históricos del País Vasco gozan de potestad derivada, que se ejerce mediante órdenes forales.

La potestad derivada está subordinada a la originaria y se atribuye a los órganos subordinados a los que hemos indicado, fundamentalmente, a los ministros y a los consejeros de los Gobiernos autonómicos (3).

Dicha atribución, genérica o concreta, debe estar expresamente contemplada en una Ley o disposición reglamentaria originaria, en caso de reglamentos jurídicos (4). Sin embargo puede entenderse como implícita en caso de reglamentos administrativos (5).

La potestad de las entidades locales también ocupa una posición particular, siempre subordinada a la Ley estatal o autonómica.

En el ámbito de los organismos públicos, sujetos tanto a Derecho público como a Derecho privado, el ejercicio de la potestad reglamentaria debe limitarse a los aspectos jurídico-públicos.

También es importante diferenciar los decretos y las órdenes de las Diputaciones forales del País Vasco, que tienen carácter provincial, de los producidos en Navarra, cuya dimensión es equivalente a la autonómica.

Una variedad reglamentaria particular incluida la potestad reglamentaria es la de reglamentar orgánicamente instituciones, poderes u órganos a través de los denominados reglamentos orgánicos, potestad que siempre tiene naturaleza interna. También la elaboración de las llamadas normas tecnológicas, que son disposiciones de carácter técnico, que se suelen aprobarse por orden ministerial, al ser necesario un procedimiento expeditivo y un criterio técnico especial.

También son reglamentos con fuerza normativa, los pliegos de cláusulas administrativas generales que rigen contratos del sector público no así los pliegos de cláusulas administrativas particulares que carecen de naturaleza normativa.

Todo reglamento dictado sin respetar el principio de competencia, que regula las relaciones entre el ordenamiento estatal y los autonómicos es nulo de pleno derecho.

2. ELEMENTOS DEL REGLAMENTO ADMINISTRATIVO

Los elementos esenciales de todo reglamento son los siguientes:

a)   Legalidad y sumisión a los principios generales del Derecho (6);

---

(3)   Ver Ley 50/1997 del Gobierno artículo 41.1 y LOFAGE artículo 12.2.
(4)   Aquellos Reglamentos dictados en desarrollo de una ley y previstos expresamente por ella.
(5)   STC 13/1988 y SSTS 8.6.1990, 17.2.1998 y 15.4.1998.
(6)   Ver Código Civil artículo 1.4.

b)   Congruencia

c)   Adecuación de los medios a los fines.

Para que no se impongan sobre los particulares más requisitos o exigencias de las que sean necesarias para desarrollar la actuación reglamentada. No obstante hay que reconocer que la potestad reglamentaria goza de un amplio grado de discrecionalidad, y puede verse afectada en gran medida por criterios de oportunidad (7).

De acuerdo con estos criterios, carecen de naturaleza reglamentaria, es decir no son reglamentos, en sentido estricto:

a) Los reglamentos de las Cámaras parlamentarias estatales y autonómicas si bien constituyen una fuente especial de Derecho parlamentario equiparable a la Ley aunque diferente a ella (8).

b) Los reglamentos de la Unión Europea, constituyen fuente específica de Derecho Comunitario derivado que se imponen al ordenamiento interno, en caso de colisión.

c) Las instrucciones de servicio y circulares a las que se refiere la LRJ (9) y algunas normas autonómicas. Mediante las mismas, los órganos administrativos superiores pueden dirigir las actividades de sus órganos jerárquicamente dependientes, organizar internamente el servicio o imponer criterios de aplicación o interpretación administrativa de disposiciones y normas (10). Las circulares administrativas de ámbito interno que ni son reglamentos ni obligan a terceros, salvo que se trate de sujetos sometidos a relaciones de sujeción especial como los empelados públicos (11).

d) Los proyectos o planes de obras, o los proyectos de urbanización, que carecen de contenido normativo (12).

e) Las normas aprobadas por las corporaciones de base privada que constituyen la Administración corporativa, en ejercicio de la potestad auto-normativa, en caso

---

(7)   STS 3.11.1987.
(8)   Artículo 161 CE y Ley Orgánica 2/1979 del Tribunal Constitucional, artículo 27.
(9)   Artículo 21. LRJ *Instrucciones y órdenes de servicio*. 1. Los órganos administrativos podrán dirigir las actividades de sus órganos jerárquicamente dependientes mediante instrucciones y órdenes de servicio.
(10)   Diferentes de estas son las Circulares procedentes del Banco de España y otros organismos de administración económica, como la Comisión Nacional del Marcado de Valores, cuya fuerza normativa, en ese ámbito, es evidente y así ha sido destacada por la jurisprudencia; ver SSTS 17.12.1997 y 16.11.1999.
(11)   STS 9.4.1992.
(12)   STS 17.3.1998.

de que se reconozca expresamente por la Ley, que sólo de manera relativa pueden equipararse a la potestad reglamentaria.

f) Las Relaciones de Puestos de Trabajo (RPT) son los instrumentos básicos a través de los cuales las Administraciones públicas ordenan al personal de acuerdo con las necesidades de los servicios y expresión de los requisitos exigidos para su desempeño describiendo los caracteres esenciales de cada puesto. Si bien tradicionalmente se han considerado actos de naturaleza plural, la jurisprudencia se ha consolidado en cuanto a considerarlas muy próximas a las disposiciones generales, con contenido normativo (13).

g) no son admisibles reglamentos en materia civil, tanto porque el Derecho privado constituye un sector no administrativizado, y dada la existencia de reserva de Ley implícita en materia de propiedad y libertad, salvo casos de delegación legislativa.

Las instrucciones y órdenes de servicio se definen por las características siguientes:

a)   No es obligatoria su publicación, sin perjuicio de que, cuando una disposición especifica así lo establezca o se estime conveniente por razón de los destinatarios o de los efectos que puedan producirse, se publiquen en el periódico oficial que corresponda.

b)   Carecen de fuerza normativa general basándose en la jerarquía superior del órgano que las dicta y en su potestad de dirección. Por ello, sólo vinculan a los subordinados de aquél, nunca a otros órganos, unidades, ni a terceros.

c)   El incumplimiento de las órdenes o instrucciones de servicio no afecta por sí solo a la validez de los actos dictados por los órganos administrativos, sin perjuicio de la responsabilidad disciplinaria en que pueda incurrir el responsable.

d)   Sólo en casos excepcionales pueden considerarse manifestación de la potestad reglamentaria.

e)   En algunos casos, contienen reglamentaciones encubiertas. En dichos supuestos, son normalmente declaradas nulas de pleno derecho (14).

f)   No se someten al procedimiento específico de aprobación de disposiciones generales (15).

---

(13)   SSTS 14.12.1990, 11.3.1994, 25.4.1995.
(14)   STS 24.4.1998.
(15)   STS 26.5.1962.

g) Su tratamiento procesal, a efectos de recurso, es el propio de los actos administrativos, no el de las disposiciones reglamentarias.

3. CARACTERÍSTICAS DEL REGLAMENTO

La relación entre el reglamento y la ley parte del principio de la subordinación en rango y funcionalidad de aquél respecto de ésta, diferenciando entre la norma básica de las cuestiones fundamentales, que siempre corresponden a la ley, y las normas secundarias, necesarias para la puesta en práctica de la ley, que corresponden al reglamento.

El reglamento, como complemento de la ley, puede explicitar regulaciones que en la ley se encuentren, meramente, anunciadas o aclarar preceptos de la ley que sean imprecisos. Puede también comprender las reglas precisas que permitan la correcta práctica de la ley (16).

No puede, en cambio, contener mandatos nuevos respecto de la ley, así como tampoco establecer excepciones al régimen legal sin habilitación normativa específica, ni definir los derechos subjetivos ni los deberes y requisitos necesarios para ser titulares de los derechos (17).

El reglamento no puede tampoco entrar a regular materias reservadas a la ley, so pena de nulidad. Esto es lo que se conoce como reserva de ley, que puede ser material o formal (18). Cualquiera de ellas excluye, en principio, la regulación reglamentaria: La primera por imperativo de la Constitución y la segunda por aplicación del principio de jerarquía normativa. Lo cual no impide, sin embargo, la colaboración del reglamento en aspectos reservados, siempre con respeto al contenido de la ley. Tampoco impide, respecto de los supuestos de reserva formal, la deslegalización o degradación legislativa.

No es función del reglamento hacer declaraciones programáticas sobre el sistema de fuentes, por ser una materia propia de la ley. Por otra parte, en cuestiones civiles y mercantiles, el reglamento sólo puede intervenir con previa habilitación específica, no meramente genérica. Igualmente la precisan los reglamentos que regulen sectores imponiendo gravámenes a terceros.

Además a través de la potestad reglamentaria no cabe alterar de hecho la regulación de las relaciones jurídicas establecida por norma legal. El reglamento no es el intérprete de la ley.

---

(16)   STS 11.6.1991.
(17)   STS 20.5.1992.
(18)   Ver CE artículo 9.3 y LRJ artículo 62.

No debe olvidarse que las disposiciones reglamentarias pueden contener normas básicas, en sentido constitucional.

La deslegalización es una técnica excepcional que debe aplicarse con gran dosis de precaución, incluso imponiendo condiciones o modalidades que impidan que pueda producirse una deslegalización en blanco. Dado que constituye una transferencia indefinida de competencia al poder ejecutivo, hasta su agotamiento o revocación. A diferencia de la simple delegación legislativa, que se agota en su cumplimiento (19).

La deslegalización o se presume, debe estar expresa e inequívocamente regulada. Por otra parte hay que tener en cuenta que no es posible deslegalizar en aspectos sometidos a reserva material de ley (20). No es posible deslegalizar una materia a través de Real Decreto-Ley para posteriormente someterla a regulación reglamentaria.

La regulación de las relaciones jurídicas procesales no es deslegalizable, Tampoco es posible crear, mediante la deslegalización, enclaves reglamentarios en la ley; ni acogerse, tras la vigencia de la Constitución, a deslegalizaciones preconstitucionales para regular materias reservadas constitucionalmente a la ley. Relación entre el reglamento y los actos administrativos. Las categorías de reglamento (21) y de acto administrativo son radicalmente opuestas. Los reglamentos son ajenos al régimen jurídico de los actos y resoluciones administrativas, sin perjuicio de que, en algunos aspectos, éste pueda extenderse a los mismos.

La distinción entre ambas categorías se expone en los números siguientes, tomando como criterios diferenciadores su contenido materia y el tratamiento procesal que reciben unos y otros.

4. DIFERENCIAS MATERIALES ENTRE ACTO Y REGLAMENTO

En relación con el contenido material cabe destacar las siguientes diferencias entre reglamento y acto administrativo.

a) Los reglamentos participan de la abstracción y generalidad propias de toda norma jurídica, en cuanto se dirigen a una pluralidad indeterminada de sujetos de derecho y regulan una pluralidad de situaciones jurídicas.

b) En cuanto que son disposiciones generales, los reglamentos gozan de carácter estable, integran el Ordenamiento, y tienen vocación de permanencia, a diferencia de los actos administrativos, que pueden agotarse con su ejecución. Es

(19)   Ver CE artículos 82 a 85.
(20)   STC 83/1984.
(21)   O disposición general.

principio comúnmente admitido el de la vigencia indefinida de las disposiciones generales, salvo que se disponga expresamente lo contrario. En algunos ámbitos (22) dicha vigencia indefinida se proclama en la mayoría de las leyes vigentes, estatales y autonómicas.

Las disposiciones son instrumentos de ordenación, caracterizados por la generación de normas susceptibles de aplicación posterior o futura (23), frente a los actos administrativos que son actos ordenados basados en la consunción (24).

c) El deber de motivar es predicable, cuando concurre, de los actos administrativos, no de las disposiciones generales, salvo en materia de planeamiento urbanístico y territorial —a través de la memoria— o cuando lo exija alguna disposición aplicable.

d) Los reglamentos no precisan de notificación individualizada para ser eficaces, sino que son objeto de publicación en periódicos oficiales, quedando sujetos a *vacatio legis* (25). Sin embargo, de forma excepcional, algunas disposiciones generales de carácter sectorial deben ser notificadas individualmente (26).

Las ordenanzas locales y el planeamiento urbanístico, es decir las normas urbanísticas contenidas en los planes, constituyen supuestos especiales de publicación y *vacatio legis*, pues se publican en el correspondiente Boletín oficial de la provincia y no entran en vigor hasta que no se haya publicado completamente su texto y haya transcurrido el plazo de quince días naturales. Esta regla tiene aplicabilidad general (27).

e) Los reglamentos pueden ser modificados, derogados y sustituidos libremente, sin perjuicio, en su caso, de las oportunas indemnizaciones, mientras que los actos administrativos de revocación limitada sólo admiten alteración en determinados supuestos.

f) La ilegalidad del reglamento, tanto por vicio sustantivo como formal, siempre entraña vicio de nulidad de pleno derecho, al suponer lesión del principio de jerarquía normativa, mientras que el acto administrativo se somete a la regla general de anulabilidad, salvo que concurra uno de los vicios previstos en la Ley (28).

En relación con los vicios formales, la especial importancia del respeto al procedimiento en la elaboración de disposiciones generales, intensificada respecto

---

(22)   Instrumentos de ordenación.
(23)   STC 147/1998.
(24)   SSTS 16.2.1998 y 9.3.1998.
(25)   Código Civil artículo 2.1.
(26)   STS 19.12.1995.
(27)   Ver artículos 65 y 79 Ley de Bases de Régimen Local.
(28)   En el artículo 62 de la LRJ.

de los actos, determina la nulidad radical de aquéllas por el concurso de los mismos (29).

g) Los reglamentos vinculan a la Administración en la producción de actos administrativos y a los particulares, como afectados por el reglamento de que se trate. El efecto vinculante de las disposiciones generales sólo cede (a lo sumo y excepcionalmente en casos de fuerza mayor (30); en supuestos expresamente previstos por la legislación. Por ejemplo, la normativa urbanística, en caso de obras y usos provisionales en suelo urbanizable incluido en ámbitos de próxima urbanización (31).

h) Los reglamentos no admiten dispensa (32), dado que se encuentran sujetos a la regla de inderogabilidad singular. La propia LRJ establece, además, que las resoluciones administrativas de carácter particular no pueden vulnerar lo establecido en una disposición de carácter general, aunque aquéllas tengan igual o superior rango a éstas (33).

i) La competencia para la aprobación de las disposiciones generales no puede ser objeto de delegación interorgánica. Se prohíbe con alcance absoluto la delegación de la competencia para adoptar disposiciones de carácter general (34). No sucede lo mismo en relación con la delegación intersubjetiva. Así, en el ámbito urbanístico se aplica con profusión en relación con la aprobación del planeamiento.

En relación con el planeamiento urbanístico, es discutible si la prohibición de delegación interorgánica debe extenderse sólo a la aprobación definitiva de los planes, o si también afecta a las aprobaciones inicial y provisional. En nuestra opinión, debe hacerse una interpretación que tenga en cuenta la excepcionalidad de la delegación, como técnica de alteración del principio según el cual la competencia se ejerce siempre por el órgano que la tenga atribuida como propia (35). Según este criterio, no cabría la delegación competencial en ningún caso.

j) El contenido de los reglamentos (36) debe fijarse siempre por la administración competente, de forma que no es posible su fijación en sentencia por parte

(29)   STS 1.12.1986.
(30)   Como por ejemplo, en el ámbito de la ordenación territorial de Aragón se establece que en caso de desastres naturales o situaciones de emergencia, pueden llevarse a cabo las actuaciones que sean precisas para remediar tales situaciones de necesidad, sin necesidad de sujetarse a las previsiones contenidas en los instrumentos de ordenación territorial (Ley 11/1992 de la Comunidad Autónoma de Aragón).
(31)   STS 24.6.1994.
(32)   Reservas de dispensación.
(33)   Artículo 52.2. LRJ.
(34)   Artículo 132 LRJ.
(35)   Artículo 12 LRJ.
(36)   Y dentro de ellos las determinaciones de los planes de ordenación urbanística y territorial.

del órgano judicial que conoce de un recurso contencioso-administrativo directo contra una disposición general. Así, en contra de lo que sucede en relación con los actos administrativos, el fallo estimatorio del recurso debe limitarse a la declaración de invalidez, sin ninguna otra declaración o pronunciamiento.

Tampoco puede compelerse, judicialmente, a la Administración pública a la aprobación de un reglamento, dada fundamentalmente, la ligazón de la potestad reglamentaria con la función política del Gobierno (37).

k) Las disposiciones administrativas de carácter general procedentes de la Administración General del Estado, no sólo aquéllas cuya aplicación pueda suponer un aumento de gasto o una disminución de los ingresos públicos, deben incluir entre los antecedentes y estudios previos una memoria económica en la que se pongan de manifiesto, debidamente evaluados, cuantos datos resulten precisos para conocer las posibles repercusiones presupuestarias de su ejecución.

l) Las disposiciones generales no son susceptibles de recurso administrativo de alzada o equivalente, sino que su impugnación jurisdiccional debe ser siempre inmediata. Tampoco son susceptibles de recurso potestativo de reposición. En general, se establece que contra las disposiciones administrativas de carácter general no cabe recurso en vía administrativa (38).

En cambio, los actos de aplicación de los reglamentos sí son susceptibles de recurso administrativo (39), salvo que agoten la vía administrativa por la jerarquía del órgano que los dicte (40), por disponerlo así una norma o por ser el recurrente una entidad pública, en cuyo caso, nunca cabe recurso administrativo. En tales supuestos, si el recurso se funda, únicamente, en la ilegalidad del reglamento, cabe interponerlo directamente ante el órgano que dictó dicha disposición.

m) Las disposiciones generales y, en cuanto tales, los reglamentos quedan sometidos en su procedimiento de aprobación, que es especial, a los trámites de audiencia y de información pública, so pena de invalidez. No así, necesariamente, los actos administrativos.

n) El reglamento desempeña, en definitiva, una función legitimadora de la actuación de la Administración, por cuanto, en numerosas ocasiones, la previa aprobación de aquél es imprescindible para la producción de actos administrativos. En caso contrario, estos podrían estar viciados de nulidad por falta total y absoluta del procedimiento establecido (41).

---

(37)   SSTS 16.1 1998 y 8.6.1998.
(38)   Artículo 107 LRJ.
(39)   Así se exige para su impugnación posterior en sede judicial.
(40)   Caso en que se admite recurso potestativo de reposición.
(41)   STS 15.6.1987.

No obstante, cuando el impugnante es una Administración pública puede deducirse, potestativamente, el requerimiento de derogación o anulación previo al recurso contencioso. Igualmente, las disposiciones generales se someten a los procedimientos de revisión de oficio por vicio de nulidad (42).

5. TRATAMIENTO PROCESAL DE ACTOS Y REGLAMENTOS ADMINISTRATIVOS

Con respecto al tratamiento procesal, pueden enumerarse las siguientes diferencias entre los reglamentos y los actos administrativos:

a) La impugnación jurisdiccional de los reglamentos, en cuanto a disposiciones generales, se realiza siempre ante el orden jurisdiccional contencioso-administrativo, sin perjuicio de que, perjudicialmente, puedan valorarse cuestiones relativas a los mismos, al único efecto del proceso pendiente ante ellos, por tribunales de otros órdenes (43).

b) La competencia objetiva (44) para conocer de recursos judiciales contencioso-administrativos contra disposiciones generales corresponde siempre a órganos colegiados: salas de lo contencioso-administrativo del Tribunal Supremo, de la Audiencia Nacional o del Tribunal Superior de Justicia de la Comunidad Autónoma donde radique el órgano que apruebe la disposición. Carecen de competencia al respecto los juzgados provinciales y centrales de lo contencioso-administrativo (45).

c) La legitimación activa es igual a la exigida para la impugnación de actos administrativos, a diferencia de la regla pre vigente que limitaba la legitimación para el recurso contencioso contra disposiciones generales. Sin embargo, la legitimación es pública en determinados ámbitos muy significativos. Ejemplo de legitimación pública es la que se exige, por ejemplo, para demandar ante los órganos administrativos y judiciales la observancia de la legislación urbanística, así como los planes, programas, proyectos, normas y ordenanzas. En estos casos rige la acción popular, lo que supone que cualquier ciudadano puede impugnar el plan o instrumento una vez publicado.

El hecho de que se reconozca legitimación a los particulares para impugnar los reglamentos no implica que exista acción pública, salvo en materias específicas, como el urbanismo. Es preciso, por tanto, interés legítimo que se derive directa o

---

(42)   Artículos 44 y 102 de la Ley 29/1998 reguladora de la Jurisdicción Contencioso-Administrativa (LJCA).
(43)   Ver al respecto artículo 10 de la Ley Orgánica del Poder Judicial.
(44)   Clase o tipo de órgano judicial.
(45)   Artículos 8. 10, 12 y 13 LJCA.

indirectamente de la norma, que sea actual, no futuro (46) y que sea personal y concreto (47). Por otra parte, no cabe identificar el interés con cualquier ventaja o utilidad jurídica derivada de la reparación que se pretende a través del recurso (48).

d) Cuando se trate de impugnar disposiciones en cuya aprobación participan dos administraciones diversas (49), la legitimación pasiva corresponde a ambas como partes principales, sin que ninguna tenga simplemente la condición de coadyuvante o parte accesoria (50). Debe tenerse en cuenta que en la vigente legislación procesal (LJCA) no se recoge expresamente la figura del coadyuvante.

e) El procedimiento siempre es el ordinario. Su cuantía es indeterminada por lo que siempre cabe recurso de casación por razón de la misma, aunque limitadamente. Es siempre preferente en la tramitación y resolución, salvo excepción motivada (51).

f) En lo que se refiere a la postulación, para impugnar reglamentos, siempre es preceptivo conferir la representación procesal a procurador colegiado, en virtud de poder bastante, y la dirección técnica a letrado igualmente colegiado, en la medida en que se actúa ante órganos colegiados (52). Para recurrir actos administrativos, cuyo enjuiciamiento corresponda a órganos judiciales unipersonales, sólo es preciso el concurso de procurador en caso de recurso ordinario de apelación, en primera o única instancia y es necesario actuar mediante letrado con poder bastante al efecto.

g) Los reglamentos son susceptibles de recurso contencioso-administrativo, con procedimiento siempre en única instancia, que puede ser:

– Directo: contra el reglamento; o

– Indirecto: contra los actos de aplicación del mismo o disposiciones de desarrollo (53).

---

(46) Pues en otro caso, la mera invocación de que en el futuro un sujeto pueda encontrarse afectado por la norma, convertiría el mero interés particular en interés objeto de acción pública.
(47) SSTS 14.3.1997 y 17.7.1998.
(48) STC 92/1991 y 195/1992.
(49) Por ejemplo en la aprobación de planes generales municipales de ordenación urbana participan la Administración Autonómica y la Administración Local.
(50) STS 20.3.1990.
(51) Ver LJCA artículos 42 a 77.
(52) LJCE artículo 23.
(53) SSTS 2.12.1996 y 18.7.1997.

No cabe oponer en el recurso jurisdiccional la excepción de acto consentido y firme en relación con la disposición general de que se trate (54).

h) En recursos directos contra los reglamentos, salvo que sean de competencia objetiva del Tribunal Supremo, siempre cabe recurso de casación, siendo aquellos de cuantía indeterminada (55).

Sin embargo, cuando se recurra la sentencia dictada por un Tribunal Superior de Justicia, se trata de una casación limitada, en tanto en cuanto debe fundarse, necesariamente, en infracción de precepto constitucional (56) o de norma jurídica estatal o comunitaria europea que haya sido alegada en el proceso o considerada en el fallo. No cabe recurso fundado en otros motivos (57) ni tampoco cuando la infracción normativa sea de norma autonómica. En este último caso tampoco cabe recurso de casación en unificación de doctrina; sólo es posible interponer, en tal caso, recurso de casación en interés de ley ante el Tribunal Superior de Justicia de la comunidad autónoma. No cabe recurso de casación en recursos contenciosos indirectos (58). Sin embargo, sí cabe recurso contra la sentencia que resuelva con estimación o desestimación una cuestión de ilegalidad, siempre que la disposición general discutida provenga del Estado. Si tienen otra procedencia, será preciso que haya infringido Derecho estatal o comunitario europeo y así se haya considerado en el fallo, de modo determinante (59).

El recurso indirecto, no puede fundarse en vicios o defectos procedimentales, en la medida en que estos no producen, en general, nulidad radical de la disposición aplicada por el acto recurrido (60). Tales vicios no sólo alegables en el recurso directo contra el reglamento.

i) Es regla general que no cabe invocar, en recurso directo, como causa de invalidez de las disposiciones generales, un defecto o vicio en el procedimiento de elaboración que no perjudique el concreto interés de la parte que lo invoca, salvo que constituya una causa de nulidad contemplada en el artículo sesenta y dos LRJ (61). Sin embargo, es dudoso que esta regla sea aplicable a los planes e instrumentos de ordenación, dada la implicación plena del interés general en el campo urbanístico y la legitimación pública existente al respecto.

---

(54)   SSTS 13.4.1994 y 29.7.1994.
(55)   Artículo 42 LJCA.
(56)   Artículo 5.4 Ley Orgánica del Poder Judicial.
(57)   Abuso, exceso o defecto de jurisdicción, incompetencia o inadecuación de procedimiento, quebrantamiento de las formas esenciales del juicio con resultado de indefensión.
(58)   Artículos 86 y 101 LJCA.
(59)   SSTS 16.12.2004 y 7.11.2005.
(60)   STS 11.3.1989.
(61)   STS 16.2.2000.

j) Los reglamentos están sujetos a la denominada cuestión de ilegalidad; no así los actos administrativos. Este aspecto consiste en un asunto de la cuestión de inconstitucionalidad (62).

Cuando un juez de lo contencioso-administrativo, o un tribunal de dicho orden, dicte en un recurso indirecto una sentencia estimatoria, por considerar ilegal la disposición aplicada, debe plantear necesariamente (63) cuestión de ilegalidad en el plazo de cinco días hábiles desde la firmeza de la sentencia ante el tribunal competente para conocer del recurso directo contra el instrumento o disposición.

En todo caso, la sentencia que resuelva el procedimiento especial de cuestión de ilegalidad no afecta a la situación jurídica concreta del recurso inicial.

En caso de que el órgano competente para conocer de un recurso indirecto lo fuera también para conocer del recurso directo, la misma sentencia ha de declarar la invalidez del precepto o preceptos de la disposición o instrumento.

Por su parte, cuando el Tribunal Supremo conozca en cualquier grado de un recurso indirecto, contra un acto de aplicación de un reglamento, debe declarar nulo el precepto o preceptos contrarios a la Ley, sin necesidad de plantear cuestión de ilegalidad (64).

k) Los reglamentos han de ser inaplicados por cualquier juez o tribunal de cualquier orden jurisdiccional en caso de que resulten contrarios a la Constitución o a la Ley.

l) Los reglamentos deben ser objeto de aplicación de oficio, en defecto incluso de invocación por las partes en un proceso jurisdiccional;

El órgano judicial puede apartarse de lo argumentado por las partes en relación a una disposición general, con base en la libertad dialéctica en el planteamiento de la tesis, quedan excluidos de prueba, conforme al principio de que sólo son objeto de la misma los hechos y no el Derecho; sólo las disposiciones generales de Derecho extranjero tienen que ser probadas ante los tribunales españoles, siempre que se suscite la cuestión en un proceso civil. El principio *iura novit curia* no rige en casación, pues no es misión del órgano judicial en el seno de este recurso extraordinario, la investigación y búsqueda de la disposición aplicable, sino e juicio casacional sobre la resolución recurrida (65).

m) Dada la naturaleza normativa del reglamento, en caso de impugnación jurisdiccional y solicitud de suspensión, no es probable que se obtenga en pieza

---

(62)   Artículo 35 a 37 de la Ley Orgánica del Tribunal Constitucional.
(63)   Por medio de Auto.
(64)   Artículo 27 LJCA.
(65)   STS 28.1.1995, 29.11.1997 y 23.3.2000.

separada o incidente cautelar una resolución judicial de suspensión cautelar de la efectividad del reglamento recurrido. En cualquier caso, la inaplicación del precepto o preceptos sólo puede solicitarse en el escrito de interposición del recurso o su demanda.

n) La ausencia de una disposición general sobre materia determinada, no puede ser objeto de un recurso contra la inactividad de la administración. Sólo cabe dicho recurso cuando de una disposición de carácter general que no exija actos ulteriores de aplicación o de un acto, convenio o contrato administrativos, se derive directamente una obligación para la administración de realizar una prestación o actividad material a favor de una o varias personas concretas, lo cual es ajeno al genérico deber de aprobación de los reglamentos (66).

ñ) La formulación y términos del reglamento son privativos del órgano administrativo competente, sin que una sentencia estimatoria de un recurso deducido contra el reglamento pueda imponer el contenido concreto y redacción futuras del precepto o preceptos anulados.

o) La no impugnación directa de las disposiciones administrativas por un interesado no debe vedar la impugnación indirecta por medio de los actos de aplicación, fundada en ser aquéllas contrarias a Derecho (67).

No obstante lo indicado, el Tribunal Supremo viene aplicando rígidamente, cuando de instrumentos urbanísticos se trata, la doctrina de los propios actos, partiendo de la existencia de un trámite preceptivo de información pública en el procedimiento de aprobación en el que los afectados pueden alegar lo que les convenga. De esta forma, quien, pudiendo haber actuado a tiempo contra el instrumento, no lo hizo no puede, después, actuar en su contra.

p) Tiene particular importancia en el tratamiento procesal de los reglamentos, el principio de unidad de doctrina. En efecto, en los recursos jurisdiccionales de impugnación de aquéllos, es relativamente frecuente la aplicación del citado principio, dada la proliferación de pleitos, sustancialmente iguales, contra el mismo reglamento, especialmente en el ámbito urbanístico.

q) La sentencia estimatoria dictada en un recurso contra un reglamento produce efectos para todas las personas afectadas. Una vez firme, tiene efectos generales desde el día en que se publique el fallo y los preceptos o apartados anulados, en el mismo periódico oficial en que se publicó la disposición anulada. La anulación del reglamento tiene como consecuencia la terminación de otros procesos semejantes o iguales, por haberse producido satisfacción de la pretensión y por desaparecer el presupuesto procesal que implica la disposición recurrida. Lo cual

---

(66)   Artículos 29 y 129 LJCA.
(67)   Artículos 26 y 71 LJCA.

supone la generalidad de efectos de las sentencias estimatorias de recursos contra disposiciones generales.

Sin embargo, este efecto expansivo no se extiende al reconocimiento de situaciones jurídicas individualizadas de quienes no fueron parte en el proceso (68). En tales casos, la administración debe adoptar las medidas adecuadas para dar lugar a la efectiva extensión del efecto de la sentencia (69).

r) Es posible la analogía en la aplicación de los reglamentos. Procede la aplicación analógica de las normas cuando éstas no contemplen un supuesto determinado, pero regulen otro semejante entre los que se aprecie identidad de razón (70). Se excluye la analogía en las normas excepcionales, temporales y penales. Tampoco procede para instrumentos de planeamiento urbanístico o territorial. En estos casos, la exclusión de la analogía no se debe tanto a que los instrumentos de ordenación sean normas excepcionales, cuanto a que su ligazón fundamental a un espacio físico o geográfico impide su extensión a otro, por falta de identidad de razón.

s) Las normas reglamentarias son susceptibles de recurso de amparo ante el Tribunal Constitucional, previo agotamiento de la vía judicial ordinaria, siempre que lesionen en el contenido esencial de los derechos reconocidos en Constitución (71).

Quedan, sin embargo, fuera del enjuiciamiento constitucional en procesos de inconstitucionalidad, salvo el recurso planteado por el Gobierno contra disposiciones adoptadas por los órganos de las comunidades autónomas.

Tanto los actos administrativos como los reglamentos pueden ser impugnados en conflicto constitucional de competencias. Otras cuestiones complementarias sobre la potestad reglamentaria se examinan en la segunda parte de esta práctica profesional.

6. CLASES DE REGLAMENTOS

Tradicionalmente se distinguen, las siguientes categorías de reglamentos (72):

a) Reglamentos ejecutivos o de desarrollo de normas legales, que desarrollan la legislación.

---

(68)   STS 4.3.1995 y 29.2.1996.
(69)   STS 4.12.1981.
(70)   Ver artículo 4. del Código Civil.
(71)   Artículos 14 a 29 y 161 CE y 41 a 47 de la Ley Orgánica del Tribunal Constitucional.
(72)   STS 18.3.1993.

b) Reglamentos independientes, cuyo contenido se delimita negativamente, en la medida en que no pueden regular y configurar derechos ni sus contenidos, ni afectar directamente a situaciones jurídicas adquiridas (73). Son ajenos al desarrollo de la legislación superior y no presuponen su existencia. Estos reglamentos quedan, en todo caso, proscritos cuando puedan afectar a derechos subjetivos o posiciones jurídicas de los ciudadanos. Su ámbito natural es el estrictamente organizativo, identificándose en ocasiones con la potestad de propia organización (74).

En alguna ocasión, se ha sostenido por la jurisprudencia que los reglamentos independientes exigen habilitación previa para el ejercicio de la potestad reglamentaria mediante ley formal, incluso en los campos tradicionalmente denominados domésticos, sin que la existencia de relaciones de sujeción especial atenúe lo anterior respecto de la reglamentación de tales relaciones. La competencia para aprobar estos reglamentos es propia del Gobierno, no de los ministros, sin perjuicio de la habilitación a y el desarrollo por los ministros (75).

c) Reglamentos autónomos, con sujeción a la ley y cierta dependencia de la misma, pero sin desarrollar y ejecutar sus preceptos. Suelen ser producto de la técnica de la remisión normativa, que se produce en caso de que una norma jurídica de rango determinado (76) reenvíe de plano a una disposición futura (77), de manera que sea ésta la que deba contener la regulación completa de cierta materia, sector o realidad.

Es el caso del planeamiento urbanístico.

d) Reglamentos de necesidad, que responden a circunstancias excepcionales y transitorias. No tienen carácter estable, es decir, su vigencia no es indefinida.

e) Por su formulación, algunos sectores doctrinales sostienen la existencia de reglamentos tácitos o implícitos, frente a los reglamentos expresos, en caso de reglamentaciones tácitamente admitidas por la comunidad jurídica.

No cabe confundir esta figura con la de los reglamentos presuntos, que no tienen cabida por ser de concepción imposible. Estos últimos no deben confundirse con ciertas disposiciones generales cuyo acto de aprobación es o puede ser presunto, por aplicación de la técnica del silencio administrativo.

f) Por su contenido, se distinguen entre:

---

(73)   SSTS 10.3.1982, 12.11.1986.
(74)   SSTS 27.2.1997 y 16.4.1999.
(75)   SSTS 26.2.1982 y 15.4.1998.
(76)   Normalmente legal.
(77)   Por lo general, de inferior jerarquía.

–   Reglamentos jurídicos, cuyo objeto se refiere a las relaciones entre la administración y los administrados. Dependen estrechamente de la Ley, de forma que las disposiciones reglamentarias no pueden incidir en derechos y deberes de los particulares sino de acuerdo con y con apoyo en lo establecido por normas con rango de Ley.

–   Reglamentos administrativos u organizativos. Tienen por objeto relaciones internas de la administración que los dicta. No dependen tan estrictamente de la Ley. No inciden en aspectos relativos a derechos o deberes de terceros, pero pueden alcanzar en su regulación a las relaciones con los particulares, en la medida en que sea instrumentalmente necesario para integrarlos en la organización administrativa (78), aunque sin afectar a los aspectos básicos de los derechos y obligaciones de los mismos (79).

7.   REGLAMENTOS EJECUTIVOS

Los reglamentos ejecutivos son, como hemos dicho, aquellos que se dictan en desarrollo de una norma de rango legal, completando y particularizando su regulación, de forma que están directa y concretamente ligados a aquélla, desenvolviéndola (80).

La conjunción de la Ley y su reglamento ejecutivo crea un sistema unitario que no puede ser alterado sustancialmente sin previa habilitación legal. La disposición de desarrollo no puede establecer criterios que no se funden directamente en la Ley.

Para la aprobación de los reglamentos ejecutivos se requiere informe del Consejo de Estado u órgano consultivo equivalente, frente a la de los reglamentos independientes, autónomos, los reglamentos derivados de la potestad doméstica de la Administración en su ámbito organizativo interno o funcional y los reglamento de necesidad, que no precisan dicho dictamen. Tampoco las modificaciones no sustanciales de los ejecutivos ya informados antes de su aprobación (81).

El rango del reglamento empleado (82) no es disponible.

Las normas que desarrollen directa e inmediatamente la Ley deben ser necesariamente reales decretos o, en el de desarrollo de leyes autonómicas, decretos. La potestad reglamentaria en ejecución de una Ley se ve afectada en caso de que

---

(78)   Respecto de los administrados cualificados.

(79)   STS 15.4.1998.

(80)   STC 18/1982.

(81)   SSTS 5.6.2001, 23.3.2004.

(82)   Real Decreto, Orden ministerial en el ámbito estatal, Decreto, Orden en el ámbito autonómico.

ésta haya sido impugnada en un proceso de inconstitucionalidad ante el Tribunal Constitucional.

La potestad se suspende si el recurso se interpone por el Gobierno contra una Ley autonómica con petición de suspensión de aplicación, mientras dure ésta.

En cambio, no se suspende, cuando el recurso se interpone por el Gobierno sin petición de suspensión o se deduce por otros sujetos legitimados, o bien cuando se trate de una cuestión de inconstitucionalidad. Igual sucede, dependiendo de la suspensión judicial, respecto de la potestad reglamentaria derivada, en caso de que el real decreto o decreto habilitante esté recurrido en sede contencioso-administrativa.

La declaración de inconstitucionalidad de una Ley desarrollada por un reglamento ejecutivo no exige, aunque sí aconseja, la reforma del reglamento, que se entiende modificado por efecto de la sentencia de inconstitucionalidad. La construcción de esta figura, parte de la Ley Orgánica 3/1980 del Consejo de Estado (83), de manera que no todo reglamento que contenga una regulación sustantiva de una disciplina es, por ello, ejecutivo (84). Es discutible si el ejercicio de la potestad reglamentaria de ejecución de Ley debe someterse, imperativamente, so pena de caducidad, al plazo establecido expresamente por la Ley que se pretende desarrollar, en caso de que se fije. Pueden señalarse dos posturas al respecto:

a) El ejercicio extemporáneo no conlleva caducidad de la potestad, a diferencia de lo que sucede con la delegación legislativa (85).

b) La potestad caduca en las materias reservadas a Ley, no en las cuestiones independientes o autónomas o en las que hayan sido objeto de deslegalización específica.

En todo caso, una vez cumplido el plazo mediante la aprobación en tiempo de la disposición, cabe complementaria posteriormente. Cuanto más detallada sea una Ley, menos margen queda al desarrollo reglamentario. En relación con la concepción estricta o amplia del concepto de reglamento ejecutivo (86).

8. REGLAMENTOS LOCALES: ORDENANZAS Y BANDOS

Las ordenanzas locales, constituyen la fuente específica expresiva de la autonomía local (87). En general, se equiparan a disposiciones reglamentarias en cuanto

---

(83)   Artículo 22.3.
(84)   Dictamen del Consejo de estado 50372/1987.
(85)   SSTS STS 27.3.1998.
(86)   STS 22.4.1974.
(87)   Artículo 137 CE.

a su ubicación en el sistema de fuentes. La ordenanza local es un reglamento de desarrollo de la Ley, sometido al principio de ordenación respecto de la misma, con naturaleza eminentemente normativa (88). Tradicionalmente se ha afirmado su carácter subsidiario con respecto a la legislación, tanto de ámbito estatal o autonómico, como de carácter general o sectorial, en cuanto a la propia competencia normativa y al ámbito de actuación de la misma, así como por la necesidad de habilitación superior, expresa o implícita, genérica o específica. En la práctica son muy frecuentes las atribuciones genéricas del poder de ordenanza. No obstante, la habilitación ha de ser explícita en ámbitos sometidos a reserva de Ley, formal o material (89).

La Ordenanza municipal no puede ser fuente primaria de un ordenamiento sancionador, ni aun en el ámbito de las relaciones de sujeción especial, sino que precisa previa regulación en la Ley, a la que debe ajustarse (90). Así, en el ámbito de la seguridad ciudadana, las ordenanzas locales pueden especificar los tipos de infracciones cuya competencia sancionadora se atribuye a los alcaldes, dentro de los límites impuestos por LRJ (91).

Su aprobación se produce por el Pleno de la corporación, con sujeción a ciertas reglas procedimentales (92). Sin embargo, en ocasiones la jurisprudencia ha sostenido que no rige para ellas el principio *iura novit curia* (93).

Diferencia con los bandos municipales. Las ordenanzas no son identificables con los bandos municipales (94). Ambos son medios a través de los cuales las corporaciones locales pueden intervenir la actividad de los ciudadanos. Tienen además en común que son exponentes de la potestad normativa de los órganos de la administración local. No obstante, ofrecen evidentes diferencias en cuanto al procedimiento de su elaboración y posterior aprobación así como en lo que respecta a su alcance normativo.

Principalmente se diferencian en varios aspectos:

a) Los bandos tienen como finalidad exhortar a los ciudadanos a la observancia de las obligaciones y deberes establecidos en las leyes y en las ordenanzas y reglamentos municipales, actualizar sus mandatos cuando se produzcan las situaciones que contemplen, recordar el contenido preciso de dichas obligaciones y los plazos establecidos para su cumplimiento, así como efectuar convocatorias populares

---

(88)   SSTS 27.3.1985, 22.7.1992 y 5.6.1998.
(89)   STS 15.11.1983.
(90)   LRJ artículos 127, 129 y disposición adicional única.
(91)   Artículo 129.
(92)   Ley 7/1985 de Bases de Régimen Local (LBRL), artículo 49.
(93)   STS 10.11.1986.
(94)   Artículo 84 LBRL y Reglamento de Servicios de las Corporaciones Locales, artículo 7.

con motivo de acontecimientos ciudadanos o, en su caso, hacer frente a situaciones catastróficas o extraordinarias.

b) Los bandos no son, en sentido estricto, disposiciones generales ni normas reglamentarias.

c) El bando es competencia del alcalde, aunque dicha competencia es delegable. La ordenanza es competencia del ayuntamiento pleno, sin ser delegable ni a la comisión de gobierno ni al alcalde (95).

d) Las ordenanzas deben ser elaboradas conforme a un procedimiento de elaboración establecido, precisando aprobación inicial por el pleno, posterior información pública, audiencia a los interesados y aprobación definitiva (96).

e) Los bandos no pueden intervenir en la tipificación de infracciones y sanciones (97).

f) El bando tiene un limitado carácter normativo, pues se reserva para cuestiones de índole menor, siendo en ocasiones un mero recordatorio al vecindario del cumplimiento de determinadas disposiciones legales o reglamentarias, una vía de fijación de fechas y lugares en que se llevarán a cabo concretas actuaciones o prestaciones o un medio de actualización de mandatos contenidos en las Leyes, cuando se producen las situaciones que éstas contemplan.

Cuando no nos encontramos ante una situación eventual o una medida de concreción de una norma general o de mero carácter coyuntural, sino en presencia de una regulación general, esa potestad normativa debe canalizarse a través de una ordenanza.

g) No pueden adoptarse indistintamente cualquiera de esas dos figuras, ya que habrá que atenerse al sentido o finalidad de las mismas en relación con la materia a regular.

h) El bando no puede tener finalidad recaudatoria, pues excede de su alcance normativo (98).

i) Los bandos pueden ser ordinarios y extraordinarios. Son ordinarios aquellos que atienden a situaciones de normalidad. Son extraordinarios aquéllos que se dictan en los casos de catástrofe o infortunio públicos o grave riesgo y mientras persista la situación, adoptando las medidas necesarias y adecuadas para garan-

---

(95)   Artículos 22 y 23 LBRL.
(96)   Artículo 49 LBRL.
(97)   STS 23.10.2002.
(98)   SSTS 30.10.1984 y 13.7.1987.

tizar la integridad de las personas y de los bienes residenciados en el término municipal.

En la Comunidad Autónoma de Aragón no se permite la delegación para la aprobación de los bandos, salvo en supuestos de sustitución o suplencia.

9. PLANES TERRITORIALES Y URBANÍSTICOS

Respecto de los planes territoriales y urbanísticos, señalar que el planeamiento está formado por instrumentos de carácter normativo que tienen por objeto especificar, con mayor o menor detalle y concreción, en función de su tipo, cuáles son los usos y destinos a los que deben destinarse imperativamente las distintas fincas que conforman los polígonos o unidades en los que se divida una porción dada de superficie.

Es el medio del que se sirve la Ley para llevar a la práctica una distribución de espacios, edificación y destinos del suelo de la forma más aproximada posible a un modelo ideal perfecto. El planeamiento es la pieza esencial del proceso de racionalización global del territorio, de manera que establece el diseño espacial futuro de las actividades residencial, industrial, productiva, de servicios y cualesquiera otras que albergan incidencia territorial. Con el plan se define el marco físico elegido para el desarrollo de la convivencia, prefigurando qué transformaciones se van a producir en la realidad de hecho, de la que no puede desentenderse, so pena de convertirse en un dibujo muerto (99).

A su vez, el planeamiento desempeña una función legitimadora de la transformación de la realidad física, de tal forma que la aprobación del instrumento preciso al efecto es imprescindible para el desarrollo de la urbanización, mediante unidades de ejecución, de actuación o polígonos.

Con carácter general, cabe sostener la naturaleza normativa de los instrumentos de planeamiento (100). En ese sentido, se integran en el sistema del Derecho urbanístico, como fuente específica y privativa del mismo, y se equiparan jerárquicamente a las disposiciones reglamentarias. No son, en definitiva, actos administrativos, con la excepción de los proyectos de delimitación de suelo urbano, que se suelen calificar por la jurisprudencia como actos administrativos generales. Los catálogos tampoco son instrumentos de ordenación, sino complementos de los mismos, y tienen carácter de acto administrativo.

En cualquier caso, no todos los instrumentos responden exactamente al mismo carácter, así los planes de ordenación territorial participan más del carácter de

---

(99)   SSTS 16.2.1987, 26.10.1998 y 7.11.1998.
(100)   SSTS 25.6.1986, 23.11.1999 y 14.1.2000; STC 102/95.

directrices generales orientadoras que vinculan a los instrumentos inferiores pero que carecen de aplicabilidad inmediata. Sin embargo, los instrumentos urbanísticos responden en general al tipo de norma reguladora directamente aplicable y susceptible de ser invocada.

Otros instrumentos no tienen carácter normativo, como los proyectos de delimitación de suelo urbano o los proyectos de urbanización, que sin ser instrumentos de planeamiento, en ocasiones se califican como tales por disposiciones vigentes. La relación existente entre los diferentes instrumentos de planeamiento es de jerarquía normativa, lo que determina que, declarada la nulidad total o parcial de un instrumento de ordenación, devengan nulos los derivados de aquél (101).

Dentro del planeamiento cabe establecer las siguientes clasificaciones fundamentales:

a) Según el tipo de fin perseguido puede distinguirse entre planeamiento territorial y urbanístico.

El planeamiento territorial tiene por finalidad la ordenación, no estrictamente urbanística, del territorio y ámbito supramunicipal.

El planeamiento urbanístico pretende la ordenación urbanística esencialmente municipal. Dentro del mismo se distingue, a su vez:

El planeamiento general, que ordena integralmente y con distinto alcance, según los tipos de suelo, el término del municipio afectado; y

El planeamiento de desarrollo, que tiene por misión la realización efectiva del modelo previsto en la planificación general.

b) Según su carácter en relación con la ordenación, se diferencia entre planes originarios y derivados.

Son planes originarios los que ordenan el espacio físico ejercitando una opción básica y estructural que será completada por otros instrumentos (102).

Son planes derivados los que desarrollan un modelo de estructura orgánica del territorio establecido en los planes originarios. Por lo general, el planeamiento de desarrollo tiene este carácter.

c) Por la obligatoriedad de su existencia podemos distinguir entre planes de aprobación necesaria y potestativa.

---

(101)   SSTS 1.3.1995, 17.10.1995 y 30.3.1998.
(102)   Los instrumentos generales, son originarios.

Los planes necesarios deben tramitarse y aprobarse imperativamente por la administración urbanística competente en virtud de mandato legal (103).

Los planes potestativos son aquéllos cuya tramitación y aprobación depende del criterio de oportunidad y conveniencia apreciado por el órgano competente.

Si bien los instrumentos de desarrollo son derivados respecto de los generales, no por ello pueden considerarse como acto de aplicación a los efectos de impugnar aquellos, sobre la base de vicios de estos, mediante recurso indirecto, dado entre otros aspectos, su carácter de norma jurídica, no de acto administrativo. No obstante, podría admitirse la impugnación indirecta del plan general con ocasión del recurso contra el acto de aprobación del derivado.

d) Según el carácter genérico o específico del fin pretendido por el plan, se diferencia entre planeamiento de finalidad general y de finalidad específica.

El planeamiento de finalidad general tiene por objeto la regulación de un espacio físico dado, sea desde el plano de la ordenación territorial o desde la perspectiva urbanística (104).

El planeamiento de finalidad específica o concreta tiene como fin la consecución de un objetivo concreto ajeno en sentido estricto a la ordenación genérica del territorio (105).

e) Según la iniciativa en la formulación y tramitación se distingue entre el planeamiento cuya iniciativa corresponda a la administración urbanística competente, en el cual la decisión de formular y tramitar el instrumento de que se trate corresponde a la instancia administrativa designada normativamente para ello y el planteamiento de iniciativa particular, en cuyo caso la iniciación del procedimiento tendente a la aprobación corresponde a una entidad pública no competente o a una persona física o jurídica privada.

f) Atendiendo a la estabilidad del instrumento, se puede diferenciar entre planes o instrumentos con vocación de permanencia y aquéllos con vocación de provisionalidad.

Son planes con vocación de permanencia los que están llamados a regir indefinidamente por la normativa en vigor.

---

(103)   Por ejemplo ciertos planes municipales o ciertos planes especiales como el de protección del Patrimonio histórico artístico.

(104)   Por ejemplo los planes directores territoriales de coordinación, los planes territoriales de la Comunidades Autónomas, el plan de ordenación etc.

(105)   Por ejemplo planes especiales.

Son instrumentos de carácter provisional aquellos que, no obstante su vigencia indefinida en general, tienen carácter esencialmente provisional. Se trata fundamentalmente de normas subsidiarias y complementarias de planeamiento para casos de suspensión de planeamiento.

10. REGLAMENTOS Y ACTOS NO NORMATIVOS

Ya hemos visto como los reglamentos son auténticas normas, es decir regulaciones de carácter general que deben ser publicadas y conservan vigencia indefinida en tanto no sean derogados o modificados por otras normas de rango igual o superior. Por ello el reglamento se diferencia del simple acto administrativo en que éstos tienes uno o varios destinatarios concretos a los que se notifica el acto mientras que el reglamento es objeto de publicación. No obstante hay actos administrativos generales no normativos, cuya diferencia con el reglamento es más difícil de apreciar, dado que tienen una pluralidad indeterminada de destinatarios y por ello pueden publicarse (106).

Tampoco tiene naturaleza normativa las instrucciones y órdenes de servicio con las que se lleva a efecto la potestad de dirección por los órganos superiores respecto de los subordinados en la Organización administrativa; pero que carecen de fuerza obligatoria para terceros; además en tanto en cuento carecen de la naturaleza de normas jurídicas tampoco son de obligatoria aplicación por el tribunal de justicia en caso de que se plantee recurso sobre las materias a que afecte la instrucción, de este modo la propia LRJ dispone que el incumplimiento de las instrucciones u órdenes de servicio no afecta por sí solo a la validez de los actos dictados por los órganos administrativos sin perjuicio de la responsabilidad disciplinaria en que pueda incurrirse (107). Es decir que se trata de simples órdenes sobre la manera de funcionar la Administración; en consecuencia al producir solamente efectos internos no están sujetas al procedimiento de elaboración de los reglamentos (108). Tampoco tiene carácter de reglamento las instrucciones informativas sobre las obligaciones de los funcionarios o los interesados ni las recordatorias de la normativa que esté en vigor (109).

No obstante las circulares normativas que innovan el ordenamiento jurídico son de obligado cumplimiento y tienen el régimen de impugnación que corresponde a los reglamentos.

Para diferenciar las circulares normativas de aquellas otras que tiene naturaleza de acto administrativo hay que atender al contenido y además a si el órgano

---

(106)   Es el caso de las convocatorias de oposiciones.
(107)   Artículo 21 LRJ.
(108)   STS 12.2.1990.
(109)   Tampoco por supuesto las recomendaciones o consejos.

que dicta la circular tiene atribuida potestad reglamentaria y si la circular cumple el requisito de la publicación en el diario oficial correspondiente. A la vista del contenido de la LRJ (110) debiera reservarse la denominación de instrucciones y órdenes para los contenidos de acto administrativo mientras que la denominación de circular debería reservarse para las que tiene contenido reglamentario y no encajan en la categoría de Decreto o de Orden.

En consecuencia y dado que se trata de verdaderos reglamentos, las circulares están sujetas al mismo régimen que aquellos (111), tiene efectos frente a los particulares que operan en el sector en cuestión, tienen un procedimiento legalmente regulado para su aprobación y se publican en el Boletín oficial correspondiente.

11. COMPETENCIA PARA EL EJERCICIO DE LA POTESTAD REGLAMENTARIA

El Gobierno es el órgano que cuenta con la competencia general para el ejercicio de la potestad reglamentaria (112) y, como ha declarado el Tribunal Supremo, al que corresponde aprobar los reglamentos ejecutivos generales y los reglamentos jurídicos independientes (113). Los reglamentos que aprueba el Gobierno, Reales Decretos, son sancionados por el Rey y refrendados por el Ministro competente, y si afecta a varios Ministerios por el Presidente del Gobierno o Ministro de la Presidencia. No obstante está claro que la potestad reglamentaria puede venir atribuida por Ley a otros órganos de la Administración estatal y a otros entes institucionales del Estado (114). Hay casos en que el Presidente del Gobierno se encuentra facultado para aprobar Reales Decretos (115); se trata de disposiciones organizativas, de creación, modificación y supresión de Ministerios y Secretarías de Estado, o relativas a la estructura orgánica de la Presidencia del Gobierno. No parece admisible la existencia de otras disposiciones normativas exclusivamente atribuidas al Presidente del Gobierno, sin perjuicio de las amplias facultades políticas que le confiere la propia Constitución Española.

El resto de reglamentos estatales se denominan órdenes ministeriales y se diferencian únicamente por cuanto especifican qué autoridad los ha dictado (116). Las

---

(110) Artículo 21 LRJ.
(111) Hay supuestos en que la Ley atribuye a algún órgano concreto de la Administración de rango inferior, la capacidad para dictar circulares normativas.
(112) Artículo 97 Constitución Española.
(113) SSTS 25.1.1982 y 30.3.1984.
(114) STC 175/1992
(115) Ley 50/1997 artículos 23 y 25.
(116) Ver Resolución de 26 de diciembre de 2011 de la Subsecretaría de Presidencia por la que se modifica el anexo del Acuerdo del Consejo de Ministros de 21 de diciembre de 2011 por el que se dispone la numeración de las órdenes ministeriales que se publican en el Boletín Oficial del Estado.

Comisiones Delegadas del Gobierno disponen de potestad reglamentaria si bien la propia Ley del Gobierno impone que los Acuerdos de este órgano revestan la forma de Orden del Ministro competente o del Ministro de la Presidencia cuando la competencia corresponda a distintos Ministros (117). Los Ministros también tienen atribuida potestad reglamentaria; pero el límite de esta competencia está en el objeto de manera que debe tratarse de materias organizativas de su Departamento o en el marco que establezca la legislación específica que le habilita para ello (118). En este mismo sentido, se ha pronunciado el Tribunal Supremo que tiene declarado que los Ministros sólo pueden ejercer la potestad reglamentaria en el ámbito organizativo o doméstico y en las relaciones especiales de sujeción, mientras que en los reglamentos ad extra sólo podrán dictarlos como reglamentos ejecutivos, es decir, cuando una ley los habilite expresamente para ello (119). El resto de órganos administrativos sólo ejercen la potestad reglamentaria en materias sectoriales que expresamente les atribuya la normativa de regulación. Así los Secretarios de Estado, Subsecretarios y Directores Generales sólo tienen competencia para dictar instrucciones y órdenes de servicio, no tienen naturaleza normativa, no son reglamentos; si lo son, sin embargo, en los términos ya conocidos, las denominadas circulares normativas, que en materias sectoriales pueden atribuir las leyes a estas autoridades inferiores a Ministro.

Constituye un ejemplo de circular normativa dictada por autoridades inferiores a Ministro, las circulares aeronáuticas, que como disposiciones reglamentarias de carácter secundario, pueden dictar el Director General de Aviación Civil (120). Es frecuente que la legislación y reglamentos autoricen a las autoridades inferiores a Ministro para dictar disposiciones generales que regulan la tramitaciones de obtención de autorizaciones o licencias, o bien para acogerse a determinados derechos que la Ley otorga; estas disposiciones suelen adoptar forma de circular o resolución (121), también se incluyen en este tipo, las Resoluciones normativas de la Dirección General de los Registros y del Notariado que autoriza la Ley Hipotecaria para la organización de los Registros de la propiedad y mercantiles.

Las Comunidades Autónomas tienen atribuida la potestad reglamentaria a órganos similares a los de la Administración del Estado. El Consejo de Gobierno, con la denominación que reciba, según el Estatuto de Autonomía, aprueba Decretos, y los Consejeros sectoriales que aprueban Órdenes.

---

(117)   Artículo 25 LG.
(118)   Ley 6/1997 de Organización y Funcionamiento de la Administración General del Estado LOFAGE artículo 12 que regula los Ministros, precisión que sin embargo no incluye la LG en su artículo 4.1. que únicamente alude a reglamentos sobre materias propias de su Departamento.
(119)   SSTS 17.2.1998 y 29.12.1998.
(120)   Ley 2/2003 de 7 de julio de Seguridad Aérea art. 8.
(121)   Resoluciones de la Secretaría de Estado de Hacienda, de la Dirección General de recursos pesqueros, del Consejo Superior de Deportes, etcétera.

La potestad reglamentaria, en la Administración local, corresponde al Pleno de las Entidades locales territoriales que ejercen mediante la aprobación de Ordenanzas o Reglamentos en los Municipios, y Reglamentos en las Provincias. Además, en los ayuntamientos, los Alcaldes tienen potestad de dictar Bandos; sin embargo la naturaleza reglamentaria de los bandos es dudosa y, en diversas ocasiones el Tribunal Supremo ha declarado que son meros recordatorios, a los vecinos, de obligaciones generales (122), no obstante los bandos dictados personalmente y bajo su responsabilidad, en caso de catástrofe o de infortunios públicos o grave riesgo de los mismos para aprobar las medidas necesarias y adecuadas dando cuenta inmediata al Pleno (123) y los Decretos del Alcalde por los que se crean órganos municipales tienen una indudable naturaleza normativa.

Las normas de algunos municipios recogen también la figura de los Decretos de la Comisión de Gobierno (124), tanto de carácter organizativo como de ordenación social en desarrollo de las ordenanzas; y los Decretos del Alcalde tanto en materia organizativa como de ordenación social, también en ejecución y desarrollo de las ordenanzas y reglamentos aprobados por el Pleno municipal. Sin embargo, reconduce correctamente los bandos del Alcalde a los de necesidad y a los de significación no normativa. En cambio en las demás ciudades a las que se aplica el régimen de los municipios de gran población, la Junta de Gobierno Local sólo tiene competencia para aprobar proyectos de normas municipales suya aprobación final compete al Pleno, con excepción de los instrumentos de planeamiento de desarrollo del planeamiento general no atribuidos al Pleno que sí son competencia de la Junta (125). Por otra parte, también pueden atribuir potestad reglamentaria a entes institucionales de naturaleza pública sus leyes fundacionales. Reglamentos que tienen la denominación de circulares que, en algunos ámbitos concretos, son de importancia fundamental. De este tipo de reglamentos de entidades institucionales destacan especialmente los del Banco de España, potenciados por su Ley de Autonomía 13/1994, de 1 de junio, con el fin de adaptar la legislación española a las previsiones del Tratado de la Unión sobre los Bancos Centrales. A tenor de dicha Ley, el Banco de España puede dictar dos tipos de reglamentos: las circulares monetarias y las circulares. Las primeras en materia de política monetaria y emisión de billetes y monedas, y las segundas en relación al resto de las competencias del Banco (126). En supuestos de otras entidades de este tipo, la potestad reglamentaria, además de estar prevista en su estatuto o ley fundacional, debe ser

---

(122)   SSTS 28.12.1977 y 30.3.1982.
(123)   De acuerdo con lo dispuestos en la Ley 7/1985 de Bases del Régimen Local (LBRL) artículo 21.1 m).
(124)   Ley 22/1998 sobre Carta Municipal de Barcelona artículo 26.
(125)   LBRL artículo 127.
(126)   Ver Ley 13/1994 de Autonomía del Banco de España.

expresamente habilitada por reglamentos del Gobierno o Ministro competente; reglamentos que a estos efectos operan como normativa de desarrollo (127).

12. PROCEDIMIENTO DE ELABORACIÓN REGLAMENTARIA EN EL ÁMBITO ESTATAL

La necesidad de procedimiento de elaboración de reglamentos administrativos común para todas las Administraciones Públicas es una de las necesidades pendientes que no abordó la LRJ en su condición de norma básica de aplicación a todas las administraciones públicas resultando un incumplimiento de lo previsto en la Constitución española (128), dado que sobre esta cuestión reglamentaria la propia Constitución regula el derecho de los ciudadanos a participar en esta elaboración (129), y por cuanto se ha producido una jurisprudencia poco clarificadora en la interpretación del alcance de esta participación ciudadana directa o a través de las organizaciones y asociaciones reconocidas por la ley, en el procedimiento de elaboración de las disposiciones administrativas que les afectan. Por ello debemos estudiar el procedimiento de elaboración de los reglamentos separadamente para cada escalón de las Administraciones Públicas.

La elaboración de reglamentos se rige en el ámbito de la Administración General del Estado por la Ley 50/1995 reguladora del Gobierno (LG) con sendos artículos dedicados al procedimiento de elaboración de los reglamentos y a la forma de las disposiciones y resoluciones del Gobierno, de sus miembros y de las Comisiones delegadas (130) En consecuencia el procedimiento de elaboración de los reglamentos estatales se regula como un procedimiento especial diverso del general de producción de actos administrativos. La LG establece una relación de jerarquía entre los reglamentos emanados del gobierno de la Nación situando en primer lugar, las disposiciones aprobadas por real decreto del Presidente del Gobierno o Consejo de Ministros y, en segundo lugar, las aprobadas por orden ministerial.

El procedimiento de elaboración de los reglamentos incluye cuatro fases; inicio, instrucción, aprobación y publicación-entrada en vigor.

13. INICIATIVA DEL PROCEDIMIENTO: COMPETENCIA Y REQUISITOS

La LG prevé que el reglamento se inicia por el órgano directivo correspondiente que elabora un Proyecto, al que se acompaña un informe justificativo, sobre la necesidad y oportunidad del reglamento, así como una memoria económica sobre

---

(127) Es el caso de la competencia reguladora de la Comisión Nacional del Mercado de Valores ver Ley 24/1988 del Mercado de valores.
(128) Artículo 149.1.18 CE.
(129) Artículo 105 CE.
(130) Artículos 24 y 25 LG.

la estimación del coste a que dará lugar su aprobación e incluso una memoria sobre el impacto de género de género sobre las medidas que se incluyen en el reglamento (131). Los modos de incoación del procedimiento de elaboración, tienen lugar mediante una orden para que se proceda a la elaboración de estudios e informes necesarios o mediante un anteproyecto que se incluye en el expediente en cuestión.

La memoria o estudio que se incluyen, debe permitir conocer la finalidad de la norma así como la adecuación entre dicha finalidad y el proyecto; además el preámbulo del texto normativo no puede sustituir a la memoria (132).

El proyecto reglamentario debe ser iniciado por el centro directivo u órgano competente ya sea por iniciativa única o conjunta, lo cual debe quedar claro en el expediente a efectos de poder determinar la autoría y responsabilidad del procedimiento, lo cual puede hacerse constar mediante una constancia formal de la orden de inicio de la elaboración del correspondiente reglamento.

Hay que tener en cuenta que los textos normativos, en sus redacciones primeras, suelen ser producto de la colaboración de equipos especializados de funcionarios o incluso de técnicos ajenos a la administración con los que se contrata esta asistencia y suelen ir experimentando redacciones y modificaciones sucesivas durante estos primeros momentos de la elaboración en que no queda clara la autoría de los textos por ello es necesaria una constancia clara, en el expediente, de asunción oficial de responsabilidad respecto del contenido del texto que se decida llevar a tramitación.

La memoria justificativa debe pronunciarse sobre los aspectos siguientes:

a) Sobre el título o títulos de competencia debe recoger la norma sea precepto Constitución o Estatuto de autonomía que atribuya al centro directivo u organismos la competencia para regular la materia de la que se trata.

b) La cobertura legal de la norma sobre todo en caso de los reglamentos de desarrollo de una ley.

c) Rango que se propone para la nueva disposición.

d) Juicio de oportunidad de la norma proyectada que requiere la constatación y exposición de la realidad social que dicha norma deberá encarar, resolviendo los problemas que plantee y la necesidad política que obliga a afrontar el problema del modo que lo hace la norma.

---

(131) LG artículo 24.1 B párrafo segundo introducido por la Ley 30/2003 de 13 de octubre sobre medidas para incorporar la valoración del impacto de género en las disposiciones normativas que elabora e el Gobierno.

(132) Así lo ha declarado el Consejo de Estado ver dictámenes 42050/1979 y 42011/1979.

e) Sobre la tabla de vigencias, disposiciones afectadas y derogadas hay que señalar que aunque la LG no exige este requisitos que se exigía en la derogada Ley de Procedimiento administrativo e incluso los órganos judiciales no han anulado ningún procedimiento de elaboración normativa por falta de este requisito; no obstante debemos recordar que en varias ocasiones se ha señalado la confusión que ha comenzado a producir la multiplicación de normas administrativas sin que en muchos casos haya seguridad plena de las normas que resultan derogadas o afectadas y con que alcance dado. Por ello debemos señalar que un sistema de tabla de vigencias no es otra cosa que un instrumento de garantía del principio general de seguridad jurídica y en consecuencia sería muy beneficioso el recuperar la práctica de elaboración rigurosa de tablas de afectaciones, derogaciones y vigencias en la tramitación de proyectos normativos, citando además, la normativa de la que traiga causa la norma proyectada o a las que afectará su entrada en vigor siempre que por no tratarse de una regulación ex novo sea necesario.

Sobre la falta o insuficiencia en la observación de estos trámites el Tribunal Supremo ha reconocido como motivos de nulidad la omisión de estudios previos, la ausencia total del expediente o de alguno de los trámites (133), no obstante el juzgador, en cada caso, debe valorar individualmente todos los trámites de que consta el procedimiento sobre todos aquellos que tuvieran relevancia efectiva (134).

14. FASE DE INSTRUCCIÓN

En la fase de instrucción deben recabarse los informes, dictámenes y autorizaciones previas que se estimen convenientes para garantizar el acierto y legalidad del texto normativo (135). Dentro de estos se distinguen claramente la intervención de la Secretaría General Técnica (SGT) correspondiente; la Información pública y el trámite de audiencia, el dictamen de órganos consultivos y otros informes preceptivos que, procedan en cada caso.

La LG dispone que, en todo caso, los proyectos de reglamento, deben ser informados por la Secretaría General Técnica (136) sin perjuicio del dictamen del Consejo de Estado en los casos legalmente previstos. La competencia para emitir este informe se entiende referida al ministerio del que procede la iniciativa de elaboración y aprobación del reglamento aunque en la elaboración concurran otros ministerios. Es un trámite esencial y de cumplimiento preceptivo, si bien su criterio

---

(133)   SSTS 21.11984 y 21.3.1989.
(134)   SSTS 18.6.1993 y 6.10.1998.
(135)   LG artículo 24.1 b).
(136)   La Ley 6/1997 LOFAGE dispone en su artículo 17 que los Secretarios generales técnicos, bajo la inmediata dependencia del subsecretario, tendrán en todo caso, competencias relativas a la producción normativa, asistencia jurídica y publicaciones.

no es vinculante además su inexistencia durante el trámite de elaboración resulta insubsanable, si bien el Tribunal Supremo no ha considerado causa de nulidad radical la ausencia de este informe, si se ha suplido con el informe de organismos técnicos cualificados, resultando una convalidación de todo ello (137).

La Constitución española dispone que la ley debe regular la audiencia de los ciudadanos, directamente o a través de organizaciones y asociaciones reconocidas por la ley, en el procedimiento de elaboración de disposiciones de carácter general que les afecten (138). La LG regula dos modalidades de intervención para el trámite de audiencia bien directamente o a través de organizaciones; para que este trámite sea efectivo se requiere la notificación a los posibles interesados, que en caso de que tenga como destinatario una pluralidad indeterminada de personas puede ser sustituida mediante la publicación.

15. TRÁMITE DE AUDIENCIA A LOS INTERESADOS

Si se estima el proyecto de norma va a afectar a los derechos e intereses de los ciudadanos, se les dará audiencia por un plazo no inferior a quince días hábiles, salvo que por razones de urgencia se reduzca a siete. Esta participación ciudadana puede ser directa, a través de las organizaciones y asociaciones que los agrupen y representen y cuyos fines guarden relación directa con el objeto de la disposición, o mediante información pública.

La decisión sobre el procedimiento escogido para dar audiencia a los ciudadanos afectados debe quedar adecuadamente motivada en el expediente por el órgano que acuerdo la apertura de dicho trámite y cuando la naturaleza del asunto lo aconseje será sometido a información pública durante el mismo plazo.

El trámite de audiencia tiene carácter esencial y solo puede prescindirse de él en los supuestos siguientes que la LG señala expresamente:

a) Cuando las organizaciones o asociaciones representativas de derechos o intereses afectados hayan tenido participación a través de informes o consultas en el proceso previo de elaboración.

b) Cuando la norma en tramitación regule órganos, cargos o autoridades de la Administración, así como organismo u organizaciones dependientes de ella.

c) Si existieran razones de interés público, debidamente motivadas, que aconsejen prescindir de la información pública y del trámite de audiencia.

---

(137)   Ver SSTS 14.5.1991, 15.10.1997, 1.3.1999, 4.3.1999, 8.4.1999 y 26.10.1999.
(138)   Artículo 105 CE.

El Tribual Supremo, por su parte ha condicionado el trámite de audiencia mediante una serie de limitaciones entre ellas:

– Que la norma se refiera a aquellas entidades que aun constituidas por al voluntad de los miembros al amparo de la Ley de Asociaciones también tengan atribuida con el mismo rango normativo la representación y defensa del interés afectado por la disposición de que se trate.

– Que la alusión mediante la cual se supedita la audiencia a que ésta sea posible, sea teóricamente innecesaria y de apreciación tan subjetiva como perturbadora.

– Que lo mismo quepa decir de la valoración respecto de la índole de la disposición sin que ofrezca duda la cualidad de aconsejable cuando la ley destaca el carácter preceptivo de la consulta.

– Que la afectación venga vinculada a los intereses generales o corporativos.

La jurisprudencia ha declarado el carácter preceptivo de este trámite mediante un criterio conforme al cual su omisión no determina la invalidez automática del reglamento sino, únicamente, en tanto en cuanto operen conceptos jurídicos indeterminados como las razones de interés publico de las que, en cualquier caso, debe quedar constancia en el expediente (139).

La exigencia de la audiencia requiere en el instructor una actividad que tiene la naturaleza jurídico-administrativa de una carga que se concreta en la llamada a las organizaciones y asociaciones que deban ser, necesariamente, convocadas y como consecuencia, ante el incumplimiento del trámite y en tanto no concurra ninguna causa de excepción de esta exigencia legal la jurisprudencia ha admitido la retroacción de actuaciones de manera que la validez de la norma reglamentaria quedaría pendiente de la subsanación del trámite procedimental de audiencia (140). No obstante y aunque la ausencia de audiencia tanto directamente como a través de representaciones, cuando se a preceptiva puede provocar la nulidad, no obstante la jurisprudencia matiza que esta omisión no implica, necesariamente, la invalidez del resto de los trámites realizados que no dependan de l trámite de audiencia (141).

En el caso de que se audiencia a través de entidades representativas de intereses generales deben concurrir los requisitos siguientes:

a) Que no sean de carácter voluntario.

b) Que representen intereses generales o corporativos.

---

(139)   STS 29.5.2000.
(140)   STS 17.10.1991.
(141)   STS 15.12.2000.

c) Que estén reconocidas por la ley.

Debe darse audiencia a las corporaciones que tengan interés en la disposición es decir que se trate de entidades cuya finalidad guarde relación directa con el objeto de la disposición reglamentaria (142); además la audiencia debe concederse si la organización ostenta la representación o defensa legal de una manera real y objetiva, no es suficiente con acreditar una eventual o posible afectación por la disposición reglamentaria que se pretenda elaborar (143), en este sentido el Tribunal Supremo no ha considerado entidades interesadas aquellas que no vayan a quedar afectadas por el contenido objeto de la disposición reglamentaria y además no es obligatorio el trámite de audiencia a organizaciones voluntarias que nos e hayan constituido por imperativo legal (144).

Para que el procedimiento de elaboración de reglamentos tenga un desarrollo regular, es necesario que se de comunicación de la tramitación tanto a los sindicatos y asociaciones empresariales como a los colegios profesionales, siempre que la disposición de carácter general afecte directamente a intereses incluidos en el ámbito de los fines propios de su organización lo cual no implica la exclusión de la intervención en el procedimiento de elaboración normativa de las asociaciones diferentes. Las asociaciones personadas en el procedimiento que invoquen que la disposición afecta a sus intereses y pertenezca a un ámbito socialmente legitimado, pueden comparecer en el procedimiento y tener participación de la manera que garantiza la Constitución (145). Estas organizaciones y asociaciones solo pueden actuar como interesados en el procedimiento de conformidad con las normas por las que se rigen, además quien invoque que actúa en nombre de una organización debe acreditar la representación según lo prevenido en su régimen orgánico sin que sea admisible invocar representación sin autorización al efecto, la acreditación de la representación y defensa de los intereses afectados corre a cargo de quien invoca la representación (146).

16. DICTAMEN DEL CONSEJO DE ESTADO

El Consejo de Estado es el máximo órgano consultivo del Gobierno (147) que actúa con autonomía orgánica y funcional en garantía de su objetividad e independencia dado que no forma parte de la Administración general activa, sino que

---

(142)   LG artículo 24.1 c).
(143)   En este sentido STS 5.4.1994.
(144)   SSTS 28.6.1999, 18.3.2000 y 25.6.2003.
(145)   Artículo 23. c) CE. A este respecto el Tribunal Supremo distingue entre asociaciones de intereses económicos y sociales (sindicatos y asociaciones empresariales); colegios profesionales y otras asociaciones que persiguen fines diversos por elección de sus asociados SSTS 21.11.1990 y 24.9.1991.
(146)   SSTS 8.4.1998, 14.5.1998 y 30.5.1998.
(147)   Artículo 107 Constitución Española.

actúa en una esfera externa como administración consultiva, configurado como un órgano estatal de relevancia constitucional (148).

El objetivo que persigue la intervención de órganos consultivos es el de contribuir a lograr la legalidad formal y material de las normas reglamentarias y facilitar que la Administración disponga de mayor facilidad para el cumplimiento de sus fines; por ello esta función consultiva cumple tres funciones en el ámbito de la práctica de la administración:

— Una función de ayuda o auxilio a la autoridad que decide plantear esta consulta en el ejercicio de sus propias competencias.

— Una función de garantía de que el órgano o autoridad administrativa que consulta actúa, de acuerdo con los preceptos de la Constitución, sirviendo a los intereses generales.

— Una función de control previo del proyecto de disposición reglamentaria que se materializa en el texto del dictamen que debe ser objetivo para procurar la correcta actuación del Gobierno y de la Administración (149).

A este efecto es importante distinguir la función consultiva de la función jurisdiccional, como ha señalado el Tribunal Supremo poniendo de manifiesto las diferente posición del Consejo de Estado al desempeñar su función consultiva y de los órganos judiciales a la hora de juzgar los asuntos de su competencia y jurisdicción,. Mientras que el primero puede valorar aspectos de oportunidad y conveniencia (150), los segundos, se encuentran plenamente obligados por la Constitución a juzgar en el marco de la legalidad (151). No obstante lo cual el Consejo de Estado solo entra a valorar aspectos de oportunidad y conveniencia en los casos en que la índole del asunto así lo exija o la autoridad solicitante del dictamen así lo haya pedido expresamente (152).

El dictamen del Consejo de Estado ha sido considerado tradicionalmente como un trámite muy relevante dado el espíritu crítico e independiente así como la *auctoritas* que anima a este alto órgano consultivo regulado por la Constitución y por su propia Ley orgánica (153). En dicho dictamen, además de analizar en su conjunto la norma reglamentaria con carácter preventivo e ilustrar así la voluntad del órgano que debe aprobar la norma, se viene a poner de relieve cualquier vicio en que puede incurrir la misma; especialmente tratándose de reglamentos ejecutivos,

---

(148)   Ver a este respecto STC 56/1990 y STS 17.1.2000.
(149)   STS 16.7.1996.
(150)   Artículo 2 de la LOCE.
(151)   SSTS 15.7.1996 y 19.6.2000.
(152)   SSTS 15.7.1996 y 19.6.2000.
(153)   Ley Orgánica 3/1980 de 22 de abril del Consejo de Estado.

la eventual extralimitación de sus preceptos respecto de la ley que complementa o desarrolla. Este control preventivo viene así a ser potencialmente más eficaz que el que pueda realizar la jurisprudencia, sometida siempre a las reglas que rigen el proceso contencioso-administrativo y sin disponer de aquellas posibilidades de valoración de conjunto del reglamento sometido a dictamen que tiene el Consejo de Estado. Por ello, la exigencia de este requisito se establece incluso en relación a los reglamentos generales provisionales (154). Sin embargo, el Tribunal Supremo no ha considerado preceptivo el dictamen del Consejo de Estado para la validez de los reglamentos de organización (155), si bien hay que reconocer que es una excepción que no recoge en la Ley del Gobierno que sin embargo ha excepcionado del trámite de audiencia a estos reglamentos de organización. En los casos de otras normas reglamentarias, que vengan a desarrollar reglamentos ejecutivos, el alto Tribunal tampoco exige los requisitos generales para la probación reglamentaria porque se entiende que el dictamen emitido en la tramitación de los reglamentos ejecutivos es suficiente; sin embargo, sí se exige seguir el procedimiento general cuando se trata de un reglamento que desarrolla una Ley, directamente (156)·

17. SUPUESTOS Y EXCEPCIONES DE DICTAMEN PRECEPTIVO

La Ley Orgánica del Consejo de Estado (LOCE), dispone que los proyectos de reglamentos, deberán ser informados en los casos legalmente previstos (157), por ello la Comisión Permanente del consejo de Estado debe ser consultada en los siguientes casos de tramitación reglamentaria:

1) En la tramitación de todas las disposiciones reglamentarias que se dicten en ejecución, cumplimiento y desarrollo de tratados, convenios o acuerdos internacionales o del Derecho comunitario europeo.

2) En la tramitación de reglamentos o disposiciones de carácter general que se dicten en ejecución de leyes, así como de sus modificaciones.

Por otra parte el propio Consejo de Estado ha establecido la relación de disposiciones que preceptúan la consulta (158).

En consecuencia el consejo de Estado, a través de su Comisión Permanente, debe ser oído con carácter preceptivo en los proyectos de reglamentos o disposiciones de carácter general dictadas en ejecución de las leyes, obligación legal que resulta de aplicación tanto a los reglamentos estatales como a los de las

---

(154)   STS 12.6.1982.
(155)   SSTS 20.3.1993, 9.2.1996 y 11.4.2000.
(156)   SSTS 12.2.2001 y 11.2.2003 ver artículo 23 de la LOCE.
(157)   Artículo 22 LOCE.
(158)   Resolución de del Consejo de Estado de 3.3.1982 actualizada por Resolución del Consejo de Estado de 6.7.2000.

Comunidades autónomas, siendo preceptivo para éstas en los mismos casos previstos para el Estado, cuando hayan asumido las competencias correspondientes entendiéndose como la remisión al órgano consultivo equivalente de cada comunidad autónoma. Se trata de un dictamen preceptivo pero no vinculante (159).

Sin embargo no es preceptivo este dictamen consultivo en los supuestos siguientes:

a)   En los proyectos informados que sean objeto de alguna modificación no esencial.

b)   En los reglamentos autónomos o independientes derivados de la potestad interna de propia organizativa de la Administración pública.

c)   En caso de reglamentos de necesidad.

d)   Para los Acuerdos de la Comisión delegada del Gobierno para asuntos económicos fijando o modificando el marco regulador de tarifas que tengan naturaleza reglamentaria (160).

e)   En la tramitación de los planes rectores de uso y gestión de parques naturales aprobados por decreto del gobierno de la comunidad autónoma que tienen carácter de reglamento ejecutivo (161).

18.   PROCEDIMIENTO Y TRAMITACIÓN DE LAS CONSULTAS

Como cuestión previa debemos recordar que toda solicitud y emisión de informes o dictámenes tienen, en la práctica profesional de la Administración, la naturaleza de trámite del procedimiento de instrucción que forma parte de la actividad de colaboración entre los diferentes órganos administrativos y consiste en una declaración de juicio técnico jurídico emitida por diferente a aquel a quien corresponde iniciar, instruir o decidir el procedimiento y sirve para aportar nuevos datos al expediente, bien para comprobar los datos que ya constan en el mismo o para ambas finalidades.

Como regla general los informes son facultativos y no vinculantes salvo que existe una disposición expresa en contrario.

Por lo general los informes de la administración siempre son emitidos por funcionarios, órganos o autoridades diferentes a los que corresponda dictar resolu-

---

(159)   SSTS 30.10.1998, 15.12.1998, 29.11.1999, 22.12.1999, 19.2.2000 y 26.1.2000.
(160)   Por ejemplo las tarifas telefónicas.
(161)   SSTS 15.10.1997, 11.11.1997, 27.1.1998, 14.4.2003 y 16.6.2003.

ción o propuesta de resolución, con la finalidad de proporcionar declaraciones que sirvan de fundamento a la decisión.

La cadena documental de los informes se inicia cuando el peticionario del informe formula una demanda de información que y continúa con el centro que emite el informe finalizando en el propio peticionario que es destinatario del informe. Son, por tanto, las unidades de información responsables de la emisión del informe, las únicas capaces de llevar a cabo el registro y gestión de los informes elaborados y emitidos.

La LRJ dispone en su artículo 82 que, a efectos de la resolución del procedimiento, se solicitarán aquellos informes que sean preceptivos por disposiciones legales y los que se juzguen necesarios para resolver, citándose el precepto que los exija o fundamentado, en su caso la conveniencia de reclamarlos.

Entre las técnicas consultivas con mayor tradición en la Administración hay que mencionar la de los órganos colegiados externos al órgano que realiza la consulta que actúan mediante un procedimiento regulado produciéndose el dictamen por escrito y mediante votación de los miembros del órgano consultivo colegiado entre ellos se encuentra el Consejo de Estado y los órganos consultivos de las Comunidades Autónomas.

La tipología de los informes puede ser variada de manera que pueden hacerse varias clasificaciones en función de diferentes criterios.

A) Obligatoriedad

Por la obligación legal de solicitarlos pueden clasificarse en informes preceptivos y facultativos. Son informes preceptivos aquellos que deben ser solicitados por imperativo de una disposición legal y pueden clasificarse a su vez en dos grupos:

–   Informes determinantes son aquellos informes preceptivos que, a juicio del órgano competente, resultan imprescindibles para adoptar una decisión o resolución de un procedimiento. Este carácter de determinante debe hacerse constar en el medio y momento en que se solicite el informe, además si este tipo de informes no son emitidos en el plazo legalmente previsto se produce la interrupción del cómputo del plazo legal establecido para la resolución (162).

–   Son informes no determinantes aquellos informes preceptivos que, a juicio del órgano competente, no resultan imprescindibles para la resolución del procedimiento aún en el caso de ser exigidos por una disposición legal. Si no se emiten en el plazo establecido no se interrumpe el cómputo de plazo continuando la

---

(162)   LRJ artículo 83.3.

tramitación del procedimiento aun en el caso de que tuviera carácter vinculante y sin que sea preciso tenerlo en cuenta para la adopción de la resolución (163).

Son informes facultativos aquellos que solicita el órgano administrativo competente aunque no está obligado a solicitarlos muchas veces estos informes se solicitan para aclara alguna cuestión o incluso para reforzar la *auctoritas* de una propuesta, decisión o procedimiento mediante la incorporación de una opinión favorable de un órgano determinado competente por razón de la materia.

En estos casos también se trata de obtener datos, opiniones o valoraciones que se estiman convenientes.

B) Vinculación

Por la vinculación con su parecer los informes se clasifican en vinculantes y no vinculantes:

–   Informes vinculantes que son lo que obligan al órgano administrativo a resolver en el sentido informado.

–   Informes no vinculantes son aquellos cuyas conclusiones asesoran al órgano que lo solicita, pero éste puede resolver, o no, en el sentido del informe, por lo general en este último caso deberá motivar la decisión sobre todo si se aparta de un dictamen no vinculante de un órgano consultivo.

La LRJ establece, como regla general, que los informes no son vinculantes salvo que una disposición expresa así lo establezca en cada caso concreto.

C) Tipo de decisión o resolución

Por el tipo de resolución que aportan los informes pueden clasificarse en:

a) Informes de resolución única que son aquellos que finalizan con una sola propuesta o conclusión.

b) De resoluciones alternativas que son aquellos que finalizan con propuestas o resoluciones múltiples, proporcionando la posibilidad de optar entre diversas alternativas.

D) Contenido

Por razón de su contenido los informes pueden ser informes vinculados que son aquellos que someten su contenido y conclusiones a cuestiones concretas por otra parte se conocen como informes libres aquellos cuyo contenido tiene un carácter

---

(163)   LRJ arts. 83 y 84.

general y abarca soluciones o propuestas que van más allá de la cuestión concreta que justifica la elaboración del informe.

E) Órgano de emisión

En función del órgano que los emite los informes pueden ser internos que son aquellos emitidos por la misma Administración de la que forma parte el órgano que los solicita y externos son aquellos emitidos por una administración diferente de la del órgano solicitante o por una entidad privada.

La solicitud de informe se entiende que es facultativa dado que a efectos de la resolución del procedimiento se solicitan aquellos informes y dictámenes que sean preceptivos por disposición con rango de ley y aquellos otros que se consideren necesarios para resolver el procedimiento debiéndose citar el precepto que los exija y además fundamentando la conveniencia de su reclamación (164). En consecuencia y como norma general de actuación, solo debe solicitarse una consulta preceptiva cuando así lo exija, expresamente, una norma con rango de ley, debiendo figurar en la consulta el órgano al que ésta se solicita.

La propia LRJ dispone que, en la solicitud del informe, deben concretarse los extremos acerca de los que se solicita informe o dictamen:

a) Indicación del precepto que exija esta consulta en caso de considerarse preceptiva; o en su caso fundamentación de la conveniencia para emitir informe.

b) Delimitación concreta del extremo o extremos acerca de los que se solicita el dictamen.

c) Plazo legal establecido para la emisión (165).

El plazo que se para la evacuación de dictámenes por el Consejo de Estado es, en trámite de urgencia, de quince días o el inferior que fije el Gobierno o su presidente en trámite de urgencia; no obstante cuando el plazo fijado al efecto sea menor a diez días, la consulta se despachará por la Comisión permanente aunque fuera competencia del Pleno.

19. VALORACIÓN DE INFORMES Y DICTÁMENES EN LA PRÁCTICA DE LA ADMINISTRACIÓN

La definición de informe interna que venimos manejando encaja con el objeto de estudio de la archivística incluyendo los informes como documentos archivables en el sentido de soportes que contienen un texto que es resultado de una

---

(164) LRJ artículo 81.
(165) LRJ artículos 75 y 82.

actividad administrativa de una entidad pública, efectuada en cumplimiento de sus objetivos y finalidades. De acuerdo con esta definición, las semejanzas del informe como tipología específica incluida entre los documentos de archivo, puede delimitarse señalando que el informe es un documento nacido de la actividad administrativa para cumplimiento de sus objetivos y finalidades. La actividad administrativa estaría perfectamente justificada en el informe jurídico y técnico que se inserta en un expediente administrativo; no obstante hay que tener en cuenta que la inclusión o delimitación de los informes administrativos en el ámbito administrativo es una de las varias posibilidades del informe como objeto de estudio pero no la única, pues lo que realmente dota de razón de ser y caracteriza de forma global a cualquier tipo de informe es su dimensión informativa por encima de las formalidades documentales y tramitaciones administrativas.

La Ley de Patrimonio Histórico Español (LPH) (166) define como documento toda expresión de lenguaje natural o convencional y cualquier otra expresión gráfica, sonora o en imagen recogidas en cualquier tipo de soporte material, incluso los soportes informáticos dentro de la cual cabe el concepto de informe; otro de los argumentos que permiten incluir al informe como documento bajo la tutela archivística se refiere a las etapas de su valor que concluyen con su eliminación o conservación, pues un informe nace ante una necesidad de información puntual y relevante y una vez que ha terminado su función o se haya extinguido el objeto por el que fue creado, el documento pierde su interés y valor primario. De este modo un informe puede ser generado ante una petición de información sobre un tema de actualidad, pero una vez pasado ese momento de necesidad informativa, el informe interno pierde gran parte de su valor para cargarse de otro valor más cercado al histórico o archivístico, pero incluso un informe redactado para facilitar una toma de decisión puede recobrar su valor primario pasado mucho tiempo siempre que el asunto para el que fue creado vuelva a suscitar interés en la organización. Por otra parte hemos clasificado al informe centre los documentos de juicio al que podemos definir como la opinión emitida por funcionarios, autoridades u organismos diferentes de aquellos a quienes corresponde emitir actos de decisión.

Ya hemos apuntado la diferencia entre informe y dictamen en cuanto a su diferencia en función de la importancia del órgano informante que haya emitido el documento; pero puede establecerse además otra diferencia entre ambos conceptos de manera que el informe es un documento de información de contenido más genérico, mientras que el dictamen es de carácter técnico además de jurídico teniendo en cuenta que, por lo general, los informes son sucintos y exponen razonamientos y opiniones con claridad y precisión; pero cuando deben servir para dar lugar a una resolución, se redacta de un modo mucho más elaborado muchas veces inspirado en los formularios judiciales. Por ello puede decirse que, desde un

---

(166)   Ley 16/1985 de Patrimonio Histórico Español.

punto de vista administrativo, el informe cuenta con las solemnidades requeridas y formalidades diplomáticas según se utilice para una u otra finalidad. El informe redactado a petición de un órgano directivo, con el fin de conocer los datos más relevantes sobre un asunto, dan lugar a una pieza documental unitaria, de escasa visibilidad, muy poco normalizada y en general con pocos elementos informativos de identificación. El caso contrario se observa en supuestos de cuando la resolución administrativa para la que se pide asesoramiento se encuentra enmarcada en un procedimiento reglado y deba ser dictada basada en un informe preceptivo en cuyo caso su elaboración será más formal.

La visibilidad y acceso a un informe incluido en un procedimiento administrativo depende del grado de confidencialidad que se haya conferido al expediente en el que se inserte pues en estos casos el informe pierde su individualidad para formar parte del conjunto documental formado por el expediente administrativo en que se encuentre incluido, pues el informe es el documento de asesoramiento por excelencia y por ello debe estar incorporado a los expedientes administrativos a los que se refiera.

De todos modos el informe en otros ámbitos del sector público como es el caso de los procesos judiciales, no goza de las mismas peculiaridades de validación del documento público autenticado ante funcionario público: informes, oficios y comunicaciones, pues no se trata de documentos públicos solmenes en el sentido que da a este concepto la Ley de Enjuiciamiento Civil y por ello no gozan de plena presunción de autenticidad legal. Por un lado si que tienen una autenticidad parcial porque se trata de documentos auténticos desde el punto de vista externo al haber sido expedidos por funcionario en ejerció de sus competencias; pero por otro no se reputan documentos auténticos en lo relativo al su contenido, es decir a la información que contienen porque con ellos se transmite una información que no consta debidamente registrada en una unidad administrativa o en su archivo.

Por ello aunque externamente se trata de documentos auténticos no lo son respecto a la información que suministran que se considera una mera declaración escrita por lo cual a este efecto tiene el mismo valor que documentos privados cuyo contenido debe ser objeto de autenticación por cualquier medio probatorio en el ámbito del proceso judicial.

20. NORMAS DEL CONSEJO DE ESTADO Y EFECTOS DEL DICTAMEN

El Reglamento Orgánico del Consejo de Estado (167) dispone, en su artículo 140, que dicho órgano consultivo del Gobierno publicará periódicamente en el Boletín Oficial del Estado la relación de disposiciones que preceptúan la audiencia del Consejo de Estado: La relación actualmente vigente se publicó mediante Resolución

---

(167)   Aprobado por Real Decreto 1674/1980 de 18 de julio.

de la Presidencia del Consejo de Estado, posteriormente, la Resolución de veintiuno de junio de 2005 que procedió a la actualización de la relación de disposiciones que preceptúan la audiencia de este órgano consultivo, derogándose al efecto la anterior (168). Además de relacionar los supuestos contemplados en la LOCE (169), de cuando debe ser consultado en Pleno y cuándo en Comisión, respectivamente, sistematiza las consultas desde un punto de vista material.

a) En la Administración financiera. Debe ser consultado:

— En los procedimientos de revisión de oficio de actos nulos de pleno derecho.

— Para la transacción judicial o extrajudicial sobre los derechos de la Hacienda Pública.

— Para la aprobación de un crédito extraordinario o de un suplemento de crédito.

— Para la revisión de actos en vía administrativa relativos a los impuestos sobre el patrimonio, sobre sucesiones y donaciones, sobre transmisiones patrimoniales y actos jurídicos documentados y tributos sobre el juego; todos ellos cedidos a las Comunidades Autónomas (170).

b) En materia de de Administración local de ser consultado:

— En la resolución de los expedientes de municipalización o de provincialización;

— en la creación y supresión de municipios, así como en la alteración de los términos municipales; en deslindes de términos municipales;

— En la modificación y supresión de entidades locales de ámbito inferior al municipio; en la interpretación y modificación de los contratos;

— En cuanto a la decisión de la forma de aprovechamiento de los bienes comunales; en los conflictos en defensa de la autonomía local (171).

---

(168) La anterior Resolución de la Presidencia del Consejo de Estado de 6.7.200 que sustituyó a la de 3.3.1982.
(169) Artículos 22 y 23 modificados por LO 3/2004.
(170) Ver artículo 217 Ley General Tributaria; artículos 22 de la LO 3/1980 y 31 y 55 de la Ley General Presupuestaria y artículo 19 de la Ley 14/1996.
(171) Ver Ley Orgánica 2/1979 del Tribunal Constitucional artículo 95 ter en su redacción actual; Ley 7/ 1985 de Bases de Régimen Local artículo 13, Texto refundido de las Disposiciones legales vigentes en materia de Régimen Local aprobado por Real Decreto Legislativo 781/1986 artículos 10, 44 y 114; Reglamento de Servicios de las Corporaciones Locales aprobado por Decreto de 17.6.1955 artículo 64 y Reglamento de Bienes de las Corporaciones Locales aprobado por Real Decreto 1372/1986 artículo 95.

c) En materia de Aguas, de elevar consulta Para la introducción de reformas o modificaciones que sobre los estatutos de las comunidades de usuarios del agua pretenda el organismo de cuenca y para que el organismo de cuenca imponga estatutos u ordenanzas a las comunidades de usuarios que carezcan de ellas (172).

d) En normativa relacionada con el Banco de España. Debe ser consultado para la aprobación del proyecto de Circular Monetaria por la Comisión Ejecutiva (Consejo de Gobierno Banco de España) (173).

e) En materia de Beneficencia. Se ha de consultar al Consejo de Estado para el otorgamiento de concesiones; en los procedimientos de destitución de los representantes legítimos de las instituciones particulares de beneficencia y en los de modificación, fusión o extinción de fundaciones culturales privadas (174).

f) En materia de Bolsas de comercio. Se requiere consulta preceptiva para la creación de las bolsas oficiales de comercio (175).

g) En materia de comunidades autónomas en diversas materia reguladas por la Constitución y los Estatutos de Autonomía (176).

h) En materia de contratación administrativa, debe pedirse consulta:

—   Para la aprobación de los pliegos de cláusulas administrativas generales;

—   En los supuestos de oposición del contratista ante la resolución del contrato por falta de formalización en plazo, por causas imputables a aquél,

—   En la interpretación, nulidad y resolución de los contratos cuando se formule oposición por el contratista y en los expedientes para la declaración de nulidad de los contratos. Dado que la Ley 30/2007 de Contratos del Sector público es posterior a la vigente resolución de la Presidencia del Consejo de Estado hay que tener lo en cuenta a los efectos de la remisiones que ésta hace en materia de contratación pública.

i) En materia de Derecho comunitario europeo, el Consejo de Estado debe ser consultado sobre las normas que se dicten en ejecución, cumplimiento y desarrollo del Derecho comunitario (177).

---

(172)   Ver Texto Refundido de la Ley de Aguas aprobado por Real Decreto Legislativo 1/2001, artículo 81.
(173)   Ver Resolución del Consejo de Gobierno del Banco de España de 14.11.1996.
(174)   Ley de Beneficencia de 21 julio 1880, Real Decreto de 14.3.1899 y Decreto de 21.7.1972.
(175)   Decreto 30.6.1967.
(176)   Artículo 156 CE.
(177)   Ver Ley 8/1994 sobre Comisión Mixta para la Unión Europea.

j) En materia de Administraciones públicas en general de be ser consultado para la aprobación de los reglamentos de ejecución (178).

k) En materia de expropiación forzosa, para acordar por el Consejo de Ministros la revisión de precios máximos y mínimos en los supuestos especiales de extraordinaria alteración del valor de la moneda; para establecer los tipos de indemnización establecidos por el Consejo de Ministros (179).

l) También en otras materias como ferrocarriles, para acordar la imposición de sanciones a los arrendatarios y concesionarios en el ejercicio de la policía de ferrocarriles; en materia de funcionarios públicos, para acordar sanciones disciplinarias que impliquen separación del servicio a funcionarios transferidos a las Comunidades Autónomas; también para la actualización de las cuantías judiciales; para la alteración de los puntos de residencia de los notarios y para la revisión de la demarcación notarial; en materia de obras públicas, para la resolución previa de los expedientes para la variación o modificación del proyecto que haya servido de base a una concesión subvencionada; en procedimientos de declaración de caducidad de las concesiones y de prórroga del plazo de ejecución de las obras en las concesiones subvencionadas; también Para transigir sobre bienes y derechos del Patrimonio del Estado y en los procedimientos de enajenación de participaciones públicas en determinadas empresas. En materia de Patrimonio Nacional, para acordar la modificación, fusión o extinción de los reales patronatos, cuando así lo exija el mejor cumplimiento de los fines fundacionales y cuando concurran los supuestos contemplados en el Código Civil. En materia de Procedimiento administrativo, será preceptivo el dictamen en procedimientos de revisión de oficio de actos y disposiciones administrativas de carácter general nulos de pleno derecho (180); en materia de procedimiento laboral. Para la actualización de las cuantías a partir de las cuales se admite el recurso de suplicación, exigiéndose también el informe del Consejo General del Poder Judicial; en materia de Registro civil en los expedientes de cambio de apellidos cuando se den circunstancias excepcionales, en materia de Registro de la propiedad en los expedientes disciplinarios que se instruyan contra registradores y n los expedientes de creación o supresión de los registros de la propiedad (181). En materia de responsabilidad patrimonial de las Administraciones públicas, en los procedimientos de reclamación de responsabilidad patrimonial. En los expedientes por daños producidos por el funcionamiento de los servicios colegiales de asistencia jurídica gratuita (182). En materia de Seguridad social. Se requiere la previa audiencia del Consejo de Estado para

---

(178)   Ver Ley 50/19997 del Gobierno artículo 5.1 h).
(179)   Ver Ley de Expropiación Forzosa artículo 70 y Reglamento de la Ley de Expropiación Forzosa, artículo 108.
(180)   Artículo 102 LRJ.
(181)   Ver artículo 482 Reglamento Hipotecario.
(182)   Real Decreto 2103/1996 artículo 24.

© El Consultor de los Ayuntamientos

transigir judicial o extrajudicialmente sobre los derechos de la Seguridad Social. En materia de telecomunicaciones, para la fijación del contenido de derechos y obligaciones de los títulos de concesión, en los expedientes para la concesión y rehabilitación de títulos nobiliarios, en materia de transportes, en los casos en que se proceda a la revocación de la delegación de facultades por incumplimiento de las condiciones de delegación por una Comunidad Autónoma, así como en diversos supuestos regulados por la normativa urbanística.

La omisión de los trámites esenciales citados en el procedimiento de elaboración de los reglamentos determina la nulidad del reglamento. Ésta es la consecuencia natural, pues en relación a las normas, como integrantes del Ordenamiento jurídico, no cabe la sanción de simple anulabilidad, que está establecida en interés principal de los interesados; se trata siempre de vicios de nulidad de pleno derecho porque afectan al sistema normativo general, son por tanto cuestiones o vicios de orden pública. Sin embargo, la jurisprudencia ha admitido en ocasiones que determinados defectos de forma o procedimiento constituyen vicios de anulabilidad del Reglamento que los contiene. En todo caso, los Reglamentos ejecutivos que según la Ley que los habilita deben ser aprobados en un plazo determinado, no incurren en vicio de nulidad si no fueran aprobados en dicho plazo, por supuesta caducidad de la autorización habilitante para su aprobación ya que están amparados por la propia Constitución (183). También el Tribunal Supremo tiene declarado que en los recursos indirectos no cabe alegar vicios procedimentales, ni tan siquiera el vicio de la omisión del dictamen del Consejo de Estado cuando sea preceptivo; esta opinión jurisprudencial no tienen apoyo legal y es manifiestamente contraria a la que en otros órdenes jurisdiccionales se encuentra consagrada en materia de fiscalización incluso de oficio de los llamados vicios de orden público, entre los que debe encuadrarse la ausencia de tales dictámenes, que son esenciales para el buen ejercicio de la potestad reglamentaria al servicio de los intereses públicos (184). De todos los trámites exigidos en el procedimiento de tramitación reglamentaria solo constituyen vicios determinantes de la nulidad del reglamento la omisión de los de garantía de los derechos e intereses de los ciudadanos, esto es el trámite de audiencia a los interesados, el de audiencia a las organizaciones y asociaciones representativas y el de información pública; y los trámites preceptivos de informe de la Secretaría General Técnica, y cuando procedan, del informe del Ministerio de Administraciones Públicas, del dictamen del Consejo de Estado o los informes de carácter preceptivo de otros Entes u organismos. También constituye vicio de nulidad la falta de comunicación previa a la Comisión Europea de la norma reglamentaria, cuando así lo imponga el Derecho de la Unión Europea, las demás irregularidades se consideran que no invalida la norma y son susceptibles de convalidación.

---

(183)   Ver artículo 97 CE.
(184)   SSTS 29.10.1987 y 20.1.1989.

En lo que respecta a informes no vinculantes, el órgano competente no está sujeto al contenido del mismo, pero para apartarse de él debe constar una motivación; en el caso de informes vinculantes, el órgano administrativo debe resolver de conformidad.

21. REGLAMENTOS DE LAS COMUNIDADES AUTÓNOMAS

Una de las diferentes clasificaciones de los reglamentos administrativos se hace atendiendo a su origen, de manera que existen reglamentos estatales, autonómicos, locales, institucionales y corporativos. Estas variedades ponen de manifiesto que no hay una regulación uniforme de las disposiciones reglamentarias, de manera que el sistema de aprobación y publicación, así como el órgano competente en unos casos y otros es diverso. Los reglamentos de las comunidades autónomas tienen estructura y problemática similar a los reglamentos estatales, teniendo igual denominación, es decir Decretos los reglamentos aprobados por el gobierno de la comunidad autónoma, Órdenes los reglamentos aprobados por los consejeros.

Un requisito esencial para la validez de los reglamentos es que el órgano que lo dicta tenga competencia para ello y así lo exige la LRJ cuando establece que las disposiciones administrativas no podrán vulnerar la Constitución o las leyes ni regular aquellas materias que la Constitución o los estatutos de autonomía reconocen de la competencia de las Cortes generales o de las Asambleas legislativas de las comunidades autónomas. Otro requisito se refiere al principio de jerarquía normativa en cuya virtud los reglamentos se ordenan de acuerdo con el rango y situación en la administración del órgano que dicta el reglamento sin que pueda ser contrario a lo dispuesto por una norma de rango superior (185). Otro requisito es la interdicción de la arbitrariedad cuya norma se quebranta cuando el reglamento vulnera los límites de este principio que exige que a diferencia de la ley, los reglamentos son producto de una potestad limitada.

Lo dicho respecto de la potestad reglamentaria estatal es de aplicación a las Comunidades Autónomas. En lo relativo a los titulares de la potestad reglamentaria los Estatutos de Autonomía no son muy explícitos si bien de sus disposiciones cabe deducir, por lo general, que la potestad reglamentaria corresponde al Consejo de gobierno que es quien concentra la competencias, en las diferentes leyes autonómicas de desarrollo que examinamos a continuación, esta cuestión ha sido desarrollada más detalladamente. Esta potestad reglamentaria genéricamente atribuida al Gobierno no excluye atribuciones asignadas al presidente aunque limitadas a cuestiones específicas y el reconocimiento de una potestad reglamentaria concretada a las materias de su departamento a favor de los diferentes consejeros.

---

(185)   Artículo 51 LRJ.

En este ámbito de las comunidades autónomas es de perfecta aplicación la diferencia entre reglamentos jurídicos y reglamentos administrativos según la norma produzca efectos externos a la propia administración afectado a derechos e intereses de los ciudadanos.

El procedimiento de elaboración de disposiciones de carácter general no aparece específicamente desarrollado en las leyes autonómicas que regulan esta materia dado que siendo una competencia del estado el establecimiento del procedimiento administrativo común para todas las administraciones públicas (186) es este esquema básico el que hay que seguir para la elaboración de normas reglamentarias por las Comunidades Autónomas.

Con anterioridad a la entrada en vigor de la LRJ podía considerarse que la regulación del procedimiento de elaboración de reglamentos autonómicos seguía esencialmente lo dispuesto en la normativa estatal en esta materia, por cuanto tenía el carácter de normativa común conforme a lo dispuesto en el artículo 149.1.18ª, salvo en las especialidades derivadas de la organización propia de cada Comunidad Autónoma. Tras la LRJ la única normativa a tener en cuenta es la legislación autonómica establecida sobre esta materia, que está contenida en general en las Leyes de Gobierno y Administración (187) de cada Comunidad y que, por ahora, coinciden en lo sustancial con la normativa estatal. Sin embargo, en relación a los reglamentos ejecutivos autonómicos, sólo se considera preceptivo el Dictamen del Consejo de Estado, si las leyes que desarrolla son estatales (188). En todo caso, debe tenerse en cuenta que las Comunidades Autónomas, en uso de su potestad organizativa pueden crear órganos superiores consultivos que integran en el ordenamiento autonómico las competencias que la legislación general atribuye al Consejo de Estado (189).

22. REGULACIÓN DE LA POTESTAD REGLAMENTARIA EN LAS COMUNIDADES AUTÓNOMAS

La Constitución española potestad reglamentaria en el ámbito de las Comunidades Autónomas corresponde a los Consejos de Gobierno (190).

Las Comunidades autónomas que han desarrollado normativa respecto a la potestad reglamentaria y el procedimiento para la elaboración de disposiciones administrativas de carácter general son las siguientes:

---

(186)   Artículo 149.1.18.ª CE.
(187)   U otras denominaciones similares.
(188)   STS 11.4.1995.
(189)   STC 204/1992.
(190)   Artículo 152-1.º CE.

22.1. Comunidad autónoma de Andalucía

La Ley del Gobierno de Andalucía establece lo siguiente, respecto al ejercicio de la potestad reglamentaria en dicha Comunidad Autónoma:

a) En lo que hace a la competencia: Corresponde al Presidente de la Junta para dictar decretos del Presidente; y al Consejo de Gobierno para los decretos, que deben firmarse por el Presidente y por el consejero competente.

b) Respecto al rango jerárquico interreglamentario: Se establece en función del rango del órgano que aprueba cada reglamento. Se prohíbe la delegación de la potestad reglamentaria.

c) En relación con el procedimiento: Frene a la ley del Gobierno autonómico, anteriormente vigente, que sólo establecía la publicación en el Boletín Oficial de la Junta de Andalucía como requisito procedimental, la nueva regulación se extiende a todos los trámites del expediente, destacando, además de otros comúnmente exigidos, el informe del Gabinete Jurídico de la Junta de Andalucía (191).

22.2. Comunidad autónoma de Aragón

La Ley del Presidente y del Gobierno de la Comunidad Autónoma contempla la potestad reglamentaria autonómica regulando los aspectos siguientes:

a) En lo relativo a la competencia, la potestad reglamentaria es propia del Gobierno y pueden ejercerla sus miembros cuando estén habilitados por ley o norma reglamentaria. El Presidente puede dictar reglamentos internos del Gobierno y respecto de las funciones ejecutivas que se hubiera reservado. Las comisiones delegadas pueden aprobar disposiciones generales en caso de que su decreto de creación las haya habilitado expresamente, siempre dentro de su ámbito competencial. Los miembros del Gobierno regional ostentan potestad reglamentaria interna en el ámbito de su competencia; para el resto de casos es precisa habilitación normativa.

b) En relación con la jerarquía, las disposiciones generales se ordenan de forma jerárquica de manera que son nulas las inferiores contrarias a las superiores (192):

— Decretos del presidente o del Gobierno;

— Disposiciones de las comisiones delegadas del Gobierno;

— Órdenes de los vicepresidentes y consejeros.

---

(191)   Ver artículos 45 y 46 de la Ley 6/2006, de 24 de octubre, del Gobierno de la Comunidad Autónoma de Andalucía en su redacción actual.

(192)   Artículo 9.2 CE y 1.2 Código Civil.

c) Respecto al procedimiento, se regula el inicio y documentación del proceso de elaboración de las disposiciones administrativas de carácter general; los trámites de información y audiencia pública; emisión de informes y dictámenes; y la forma de producción de los efectos jurídicos mediante publicación oficial (193).

22.3. Comunidad autónoma de Asturias

La Ley de Régimen jurídico de la Administración autonómica regula en un capítulo específico el procedimiento de elaboración de disposiciones de carácter general, distinguiendo los tres trámites procedimentales: iniciación, tramitación y aprobación (194).

22.4. Comunidad autónoma de las Islas Baleares

La Ley del Gobierno de las Islas Baleares regula, los siguientes aspectos relativos a la potestad reglamentaria:

a) Aún cuando la potestad reglamentaria de la Administración de la comunidad autónoma corresponde al Gobierno regional, los consejeros pueden dictar disposiciones reglamentarias en materias de su propia competencia departamental, siempre que tengan por objeto regular la organización y el funcionamiento de los servicios de la consejería y cuando exista habilitación normativa.

El Presidente de la Comunidad Autónoma puede dictar reglamentos para la creación y extinción de consejerías, incluida la modificación de la denominación y de las competencias que les corresponden; para la determinación del régimen de suplencias de los consejeros y de la Secretaría del Consejo de Gobierno y en cualquier otro previsto en una norma con rango de Ley.

b) Las disposiciones Generales adoptan la forma de decreto cuando son aprobadas por el Gobierno o por el presidente, y de orden, cuando son aprobadas por los consejeros. Los decretos son firmados por el presidente, o por el presidente y por el consejero o consejeros competentes en la materia.

Las órdenes son firmadas por el consejero competente. Las órdenes que afectan a más de una consejería son firmadas por el consejero encargado de la secretaría del Consejo de Gobierno.

c) Las disposiciones administrativas se ajustan a la jerarquía de decretos y órdenes (195).

---

(193) Ley 2/2009 de 11 de mayo del Presidente y del Gobierno de Aragón artículos 42 a 50.
(194) Artículos 32 y 34 de la Ley 2/1995, de 13 de marzo, sobre Régimen jurídico de la Administración del Principado de Asturias, en su redacción actual.
(195) Ley 4/2001, de 14 de marzo, del Gobierno de las Islas Baleares.

22.5. Comunidad autónoma de Canarias

La Ley regula el ejercicio de la potestad reglamentaria del Gobierno y de la Administración de esta comunidad autónoma, con los siguientes caracteres más destacados:

a) En relación con la competencia y jerarquía normativa, se establece como orden jerárquico: decretos del Gobierno; decretos del Presidente; órdenes interdepartamentales y órdenes departamentales. Se declaran nulas las disposiciones administrativas que vulneren los principios de legalidad, jerarquía normativa y reserva de ley.

b) Respecto al procedimiento, se regulan los trámites por los que discurre el procedimiento de elaboración de los proyectos de ley y de las normas reglamentarias (196).

22.6. Comunidad autónoma de Cantabria

El régimen tanto sustantivo como procedimental para la elaboración de disposiciones administrativas de carácter general para esta comunidad, incluye los siguientes aspectos:

a) Normas sustantivas, son las referentes al establecimiento del orden jerárquico interreglamentario y la competencia para dictarlos. Las normas reglamentarias, se ajustan entre ellas, a la siguiente jerarquía: decretos y órdenes de los consejeros.

Tienen la forma de decreto las disposiciones de carácter general del Presidente de la Comunidad Autónoma de Cantabria, dictadas en el ejercicio de las facultades que le atribuyen el Estatuto de Autonomía para Cantabria y las leyes. Las disposiciones de carácter general del Gobierno sobre materias de su competencia. Los decretos del Gobierno han de ir firmados por el Presidente del Gobierno y por el consejero a quien corresponda. Cuando el decreto afecta a las competencias de más de una consejería, es competente para su firma el consejero secretario del Consejo de Gobierno. Los decretos del Presidente deben ir firmados por éste.

Por otro lado, deben adoptar la forma de órdenes, las disposiciones de los consejeros, e irán firmadas por el titular de la consejería.

Cuando las órdenes afecten a las competencias de varias consejerías se aprobarán por el consejero de Presidencia, a iniciativa de los consejeros interesados.

b) Respecto al procedimiento, además de la asunción expresa de ciertos principios generales de carácter común que han de regir el ejercicio de la potestad

---

(196) Ley 1/1983, de 14 de abril, del Gobierno y de la Administración Pública de la comunidad Autónoma de Canarias, artículos 33 a 45.

reglamentaria por parte de la Administración Autonómica de Cantabria se formulan normas relativas al procedimiento en que se ha de encauzar el ejercicio de la potestad normativa del Gobierno y Administración autonómicos.

La ley autonómica regula la elaboración de proyectos de ley; anteproyectos de disposiciones legislativas; disposiciones administrativas de carácter general, así como los diferentes aspectos de la tramitación y aprobación de los decretos de Gobierno y de las órdenes de los consejeros (197).

22.7. Comunidad autónoma de Castilla-La Mancha

La Ley regula el ejercicio de la potestad reglamentaria en esta comunidad autónoma, estableciendo las líneas siguientes:

a) La Competencia, corresponde el ejercicio de la potestad reglamentaria al Consejo de Gobierno, sin perjuicio de la facultad de sus miembros para dictar normas reglamentarias en el ámbito propio de sus competencias. Las disposiciones reglamentarias revisten la forma de decretos si proceden de Consejo de Gobierno; órdenes de las comisiones delegadas si se dictan por el Gobierno; y órdenes de los consejeros en el ámbito de sus respectivas competencias.

b) Respecto al procedimiento, el ejercicio de dicha potestad requiere que la iniciativa de la elaboración de la norma reglamentaria sea autorizada por el presidente o el consejero competente en razón de la materia, para lo que se eleva memoria comprensiva de los objetivos, medios necesarios, conveniencia e incidencia de la norma que se pretende aprobar.

En el procedimiento de elaboración de la norma se recaban los informes y dictámenes preceptivos, así como cuantos estudios se estimen convenientes. Si no se solicita dictamen del Consejo consultivo, por no resultar preceptivo ni estimarse conveniente, se pide informe de los servicios jurídicos de la Administración acerca de la legalidad del proyecto de norma. Si la disposición afecta a derechos o intereses legítimos de los ciudadanos se somete a información pública de forma directa o a través de las asociaciones u organizaciones que los representen, excepto que se justifique de forma suficiente la improcedencia o inconveniencia de dicho trámite. Se entiende cumplido el trámite citado cuando las asociaciones y organizaciones representativas han participado en la elaboración de la norma a través de los órganos consultivos de la Administración regional (198).

---

(197) Artículos 110 a 121 de la Ley 6/2002, de 10 de diciembre, de Régimen Jurídico del Gobierno y de la Comunidad Autónoma de Cantabria en su redacción actual.

(198) Ley 11/2003 de 25 de septiembre, del Gobierno y del Consejo Consultivo de Castilla-La Mancha.

22.8. Comunidad autónoma de Castilla y León

La Ley de esta comunidad autónoma distingue, en su texto entre regulación sustantiva y procedimental respecto de la elaboración de las disposiciones reglamentarias:

Respecto a la regulación sustantiva define como decretos, las disposiciones del órgano de Gobierno, Junta de Castilla y León, o del Presidente de la Comunidad Autónoma; tienen rango de orden las disposiciones y resoluciones de los consejeros.

La Ley establece una relación jerárquica entre normas reglamentarias: primero decretos y, después, órdenes.

La vulneración de los principios de legalidad, reserva de ley, jerarquía normativa e inderogabilidad singular de los reglamentos, en el ejercicio de la potestad reglamentaria tienen como consecuencia la nulidad de la disposición (199).

22.9. Comunidad autónoma de Cataluña

La Ley atribuye al Gobierno, de manera colegiada, el ejercicio de la potestad reglamentaria, siempre que no esté expresamente atribuida al presidente o a los consejeros. Los decretos emanan del Gobierno o del presidente, mientras que las disposiciones emanadas de los consejeros tienen forma y rango de orden y pueden ser normas autónomas en lo relativo a la regulación de la organización interna de la administración. La Ley califica las instrucciones y circulares como ajenas a la potestad reglamentaria (200).

22.10. Comunidad autónoma de Extremadura

En la Ley del Gobierno y Administración de Extremadura, se establecen disposiciones sobre el procedimiento de elaboración tanto de reglamentos administrativos como de anteproyectos de Ley. Con respecto al procedimiento de elaboración de reglamentos, se contienen dos grupos de disposiciones:

a) Disposiciones de naturaleza sustantiva que definen qué es lo que se entiende por disposición administrativa de carácter general, esto es, la sujeción al procedimiento de elaboración en él regulado y así, incluyendo en este concepto, las disposiciones dictadas por el Consejo de Gobierno o por su presidente, las órdenes dictadas en el ejercicio de la potestad reglamentaria por los consejeros, dentro de su

---

(199)   Artículos 42 a 50 de la Ley 3/2001, de 3 de julio, del Gobierno y de la Administración de Castilla y León.

(200)   Ley 13/2008, de 5 de noviembre, de la Presidencia de la Generalidad y del Gobierno. Artículos 39 a 41 y Ley 26/2010, de 3 de agosto, de Régimen jurídico y de procedimiento de las administraciones públicas de Cataluña, artículos 50 a 70.

marco competencial. Por otro lado, a los efectos del procedimiento de elaboración excluye de tal concepto, no quedando sujetas a los requisitos de procedimiento contenidos en el citado capítulo las siguientes disposiciones administrativas:

— Las que no sean estrictamente ejecutivas; las que regulen los órganos, cargos y autoridades administrativas contempladas en la Ley de la Comunidad Autónoma;

— Las disposiciones orgánicas de la Administración autonómica o de los organismos dependientes o adscritos a la misma;

— Las resoluciones de cualquier procedimiento administrativo y los actos de trámite que afecten a los mismos;

— Aquellas disposiciones sujetas a una legislación específica, cuando así se deduzcan de su propia regulación previa declaración motivada que ha de figurar en el expediente administrativo.

b) En la regulación de carácter procedimental, se establecen normas reguladoras de los trámites que ha de ir atravesando, para su aprobación, una disposición administrativa de carácter general. El procedimiento se articula en tres fases: inicio, instrucción y aprobación (201).

En una práctica posterior concluiremos el examen de la regulación autonómica de la potestad reglamentaria

22.11. Comunidad autónoma de Galicia

Los reglamentos se ordenan jerárquicamente en decretos, aprobados por el Consejo de Gobierno y órdenes de los consejeros, directamente en materias de organización interna o en desarrollo de aquellos; en otros ámbitos, se distingue entre potestad originaria y derivada. Las instrucciones emitidas por órganos de la Administración General y entidades públicas instrumentales públicas autonómicas no tienen la naturaleza de disposiciones dictadas en ejercicio de la potestad reglamentaria. La ley autonómica confirma el principio de jerarquía normativa, el de legalidad, el de reserva de ley y el de inderogabilidad singular de los reglamentos (202).

---

(201) Ley 1/2002, de 28 de febrero, del Gobierno y de la Administración de la Comunidad Autónoma de Extremadura.

(202) Ley 16/2010, de 17 de diciembre, de Organización y funcionamiento de la Administración general y del sector público autonómico de Galicia artículo 37 a 39, incluido en el Título II Del ejercicio de la potestad reglamentaria por parte de la Administración y del Gobierno de Galicia, capítulo 1 Disposiciones Administrativas de carácter general: jerarquía y tipos.

22.12. Comunidad autónoma de La Rioja

La Ley autonómica diferencia entre decretos del Gobierno de la Comunidad Autónoma y órdenes de los consejeros. No tienen la consideración de reglamentos las instrucciones y órdenes de servicio. Respecto al procedimiento de elaboración de las disposiciones de carácter general, se distingue entre la iniciativa del proceso de tramitación y la aprobación. Las disposiciones reglamentarias deben publicarse en el Boletín Oficial de La Rioja, entrando en vigor transcurridos veinte días desde la misma, salvo que en ellas expresamente se disponga otra cosa (203).

22.13. Comunidad autónoma de Madrid

La legislación de la comunidad autónoma atribuye al Consejo de Gobierno y a los consejeros en la esfera de sus atribuciones, la competencia para el ejercicio de la potestad reglamentaria (204).

22.14. Comunidad autónoma de Murcia

La titularidad de la potestad reglamentaria corresponde al Consejo de Gobierno, en materias no reservadas por el Estatuto de Autonomía a la competencia legislativa de la Asamblea Regional (205). No obstante, los consejeros pueden hacer uso de esta potestad cuando les esté específicamente atribuida por disposición de rango legal o en materias de ámbito organizativo interno de su departamento.

Los reglamentos regionales se ordenan jerárquicamente según el respectivo orden de los órganos de que emanen. Ningún reglamento puede vulnerar los preceptos de otro de jerarquía superior.

La entrada en vigor de las disposiciones de carácter general se produce a los veinte días de la publicación de su texto completo en el Boletín Oficial de la Región de Murcia, salvo que en ellas se disponga otra cosa (206).

---

(203) Ley 4/2005, de 1 de junio, de Funcionamiento y Régimen Jurídico de la administración de la Comunidad Autónoma de La Rioja, Título III Del Régimen jurídico de la Actuación de la Administración de la Comunidad Autónoma, Capítulo 1 De los Reglamentos, Sección I Disposiciones Generales, Sección II, Procedimiento para la elaboración de Reglamentos, artículo 29 a 42.

(204) Ley 1/1983, de 13 de diciembre, de Gobierno y administración de la Comunidad de Madrid en su redacción actual.

(205) Ley 6/2004 de la Región de Murcia.

(206) Ley 6/2004, de 28 de diciembre, del Estatuto del Presidente y del Consejo de gobierno de la región de Murcia, Capítulo III La potestad reglamentaria, artículos 52 a 54.

22.15. Comunidad autónoma de Navarra

La potestad reglamentaria se atribuye al Gobierno, al Presidente y a los consejeros del Gobierno de Navarra. Debe ejercerse con carácter motivado y sujeción al principio de buena administración. Las disposiciones de carácter general o reglamentos del Gobierno de Navarra adoptan la forma de decreto foral; las de su Presidente la forma de decreto foral del Presidente —excluidas de la aplicación del procedimiento general para la aprobación de disposiciones generales—, y las de los consejeros, la de orden foral. Las disposiciones reglamentarias adoptan la jerarquía de Decretos forales aprobados por el Gobierno de Navarra o por su Presidente y Órdenes forales de los consejeros.

Se establece expresamente el principio de jerarquía normativa y la necesaria publicación de las mismas en el Boletín Oficial de Navarra (207).

22.16. Comunidad autónoma del País Vasco

La ley autonómica atribuye al Gobierno el ejercicio de la potestad reglamentaria. Entre las funciones que la constituyen: aprobar los reglamentos de desarrollo y ejecución de las leyes autonómicas y estatales cuando corresponda a la comunidad autónoma. Los consejeros pueden dictar disposiciones administrativas y resoluciones en asunto de su departamento. Los reglamentos autonómicos adoptan el rango de decretos del Gobierno y órdenes de los departamentos. Deben adoptar forma de decreto, las disposiciones administrativas de carácter general y, en su caso, los acuerdos del Gobierno, que serán firmados por el Presidente y por el consejero a quien corresponda la propuesta. La Ley también regula el procedimiento para la elaboración de los anteproyectos de leyes y de las normas reglamentarias. Una vez aprobadas se debe proceder a su publicación en el Boletín Oficial del País Vasco (208).

22.17. Comunidad Valenciana

El Consejo ostenta la competencia para ejercicio de la potestad reglamentaria. El rango jerárquico de los reglamentos autonómicos está formado por los Decretos, órdenes de las comisiones delegadas del Gobierno y órdenes de las consejerías, así como disposiciones de carácter general de órganos inferiores según el orden de su respectiva jerarquía. Son nulas de pleno derecho las disposiciones reglamentarias que contravengan los principios de legalidad, reserva de ley y jerarquía normativa.

---

(207) Ley Orgánica 13/1982, de 10 de agosto, de Reintegración y Amejoramiento del Régimen Foral de Navarra, Título II Competencias de Navarra, Capítulo 1 Disposiciones Generales, artículos 31 a 43.

(208) Ley 7/1981, de 30 de junio, sobre Ley del Gobierno del País Vasco, Título VII Normas Generales, artículos 53 al 67.

Recientemente se ha regulado reglamentariamente el procedimiento de elaboración de los proyectos reglamentarios de la Generalidad, de cuyo contenido cabe destacar las fases siguientes:

A) El procedimiento se inicia mediante resolución del consejero competente por razón de la materia, con expresión del objeto de regulación y el órgano u órganos superiores o directivos a los que se encomienda la tramitación. Si el proyecto se refiere a competencias de la Presidencia de la Generalidad, la referida resolución corresponde al presidente. Cuando se trate de proyectos normativos de las instrucciones de la Generalidad, se ha de estar a lo dispuesto en la normativa específica. El órgano u órganos encargados de la elaboración deben emitir los informes justificativos de necesidad y oportunidad, incorporando a su vez el proyecto normativo.

B) La fase de ordenación exige la formación de un expediente en el que los documentos, numerados, se han de ordenar cronológicamente, adjuntándose un índice de documentos cuando se remita para emisión de informes o para aprobación. El cómputo de los plazos para la emisión de informes se inicia el día siguiente al de la recepción de la solicitud. En el expediente debe quedar constancia de la fecha en que la solicitud tiene entrada en el órgano o entidad que haya de emitir el informe. A estos efectos, los órganos de la Administración de la Generalidad consultados deben remitir electrónicamente, al órgano que efectúa la consulta, una nota acusando recibo de la solicitud.

La declaración de urgencia para la tramitación de los proyectos normativos corresponde al órgano competente para su aprobación, mediante solución o acuerdo motivado. En caso de los proyectos normativos de las instituciones de la Generalidad, la declaración de urgencia corresponde a éstas.

C) Cuando el proyecto normativo afecte a la esfera de derechos e intereses legítimos de los ciudadanos, si están representados por organizaciones o asociaciones legalmente constituidas que tengan encomendada la defensa de sus intereses, se les concederá audiencia por plazo de 15 días para que puedan alegar lo que consideren oportuno, debiendo dejar constancia en el expediente de las notificaciones practicadas y el cumplimiento de los plazos legalmente establecidos. En otros casos, el procedimiento se somete a información pública.

D) Durante la tramitación del procedimiento deben recabarse los informes, autorizaciones y dictámenes necesarios.

E) Cumplimentados los trámites correspondientes y, finalizado el período de alegaciones, se elabora el texto de proyecto normativo. Posteriormente, se solicita informe jurídico o en su caso dictamen del Consejo Consultivo de la Comunidad Valenciana.

F) Si el proyecto normativo debe ser aprobado por orden de la consejería o de las comisiones delegadas del Consell o por decreto del presidente de la Generalidad, el órgano encargado de la tramitación debe elevar el texto definitivo para su aprobación y publicación en el Diario Oficial de la Comunidad Valenciana.

Cuando el proyecto deba ser aprobado por decreto del Consell, el expediente debe ser remitido a la subsecretaría que, previo informe (de acuerdo con L C. Valenciana 5/1983 art. 69.2.d), lo ha de trasladar al órgano que tenga atribuidas las funciones en materia de secretariado del Consell para su inclusión en el orden del día de la reunión de la Comisión de Secretarios Autonómicos y Subsecretarios. El proyecto irá fechado y será suscrito por el consejero o consejeros proponentes (209).

23. POTESTAD REGLAMENTARIA ENTIDADES LOCALES

La elaboración de las ordenanzas locales se regula en la Ley de Bases de Régimen Local (LBRL) (210), que establece un procedimiento con diferentes fases:

a) Aprobación inicial por el Pleno;

b) Información pública y audiencia a los interesados por el plazo mínimo de treinta días para presentación de reclamaciones y sugerencias, y

c) Resolución de todas las reclamaciones y sugerencias presentadas dentro del plazo y aprobación definitiva por el Pleno.

En caso de que no se presenten reclamaciones o sugerencias, el acuerdo inicial se considera, definitivamente, adoptado. En los grandes municipios la aprobación de los proyectos de ordenanzas y reglamentos corresponde a la Junta de Gobierno Local (211). Las entidades locales pueden aprobar ordenanzas y reglamentos, y los alcaldes dictar bandos. Asimismo, determinadas Comunidades autónomas han incluido regulación propia sobre el ejercicio de la potestad reglamentaria por las entidades locales de su ámbito territorial, en uso de la competencia asumida en sus respectivos estatutos de autonomía en materia de régimen local. En materia de potestad reglamentaria de las entidades locales, relativa a la normativa autonómica, así como la parte dedicada a las ordenanzas fiscales y la relativa a la intervención en la actividad económica mediante ordenanzas y bandos. El Tribunal Constitucional ha recordado que las asambleas de las ciudades de Ceuta y Melilla tienen la potestad reglamentaria que les atribuyen sus respectivos estatutos (212).

---

(209)   Ley 5/1983, de 30 de diciembre, del Consell, en su redacción actual. Título II Del Consejo, Capítulo VI artículo 43.

(210)   Ley 7/1985, de 2 de abril, de Bases de Régimen Local, artículo 49.

(211)   Artículo 127 LBRL.

(212)   STC 240/2006.

24. RÉGIMEN DE LA POTESTAD REGLAMENTARIA LOCAL

Las entidades locales, en la esfera de sus competencias, tienen reconocida la potestad reglamentaria para dictar normas o disposiciones de carácter general, tanto por la Ley de Bases del Régimen Local (LBRL) (213) como por el Reglamento de Organización, Funcionamiento y Régimen Jurídico de las Corporaciones Locales (214); el Tribunal Supremo tiene declarado que la potestad reglamentaria deriva de la autonomía local constitucionalmente garantizada (215).

El acto administrativo se diferencia del reglamento u ordenanza en que estos tienen la naturaleza de norma jurídica, y por ello son susceptibles de aplicación reiterada, mientras que un acto administrativo produce efectos sólo una vez, agotándose al ser aplicado; los reglamentos innovan el ordenamiento, mientras que los actos administrativos aplican el existente; los reglamentos responden a las nociones de generalidad y carácter abstracto que señalan, al menos por regla general, a toda norma jurídica mientras que los actos administrativos responden, también por regla general, a lo concreto y singular (216). Por otra parte, el reglamento puede derogarse, modificarse o sustituirse, mientras que al acto administrativo le afectan los límites de revocación que impone la ley como garantía de los derechos subjetivos a que, en su caso, haya podido dar lugar. La ilegalidad de cualquier norma reglamentaria de la Administración Local implica su nulidad de pleno derecho, en tanto que la ilegalidad de un acto sólo implica, como regla general, su anulabilidad.

Esta diferencia entre actos y reglamentos también se refiere al proceso de elaboración que en el caso de disposiciones de carácter general debe cumplir requisitos y garantías específicas que requiere la aprobación de normas jurídicas en tanto que para la aprobación de actos administrativos como resoluciones, decisiones o acuerdos de carácter singular basta con la aplicación del procedimiento administrativo común si se trata de una materia administrativa genérica o específico según se trate de un procedimiento sancionador, expropiatorio, etcétera.

Las normas reglamentarias locales, como disposiciones que son de carácter general están sujetas a ciertos límites marcados fundamentalmente por el respeto

---

(213)   Aprobado por Real Decreto 2568/1986 de 25 de noviembre. El Reglamento reconoce al municipio la provincia y la isla, en su artículo 4.1 a), la potestad reglamentaria y de autoorganización.

(214)   Ver Ley 7/1985, de 2 de abril reguladora de las bases del Régimen Local (LBRL) artículo 4.1 Ver asimismo el Texto Refundido de las Disposiciones legales vigentes en materia de Régimen Local (TRDRL) aprobado por Real Decreto Legislativo 781/1986 de 18 de abril artículo 55.

(215)   STS 15.9.1995.

(216)   STS 15.9.1995.

a la ley y a la Constitución, que emanan del principio de jerarquía normativa que la propia Constitución garantiza en su artículo 9.3 (217).

El principio de reserva de ley determina que, cuando así está contemplado por la norma fundamental una materia determinada debe ser regulada, necesariamente, por una norma con rango de ley; es la Constitución la que exige que los derechos y deberes contenidos en el capítulo II del Título I de la norma fundamental (218) deben regularse necesariamente por ley; esta ley podrá ser estatal o autonómica en virtud de la competencia materia de que se trate haya sido asumida por los respectivos estatutos de autonomía a favor de la Comunidad Autónoma o se trate de las competencias reservadas al Estado por la Constitución (219).

Este principio de reserva de ley tiene una especial aplicación en el ámbito sancionador; constituye una garantía de naturaleza formal, que se refiere al rango que deben tener las normas que tipifican las conductas que constituyen infracciones, así como las sanciones, por cuanto que existe una reserva a favor de la ley contemplada en la Constitución (220) en materia sancionadora (221).

Esta reserva de ley es, en todo caso, de naturaleza relativa; si bien el alcance de la reserva de ley establecida en la Constitución (222) no puede ser tan estricto como en materia penal; no excluye la posibilidad de que las leyes contengan remisiones a normas reglamentarias, pero sí que tales remisiones hagan posible una regulación independiente y no claramente subordinada a la ley, pues esto último supondría degradar la garantía esencial que el principio de reserva de ley entraña, como forma de asegurar que la regulación de los ámbitos de libertad que corresponden a los ciudadanos depende exclusivamente de la voluntad de sus representantes (223). El Tribunal Constitucional ha reafirmado que aún en un sistema flexible de interpretación del principio de reserva de ley no puede tolerarse la renuncia de la ley a todo encuadramiento normativo de la potestad tributaria de la Administración Local (224).

Respecto a las Ordenanzas fiscales, el ámbito de colaboración normativa de los municipios, en relación con los tributos locales, es mayor que el que puede admitirse respecto a la normativa reglamentaria estatal o de las Comunidades autónomas. Esta diferencia así como una mayor colaboración reglamentaria en el ámbito local se fundamenta en que las ordenanzas municipales se aprueban por

---

(217)   Ver TRDRL artículo 55.
(218)   Ver artículos 14 a 38 de la Constitución.
(219)   Artículo 149 de la Constitución.
(220)   Artículo 25 CE.
(221)   STC 52/2003.
(222)   Artículo 25.1 CE.
(223)   SSTC 83/1984, 42/1987 y 16004.
(224)   STC 233/1999.

un órgano, el Pleno del ayuntamiento, de carácter representativo y, por otra parte, la garantía local de la autonomía local impide que la ley contenga una regulación agotadora de una materia como los tributos locales donde está claramente presente el interés local.

Respecto a la jerarquía normativa. Las disposiciones administrativas no pueden vulnerar la Constitución o las leyes ni regular aquellas materias que la Constitución o los estatutos de autonomía reconocen de la competencia de las Cortes Generales o de las Asambleas Legislativas de las comunidades autónomas (225). Ninguna disposición administrativa puede vulnerar los preceptos de otra de rango superior y han de ajustarse al orden de jerarquía que establezcan las leyes.

La potestad normativa de los municipios no puede modificar el principio de jerarquía normativa sino que está supeditada a éste.

Respecto a la inderogabilidad singular de los reglamentos que regula la LRJ (226). Las resoluciones administrativas de carácter particular no pueden vulnerar lo establecido en una disposición de carácter general, aunque aquéllas tengan igual o superior rango a éstas. No se trata de un supuesto de inderogabilidad singular de reglamentos cuando se trata de una disposición que tiene el mismo rango y naturaleza que aquellas a las que modifica; en tal caso podrá tratarse de un supuesto que afecte al principio de jerarquía normativa o de efecto las normas, aplicación del derecho especial sobre el general, pero no del principio de inderogabilidad singular de los reglamentos que supone una alteración de los destinatarios de las normas creando un privilegio a favor de determinadas personas (227).

La nulidad de pleno derecho de las normas reglamentarias se regula en la LRJ (228). En su virtud, son nulas de pleno derecho:

— Las disposiciones administrativas que vulneren la Constitución, las leyes u otras disposiciones administrativas de rango superior;

— Las que regulen materias reservadas a la ley, y

— Las que establezcan la retroactividad de disposiciones sancionadores no favorables o restrictivas de derechos individuales.

Respecto a la clases de normativa de la Administración Local, las entidades locales pueden aprobar ordenanzas y reglamentos, y los alcaldes dictar ban-

---

(225) LRJ artículo 51.
(226) LRJ artículo 52.
(227) STS 19.7.2007.
(228) LRJ artículo 62.2.

dos (229). Para diferenciar una ordenanza municipal de un bando no basta atender a la denominación ni al órgano que lo aprobó ni al procedimiento según el cual se elaboró, sin fundamentalmente a su contenido; el bando es competencia del alcalde, la ordenanza es competencia del ayuntamiento en pleno; así si del contenido del bando impugnado se desprende que se trata de una disposición general, y cuyo contenido es más propio de una ordenanza, al haber sido aprobada por órgano manifiestamente incompetente y al margen del procedimiento legalmente establecido sería nula de pleno derecho. Los bandos locales que establecen prohibiciones y sanciones al incumplimiento, constituyen verdaderos reglamentos toda vez que establecen conductas infractoras y sancionan dichas infracciones, por el contrario, carece de naturaleza reglamentaria un bando municipal que se limite a recordar el cumplimiento de normas jurídicas vigentes, sin que se establezcan obligaciones concretas.

Competencia para la aprobación d esto reglamentos, corresponde al Pleno municipal la competencia para la aprobación del reglamento orgánico y de las ordenanzas; asimismo el pleno provincial es competente para la aprobación de las ordenanzas y de su reglamento orgánico; por su parte el alcalde es competente para dictar bandos (230). El ejercicio de estas competencias por los plenos, así como por el alcalde no es susceptible de delegación en otros órganos de la corporación.

El procedimiento de aprobación se regula en la Ley de Bases de Régimen Local y en el texto refundido de manera que la aprobación de las ordenanzas locales se ajusta al siguiente procedimiento (231):

a) Aprobación inicial por el Pleno.

b) Información pública y audiencia a los interesados por el plazo mínimo de treinta días para la presentación de reclamaciones y sugerencia.

c) Resolución de todas las reclamaciones y sugerencias presentadas dentro del plazo y aprobación definitiva por el pleno.

d) En el caso de que no se haya presentado ninguna reclamación o sugerencia, se entiende definitivamente adoptado el acuerdo hasta entonces provisional.

e) Para la modificación de las ordenanzas y reglamentos deben observarse los mismos trámites que para su aprobación.

---

(229)   TRDRL artículo 55. Aquí el concepto normativo de Bando es evidentemente diferente al que con este término se designa a la normativa penal militar excepcional que se dicta en tiempo de guerra.
(230)   LBRL artículos 21, 22 y 33.
(231)   LBRL artículos 47 y 49 TRDRL artículos 55 a 58.

f) La aprobación y modificación del reglamento orgánico propio de la corporación debe realizarse por acuerdo de la mayoría absoluta del número legal de miembros de la corporación; en el resto de reglamentos y en las ordenanzas es suficiente que los acuerdos se adopten por mayoría simple, esto es que el número de votos a favor sea superior a los votos en contra.

g) Audiencia. El trámite de audiencia en la elaboración de las disposiciones de carácter general es esencial dado que deriva de la propia Constitución, que determina que la audiencia a los ciudadanos puede realizarse directamente o a través de las organizaciones y asociaciones reconocidas por la ley (232). El Tribual Supremo tiene declarado que el trámite de audiencia se considera cumplido en el procedimiento de elaboración de disposiciones de carácter general, cuando las entidades locales sean oídas aún a través de representantes de federaciones o asociaciones de municipios de ámbito de que se trate, considerándose un modo correcto de cumplimentar el trámite de audiencia, dado que esas entidades asociativas tienen consideración representantes legítimos de los intereses generales de la s instituciones de gobierno local; además la audiencia en el procedimiento de elaboración normativa se refiere a la necesidad de que queden garantizados los intereses de los ciudadanos afectados por las normas y puede producirse bien directamente o a través representaciones legitimadas (233).

h) Publicación. Para que produzcan efectos jurídicos las disposiciones administrativas han de publicarse en el diario oficial que corresponda (234).

Las ordenanzas, incluidos el articulado de las normas de los planes urbanísticos, así como los acuerdos correspondientes a éstos cuya aprobación definitiva sea competencia de los entes locales, se publican en el Boletín Oficial de la Provincia (235) y no entran en vigor hasta que se haya publicado completamente su texto y haya transcurrido el plazo de 15 días previsto para la formulación, en su caso, de requerimiento por el Estado o la Comunidad Autónoma, salvo los presupuestos y las ordenanzas fiscales que se publican y entran en vigor en los términos establecidos en la Ley de Haciendas Locales.

25. PUBLICACIÓN DE LOS REGLAMENTOS

La LRJ dispone que para producir efectos jurídicos los reglamentos deben ser publicados en el Diario Oficial correspondiente (236), lo cual significa que el particular no está obligado a cumplir el mandato de una disposición general a la que

---

(232)   Artículo 105 CE.
(233)   SSTS 20.6.1996, 23.9.1996 y 9.3.1999.
(234)   LRJ artículo 52, LBRL artículo 70 en su redacción actual.
(235)   En de la Comunidad Autónoma en el caso de comunidades autónomas uniprovinciales.
(236)   LRJ artículo 52.

no se haya dado publicidad oficial, lo cual está en consonancia con el principio de publicidad de las normas que establece la Constitución (237).

En el ámbito local también se establece esta obligación en materia de disposiciones de carácter general (238). Tradicionalmente, los reglamentos de las Corporaciones Locales tuvieron un régimen de publicación más flexible, permitiéndose el simple anuncio del acuerdo de aprobación en el Boletín Oficial de la Provincia, pero tal situación fue modificada por la LRBRL, que exige la publicación íntegra del Reglamento. Disponiendo, expresamente, que, las Ordenanzas, incluidos el articulado de las normas de los planes urbanísticos, así como los acuerdos correspondientes a éstos cuya aprobación definitiva sea competencia de los Entes locales, se publican en el Boletín Oficial de la provincia y no entran en vigor hasta que se haya publicado completamente su texto y haya transcurrido el plazo previsto en el artículo 65.2. Idéntica regla es de aplicación a los presupuestos, en los términos del artículo 112.3 de esta Ley. Las Administraciones Públicas con competencias urbanísticas deberán tener, a disposición de los ciudadanos que lo soliciten, copias completas del planeamiento vigente en su ámbito territorial (239). Con este texto se quiso abordar la interpretación del Tribunal Supremo, que entendía que, al ser aprobados por las Comunidades Autónomas, a los planes de urbanismo, no les era de aplicación la legislación local. Sin embargo, al tiempo de publicarse el nuevo texto legal, el alto Tribunal había rectificado, acertadamente, aquella interpretación (240). En cualquier caso, la legislación básica sobre esta materia, encarnada en la LRJ (241), exigía de forma inequívoca la publicidad para la eficacia jurídica de cualquier clase de norma reglamentaria.

La publicación oficial de la norma reglamentaria debe ser íntegra en los boletines oficiales y es a partir de la fecha de publicación cuando comienza el periodo de *vacatio legis* y su posterior entrada en vigor.

Los principios generales que rigen la publicación oficial de los reglamentos son seis:

a) Que sea una publicación oficial (242).

b) Que sea una publicación completa de la norma.

c) Que la publicación sea inteligible.

---

(237)   Artículo 9.3 CE.
(238)   Ley 7/1985, de 2 de abril Reguladora de las Bases del Régimen Local (LBRL) artículo 70.2 en su redacción actual.
(239)   LBRL artículo 70.2.
(240)   SSTS 22.1.1991 y 12.11.1991.
(241)   Artículo 52.1.LRJ.
(242)   En Diario Oficial.

d) Que se trate de una publicación y difusión inmediatas.

e) Que sea una publicación exacta, sin errores o erratas, o que, en su caso se publique la correspondiente corrección.

f) Que se lleve a cabo la publicación de modificación, interpretaciones vinculantes, derogaciones o anulaciones del reglamento en cuestión.

Publicada la norma, se concede plazo para conocimiento general para el que no está regulado un periodo concreto, por lo cual, cuando la propia norma no establece un periodo de vacación legal, es de aplicación lo establecido en el Código Civil, según el cual las normas entran en vigor a los veinte días de su publicación en el Boletín Oficial del Estado si en ellas no se dispone otra cosa (243).

26. EL REGLAMENTO Y SUS EFECTOS

Los efectos de los reglamentos son los propios de toda norma, cuya naturaleza le corresponde, y que hemos estudiado en relación a la ley. Una vez que la norma reglamentaria entra en vigor comienza a desplegar todos sus efectos normativos de manera que surge un deber jurídico general de cumplimiento que tiene su manifestación más palmaria en la obligatoriedad inexcusable, así como en la inderogabilidad singular.

No obstante, en relación con la retroactividad se han planteado algunos problemas que pueden examinarse. Sobre la retroactividad del reglamento hay posturas diversas:

a) Según una opinión los reglamentos no tienen límite alguno específico para poder establecer efectos retroactivos a sus preceptos, de manera que pueden hacerlo como cualquier otra norma, a tenor de lo dispuesto en el artículo el Código Civil (244); con la única limitación de que las disposiciones sancionadoras no favorables o que sean restrictivas de derechos individuales nunca pueden tener efecto retroactivo, a tenor de lo dispuesto en el artículo 9.3 CE (245).

b) Según otra postura, a diferencia de las leyes, los reglamentos no pueden, en ningún caso, dar efecto retroactivo a sus preceptos, ni aún en caso de que se trate de efectos favorables. Postura que se justifica de conformidad con lo dispuesto en la propia Constitución, que prohíbe que, incluso, los Decretos legislativos que tienen valor de ley, puedan incluir preceptos retroactivos, debido a que se trata de normas aprobadas por el Poder ejecutivo (246). En apoyo de esta postura también

---

(243)   Artículo 2.1 CC.
(244)   Artículo 2.3 CC.
(245)   Lo cual es una garantía constitucional artículo 9.3 CE.
(246)   Artículo 83.b) CE.

puede alegarse que la LRJ enumera los únicos supuestos en los que cabe la retro-actividad de los actos de la Administración; si bien podría replicarse que la LRJ se refiere a los actos y no a normas, como son los reglamentos (247).

El Tribunal Supremo ha tendido a inclinarse por la primera de las posturas (248); si bien esta posición tiene también en cuenta el límite impuesto por la Constitución (249) que establece la irretroactividad de las disposiciones sancionadoras no favorables o restrictivas de derechos individuales (250); sin embargo la jurisprudencia más recien-te, consagra, plenamente, la irretroactividad de los reglamentos (251).

La LRJ dispone la nulidad de pleno derechos de los reglamentos que establez-can la retroactividad de normas sancionadoras no favorables o restrictivas de de-rechos individuales, en línea con lo que determina la propia Constitución, sin em-bargo admite la retroactividad de los reglamentos en los demás supuestos (252).

Por otra parte, la derogación del reglamento debe cumplir los requisitos gene-rales de toda norma en relación a la derogación expresa e implícita. No obstante hay que señalar que la derogación de una ley formal no conlleva, necesariamente, la de su reglamento ejecutivo, que continúa vigente en lo que no se oponga a lo dispuesto en la nueva ley en vigor, hasta que sea aprobado el nuevo reglamento ejecutivo y sea derogado, expresamente, el anterior.

27. JERARQUÍA NORMATIVA

Las relaciones entre la ley y el reglamento se basan en los principios por los que se rige la ordenación del sistema de fuentes de nuestro Ordenamiento Jurídico, que son, concretamente, los siguientes:

a) Principio de jerarquía normativa. El hecho de que el reglamento esté some-tido a la ley, como manifestación normativa de jerarquía superior, determina tanto la intangibilidad de la regulación legal para el reglamento (253) como la nulidad de pleno derecho de las disposiciones administrativas que se opongan o contradi-gan lo establecido en una norma con rango de ley (254).

---

(247)   LRJ artículo 57.3 «Excepcionalmente podrá otorgarse eficacia a los actos cuando se dic-ten en sustitución de actos anulados, y, asimismo, cuando produzcan efectos favorables al interesado, siempre que los supuestos de hecho necesarios existieran ya en la fecha a que se retrotraiga la eficacia del acto y ésta no lesione derechos o intereses legítimos de otras personas».
(248)   SSTS 29.7.1986 y 21.7.1989.
(249)   Artículo 9.3 CE.
(250)   STS 27.2.1981.
(251)   SSTS 16.7.1990, y 7.6.2002.
(252)   LRJ artículo 62.2. y CE artículo 9.3.
(253)   De ahí los efectos de la congelación del rango.
(254)   LRJ artículo 62.2.

b) Principio de reserva de ley. Las materias que nuestro ordenamiento jurídico reserva expresamente a la regulación legal están vedadas a la regulación reglamentaria; esto debe entenderse sin perjuicio de la colaboración del reglamento con la ley, allí donde esté previsto expresamente por las normas legales o cuando resulte conforme a Derecho por ejemplo en las materias objeto de sanción.

c) Principio de ausencia de reserva de reglamento. La falta de una reserva expresa de materias a la regulación reglamentaria, que es una de las características de nuestro sistema de fuentes, otorga a la ley la capacidad omnímoda de extender su fuerza reguladora sobre diversos ámbitos materiales, y acentúa la subordinación de las disposiciones administrativas generales a las normas con rango legal.

La congelación del rango, o legalización, es la técnica normativa que consiste en la regulación de una materia que no es objeto de reserva de ley por parte de una norma con rango legal, lo que supone, por imperativo directo del principio de jerarquía normativa, la inaccesibilidad de la materia legalizada para la regulación reglamentaria, en la medida en que las leyes sólo se modifican o se derogan por medio de otras disposiciones. La congelación del rango se basa en la ausencia de reserva al reglamento en nuestro Derecho y, por lo tanto, en la capacidad reguladora genérica de la ley, y tiene el efecto de limitar la capacidad normativa de la Administración pública respecto de las materias cuyo rango se congela. La congelación del rango puede efectuarse por medio de cualquier norma con rango de ley, incluidos los Reales Decretos-leyes que aprueba el Gobierno con fundamento en la Constitución (255). Por otra parte el Tribunal Constitucional tiene declarado que las leyes orgánicas no congelan el rango de aquellas materias que regulen que no se encuentren dentro del ámbito objetivo que les resulta propio, de acuerdo don el artículo 81 de la Constitución, por lo que estas materias no han sido objeto de reserva de legislación orgánica, lo que, en modo alguno, resultan accesibles al reglamento (256).

Los reglamentos están jerárquicamente subordinados a la Constitución, y a las leyes y normas con rango de ley; pero además, en cada ordenamiento del que forman parte, estos los reglamentos se encuentran, jerárquicamente, ordenados de acuerdo al principio de jerarquía normativa que es reflejo de la jerarquía de la autoridad u órgano administrativo que los aprueba. La LRJ aborda el principio de jerarquía normativa desde puntos de vista: por un lado desde la negativa a que exista oposición entre una disposición administrativa y una de rango superior y otra desde la situación de ilegalidad que supone el que un reglamento atribuya a una unidad administrativa competencias que corresponden a otras entidades oficiales. Concretamente establece que las disposiciones administrativas se ajustarán

---

(255)   Artículo 86 CE y STS 28.3.2007.
(256)   STC 76/1983.

al orden de jerarquía que establezcan las leyes (257). En cualquier caso, la ordenación jerárquica tiene lugar dentro de cada ordenamiento jurídico.

La jerarquía de las normas reglamentarias se articula en función de la jerarquía organizativa del órgano que las aprueba; sin embargo, al existir varias normas con igual forma y provenientes de órganos con rango organizativo similar, para delimitar el ámbito propio de cada reglamento, entra en juego el principio de competencia. El artículo 23.3 de La Ley del Gobierno (258) establece la siguiente jerarquía en los reglamentos estatales:

1.º) Disposiciones aprobadas por Real Decreto del Presidente del Gobierno o del Consejo de Ministros.

2.º) Disposiciones aprobadas por Orden Ministerial.

De manera que ningún reglamento dentro de cada escalón juega el principio de competencia material de la norma reglamentaria adoptada.

El mismo texto legal regula la forma de las disposiciones y resoluciones del gobierno, de sus miembros y de las Comisiones delegadas (259), recogiendo la siguiente clasificación:

a) Reales Decretos Legislativos y Reales Decretos Leyes, las decisiones que aprueban, respectivamente, las normas previstas en los artículos 82 y 86 de la Constitución (260).

b) Reales Decretos del Presidente del Gobierno, las disposiciones y actos cuya adopción venga atribuida al Presidente.

c) Reales Decretos acordados en Consejo de Ministros, las decisiones que aprueben normas reglamentarias de la competencia de éste y las resoluciones que deban adoptar dicha forma jurídica.

d) Acuerdos del Consejo de Ministros, las decisiones de dicho órgano colegiado, que no deban adoptar la forma de Real Decreto.

e) Acuerdos adoptados en Comisiones Delegadas del Gobierno, las disposiciones y resoluciones de dichos órganos colegiados. Los acuerdos en cuestión, revestirán la forma de Orden del Ministro competente o del Ministro de la Presidencia, cuando la competencia corresponda a distintos Ministros.

---

(257) LRJ artículo 53.1.
(258) Ley 50/1997, de 27 de noviembre, del Gobierno, artículo 23.
(259) LG artículo 25.
(260) El artículo 82 CE se refiere a la delegación legislativa (leyes de bases y refundición de textos legales) y el artículo 86 CE se refiere a la legislación de urgencia (decretos-leyes).

f) Órdenes Ministeriales, las disposiciones y resoluciones de los ministros. Cuando la disposición o resolución afecte a varios Departamentos, reviste forma de Orden del Ministro de la Presidencia dictada a propuesta de los Ministros interesados.

Como puede verse entre los primeros se comprenden los Reales Decretos del Presidente del Gobierno, que tienen carácter organizativo; y los Reales Decretos acordados en Consejo de Ministros. Entre los que adoptan la forma de orden ministerial se encuentran los Acuerdos de las Comisiones Delegadas del Gobierno, que, extrañamente y sin que encontremos ninguna explicación, revestirán la forma de Órdenes del Ministro competente o del Ministro de la Presidencia si afectara a varios Ministerios; y finalmente las Órdenes ministeriales.

La ordenación jerárquica de los reglamentos de las Comunidades Autónomas, que también se realiza del mismo modo, y con la denominación de Decretos y Órdenes, adaptando el rango y jerarquía de sus propios órganos y autoridades con competencia para dictar reglamentos; todo lo cual queda regulado en su propia normativa.

La jerarquía normativa también constituye un límite a la potestad de dictar normas de carácter general, de manera que las Ordenanzas y reglamentos deben supeditarse a la Constitución así como a las leyes estatales y autonómicas

El examen de la articulación del principio en el ámbito local se realiza en el último apartado de esta práctica profesional.

28. DESLEGALIZACIÓN Y CONGELACIÓN DE RANGO

La deslegalización es una técnica normativa opuesta a la congelación del rango, que, por lo tanto, consiste en la entrega de la ordenación de una materia a la disponibilidad de la Administración pública que se efectúa por parte de la ley, de modo que la Administración, a partir del momento en el que se produce la deslegalización, podrá proceder a la regulación de la materia de que se trate por medio de sus propios reglamentos, sin sometimiento a la ley en lo que a la concreta regulación de la materia deslegalizada se refiere. El Tribunal Constitucional ha declarado que, toda operación deslegalizadora supone la reducción del rango normativo de una materia regulada por norma legal en el momento en que se dicta la ley de deslegalización, de tal manera que a partir de ésta, y en su virtud, pueda ser regulada por normas reglamentarias (261).

La deslegalización, en esencia, no es más que una remisión en blanco al reglamento por parte de la ley, que manifiesta la voluntad del legislador de

---

(261)   STC 29/1986.

abandonar la regulación de la materia deslegalizada a las normas reglamentarias, y, por lo tanto, a la voluntad administrativa.

La técnica deslegalizadora encuentra un límite infranqueable en la reserva material de ley, de modo que no será susceptible de operar sobre materias cuya regulación venga atribuida por parte del ordenamiento jurídico a una norma con rango de ley (262). Una variante de esta técnica es la autodeslegalización, que consiste en la remisión a las normas reglamentarias efectuada en la propia norma con rango de ley (263) que legaliza una materia determinada. Un buen ejemplo de esta conducta, cuando menos poco ortodoxa, es el Real Decreto-ley 4/2010 (264). La deslegalización es la técnica normativa opuesta a la congelación del rango, que, por lo tanto, consiste en la entrega de la ordenación de una materia a la disponibilidad de la Administración pública que se efectúa por parte de la ley, de modo que la Administración, a partir del momento en el que se produce la deslegalización, podrá proceder a la regulación de la materia de que se trate por medio de sus propios reglamentos, sin sometimiento a la ley de la materia deslegalizada. En palabras, El propio Tribunal Constitucional ha declarado al respecto que toda operación deslegalizadora supone la reducción del rango normativo de una materia regulada por norma legal en el momento en que se dicta la ley deslegalizadora, de tal manera que a partir de ésta, y en su virtud, pueda ser regulada por normas reglamentarias (265). En consecuencia la deslegalización consiste en una remisión en blanco al reglamento por parte de la ley, que manifiesta la voluntad del legislador de abandonar la regulación de la materia deslegalizada a las normas reglamentarias, y, por lo tanto, a la voluntad administrativa. Sin embargo como esta técnica está limitada por la reserva material de ley, carece de operatividad respecto a materias cuya regulación se encuentre atribuida una norma con rango de ley (266). Finalmente la autodeslegalización, consiste en la remisión que una ley hace a normas reglamentarias, normalmente un Real Decreto-ley que regula con rango de ley a una materia determinada.

29. REGLAMENTOS *ULTRA VIRES*

Otra cuestión es la de los reglamentos ultra vires, así denominados aquellos que se extralimitan respecto de la habilitación legal conferida, de modo que llevan a cabo un desarrollo no previsto de la ley o que es contrario a sus términos. La regulación reglamentaria *ultra vires* supone la conculcación del principio de jerarquía normativa, que exige que el mandato legal que recibe el reglamento de

---

(262) STS 16.7.1993.
(263) Que, por lo general, será un Real Decreto-Ley.
(264) En particular Disposiciones finales tercera, cuarta y sexta.
(265) STC 29/1986.
(266) STS 16.7.1993.

desarrollo tenga que ser ejercitado en sus propios término, como manifestación concreta de la sujeción general del reglamento respecto de la ley. En consecuencia resulta imprescindible confrontar el texto de la ley que ordena el desarrollo reglamentario con el tenor literal de la disposición administrativa, con objeto de determinar si existe o no exceso en la delegación. Los preceptos reglamentarios que son meramente interpretativos de las normas legales de las que derivan, o que despliegan efectos sólo en el ámbito interno de organización de la Administración, no pueden incurrir en un exceso *ultra vires*. La consecuencia de la regulación reglamentaria ultra vires es la nulidad de pleno derecho de las disposiciones generales que adolezcan en este vicio. No cabe hablar de norma reglamentaria ultra vires por superación del plazo señalado en la ley para la aprobación del reglamento correspondiente, de modo que las tan habituales infracciones por parte de la Administración pública de los términos que las leyes determinan para que se proceda a su desarrollo reglamentario no suponen, la disconformidad a Derecho de la norma reglamentaria aprobada más allá del plazo conferido.

La respuesta a esta cuestión parece sencilla: en la medida en que en nuestro ordenamiento jurídico no existe reserva reglamentaria, de modo que la ley puede regular cualesquiera materias, y teniendo en cuenta que la Constitución no establece ninguna limitación relacionada con las normas que el Gobierno puede aprobar por medio de reglamento, el Real Decreto-ley podrá regular materias susceptibles de ser regidas por una disposición general, esto es, materias que no sean objeto de reserva de ley, siempre que concurran los presupuestos habilitantes a que se refiere el artículo 86 de la Constitución (267).

No obstante lo anterior, un examen detallado lleva a la conclusión de que al ejecutivo no le corresponde regular, a través de la figura del Real Decreto-Ley, una materia que puede regularse por medio de un reglamento de administración, dado que el Gobierno no es titular de potestad legislativa y, por ello, sólo puede aprobar normas con rango de ley si concurren los excepcionales los presupuestos que exige la Constitución (268); por otra parte no hace falta acudir al mecanismo excepcional del Real Decreto-ley, porque el Gobierno puede aprobar las normas necesarias ejerciendo su potestad reglamentaria, además aprobando un Real Decreto-ley, en vez de un reglamento, el Gobierno limita considerablemente las posibilidades de control judicial de la norma y, finalmente, al aprobar un Real Decreto-ley, en vez de un reglamento, el Gobierno elude el sometimiento a los cauces formales del procedimiento de elaboración de las disposiciones reglamentarias, que garantizan la participación del interesado en el proceso creativo de la norma y que no tienen lugar en la elaboración de la legislación de urgencia. En consecuencia como el Tribunal Constitucional ha declarado, el Gobierno no

---

(267) Principalmente la concurrencia d emotivo de extraordinaria y urgente necesidad SSTC 60/1986 y 332/2005.

(268) Artículo 86 CE.

debiera tener la potestad de regular legislativamente cualquier materia y en cualquier circunstancia, sino sólo cuando fuera inevitable, y sólo debería poder acudir al Real Decreto-ley cuando hubieran de verse afectadas materias inaccesibles al reglamento y frente a las que, por lo tanto, no sería suficiente con el ejercicio de su potestad normativa propia (269).

30. LEGISLACIÓN BÁSICA Y NORMAS REGLAMENTARIAS

Finalmente y en lo relativo a la posibilidad de que una norma reglamentaria pueda regular normativa básica hay que recordar que cuando la Constitución (270) atribuye al Estado la competencia exclusiva para dictar la normativa básica sobre una materia determinada utiliza, siempre, el término legislación. De modo que la conclusión es muy clara: no es posible, como norma general, que un reglamento aprobado por el Gobierno establezca normas básicas, pues esta labor de determinación del núcleo normativo básico propio de una materia determinada es una tarea que, en principio, está constitucionalmente reservada al legislador. La jurisprudencia ha admitido excepciones a la regla general anterior, de modo que se considera posible que un Real Decreto incorpore normas básicas a su regulación, siempre que haya una ley que sea la que proceda a definir lar normas a las que corresponda carácter básico en relación con la materia de que se trate. Sólo el reglamento ejecutivo puede colaborar con la ley en la regulación de lo básico. La norma reglamentaria debe respetar las previsiones de la ley en cuanto a las normas básicas se refiere, lo que permite al reglamento completarla regulación de la disciplina básica definida en la ley, además de reproducir preceptos legales que, como es obvio, tendrán carácter básico en la medida en que reiteren las previsiones básicas de la ley. Finalmente se permite, incluso, que sea el propio legislador quien remita al ejercicio de la potestad reglamentaria el complemento de lo básico, puesto que la mera remisión en abstracto a las normas reglamentarias para regular materias básicas no tiene por qué suponer, necesariamente, que esas normas vulneren las competencias asumidas por parte de las Comunidades autónomas (271). En todo caso, hay que tener muy presente que esta posibilidad encuentra un límite insoslayable cuando el alcance de lo básico se encuentre legalmente establecido.

31. JERARQUÍA REGLAMENTARIA EN LA ADMINISTRACIÓN LOCAL

En la Administración local, por lo expuesto en el apartado anterior, no existen problemas de ordenación jerárquica de los reglamentos por cuanto todo el poder normativo municipal está atribuido al Pleno de las Entidades locales. Debiéndose tener en cuenta, además, que ni siquiera está en situación jerárquica dependiente

---

(269) Ver STC 332/2005.
(270) Artículo 149 CE.
(271) STC 35/1992 y STS 10.10.2006.

el Alcalde respecto al Pleno, por lo que, aun de admitir la naturaleza normativa de algunos bandos, tampoco se daría una subordinación de éstos respecto de los reglamentos u ordenanzas del Pleno y las normas atribuidas al Alcalde en los Municipios de Gran Población son de naturaleza organizativas; por tanto, las relaciones entre estos tipos de reglamentos se rigen por el principio de competencia y no por el de jerarquía. La consecuencia de la jerarquía de los reglamentos es que ninguna disposición administrativa podrá vulnerar los preceptos de otra de rango superior, con el efecto, en otro caso, de incurrir en nulidad de pleno derecho (272). Sin embargo, en el ámbito local, existía una excepción a este principio, en relación con una materia concreta. Nos estamos refiriendo a los supuestos contemplados en la LBRL y aunque desde algún ámbito académico se opinó que se trataba de una excepción al principio de la relación Ley-Reglamento municipal, excepción comprensible y hasta aceptable desde la óptica del poder de autoorganización de cada Municipio, sin embargo el Tribunal Constitucional tienen declarado que el legislador estatal ha optado por establecer un modelo organizativo común y uniforme para todas las Entidades municipales y provinciales ... a partir del cual, y con pleno respeto al mismo, las propias Entidades locales pueden dotarse de una organización complementaria en virtud de lo dispuesto en los correspondientes Reglamentos Orgánicos (273). No obstante, se reconoce expresamente la posibilidad de que las leyes de las Comunidades Autónomas sobre régimen local también puedan disponer y regular esa organización complementaria de la prevista en la propia LBRL, si bien tales previsiones no regirán —ni vincularán, por tanto, a las Entidades locales, sino en la medida en que, en cada caso, los correspondientes reglamentos orgánicos no dispongan lo contrario (274).

De este modo, el marco normativo por el que se ordena directamente y, en primer término, la organización de las Entidades Locales queda constituido por las previsiones de la LBRL y de los Reglamentos Orgánicos de las Entidades Locales, quedando relegadas las normas de las Comunidades Autónomas pueden dictar sobre la materia a una posición secundaria, de orden subsidiario o supletorio en cuanto a su eficacia, ya que sólo vincularán a las Entidades locales en la medida en que éstas no ejerciten las competencias que se les reconoce y no se doten de esa estructura organizativa complementaria o, aun en la hipótesis de que habiéndolo previsto, tales previsiones autonómicas no resulten incompatibles con las del correspondiente Reglamento Orgánico Local. Lo que sucede es que, en lo concerniente a la organización municipal, el orden constitucional de distribución de competencias se funda en el reconocimiento de tres ámbitos normativos correspondientes a la legislación básica del Estado, la legislación de desarrollo de las Comunidades Autónomas según los respectivos Estatutos y la potestad reglamen-

---

(272)   LRJ artículos 51 y 62.
(273)   LBRL artículos 20.1 y 32.2.
(274)   STC 214/1989.

taria de los municipios, inherente esta última a la autonomía que la Constitución garantiza (275). De acuerdo con el modelo constitucional anterior, el art. 20 de la LBRL, establece en su apartado 1 los órganos municipales de carácter necesario, reconociendo en el párrafo c) de este mismo apartado la potestad de autoorganización complementaria que corresponde a los propios municipios, lo que, en sí mismo, no plantea problema constitucional alguno. Este problema surge en relación con el último inciso de ese mismo párrafo, según el cual, dicha potestad reglamentaria de autoorganización no tiene más límite que el respecto de los órganos necesarios establecidos por la Ley básica estatal. Con ello resulta evidente que se elimina la posibilidad de espacio normativo para la legislación autonómica de desarrollo en materia de organización municipal, lo cual vulnera el orden constitucional de distribución de competencias. Bien entendido que la declaración de inconstitucionalidad de este inciso está justificada por la exclusividad que como límite se atribuye a esta Ley, lo que en modo alguno impide que la LBRL continúe, en cuanto Ley básica del Estado, constituyendo un límite a la reglamentación organizativa de los Municipios.

Sin perjuicio de lo anterior, el apartado segundo de este mismo precepto reconoce formalmente la potestad legislativa de las Comunidades Autónomas para que éstas puedan establecer una organización municipal complementaria de la fijada con carácter básico o necesario por la propia LBRL. No obstante, dicho reconocimiento queda supeditado en su último inciso al hecho de que regirá en cada municipio en todo aquello que su Reglamento orgánico no disponga lo contrario. Ello significa, que el espacio normativo de las Comunidades Autónomas, en este punto, queda también virtualmente desplazado en su totalidad por la prevalencia de los reglamentos orgánicos complementarios de que puedan dotarse, según esta Ley, los propios municipios.

En consecuencia, depurado el precepto de los dos incisos a que se ha hecho referencia, permite que éste se ajuste al orden constitucional de distribución de competencias, pues en el mismo se definen los órganos básicos municipales, se reconoce la potestad legislativa de desarrollo de las Comunidades Autónomas y se admite, al propio tiempo, la existencia de un ámbito reservado a la autonomía organizativa municipal, ámbito éste que no podrá ser desconocido o invadido por las normas que, en materia de organización municipal complementaria, dicten las Comunidades Autónomas. Por tanto, los artículos declarados inconstitucionales quedan redactados, siguiendo el criterio de la sentencia, en los siguientes términos: Art. 20.1. La organización municipal responde a las siguientes reglas: d) El resto de los órganos, complementarios de los anteriores, se establece y regula por los propios Municipios en sus Reglamentos orgánicos.

_____

(275)   Artículo 140 CE.

2. Las Leyes de las Comunidades Autónomas sobre régimen local podrán establecer una organización municipal complementaria de la prevista en el número anterior. Art. 32: La organización provincial responde a las siguientes reglas: 3. El resto de los órganos, complementarios de los anteriores, se establece y regula por las propias Diputaciones. No obstante, las leyes de las Comunidades Autónomas sobre régimen local podrán establecer una organización provincial complementaria de la prevista en este texto legal.

En fin, en lo que aquí interesa, en esta materia de autoorganización los reglamentos de las Entidades locales han de supeditarse a las leyes que dicten las Comunidades Autónomas; en caso contrario, se infringiría el principio de jerarquía normativa y el de competencia a que hace referencia la LRJ en su artículo 51. Por otra parte sería necesario determinar si entre Reglamento local y Reglamento estatal o autonómico existe jerarquía normativa, predominando los segundos sobre el primero, sin posibilidad de existir oposición o contradicción entre ellos. Como es sabido, la Ley de Régimen Local de 1955, en su art. 108, decía: En la esfera de su competencia los Ayuntamientos podrán aprobar Ordenanzas y Reglamentos y los Alcaldes dictar Bandos de aplicación general en el término municipal. Ni unas ni otras contenderán preceptos opuestos a las leyes o disposiciones generales.

Con todo el Texto Refundido de las Disposiciones Legales vigentes en materia de Régimen Local (276), dispone que en la esfera de sus competencias, las Entidades locales podrán aprobar Ordenanzas y Reglamentos y los alcaldes dictar Bandos. En ningún caso contenderán preceptos opuestos a las leyes, con lo cual capacidad limitadora de los reglamentos puede existir sólo en cuanto que desarrollen una previa Ley estatal o autonómica.

Finalmente respecto de las fuentes del Derecho local que recogía el art. 5 LBRL, debemos recordar que fue declarado inconstitucional por el Tribunal Constitucional que declaró que el precepto impugnado (277) establece el orden de prelación de normas aplicables a las distintas materia que conciernen a la Administración Local, situando en primer lugar las contenidas en la propia Ley, que tienen así efectivamente una pretensión de superioridad de rango, que se hace explícita en su Exposición de Motivos. En cuanto que enumera las normas aplicables en una materia en la que la competencia legislativa está dividida entre el Estado y las Comunidades Autónomas, el precepto ha de ser entendido, en consecuencia, como una norma de interpretación de lo dispuesto en el bloque de la constitucionalidad respecto de esta materia. Es esta naturaleza de norma meramente interpretativa, sin contenido material alguno, lo que hace el precepto constitucionalmente ilegítimo. El orden de fuentes en un ordenamiento compuesto es el establecido por el bloque de la constitucionalidad, sin que uno de los ele-

---

(276)   TRRL aprobado por Real Decreto Legislativo 781/1986 de 18 de abril, artículo 55.
(277)   Artículo 5 LBRL.

mentos de esta realidad compuesta, en este caso el legislador estatal, pueda imponer a todos los demás, como única interpretación posible, la que él mismo hace. En el resto de párrafos del citado artículo 5 se establece un orden de prelación de fuentes que será correcto en la medida en que coincida con lo dispuesto en el bloque de constitucionalidad, e incorrecto en cuanto se aparte de él. En cuanto tal coincidencia exista, el precepto resultará superfluo y, en cuanto no exista, será inválido. En consecuencia, su anulación no origina ningún vacío normativo (278).

32. PRINCIPIO DE INDEROGABILIDAD SINGULAR

El principio de inderogabilidad singular es uno de los principales condicionantes impuestos por el ordenamiento jurídico sobre la potestad reglamentaria de la Administración pública, y supone, en definitiva, la imposibilidad de que la regulación general contenida en una norma con rango reglamentario se vea contravenida o dispensada por medio de un acto administrativo de alcance particular. El sentido de la inderogabilidad reglamentaria que regula la LRJ (279) que, en el fondo no es otra cosa que la confirmación del principio de legalidad de los actos administrativos respecto de los reglamentos. En este sentido el precepto marca una preferencia dentro de la actividad de la Administración entre las resoluciones, que son actos administrativos y las disposiciones de carácter general, que son normas, pues las resoluciones no pueden vulnerar los reglamentos. En realidad una resolución administrativa nunca ostenta rango igual o superior a un reglamento, sin embargo a veces se produce algo parecido a una apariencia de rango en el ámbito decisional que sustenta las resoluciones administrativas. El fundamento de la inderogabilidad singular se ha visto en el principio de igualdad, que sería vulnerado si en algunos casos concretos la Administración se arrogara la facultad de dispensar del cumplimiento reglamentario a algunos particulares; pero además el principio también se deduce de la propia forma en que se produce la atribución de potestades en el ámbito de la Administración Pública. El artículo 52 LRJ dispone que las resoluciones administrativas, de carácter particular, no pueden vulnerar lo establecido en una disposición de carácter general, aunque aquéllas tengan igual o superior rango que éstas. Por su parte la Ley del Gobierno (LG) dispone que son nulas las resoluciones administrativas que vulneren lo establecido en un reglamento, aunque hayan sido dictadas por órganos de igual o superior jerarquía que el que lo haya aprobado (280). El precepto expresa la subordinación genérica de los actos administrativos (281) al de las disposiciones de carácter general (282) y, en concreto, al de los reglamentos administrativos. Veamos un ejemplo: una

---

(278)   STC 214/1989.
(279)   Artículo 52 LRJ.
(280)   Artículo 23.4 LG.
(281)   Resoluciones administrativas de carácter particular.
(282)   Normas.

Resolución dictada por el Consejo de Ministros sobre una materia regulada en un reglamento aprobado por Orden Ministerial, no puede vulnerar lo establecido en dicha Orden reglamentaria, por cuanto, en virtud del principio de legalidad, los actos administrativos debe ampararse en lo dispuesto en normas previas. En el ámbito local es el reglamento de Servicios de las Corporaciones Locales (283) que dispone que sus disposiciones vinculan tanto a los administrados como a la Corporación, sin que ésta pueda dispensar, individualmente, de la observancia.

Las derogaciones singulares están doblemente prohibidas por normas sectoriales. De manera que tanto la prohibición general establecida en la LRJ y la LG y las que se establecen en leyes sectoriales producen la nulidad de cualquier dispensa o autorización que incluso pudiera contener el propio reglamento cuya derogación singular se autoriza. A no ser que se tratara de un tema diferente del regulado en el propio reglamento. En cualquier caso, siempre debe tenerse en cuenta que el reglamento tienen el límite de los principios generales del Derecho, entre los que el de igualdad tiene fundamental relevancia al estar constitucionalizado.

El Tribunal Supremo tiene declarado que la inderogabilidad singular de los reglamentos es una consecuencia del principio de legalidad que disciplina toda la conducta de la Administración, de modo que el sometimiento de la Administración pública a la ley y al Derecho que exige la Constitución (284) se manifiesta no sólo hacia afuera, esto es, respecto de las normas que a la Administración le vienen impuestas por parte del poder legislativo, sino también hacia adentro esto es, respecto de las normas que la propia Administración puede dictar en ejercicio de la potestad reglamentaria (285). De este modo, la Administración pública se encuentra vinculada por sus propios reglamentos hasta el punto de que no puede exceptuar su vigencia por medio de actos administrativos de alcance particular. Consecuentemente, no contraviene el principio de inderogabilidad singular de los reglamentos la sustitución de una norma con rango reglamentario por otra posterior (286). También se basa la plena vigencia de la inderogabilidad singular de los reglamentos en los principios de seguridad jurídica y de igualdad de los ciudadanos ante la aplicación de las normas.

33. VICIOS DEL REGLAMENTO

En relación a la teoría general de los vicios de las normas y actos en el Derecho Administrativo enumeramos de modo sumario los vicios, más relevantes, en que pueden incurrir los reglamentos pueden incurrir:

---

(283)   Aprobado por Decreto de 17 de junio de 1955 artículo 11.2.
(284)   Artículo 103 CE.
(285)   STS 23.6.2006.
(286)   STS 30.4.1991.

A) Vulneración de la jerarquía normativa, que implica la obligada subordinación del reglamento a la Constitución, a las leyes y normas con rango de Ley (287).

B) violación de la reserva de ley. Dentro de la reserva de ley, el artículo la Ley del Gobierno, que pretende resumir también los límites del ejercicio de la potestad reglamentaria, enumera: las imposibilidad del reglamento de tipificar delitos, faltas o infracciones administrativas, establecer penas o sanciones, así como tributos, cánones u otras cargas o prestaciones personales o patrimoniales de carácter público. Enumeración que, naturalmente no tiene carácter exhaustivo, ya que la reserva de la ley se extiende a otros ámbitos que la CE consagra (288).

C) Violación de la jerarquía normativa de los reglamentos dentro del mismo ordenamiento jurídico (289).

D) Reglamentos que establezcan la retroactividad de disposiciones sancionadoras no favorables o restrictivas de derechos individuales.

E) Incompetencia de la Entidad o del órgano que lo aprueba.

F) Violación de los trámites sustanciales del procedimiento que regula su elaboración, es decir, omisión de los informes o dictámenes preceptivos, o de la audiencia a las entidades representativas en los términos analizados.

Estos vicios fundamentales y los demás que figuran en la Ley constituyen otros tantos límites al ejercicio de la potestad reglamentaria y cuya transgresión les hace asimismo incurrir en vicio de nulidad. En cualquier caso, el requisito de su publicación es inexcusable para la entrada en vigor del reglamento.

34. RETROACTIVIDAD DE LAS DISPOSICIONES GENERALES

Tradicionalmente se ha considerado como una norma propia de Derecho Administrativo que aunque la Ley pueda establecer su retroactividad (290), el Reglamento administrativo, en cambio no puede hacerlo. El principio de irretroactividad tiene por objeto la protección de los particulares de posibles intromisiones de la Administración Pública en sus esferas personales, en este sentido se explica la admisión de la retroactividad de los actos administrativos favorables a su destinatario.

Aunque a raíz de la entrada en vigor se debatió profundamente al respecto de si las disposiciones administrativas podían desplegar efectos retroactivos, la juris-

---

(287) LRJ artículo 62.2.
(288) LG artículo 23.3.
(289) LRJ artículo 62 LG artículo 23.
(290) Artículo 2.3 Código Civil.

prudencia zanjó de modo definitivo esta cuestión estableciendo, en síntesis, que los reglamentos se deben de entender comprendidos en la mención que el hace el Código Civil a las leyes en el artículo 2 así como en la mención más extensa a las disposiciones que se lleva a cabo en el artículo 9.3 de la Constitución (291). De este modo la retroactividad reglamentaria se permite en los mismos supuestos y bajo las mismas condiciones que la retroactividad de las normas con rango de ley.

De manera que las disposiciones se dictan para que sea eficaces a partir del momento de su entrada en vigor; es decir son dictadas de cara al futuro, con eficacia naturalmente prospectiva. Esta es el motivo por el que, tanto la Constitución como el Código Civil (292), establecen el principio general de irretroactividad de las normas. Sin perjuicio de todo ello, lo cierto es que el principio de irretroactividad no supone una interdicción absoluta e insalvable de la eficacia retroactiva de las normas, que puede tener lugar en determinados supuestos, cuando así lo indiquen las propias disposiciones; por ejemplo, con el objeto de corregir defectos de la regulación anterior (293). Lo que no es posible es que las disposiciones sancionadoras desfavorables o restrictivas de derechos individuales, por mandato del artículo de la CE y de la LRJ (294), determina que resultan ineficaces, por vicio de nulidad absoluta, las normas reglamentarias retroactivas que sean restrictivas de derechos individuales (295). Aunque ni siquiera esta norma supone una prohibición general de la retroactividad *in peius* en nuestro ordenamiento jurídico, en la medida en que se viene permitiendo a las normas jurídicas, incluidos los reglamentos, una cierta eficacia retroactiva con incidencia perjudicial sobre derechos adquiridos en el momento de la entrada en vigor de la disposición que retrotrae sus efectos, a pesar de que existen pronunciamientos jurisprudenciales que de modo rotundo afirman que la retroactividad no puede afectar a los derechos adquiridos y a las situaciones jurídicas consolidadas (296).

35. RETROACTIVIDAD DE GRADO MÍNIMO

Se denomina retroactividad de grado mínimo es aquélla que supone la aplicación de la nueva norma a futuro, aunque incida sobre una relación jurídica constituida de acuerdo con la normativa anterior, por contraste con la retroactividad de grado medio, cuando la nueva norma se aplica a los efectos nacidos con anterioridad pero aún no consumados o agotados, y con la retroactividad de grado

---

(291)   STS 25.11.1997.
(292)   Artículos 93. CE y 2.1 CC.
(293)   STS 23.4.1997.
(294)   Artículo 9.3 CE y 62.2 LRJ.
(295)   STS 26.2.1999.
(296)   STS 29.7.1986.

máximo, cuando se aplica la nueva norma a la relación o situación básica creada bajo el imperio de la norma antigua y a todos sus efectos consumados o no (297).

El Tribunal Supremo tiene declarado que la retroactividad de carácter mínimo ha de quedar excluida de la retroactividad en sentido propio, y por lo tanto no se ha de someter a sus límites ni condicionantes, ya que la norma tiene una eficacia rigurosamente prospectiva y afecta a situaciones o relaciones jurídicas actuales, no concluidas. Este criterio jurisprudencial se convierte en una herramienta clave para permitir la incidencia de la regulación reglamentaria sobre la esfera de los derechos e intereses de los administrados, en la medida en que impide la congelación de las relaciones jurídicas constituidas con arreglo a las normas anteriores siempre que no hayan agotado sus efectos (298).

Por otra parte hay que puntualizar que la retroactividad de grado mínimo no es retroactividad en sentido propio dado que por un lado no existe retroactividad cuando una norma regula de manera diferente y pro futuro situaciones jurídicas creadas antes de su entrada en vigor, y cuyos efectos no se han consumado (299). De manera que una norma no es retroactiva porque se aplique inmediatamente desde su entrada en vigor. No se infringe el principio de seguridad jurídica porque se lleven a cabo modificaciones en las normas jurídicas, que entran en el ámbito de la potestad legislativa y reglamentaria, que no puede permanecer inerme o inactiva ante la realidad social y las transformaciones que la misma impone; y estas modificaciones, obviamente, incidirán en las relaciones o situaciones jurídicas preexistentes sin que por ello se pueda considerar que son retroactivas.

36. OTROS LÍMITES A LA POTESTAD REGLAMENTARIA

A diferencia de lo que ocurre con las leyes y en las decisiones políticas que adopta el legislador en las que no existe más límite que el respeto a la Constitución, en el caso de los reglamentos en tanto en cuento no constituyen mandatos jurídicos originarios fruto de la voluntad general, no pueden regular las materias a que se refieren con absoluta discrecionalidad, sino que se encuentran sometidos a los límites a que está sometida la Administración. Como en el caso de cualquier otra potestad administrativa (300) y recordemos que la reglamentaria es una potestad más, si bien, la discrecionalidad está limitada por el obligado respeto a la Ley y a la Constitución, así como por los límites que establecen los principios generales informadores del Ordenamiento jurídico.

---

(297)   STS 3.6.2003.
(298)   Ver, STS 18.3.1995 y STC 182/1997.
(299)   STC 227/1988.
(300)   Hemos examinado varias potestades administrativas de las que la reglamentaria solo es una más.

En efecto, las normas reglamentarias se someten a determinados límites impuestos directamente por la ley, de modo que no pueden tipificar delitos, faltas o infracciones administrativas, establecer penas o sanciones, así como imponer tributos, cánones u otras cargas o prestaciones personales o patrimoniales de carácter público.

Por otra parte y como consecuencia de la operatividad de los principios de reserva de ley y de plena subordinación del reglamento a la ley (301) sobre los que se articula nuestro ordenamiento jurídico, el reglamento no puede regular ni desarrollar todas las materias que, previamente, hayan sido reguladas por una norma con rango de ley. En nuestro Ordenamiento y en otros ordenamientos europeos de tipo continental, la ley puede congelar el rango de materias deslegalizadas a su discreción, en la medida en que no haya materias específicamente reservadas al reglamento (302).

El concepto de Principios Generales del Derecho es propio de la Teoría General del Derecho, entendiendo por tales lo que informan el Ordenamiento jurídico y las instituciones que en él se engloban. El sometimiento de la Administración y, por tanto, de su potestad reglamentaria a los Principios Generales del Derecho se recoge en la Constitución (303). En cuanto que los Principios generales son parte capital del Ordenamiento jurídico y del concepto de Derecho, diferenciado del de Ley que emplea el texto constitucional. Tales principios, que se deducen del ordenamiento sin necesidad de que se expresen en las normas escritas, se encuentran a menudo positivizados tanto en la Constitución como en las leyes y son reconocidos por la jurisprudencia nacional de la Unión Europea. Particularmente relevantes en este sentido son: el artículo 9.3 CE, que analizaremos más adelante, y que recoge los principios generales más notorios y el principio de protección de la confianza legítima, consagrado por la jurisprudencia del Tribunal de Justicia de la Unión Europea.

Uno de los Principios Generales del Derecho es la interdicción de la arbitrariedad, recogido de forma expresa en el citado artículo de la Constitución, y de particular relevancia en relación a la potestad reglamentaria por ser la que mayor margen de discrecionalidad incorpora. La discrecionalidad, como luego estudiaremos, no supone exención absoluta de límites, una absoluta libertad de acción, sino que tiene sus propios límites, entre los que destaca la interdicción de la arbitrariedad. Los reglamentos, así, deben tener su justificación no sólo lícita, sino también racional y proporcionada en la adecuación de las medidas que establecen a los fines que deben perseguir. Siendo preciso que su contenido no sea incongruente o contradictorio con la realidad que se pretende regular, ni con la naturaleza de

---

(301)   Principio de jerarquía normativa.
(302)   STC 332/2005.
(303)   Artículos 9 y 103.1 CE.

las cosas o la esencia de las instituciones (304). Cualquier desvío en este sentido, estableciendo una normativa no exigida por la defensa de los intereses públicos en juego, puede suponer una mera arbitrariedad de la autoridad administrativa que lo dicta, lo que está prohibido por la Constitución.

También constituye un límite de los reglamentos de violación del principio de confianza legítima, recogido en la jurisprudencia del Tribunal de Justicia de la Unión Europea, cuyo concepto y alcance hemos analizado. Pero a diferencia de las leyes en relación con las cuales este principio no juega en el Derecho español, sí lo hace en el caso de los reglamentos a tenor de lo previsto por la propia LRJ (305).

Se ha puesto en tela de juicio si los Principios Generales del Derecho pueden actuar como fuente supletoria en ausencia de norma reglamentaria o si los mismos pueden ser parámetro de la validez de ésta, en especial los no positivizados. A lo que se añade que debe tenerse en cuenta, en este sentido, el reconocimiento de la potestad reglamentaria por la propia Constitución, que literalmente sólo la somete a la misma Constitución y a las leyes, a diferencia de la referencia a la sujeción la Ley y al Derecho con respecto a la actuación administrativa en general (306). Como también debe considerarse el dato de que las normas reglamentarias de los entes locales son expresión de la voluntad ciudadana, en virtud de la representación política que ejercen sus miembros electos.

Frente a ello, ya hemos reseñado atrás Sentencias de nuestro Tribunal Supremo que resaltan que la actuación de la potestad reglamentaria de la Administración está rigurosamente sometida a los principios generales del Derecho, por lo previsto en el Código Civil (CC) y por el sometimiento pleno a la Ley y al Derecho dispuesto en la propia Constitución. Como también hemos referenciado Sentencias que anulan preceptos de textos reglamentarios por vulnerar Principios Generales del Derecho, tales como el Principio de enriquecimiento sin causa, entre otros. Y acabamos de señalar cómo nuestra más influyente doctrina científica jurídico-administrativa destaca que ninguna potestad discrecional puede sustraerse al carácter informador de los Principios Generales del Derecho que proclama el Código Civil (307).

Hay que reparar, en primer lugar, que el Código Civil dispone que los Principios Generales del Derecho deben aplicarse en defecto de ley aplicable y esto incluye no sólo normas con rango de Ley sino también, claramente, normas reglamentarias, porque se está utilizando el término Ley en su acepción intermedia equivalen-

---

(304)   STS 15.6.2005.
(305)   Artículo 3.1 LRJ.
(306)   Ver artículos 97 y 103 CE.
(307)   Ver artículos 1.4 CC. y 103 CE.

te a toda norma distinta de la costumbre y de los Principios Generales del Derecho, a los que tal precepto contrapone. Pero, además, hay que recalar, igualmente, en que el Código Civil no sólo consigna lo indicado, sino que añade, asimismo, que, sin perjuicio de lo anterior, los citados principios tienen carácter informador de todo el Ordenamiento jurídico: Por otra parte, como los reglamentos forman parte del contenido del Ordenamiento Jurídico, deben necesariamente, estar inspirados necesariamente por los Principios Generales del Derecho.

La Constitución proclama, dentro de su Título Preliminar, que los poderes públicos, están sometidos a la Constitución y al resto del Ordenamiento jurídico, lo que incluye al propio Poder Legislativo; de modo que no existe justificación alguna para que se considere excluida la potestad reglamentaria del Poder Ejecutivo (308).

También se ha destacado que hay que diferenciar a estos efectos entre Reglamentos ejecutivos y Reglamentos independientes, en el sentido de que los ejecutivos puedan estar cubiertos por la norma con rango de ley que los ha habilitado. Si realmente la base de la vulneración del principio general se encuentra en normas de la ley habilitante y no deriva exclusivamente del Reglamento, entonces hay que remitirse a lo ya tratado sobre las relaciones de las normas con rango de Ley y los Principios Generales del Derecho o sobre éstos y la discrecionalidad o libertad de configuración del legislador, de modo que el órgano judicial tendría que plantear cuestión de inconstitucionalidad ante el Tribunal Constitucional (309). Sin olvidar tampoco que, antes, le cabe agotar al órgano judicial la posibilidad de decantarse por la interpretación de la norma reglamentaria impugnada más conforme con los citados principios.

---

(308)   Ver artículo 9.1 CE.
(309)   Ya sea por vulneración de algún principio constitucional o por la infracción de algún Principio General del Derecho no constitucionalizado de manera singular, pero relacionado con los derechos fundamentales o cuyo desconocimiento provoque arbitrariedad.

Capítulo 4

Prontuario de técnica normativa en la Administración Pública

La potestad normativa de la Administración pública se desglosa, en la práctica, en varias facetas de las que las dos más importantes son la puesta en marcha de la iniciativa legislativa que corresponde al Gobierno y la articulación de la potestad reglamentaria cuyo ejercicio se encuentra regulado en varios textos normativos que examinamos en el presente capítulo donde se analizan y exponen los trámites, procedimientos para la elaboración de disposiciones de carácter general así como los requisitos de forma a que deben someterse. También se examinan los criterios de estructura de los anteproyectos de normas, haciendo referencia a las características del titulo de la parte expositiva y del texto articulado y todas aquellas disposiciones que se incluyen al final de las normas que, como los gestores públicos conocen, tienen gran importancia práctica, toda vez que en ellas se incluyen muchas veces disposiciones de importancia fundamental para poner en marcha y hacer efectivo el funcionamiento y aplicación de la norma aprobada.

1. INTRODUCCIÓN

La Constitución establece que la iniciativa legislativa, corresponde al Gobierno, de modo que los proyectos de ley deben ser aprobados en Consejo de Ministros, que los somete al Congreso de los Diputados acompañados de una exposición de motivos y de los antecedentes necesarios para pronunciarse sobre ellos (1). Por su parte La Ley 50/1997 del Gobierno, recoge en su Título V el procedimiento en materia de iniciativa legislativa, potestad reglamentaria y control de los actos del Ejecutivo.

Si bien el ejercicio de la potestad reglamentaria corresponde al Gobierno, de acuerdo con la Constitución y las leyes, esta potestad se encuentra sometida a ciertos límites a que la propia Ley del Gobierno somete a los reglamentos (2):

a) No pueden regular materias objeto de reserva de ley.

---

(1)   Arts. 87 y 88 CE.
(2)   LG art. 23.

b) No pueden infringir normas con rango de ley.

c) No pueden tipificar delitos, faltas o infracciones administrativas.

d) No pueden establecer penas o sanciones.

e) No pueden establecer tributos, cánones u otras cargas o prestaciones personales o patrimoniales de carácter público.

Además los reglamentos administrativos deben ajustarse a las siguientes normas de competencia y jerarquía:

— Disposiciones aprobadas por Real Decreto del Presidente del Gobierno o del Consejo de Ministros.

— Disposiciones aprobadas por Orden Ministerial.

— Ningún reglamento puede vulnerar preceptos de otro de jerarquía superior.

— Son nulas las Resoluciones administrativas que vulneren lo establecido en un reglamento, aunque hayan sido dictadas por órganos de igual o superior jerarquía que el que lo haya aprobado.

2. PREVISIONES NORMATIVAS

En cada ministerio se elabora anualmente un programa de previsiones normativas que se inicia mediante el envío a la Secretaría General Técnica del Departamento en el último trimestre del año las previsiones de producción normativa de los titulares de los diferentes Centros directivos (3). Estas previsiones deben precisar el rango de la disposición prevista, la fecha límite de su entrada en vigor y una sucinta justificación de la necesidad de la norma.

Con estos datos la Secretaría General Técnica de cada Departamento ministerial elabora un Programa anual que contiene las previsiones de elaboración normativa del año siguiente.

Esta programa anual es, por lo general, elevado al Ministro para su aprobación, además el seguimiento de la ejecución y el control de este programa es seguido por el subsecretario que para ello dispone de unidades de control departamental.

---

(3)   Secretarios de Estado, Subsecretarios, Directores Generales, Presidentes de Organismos, etc.

3. TRAMITACIÓN DE INICIATIVAS

El procedimiento de elaboración de disposiciones de carácter general se inicia con la redacción del texto por cada centro directivo competente por razón de la materia.

El texto de la disposición se denomina proyecto si se refiere a una Orden Ministerial, Real Decreto, Real Decreto-Ley o Real Decreto Legislativo y Anteproyecto si se refiere a una norma destinada a su tramitación parlamentaria como Proyecto de Ley.

Cuando el texto esté formulado de manera incipiente se denominará borrador que puede tener sucesivas versiones que deben numerarse: primera versión, segunda versión, etc.

El centro directivo que haya iniciado la tramitación debe conservar en el expediente los dictámenes, consultas e informes que se hayan evacuado, las observaciones y enmiendas que se hayan formulado y cuantos datos y documentos ofrezcan interés para conocer el proceso de elaboración de la norma y su interpretación, junto con el texto propuesto.

En la tramitación de expedientes normativos pueden distinguirse tres etapas: elaboración departamental, circulación del texto en ámbitos externos al Departamento que tiene la iniciativa y fase de aprobación normativa.

3.1. Tramitación departamental

El ministerio competente procede a la elaboración de un proyecto o anteproyecto de disposición cuya iniciativa puede ser intradepartamental o extradepartamental.

De un modo u otro el inicio formal del procedimiento y preparación del proyecto de disposición corresponde al Centro o Centros Directivos competentes por razón de la materia, que elaboran un primer texto de la disposición.

Esta fase comprende la realización de estudios y evacuación de informes previos que garanticen la legalidad, acierto y oportunidad de la futura disposición.

Las unidades técnicas departamentales, competentes en materias jurídicas participan en la elaboración y redacción de los proyectos, además antes de su remisión a la Secretaría General Técnica el borrador debe contar con el visto bueno del titular del centro directivo competente por razón de la materia.

Cada centro directivo debe completar el expediente con la documentación necesaria para iniciar el procedimiento de elaboración normativa en el Departamento ministerial que constará al menos con los siguientes documentos:

a) Texto del proyecto de disposición.

b) Memoria de impacto normativo

c) Antecedentes.

d) Informes y dictámenes que se hayan emitido con

— Informe de otros centros directivos afectados por la disposición que no hayan intervenido en su elaboración. carácter general y en particular:

— Informe de la Oficina presupuestaria departamental.

— Informe de la Secretaría General Técnica del ministerio.

e)Informe de la Abogacía del Estado del Departamento.

El texto del proyecto de disposición debe adaptarse a las directrices aprobadas por el Acuerdo de Consejo de Ministros de veintidós de junio de 2005 sobre técnica normativa, incluyendo mención expresa de las disposiciones anteriores que quedarán total o parcialmente derogadas por la disposición general en tramitación en caso de que entrara en vigor.

Memoria de análisis de impacto normativo

El Real Decreto 1083/2009 de 3 de julio regula la Memoria del análisis del impacto normativo que debe contener los siguientes apartados:

a) Oportunidad de la propuesta.

b) Contenido y análisis jurídico, que incluya el listado pormenorizado de las normas que vayan a quedar derogadas como consecuencia de la entrada en vigor de la norma.

c) Análisis sobre la adecuación de la norma propuesta al orden de distribución de competencias.

d) Impacto económico y presupuestario que comprende el impacto sobre los sectores, colectivos o agentes afectados por la norma, incluido el efecto sobre la competencia, así como la detección y medición de las cargas administrativas.

e) Impacto por razón del género donde se analizan y valoran los resultados que pueden seguirse de la aprobación del proyecto desde la perspectiva de la eliminación de desigualdades y de su contribución a la consecución de los objetivos de igualdad de oportunidades y trato entre mujeres y hombres, a partir de los indicadores de situación de partida, de previsión de resultados y de previsión de impacto recogidos en la Guía metodológica para la elaboración de la Memoria de impacto normativo.

Con carácter general y desde un punto de vista de la práctica profesional, el contenido de la memoria de análisis de impacto normativo debe versar sobre la legalidad, acierto y oportunidad de la disposición que se pretende tramitar, especificando en ella los siguientes aspectos:

— Finalidad o necesidad que pretende atenderse con la disposición.

— Razones o consideraciones que inducen a su adopción o que la hacen pertinente en definitiva el acierto.

— Justificación o razón de la alternativa escogida entre las distintas posibles, coherencia entre la necesidad expuesta y las medidas propuestas, oportunidad del momento de su aprobación incluyendo el grado de vigencia.

— Competencia, señalando el fundamento normativo de la capacidad del Estado y del ministerio concreto para dictar la disposición que se propone. Por otra parte, si la materia que regule la futura disposición general lo requiere, la memoria también deberá extender a los siguientes aspectos:

— Actividades: breve descripción de las actividades a desarrollar, datos estadísticos registrados sobre actividades similares desarrolladas hasta el presente o estimación de las actuaciones que implicará en su futuro inmediato.

— Relaciones: descripción y volumen de las comunicaciones con otros órganos que desarrollen actividades concurrentes.

— Deslinde de competencias con otras unidades que actúan sobre la misma materia.

— Variaciones que se pretenden introducir en las estructuras orgánicas que, hasta el presente, hayan llevado a cabo las actuaciones y relaciones descritas.

— Otros datos e informaciones que contribuyan a explicar mejor la necesidad, oportunidad, coherencia o proporcionalidad de las medidas propuestas.

Hay que tener en cuenta que, cualquier anteproyecto de ley o proyecto de disposición general, cuya aplicación pueda suponer un incremento de gastos o disminución de ingresos públicos, deberá incluir, entre los antecedentes y estudios previos, una memoria económica en la que se pongan de manifiesto, debidamente evaluados, cuantos datos resulten precisos para conocer las posibles repercusiones presupuestarias de su ejecución. En consecuencia la memoria debe incluir, como mínimo, los siguientes aspectos:

— Gastos presupuestarios y fiscales ocasionados a partir de su entrada en vigor, con distinción de gastos de personal, gastos de primer establecimiento y demás de funcionamiento, especialmente cuando se deriven de la entrada en servicio de nuevas inversiones; subvenciones y demás gastos corrientes; gastos de inversión, transferencias de capital y operaciones financieras y gastos fiscales.

— Financiación de los gastos presupuestarios, con expresión de los recursos e ingresos generados por la disposición; propuestas de baja en créditos presupuestarios sobrantes; solicitud de nuevas dotaciones presupuestarias; operaciones de crédito exterior, y fuentes de financiación al margen de los Presupuestos Generales del Estado.

— Tabla de correspondencias entre los preceptos y evaluación de los gastos, descripción del programa presupuestario en el que se inserta y modificaciones que implica en función de los objetivos perseguidos y evaluación económica y social de su aplicación.

Además, cuando el objeto de la disposición sea el establecimiento de bases reguladoras de una ayuda pública debe incluirse expresamente en su parte dispositiva la prohibición de conceder ayudas por encima del límite presupuestario consignado.

Cuando el importe de las subvenciones solicitadas pueda superar los fondos disponibles, el proyecto de disposición debe prever, criterios de prioridad para su concesión o mecanismos que permitan prorratear dichos fondos entre los solicitantes.

La Memoria de análisis de impacto normativo debe incluir, además, cualquier otro extremo que pueda ser relevante, a criterio del órgano proponente, prestando esencial atención a los impactos de carácter social y medioambiental y al impacto en materia de igualdad de oportunidades, no discriminación y accesibilidad universal de las personas con discapacidad.

El organismo o centro directivo competente para la realización de la memoria debe actualizar el contenido con las novedades que se produzcan a lo largo del procedimiento de tramitación y la versión definitiva de la memoria debe incluir la referencia a las consultas realizadas en el trámite de audiencia, en particular va las comunidades autónomas y otros informes o dictámenes exigidos por el Ordenamiento jurídico evacuados durante la tramitación, con objeto de que quede reflejado el modo en que las observaciones contenidas, así como el trámite de audiencia hayan sido tenidas en consideración por el órgano proponente de la norma.

Cuando se estime que de la propuesta normativa no se derivan impactos apreciables en alguno de los ámbitos, de forma que no corresponda la presentación de una memoria completa se realiza una memoria abreviada que debe incluir, al menos, los apartados siguientes: oportunidad de la norma; listado de las normas que quedan derogadas, impacto presupuestario e impacto por razón de género debiendo quedar justificados los motivos de su tramitación abreviada.

Los antecedentes del expediente normativo deben comprender tanto la descripción de la situación de hecho que se estima necesario resolver, como la enumeración de las normas vigentes que podrían verse afectadas por la disposición general o influir en ella, debidamente actualizadas, la doctrina constitucional y jurisprudencial que exista sobre el asunto y cuantos informes o estudios se hubiesen realizado con carácter previo a la redacción del texto del proyecto de disposición.

Cuando un proyecto normativo pueda suponer un incremento de gasto o una disminución de ingresos públicos, el centro directivo competente, deberá remitir copia del proyecto de disposición y de la Memoria de impacto normativo a la Oficina Presupuestaria del Departamento, que evacuará el informe oportuno, según se establece en el Real Decreto 2855/1979 por el que se crean las Oficinas y Comisiones presupuestarias en los ministerios art. 3.

Informe de la Secretaría General Técnica

Los proyectos de disposición de carácter general deben ser informados por la Secretaría General Técnica del Departamento, de acuerdo con lo previsto en la Ley 50/19997 del Gobierno (4) y en la correspondiente normativa específica que regule la estructura y funciones de cada Departamento ministerial.

El Centro Directivo que haya redactado el proyecto debe solicitar a la Secretaría General Técnica la evacuación de dicho informe, para lo cual deberá adjuntar a su petición toda la documentación que obre en el expediente hasta ese momento y en todo caso la siguiente:

– Texto del proyecto de disposición.

– Memoria de análisis de impacto normativo

Si se apreciaran deficiencias evidentes en el texto de la disposición o en la documentación remitida por el Centro directivo proponente, que impidan la emisión del informe preceptivo, la Secretaría General Técnica debe solicitar la subsanación de las deficiencias encontradas.

Cuando el proyecto de disposición se refiera a materias que correspondan a otros Departamentos, de modo que su aprobación o propuesta de aprobación deban realizarla conjuntamente varios Ministros, el Subsecretario del ministerio a quien corresponda la tramitación solicitará informe de los demás ministerios implicados.

Para ello la petición de informe debe acompañarse de la documentación necesaria para su correcta emisión y, en todo caso, del informe emitido por la Secretaría General Técnica del Ministerio que solicita el informe.

---

(4)   LG artículos 22.2 y 24.2.

Los informes de la Secretaría General Técnica son preceptivos y no vinculantes, correspondiendo a los centros directivos autores del texto, aceptar o rechazar las observaciones y sugerencias que en ellos se contengan, sin embargo cuando contengan observaciones referidas a la legalidad de la disposición, los centros directivos deben comunicar a la Subsecretaría las razones que justifiquen su no aceptación.

Cualquier proyecto de disposición que no se ajuste a los informes de la Abogacía del Estado, de la Secretaría General Técnica o de la Oficina Presupuestaria del Ministerio deberá llevar adjunta una nota explicativa acerca de las razones existentes para mantener tal criterio a juicio del Centro directivo redactor.

3.2. Tramitación externa

Los proyectos elaborados por un Departamento ministerial deben someterse a consulta de otras instancias exteriores al mismo tanto públicas como privadas. Además estos informes pueden ser preceptivos o facultativos.

Los principales trámites a que pueden someterse las disposiciones de la mayor parte de los Departamentos son los siguientes:

– Consulta a los ciudadanos a través de las organizaciones representativas de los intereses afectados.

– Información pública en su caso.

– Consulta a las Comunidades Autónomas.

– Comunicación a la Comisión Europea.

– Aprobación previa del Ministerio de Administraciones Públicas.

– Autorización del Ministerio de Hacienda.

– Informe de diferentes Comisiones Interministeriales.

– Informe del Consejo Superior de Informática.

– Informe de la Agencia de Protección de Datos de carácter personal.

– Informe del Consejo Económico y Social.

– Dictamen del Consejo de Estado.

El proyecto de disposición puede ser sometido a los dictámenes o informes de otros órganos consultivos cuando así se establezca en una norma o cuando el Ministro lo considere oportuno.

Consulta a las Comunidades Autónomas

El Centro directivo competente debe remitir a las Comunidades Autónomas que pudieran verse afectadas por la nueva disposición el texto íntegro del proyecto adaptado, en su caso, a las observaciones formuladas por la Secretaría General Técnica con el fin de que éstas realicen las observaciones que consideren oportunas.

Las Comunidades Autónomas a las que se envíe esta documentación deben remitir su contestación en un plazo no superior a quince días a partir de su recepción sin embargo cuando haya razones que lo justifiquen podrá reducirse este plazo.

El Centro directivo competente debe remitir a la Secretaría General Técnica copia de los oficios de remisión, así como de todos los escritos de contestación de las Comunidades Autónomas consultadas. El trámite se entenderá cumplido cuando el proyecto de disposición se hubiera tratado en el seno de una conferencia sectorial en que estén presentes los representantes de la Comunidades Autónomas afectadas. Cuando sobre un texto que haya sido previamente informado o sometido a consulta de las Comunidades Autónomas se hayan realizado posteriormente modificaciones que no sean propiamente de estilo, el Centro directivo competente deberá proceder a la nueva remisión del texto definitivo a las Comunidades Autónomas consultadas, significándoles que, de no realizarse observaciones en contra en el plazo de tres días hábiles, se procederá a su aprobación por el órgano competente o a su tramitación en la forma en que su rango normativo determine.

Comunicación a la Comisión Europea

Los ministerios deben comunicar a la Comisión Europea, a través de la Comisión Interministerial de Asuntos de la Unión Europea, los siguientes proyectos de disposiciones de carácter general que pretendan aprobar:

—   Aquellas disposiciones consideradas como normas o reglamentaciones técnicas de acuerdo con lo dispuesto por la normativa que regula la remisión de información en materia de normas y reglamentaciones técnicas (5).

—   Aquellas disposiciones que respecto a las que se establezca este trámite como preceptivo en alguna norma comunitaria.

Por lo general es el Subsecretario del Departamento quien remite la solicitud de comunicación a la Comisión Interministerial de Asuntos de la Unión Europea, debiendo comunicar a la mayor brevedad posible al Centro directivo proponente

---

(5)   Real Decreto 1168/1995.

el envío de la comunicación y la fecha de su recepción en la Comisión Europea a efectos del cómputo de plazos.

Aprobación e informe del Ministerio de Hacienda y Administraciones Públicas (Secretaria de Estado de Administraciones Públicas)

La LOFAGE exige que cuando un proyecto de disposición se refiera a materia de organización administrativa, régimen de personal, procedimientos e inspección de servicios, será necesaria la aprobación previa del Ministerio de Hacienda y Administraciones Públicas.

Con este objeto el Departamento correspondiente remitirá a dicho departamento la solicitud de aprobación junto con la siguiente documentación:

–   Texto del proyecto de disposición.

–   Memoria de análisis de impacto normativo

–   Informe de la Secretaría General Técnica.

De acuerdo con lo dispuesto por dicho texto legal, artículo 67.4, la aprobación se entenderá concedida si transcurren quince días desde la recepción del texto en el MHAP sin que se haya formulado objeción alguna.

Por otra parte la LG dispone que cuando una norma reglamentaria pueda afectar a la distribución de las competencias del Estado y de las Comunidades Autónomas será necesario un informe previo del Ministerio de Hacienda y Administraciones Públicas, a cuyo efecto el Departamento redactor del proyecto de disposición deberá remitir al MINHAP la solicitud de aprobación junto con los siguientes documentos del expediente:

–   Texto del proyecto de disposición.

–   Memoria justificativa.

–   Memoria económica.

–   Informe de la Secretaría General Técnica.

Autorización del Ministerio de Hacienda y Administraciones Públicas (Secretaría de Estado de Hacienda)

La Ley 30/1984 de Medidas para la Reforma de la Función Pública dispone que si el proyecto de disposición contuviese medidas relativas al personal que puedan suponer un incremento o modificación del gasto, se solicitará la autorización junto con los siguientes documentos:

–   Texto del proyecto de disposición.

– Memoria de análisis de impacto normativo (impactos económicos)

– Informe de la Secretaría General Técnica.

4. PROCEDIMIENTO DE APROBACIÓN

Los órganos competentes realizan actuaciones precisas para facilitar la aprobación de la disposición y su publicación en el Boletín Oficial del Estado.

En esta fase puede haber varios tipos de procedimientos:

4.1. Órdenes ministeriales

El Centro Directivo proponente envía a la Secretaría General Técnica del Departamento, dos ejemplares del texto definitivo de la Orden en papel oficial y otros dos ejemplares en las denominadas «cuartillas para boletín» y además en algún soporte informático.

El original y una copia se presenta a firma del Ministro y, una vez firmados, se remiten a la Secretaría General Técnica que tramita los documentos mediante el siguiente procedimiento:

– El original firmado por el Ministro se integrará en el Protocolo de Disposiciones de dicho Ministerio.

– La copia firmada por el Ministro se devuelve al centro directivo proponente, comunicándole al mismo la fecha de remisión para publicación en el Boletín Oficial del Estado.

– Otro ejemplar de las cuartillas para boletín se conserva en la Secretaría General Técnica, integrado en el expediente de la disposición.

4.2. Órdenes ministeriales conjuntas

Si los proyectos de Orden se refieren a materias que afecten a las competencias de otros Departamentos de modo que su propuesta deben realizarla conjuntamente varios Ministerios, el ministerio responsable de la tramitación seguirá el siguiente procedimiento:

— Se presenta a firma del Ministro el texto de la disposición.

— Se solicita la firma de los diferentes Ministros interesados a través de la Secretaría General Técnica. Remitiendo con cada solicitud dos ejemplares de la Orden que se devolverán una vez firmados.

— El Departamento responsable de la tramitación enviará a la Presidencia del Gobierno dos ejemplares con las firmas de todos los ministros para publicación en el Boletín Oficial del Estado junto con el soporte informático y los informes de las Secretarías Generales Técnicas de los diferentes Departamentos.

— La Orden reviste forma de Orden de la Presidencia de conformidad con lo establecido e la Ley del Gobierno (6)·

4.3. Reales Decretos

El Centro Directivo proponente debe remitir a la Secretaría General Técnica tres ejemplares del proyecto de Real Decreto en el denominado «papel de decisión» del consejo de Ministros: un original en papel blanco y dos en papel verde.

El Secretario General Técnico remitirá el ejemplar blanco y uno de los ejemplares verdes al Subsecretario que lo pasa a firma Ministro.

Una vez firmado por el Ministro, el Subsecretario solicita al Presidente de la Comisión General de Secretarios de Estado y Subsecretarios la inclusión del proyecto en el orden del día, y le remitirá los ejemplares blanco y verde del proyecto, firmado por el Ministro, junto con el soporte informático del texto definitivo.

Al mismo tiempo se procede a la distribución del proyecto entre todos los departamentos ministeriales a efectos de informe de proyectos que han de aprobarse por la citada Comisión de Secretarios de Estado y Subsecretarios.

4.4. Reales Decretos conjuntos

Cuando los proyectos de Real Decreto se refieran a materias que afecten a competencias de otros Departamentos, de modo que la propuesta de aprobación deba realizarse conjuntamente por varios Ministerios, el Ministerio que sea responsable de la tramitación llevará a cabo los trámites indicados para la aprobación de los Reales Decretos con las siguientes particularidades:

— Antes de presentarlo a la firma de Ministro, se remitirá a todos los Ministerios proponentes, solicitando su conformidad para pedir su inclusión en el orden del día de la Comisión General de Secretarios de Estado y Subsecretarios.

— Una vez informado favorablemente por dicha Comisión General, en caso de introducirse modificaciones, se remite un nuevo texto del proyecto firmado por el Ministro a la Presidencia del Gobierno que recabará la firma de los demás Ministros proponentes.

---

(6)   LG art. 24 f).

4.5. Anteproyectos de Ley

La adopción de los anteproyectos de Ley sigue el procedimiento general establecido para los Reales Decretos, con algunas especialidades en relación con su tramitación ante la Comisión General de Secretarios de Estado y Subsecretarios:

— Se presentan en ejemplar triplicado en el denominado «papel sepia», firmados por el Ministro proponente y rubricados en cada una de sus páginas, sin embargo, su distribución entre los diferentes Departamentos puede realizarse en cualquier tipo de soporte papel.

— Se distribuyen con una antelación mínima de tres semanas, salvo que, excepcionalmente, el Presidente de la Comisión General de Secretarios de Estado y Subsecretarios autorice, a petición del Ministro proponente, un plazo de reparto inferior nunca menor a una semana.

— Deben presentarse precedidos de una exposición de motivos y acompañados de un cuestionario de evaluación ajustado a lo establecido en Acuerdo de Consejo de Ministros.

4.6. Proyectos de Decretos Leyes y Decretos legislativos

La aprobación de los proyectos de Decretos-Leyes y de los Decretos legislativos y su publicación seguirán los mismos trámites establecidos para los Reales Decretos, si bien se presentarán con una antelación mínima de tres semanas.

5. PUBLICACIÓN (7)

El Real Decreto 1511/1986 dispone que deben publicarse en el Boletín Oficial del Estado:

a) Las disposiciones generales de los órganos del Estado así como los Tratados y Convenios Internacionales.

b) Las disposiciones generales de las Comunidades Autónomas de acuerdo con lo establecido en los Estatutos de Autonomía y en las normas con rango de ley dictadas para desarrollo de las mismas.

c) Las resoluciones y actos constitucionales del Estado de acuerdo con lo establecido en sus respectivas leyes orgánicas.

En todo caso el texto de las disposiciones, resoluciones y actos publicados en el Boletín Oficial del Estado tiene la consideración de oficial y auténtico.

---

(7)   Ver Real Decreto 1511/2006 y Orden PRE/1563/2006.

Las disposiciones normativas se insertan en la Sección I Disposiciones Generales, en la cual se publican:

—   Las Leyes orgánicas, las Leyes, los Reales Decretos Legislativos y los Reales Decretos-Leyes.

—   Los Tratados y Convenios Internacionales.

—   Las leyes de las Asambleas legislativas de las Comunidades Autónomas.

—   Las resoluciones y demás disposiciones de carácter general.

—   Los Reglamentos normativos emanados de los consejos de gobierno de las Comunidades Autónomas.

Dentro de esta sección, la inserción de textos normativos se realiza agrupándolos por el órgano de que procedan, siguiendo la ordenación general de precedencias del Estado.

Las disposiciones de las Comunidades Autónomas se insertan según el orden de publicación oficial de los Estatutos de Autonomía, además dentro de cada epígrafe, los textos se ordenan según la jerarquía de las normas.

La inserción en el Diario oficial de las leyes aprobadas por las Cortes se lleva a cabo según lo previsto en el artículo 91 de la Constitución que dispone que el Rey sancionará en el plazo de quince días las leyes aprobadas por la Cortes Generales, las promulgará y ordenará su inmediata publicación.

La facultad para ordenar la inserción de los Reales Decretos-Leyes corresponde al Secretario del Consejo de Ministros; la de los Reales Decretos Legislativos y los reales Decretos, al Ministro que los refrende o por su delegación a los demás órganos superiores del Departamento.

La facultad de ordenar la inserción del resto de normas está atribuida del siguiente modo:

—   En los Departamentos ministeriales, a los Ministros, Secretarios de Estado, en el ámbito de su competencia, Subsecretarios y Secretarios Generales Técnicos; pero cuando se trate de normas dictadas a propuesta de varios Ministerios, la publicación es ordenada por los órganos competentes de la Secretaría del Consejo de Ministros.

—   Las disposiciones y actos emanados de los órganos constitucionales del estado y de otras administraciones públicas, a las autoridades que tengan atribuida la representación de cada órgano, organismo o entidad o aquellos en los que se delegue expresamente.

–   Las disposiciones de las Comunidades Autónomas a sus Presidentes o a las Autoridades expresamente facultadas al efecto.

–   La publicación de informes documentos y comunicaciones oficiales cuya difusión acuerde el Gobierno, al titular de la Secretaría del consejo de Ministros.

Además el Boletín Oficial del Estado puede reproducir, cuando se considere oportuno, disposiciones y resoluciones publicadas en otros Diarios oficiales de ámbito nacional o territorial, citando la procedencia de las mismas.

La unidad Departamental competente en materia de legislación u otra por delegación del Subsecretario debe remitir al Ministerio de la Presidencia las disposiciones de carácter general debidamente aprobadas, para su inserción en el Boletín Oficial del Estado.

Inserción de originales para publicación

Personas autorizadas

El Ministerio de la Presidencia envía las disposiciones de carácter general al *BOE* para su publicación. Además la inserción en el *BOE* de disposiciones de carácter general puede llevarse a cabo de distintos modos, según el grado de urgencia requerido por los Centros directivos proponentes:

–   Procedimiento ordinario mediante el cual se solicita únicamente la inserción de la disposición en el *BOE* que se lleva a efecto en el plazo de diez a veinte días, según la disponibilidad de espacio del diario oficial, no es necesario motivar la solicitud de publicación urgente siempre que nos e produzca de modo reiterado.

–   Procedimiento de publicación urgente, previa solicitud, que se produce normalmente en un intervalo de tiempo no superior a tres días.

–   Procedimiento de publicación inmediata, se solicita la publicación de la disposición el día siguiente al de su recepción, tienen carácter excepcional y su solicitud debe motivarse por el Secretario General Técnico.

–   Procedimiento de publicación para una fecha cierta, se solicita la publicación para un día determinado, porque así lo exija una determinada obligación o plazo.

Para comprobar la autenticidad documental la Secretaría General del Consejo de Ministros y la Dirección general del Boletín Oficial del Estado llevan un registro de las autoridades y funcionarios facultados para firmar la inserción de los originales destinados a publicación.

En cada ficha del registro figura la firma autógrafa, el nombre y el cargo de la persona a quien pertenece, en los Departamentos Ministeriales la firma del Ministro es acreditada por el Secretario del Consejo de Ministros, además el Ministro o el Subsecretario autoriza las restantes firmas, cuyo número por Ministerio sin contar la del Ministro no puede ser superior a tres.

Los órganos constitucionales del Estado y las Administraciones Públicas acreditan a las personas a que corresponda de acuerdo con su específica normativa sin que el número de firmas por cada órgano pueda exceder de tres.

Cualquier cambio que se produzca en las autorizaciones de firma deberá comunicarse a los órganos dependientes de la Secretaría del Consejo de Ministros.

Documentos para insertar

Los originales destinados a publicación en el Boletín Oficial del Estado deben ir mecanografiados o impresos por una sola cara y a doble espacio, en hojas de papel blanco que deben ajustarse, en todas sus características, a los modelos oficiales aprobados.

Los textos podrán, asimismo, presentarse en otro tipo de soportes o ser transmitidos directamente.

Los originales son insertos en el *BOE* en los mismos términos en que se hallen redactados y autorizados, sin que por causa alguna puedan variarse o modificarse sus textos, además los originales recibidos en las dependencias del *BOE* tienen carácter de documentación reservada y no puede facilitarse información sobre los mismos.

Todos los textos de las disposiciones incluidos en las secciones I, II y III del *BOE* son remitidos a la Secretaría General del Consejo de Ministros que los clasifica una vez comprobada la autenticidad de las firmas, vigilando especialmente el orden de prioridad de las inserciones, la salvaguardia de las competencias de los diferentes organismos de la Administración y el cumplimiento de los requisitos formales necesarios en cada caso.

Las Disposiciones, resoluciones y actos comprendidos en la secciones I y II deben publicarse en todo caso de forma íntegra, sin embargo las resoluciones y actos publicados en otras secciones se publican en extracto siempre que sea posible y reúnan los requisitos exigidos en cada caso, por ello los organismos interesados en cada caso deben enviar los textos y documentos susceptibles de ser publicados de este modo, debidamente extractados.

Correcciones de erratas:

Si alguna disposición oficial aparece publicada con erratas que alteren o modifiquen su contenido debe ser reproducida inmediatamente en su totalidad o en la parte necesaria, con las debidas correcciones. Estas rectificaciones deben llevarse a cabo de acuerdo con las siguientes directrices:

a) El Diario oficial del Estado rectificará, por sí mismo o a instancia de los Departamentos u organismos interesados, los errores de composición o impresión que se produzcan en la publicación de las disposiciones oficiales, siempre que supongan alteración o modificación del sentido de las mismas o puedan suscitar dudas al respecto, para ello los servicios de la Dirección general del Boletín Oficial del Estado deben conservar clasificado, por días, el original de cada número, durante el plazo de seis meses, a partir de la fecha de su publicación.

b) Cuando se trate de errores padecidos en el texto remitido para publicación, su rectificación se realizará del siguiente modo:

— Los meros errores u omisiones materiales, que no constituyan modificación o alteración del sentido de las disposiciones o se deduzcan claramente del contexto, pero cuya modificación se juzgue conveniente para evitar posibles confusiones, se salvarán por los organismos respectivos instando la reproducción del texto, o de la parte necesaria del mismo, con las debidas correcciones.

— En los demás casos se salvan mediante disposición del mismo rango, siempre que los errores u omisiones puedan suponer una real o aparente modificación del contenido o del sentido de la norma.

La publicación en el *BOE* de Leyes, disposiciones y resoluciones de inserción obligatoria se lleva a cabo sin contraprestación económica pero cuando se trata de textos, relaciones o listados extensos cuya publicación íntegra no sea obligatoria puede acordarse una contraprestación económica por la publicación.

La Orden PRE/1563/2006 regula el procedimiento para la remisión telemática de disposiciones y actos administrativos de los departamentos ministeriales que deban publicarse en el Boletín oficial del Estado que no adopten forma de Real Decreto.

Sin perjuicio de lo dicho respecto del Real Decreto 1511/1986, la Dirección General del Secretariado del Gobierno lleva un registro de las firmas digitales de autoridades y funcionarios facultados para firmar la inserción de originales destinados a publicación para lo cual dichos titulares deben contar con un certificado 2CA expedido por la Fabrica Nacional de Moneda y Timbre-Real Casa de la Moneda, que permita comprobar la integridad y autenticidad de firmas electrónicas remitidas así como el cumplimiento de requisitos formales necesarios en cada caso.

Por otra parte los textos electrónicos de disposiciones y actos administrativos se remiten al Secretariado del Gobierno a través de la aplicación «insértese digital», a estos efectos la Dirección General citada debe conservar, mediante un archivo que permita la consulta posterior y la prueba de su integridad, tanto el texto de los originales electrónicos remitidos como el de las firmas asociadas a ellos, así como el mecanismo de firma y la clave pública de la persona que haya firmado.

La aplicación «insértese digital» tienen por objeto posibilitar la remisión telemática a la dirección general del secretariado del gobierno de las disposiciones y actos administrativos de los diferentes departamentos ministeriales que deban publicarse en el Boletín Oficial del Estado. Pueden ser usuarios de la aplicación los titulares de insértese facultados para firmar la inserción de documentos electrónicos destinados a publicación y los usuarios tramitadores, facultados para remitir telemáticamente los documentos electrónicos firmados. Estos usuarios asumen, con carácter exclusivo, la responsabilidad por la custodia de los elementos de uso personal necesarios para su autenticado en el acceso al sistema, el establecimiento de la conexión precisa y, si procede, la utilización de la firma electrónica.

6. PROCEDIMIENTO EN ADMINISTRACIONES AUTONÓMICAS

En las administraciones de las Comunidades Autónomas corresponde la iniciativa legislativa a los órganos de Gobierno, mediante la elaboración y remisión posterior de los proyectos de ley al Parlamento o Asamblea legislativa.

El procedimiento de elaboración de los proyectos de ley autonómicos, se inicia en el Departamento competente por razón de la materia mediante la redacción de un anteproyecto acompañado de la memoria o memorias y de los estudios, informes y documentación que sean legalmente preceptivos, incluyendo los relativos a su necesidad u oportunidad de promulgación, informes adicionales exigidos por la Ley y los relativos al coste a que dará lugar la aplicación de la ley.

Todo anteproyecto debe ser informado por la Secretaría General Técnica del la Consejería o Departamento Autonómico competente y cuando existan dos o más Departamentos competentes el Gobierno autonómico determina lo procedente acerca de la redacción del anteproyecto.

El Consejero o consejeros competentes elevan el anteproyecto al Gobierno autonómico para que lo apruebe como proyecto de ley de la comunidad autónoma o decida llevar a cabo otros trámites, el texto aprobado debe incluir en todo caso una exposición de motivos.

Una vez aprobado el proyecto de ley, el Gobierno acuerda su remisión al parlamento o asamblea de la Comunidad Autónoma para su tramitación parlamentaria.

La delegación legislativa en el ámbito autonómico se lleva a cabo mediante los Decretos legislativos de la Comunidad Autónoma.

Tan pronto como el gobierno autonómico haga uso de la delegación legislativa debe dirigir al Parlamento de la Comunidad Autónoma la correspondiente comunicación con el texto articulado o refundido objeto de la delegación.

7. PROCEDIMIENTO DE ELABORACIÓN REGLAMENTARIA

Por lo que hace a la potestad reglamentaria en el ámbito autonómico corresponde al gobierno, presidente y consejeros de cada Comunidad Autónoma y las disposiciones reglamentarias adoptan en general la forma de Decretos y Órdenes que además de estar plenamente sometidos a las reglas generales de rango y jerarquía, para producir efectos deben publicarse íntegramente en el diario oficial de la Comunidad Autónoma.

El ejercicio de la potestad reglamentaria debe llevarse a cabo motivadamente y con arreglo al principio de buena administración, en su virtud las disposiciones administrativas deben estar motivadas en su preámbulo aunque algunas leyes autonómicas incluyen al posibilidad de motivación por referencia a informes que sustenten a la norma.

7.1. Fase de inicio

La elaboración de disposiciones reglamentarias se inicia por el Consejero autonómico competente por razón de la materia que designa el órgano responsable del procedimiento reglamentario. Para su tramitación debe adjuntarse a cada anteproyecto una o varias memorias y en algunos casos un estudio económico.

Debe consultarse a todos los departamentos que se vean afectados por la materia de regulación, además en las memorias deben quedar justificadas la oportunidad de la regulación y la adecuación de las medidas propuestas a los fines perseguidos, también debe expresarse el marco normativo en que se inserta la propuesta y debe incluirse, en todo caso, una relación de las disposiciones afectadas y la tabla de vigencias de disposiciones anteriores sobre la misma materia, debiendo hacerse referencia expresa a las que queden total o parcialmente derogadas.

7.2. Audiencia e informes

Los proyectos de disposición reglamentaria deben someterse a la audiencia de los ciudadanos, directamente o por medio de las entidades reconocidas por la ley que los agrupen o representen siempre que sus fines estén relacionados con el objeto de regulación en los siguientes casos:

— Si lo exige una norma con rango de ley.

— Si la disposición afecta a derechos e intereses legítimos.

— Si se decide, motivadamente, por el Gobierno o Consejero competente.

Ahora bien hay casos como los proyectos de organización, cuando exista reconocida urgencia y otros en que no es necesario trámite de audiencia, además cuando lo exija la naturaleza de la disposición, lo decida el Gobierno de la Comunidad Autónoma o el Consejero competente, el trámite de audiencia puede ser sustituido por el sometimiento a información pública del proyecto debiendo quedar constancia de la valoración de alegaciones presentadas al efecto e incorporadas al expediente.

Los proyectos y disposiciones normativas también debe ser acompañados de informes exigidos por la ley y en todo caso el de la Secretaría General Técnica de la Consejería o departamento proponente que se referirá al menos a la corrección del procedimiento seguido y a la adecuación al ordenamiento jurídico de la norma propuesta.

7.3. Aprobación

En la fase final de tramitación los proyectos reglamentarios deben ser sometidos a la aprobación del órgano competente en cada caso y a la del Gobierno de la Comunidad Autónoma y publicados en el Diario oficial.

8.   DIRECTRICES DE TÉCNICA NORMATIVA

8.1.   Criterios generales de técnica normativa

Los anteproyectos de ley, o proyectos reglamentarios o de legislación delegada se estructuran en cuatro partes principales:

1. Título de la disposición

2. Parte expositiva: exposición de motivos o preámbulo

3. Parte dispositiva

4. Parte final

En la redacción de las disposiciones debe mantenerse un orden que vaya de lo general a lo particular, de lo abstracto a lo concreto, de lo normal a lo excepcional, y de lo sustantivo a lo adjetivo o procedimental.

Siempre que sea posible deberá regularse en una misma disposición todo el contenido del objeto o bien los aspectos que guarden directa relación con el mismo y en los casos en que se redacte el reglamento de desarrollo de un a ley debe procurarse que sean desarrollos completos y no parciales. Además no se considera correcta la mera reproducción de preceptos legales en reglamentos de desarrollo, salvo en los casos de delegación legislativa, en normas reglamentarias o su inclusión con algunas modificaciones concretas que, en determinados supuestos pueden dar lugar a confusiones de la aplicación práctica de la norma reglamentaria, por ello deben evitarse las inclusiones de preceptos de la ley que sean innecesarias para la norma reglamentaria bien por tratarse de una mera reproducción literal o que induzcan a confusión. Por reproducir con matices el texto legal dando una interpretación diferente a la que se deduce de la lectura de la ley.

La redacción de los textos normativos debe llevarse a cabo con un lenguaje claro y preciso con un nivel culto pero accesible teniendo en cuenta que el destinatario de la norma es el ciudadano medio que precisa de una redacción sencilla, precisa y clara. Debe usarse un léxico común pero en ningún caso vulgar recurriendo, cuando sea preciso, al empleo de tecnicismos dotados de significado propio añadiendo en dichos casos descripciones que sirvan de aclaración y utilizándolos en todo el texto de la normal con el mismo sentido.

Debe evitarse el uso de locuciones extranjeras siempre que haya un equivalente en castellano, también debe evitarse el uso de palabras y construcciones lingüísticas inusuales así como la españolización de términos extranjeros cuando en nuestra lengua tengan otros significados además debe mantenerse una terminología unitaria y homogénea en todo el texto normativo.

Claridad y sencillez exigen una ordenación natural de las frases evitando hipérbaton y recargas innecesarias en la redacción como las siguientes:

1. Emparejamiento de sinónimos léxicos o sintácticos (8).

2. Epítetos triviales (9).

3. Perífrasis superfluas (10).

También debe evitarse el uso de formas de pasiva para aquellos casos en que la oración activa sea forma más adecuada de expresión.

Por otra parte el mínimo grado de decoro lingüístico exige que las normas jurídicas cuiden la propiedad huyendo de la pobreza de expresión y utilizando la riqueza verbal de nuestro idioma (11).

Con todo, la redacción de textos normativos debe seguir las normas gramaticales y ortográficas de la Real Academia Española y del Diccionario de la Lengua resolviéndose las dudas conforme al Diccionario panhispánico de dudas.

El uso de mayúsculas quedará restringido al máximo en el texto de las normas, además en la cita de disposiciones deben seguirse las siguientes recomendaciones:

1. Se escribe con mayúscula el tipo inicial de disposición cuando sea citada co0n su denominación completa o abreviada.

---

(8)   Claro/manifiesto o exhibir y hacer ostentación.
(9)   Por ejemplo, fiel: en fiel reflejo; claro: en claro exponente.
(10)   «Es de aplicación», por «se aplica».
(11)   Hacer una queja o un expediente por incoar una queja o un procedimiento.

2. No se escribe con inicial mayúscula cuando en el texto de la disposición se haga referencia a la propia norma o a una clase genérica de disposición.

3. Los títulos de las distintas disposiciones se escriben en minúscula aunque admitirán excepciones cuando se valore la existencia de circunstancias como la breve extensión del título, la regulación completa de la materia, la regulación de órganos constitucionales y grandes referentes legislativos del ordenamiento, de todos modos, la parte citada de una norma debe escribirse con minúscula: artículo, apartado, párrafo, etc.

Respecto al uso de siglas, puede justificarse en una disposición para evitar repeticiones excesivas o formulaciones farragosas siempre que su significado se aclare la primera vez que se citen.

La cita de los países extranjeros debe hacerse por su denominación usual y las de las comunidades autónomas, provincias y municipios españoles por su denominación oficial.

8.2. Título de la disposición

El título de una norma jurídica, además de formar parte del propio texto normativo y ser elemento fundamental de interpretación del contenido tiene como función principal de identificación y cita del texto normativo.

El título siempre se inicia con la identificación del tipo de disposición que puede ser:

1. Anteproyecto de ley

2. Proyecto de real decreto, real decreto ley o real decreto legislativo.

3. Proyecto de decreto.

4. Proyecto de orden

5. Proyecto de ordenanza, etc.

El nombre de la disposición es, dentro del título, la parte que indica el contenido y objeto de aquélla, la que permite la identificación y descripción de su contenido esencial.

La redacción del nombre debe ser clara y concisa, evitando la inclusión de descripciones propias de la parte dispositiva, debe reflejar con exactitud y precisión la materia regulada, de modo que permita formarse una idea adecuada de su contenido por conde alabanza traste con cualquier otra disposición.

Las disposiciones modificativas deben llevar el nombre de la norma que se modifica citándolo completamente de modo expreso (anteproyecto de Ley .../2006 por el que se modifica la Ley .../...)

En el nombre de la disposición debe evitarse dentro de lo posible el uso de siglas y abreviaturas y además cuando se trate de una disposición de carácter temporal debe hacerse constar el periodo de vigencia en el mismo nombre.

8.3. Parte expositiva

En los anteproyectos de ley, la parte expositiva se denomina exposición de motivos que debe incluirse en todos los anteproyectos de ley, con independencia de los antecedentes que la naturaleza del anteproyecto de ley exija. El resto de normas tienen un preámbulo que no lleva título.

Cuando se trate de disposiciones de gran complejidad y extensión conviene insertar un índice siempre antes de la parte expositiva y después del titulo de la disposición aprobada.

Esta parte cumple una función de descripción del contenido, indicando su objeto y finalidad, antecedentes, competencias y habilitaciones en cuyo ejercicio se dicta, si es necesario el contenido de la disposición se resumirá brevemente a fin de conseguir una mejor comprensión del texto, pero sin contener partes del texto articulado, evitando en todo caso declaraciones de carácter didáctico u otras de sentido análogo.

Si esta parte expositiva es larga podrá dividirse en apartados identificados con números romanos centrados en el texto incluyendo además los siguientes elementos:

1. En los proyectos de Real Decreto, Real Decreto Legislativo y Real Decreto-Ley la parte expositiva debe destacar los aspectos más importantes de la tramitación del texto normativo: las consultas llevadas a cabo, los principales informes evacuados, y sobre todos la audiencia o informe de las comunidades autónomas, entidades locales o sectores interesados. Esta información debe figurar en párrafo independiente antes de la fórmula de promulgación del texto.

2. El los proyectos de Real Decreto Legislativo la parte expositiva debe contener, además, una referencia expresa a la ley en cuya virtud se efectúa la delegación, y si ésta habilita para refundir textos deberá especificarse si la habilitación autoriza o no a regularizar, aclarar y armonizar su contenido.

3. En los proyectos de Real Decreto-Ley deberán justificarse las circunstancias de extraordinaria y urgente necesidad que motivan la aprobación de la norma.

4. En los proyectos de Real Decreto, sobre todo en aquellos que sean o aprueben reglamentos ejecutivos de una ley, deberá incluirse, en su caso, una referencia a la habilitación legal específica.

5. En esta parte se incluye la fórmula promulgatoria que debe hacer referencia al ministro (no al ministerio) que ejerce la iniciativa, a al proponente o proponentes y en tercer lugar si procede a la aprobación previa del titular en materia de administraciones públicas y la aprobación del titular de hacienda y finalmente en su caso la referencia al Consejo de Estado es sus variantes de oído o de acuerdo según se siga o no el criterio dictaminado por el mismo.

Ejemplo:

«En su virtud, a iniciativa del Ministro de [.../...], a propuesta de [.../...], con la aprobación previa del Ministro de Administraciones Públicas, con el informe del Ministro de Economía y Hacienda, oído el Consejo de Estado y previa deliberación del Consejo de Ministros en su reunión del día [.../...],

DISPONGO:

Cuando la disposición se eleve a la consideración de los órganos colegiados del Gobierno a propuesta de varios ministros, el orden en que se citen será el siguiente: en primer lugar, el proponente principal y, a continuación, el resto de los proponentes, de acuerdo con el orden de precedencia de los departamentos ministeriales. Las disposiciones que se eleven a la consideración de los órganos colegiados del Gobierno a propuesta de varios ministros se publicarán como disposiciones del Ministro de la Presidencia, pero en el encabezamiento de las propuestas deberán indicarse todos los ministerios proponentes. La disposición normativa debe ser elevada a la consideración de los órganos colegiados del Gobierno por un titular de cartera ministerial y solamente en virtud de tal carácter.

8.4. Parte dispositiva

La parte dispositiva debe ordenarse en cinco partes: disposiciones generales, parte sustantiva, parte procedimental, parte final y anexos.

Las disposiciones generales, que figuran en los primeros artículos de la disposición, son las que fijan el objeto y ámbito de aplicación de la norma, así como las definiciones necesarias para una mejor comprensión de algunos términos empleados en ella.

Pueden incluirse bien en un título preliminar o en un capítulo I de disposiciones generales de tipo «ámbito y finalidad.»

El texto articulado presenta una ordenación y una división de su contenido de acuerdo con la siguiente estructura:

8.4.1. Ordenación

DISPOSICIONES GENERALES

a) Objeto

b) Definiciones

c) Ámbito de aplicación

PARTE SUSTANTIVA

d) Normas sustantivas

e) Normas organizativas

f) Infracciones y sanciones

PARTE PROCEDIMIENTAL

g) Normas procedimentales

h) Normas procesales y de garantía

PARTE FINAL

ANEXOS

8.4.2. División o clasificación

La división o clasificación de los textos normativos parte que el artículo debe ser la unidad básica de cualquier disposición, por lo que la división debe aparecer siempre en las disposiciones. El texto articulado puede clasificarse en: Libros, títulos, capítulos, secciones, subsecciones.

a) La división en libros es excepcional las disposiciones normativas y solo en leyes o proyectos de real decreto legislativo muy extensos que codifiquen un determinado sector del ordenamiento jurídico podrán adoptar esta categoría. Los libros se enumeran con ordinales expresados en letras y deben ir titulados «LIBRO PRIMERO **De las personas.**»

b) Los títulos solo se utilizarán en aquellas disposiciones con partes claramente diferenciadas y cuando su extensión así lo aconseje. El título deberá ir numerado con romanos, salvo lo dispuesto para las disposiciones generales y llevar nombre o título:

TÍTULO II **Organización y funcionamiento**»

c) Los capítulos deben utilizarse solo cuando lo exija la propia sistemática del contenido, no por la extensión. Cada capítulo debe contener un contenido homogéneo: «CAPÍTULO II **Los contratos agrarios.**»

d) La sección es una categoría opcional de clasificación, de manera que solo se dividen en secciones los capítulos muy extensos y con partes claramente diferenciadas, numerándose con ordinales arábigos y deberán estar titulados: «SECCIÓN 1.ª AUTORIZACIONES ESPECIALES»

e) La subsección es de uso excepcional solo en caso de secciones de cierta extensión que regulen aspectos que admitan una clara diferenciación dentro del conjunto. Se enumeran con ordinales arábigos y van tituladas «Subsección 3.ª Documentos de exportación.»

8.4.3.   Caracteres de los artículos

a) Redacción: Los criterios para la redacción de artículos responden al siguiente enunciado que constituye ya un brocardo de técnica normativa: «cada artículo un tema; cada párrafo un enunciado, cada enunciado una idea», además los artículos no deben contener motivaciones o explicaciones cuyo sitio es la parte expositiva como ya se ha visto.

b) Numeración y titulación: Los artículos se enumeran con números cardinales arábigos, en caso de que la disposición contenga un solo artículo este se designa como «artículo único», además deben llevar un título que indique el contenido de la materia a que se refieren.

c) Respecto a la extensión los artículos no deben ser excesivamente largos y cada uno debe recoger un precepto, instrucción, regla o mandato o varios de ellos si responden a una unidad temática, además no es conveniente que los artículos tengan más de cuatro apartados., pues el exceso de subdivisiones dificulta la comprensión por lo que es preferible incluir nuevos artículos.

d) Divisiones y enumeraciones: El artículo se divide en apartados, que se enumeran con cardinales arábigos en cifra en cuyo caso no se numera. Los distintos párrafos de un apartado no se consideran subdivisiones de éste por ello no van numerados.

Siempre que deba subdividirse un apartado, deberá hacerse en párrafos señalados con minúsculas en orden alfabético: a), b), c), y cuando un párrafo o trozo de texto debe subdividirse, a su vez, se hará con ordinales arábigos, pero en ningún caso podrán utilizarse guiones, asteriscos ni otro tipo de señales en el texto de la disposición.

En la ordenación de párrafos con minúsculas deben usarse todas las letras simples del alfabeto salvo la «ch» y la «ll»

Las enumeraciones que se realicen en un artículo deben seguir las siguientes reglas:

1. Todos los ítems deben ser del mismo tipo y con los mismos márgenes.

2. Cada ítem debe concordar con la fórmula introductoria y, en su caso con el inciso final.

3. Las cláusulas introductoria y de cierre no irán tabuladas.

4. Por lo general la primera letra de cada ítem se escribe con mayúscula y los ítems deben ir separados por punto y aparte, salvo en caso de que la enumeración se a una lista o relación formada por sintagmas nominales en cuyo caso cada ítem puede hincarse con minúscula y acabar con una coma, el penúltimo acabará con «o» o «y» y el último que, si no hay cláusula de cierre, acabará con punto y aparte.

8.5. Parte final

La parte final de las normas puede dividirse en varios tipos de disposiciones cuyo orden debe respetarse siempre: disposiciones adicionales, disposiciones transitorias, disposiciones derogatorias y disposiciones finales.

Esta parte de las normas está sometida a un criterio restrictivo, de manera que solo deben incluirse en ella preceptos que respondan a criterios que definen cada una de sus partes, sin embargo esto tiene una excepción puesto que las disposiciones adicionales pueden incorporar las reglas que no puedan incluirse en el articulado sin perjudicar su coherencia y unidad.

La elaboración de las disposiciones de la parte final debe someterse a los siguientes criterios:

— El contenido transitorio debe prevalecer sobre los demás.

— El contenido derogatorio prevalece sobre el final y adicional.

— El contenido final prevalece sobre el adicional.

Como norma general todas estas disposiciones de la parte final deben tener título y numeración correlativa propia, con ordinales femeninos en letra y si hay una sola disposición se denominará «única.»

Además hay una serie de directrices especiales respecto al objeto y contenido de cada una de estas disposiciones:

A. Las disposiciones adicionales deben regular las materias siguientes:

a) Los regímenes jurídicos especiales que no pueden situarse en el articulado siguiendo el orden: territorial, personal, económico y procesal. Cada régimen jurídico especial implica la creación de normas que regulan situaciones jurídicas diferentes a las previstas en la parte articulada, estos regímenes deben determinar de forma clara y precisa el ámbito de aplicación y disponer de una regulación suficientemente completa para su aplicación inmediata.

b) Las excepciones dispensas y reservas a la aplicación de la norma o de alguno de sus preceptos, cuando no sea posible o adecuado regular estos aspectos en el articulado.

c) Los mandatos y autorizaciones no dirigidos a la producción de normas jurídicas, son de uso restrictivo y deben establecer el plazo dentro del cual deberán cumplirse.

d) Los preceptos residuales que, por su naturaleza y contenido carezcan de ubicación en otra parte del texto normativo.

B. Las disposiciones transitorias tienen por objeto el facilitar el tránsito al régimen normativo previsto por la nueva regulación que incluye la norma. Son de uso restrictivo y debe delimitarse de modo concreto su aplicación material y temporal.

Solo deben incluir y por este orden los siguientes preceptos:

a) Aquellos que establezcan una regulación autónoma y diferente de la establecida por la norma nueva y la derogada, para regular situaciones iniciadas con anterioridad a la entrada en vigor de la nueva norma.

b) Los que declaren la pervivencia de la norma derogada, aplicable a situaciones iniciadas con anterioridad a la entrada en vigor de la nueva norma.

c) Los que declaren la aplicación retroactiva de la nueva norma respecto a situaciones iniciadas antes de la entrada en vigor.

d) Los que, para facilitar la aplicación definitiva de la nueva norma, declaren la pervivencia de la derogada para regular situaciones producidas después de la entrada en vigor de la nueva disposición.

e) Los que regulen de modo autónomo y provisional situaciones producidas después de la entrada en vigor de la norma.

No pueden ser consideradas disposiciones transitorias aquellas que se limiten a diferir la aplicación de determinados preceptos de la norma, sin que implique la pervivencia del régimen previgente y las que una vez aplicadas dejan de tener eficacia.

C. Las disposiciones derogatorias solo deben contener las cláusulas derogatorias del derecho vigente que deben se precisas y expresas y por ello deben indicar tanto las normas o partes de ellas que se derogan como las que se mantienen en Vigo, en caso de que se precisen las normas que mantienen su vigencia deberá hacerse en un nuevo apartado de la misma disposición derogatoria.

En cualquier caso las directrices de técnica normativa apuntan que debe evitarse que, mediante cláusulas derogatorias perviva normativa diversa con el mismo ámbito de aplicación en el ordenamiento jurídico y en caso de que deba mantenerse la vigencia de algunos preceptos de la norma derogada, deberán incorporarse al nuevo texto como disposiciones adicionales o transitorias según su naturaleza.

D. Las disposiciones finales deben incluir:

— Preceptos que modifiquen el derecho vigente cuando la modificación no sea objeto principal de la disposición (estas modificaciones serán excepcionales).

— Cláusulas de salvaguardia de rango de ciertas disposiciones normativas o de competencias ajenas, incluyendo preceptos que atribuyan un rango diferente al general de la norma, a ciertas disposiciones de la propia norma y las disposiciones o competencias aplicables del ordenamiento autonómico citando el título competencial habilitante y en caso de concurrencia citando que título corresponde a cada artículo. Debe citarse la Constitución especificando los preceptos concretos que se dictan al amparo de cada competencia.

— Reglas de supletoriedad, en su caso.

— La incorporación del derecho comunitario al derecho nacional.

— Las autorizaciones y mandatos dirigidos a la producción de normas jurídicas (habilitaciones de desarrollo y de aplicación de reglamentos, mandatos de presentación de proyectos normativos, etc.). las cláusulas de habilitación reglamentaria deben delimitar el ámbito material, los plazos y los principios y criterios del futuro desarrollo.

— Las reglas sobre la entrada en vigor de la norma y la finalización de su vigencia. La entrada en vigor se fijará señalando el día, mes y año y solo se fija por referencia a la publicación cuando la nueva disposición debe entrar en vigor de forma inmediata.

La *vacatio legis* debe posibilitar el conocimiento material de la norma y la adopción de las medidas necesarias para su aplicación, de manera que solo con carácter excepcional la disposición nueva entraría en vigor en el mismo momento de su publicación. Cuando no se establezca ninguna indicación, las normas entrarán en vigor a los veinte días de su publicación en el Boletín Oficial del Estado como se establece en el Título Preliminar del Código Civil. Cuando se trate de normas con entrada en vigor escalonada deben especificarse claramente los artículos cuya entrada en vigor se retrasa o adelanta, así como el momento en que debe producirse su entrada en vigor. Si lo que se retrasa es la producción de determinados efectos, la especificación de cuales son y cuando tendrán plena eficacia se hará asimismo en una disposición final que fije la eficacia temporal de la nueva norma, salvo cuando ello implique la pervivencia temporal de la norma derogada.

8.6. Anexos

Cuando la disposición lleve anexos, éstos deben figurar a continuación de la fecha y de las firmas correspondientes, deberán ir con números romanos, salvo que solo haya uno y titulados como sigue:

«ANEXO III

Especialidades de informática»

En la parte dispositiva de la norma debe haber siempre una referencia clara y expresa al anexo o, sin son varios, cada uno de ellos.

No debe considerarse ni denominarse anexo, el texto refundido o articulado, el reglamento, estatuto, norma, etc. que se aprueba mediante la disposición anexo.

El contenido de los anexos deberá versar al menos sobre los siguientes aspectos:

— Conceptos, reglas, requisitos técnicos, etc. que no puedan expresarse mediante la escritura, como, por ejemplo, planos o gráficos.

— Relaciones de personas, bienes, lugares, etc. respecto a los cuales se haya de concretar la aplicación de las disposiciones del texto.

— Acuerdos o convenios a los que el texto dota de valor normativo.

— Otros documentos que, por su naturaleza y contenido, deban integrarse en la disposición como anexo.

Siempre que se considere necesario y la naturaleza del texto lo permita, las cláusulas de habilitación para el desarrollo reglamentario podrán autorizar la modificación del contenido de los anexos, además como norma general, las divisiones del anexo se adecuarán a las reglas de división del texto articulado de la norma.

8.7. Disposiciones modificativas

Como norma general es preferible la aprobación de una nueva norma a la coexistencia de la norma originaria y sus posteriores modificaciones, por ello las disposiciones modificativas deben utilizarse con carácter restrictivo.

El título de una disposición modificativa debe indicar que se trata de una disposición de esta naturaleza, así como el título de las disposiciones modificadas, sin mencionar el diario oficial en el que se han publicado. En el título nunca deben figurar los artículos o partes de la disposición que resultan modificados, aunque podrá incluirse la referencia al contenido esencial de la modificación que se introduce cuando esta se refiera a aspectos concretos de la norma que modifica. Si se trata de disposiciones de prórroga o de suspensión de vigencia, deberá reflejarse explícitamente esta circunstancia en el título de la disposición.

Las disposiciones modificativas pueden ser de nueva redacción, de edición de derogación, de prórroga de vigencia o de suspensión de vigencia.

Deben evitarse las modificaciones múltiples porque alteran el principio de división material del ordenamiento y perjudican el conocimiento y localización de las disposiciones modificadas.

La regla general es que las modificaciones muy extensas deben generar una norma completa de sustitución, las disposiciones modificativas solo se dividirán en capítulos o títulos de modo excepcional, por ello la unidad de división de las normas modificativas será por lo general el artículo y los artículos se numerarán en ordinales escritos en letras.

En toda disposición modificativa hay que diferenciar entre el texto marco y el texto de regulación:

A. El texto marco es el que indica las disposiciones que se modifican y como se produce su modificación. Debe expresar con claridad y precisión los datos de la parte que modifica y el tipo de modificación realizada: adición, nueva redacción, supresión, etc.

B. El texto de regulación es el nuevo texto en que consiste precisamente la modificación. Debe ir separado del texto marco, en párrafo aparte, entrecomillado y sangrado, a fin de realzar que se trata de un nuevo texto.

Además la modificación puede ser simple o múltiple, cuando la disposición modifique solo una norma deberá contener un artículo único titulado, insertando a continuación el texto marco, pero si la modificación afecta a varios preceptos de una sola norma, el artículo único se dividirá en apartados, uno por precepto, en los que se insertará como texto marco solo la referencia al precepto que se modifica, sin especificar el título de la norma.

En las modificaciones múltiples deben usarse unidades de división diferentes para cada una de las disposiciones modificadas y se destinará un artículo a cada una de ellas. Cada artículo citará el título completo de la norma que se modifique, el texto marco deberá insertarse seguidamente.

Cuando la modificación afecte a varios preceptos de una norma, el artículo correspondiente se dividirá en apartados, uno por precepto, en los que se insertará como texto marco únicamente la referencia al precepto que se modifica, sin especificar el título de la norma.

En caso de modificaciones múltiples las disposiciones modificativas deben seguir el orden de aprobación de las disposiciones afectadas. Por su parte las modificaciones de preceptos de una misma norma deben seguir el orden de su división interna.

Cuando se modifiquen varios apartados o párrafos de un artículo, el contenido de éste se reproducirá íntegramente; pero si se trata de modificaciones menores, puede admitirse la nueva redacción solo del apartado o párrafo afectados.

La inclusión de un nuevo artículo en la disposición original altera la numeración del articulado, para no cambiarla, podrán utilizarse los adverbios numerales bis, ter, quáter, sin embargo cualquier modificación que suponga la adición de más de tres artículos que alteren la numeración debería generar la redacción de una nueva disposición.

8.8. Remisiones a otras normas y citas

Las remisiones se utilizan cuando simplifiquen el texto de la disposición y no perjudiquen su comprensión o reduzcan su claridad.

Hay remisión cuando una disposición se refiere a otra u otras de modo que el contenido de estas últimas deba considerarse parte integrante de los preceptos incluidos en la primera. Toda remisión debe indicarse mediante expresiones como «de acuerdo con» «de conformidad con».

Las remisiones deben indicar que lo son precisando su objeto con expresión de la materia, la norma a la que se remiten y el alcance.

Como norma general debe evitarse la proliferación de remisiones. Cuando la remisión resulte inevitable, ésta no se limitará a indicar un determinado apartado de un artículo, sino que deberá incluir una mención conceptual que facilite su comprensión, es decir la remisión no debe realizarse de modo genérico a las disposiciones, sino en lo posible, a su contenido textual, para que el principio de seguridad jurídica no se resienta.

Debe utilizarse la cita corta y decreciente, respetando la forma y numeración del artículo, con el orden siguiente: número del artículo, apartado y párrafo de que se trate.

Cuando se cite un precepto de la misma disposición deben evitarse expresiones tales como «de la presente ley» o «de este real decreto» salvo cuando se citen conjuntamente preceptos de la misma disposición y de otra diferente. Cuando se cite una serie de preceptos debe quedar claro cual es el primero y el último mediante expresiones como «ambos inclusive», además en las citas no debe mencionarse el diario oficial en que se haya publicado la disposición citada.

Diversos tipos de citas:

a) La cita de la constitución debe hacerse siempre por su nombre, Constitución española no por sinónimos como norma fundamental, etc. Los Estatutos de Autonomía pueden citarse por su propia denominación sin incluir referencia a la Ley orgánica por la que se aprueban.

b) La cita a leyes estatales, reales decretos-leyes, reales decretos legislativos y reales decretos debe incluir el título completo de la norma: clase de norma, número, barra y año, fecha y nombre. La cita de leyes autonómicas debe citarse: Clase de norma, de la comunidad autónoma, número, barra, año, fecha y nombre. Los acuerdos de Consejo de Ministros o Comisiones Delegadas del Gobierno se realiza citando la clase de acuerdo, el órgano, día, mes, año y nombre.

c) La cita de órdenes ministeriales publicadas en el Boletín Oficial del Estado, se hará según lo dispuesto en el Acuerdo de Consejo de Ministros de veintiuno de diciembre de dos mil uno por el que se dispone la numeración de las órdenes ministeriales que se publican en el Boletín Oficial del Estado el resto de órdenes se cita haciendo referencia a la clase, ministerio, fecha y nombre.

d) La cita de resoluciones se hará mencionando la clase, órgano, día, mes, año y título o resumen de su contenido.

e) La cita de normativa comunitaria se hará según la clase de norma que se trate «Reglamento (CE) nº 1223/2003 de la Comisión de 2 de julio de 2003 relativo a....», «Directiva 2003/32/CE del Parlamento Europeo y del Consejo de 23 de mayo de 2003 relativa a...», «Decisión 2004//58/CE de la Comisión de 2 de julio por la que se adopta...»

f) Cita de resoluciones judiciales:

Las sentencias del tribunal constitucional se harán: Sentencia del tribunal constitucional o STS, número, barra y año, fecha y asunto.

La identificación de sentencias de los órganos de la administración de justicia (Tribunal Supremo, tribunales superiores de justicia, juzgados, etc.) que no se hallen numeradas deberá hacerse citando todos sus elementos de identificación: Clase, órgano, fecha y asunto.

g) Las citas de un número del Boletín Oficial del Estado, de boletines de las comunidades autónomas y del Diario oficial de la Unión Europea se realizará del siguiente modo: denominación del diario oficial, número y fecha.

8.9. Acuerdos de Consejo de Ministros o Comisiones Delegadas del Gobierno

La publicación de acuerdos se halla sometida a las mismas directrices de forma y estructura que los indicados para las normas jurídicas de carácter general.

El nombre del acuerdo es la parte del título que indica su contenido y objeto, la que permite identificarlo y describir su contenido esencial: La redacción del nombre debe ser clara y concisa y no deberá contener más información de la estrictamente necesaria para su correcta identificación. Cuando se trate de un acuerdo modificativo, el nombre deberá indicarlo explícitamente, citando el título completo del acuerdo modificado.

a) Parte expositiva

Los acuerdos pueden incluir una parte expositiva que no irá titulada según que el acuerdo se eleve a la consideración de los órganos colegiados del Gobierno, esta parte debe contener un apartado referido a los trámites preceptivos.

Además esta parte concluirá con la llamada fórmula de cierre de «En su virtud a propuesta de [.../...], el/la [.../...] en su reunión del día [.../...] ACUERDA [.../...]»

b) Parte Dispositiva

A pesar de la gran variedad de acuerdos aprobados por los órganos colegidos no puede hacerse un modelo sistemático, sin embargo, los acuerdos del Consejo de Ministros o loas Comisiones Delegadas del Gobierno deben presentarse adaptando uno de los dos modelos previstos: extracto de expediente y acuerdo extenso.

El modelo llamado extracto de expediente se articula entres partes diferentes: exposición resumida del procedimiento seguido para la adopción de la resolución final adoptada; concreción de la propuesta presentada para su aprobación y enumeración de los trámites y dictámenes preceptivos evacuados en el curso del procedimiento. En este modelo pueden incluirse las firmas de los órganos administrativos que hayan dado aprobación y la propuesta para elevar al conocimiento de los órganos superiores.

El modelo denominado acuerdo extenso no sujeta a ningún tipo de estructura pre establecida la expresión de su contenido.

La parte dispositiva de los acuerdos tratará de ajustarse a la división de apartados numerados con numerales escritos en letra: primero, segundo, tercero, salvo en caso de que conste un solo apartado en cuyo caso no se identifica.

Capítulo 5

La potestad sancionadora de las Administraciones Públicas

En este capítulo examinamos los conceptos generales de la potestad sancionadora de las Administraciones Públicas analizando el principio de legalidad y sus
especialidades en el Derecho sancionador que, por sus implicaciones con derechos constitucionalmente tutelados, ha dado lugar a pronunciamientos del Tribunal
Constitucional que se citan y examinan en el texto. También se analizan los aspectos
generales de esta potestad y, en concreto, el principio de autoría o personalidad, la
tipicidad, la supremacía del orden penal y la problemática de la responsabilidad
en el ámbito del Derecho sancionador junto con la cuestión de la presunción de
inocencia en el ámbito administrativo, el principio *non bis in idem* y los diferentes
aspectos que plantea en el procedimiento sancionador. También se analiza la prevalencia del orden penal, la diferencia entre multas sancionadoras y coercitivas y
los criterios de la jurisprudencia en estas materias, la prescripción en el Derecho
sancionador, tanto relativo a las infracciones como a las sanciones, las garantías
procedimentales y otros principios de derecho sancionador. Finalmente se examina
el contenido y la motivación, así como el concepto, límites y consecuencias de la
presunción de legalidad del acto sancionador.

1. POTESTAD SANCIONADORA

La potestad sancionadora de las Administraciones Públicas tiene por objeto la
verificación y represión de actuaciones y omisiones que contravienen la legalidad jurídico-administrativa. La finalidad de todo sistema sancionador en el ámbito
de la Administración Pública finalidad es garantizar el cumplimiento efectivo del
Orden jurídico vigente, impidiendo que se consoliden situaciones de antijuridicidad e imponiendo sanciones a los responsables de los ilícitos administrativos. Se
trata de un tipo de potestad pública regida por principios muy similares a los del
orden jurisdiccional penal, tanto en lo que hace a las garantías materiales como
procedimentales.

La potestad sancionadora puede definirse como la prerrogativa que permite a
las Administraciones públicas corregir el incumplimiento de los mandatos legales
mediante la imposición de sanciones a los infractores, como respuesta frente a la
comisión de conductas legalmente tipificadas como infracción.

Las características fundamentales de esta potestad administrativa, que consagra la Constitución (1) son las siguientes:

a) Es una potestad pública muy vinculada con la ley, de manera que no es posible imponer sanciones sin que haya una regulación legal previa que tipifique tanto las infracciones (conductas ilícitas), como las sanciones (consecuencias punitivas derivadas de su comisión).

b) No obstante, es cierto que la Administración tiene la facultad no sólo aplicar las normas sancionadoras existentes; sino, además, innovar el régimen jurídico sancionador, en la medida en que nuestro Ordenamiento reconoce a los reglamentos administrativos cierto margen de actuación en materia sancionadora.

c) Es una potestad claramente subordinada a la autoridad judicial, lo cual supone, la imposibilidad de que los órganos de la Administración lleven a cabo actuaciones sancionadoras en supuestos en que los hechos puedan ser constitutivos de delito o falta tipificados en el Código Penal o en Leyes penales especiales, en tanto la autoridad judicial no se haya pronunciado sobre ellos (2).

d) En la medida en que el ejercicio de la potestad sancionadora influye de modo directo sobre los derechos y libertades fundamentales de los administrados, ha de respetar el conjunto de derechos reconocidos en la propia Constitución (3).

e) Se trata de una potestad que, para su ejercicio, debe discurrir por un cauce concreto que es el procedimiento sancionador, dado que la garantía procedimental es, sumamente, importante, en el ámbito punitivo (4). La potestad sancionadora de la Administración como manifestación del Derecho punitivo junto con el Derecho penal, con el que tiene gran analogía y conexión, se encuentra sujeto en buena parte a los principios y garantías del derecho penal (5).

2. FIGURAS AFINES A LA POTESTAD SANCIONADORA

Podemos distinguir la potestad sancionadora debe diferenciarse de otras figuras e instituciones afines:

a) La remoción de los efectos causados por la conducta infractora no es una figura entra, en rigor, en el ámbito de la potestad sancionadora, sino en el de la potestad que podemos denominar reparatoria. Por ello la aplicación de una medida dirigida a la reparación de los efectos derivados de una infracción, es plenamente

---

(1)   Artículo 25 CE, ver STS 8.10.1988.
(2)   STC 2/2003.
(3)   Artículos 24 y 25 CE.
(4)   STC 164/1995.
(5)   STS 26.10.2005 y Auto 14.7.1997.

compatible con la represión de la propia infracción, sin que en este caso haya vulneración del principio *non bis in idem*.

b) La legalización de situaciones fácticas irregulares derivadas de infracciones, por ejemplo en el ámbito urbanístico municipal. Su régimen jurídico, procedimiento y finalidades son diferentes a los de la potestad sancionadora propiamente dicha, siendo más próxima a la potestad de reparación de la que pueden ser consideradas como un subgrupo (6).

c) La protección de la legalidad urbanística mediante actuaciones de la administración municipal como órdenes de demolición, órdenes de derribo y otras que persiguen restaurar la situación existente con anterioridad a la infracción (7).

d) La potestad disciplinaria, entendida como aquélla que se ejerce sobre particulares sometidos a situaciones de vinculación especial con la Administración (8). Se fundamenta en la relación jerarquía, siendo el bien jurídico protegido el cumplimiento, por parte de estos particulares cualificados, del régimen específico de deberes al que se someten (9). La potestad disciplinaria es compatible con la potestad sancionadora y, en su caso, con la potestad reparatoria.

e) La imposición de multas coercitivas que son plenamente diferentes de las multas sancionadoras.

f) El establecimiento de recargos, existente sobre todo en el ámbito tributario y de la recaudación de deudas administrativas, para disuadir del cumplimiento impuntual de las obligaciones fiscales (10). No obstante, la naturaleza de los recargos se ha considerado diferente en función de su cuantía, entendiendo que alcanzan relevancia sancionadora cuando su importe llega al mínimo fijado para las sanciones proporcionales por infracciones consistentes en falta de ingreso (11).

g) También carecen de relevancia punitiva los intereses de demora. En relación con la vía administrativa tributaria (12), los intereses de demora integran la responsabilidad civil derivada del delito por lo que sólo se girarán en caso de que la sentencia condenatoria penal si así lo establece, exigiéndose por el procedimiento

---

(6) STS 4.12.1990. También pueden ser consideradas como una suerte de convalidación reparatoria.
(7) SSTS 3.4.2000 y 28.4.2000.
(8) Por ejemplo funcionarios públicos, individuos reclusos o deportistas federados.
(9) Deberes del empleados público deberes del deportista federado, etc.
(10) SSTS 16.9.1991 y 13.11.1995; STC 216/2000.
(11) Ver SSTC 171/1995, 198/1995 y 141/1996.
(12) Ley General Tributaria artículo 26.

de apremio administrativo (13), sin que la Administración tributaria pueda liqui-darlos en otro caso (14).

h) El contenido de acuerdos o resoluciones de la Administración que toman como causa una sanción anteriormente impuesta y constituyen una consecuencia de dicha sanción, sin que en sí mismos, supongan represión alguna, sino que son una consecuencia necesaria de la sanción previamente impuesta (15).

i) La caducidad de los títulos de concesión, la revocación de las autorizaciones o la caducidad de las licencias (16). Aunque su denominación como caducidad-sanción, en el caso de las concesiones o revocación-sanción en el de las licencias urbanísticas o de sanciones rescisorias, pueda resultar engañosa, no se trata de sanciones sino de la consecuencia del incumplimiento, por el concesionario o ad-judicatario de la licencia, de los términos de la concesión o autorización. Por ello, no están sometidos someten al imperativo del principio de legalidad, ni a la pro-hibición del *bis in idem* cuando concurran con sanciones en sentido estricto (17).

j) La imposición de multas contractuales o el resarcimiento de daños causados por incumplimientos del contratista en contratos de las administraciones públicas (18).

k) La potestad administrativa revisora, en vía de recurso, de las sanciones im-puestas en el procedimiento sancionador.

l) La expropiación-sanción, figura que no tiene contenido propiamente sancio-nador, por lo que no exige la previa tramitación de un expediente sancionador. A pesar de su denominación, no estamos ante sanciones, en sentido estricto, sino an-te instrumentos de compulsión pública para el cumplimiento de la función social de la propiedad que proclama el artículo 33 de la Constitución (19).

m) La reclamación de reintegro del importe de subvenciones en los casos de incumplimiento de la finalidad o los requisitos que correspondan, por parte del beneficiario (20).

Los pronunciamientos sobre reparación o responsabilidad civil que se con-tienen en el acuerdo impositivo de sanción, se diferencia del acto sancionador

---

(13)   Por lo cual se ejecutará la responsabilidad civil derivada del delito una vez que la sen-tencia penal sea firme.
(14)   SSTS 28.5.1999, 18.9.2001 y 10.1.2003.
(15)   STS 10.4.2000.
(16)   Ver Dictamen del Consejo de Estado 2127/1885 Obras Públicas y Transportes Rescate de concesión otorgada.
(17)   SSTS 24.1.1991, 29.6.1991 y 22.5.1998.
(18)   STS 17.3.1989.
(19)   STS 23.1.2011 y STC 319/1993.
(20)   STS 5.10.2004.

en que es inmediatamente ejecutivo en cualquier caso; su prescripción es autónoma de quince años (21), en defecto de otra regla especial; no tiene carácter de obligación personalísima, por lo cual es trasmisible mortis causa dentro del patrimonio de responsable. Los bienes gananciales (22) responden de esta responsabilidad (23). Puede establecerse en el seno de un procedimiento sancionador que termina sin imposición de sanción, salvo caducidad del procedimiento. La ejecución de la resolución, si bien, como regla general, se somete al régimen general de la LRJ (24), con previo requerimiento al interesado, en ciertos sectores concretos presenta reglas específicas (25).

El Tribunal Supremo, que tiene declarado que los principios rectores de la potestad sancionadora que regula la LRJ (26), aplicables en el ámbito de todas las administraciones públicas1, son sustancialmente semejantes a los propios del orden penal (27), También ha venido sosteniendo, reiteradamente, la teoría del ilícito como un concepto dual, comprensivo tanto del ilícito penal como del ilícito administrativo, de manera que la Administración debe ejercer la potestad sancionadora ajustándose a los principios y garantías esenciales que inspiran el orden penal (28). Sin embargo, el Tribunal Constitucional ha declarado que la aplicación de los principios y requisitos penales no se produce de manera automática, sino que debe aplicarse con los matices que requiere la aplicación del Derecho administrativo que no es un Derecho aplicable a los delitos y faltas sino a meras infracciones y esta aplicación matizada debe tenerse en cuenta tanto en un sentido material como procedimental o procesal (29). La proximidad de ambos órdenes (30) se produce hasta el punto de que un mismo bien jurídico puede resultar protegido al mismo tiempo mediante técnicas administrativas y técnica penales; pero la aplicación de las garantías penales al procedimiento administrativo sólo es posible en la medida en que resulten compatibles con su propia naturaleza (31).

---

(21)   Código Civil artículo 1964.
(22)   O los que tengan ese carácter de acuerdo con los regímenes especiales de Derecho civil.
(23)   SSTS 25.9.1999 y 31.3.2004 que mantienen dos criterios diferentes al respecto.
(24)   LRJ artículo 95.
(25)   Así en el ámbito de la legislación sobre carreteras el Reglamento General de Carreteras aprobado por Real Decreto 1832/1994 establece la ejecución inmediata por la Administración del Estado y posterior repercusión al particular sin que sea necesario un requerimiento previo; artículos 117 y 118.
(26)   En los artículos 127 a 138 LRJ incluidos en el Capítulo II del Título VI de la LRJ Principios del procedimiento sancionador.
(27)   STS 25.5.1998.
(28)   Entre otras, SSTS 12.3.1990 y 9.4.1996.
(29)   STC 2/1987.
(30)   Derecho administrativo sancionador y Derecho penal.
(31)   SSTC 2/1981, 18/1981 y 246/1991.

Los principios que rigen La potestad sancionadora de la administración se rige por varios principios que examinamos seguidamente.

3. PRINCIPIO DE LEGALIDAD

El principio de legalidad supone que nadie puede ser condenado o sancionado por acciones u omisiones que en el momento de producirse no constituyan delito, falta o infracción administrativa de acuerdo con lo establecido en una norma con rango de ley. Está expresamente garantizado por la Constitución española y regulado por la LRJ en el ámbito administrativo en general y por la Ley General Tributaria (LGT) en el ámbito del Ordenamiento Tributario (32), En este sentido, la potestad sancionadora de las administraciones públicas puede ejercerse sólo cuando haya sido expresamente atribuida por una norma con dicho rango, con aplicación del procedimiento previsto para su ejercicio.

El principio de legalidad, se encuentra netamente vinculado al principio de tipicidad y se traduce en un derecho subjetivo fundamental de naturaleza pública, que, además de garantizado por la Constitución (33), está sometido a un régimen de máxima protección en el ordenamiento, al quedar sujeto, en caso de violación, al control del recurso de amparo por el Tribunal Constitucional (34). En una garantía de doble aspecto, material y formal, relativa a la exigencia y existencia de una norma de rango adecuado y suficiente; es decir, la cobertura normativa necesaria que precisa la potestad sancionadora de la Administración pública consiste en una norma con rango de ley, como consecuencia del carácter excepcional de los poderes administrativos cuando ejercen esta potestad.

La garantía material, supone que la tipificación de la conducta mediante norma de rango suficiente debe efectuarse con precisión adecuada, no de forma indeterminada o genérica. Como ha declarado expresamente el Tribunal Constitucional, se trata de una garantía exigible respecto de toda norma tipificadota de sanción, sea anterior o posterior a la entrada en vigor de la Constitución, y tiene alcance absoluto (35). Por su parte, la garantía formal se refiere al rango necesario de las normas tipificadotas de las infracciones y reguladoras de las sanciones, por cuanto se trata de una materia para la que rige reserva de ley (36).

El examen del principio de legalidad requiere el análisis del concepto de reserva de ley, con el cual se encuentra funcionalmente vinculado. Se entiende por reserva de ley aquélla disposición de la norma fundamental o constitucional que

---

(32)   Artículos 9.3 y 25.1 CE; 127 de la LRJ y 178 de la LGT.
(33)   Artículo 25 CE.
(34)   SSTC 77/1983 y 42/1987.
(35)   STC 83/1990.
(36)   Artículo 25 CE.

determina que ciertas materias o sectores de actividad deben ser regulados, al menos en sus aspectos centrales, esenciales o definitorios, por una norma con rango de ley.

Dentro del amplio concepto de reserva legal, se distinguen dos tipos de reserva: Reserva material y reserva formal.

a) Por una parte, la reserva material de ley, que la Constitución impone de manera directa y en cuya virtud, ciertos ámbitos deben ser regulados por norma con rango de ley formal. Esta reserva imperativa no se encuentra dentro del poder de disposición del legislador, que se ve necesariamente sometido a la misma. Dentro de la reserva material de ley, pueden diferenciarse, a su vez, la reserva de ley orgánica (37); y la reserva de ley ordinaria, que es la que rige para la tipificación de infracciones y regulación de sanciones.

b) Por otra parte, la reserva formal que, a diferencia de la anterior, no se establece directamente en la Constitución, sino que se deriva del principio de congelación de rango (38), conforme al cual:

Carece de validez toda disposición que contradiga otra de rango superior; y son nulas las disposiciones administrativas que vulneren la Constitución, las leyes u otras disposiciones administrativas de rango superior, así como las que regulen materias reservadas a la ley; en la constitución española existe un precepto central del que puede deducirse una reserva a la ley de todo cuanto concierne a la libertad y los derechos fundamentales (39).

Esta reserva formal impide que, una vez regulada una materia por ley, dicha regulación sea innovada o alterada por disposición de rango inferior, salvo que una norma con rango de ley así lo autorice, mediante deslegalización.

La reserva de ley es, a diferencia de lo que sucede en el ámbito penal (40), es de ley ordinaria, por lo que no es admisible que se regule mediante legislación de urgencia es decir Real decreto ley, aunque sí es admisible la regulación mediante real decreto legislativo (41), aunque con diversas particularidades:

a) Si se trata de un Texto articulado, la Ley de bases debe predeterminar clara y suficientemente los tipos infractores y sancionadores;

b) Si se trata de un Texto refundido, los textos que se refundan, armonicen y aclaren deben responder por sí mismos a las garantías en cuestión.

---

(37)   Que la Constitución española establece en su artículo 81, ver también el artículo 93.
(38)   Ver Código Civil artículo 1.2 y LRJ artículo 62.2.
(39)   El artículo 53.1 CE.
(40)   En el que la tipificación debe llevarse acabo mediante Ley orgánica artículo 17 CE.
(41)   Artículos 82 a 85 CE.

Esta reserva formal no es aplacible con carácter absoluto; hay que distinguir en función de la fecha de entrada en vigor de la norma tipificadora, que, en todo caso, tiene que satisfacer las exigencias de la garantía material: Si la norma es posterior a la Constitución, se exige que su rango sea legal; en el caso de que sea anterior a la Constitución, esta exigencia no es de aplicación, dado que el sistema de producción formal normativa establecido por la Constitución, no puede aplicarse retroactivamente, pues de otro modo, el ordenamiento jurídico podría ser susceptible de vaciamiento por la aplicación de dicho procedimiento. Sin embargo, en caso de reforma de dichas normas, si la modificación afectara, de forma relevante, a los tipos sancionadores o a las sanciones, sería exigible el rango de ley formal, Por otra parte no hay que olvidar que la exigencia de ley formal se entiende satisfecha por medio de normas y disposiciones que tengan rango de ley o equivalgan a ella (42).

Por otra parte la reserva de ley, no impide la intervención de normas reglamentarias (43), siempre con un rango subordinado a la ley, y limitado a la introducción de especificaciones en los tipos de infracciones y sanciones ya establecidos por una norma con rango de ley (44), dado que, como ha puntualizado el Tribunal Supremo, el alcance de la reserva de ley no puede ser tan estricto en relación con la regulación de las infracciones y sanciones administrativas como con referencia a los tipos y sanciones penales en sentido estricto, atenuándose todavía más en los casos de potestad disciplinaria y, en general, respecto de administrados sometidos a situaciones de sujeción especial (45).

Lo que queda netamente vedado es la remisión normativa, es decir, una remisión al reglamento que haga posible una regulación independiente y no subordinada a la ley; sin embargo no se prohíbe la colaboración reglamentaria en la normativa sancionadora.

En todo caso, es precisa una cobertura legal adecuada de los tipos desarrollados reglamentariamente (46). En este sentido, las innovaciones básicas en materia de infracciones administrativas, y responsabilidad derivada de las mismas, sólo son posibles con un detallado apoyo legal en relación a la extensión por reglamento de la condición de infractor a personas jurídicas.

Dicha cobertura legal debe existir en el momento en que se comete la infracción, no antes, pudiendo ser además cobertura legal originaria o sobrevenida; de manera que puede alcanzarse, bien por una ley posterior al reglamento en el que

---

(42)   Por ejemplo normas de las Diputaciones Forales del País Vasco.
(43)   STC 42/1987.
(44)   LRJ artículo 23.
(45)   SSTS 23.11.1992, 29.6.1992, y 24.7.2000; también el Tribunal Constitucional en STC 102/1988.
(46)   STS 19.5.1987.

se establece el tipo sin suficiente apoyo legal en origen, o bien por una Ley ajena al reglamento de desarrollo, es decir en otra Ley, en el que se tipifique la conducta. Un aspecto muy frecuente, en la práctica profesional de la Administración, es la actualización de la cuantía de las sanciones pecuniarias, a través de norma reglamentaria, previa habilitación legal. En cualquier caso no cabe tipificar infracciones o sanciones por medio de estatutos internos de un colegio profesional o entidad corporativa; sí en cambio por los estatutos generales de una profesión aprobados por Real Decreto o Decreto de la comunidad Autónoma.

b) Respecto de los denominados tipos de blanco, son aquellos en los que la norma tipificadora no agota la descripción de la conducta típica, sino que se ha de integrar con elementos derivados de otras normas jurídicas de diverso rango y, normalmente, sectoriales. El tribunal Supremo ha declarado que se trata de una figura que es plenamente compatible con la garantía de reserva de ley, siempre que el grado de determinación y concreción del precepto que se debe integrarse, sea suficiente (47).

c) La tipificación y regulación de infracciones y sanciones por medio de ordenanzas locales, siempre con apoyo en ley previa (48). La especial naturaleza y posición de las Ordenanzas, como expresión natural de la capacidad normativa de las corporaciones locales, hace que no sean inidentificables, sin más, a normas reglamentarias estatales o autonómicas, aunque sí semejantes a ellas. El Tribunal Supremo ha declarado que pueden cumplir una función complementaria del mismo modo que los reglamentos (49), pero no pueden actuar autónomamente. Hay normativa autonómica que permite que las ordenanzas locales puedan complementar y adaptar el sistema de infracciones y sanciones establecido en leyes sectoriales (50).

d) La regulación de la prescripción aplicable a cada caso por medio de norma reglamentaria, dado que se trata de una materia secundaria (51).

e) El empleo de conceptos jurídicos indeterminados, en las normas sancionadoras, si bien el tribunal Constitucional admite que puedan ser utilizados siempre que su concreción sea razonablemente factible, en virtud de criterios lógicos, técnicos o de experiencia, que permitan prever, con suficiente seguridad, la conducta regulada (52).

---

(47)   SSTS 23.4.1999, 15.5.1999, 11.4.2003 y 11.6.2003.
(48)   Ver Ley 37/2003 del Ruido artículo 29. La ley del ruido regula competencias responsabilidades de la Administración General del estado, de las Administraciones Autonómicas y de las Administraciones locales.
(49)   STS 2.1.1989.
(50)   Ley 1/2003 de la Comunidad Autónoma de La Rioja artículo 197.
(51)   SSTS 6.4.1990 y 24.7.2000.
(52)   SSTC 133/1987, 69/1989 y 149/1991.

f) El diverso alcance de la reserva de ley en relación con las situaciones de sujeción especial, de forma que, en tales supuestos es aceptable una remisión de norma legal, carente de contenido sancionador propio, en favor de disposición reglamentaria, lo cual no sería admisible en situaciones de sujeción general (53). La ausencia de remisión legal infringe el artículo 25 de la Constitución, por lo cual es rechazable la regulación reglamentaria independiente posterior a la misma, incluso en situaciones de sujeción especial (54). Además el Tribunal Constitucional ha declarado que la falta de publicación, de la norma tipificadora, en el Boletín Oficial del Estado o boletín oficial que corresponda, no lesiona, en estas situaciones, el contendido de la reserva (55). No obstante, la relación de sujeción especial es una categoría imprecisa que engloba ciertas situaciones administrativas respecto de las que la Constitución o la Ley han modulado los derechos de los ciudadanos (56). Por ello, con respecto a la situación y actividad de los elaboradores y productores sometidos al control de las denominaciones de origen del sector vitivinícola, no se aprecia fundamento constitucional alguno para la limitación o modulación de sus derechos. En concreto, se considera contrario a la Constitución (57) la tipificación reglamentaria de infracciones y sanciones, en la medida en que al tiempo de la comisión de las primeras no exista una norma legal que module el juego del principio de reserva de ley en este ámbito (58). El Tribunal Supremo ha declarado, con reiteración, que puede tipificarse como infracción administrativa la violación de los preceptos de ordenanzas que regulan zonas de establecimiento de vehículos, sancionando aquélla como tengan por conveniente, siempre en desarrollo del Reglamento General de Circulación, y con respecto a los principios de razonabilidad, proporcionalidad y congruencia. En general, la sanción será la de multa, compatible con la retirada del vehículo del lugar de indebido estacionamiento (59).

El Tribunal Supremo ha declarado el carácter reglado y la interpretación restrictiva del Derecho administrativo sancionador, porque constituye, por definición un sector del Ordenamiento jurídico rigurosamente reglado, aunque hayan de operar

---

(53)   SSTC 69/1989 y 234/1991.
(54)   STC 6/1994.
(55)   STC 219/1989.
(56)   SSTC 61/199.º y 132/2001.
(57)   Art. 25 CE.
(58)   SSTC 50/2003 y 52/2003.
(59)   SSTS 23.1.2002, 29.1.2002 y 15.7.2002; el Consejo de Estado ha mantenido un criterio diferente en su Dictamen de 23.2.1995 sosteniendo que la Ordenanza local supone una potestad sancionadora autónoma que ostenta la Corporación local, sin que tenga necesidad ancilar de una ley previa. Hay que señalar que los artículos 140 y 141 de la Ley de Bases de Régimen Local, en su redacción actual opera, en ciertas materias, como normas de habilitación legal general para fundamentar disposiciones incluidas en Ordenanzas Locales.

circunstancias que integran conceptos jurídicos indeterminados (60). En consecuencia el principio de legalidad es incompatible con cualquier tipo discrecionalidad en la calificación de infracciones y en la gradación de sanciones, dado que la discrecionalidad implica una libertad para escoger entre diversas soluciones jurídicamente indiferentes; lo cual es inconciliable con esta exigencia de legalidad, incluso en lo que se refiere a la fijación de la cuantía en la sanción.

Hay supuestos en que una conducta infractora puede subsumirse en más de un tipo, en cuyo caso, la norma aplicable de graduación debe ser coherente con la aplicación realizada con anterioridad.

Por otra parte, el principio de legalidad impone la interpretación restrictiva que procede realizar con las normas que tipifican las conductas ilícitas y sus sanciones, de tal modo que queda vedado a los órganos competentes en el ejercicio de la potestad sancionadora proceder a una interpretación ampliatoria de los supuestos tipificados como infracciones en la norma (61). Por ello el Tribunal Supremo ha puntualizado que para aplicar la norma sancionadora hay que ajustarse a los términos en que el tipo está descrito, para evitar la arbitrariedad y respetar la reserva legal (62); además la interpretación analógica queda totalmente excluida en este campo (63).

La sanción impuesta debe estar motivada es decir debe tener fundamento adecuado en el tipo infractor aplicado. Lo contrario, tanto en sede de interpretación normativa como de motivación, vulnera Constitución (64), de hecho la posibilidad de que se produzca una vulneración constitucional como consecuencia de las pautas interpretativas empleadas para la subsunción de la conducta en el tipo de infracción ha sido expresamente contemplada por el Tribunal Constitucional (65). La validez constitucional de la aplicación de las normas sancionadoras depende tanto del respeto del tenor literal del enunciado normativo, que marca en todo caso una zona de exclusión de comportamientos, como de su posibilidad de previsión (66), hallándose en todo caso vinculadas por los principios de legalidad y de seguridad jurídica, aquí en su vertiente subjetiva que lleva consigo la evitación de resoluciones que impidan a los ciudadanos programar sus comportamientos sin temor a posibles condenas por actos no tipificados previamente (67). Concretamente, la previsibilidad de tales decisiones debe ser analizada desde las

---

(60)   STS 5.12.1989
(61)   Ver artículo 4.2 del Código Civil.
(62)   STS 25.1.1989.
(63)   SSTC 182/1990 y 196/1991.
(64)   Artículo 25.1 CE.
(65)   SSTC 196/2002 y 129/2003.
(66)   SSTC 151/1997 y 236/1997.
(67)   SSTC 137/1997 y 64/2001.

pautas axiológicas que informan la Constitución, y conforme a los modelos de argumentación aceptados por la comunidad jurídica (68).

En consecuencia, el principio de legalidad puede ser vulnerado tanto por aquellas resoluciones sancionadoras que se sustentan en una subsunción de hechos ajena al significado posible de los términos de la norma aplicada, sino también por aquellas aplicaciones que conduzcan a soluciones opuestas a la orientación material de la norma y, por ello, imprevisibles para sus destinatarios (69).

A fin de aplicar este principio, debe partirse de la motivación explícita contenida en las resoluciones sancionadoras, de forma que cabrá apreciar vulneración del principio de legalidad sancionadora cuando se constate una aplicación extensiva o analógica de la norma en el cuerpo argumental en que aparezca la motivación de la resolución, o cuando la ausencia de fundamento revele que, de facto, se ha producido dicha extensión.

El principio de legalidad alcanza también a la competencia en el ejercicio de la potestad sancionadora (70); de este modo, el ejercicio de esta potestad corresponde a los órganos administrativos que la tengan expresamente atribuida, por disposición de rango legal o reglamentario (71). No cabe delegación en la competencia para ejercer la potestad en estudio. La prohibición, sin embargo, sólo se refiere a la imposición de sanciones, no a la revisión de las mismas en vía de recurso administrativo. El Tribunal Supremo ha declarado la necesidad de distinguir entre la vía administrativa dirigida a producir el acto administrativo sancionador, es decir, el expediente administrativo incoado, en virtud de denuncia, para reprochar el ilícito cometido; y la vía administrativa de recursos frente a una resolución sancionadora, que se orienta no a perseguir la infracción sino, simplemente, a determinar si el órgano jerárquicamente inferior actuó con arreglo al ordenamiento jurídico y procede mantener, revocar o modificar el acuerdo originario (72). La competencia, orgánica, sancionadora puede desconcentrarse en otros órganos de la misma Administración. También puede ser objeto de técnicas intersubjetivas de alteración, siempre con el preceptivo amparo normativo, bien genérico (73) o específico.

---

(68)   SSTC 42/1999 y 87/2001.

(69)   Debido a una argumentación ilógica o claramente extravagante o, a una fundamentación ajena a los valores que consagra la Constitución.

(70)   LRJ artículo 127.

(71)   En procedimientos incoados antes de catorce de abril de 1999 es de aplicación la LRJ en su redacción inicial en procedimientos iniciados posteriormente si cabe la delegación en la competencia para ejercer la potestad sancionadora.

(72)   SSTS 27.5.1992 y 9.2.1999 criterio ratificado por muchas sentencias de Tribunales de Justicia de Comunidades autónomas.

(73)   Ver artículo 60 de la Ley de Bases de Régimen Local.

4. PRINCIPIO DE IRRETROACTIVIDAD

El principio de irretroactividad de las infracciones y sanciones, supone la irretroactividad de las disposiciones sancionadoras no favorables y restrictivas de los derechos individuales, así como la aplicación retroactiva de las favorables, está garantizado por la Constitución y regulado por la LRJ con carácter general y por la Ley General Tributaria en este ámbito especial (74). Según este principio, sólo son aplicables las disposiciones sancionadoras vigentes a aquellos actos que, en el momento de cometerse, constituyan infracción administrativa. No obstante, las disposiciones sancionadoras producen efecto retroactivo en lo que resulten favorables al presunto infractor. Al revés que el principio de legalidad, el principio de irretroactividad no genera un derecho subjetivo con categoría de derecho fundamental. Tampoco goza de la protección del recurso de amparo, pues su encuadre en la Constitución no permite tal posibilidad. Asimismo, no puede decirse que la Constitución (75) reconozca a los ciudadanos un derecho fundamental a la aplicación retroactiva de una Ley penal más favorable que la anteriormente vigente (76). Sin embargo, puede entenderse que la infracción de este principio, por su conexión con el Derecho constitucional a la tutela judicial efectiva, dé lugar a la vulneración de éste, que es susceptible de recurso de amparo ante el Tribunal Constitucional (77).

Respecto de las infracciones continuadas, esto es, las que se dilatan en el tiempo y cubren el período temporal de más de una norma, el órgano competente para sancionar, debe analizar la norma vigente en cada momento, dividiendo o separando los hechos producidos o actos cometidos y consumados con anterioridad a la entrada en vigor de la norma tipificadora posterior, de los hechos o actos posteriores. El Tribunal Supremo ha declarado que aunque los primeros no resultaran sancionables, debe mantenerse la plena potestad administrativa para sancionar en los posteriores (78). Con respecto a las normas tipificadoras intermedias, que entran en vigor antes de la comisión de la infracción, tipificando la misma, y son derogadas antes de la imposición de la sanción, es decir, durante la tramitación del procedimiento, procede la absolución por atipicidad. En el ámbito de la materia urbanística el Tribunal Supremo ha sostenido el carácter no retroactivo, en materia de sanción, de la reforma legal (79).

En otro trabajo sobre práctica profesional seguiremos examinando la potestad sancionadora de la Administración Pública.

---

(74)   Artículos 9.3 CE; 128 LRJ y 178 Ley General tributaria.
(75)   Artículo 25 CE.
(76)   STC 8/1981.
(77)   STC 184/1992.
(78)   STS 7.2.1986.
(79)   STS 23.12.1988.

5. PRINCIPIO DE AUTORÍA EN DERECHO SANCIONADOR

5.1. Responsabilidad directa

El concepto de autoría de la acción está íntimamente unido al principio de culpabilidad, de forma que la sanción sólo se puede imponer al autor de una conducta que sea típica, antijurídica y culpable, siempre que sea, además, punible.

La Ley regula la responsabilidad sancionadora disponiendo que solo pueden ser sancionadas, por hechos constitutivos de infracción administrativa las personas físicas y jurídicas que resulten responsables de los mismos aún a título de simple inobservancia (80); por otra parte y en materia tributaria la potestad sancionadora se ejerce de acuerdo con los principios reguladores de la misma en materia administrativa con la especialidades establecidas en la ley (81).

Esto supone aplicación del principio del carácter personal de la pena o sanción, lo que tiene las siguientes consecuencias:

a) No cabe exigir a terceros el cumplimiento de las responsabilidades derivadas de infracción y sanción, salvo cuando se trate de infracciones tributarias o en materia de cuotas de seguridad social y se derive responsabilidad a tercero en los términos establecidos legalmente (82).

La derivación por deudas impagadas que se efectúe en sede administrativa puede extenderse a las sanciones, aunque en ocasiones se ha discutido tal posibilidad.

b) Intransmisibilidad mortis causa de la responsabilidad por infracciones. Es discutible si la responsabilidad se extingue por el fallecimiento del causante o bien no se extingue por la muerte del autor, sino que es transmisible al patrimonio de los sucesores. En caso de aceptarse esta último criterio, la sanción podría hacerse efectiva, una vez muerto el causante, contra y hasta donde alcance su caudal relicto (83).

En lo relativo a la comisión de infracciones por los sucesores con motivo de obligaciones tributarias transmitidas por causa de muerte en que no se produce transmisión alguna de responsabilidad sancionadora.

c) La imposibilidad de considerar a la unidad familiar como sujeto infractor, en el ámbito de la tributación familiar, así como de imponer sanciones sobre otros miembros de la unidad que no hayan cometido la infracción (84).

---

(80)   Artículo 130 de la LRJ.
(81)   Artículo 178 de la Ley General Tributaria.
(82)   Artículo 41 LGT en su redacción actual.
(83)   STS 20.9.1996.
(84)   STC 36/2000.

d) Es problemática la sujeción o no sujeción de los bienes gananciales, o comunes en otros regímenes económico-matrimoniales forales equivalentes, (85) a la responsabilidad derivada de la infracción cometida por uno de los cónyuges. Puede sostenerse que el principio de personalidad de la sanción no impide, en la ejecución de la responsabilidad patrimonial de la sanción impuesta a uno de los cónyuges, proceder contra bienes gananciales. En cualquier caso, sí responde el patrimonio ganancial de la reparación impuesta con la sanción, al igual que se trasmite en caso de muerte (86).

e) El principio estudiado tampoco impide que, con la debida previsión legal, se considere responsable de la conducta irregular no al autor material sino a un tercero, no como responsable solidario o subsidiario, sino como único responsable. Es el caso de la conducta consistente en no portar casco en motocicletas por el acompañante, siendo responsable en este supuesto el conductor (87).

5.2. Responsabilidad indirecta

Solidaridad y subsidiariedad. Cuando el cumplimiento de obligaciones, previstas en una disposición legal, corresponda a varias personas conjuntamente, han de responder de forma solidaria de las infracciones que, en su caso, se cometan y de las sanciones que se impongan.

Por otra parte, la responsabilidad derivada de la infracción puede extenderse a aquellos que ocupan una posición de garante en la relación u obligación que corresponda. De este modo, son responsables subsidiarios o solidarios por el incumplimiento de las obligaciones, impuestas por la Ley, que conlleven el deber de prevenir la infracción administrativa cometida por otros, las personas físicas y jurídicas sobre las que recaiga tal deber, como así lo determinen expresamente las leyes reguladoras de los distintos regímenes sancionadores (88).

A pesar de este sistema de solidaridad es imperativo y forma parte del principio general de responsabilidad en derecho sancionador el que, de acuerdo con el principio de personalidad, exista individualización de la sanción para adaptarla a la gravedad del acto cometido, como criterio de prevención general, así como a la personalidad del autor, como criterio de prevención especial (89).

Por ejemplo en materia de tráfico, se establece que por los hechos cometidos por un menor de dieciocho años responden solidariamente con él, en lo referente

---

(85)   O bien, comunes en otros regímenes económico-matrimoniales forales equivalentes.
(86)   Ver SSTS 25.9.1999 y 31.3.2004 que mantienen criterios diferentes al respecto.
(87)   Artículo 72.1 del Texto Articulado de la Ley sobre Tráfico y Circulación de Vehículos a Motor y Seguridad Vial en su redacción actual.
(88)   Artículo 130.3 LRJ.
(89)   SSTS 22.4.1992, 30.11.1192 y 8.11.1994.

a la sanción pecuniaria, sus padres, tutores, acogedores y guardadores legales o de hecho por este orden, en razón al incumplimiento de la obligación impuesta a los mismos que conlleva un deber de prevenir la infracción administrativa que se impute a los menores (90).

En el ámbito sancionador regulado en la Ley de Montes se establece que cuando no sea posible determinar el grado de participación de las distintas personas que hayan intervenido en la realización de una infracción, la responsabilidad será solidaria, sin perjuicio del derecho a repetir frente a los demás participantes, por parte de aquel o aquellos que hayan hecho frente a las responsabilidades (91).

Respecto a los diferentes tipos de personas físicas y jurídicas la ley (92) dispone que este principio de personalidad, afecta tanto a las personas físicas como a las jurídicas lo cual ha sido argumentalmente desarrollado por el Tribunal Constitucional (93). De hecho, en determinados campos, es muy frecuente que el sujeto infractor sea una sociedad (94).

A diferencia de lo que ocurre en Derecho penal, en el Derecho administrativo sancionador no rige, para los entes colectivos, el principio tradicional que eximía a las personas jurídicas de responsabilidad (95), de tal forma que, como ha recordado el Tribunal Supremo, resulta totalmente admisible, en nuestro Derecho, la responsabilidad directa de las personas jurídicas por las infracciones en que incurran sus agentes, esto es, las personas físicas que actúan como órganos directivos (96). Hay que tener en cuenta que reconocer capacidad infractora a las personas jurídicas no significa que, para el caso de infracciones administrativas cometidas por personas jurídicas, se haya suprimido el elemento subjetivo de la culpa, sino simplemente que este principio se ha de aplicar necesariamente de forma distinta a como se hace respecto de las personas físicas.

Esta construcción, distinta de la imputabilidad de la autoría de la infracción a la persona jurídica nace de la propia naturaleza de la ficción jurídica a la que responden estos sujetos. Falta en ellos el elemento volitivo en sentido estricto, pero no la capacidad de infringir normas a las que están sometidos. La capacidad de infracción y la reprochabilidad directa, deriva del bien jurídico protegido por la norma que se infringe y de la necesidad de que dicha protección sea realmente

---

(90)   Artículo 72 del Texto Articulado de la Ley sobre Tráfico y Circulación de Vehículos a Motor y Seguridad Vial.
(91)   Ver artículo 70.2 Ley 43/2003, de 21 de noviembre, de Montes.
(92)   Artículo 130 LRJ.
(93)   STC 246/1991.
(94)   El caso de un ámbito urbanístico.
(95)   Recogido en el tradicional brocardo latino *Societas delinquere non potest*.
(96)   STS 29.5.1991.

eficaz (97). El principio a que nos referimos no impide, en el caso de actuaciones de grupos societarios, imputar a una sociedad matriz conductas de las entidades filiales, al menos en ciertos ámbitos en casos de competencia a escala comunitaria europea o nacional, siempre que resulte clara la unidad económica de aquéllas filiales, así como el control y la influencia de la sociedad matriz en la actividad de las segundas (98). Cuando se trate de personas físicas, es preciso que éstas tengan capacidad para ser imputables, es decir, que no queden excluidos de la responsabilidad por carecer de la capacidad necesaria. Además la posibilidad de que los menores de edad respondan de infracciones administrativas depende de lo establecido en la normativa específica aplicable a la materia de que se trate. Por ello, a salvo de norma específica o de futura previsión genérica, hay que entender existente laguna legal, de donde resulta la imposibilidad de imponer sanciones a menores de dieciocho años, por hechos cometidos desde la entrada en vigor de la Ley Orgánica 5/2000 reguladora de la responsabilidad penal de los menores (99). Respecto de menores no imputables, en tanto exista previsión normativa, pueden adoptarse medidas no punitivas en relación con el autor de la conducta reprochable, por parte del órgano competente.

6. LA TIPICIDAD EN DERECHO SANCIONADOR

El principio de tipicidad de las penas y sanciones está recogido en la Constitución (100) que proclama que nadie puede ser condenado o sancionado, por acciones u omisiones que, en el momento de producirse no constituyan delito, falta o infracción administrativa, según la legislación vigente en aquel momento, de manera que el Tribunal Constitucional ha declarado que esta disposición constitucional comprende una doble garantía. La primera, de orden material y alcance absoluto, refleja la trascendencia del principio de seguridad en los ámbitos de limitación de la libertad individual, como el penal y el administrativo sancionador, e incorpora la exigencia de predeterminación normativa de las conductas ilícitas y de las correspondientes sancionas. La segunda de carácter formal, se refiere al rango necesario de las normas tipificadoras de aquellas conductas y reguladoras de estas sanciones, porque la expresión legislación vigente a que se refiere dicho precepto constitucional es expresivo de una reserva de ley en materia sancionadora (101).

El principio de tipicidad, muy entreverado con el de legalidad, supone la imperiosa necesidad de predeterminación normativa de las conductas ilícitas y de las sanciones correspondiente, mediante preceptos jurídicos que permitan predecir,

---

(97)   STS 30.11.1994.
(98)   Artículo 8 de la Ley 16/1989 de 17 de julio, de Defensa de la Competencia. En vigor hasta el uno de septiembre de 2007.
(99)   13 de enero de 2001.
(100) Artículo 25 CE.
(101) SSTC 42/1987, 3/1988 y 101/1988.

con suficiente grado de certeza, las conductas que constituyen infracción y las sanciones aplicables, así como las normas tipificadoras de las infracciones y reguladoras de las sanciones que tengan rango legal (102).

En el ámbito de las sanciones administrativas la garantía formal en cuanto reserva de ley, solo tiene una eficacia relativa o limitada, en el sentido de permitir un mayor margen de actuación al Poder ejecutivo en la tipificación de ilícitos y sanciones administrativas por razones que atañen al modelo constitucional de distribución de las potestades públicas, al carácter de la potestad reglamentaria en el ámbito sancionador además de otras razones de prudencia y oportunidad; por ello deja claro que en lo relativo a las infracciones que se cometan en el ámbito de las relaciones de supremacía general el artículo 25 CE resultaría vulnerado si la regulación reglamentaria de infracciones y sanciones careciera de toda base legal o se adoptara en virtud de una habilitación a la Administración por norma de rango legal carente de todo contenido material propio, tanto en lo relativo a la tipificación de ilícitos administrativos, como a la regulación de las correspondientes consecuencias sancionadoras (103).

De esta forma, sólo constituyen infracciones administrativas las vulneraciones del ordenamiento jurídico previstas, como tales infracciones, por una Ley previa y cierta.

Las disposiciones reglamentarias de desarrollo pueden introducir especificaciones o graduaciones al cuadro de las infracciones o sanciones establecidas legalmente que, sin constituir nuevas infracciones o sanciones, ni alterar la naturaleza o límites de las que la Ley contempla, contribuya a la más correcta identificación de las conductas o a la más precisa determinación de las sanciones correspondientes. La colaboración reglamentaria, incluso de ordenanzas locales con habilitación o amparo legal, puede ser un complemento indispensable en este campo (104).

El derecho sancionador no admite el empleo de tipos abiertos (105), fórmulas tipificadoras vagas, omnicomprensivas, que no dejan fuera del campo sancionador ningún tipo de acciones u omisiones contrarias a las Leyes (106). Además en las tareas de tipificación, también deben evitarse las cláusulas generales, tipo paraguas, estándares o indeterminadas, que tienden permitir, al órgano sancionador, actuar con arbitrariedad excesiva arbitrio y sin seguir una argumentación lógica o un razonamiento con un mínimo grado de prudencia (107).

---

(102)   SSTC 69/1989 y 61/1990.
(103)   SSTC 101/1998 y 29/1989.
(104)   STC 42/1987.
(105)   STC 105/1988.
(106)   STS 10.11.1986.
(107)   STC 218/2005.

Tampoco puede olvidarse que la reserva de ley no es de recibo exigirla de una manera retroactiva con el fin de anular o considerar inválidas disposiciones reglamentarias reguladoras de materias y situaciones respecto de las cuales dicha reserva no existía de acuerdo con normativa preconstitucional, en otros casos el Tribunal Supremo ha declarado que no basta para satisfacer el principio de tipicidad la previsión de conductas por mera circular del consejo regulador de una denominación de origen (108).

El principio de tipicidad queda vulnerado en los casos en que el precepto legal aplicado por la Administración no acoja la conducta sancionadora, sin que el órgano judicial revisor pueda corregir la subsunción, considerando aplicado aquél que debió serlo por el órgano administrativo, por prever la conducta infractora, y no lo fue (109).

7. TIPICIDAD EN LA ADMINISTRACIÓN LOCAL

Respecto de la Ordenanzas en la Administración local (110) tienen, por ministerio de la legislación que regula este ámbito, una función de ley de cobertura para la tipificación de infracciones y el establecimiento de sanciones por medio de ordenanzas en determinadas materias. Esta habilitación se produce siempre en defecto de normativa sectorial específica, para la adecuada ordenación de las relaciones de convivencia del interés local y del uso de sus servicios, equipamientos, infraestructuras y espacios públicos, por el incumplimiento de deberes, prohibiciones o limitaciones contenidos en las correspondientes ordenanzas.

Por lo general las infracciones de las Ordenanzas locales se clasifican en muy graves, graves y leves.

1. Son muy graves las infracciones que suponen:

Una perturbación relevante de la convivencia que afecta de manera grave, inmediata y directa a la tranquilidad o al ejercicio de derechos legítimos de otras personas, al normal desarrollo de actividades de toda clase conformes con la normativa aplicables o la salubridad u ornato públicos, siempre que se trate de conductas no subsumibles en la Ley Orgánica 1/1992 de Protección de datos (111).

El impedimento del uso de un servicio público o de un espacio público por otra u otras personas con derecho a su utilización.

---

(108)   STS 30.5.2002.
(109)   STC 218/2005.
(110)   Ver artículo 140 de la Ley de Bases de Régimen Local.
(111)   El Régimen sancionador general sobre protección de datos se regula en el Capítulo IV de dicho texto legal.

El impedimento o la grave y relevante obstrucción al normal funcionamiento de un servicio público.

Los actos de deterioro grave y relevante de equipamientos, infraestructuras, instalaciones o elementos de un servicio público.

Los actos de deterioro grave y relevante de espacios públicos o de cualquiera de sus instalaciones y elementos, sean muebles o inmuebles, no derivados de alteraciones de la seguridad ciudadana.

2. Las demás infracciones se clasifican en graves y leves, atendiendo a la intensidad de la perturbación ocasionada en la tranquilidad o en el pacífico ejercicio de los derechos de otras personas o actividades, a la salubridad u ornato públicos, en el uso de un servicio o de un espacio público por parte de las personas con derecho a utilizarlos, en el normal funcionamiento de un servicio público. También, atendiendo a la intensidad de los daños ocasionados a los equipamientos, infraestructuras, instalaciones o elementos de un servicio o de un espacio público.

Salvo disposición legal distinta, las multas por infracción de las ordenanzas locales deben respetar las siguientes cuantías:

Infracciones muy graves: hasta 3.000 euros;

Infracciones graves: hasta 1.500 euros;

Infracciones leves: 750 euros.

Por lo que se refiere a los municipios de Barcelona (112), legalmente se determina la posible tipificación de infracciones y sanciones en materia de tráfico por medio de ordenanza, que puede extenderse igualmente a medidas cautelares. Cuando los hechos descritos sean considerados graves y reiterados, sin perjuicio de la imposición, en su caso, de la sanción que corresponda, podrá establecerse por tal medio la inmovilización cautelar del vehículo o ciclomotor, y la intervención del permiso o licencia de circulación del mismo, concediéndose al titular del vehículo un plazo de cinco días hábiles para que proceda a subsanar las deficiencias que motiven perturbaciones electromagnéticas, ruidos, gases y otros contaminantes.

8. PRINCIPIO DE SUPREMACÍA DEL ORDEN PENAL

La Ley establece que no podrán sancionarse los hechos que hayan sido sancionados, penal o administrativamente, en los casos en que se aprecie identidad

---

(112)   Ver artículo 18 de la Ley 1/2006 y 39 y siguientes de la Ley 22/2006.

entre el sujeto, hecho y fundamento (113) y es el principio de *non bis in idem* que examinaremos más adelante; pero es preciso plantear cual de los dos órdenes, penal o sancionador, tiene preferencia para conocer de los hechos cuando se plantee la concurrencia competencial. La primacía corresponde en cualquier caso al juez de lo penal, como el Tribunal Constitucional tiene declarado (114) del propio contenido de la Ley Orgánica del Poder Judicial (LOPJ) cuando limita el efecto suspensivo de la prejudicialidad penal sobre los demás procesos judiciales a los supuestos en que no pueda prescindirse de la sentencia penal para la debida decisión o que condicione directamente el contenido de ésta (115), puede concluirse su consecuente aplicabilidad al ámbito del procedimiento administrativo y en concreto al procedimiento sancionador (116). Dada la criminalización que el Código Penal impone a muchos ilícitos administrativos (117), la relación entre ambas jurisdicciones, penal y contencioso-administrativa, se sustenta tanto sobre el que sostiene que la competencia prejudicial incidental en materias de Derecho administrativo, en nuestro caso Derecho sancionador, corresponde al juez de lo penal siempre que no sean determinantes de la culpabilidad o inocencia; pero con la reserva de que la sentencia penal carece de la fuerza de la cosa juzgada en el orden jurídico-administrativo, sin que vincule, el posterior enjuiciamiento de los tribunales contencioso-administrativos, cuando la cuestión prejudicial sea determinante de la culpabilidad o la inocencia, el juez penal tiene la obligación de devolver o deferir el pronunciamiento previo de dicha cuestión a los tribunales contencioso-administrativos, decisión que vincula a la jurisdicción penal, la falta de esa devolución supondría una infracción de la constitución en lo que hace a la tutela judicial efectiva, que sería recurrible ante el Tribunal Constitucional (118).

Según este principio, no es posible, por aplicación de la prohibición sancionar dos veces la misma conducta, tramitar simultáneamente un proceso penal y un procedimiento administrativo sancionador contra el mismo sujeto y por los mismos hechos. En caso de que se tramite el primero, se ha de paralizar el segundo. A su vez en caso de que, iniciada la tramitación del procedimiento sancionador administrativo, el órgano instructor considere que los hechos investigados pueden alcanzar relevancia penal, debe deducir tanto de culpa al órgano jurisdiccional competente, absteniéndose de continuar el procedimiento.

Sólo cabe continuar o iniciar el procedimiento sancionador gubernativo en la medida en que el proceso se archive mediante sobreseimiento o se resuelva mediante sentencia absolutoria, aunque, en este último caso, con vinculación para

---

(113) Artículo 133 LRJ también artículo 178 LGT.
(114) STC 3.10.1983.
(115) Artículo 10.2 LOPJ.
(116) Artículo 7 Reglamento de Procedimiento para el Ejercicio de la Potestad Sancionadora.
(117) Infracciones tributarias, urbanísticas, medioambientales, de dopaje en el deporte, etc.
(118) Artículo 24.

el órgano administrativo a los hechos declarados probados por la resolución judicial (119).

La deducción del tanto de culpa es un deber inexcusable para el órgano administrativo actuante. En algún supuesto se ha considerado preferente la actuación administrativa sobre la vía penal atendido el criterio de la especialidad normativa.

9. EL PROBLEMA DE LA CULPABILIDAD

La LRJ dispone que solo pueden ser sancionadas, por hechos constitutivos de infracción administrativa, las personas físicas y jurídicas que resulten responsables de los mismos aún a título de simple inobservancia (120).

Toda responsabilidad derivada de la comisión de un ilícito ha de ser imputable y reprochable a su autor. El Tribunal Supremo ha declarado que como mínimo es exigible el concurso de un principio de culpa (121); en consecuencia en nuestro sistema no cabe una responsabilidad objetiva, por el mero hecho de una actuación ilícita (122). De esta forma, sólo pueden ser sancionadas, por hechos constitutivos de infracción administrativa, las personas físicas y jurídicas que resulten responsables de los mismos aún a título de simple inobservancia.

La conducta debe ser reprochable, al menos, a título de negligencia, lo que excluye que necesariamente deba concurrir como elemento subjetivo de lo injusto el dolo (123); basta con que se presencie la falta de una debida y básica diligencia (124), salvo que el elemento intencional sea elemento subjetivo del tipo.

El sujeto sancionado ha de ser penalmente capaz o imputable. En otro caso, no cabe exigir responsabilidad, por falta de culpa. En este sentido, procede la aplicación analógica de las circunstancias eximentes establecidas en la norma penal (125). Así, por ejemplo, la enfermedad psíquica que impida tener conciencia exacta de los actos propios, excluye la responsabilidad si se acredita adecuadamente. Pese al principio de responsabilidad subjetiva, en el sector de las infracciones urbanísticas la jurisprudencia más reciente tiende hacia su objetivación, poniendo el énfasis en la ilicitud del resultado:

---

(119) Artículo 137.2 LRJ, artículo 7 del Reglamento del Procedimiento para el ejercicio de la potestad sancionadora artículo 7 y LGT artículos 178 a 180.
(120) Artículo 130 LRJ.
(121) STS 29.5.1991.
(122) STC 246/1991 y STS 26.3.1986.
(123) En cualquiera de sus grados.
(124) STS 20.12.1996.
(125) Artículo 20 Código Penal.

El sistema sancionador en materia de urbanismo responde a normas singulares, en las que predomina la objetivación completa del hecho. En estos casos, no se tiene en cuenta el elemento subjetivo de la culpa, ni el del resultado, puesto que la frustración del fin del hecho, por intervención administrativa, puede influir en la graduación de la multa, pero no en la determinación de la base sobre la que la misma se calcula (126). La causa de la objetivación de la responsabilidad deriva del carácter de las obligaciones *propter rem*, que son definidas y conceptuadas por su vinculación a las cosas no a las personas (127). Por ello, la sanción por infracción urbanística no se puede eludir sucediéndose un titular a otro, realizándola en fases sucesivas, ya que la tangibilidad de la obra, su ostentación, es una denuncia permanente de lo hecho a espaldas de lo prevenido en la ordenación urbanística del sector.

Podría considerarse que, en el campo de la potestad sancionadora tributaria, las infracciones simples, por incumplimiento de deberes formales, también tienden en cierta medida a la objetivación. Sin embargo, debe concurrir en las conductas de referencia el necesario elemento intencional.

Por otra parte, la simple negligencia en este campo se ha definido no como un claro ánimo de defraudar, sino como un cierto desprecio o menoscabo de la norma, una laxitud en la apreciación en los deberes impuestos por la misma (128).

La peculiaridad expuesta en el caso de que la conducta infractora sea imputable a una entidad diversa a la persona física (129), ha llevado a matizar el Principio de culpabilidad en el sentido de que no cabe sancionar a la persona jurídica si por parte de la misma se han adoptado todas las medidas razonables para evitar la comisión de las infracciones en un sector dado. El círculo de personas naturales que puede generar con sus actos responsabilidad de la empresa no se limita a los directivos de la misma, sino que cualquier empleado o persona dependiente puede causar aquélla siempre que se cumplan los siguientes presupuestos:

— Actúa en el ámbito de sus funciones;

— Trata de beneficiar los intereses de la organización con sus actos;

— Media ratificación expresa o implícita o tolerancia de autoridad superior.

— Siendo discutible si es preciso el concurso, junto con la culpa de la persona jurídica como tal, la de la persona física que actúa en su nombre.

---

(126)   STS 21.3.1992.
(127)   STS 8.10.1985.
(128)   Ver artículo 77 Ley General Tributaria.
(129)   En un concepto de culpa de la organización.

Respecto de la prueba, la existencia de culpa y, por ello, de responsabilidad, requiere prueba de cargo suficiente, aportada por la Administración, en la que se acredite el componente objetivo de la infracción (130) y su elemento subjetivo (131), sin que el sancionado, por tanto, tenga la carga de acreditar su falta de culpabilidad (132). No se puede presumir conducta culposa o dolosa en función de las circunstancias concurrentes, al menos de manera automática. Sin embargo, en los supuestos en que la actividad probatoria de cargo se hubiera llevado a cabo en vía administrativa, con aportación por la Administración de elementos probatorios suficientes, en la vía judicial, que pueda tener lugar, posteriormente, será el administrado quien, con la correspondiente prueba realizada a petición suya, tenga que desvirtuar los elementos de prueba que fueron aportados en el procedimiento administrativo, para, de este modo, destruir la presunción de legalidad derivada del acto administrativo sancionador impugnado (133). Lo anterior debe compatibilizarse con el principio de facilidad en la aportación de pruebas, regla conforme a la cual, de acuerdo con el principio de buena fe, la parte a la que sea más sencillo o fácil probar un hecho determinado, tiene la carga formal de acreditarlo y, por tanto, en ella pesa la carga material o consecuencias negativas, en caso de falta de prueba (134).

Respecto a la exclusión de la culpabilidad, la jurisprudencia se ha pronunciado sobre causas o circunstancias que excluyen o pueden excluir la culpabilidad, entre ellas la interpretación razonable de la norma aplicable o la diferencia sostenible de criterio (135). Para valorar esta razonabilidad ha de atenderse a las condiciones o circunstancias del sujeto intérprete afectado y al grado de claridad de la disposición; sobre todo, en materia tributaria, cuando dicha interpretación razonable se acompaña de amplitud y veracidad en las declaraciones presentadas (136). La complejidad normativa en ciertas materias, así como la complejidad técnica que la normativa de aplicación pueda tener para personas legas en la materia, circunstancias que pueden inducir a error en el administrado (137).

La vigencia de normas novedosas y sin precedentes, así como la ausencia de criterios jurisprudenciales sobre las mismas. La existencia de resoluciones contradictorias sobre una materia, salvo que se haya fijado doctrina por el Tribunal Supremo. No obstante, si la fijación de doctrina por dicho Tribunal se produce poco antes (138) de realizarse la conducta que constituye el elemento objetivo de

(130)   Es decir la comisión efectiva de la actuación infractora.
(131)   La culpabilidad efectiva del sancionado.
(132)   STS 5.11.1998.
(133)   STS 23.11.1992.
(134)   STS 19.2.1990.
(135)   Entre otras las SSTS de 22.9.1990, 5.9.1991.
(136)   STS 13.10.1989.
(137)   STC 150/1990 y STS 23.10.2001.
(138)   Por ejemplo unos meses antes.

la infracción, puede no apreciarse culpa (139). El concurso de error de derecho o el error aritmético o de hecho en operaciones complejas (140); el concurso de estado de necesidad o de fuerza mayor (141). La existencia de precedentes administrativos que aplican el criterio seguido por el interesado en su actuación. La proliferación de recursos contra la norma que resulte aplicable. La realización de conductas que pongan de manifiesto la buena fe del presunto infractor, valoradas junto con las circunstancias del caso (142); en caso de contratación irregular de trabajadores extranjeros, los intentos repetidos previos del empresario de contratar mano de obra regular.

10. PRESUNCIÓN DE INOCENCIA EN DERECHO SANCIONADOR

El principio de presunción de inocencia está proclamado en la constitución y recogido en diversas disposiciones de nuestro ordenamiento jurídico (143). Como ha declarado el Tribunal Constitucional, la presunción de inocencia supone que los procedimientos administrativos sancionadores deben respetar la presunción de no existencia de responsabilidad administrativa en tanto que no se demuestre lo contrario: la presunción de inocencia rige sin excepción en el ordenamiento sancionador garantizando el derecho a no sufrir sanción que no tenga fundamento en un actividad probatoria previa sobre la cual el órgano competente pueda fundamentar un juicio razonable de culpabilidad (144).

Este principio goza de la condición y protección propia de un derecho fundamental. Rige sin excepciones en el ordenamiento sancionador y ha de ser respetada en la imposición de cualquier sanción, ya sea penal o administrativa (145), pues el ejercicio del derecho sancionador, en sus diversas manifestaciones, está condicionado al juego de la prueba y a un procedimiento contradictorio en el que puedan defenderse las propias posiciones. Conforme a este principio, no puede imponerse sanción alguna en razón de la culpabilidad del imputado si no existe una actividad probatoria de cargo, que, en la apreciación de las autoridades u órganos llamados a resolver, destruya esa presunción. En este sentido, comporta las siguientes consecuencias:

a) Que la sanción ha de estar basada en actos o medios probatorios de cargo o incriminaciones de la conducta reprochada;

---

(139)   SSTS 17.2.1987 y 12.9.1997.
(140)   STS 7.7.1997.
(141)   STS 3.12.1991.
(142)   STS 16.3.1986.
(143)   Ver artículo 24 CE, art. 24.2 LRJ, artículo 8 del Reglamento del procedimiento para el ejercicio de la potestad sancionadora aprobado por Real Decreto 1398/1993 y el artículo 137 de la Ley General Tributaria (LGT).
(144)   SSTC 138/1990 y 212/1990.
(145)   STC 13/1981.

b) Que la carga de la prueba corresponde a quien acusa, sin que nadie esté obligado a probar su propia inocencia; y

c) Que cualquier insuficiencia en el resultado de las pruebas practicadas, libremente valorado por el órgano sancionador, debe traducirse en un pronunciamiento absolutorio (146).

La presunción de inocencia implica el derecho de no autoinculpación, que comprende el derecho a no aportar documentos que puedan inculpar al interesado (147). Incluso, se afirma el derecho del interesado a mentir en el procedimiento sancionador (148).

La destrucción de la presunción de inocencia exige que la resolución sancionadora contenga un denominado juicio de culpabilidad. Este juicio de culpabilidad debe contener la imputación subjetiva, la tipificación y antijuridicidad, el grado de culpabilidad y la sancionabilidad. Además, en caso de invocación de causa de exclusión de culpabilidad, ha de justificarse su rechazo (149).La resolución que destruya la presunción de inocencia tiene que dictarse efectivamente y contar con firma manuscrita del titular o de los titulares del órgano sancionador, bajo pena de nulidad o inexistencia, sin perjuicio de que se admitan los actos colectivos (150), respecto de los cuales la doctrina de los tribunales superiores de justicia es contradictoria.

Son compatibles con la presunción de inocencia las medidas cautelares, acordadas en el procedimiento, o antes de su incoación, por el órgano competente con el fin de asegurar la efectividad de la resolución que, en su caso, recaiga (151). No obstante, si se consideran excesivas, tendrían alcance punitivo en cuanto al exceso (152). Asimismo, la fuerza ejecutiva de las sanciones no lesiona el principio de presunción de inocencia (153).

11. DINÁMICA DE LA PRESUNCIÓN DE INOCENCIA EN DERECHO SANCIONADOR

Las pautas de funcionamiento de la presunción de inocencia en el ámbito del derecho administrativo son las siguientes:

---

(146)   Ver SSTC 76/1990 y 109/1986.
(147)   Sentencia Tribunal Europeo de Derechos Humanos de 24.2.1994.
(148)   STC 118/2004.
(149)   STS 23.10.1989.
(150)   Artículo 55 LRJ y artículo 55 del Reglamento sancionador en materia de tráfico, circulación de vehículos a motor y seguridad vial, en su redacción actual.
(151)   Artículo 72 LRJ.
(152)   SSTC 66/1984 y 108/1984.
(153)   STS 23.2.1984.

a) Los procedimientos sancionadores incoados han de partir de y respetar la presunción de no existencia de responsabilidad administrativa, mientras no se pruebe lo contrario; lo que significa que la prueba de cargo ha de ser aportada por la Administración.

Esto no significa que en este campo no rija la presunción de legalidad del acto administrativo sancionador, sino que se contrae a desplazar sobre el sancionado en vía administrativa la carga de accionar contra el acto sancionador. Si no se recurre y deviene firme, deberá pasarse por él. En caso de recurso, corresponde la prueba de cargo a la administración pública sancionadora (154).

b) Los hechos declarados probados por resoluciones judiciales firmes del orden penal vinculan a la administración instructora de los expedientes sancionadores.

c) Se presume la certeza de los hechos constatados por funcionarios públicos a quienes se reconozca la condición de autoridad y que se formalicen en documento público (155). Sobre esta presunción, hay que precisar que debe entenderse sin perjuicio de las pruebas que el expedientado pueda aportar en defensa de sus derechos; no supone una inversión de la carga de la prueba, sino que los citados documentos son un medio de prueba de cargo, medio que no es incompatible con, ni excluyente de, otros medios de prueba, respecto de los cuales no tiene valor preferente (156). El principio de presunción de inocencia es totalmente compatible con el derecho a la tutela judicial efectiva (157).

Sólo se produce el efecto en caso de que los documentos estén correctamente levantados, con las formalidades y requisitos legales; y sólo respecto de los aspectos fácticos directamente constatados por el actuario o funcionario actuante (158). En otro caso, los documentos no pasan de tener la fuerza de documento privado o de otro medio más de prueba. Por otra parte, la valoración conjunta de la prueba puede arrojar resultado contrario al contenido de tales documentos. El contenido de estos documentos no es indiscutible, no excluye otros medios de prueba y no es de valor superior o preferente a los mismos.

Hay que tener en cuenta que el Tribunal Supremo tiene declarado que los informes oficiales no son documentos públicos y no gozan de presunción de veracidad, con efecto de prueba de cargo, sino que constituyen un material probatorio

---

(154)   STC 14/1997.
(155)   Ver artículos: 1216 del Código Civil; 99 y 153 de la LGT; 52 y 53 del Texto Refundido sobre Infracciones y Sanciones en el Orden Social aprobado por Real Decreto Legislativo 5/2000 y artículo 76 del texto articulado de la Ley sobre Tráfico, Circulación de vehículos a motor y Seguridad Vial, aprobado por Real Decreto Legislativo 339/1990.
(156)   SSTS 27.4.1998 y 14.91998.
(157)   Artículo 24 CE.
(158)   SSTS 10.3.1994 y 28.9.1995.

igual al resto del expediente, que se incorpora al mismo y que como tal ha de valorarlo (159). El hecho de que el denunciante no tenga en sentido estricto condición de funcionario público o autoridad, no resta presunción de certeza a los hechos constatados en sus denuncias, si aquel desempeña una función pública. Es el caso de los guardias fluviales de las Confederaciones hidrográficas o de los veedores de los consejos reguladores de denominaciones de origen (160). La fuerza probatoria de las actas levantadas por los inspectores del Consejo regulador de la denominación de origen (161), que tienen la consideración legal de documentos públicos, no requiere de la presencia o conformidad del interesado y se extiende a los cálculos matemáticos contrastables contenidos en las mismas (162).

d) En lo que se refiere a la práctica de la prueba, tanto de oficio como a instancia de parte, para la determinación de los hechos y de las posibles responsabilidades, el órgano instructor puede rechazar aquellos medios probatorios que resulten impertinentes cuando, por su relación con los hechos, no puedan alterar la resolución final a favor del presunto responsable. El derecho a la prueba no es absoluto, sino relativo, no extensible a que se practiquen aquéllas pruebas impertinentes o no influyentes en el resultado del proceso o del procedimiento (163).

Para que la denegación de medios de prueba en vía administrativa pueda conducir a la nulidad del expediente es necesario que se produzca una situación de indefensión, lo que no se suele considerar que suceda en caso de posibilidad de proceso jurisdiccional, en el que cabe proponer y practicar la prueba conveniente (164). Para que la denegación lesione el derecho a la defensa es precisa la pertinencia de la prueba no practicada, su relevancia y, esencialmente, la causación de un resultado de indefensión al proponente. Corresponde al instructor del expediente discernir si las pruebas propuestas son de utilidad para el esclarecimiento de los hechos (165). La Administración posee amplia libertad para decidir sobre los hechos que se pretenden probar y si son pertinentes o no los medios de prueba propuestos.

---

(159)   SSTS 15.6.1983 y 28.9.1987.
(160)   SSTSJ de La Rioja 20.11.2000 y 15.6.2001 derivadas de procesos derivados de actuaciones y procedimientos sancionadores del Consejo Regulador de la Denominación de Origen Rioja.
(161)   Los consejos reguladores de denominaciones de origen son entidades que desempeñan funciones y potestades públicas por delegación de la Administración de la Comunidad Autónoma o del Estado en caso de que abarquen un ámbito que implique a más de una Comunidad Autónoma.
(162)   SSTS 21.10.2001 y 12.12.2001.
(163)   STC 50/1982.
(164)   STS 13.11.1989.
(165)   SSTS 4.3.1997 y 9.5.1998.

e) Las pruebas practicadas de oficio por la administración deben ponerse en conocimiento del presunto infractor en el curso del procedimiento, pues lo contrario puede generar indefensión.

f) El material probatorio sólo puede destruir la presunción de inocencia cuando se haya aportado con las debidas garantías (166). En este sentido, los expedientes sancionadores remitidos a la jurisdicción, con ocasión de recurso contencioso-administrativo, deben ser originales o copias con cotejo de autenticidad, careciendo de valor en otro caso.

12. PRUEBA POR INDICIOS

Prueba indiciaria. Es admisible la prueba indiciaria, también denominada indirecta o de presunciones, siempre que no se base en meras conjeturas o juicios de valor, como suficiente para destruir la presunción de inocencia (167).

La utilización de un sistema indirecto de prueba es, generalmente, la única posibilidad cuando se trata de valorar y acreditar comportamientos fraudulentos, en los que el componente subjetivo o intelectual, es decir la intención de defraudar, es un elemento decisivo para apreciar la existencia de infracción.

Como reglas de aplicación de este medio de prueba pueden señalarse las siguientes:

a) Es precisa la existencia de un elemento o dato objetivo, que es el constituido por el hecho base, que ha de estar suficientemente acreditado.

b) La operación que lleva al hecho-consecuencia es tanto más correcta cuanto más llano y coherente sea el camino del hecho-base a la conclusión. En este sentido, se habla, del rechazo de la incoherencia, de la irrazonabilidad, como límite tope de la admisibilidad de la presunción como prueba. Se considera que no existe tal prueba si no se exterioriza, razonándolo, el nexo causal, es decir si aparece sólo como una apreciación en conciencia, pero inmotivada, por el órgano administrativo o por el juzgador (168).

c) Además, para valorar el juego de la presunción, ha de tenerse en cuenta la realidad imperante en el sector de que se trate (169).

No se trata de que el órgano administrativo o judicial refleje en el acto sancionador, o en la sentencia, los diversos momentos de su razonamiento (170).

---

(166)   STS 17.5.1990.
(167)   STS 25.5.2000.
(168)   SSTC 220/1998 y 117/2000.
(169)   STS 11.4.1995.
(170)   STC 174/1985.

Tampoco el análisis de la motivación de la prueba puede recaer sobre extensión, cuantificación argumental o calidad literaria. Por otra parte no resulta admisible que se tenga por prueba de presunciones lo que no es más que una mera sospecha o apariencia (171).

13. EL PRINCIPIO *NON BIS IN IDEM*

El principio *non bis in idem* también está proclamado en la constitución y recogido en diversas disposiciones de nuestro ordenamiento (172). Según este principio, en su aplicación a la potestad sancionadora de la administración, no pueden sancionarse los hechos que hayan sido sancionados penal o administrativamente, en los casos en que se aprecie identidad del sujeto, hecho y fundamento. Impone evitar la duplicidad de sanciones por los mismos hechos (173). Este principio se configura como un derecho fundamental del sancionado, protegido por recurso de amparo y está íntimamente vinculado a los principios de legalidad y de tipicidad de las infracciones (174).

14. SUPUESTOS DE APLICACIÓN

La exclusión de duplicidad se produce en los siguientes supuestos:

Entre sanciones penal y administrativa. Una vez impuesta una de ellas, cualquiera que sea la primera en recaer, queda radicalmente excluida la segunda; incluso en caso de que la sanción impuesta primero sea la gubernativa (175). Para evitar esta situación, el principio de supremacía del orden penal determina la paralización del procedimiento administrativo sancionador y la remisión de actuaciones a la jurisdicción criminal. Sin embargo, en caso de que no se realice tal paralización y remisión, recayendo sanción administrativa, queda excluida la sanción penal posterior. No obstante, la anterior tesis se ha matizado por, que ha entendido, que la previa sanción administrativa no debe excluir siempre la penal posterior, sino que lo que se proscribe es la efectiva duplicación de sanciones que constituya el exceso punitivo materialmente prohibido por la Constitución (176). De esta forma no se excluye el doble reproche aflictivo, sino la reiteración sancionadora de los mismos hechos con el mismo fundamento padecida por el mismo sujeto, lo que supone una rectificación de la doctrina precedente, que entendía que la mera declaración de la sanción infringe el derecho fundamental. En con-

---

(171)   STC 16/1986 y STS 18.11.1996.
(172)   Ver artículos 25 CE; 133 LRJ, 5 del Reglamento del Procedimiento para el Ejercicio de la Potestad Sancionadora y 133 LGT.
(173)   STC 2/1981.
(174)   SSTC 3/1990 y 177/1999.
(175)   STS 7.4.1999.
(176)   Artículo 25 CE.

secuencia, en un supuesto de actuación administrativa irregular que no suspende el procedimiento administrativo sancionador sobre el que pendan diligencias penales, se ha considerado conforme a la Constitución la sentencia penal que descuenta de la pena la multa administrativa impuesta y la duración de la retirada del carnet de conducir, pues no ha tenido lugar efectiva duplicación de la sanción prohibida por la Constitución (177). El Tribunal Constitucional también ha declarado que es de aplicación tanto entre dos o más sanciones administrativas derivadas de procedimientos distintos, como entre dos o más sanciones gubernativas derivadas del mismo procedimiento sancionador, salvo que sean sanción accesoria y principal (178).

15. SUPUESTOS DE INAPLICACIÓN

Sin embargo, el principio no es de aplicación porque no se produce duplicidad de sanciones en diversos supuestos:

a) En casos en que unos mismos hechos lesionen diversos bienes jurídicos protegidos por normas sectoriales diferentes. Cuando el ordenamiento jurídico establece una dualidad de procedimientos en los que ha de producirse un distinto enjuiciamiento y calificación del hecho, éstos se desarrollan con independencia, siempre que vengan fundados en la aplicación de normativas diferentes (179). Esta situación suele producirse en casos de administrados sometidos a relaciones de sujeción especial, como, por ejemplo, sanciones administrativas y disciplinarias, en caso de funcionarios públicos.

Para considerar justificada una doble sanción a un sujeto por los mismos hechos han de concurrir las siguientes circunstancias:

No basta la dualidad de normas, sino que es preciso que las mismas contemplen el hecho desde la perspectiva de relaciones jurídicas diferentes entre administración pública y sancionado, protegiendo bienes jurídicos distintos.

La existencia de una relación de sujeción especial no es suficiente, pues en tales relaciones los sujetos no están privados de sus derechos fundamentales. Es preciso que exista un interés protegido distinto y que se respete el principio de proporcionalidad (180).

Asimismo, la conducta del sujeto debe haberse producido en razón de sus sometimientos a una sujeción especial, como el funcionario público actuando en

---

(177)   STC 2/2003 y 224/2005.
(178)   SSTC 94/1986 y 154/1990.
(179)   SSTS 21.2.1984 y 17.5.1999.
(180)   STC 294/1991 y STS 30.5.2000.

ejercicio de su cargo, no en su mera condición de ciudadano, salvo que la conducta redunde negativamente en su función.

b) Cuando los hechos sancionables son diferentes (181).

c) Cuando se produce la prescripción de los plazos administrativos para sancionar, lo cual no impide la sanción penal.

d) Cuando las medidas tendentes a restaurar la legalidad infringida son compatibles con la sanción que se imponga, pues carecen de carácter sancionador. Estas medidas son netamente diferentes de las sancionadoras, de forma que están desvinculadas entre sí, pudiendo ser aplicadas de forma independiente sin vulnerar el principio *non bis in idem* (182).

En relación con este supuesto, hay que tener en cuenta que las órdenes de ejecución no son sanciones (183). Tampoco es sanción, y puede concurrir en su caso con ella, la caducidad de una concesión o la revocación de una autorización, como títulos habilitantes de una actuación o uso determinado (184).

e) Pueden ser compatibles las sanciones principales y accesorias (185). En cambio, las medidas cautelares adoptadas antes de que recaiga la resolución sancionadora no están excluidas por el principio en estudio (186).

Los administrados se encuentran frente a la administración pública en situación de sujeción general, como simples particulares, cuando no concurre un título especial, sino el carácter general, de sometimiento a la Administración. Están en situación de sujeción especial en caso de sumisión especial por virtud de título concreto no concurrente en el común de los administrados (187).

Se ha considerado lesionado el principio «no bis in ídem» en un caso de imposición a un funcionario de policía, por los mismos hechos, de una sanción penal por cohecho y de una disciplinaria de separación del servicio (188).

Las infracciones administrativas que engloban una pluralidad de actos entre los que existe conexión de causa-efecto (189), se sancionan con una única pena-

---

(181)   Ver STS 16.11.1994.
(182)   STS 4.12.1990.
(183)   STS 6.6.1998.
(184)   Ver artículos 95.2 Ley 22/1998 de Objeción de conciencia y prestación social sustitutoria y 168 del reglamento de Dominio Público Hidráulico en su redacción actual.
(185)   STC 76/1990.
(186)   Artículo 72 LRJ.
(187)   Administrados cualificados como por ejemplo funcionarios públicos, concesionarios, reclusos, etc. SSTS 21.6.2000 y 3.7.2000.
(188)   STS 12.6.1998.
(189)   Por ejemplo en los casos de parcelaciones ilegales en materia de urbanismo.

lidad, pues en caso contrario, su sanción por separado atentaría al principio *non bis in ídem*. Sobre estos tipos únicamente puede imponerse la sanción asignada a la actuación que suponga el resultado final perseguido (190). En supuestos de coautoría o concurso de varios sujetos responsables, la imposición de sanción a cada uno no viola el principio analizado (191).

En materia de regulación municipal de estacionamiento de vehículos, la exigencia de un precio público o tasa no impide que el aparcamiento indebido en zonas reguladas se considere como infracción administrativa, con la correspondiente sanción (192).

Es problemática La resolución de supuestos en los que se imponen dos sanciones conexas suele dar problemas en la práctica profesional es el caso de que se imponga una sanción administrativa a una sociedad, y otra sanción penal al administrador responsable de la sociedad. En Estos supuestos no se vulnera el principio *non bis in ídem* en caso de sanción administrativa a la sociedad por infracción de la legislación sancionadora del orden social y una sanción penal al administrador por la comisión de un delito de naturaleza laboral (193). En cambio el Tribunal Constitucional ha declarado que, en un caso de sanción administrativa por vertidos a una persona jurídica y sanción penal a su administrador por delito medioambiental, el principio *non bis in idem* resulta vulnerado (194).

Ante varias sanciones impuestas al mismo sujeto por los mismos hechos, no ha considerado infringida la regla en estudio, por responder cada una a lesiones de distintos bienes jurídicos protegidos. La conducta puede resumirse resume en el abandono de servicio por un miembro de las Fuerzas y Cuerpos de Seguridad de Estado, en estado ebrio, que conduciendo un automóvil atropella a un particular; las sanciones que se impusieron fueron: una condena penal por los delitos de imprudencia temeraria con resultado de lesiones y de daños en concurso real con otro de omisión de socorro (195); sanción disciplinaria leve por ocasionar accidente de circulación; condena penal militar por abandono de servicio; sanción de separación del servicio (196).

La jurisprudencia del Tribunal de Justicia de la Unión Europea ha negado que se viole el principio estudiado en caso de concurrencia de sanciones comunitaria

---

(190)   STS 1.6.1988.
(191)   STC 129/2002.
(192)   STS 15.7.1986.
(193)   El título XV del Código Penal recoge los delitos contra los derechos de los trabajadores, artículos 311 a 318.
(194)   STC 177/1999.
(195)   Artículos 565, 420 y 563 del Código Penal vigente 1973.
(196)   Ver artículos 7 Ley Orgánica 11/1991 de Régimen disciplinario de la Guardia Civil, 144 del Código Penal Militar y STC 180/2004.

y nacional por la misma conducta en materia de competencia, puesto que el bien jurídico protegido es diferente en ambos casos: la sanción del Derecho comunitario reprime el daño generado a los objetivos de la infracción en el mercado interior o nacional. En tales supuestos, se tramitan dos procedimientos distintos que han de coordinarse. Para ello, el órgano interno competente podrá aplazar la resolución del procedimiento si se acredita que está siguiendo un procedimiento por los mismos hechos ante órganos comunitarios europeos, alzándose la suspensión cuando recaiga resolución firme de éstos.

16. SANCIONES Y MULTAS COERCITIVAS

En el tema de la sanción y la reparación civil o multas coercitivas, cuya compatibilidad el ordenamiento reconoce, no juega el principio *non bis in idem*, dado que obedece a motivaciones diferentes. La sanción tiene unos fines específicos como reprobación, prevención, ejemplificación por la conducta infractora, mientras que las medidas reparadoras están llamadas a retribuir, a compensar a las víctimas de ilícito, penal o administrativo (197). La imposición de una multa adicional después de haber impuesto una de carácter sancionador no infringe el principio *non bis in idem*, porque se trata de una medida de naturaleza diferente, porque las multas coercitivas impuestas para forzar el cumplimiento de mandatos administrativos no tienen carácter sancionador. Son diferentes (198). Por su parte, las medidas tendentes a restaurar la legalidad infringida son netamente diferentes de las sancionadoras, de forma que están desvinculadas entre sí, pudiendo ser aplicadas de forma independiente sin vulnerar el principio *non bis in idem*. De este modo carecen de carácter sancionador, las órdenes de ejecución; la caducidad de concesión o la revocación de una autorización, como títulos habilitante de actuación o uso determinado (199).

El Tribunal Constitucional ha declarado que el principio *non bis in idem* actúa en nuestro Estado de Derecho con diversas bases de actuación como el control jurisdiccional de la actividad administrativa sancionadora; el rechazo de la simultaneidad de procedimientos en los ámbitos penal y administrativo y la vinculación a la Administración de lo actuado por la jurisdicción (200).

17. PRINCIPIO DE PREVALENCIA DEL ORDEN PENAL

El principio de prevalencia de la jurisdicción penal opera en este campo con una doble finalidad garantizadora que se traduce en:

---

(197)   STS 16.12.1987.
(198)   SSTS 10.7.1984 y 20.10.1992.
(199)   Ver SSTS 4.12.1990 y 6.6.1998.
(200)   SSTC 77/1983 y 10/1988.

a) Un primer aspecto instrumental, cronológico o de prioridad temporal. Si la Administración pública aplica su potestad sancionadora en un expediente en el que se pone de manifiesto la posible tipificación, como delito o falta penal, de la conducta reprochada, debe paralizar el procedimiento administrativo, cualquiera que sea la fase procedimental en que se encuentre, para remitir a la jurisdicción penal los hechos a efectos de su eventual enjuiciamiento en dicha sede e impedir, precisamente, que ésta sancione algo administrativamente que puede constituir infracción penal y que ha de ser enjuiciada por quien tiene competencia exclusiva para ello: el orden jurisdiccional penal.

b) Un segundo aspecto sustantivo de la proclamada prevalencia. Dictada sentencia penal absolutoria, la Administración que reanude el expediente sancionador queda vinculada por los hechos probados declarados por aquélla (201).

18. OTROS ASPECTOS DEL PRINCIPIO *NON BIS IN IDEM*

a) La garantía de no ser sometido a bis in ídem en su vertiente material, impide sancionar en más de una ocasión el mismo hecho con el mismo fundamento, de modo que la reiteración sancionadora constitucionalmente proscrita puede producirse:

Mediante la sustanciación de una dualidad de procedimientos sancionadores, abstracción hecha de su naturaleza penal o administrativa; o en el seno de un procedimiento único procedimiento de lo cual se deriva que la falta de reconocimiento del efecto de cosa juzgada puede ser el vehículo a través del cual se ocasione, pero no es requisito necesario para su producción (202).

b) En relación con la garantía consistente en la interdicción de un doble proceso penal con el mismo objeto, se prevé la imposibilidad de proceder a un nuevo enjuiciamiento penal si el primer proceso ha concluido con una resolución de fondo con efecto de cosa juzgada, ya que en el ámbito de lo definitivamente resuelto por un órgano judicial no cabe iniciar, a salvo del remedio extraordinario de la revisión y el subsidiario del amparo constitucional, un nuevo procedimiento. Si así se hiciera se menoscabaría, sin duda, la tutela judicial dispensada por la anterior decisión firme, pues, además, con ello se arroja sobre el reo la carga y la gravosidad de un nuevo enjuiciamiento que no está destinado a corregir una vulneración en su contra de normas procesales con relevancia constitucional (203).

Tampoco cabe reabrir un proceso penal que ha terminado con una sentencia firme condenando por la realización de un hecho calificado de falta, con la pre-

---

(201)   Artículo 137 LRJ y 7.3 REPOSA.
(202)   Entre otras SSTC 66/1986 y 154/1990.
(203)   STC 159/1987.

tensión de que el mismo se recalifique como delito, pues ello vulneraría la cosa juzgada y la prohibición de incurrir en bis in ídem (204). Hasta el presente el alto Tribunal sólo ha reconocido de manera expresa autonomía al derecho a no ser sometido a un doble procedimiento sancionador cuando se trata de un doble proceso penal, de modo que la mera coexistencia de procedimientos sancionadores, administrativo y penal, que no ocasiona una doble sanción no ha adquirido relevancia constitucional en el marco de este derecho (205).

c) También se ha dotado de relevancia constitucional a la vertiente formal o procesal de este principio. Se concreta en la regla de la preferencia o precedencia de la autoridad judicial penal sobre la Administración respecto de su actuación en materia sancionadora en aquellos casos en los que los hechos a sancionar puedan ser, no sólo constitutivos de infracción administrativa, sino también de delito o falta según el Código Penal. Si bien la Constitución no ha excluido la existencia de una potestad sancionadora de la Administración, sino que la ha admitido (206), dicha aceptación se ha efectuado sometiéndole a las necesarias cautelas, que preserven y garanticen los derechos de los ciudadanos. Entre los límites que la potestad sancionadora de la Administración encuentra en la Constitución se declaró la necesaria subordinación de los actos de la Administración de imposición de sanciones a la autoridad judicial. De esta subordinación derivan tres exigencias:

1) Necesario control judicial de los actos administrativos mediante recurso.

2) Imposibilidad de que los órganos de la Administración lleven a cabo actuaciones o procedimientos sancionadores, en los casos en que los hechos puedan ser constitutivos de delito o falta, mientras la autoridad judicial no se haya pronunciado sobre ellos.

3) Necesidad de respetar la cosa juzgada (207).

Para que se entienda vulnerado el principio *non bis in ídem* la normativa exige una dualidad de sanciones, administrativas ambas o penales y administrativas, por idénticos sujeto, hechos y fundamento. Debe resaltarse el cambio de criterio operado por el Tribunal Constitucional respecto de dos pronunciamientos (208), en que sostuvo que la declaración efectuada por los órganos judiciales penales relativa a la existencia de la triple identidad, hechos, sujeto y fundamento, no puede ser cuestionada por el Tribunal Constitucional y constituye el obligado punto de partida para el examen de la vulneración del principio de *non bis in idem*. Sin embargo, esta doctrina ha sido modificada, dado que la triple identidad constituye

---

(204)   STC 1001/1987.
(205)   SSTC 98/1989, 413/1990.
(206)   Artículo 25 CE.
(207)   STC 77/1983.
(208)   SSTC 177/1999 y 152/2001.

el presupuesto de aplicación de la interdicción constitucional de incurrir en bis in ídem, y delimita el contenido de los derechos fundamentales reconocidos por la Constitución (209), ya que éstos no impiden la concurrencia de cualesquiera sanciones y procedimientos sancionadores, ni siquiera si éstos tienen por objeto los mismos hechos, sino que estos derechos fundamentales consisten en no padecer una doble sanción y no ser sometido a un doble procedimiento punitivo, por los mismos hechos y con el mismo fundamento (210).

Respecto a la Identidad de sujeto. El sujeto-administrado interesado en los procesos o procedimientos, judiciales o administrativos, debe ser el mismo, resultando irrelevante, con independencia del título de culpabilidad que se le oponga o de que haya resultado sancionado en un procedimiento solidariamente con otros y en el siguiente resulte imputado individualmente.

En relación con la identidad de los hechos (211), el aspecto beligerante es el que afecta a los hechos constitutivos de la infracción. Quedan desvalorizados los hechos que rodean a la perpetración del ilícito, pero que no configuran su núcleo. No se produce duplicidad de sanciones cuando los hechos sancionables son diferentes (212).

En relación con la Identidad de fundamentos, la mayoría de la doctrina considera que la identidad causal o de fundamentos se predica de la semejanza entre los bienes jurídicos protegidos por las distintas normas sancionadoras o entre los intereses tutelados por ellas. Si los bienes jurídicos afectados por un mismo hecho resultan heterogéneos, existirá diversidad de fundamento; mientras que si son homogéneos, no procederá la doble punición aunque las normas jurídicas vulneradas sean distintas. La línea interpretativa para esclarecer esta cuestión es que, para que la dualidad de sanciones, penal y administrativa, por un mismo hecho, sea constitucionalmente admisible, es preciso que la normativa que la impone pueda justificarse porque contempla los mismos hechos desde la perspectiva de un interés jurídicamente protegido que no es el mismo que la sanción de penal intenta salvaguardar y que la sanción sea proporcionada a dicha necesidad de protección adicional (213).

19. IMPROCEDENCIA DE SANCIONES GLOBALES

Es regla general que cada conducta constitutiva de infracción ha de ser sancionada autónomamente, sin que sea posible, a salvo de precisión legal específica,

---

(209)   Artículo 25.1 CE.
(210)   STC 3/2003.
(211)   Artículos 129 y 130 LRJ.
(212)   STS 16.11.1964.
(213)   STC 234/1991.

la imposición de sanciones globales o conjuntas por la totalidad de hechos cometidos, sin perjuicio de la apreciación de infracciones continuadas, cuando ello sea posible. Así sucede, por ejemplo, en el ámbito tributario, en caso de que se proceda a la comprobación de la situación fiscal de un sujeto pasivo, relativa a varios ejercicios sucesivos, normalmente, todos los que no están prescritos. En tal caso, las sanciones, multas proporcionales, impuestas en el procedimiento o procedimientos sancionadores autónomos que se inicie, se han de aplicar tomando como base el resultado que arroje cada ejercicio, sin proceder a computar todos ellos conjuntamente. De igual modo, en caso de que la comprobación arroje saldo favorable al sujeto pasivo en algún ejercicio, no se debe tomar en consideración para reducir la base de cálculo de la sanción en los restantes.

20. JURISPRUDENCIA EUROPEA Y CONSTITUCIONAL

El Tribunal Constitucional tiene declarado el alcance otorgado a la interdicción de incurrir en bis in ídem, en cuanto comprensiva tanto de la prohibición de la aplicación de múltiples normas sancionadoras, como de la proscripción de ulterior enjuiciamiento, cuando el mismo hecho ha sido ya enjuiciado en un primer procedimiento en el que se ha dictado una resolución con efecto de cosa juzgada. Coincide en lo sustancial con el contenido asignado en los Convenios internacionales sobre Derechos humanos (214).

Existen instrumentos internacionales que corroboran la posición del alto Tribunal, así el Pacto internacional de derechos civiles y políticos, dispone que nadie deberá ser juzgado ni sancionado por un delito por el cual haya sido ya condenado o absuelto por una sentencia firme de acuerdo con la ley y el procedimiento penal de cada país (215). Por otra parte el Protocolo 7, del Convenio Europeo de Derechos Humanos (CEDH) (216), reconoce este derecho con un contenido similar. Lo dispuesto en él constituye un adecuado marco de referencia en cuanto expresivo de un modelo jurídico-constitucional común en nuestro entorno. A los efectos de la aplicación de las garantías del proceso justo del CEDH. El Tribunal Europeo de Derechos Humanos (TEDH) incluye dentro de los conceptos de infracción y sanción penal también las de carácter administrativo partiendo de un concepto sustantivo de la materia y no considerando relevante la denominación de la legislación en la que se encuentran. El TEDH, para considerar inaplicable la prohibición de bis in ídem, establece que no basta con que las infracciones aplicadas presenten diferencias, o que una de ellas represente sólo un aspecto parcial de la otra, pues la cuestión, que atañe a las relaciones entre los dos ilícitos aplicados, no limita su protección al derecho a no ser sancionado en dos ocasiones,

---

(214)   SSTC 2/2003 y 334/2005.
(215)   Vigente en España *(BOE* 3.4.1977), artículo 14.
(216)   No ratificado pero si firmado por España.

sino que la extiende al derecho a no ser perseguido penalmente. El TEDH afirma que el citado Protocolo (217) no se refiere al mismo ilícito, sino a ser perseguido o sancionado penalmente de nuevo por un ilícito por el cual ya ha sido definitivamente absuelto o condenado, de modo que si bien entiende que el mero hecho de que un solo acto constituya más de un ilícito no es contrario a este artículo, no por ello deja de reconocer que este artículo despliega sus efectos cuando un acto ha sido perseguido o sancionado penalmente en virtud de ilícitos sólo formalmente diferentes. También señala que existen casos en los que un acto, a primera vista, parece constituir más de un ilícito, mientras que un examen más atento muestra que únicamente debe ser perseguido un ilícito porque abarca todos los ilícitos contenidos en los otros. Por ejemplo: un acto que constituya dos ilícitos, uno de los cuales contenga precisamente los mismos elementos que el otro más uno adicional. Puede haber otros casos en los que los ilícitos únicamente se solapen ligeramente.

21. PRESCRIPCIÓN EN EL DERECHO SANCIONADOR

El ejercicio de la potestad sancionadora está sujeto con carácter fundamental, aunque la legalidad expresa no siempre lo indique, a un plazo de prescripción (218), lo que constituye una excepción a la regla general de validez de las actuaciones administrativas realizadas fuera del tiempo establecido.

En general, la producción de un acto más allá del plazo previsto legalmente es una mera irregularidad no invalidante (219), salvo que sea esencial a dicho acto su producción dentro del plazo, cual es el caso en materia de sanciones.

La fijación del plazo de prescripción no está sometida a reserva de ley, por lo que basta una mera norma reglamentaria para fijarlo (220). Hay que diferenciar entre prescripción de infracciones y prescripción de sanciones.

Respecto de las sanciones, el plazo de prescripción comienza a contarse desde el día siguiente a la firmeza de las mismas. No obstante, el cómputo señalado es de aplicación supletoria, esto es, cuando las normas reguladoras de cada ámbito sancionador no contengan otros especiales, lo cual es muy frecuente.

El principio de prescriptibilidad constituye un equilibrio entre las exigencias de la seguridad jurídica y las de justicia material, que ha de ceder a veces para permitir un adecuado desenvolvimiento de las relaciones jurídicas (221).

---

(217)   En su artículo 4.
(218)   STS 15.9.1989 ver artículo 132 LRJ y artículo 6 y 12 del Reglamento de Procedimiento para Ejercicio de la Potestad Sancionadora.
(219)   Artículo 63 LRJ.
(220)   STS 6.4.1990.
(221)   STC 157/1990.

La prescripción de la acción para exigir la reparación del daño causado con la infracción (222) y la de su realización, una vez fijado, es autónoma de la de la infracción y su sanción.

22. PRESCRIPCIÓN DE INFRACCIONES

Las infracciones prescriben según lo dispuesto en las leyes que las establezcan (223). No obstante, si éstas no fijan plazos de prescripción, se aplican los siguientes, con carácter general:

— Las infracciones muy graves prescriben a los tres años;

— Las graves a los dos años; y

— Las leves a los seis meses.

El plazo de prescripción de las infracciones comienza a contarse desde el día en que la potestad sancionadora puede ser ejercitada (224), esto es, desde el día en que se comete la infracción, que, normalmente, coincide con la fecha de finalización de la actividad o con la del último acto en que la infracción se consuma, por ejemplo en las infracciones continuadas. De este modo, el Tribunal Supremo tiene declarado que en los casos de infracción que consista en conductas u operaciones complejas de carácter continuado, similares al concurso real de delitos en el ámbito penal, el inicio del plazo prescriptivo debe estar referido a los actos finales y no a los iniciales (225). El plazo de prescripción no afecta a las infracciones imprescriptibles. La imprescriptibilidad es propia de ámbitos en los que el interés público en el mantenimiento de la legalidad es manifiesto, fundamentalmente, por ejemplo, en materia de medio ambiente y ordenación territorial y urbanística: infracciones que se cometan en los terrenos calificados como zonas verdes, suelo no urbanizable protegido y espacios libres.

La prescripción de la infracción sólo puede tener lugar antes de la imposición de la sanción, nunca posteriormente. Por todo ello, en caso de que contra el acto sancionador quepa recurso administrativo, por lo general recurso de alzada, y se haga uso del mismo, la dilación en la resolución del recurso no puede producir prescripción de la infracción, sino efecto de silencio administrativo negativo (226).

---

(222) En defecto de otra norma especial es de aplicación el plazo de quince años que regula el artículo 1964 del Código Civil.

(223) LRJ.

(224) Artículo 1969 del Código Civil: el tiempo para la prescripción de toda clase de acciones, cuando no haya disposición especial que otra cosa determine, se contará desde el día en que pudieron ejercitarse.

(225) STS 23.12.1988.

(226) LRJ artículo 43.

La razón es que la vía de recurso no es una prolongación del expediente administrativo sancionador, iniciado de oficio, sino un procedimiento técnicamente distinto, iniciado a solicitud del interesado, iniciado de oficio, sino un procedimiento técnicamente distinto, iniciado a solicitud del interesado, conducente a la revisión de los actos que pusieron fin al mismo (227).

De acuerdo con ello, el límite para el ejercicio de la potestad sancionadora, y para la prescripción de las infracciones, concluye con la resolución sancionadora y su consiguiente notificación, sin poder extender la misma a la vía de recurso (228).

Cunado se sigan actuaciones judiciales penales a raíz de la infracción, y posteriormente sean archivadas, abriéndose la posibilidad de tramitar el procedimiento sancionador en vía administrativa, que, por cierto, no cabe en otro caso, por aplicación del principio de supremacía del orden penal, el plazo de prescripción sólo comienza a computarse desde que la administración tiene conocimiento en forma del archivo de las actuaciones procesales penales. El Tribunal Supremo ha declarado que el «interés público cualificado» es incompatible con la prescripción (229). Sin embargo, las sanciones impuestas por infracciones imprescriptibles, están sujetas en todo caso, a los correspondientes plazos de prescripción.

Como supuestos específicos, pueden mencionarse, en el ámbito tributario, el plazo de prescripción de la acción para imponer sanciones, es decir, el plazo de prescripción de las infracciones, es de cuatro años (230). En la normativa sobre tráfico y seguridad vial se establecen los siguientes plazos de prescripción (231) establece tres meses para infracciones leves; seis para las graves y un año para las muy graves. En materia urbanística, la normativa estatal de aplicación supletoria, establece un plazo de prescripción de cuatro años, contados desde la fecha de la infracción o desde que el procedimiento pudo incoarse. No obstante, la legislación de cada comunidad autónoma establece distintos plazos de prescripción, generalmente de un año para las infracciones leves y cuatro años para las graves. En el ámbito de la defensa de la competencia, también se establece un plazo de cuatro años (232).

Respecto a la interrupción de la prescripción, hay que decir que la prescripción se interrumpe con la iniciación, con conocimiento del interesado, del procedimiento sancionador, reanudándose el plazo de prescripción si el expediente

---

(227) STS 27.5.1992.
(228) STS 15.12.2004.
(229) STS 19.5.1992.
(230) LGT artículo 64.
(231) Real Decreto legislativo 339/1990, por el que se aprueba el texto articulado de la Ley de Tráfico y Seguridad Vial (LTSV) artículo 81 en su redacción actual.
(232) Ley 16/1989, de 17 de julio, de Defensa de la Competencia.

sancionador se paraliza más de un mes, por causa no imputable al presunto responsable.

La jurisprudencia ha declarado con reiteración que para la interrupción de la prescripción se requiere la existencia de una notificación adecuada de la actuación de que se trate, salvo que exista una reticente resistencia del interesado a la recepción del acto de comunicación, que determine una dilación indebida en el cumplimiento de la finalidad de la norma y de los principios que pretenden garantizar el oportuno conocimiento de la actuación administrativa (233).

La prescripción no se interrumpe con actuaciones previas al procedimiento sancionador (234), que pueden llevarse a cabo para determinar con carácter previo si, realmente, existen hechos que justifiquen la iniciación del procedimiento. Estas actuaciones no se integran en el procedimiento sancionador y no tienen carácter para interrumpir el curso de la prescripción, además, las actuaciones carentes de objeto real, efectuadas con la única finalidad de interrumpir el plazo prescriptivo (235).

Cuando la LRJ se refiere a reanudació, en su artículo 132, esta expresión tiene un significado sumamente ambiguo que a nuestro juicio supone el reinicio del cómputo del plazo, dado que lo contrario sería transformar el plazo de prescripción en un plazo de caducidad (236).

Respecto a la paralización del procedimiento, cuando el procedimiento sancionador, una vez iniciado, se paraliza durante un lapso determinado de tiempo, supuesto de prescripción que se establece en diversos procedimientos específicos, por ejemplo, en materia de tráfico, se prevé dicho efecto cuando el procedimiento se paralice durante, al menos, tres meses (237) y sobre lo que, por ejemplo el plazo específico, de tres meses, basta por sí solo para producir la prescripción. La paralización se produce entre actuaciones, no entre las notificaciones de las actuaciones administrativas al interesado. Bien entendido que, si esta regla alcanza validez general supone que, producidos los actos administrativos de trámite, que implican efecto interruptor de la prescripción, dentro del procedimiento sancionador, dicha interrupción no exige que se haya producido la notificación del acto al interesado, siempre y cuando no se trate de un acto que afecte a sus derechos e intereses de manera autónoma y directa.

---

(233)   SSTS 11.11.1996 y 27.6.1997.
(234)   Las actuaciones previas al inicio del procedimiento sancionador se regulan en el artículo 12 del Reglamento del Procedimiento para el ejercicio de la Potestad Sancionadora (aprobado por Real Decreto 1398/1993 de 4 de agosto.
(235)   SSTS 30.6.1989 y 5.10.1992.
(236)   Hay criterios judiciales contrarios que han aplicado el plazo de caducidad por ejemplo STSJ Aragón 23.5.2003.
(237)   LTSV artículo 81.

En lo que se refiere al ámbito de las infracciones tributarias, la determinación de las causas de interrupción de la prescripción es materia problemática, en concreto, la cuestión deriva de la separación entre un procedimiento sancionador y otro tendente a la regularización de la situación tributaria del sujeto pasivo. Dada esta separación, surge duda acerca de si la incoación del procedimiento de regularización de la situación tributaria del sujeto pasivo interrumpe la prescripción de la infracción cometida o si ésta sólo se produce por la incoación del procedimiento sancionador.

No obstante existen argumentos a favor y en contra de ambas posiciones así, a favor de que la incoación del procedimiento regulador interrumpe la prescripción, la LGT indica que la prescripción de la acción para imponer sanciones tributarias se interrumpe por cualquier actuación administrativa, realizada con el conocimiento formal del sujeto pasivo, tendente al reconocimiento, regulación, inspección, aseguramiento, comprobación, liquidación o recaudación de la deuda tributaria, que incluye la sanción (238). Además, ha de tenerse en cuenta que es imprescindible, para que exista sanción y ésta sea reprimida, la previa cuantificación de la cuota tributaria defraudada, salvo en los casos de infracciones simples. En contra del criterio apuntado, se argumenta que el carácter diferenciado del procedimiento sancionador, tras la entrada en vigor de la Ley Derechos y Garantías de los Contribuyentes (239), no es posible aplicar, en el ámbito tributario, los criterios, propios el régimen legal anterior.

El carácter separado del procedimiento sancionador impide atribuir efectos interruptivos a la incoación de un procedimiento previo, no sancionador. Procede aplicar la norma general, según la cual interrumpe la prescripción la iniciación del procedimiento sancionador (240). Respecto a la situación una vez entrada en vigor la LGT (241), a pesar de que las sanciones no forman parte de la deuda tributaria y que, para su imposición, puede renunciarse a la separación del procedimiento, todas las acciones administrativas conducentes a la regularización de la situación tributaria del obligado, interrumpen la prescripción de las infracciones cometidas, no sólo la incoación del expediente sancionador (242).

Por otra parte, en el ámbito de las infracciones y sanciones de orden social, se consagra también la separación entre procedimientos de liquidación y sancionadores, por lo que, en defecto de previsión legal específica en contra, ha de sostenerse que sólo la incoación del expediente sancionador interrumpe la prescripción.

---

(238)   LGT artículos 58, 64 y 66.
(239)   Ley 1/1998, de 26 de febrero, de Derechos y Garantías de los Contribuyentes.
(240)   LRJ artículo 132.
(241)   Desde el uno de julio de 2004.
(242)   LGT artículo 189.

Es cuestión importante la modificación normativa de los plazos de prescripción, se trata de la aplicabilidad retroactiva, en caso de modificación legal, de los nuevos plazos de prescripción de infracciones. A este respecto pueden presentarse dos tipos de situaciones: En el supuesto de que los plazos aumenten, no cabe sino aplicarlos a las infracciones cometidas después de la entrada en vigor de la ley modificadora (243). En caso de que se reduzcan, el nuevo régimen resulta de aplicación a las infracciones cometidas con posterioridad a la entrada en vigor de la nueva norma, así como a las infracciones cuyos plazos prescriptivos se hallen abiertos todavía sin agotarse. Sin embargo, no se aplica a las infracciones cuyo plazo de prescripción haya transcurrido y sobre las que haya recaído sanción firme, aunque dicha sanción se haya impuesto una vez vencido el lapso del nuevo plazo más breve.

23. PRESCRIPCIÓN DE SANCIONES

Respecto a la prescripción de las sanciones (244), Se establecen plazos generales de prescripción, que rigen siempre que no se establezcan otros para procedimientos específicos:

a) Las sanciones impuestas por faltas muy graves prescriben a los tres años;

b) Las impuestas por faltas graves, a los dos años; y

c) Las impuestas por faltas leves al año.

El plazo de prescripción de las sanciones comienza a contarse desde el día siguiente a aquel en que adquiera firmeza la resolución por la que se impone la sanción.

Se interrumpe la prescripción por la iniciación, con conocimiento del interesado, del procedimiento de ejecución, volviendo a transcurrir el plazo si este procedimiento se paraliza durante más de un mes, por causa no imputable al infractor.

El plazo de prescripción de la sanción no comienza a correr hasta que la sanción no es ejecutiva, es decir, hasta el momento en que el acto sancionador gana firmeza en vía administrativa (245)

En caso de suspensión judicial el plazo de prescripción se interrumpe, pues en esta situación, la administración no puede desarrollar actuaciones materiales de ejecución (246).

---

(243) Artículo 9.3 CE.
(244) LRJ artículo 132.3.
(245) LRJ artículo 138.
(246) LRJ artículo 129.

En caso de que se interponga recurso de alzada o equivalente contra una sanción administrativa y no recaiga resolución en plazo, la prescripción de la sanción impuesta corre desde que se produzca, en su caso, el efecto de silencio administrativo (negativo), ya que, a partir de ese momento, es firme el acto sancionador en vía administrativa.

En materia de sanciones tributarias, hasta la entrada en vigor de LDGC (247), aquéllas eran inmediatamente ejecutivas y ejecutorias sin esperar a la firmeza en sede administrativa (248). La vigencia de dicha Ley produjo la equiparación de estas sanciones a las comunes. De este modo y desde entonces, la ejecución de las sanciones tributarias queda automáticamente suspendida sin necesidad de aportar garantía, por la presentación en tiempo y forma del recurso o reclamación administrativa que contra aquéllas proceda y sin que puedan ejecutarse hasta que sean firmes en vía administrativa, lo que supone que el inicio del plazo de prescripción de estas sanciones no puede producirse hasta ese momento, siempre que se trate de sanciones impuestas tras la entrada en vigor de dicha norma.

En la actualidad recoge esta regla la LGT art. 212.3, excluyendo además expresamente el devengo de intereses por el lapso de tiempo que media entre la notificación de la sanción y el fin del período voluntario abierto tras la notificación de la resolución confirmatoria del acto administrativo.

Alguna legislación autonómica fija el comienzo del plazo de prescripción de las sanciones en el momento (249) de la notificación de la resolución sancionadora, no en su firmeza (250), lo cual es discutible, dado que la sanción no es ejecutiva sin ser firme en vía administrativa; y hasta ese momento no comienza a correr el plazo de prescripción. A menos que se considere que la ejecutividad se activa al agotar la vía administrativa el acto sancionador, aunque no sea firme por caber frente a él, recurso potestativo de reposición, lo que determinaría el inicio del plazo prescriptivo en ese momento. De manera que las sanciones no sometidas a alzada, serían ejecutivas desde el día siguiente a su notificación, momento inicial de su prescripción.

En materia urbanística, los plazos de prescripción de las sanciones, a falta de normativa autonómica en la materia, son los establecidos con carácter general. Las diferentes normas de las Comunidades Autónomas establecen, en general, esos mismos plazos.

---

(247)   El 19.3.1998.
(248)   STS 7.4.1997.
(249)   El día siguiente al de la notificación.
(250)   Ley 16/2005, de 30 de diciembre Urbanística de la Generalitat Valenciana, cuyo artículo 239 dispone que La prescripción de la sanción.1. Las sanciones graves y muy graves prescriben a los cuatro años, y las leves al año.2. El cómputo del plazo se iniciará a partir del día siguiente al de la fecha de la notificación de la resolución sancionadora a los responsables.

En materia de tráfico y seguridad vial, el plazo de prescripción de las sanciones es de un año (251).En el ámbito de la defensa de la competencia, se establece un plazo de prescripción de cuatro años (252). En el ámbito tributario se aplican las normas generales.

24. PROPORCIONALIDAD DE LAS SANCIONES

Este principio impone la debida relación entre el ilícito cometido y la sanción impuesta (253). Toda sanción debe determinarse en congruencia con la entidad de la infracción cometida y según criterio de proporcionalidad, en relación con las circunstancias objetivas del hecho. En consecuencia, el margen de actuación que se otorga a la administración en la imposición de sanciones hace que dicha actuación se deba desarrollar ponderando, en todo caso, las circunstancias concurrentes, al objeto de alcanzar la necesaria y debida proporcionalidad entre los hechos imputados y la responsabilidad exigida (254).

Como criterios legales de graduación, pueden mencionarse, entre otros, los siguientes:

Intencionalidad o reiteración.

Naturaleza de los perjuicios causados.

Reincidencia, por comisión en el término de un año de más de una infracción de la misma naturaleza, cuando así haya sido declarado por resolución firme en vía administrativa (255). Puede resultar relevante, asimismo, la aplicación en este campo de la regla de la confianza legítima del interesado en la actuación de la administración, por ejemplo, en materia de legalización de infracciones urbanísticas, policía demanial, etc. (256).

En cualquier caso, la enumeración legal de los criterios de graduación no es taxativa y, en caso de no concurrir, no impiden la imposición de sanción en el grado que el órgano competente tenga por conveniente, siempre con la debida motivación.

Es posible la aplicación analógica, en el seno del procedimiento sancionador administrativo del instituto penal del delito continuado (257) para apreciar la existencia de falta o infracción administrativa continuada.

---

(251)   LTSV artículo 81.3, en su redacción actual.
(252)   Ley 16/1989 artículo 12.
(253)   SSTC 55/1996 y 161/1997.
(254)   Ver art. 106 CE, LRJ 131 y LGT 178.
(255)   SSTS 11.3.2003 y 24.10.2000.
(256)   STS 21.11.1990.
(257)   Código Penal art. 74.1.

Reincidencia y reiteración no son sinónimos. Puede considerarse que ésta tiene lugar cuando al cometer una infracción, el sujeto ha sido previamente castigado por comisión de una infracción de igual o mayor gravedad o de dos o más de gravedad menor.

La naturaleza del daño o perjuicio causado puede operar no sólo como agravante, sino como atenuante. Por extensión de los criterios contenidos en el Código Penal, (258) si concurren varias circunstancias atenuantes o una muy cualificada, cualificación que debe ser expresamente justificada, puede rebajarse la sanción por debajo del mínimo legal. Además, hay tenerse presente, compatibilizándolo con el principio de proporcionalidad, que el establecimiento de sanciones pecuniarias debe prever que la comisión de las infracciones tipificadas no resulte más beneficioso para el infractor que el cumplimiento de las normas infringidas.

En principio, el juicio sobre la proporcionalidad de la sanción prevista por la Ley es competencia del legislador, de forma que a los tribunales sólo corresponde aplicar aquélla, sin valorar si la decisión legislativa es o no adecuada o proporcionada (259). Sin embargo, dentro de esos límites, la apreciación de la proporción entre gravedad de la infracción y la sanción impuesta no queda sustraída a la fiscalización jurisdiccional. Así, en caso de recurso jurisdiccional, el órgano judicial puede, no sólo revisar la cualificación de la conducta subsumible en el tipo legal, sino también adecuar la gravedad de la sanción al hecho cometido, e incluso reducir la sanción, siempre dentro de los términos de la prohibición de *reformatio in peius* (260).

Por otra parte, como ha declarado el Tribunal Constitucional, aunque el respeto de la proporcionalidad es un principio constitucional, no alcanza la categoría de derecho fundamental, por lo que su lesión no abre la vía del recurso de amparo (261). La justificación de la aplicación proporcional de la potestad sancionadora está íntimamente ligada a la motivación de la resolución que impone la sanción, de modo que a través de aquélla se ha de justificar cumplidamente el grado represivo del acto sancionador, a partir de una conducta determinada (262).

Finalmente hay que tener en cuenta, que las sanciones administrativas, sean o no de naturaleza pecuniaria, en ningún caso pueden implicar, directa o subsidiariamente, privación de libertad (263) lo que no impide sanciones disciplinarias

---

(258)   Artículo 66 y siguientes del Código Penal.
(259)   STC 75/1986.
(260)   Ver SSTS 3.10.1990, 29.4.1991 y 5.5.1993.
(261)   STC 60/1982.
(262)   LRJ artículo 54.
(263)   Artículo 25.3 CE La Administración civil no podrá imponer sanciones que, directa o subsidiariamente, impliquen privación de libertad (ver además Ley Orgánica 1/1979

privativas de libertad en el seno de las Fuerzas Armadas, la Guardia Civil y en el ámbito penitenciario. Tampoco excluye la detención preventiva del interesado como medida cautelar en procedimientos sancionadores preferentes de extranjería (264). En materia de tráfico y seguridad vial se discute con frecuencia la proporcionalidad de la sanción adicional a la multa pecuniaria, consistente en la retirada temporal del permiso de conducción. Al respecto, los tribunales sostienen dos tesis diferentes: La retirada del permiso de conducción guarda una relación paralela con la multa, de forma que es posible imponer aquella retirada sin necesidad de agotar el tramo de multa pecuniaria que corresponda.

La privación del permiso de conducción es necesariamente sucesiva a la multa. En consecuencia, hay que agotar el tramo económico correspondiente para poder imponer, además, dicha sanción.

Asimismo, se discute si la privación del permiso de conducir requiere constancia, en el boletín de denuncia, de un peligro específico, adicional, que la justifique. En ese sentido, es razonable sostener que, en caso de que la infracción sea calificable como grave, cabe imponer la sanción accesoria de retirada del permiso, justificando su duración, superior a la mínima, en el concurso de circunstancias específicas de riesgo, que consten en el boletín de denuncia (265). Si la infracción es muy grave, la retirada del permiso va insita en la misma. Se encuentra próxima a la proporcionalidad, aunque no es identificable con ella, la posibilidad de solicitar y obtener la condonación total o parcial de sanciones tributarias (266). La solicitud se puede efectuar ante el presidente o delegados de la Agencia Estatal de Administración Tributaria, resolviendo el ministro de Hacienda, que la puede conceder con carácter graciable, sin que quepa recurso, en caos de que la ejecución de la sanción impuesta afecte a la capacidad productiva o nivel de empleo de un sector de la industria o economía nacional, o bien produzca quebranto a los intereses generales del Estado. El Criterio práctico de la abogacía del Estado en este asunto es que la aplicación de este principio permite e impone graduar la sanción, no anularla totalmente. Como regla, impuesta una sanción dentro de los límites máximo y mínimo legalmente establecidos, no se lesiona el principio estudiado. Puede sostenerse también que el control judicial de la proporcionalidad se ciñe a la correcta aplicación del grado legal de la sanción (267).

La conducta que constituye el tipo de la infracción no puede tomarse en cuenta para graduar la sanción. Para que se lesione el principio estudiado, la despropor-

General Penitenciaria y su Reglamento aprobado por Real Decreto 190/1996. LRJ artículo 131 Principio de proporcionalidad de las sanciones administrativas.
(264) Ley Orgánica 4/2000, 11 de enero, sobre derechos y libertades de los extranjeros, en España y su integración social.
(265) LTSV artículos 65, 67 y 69 en su redacción actual.
(266) LGT artículo 89.
(267) Mínimo, medio o máximo.

ción en la sanción impuesta ha de ser notoria o manifiesta (268). Trasluce al mismo la equidad, como factor de ponderación en la aplicación de las normas (269). En relación con la imposición de sanciones disciplinarias privativas de libertad, es muy relevante la sentencia relativa a las del régimen de la Guardia Civil. Con arreglo a ella, se considera que las acordadas por superior jerárquico administrativo, es decir, no por un órgano imparcial, pueden vulnerar exigencias Internacionales en materia de Derechos Humanos (270) CEDH art. 4 y 6, dado que en relación con la norma interna actualmente rectora del régimen disciplinario del instituto armado no hay reserva de aplicación formulada por el Gobierno de España, sin que tenga validez la previamente formulada al CEDH en relación con la normativa interna precedente, pues las reservas al CEDH no pueden ir más allá de su objeto ni interpretarse extensivamente, y sólo pueden referirse a la legalidad interna vigente en el momento de efectuarse. Lo que supone, en general, que una reforma legislativa que afecta a disposiciones nacionales sobre cuya aplicación se formuló reserva al CEDH hace caducar la citada reserva en cuanto a las nuevas disposiciones y su aplicación, que puede devenir contraria al Convenio repetido, criterio que, según ha declarado el Tribunal Europeo de Derechos Humanos no afecta al régimen disciplinario las Fuerzas Armadas ni penitenciario (271).

25. GARANTÍA DEL PROCEDIMIENTO SANCIONADOR

El ejercicio de la potestad sancionadora requiere respeto al procedimiento legal o reglamentariamente establecido, al que resultan de aplicación, matizadamente, las garantías procesales derivadas del principio de tutela judicial efectiva que reconoce la Constitución española en su artículo 24 (272).

En ningún caso se puede imponer una sanción sin que se haya tramitado el necesario procedimiento. Cualquier sanción que se imponga sin la existencia de un procedimiento sancionador (273), en el que se garantice la audiencia la presunto infractor y la debida separación entre el órgano instructor y el que resuelva el expediente, incurre en un vicio de nulidad de pleno derecho (274).

Los procedimientos que regulen el ejercicio de la potestad sancionadora deben establecer la debida separación de las fases instructora y sancionadora, encomendándolas a órganos distintos. Esta separación entre órgano instructor y órgano

---

(268) STS 3.11.1981.
(269) Ver el artículo 3.2 del Código Civil.
(270) Ver Artículos 4 y 6 del Convenio Europeo para Ir Protección de los Derechos Humanos y las Libertades Públicas (CEDH) de 4.11.1950.
(271) STEDH 2.11.2006.
(272) STC 194/2000.
(273) Ver LRJ artículos 62 y 134.
(274) STC 145/1988.

sancionador no es, en el campo administrativo, una exigencia constitucional y ha de entenderse de forma adecuada al ámbito administrativo (275).

En el Orden penal, el principio atienda a la configuración, en muchas ocasiones unipersonal, de los órganos judiciales y pretende, por tanto, que no sea la misma persona o personas las que acusen y resuelva. En el ámbito administrativo, la traslación de tal principio requiere, para que constituya una verdadera garantía, que el concepto de órgano no sea asimilable a la de órgano administrativo meramente organizativo y jerárquico, que recogen algunas normas. La capacidad de autoorganización de las administraciones públicas debe traducirse, en el ámbito sancionador, en una flexibilización al servicio de la objetividad.

En consecuencia, el concepto de órgano que ejerce, iniciando, instruyendo o resolviendo, la potestad sancionadora resulta de la atribución de tales competencias a las unidades administrativas que, en el marco del procedimiento de ejercicio de la potestad sancionadora, se constituyen en órganos, garantizándose que no concurran en los mismos las funciones de instrucción y resolución.

A tales efectos, son órganos administrativos competentes para la iniciación, instrucción y resolución de los procedimientos sancionadores, las unidades administrativas a las que cada administración atribuya tales competencias, sin que puedan atribuirse al mismo órgano para las fases de instrucción y resolución del procedimiento (276).

Respecto a la tutela judicial efectiva que reconoce el artículo 24 de la Constitución, el reconocimiento del derecho a la tutela judicial efectiva en el proceso administrativo sancionador (277) supone que la violación de tal derecho en el curso de un procedimiento sancionador, abre la vía del proceso contencioso de protección de derechos fundamentales (278) y del recurso de amparo ante el Tribunal Constitucional. (279)

Igualmente supone que, en este tipo de procedimientos, cabe sostener que no hay prácticamente distinción entre vicios de anulabilidad y de nulidad de pleno derecho. En efecto, los primeros son los defectos procedimentales generadores de indefensión. La interdicción de la indefensión es parte del derecho a la tutela judicial efectiva. Este derecho tiene relevancia constitucional en expedientes sancionadores. En consecuencia, se concluye que todo defecto generador de indefensión

---

(275) SSTC 7/1998 y 56/1998.
(276) LRJ artículos 11 y 21 y Reglamento para Ejercicio de la Potestad Sancionadora artículo 10.
(277) No en otros procedimientos administrativos en lso que tiene, simplemente, dimensión legal.
(278) LRJ artículo 114.
(279) STS 18.9.1989.

es vicio de nulidad de pleno derecho, por lesión de derecho fundamental, siempre que la lesión lo sea del contenido esencial de este derecho.

Regulación del procedimiento sancionador: Con independencia que examinemos este aspecto en una práctica profesional específica podemos decir que la regulación general del procedimiento sancionador, sin perjuicio de regulaciones específicas estatales o autonómicas, se contiene en el Reglamento de Procedimiento para el ejercicio de la Potestad Sancionadora, que es aplicable en defecto total o parcial de procedimientos específicos previstos en las correspondientes normas, en los supuestos siguientes:

a) Por la Administración General del Estado, respecto de aquellas materias en que el Estado tiene competencia exclusiva.

b) Por la Administración de las Comunidades Autónomas, respecto de aquellas materias en que el Estado tiene competencia normativa plena.

c) Por las entidades que integran la administración local, también respecto de aquellas materias en que el Estado tiene competencia normativa plena.

d) Asimismo, se aplica a los procedimientos sancionadores establecidos por ordenanzas locales que tipifiquen infracciones y sanciones, respecto de aquellas materias en que el Estado tenga competencia normativa plena, en lo no previsto por tales ordenanzas.

Todo ello, sin perjuicio de la supletoriedad de dicho Reglamento, respecto de la legislación de las Comunidades autónomas (280) y sin perjuicio, por lo que respecta a las entidades locales, de su aplicación directa o supletoria según resulte de las normas estatales, autonómicas o locales, dictadas al amparo de las reglas de distribución de competencias expresadas en el bloque de constitucionalidad.

Hay otros principios que, a pesar de no hallarse enunciados como tales en la LRJ, inspiran el ejercicio de la potestad sancionadora de las administraciones públicas. Son los siguientes:

26. PRINCIPIO DE SEGURIDAD JURÍDICA

La seguridad jurídica, que garantiza el artículo 9.3 de la Constitución, consiste, según el Tribunal Constitucional, en una combinación de certeza y legalidad, jerarquía y publicidad normativa, irretroactividad de lo no favorable e interdicción de la arbitrariedad, sin perjuicio del valor que por sí mismo tiene tal principio (281). Con relación al ejercicio de la potestad sancionadora cobra especial importancia

---

(280)   Artículo 149.3 CE.
(281)   STC 99/1987 y 227/1988.

el aspecto relativo a la certeza de la norma, entendida como previsibilidad sobre los efectos de su aplicación. Los principios de seguridad jurídica y de interdicción de la arbitrariedad de los poderes públicos exigen que la norma sea clara para que los ciudadanos sepan a qué atenerse ante la misma. En este orden de exigencias no cabe subestimar la importancia que para la certeza del Derecho y la seguridad jurídica tiene el empleo de una depurada técnica jurídica en el proceso de elaboración de las normas (282).

El derecho fundamental a la legalidad sancionadora (283), en relación con el principio de seguridad jurídica, exige que cuando la Administración ejerce la potestad sancionadora sea la propia resolución administrativa que pone fin al procedimiento la que, como parte de su motivación (284), identifique expresamente o, al menos, de forma implícita el fundamento legal de la sanción. Sólo así puede conocer el ciudadano, en virtud de qué concretas normas con rango legal se le sanciona, sin que esté excluido, como acaba de exponerse, que una norma de rango reglamentario desarrolle o concrete el precepto o los preceptos legales a cuya identificación directa o razonablemente sencilla el sancionado tiene un derecho que se deriva del art. 25 Constitución (285).

En el ámbito administrativo sancionador corresponde a la Administración la completa realización del primer proceso de aplicación de la norma, lo que implica la completa realización del silogismo de determinación de la consecuencia jurídica: constatación de los hechos, interpretación del supuesto de hecho de la norma, subsunción de los hechos en el supuesto de hecho normativo y determinación de la consecuencia jurídica. El órgano judicial puede controlar posteriormente la corrección de ese proceso realizado por la Administración, pero no pueda llevar a cabo por sí mismo la subsunción bajo preceptos legales encontrados por él, y que la Administración no había identificado expresa o tácitamente, con el objeto de mantener la sanción impuesta tras su declaración de conformidad a Derecho. De esta forma, el juez no revisaría la legalidad del ejercicio de la potestad sancionadora sino que, más bien, lo completaría (286). Si bien hay que confirmar que esta cuestión se sitúa en el ámbito del art. 25.1 Constitución, no es preciso, sin embargo, pronunciarse con carácter general sobre las posibles correcciones que puede introducir el órgano judicial en el proceso de aplicación de la ley, llevado a cabo por la Administración en ejercicio de la potestad sancionadora. Pero sí hay que declarar que corresponde a la Administración identificar al ejercer esa competencia, de forma expresa o implícita, el fundamento legal de la sanción que se impone y que no puede servir de cobertura a la sanción una ley que, sólo en un

---

(282) SSTC 150/1990 y 111/2004.
(283) Artículo 25.1 CE.
(284) LRJ artículos 54 y 138.
(285) STC 161/2003.
(286) STC 133/1999.

juicio realizado a posteriori, un órgano judicial, con desconocimiento de las exigencias del principio de seguridad jurídica, ha considerado aplicable a los hechos que se declararon probados por la Administración (287).

27. PRINCIPIO *PRO REO*

La constitución reconoce el principio *in dubio pro reo* en su artículo 24, que, como ha declarado el tribunal Supremo, aunque tiene origen en el Derecho Penal, rige para todo el ordenamiento punitivo del Estado (288). A pesar de íntima relación que guardan el derecho a la presunción de inocencia y el principio *in dubio pro reo*, existe una diferencia sustancial entre ambos, de modo que su alcance no puede ser confundido. Así, el principio *in dubio pro reo* sólo entra en juego cuando, efectivamente practicada la prueba, ésta no ha desvirtuado la presunción de inocencia (289).

El principio *in dubio pro reo* y la presunción de inocencia tienen presupuestos y contenido diferente, así el principio *in dubio pro reo* es un principio que aconseja al juez la interdicción de la condena dubitativa; mientras que, la presunción de inocencia es una presunción *iuris tantum* que requiere para ser desvirtuada que se haya desplegado en juicio una actividad probatoria suficiente de la que pueda deducirse la autoría del acusado. El derecho a la presunción de inocencia en su vertiente dinámica dentro del proceso juega un papel de contrapeso a la soberanía del juez o tribunal para apreciar la prueba en conciencia, exigiéndole que verifique que esa valoración, tan subjetiva y libre como estime oportuno; pero que se haya realizado, más allá de toda duda razonable; es decir, con arreglo a un determinado estándar de certeza, mediante el cuál es posible constatar objetivamente que quien acusa no miente, esto es, que la prueba, siendo válida, es además suficiente para acreditar, como libremente y en conciencia hizo el juzgador, la culpabilidad del imputado de manera que se haya generado un legítima convicción de culpabilidad suficiente para la apreciación de la misma (290).

28. INTERDICCIÓN DE LA REFORMA PEYORATIVA O *REFORMATIO IN PEIUS*

Esta es una modalidad de incongruencia procesal o procedimental que se produce cuando se ocasiona un empeoramiento o agravamiento de la situación jurídica en que ha quedado el recurrente (291), que impugna una determinada re-

---

(287)   STC 161/2003.
(288)   SSTS 16.6.1997 y 6.7.2002.
(289)   SSTC 13/1982 y 63/1993.
(290)   STS 25.11.1993.
(291)   LRJ 89 y 113.

solución; el cual experimenta así el efecto contrario al perseguido con el recurso, lo que supone introducir un elemento disuasorio en el ejercicio del derecho a los recursos establecidos por la Ley (292)· La prohibición de *reformatio in peius* es una manifestación de la Interdicción de indefensión que garantiza el artículo 24 de la Constitución y una proyección de la congruencia en el segundo o posterior grado jurisdiccional, en vía recurso, lo cual incluye la prohibición de que el órgano judicial de origen exceda los límites en que esté formulado el recurso, acordando una agravación de la sentencia impugnada que tenga origen exclusivo en la propia interposición de éste (293)·

29. PRINCIPIOS DE CONTRADICCIÓN Y DE ESPECIALIDAD

En el ámbito de las garantías del proceso equitativo se encuentra el derecho a ser informado de la acusación, que se conecta con el derecho de defensa contradictoria (294). El derecho a ser informado de la acusación, expresa y autónomamente recogido en la Constitución, constituye el primer elemento del derecho de defensa en el ámbito sancionador, que condiciona a todos los demás, pues mal puede defenderse de algo quien no sabe de qué hechos se le acusa en concreto (295). No cabe acusación implícita, ni tácita, sino que la acusación debe ser formulada de forma expresa y en términos que no sean absolutamente vagos o indeterminados (296).

A los efectos de satisfacer las exigencias del derecho a ser informado y conocer la acusación como instrumento para poder ejercer de forma efectiva el derecho de defensa no se exige detallar de forma exhaustiva los hechos objeto de acusación, sino que resulta suficiente con que la acusación contenga los hechos relevante y esenciales para efectuar una calificación jurídica e integrar un determinado delito (297).

En el ámbito administrativo sancionador, resulta imprescindible que en el pliego de cargos se reflejen de forma suficientemente precisa los hechos objeto de la imputación. El pliego de cargos cumple en el procedimiento administrativo sancionador una función análoga a la del escrito de conclusiones provisionales en el proceso penal, y si en el mismo no se contienen los hechos relevantes y esenciales para efectuar la calificación jurídica de la infracción administrativa, se lesionan las garantías básicas de dicho procedimiento sancionador con la consiguiente vulneración de las contenidas en el art. 24.2 Constitución. Es, por ello, exigible, a la luz

---

(292) SSTC 143/1998 y 238/2000.
(293) STC 45/1993.
(294) Artículo 24 CE y 135 LRJ.
(295) SSTC 11/1992 y 19/2000.
(296) SSTC 36/1996 y 87/2001
(297) STC 87/2001.

del derecho fundamental a ser informado de la acusación, que el pliego de cargos contenga los elementos esenciales del hecho sancionable y su calificación jurídica para permitir el ejercicio del derecho de defensa; en suma, que el pliego de cargos se determinen con precisión los caracteres básicos de la infracción cuya comisión se atribuye al inculpado. Las normar relativas al ejercicio de derechos, como, por ejemplo el de defensa, deben interpretarse de manera menos rigurosa que las reguladoras de obligaciones o deberes de los interesados.

El principio de especialidad supone, como ha declarado el Tribunal Supremo, la prioridad en la aplicación del precepto específico sobre el general (298), está recogido en el Código Penal (299) y de plena aplicación en el ámbito del derecho administrativo sancionador.

30. OPERATIVIDAD DE LA BUENA FE EN DERECHO SANCIONADOR

La buena fe es un principio general del Derecho, pero, como concepto jurídico, forma parte de las numerosas cláusulas generales (fraude de ley, abuso del derecho) que potencian el arbitrio judicial (300).

Los procedimientos sancionadores administrativos deben respetar la presunción *iuris tantum* de no existencia de responsabilidad administrativa. La buena fe tiene una relación directa con el principio de presunción de inocencia, por cuanto la presunción de actuación de buena fe constituye el presupuesto lógico de la inmediata proclamación de la presunción de inocencia. La intervención del principio de buena fe en las relaciones, entre la Administración y el particular dado que desde el nacimiento de toda relación de Derecho público, las partes deben adoptar lealtad de comportamiento hasta que se perfeccione el acto jurídico. Están proscritas las conductas confusas, equívocas o maliciosas, buscándose justo la situación opuesta, la existencia de modos claros, inequívocos y veraces, lo que debe relacionarse con otro principio íntimamente ligado al de estudio, el principio de confianza legítima.

Por otra parte el ejercicio de las potestades públicas debe realizarse de buena fe como consecuencia de la sujeción a la ley; además como tiene declarado el

---

(298) STS 23.12.1988.
(299) Artículo 8 Código Penal: Los hechos susceptibles de ser calificados con arreglo a dos o más preceptos de este Código, y no comprendidos en los artículos 73 a 77, se castigarán observando las siguientes reglas: 1. El precepto especial se aplicará con preferencia al general. 2. El precepto subsidiario se aplicará sólo en defecto del principal, ya se declare expresamente dicha subsidiariedad, ya sea ésta tácitamente deducible. 3. El precepto penal más amplio o complejo absorberá a los que castiguen las infracciones consumidas en aquél. 4. En defecto de los criterios anteriores, el precepto penal más grave excluirá los que castiguen el hecho con pena menor.
(300) Ver artículos 3 y 137 LRJ, así como el 1 del CC.

Tribunal Supremo la propia atribución de potestades administrativas, obliga a la Administración al especial respeto de la legalidad (301). En concreto al ejercer la potestad sancionadora, las reglas de buna fe adquieren especial relieve y suponen que cuando la Administración califica negativamente la conducta de quien ha incurrido en una trasgresión jurídico-administrativa tipificada como infracción, no puede prescindirse de la confianza que ha podido despertar con su conducta la Administración en el infractor. Una actitud prolongada de ésta última que induzca a suponer, según las circunstancias, un consentimiento, puede minorar o hasta excluir la responsabilidad por exclusión del elemento imputación el dolo o la culpa. Por otra parte, en las relaciones jurídico-públicas de tipo obligacional (302), la buena fe adquiere un importante papel cuando se produce una infracción en su cumplimiento y sería contrario a la misma la exigencia de cumplimiento de aquéllas en forma distinta de la que cabría esperar de la conducta normal de un ciudadano medio. Imaginemos (303). Además, el principio de la confianza legítima y la doctrina de los actos propios son dos principios generales del Derecho vinculados con la buena fe (304). La primera relación que surge entre confianza legítima y buena fe resulta de los valores que, de manera tradicional, se han ido ubicando dentro del más longevo concepto de buena fe. En Derecho público lo anterior deviene fundamental, pues se identifica esencialmente a la buena fe con el valor social de la confianza; sin embargo la confianza o se protege en abstracto, sino la que se suscita en un individuo y que supone la defensa de una expectativa dirigida hacia un interés suyo. El principio de protección de la confianza legítima necesita para su existencia la presencia de los siguientes requisitos (305):

a) Una quiebra de la previsibilidad y buena fe del individuo en la actuación de los poderes públicos que no pueda ampararse en motivos o fines superiores.

b) Un acto concluyente de la Administración capaz de generar suficiente grado de desconfianza por parte del administrado.

c) La producción de signos externos que orienten la conducta del administrado en cierto sentido; y en su caso, un acto de reconocimiento de una situación jurídica en cuyo mantenimiento pueda confiar el interesado. En este último caso, el principio ha de aplicarse, no sólo cuando se produzca cualquier tipo de convicción psicológica en el particular beneficiado, sino cuando se base en signos externos producidos por la Administración lo suficientemente concluyentes para

---

(301)   SSTS 11.3.1979 y 2.11.1981.
(302)   Por ejemplo las relaciones tributarias.
(303)   Artículo 1104 CC.
(304)   SSTS 15.6.1990 y 5.10.1990.
(305)   SSTS 6.2.2022 27.7.2002.

que le induzcan razonablemente a confiar en la legalidad de la actuación administrativa (306).

Tanto el Tribunal Constitucional como el Tribunal Supremo consideran que el principio de buena fe protege la confianza que fundadamente se puede haber depositado en el comportamiento ajeno e impone el deber de coherencia en el comportamiento propio. Lo que es tanto como decir que dicho principio implica la exigencia de un deber de comportamiento que consiste en la necesidad de observar de cara al futuro la conducta que los actos anteriores hacían prever y aceptar las consecuencias vinculantes que se desprenden de los propios actos, constituyendo un supuesto de lesión a la confianza legítima de las partes el actuar en contra de los actos propios (307).

El pronunciamiento anterior es relevante precisamente porque se refiere a los usos indebidos de la doctrina de los actos propios. Este principio no puede invocarse para crear, mantener o extender, en el ámbito del Derecho público, situaciones contrarias al ordenamiento jurídico, o cuando del acto precedente resulta una contradicción con el fin o interés tutelado por una norma jurídica que, por su naturaleza, no es susceptible de amparar una conducta discrecional por la Administración que suponga el reconocimiento de unos derechos y/u obligaciones que dimanen de actos propios de la misma. Dicho en otros términos, la doctrina de los actos propios, sin la limitación que acaba de exponerse, podría introducir en el ámbito de las relaciones de Derecho público el principio de la autonomía de la voluntad como método ordenador de materias reguladas por normas de naturaleza imperativa, en las que prevalece el interés público salvaguardado por el principio de legalidad; principio que resultaría conculcado si se diera validez a una actuación de la Administración contraria al ordenamiento jurídico por el solo hecho de que así se ha decidido por la Administración o porque responde a un precedente de ésta.

Una cosa es la irrevocabilidad de los propios actos declarativos de derechos fuera de los cauces de revisión establecidos en la Ley (308), y otra el respeto a la confianza legítima generada por actuación propia que necesariamente ha de proyectarse al ámbito de la discrecionalidad o de la autonomía, no al de los aspectos reglados o exigencias normativas frente a las que, en el Derecho administrativo, no puede prevalecer lo resuelto en acto o en precedente que fuera contrario a aquéllos. Es decir, no puede decirse que sea legítima la confianza que se deposite en un acto o precedente contrario a norma imperativa.

---

(306)   SSTS 1.2.1990 y 16.6.1996.
(307)   STS 1.2.1999.
(308)   LRJ artículos 102 y 103.

Respecto a la buena fe como presupuesto de la conducta del administrado al iniciarse un procedimiento sancionador. Si el examen de la concurrencia de dolo o imprudencia corresponde al elemento de la tipicidad, hay que preguntarse si es en este lugar donde cumple alguna función la buena fe o si su apelación se relaciona más bien con el momento de la imputabilidad del comportamiento infractor a su autor, es decir, en sede de culpabilidad. Debe examinarse si una actuación de buena fe es compatible con un comportamiento doloso o imprudente, y, por lo tanto, no los excluye, consumándose la acción típica a pesar de su concurso o sí, por el contrario, se deduciría que su función en el contexto de la infracción habría que buscarla en un momento posterior de la secuencia de los elementos constitutivos del ilícito administrativo.

Hay criterios de práctica e interpretación que consideran que, en Derecho sancionador, la buena fe no debe relacionarse con el análisis del dolo y la imprudencia, sino con el juicio de imputabilidad de la acción u omisión. No se debe tener en cuenta la buena fe en sede de tipicidad, porque parece posible cumplir el presupuesto de la infracción y, sin embargo, que se trate de actuaciones donde el presunto infractor se encuentre en la creencia de una manera de conducirse de buena fe.

Estos planteamientos anteriores parten del cumplimiento de los presupuestos de la infracción, situándose en una situación de presunción de comisión de ilícito, pero, desde nuestro punto de vista, en este apartado, la intervención del principio de proporcionalidad, infrautilizado en el ámbito sancionador, presenta una de las claves de la perspectiva de la buena fe en sede de tipicidad. Existen otras dimensiones del principio de proporcionalidad íntimamente relacionadas con la finalidad del sistema sancionador público. El principio de necesidad, que aborda la relación de idoneidad, es decir, que el medio utilizado (309) debe ser eficaz para conseguir el mejor cumplimiento del bien jurídico protegido y prevención de su incumplimiento desde su valoración ético-social. Estos dos subprincipios forman equipo en el principio de proporcionalidad y son de evaluación simultánea y casi inconsciente para dar paso a todo el procedimiento. La tercera dimensión, la proporcionalidad en sentido estricto, sólo interviene ya cuando se ha tomado la decisión de calificar de infractora a la conducta evaluada y se va a proceder a aplicarle la consecuencia jurídica de lo anterior, es decir, la sanción en su justa dosis.

En consecuencia, la presencia de la buena fe garantizaría la no imposición de la sanción, aunque la Administración hubiera probado la comisión del tipo del injusto de la infracción, pues hasta que no se produjera el juicio de imputabilidad, correspondiendo probar a la Administración que concurren las circunstancias que determinan la culpabilidad del infractor, no se podría declarar la responsabilidad y aplicar la consecuencia-sanción.

---

(309)   Sistema sancionador.

Otro aspecto es el error como causa de exclusión de la responsabilidad por infracción, en virtud de la falta de conciencia de antijuridicidad y su relación con la buena fe. En este caso hay que decir que el error no tiene una referencia expresa en los ordenamientos administrativos sancionadores. Pero, siguiendo el criterio del tribunal Constitucional, puede decirse que el error de Derecho es una causa reconocida de exención de responsabilidad por infracción como hasta ese pronunciamiento había sostenido la doctrina y la jurisprudencia ordinaria (310).

Al igual que en otros ámbito jurídicos en el ámbito sancionador pueden apreciarse dos tipos de error, el error de hecho o, error de tipo, es el desconocimiento de la concurrencia de un elemento que fundamenta la prohibición legal de esa conducta, que excluye la conducta consciente o dolosa, pues esta requiere el conocimiento de todos los elementos del tipo de injusto y que puede darse sobre los elementos normativos; sobre los elementos accidentales (los que crean subtipos cualificados o privilegiados); o bien sobre el curso causal que sigue el suceso tipificado; en la práctica profesional y judicial, se clasifica en este tipo a los errores que se deducen del expediente y su apreciación no depende de la interpretación de normas jurídicas siendo además un error notorio, manifiesto e indiscutible y con su sola visión es suficiente para evidenciar la equivocación existente.

El error de Derecho o error de prohibición, por su parte, deriva de la necesidad de verificar la conciencia de antijuridicidad. Se produce cuando, existiendo todos los presupuestos que fundamentan la prohibición, sin embargo, y debido al error, se desconoce la valoración negativa y prohibición jurídica de esa conducta. El sujeto sabiendo lo que hace, no obstante desconoce que su acción sea ilícita. Este error puede ser vencible, para lo que puede aplicarse una comprobación acerca de la diligencia debida desde un criterio objetivo; o bien puede tratarse de un error invencible, que excluye la responsabilidad criminal.

Por su parte el error de prohibición puede ser directo, cuando sobre la propia existencia de la prohibición; o indirecto: cuando recae sobre la existencia o límites de una causa de justificación.

En el ámbito del derecho Penal se sostiene que si existe un campo propicio para la aplicación de la doctrina del error de prohibición pueda producirse este es el campo del Derecho administrativo y el Derecho económico en general. La práctica administrativa viene sancionando los errores de hecho o sobre el tipo a título de negligencia, por falta del cuidado objetivamente debido en el cumplimiento de las prescripciones de la norma jurídico-pública. En cuanto a la punibilidad de los errores de Derecho, depende de que aquél fuera vencible, podía haberse evitado

---

(310)   STC 76/1990.

prestando la debida atención o diligencia que puede exigirse a un hombre medio ideal colocado en las circunstancias personales del autor, o invencible, y se halle muy vinculado al despliegue probatorio que pueda hacerse por el contribuyente. Si nos referimos al primero, al igual que en el caso del error de hecho, se aplican consecuencias sancionadoras; en cambio, en el segundo, se aplica la causa de exclusión de responsabilidad duda razonable en la interpretación de la norma si se demuestra la existencia de aquélla.

Respecto a la verificación del error hay que decir que es evidente la dificultad que supone determinar la existencia del error por pertenecer al arcano íntimo de la conciencia de cada persona, tanto en lo que se refiere a su existencia como a su carácter invencible o vencible. En cuanto al error de prohibición impera el precepto de que la ignorancia de las leyes no excusa de su cumplimiento y puede ser error sobre la norma prohibitiva que se denomina error de prohibición directo y error sobre las causas de justificación, denominado error de prohibición indirecto. Ambos afectan más bien a la culpabilidad, porque suponen falta de conocimiento sobre la antijuridicidad de la conducta, mientras que el error sobre el tipo o de hecho afectaría más bien a la tipicidad como conocimiento equivocado sobre alguno de los elementos descritos por el tipo o sobre las circunstancias que lo cuantifican o agravan.

El dolo, en su aspecto intelectivo, supone la representación o conocimiento del hecho, lo que a su vez comprende el conocimiento de la significación antijurídica de la acción, y el conocimiento del resultado de la acción. Mas el error trata, en la doctrina clásica, de un juicio falso como concepto positivo, error de hecho, y de una falta de conocimiento como ignorancia, error de derecho, conceptos positivo y negativo respectivamente del problema. Con independencia de la naturaleza distinta que el error puede presentar, vencible o invencible, de acuerdo con lo dicho más arriba, lo que sí queda claro es:

Que no cabe invocar el error cuando se utilizan vías de hecho desautorizadas por el ordenamiento jurídico que todos conocen.

31. PROHIBICIÓN DE CONDONACIÓN, REMISIÓN O DISPENSA

En relación con la prohibición de la condonación o dispensa en Derecho comunitario europeo en el ámbito de la competencia y prácticas colusorias, ésta se contiene fundamentalmente en la comunicación a la Comisión relativa a la dispensa del pago de las multas y la reducción de su importe en casos de cártel, regulando una forma especial de condonación o dispensa de sanciones pecuniarias; así como, en su caso, de reducción del monto de aquéllas (311).

---

(311)   Comunicación de la Comisión Europea 202/C/45/03.

Su contenido puede sintetizarse como sigue:

Su ámbito se refiere a los acuerdos secretos entre dos o más competidores que tengan por objeto la fijación de precios, de cuotas de producción o de venta, el reparto de mercados, incluidas las pujas fraudulentas, o la restricción de las importaciones o las exportaciones; todos ellos limitativos de la competencia natural entre las empresas, que se sustraen a aquellas presiones que les impulsan a desarrollar sus productos y a introducir métodos de fabricación más eficaces, provocando además el encarecimiento de las materias primas, una pérdida de competitividad y reducen las oportunidades de empleo.

Con el fin de aclarar su posición sobre estas situaciones, la Comisión aprobó una comunicación relativa a la no imposición de multas o a la reducción de su importe en los asuntos relacionados con acuerdos entre empresas (312).

Se considera que redunda en el interés de la Comunidad conceder un trato favorable a las empresas que cooperen con ella en el descubrimiento de la existencia de un cártel. Para los consumidores y los ciudadanos prima el interés porque se descubran y prohíban los cárteles secretos sobre el interés en que se multe a las empresas cuya colaboración haya permitido a la Comisión detectar y prohibir tales prácticas. De forma que una contribución decisiva a la apertura de una investigación o a la comprobación de una infracción puede justificar la concesión a la empresa en cuestión de una dispensa del pago de la correspondiente multa, con tal de que se cumplan ciertos requisitos adicionales.

Por otra parte, la cooperación de una o varias empresas puede justificar una reducción del importe de la multa.

Dispensa del pago de la multa. La Comisión dispensará a una empresa del pago de cualquier multa que de otro modo haya podido imponérsele en alguno de los siguientes supuestos:

a) Cuando la empresa sea la primera en aportar elementos de prueba que, a juicio de la Comisión, le permitan adoptar en relación con un presunto cártel que afecte a la Comunidad una decisión por la que se ordene una verificación (313).

Es preciso que, en el momento de aportarse los datos, la Comisión no disponga de elementos suficientes para adoptar una decisión de efectuar verificaciones en relación con el presunto acuerdo.

---

(312) Diario Oficial de las Comunidades Europeas de 18.7.1996.
(313) Reglamentos: CEE 17/1962 artículo 14; CEE 1017/1968 artículo 21 y CEE 4056/1986 artículo 18 y CEE 3975/1987 artículo 11.

b) Cuando la empresa sea la primera en aportar elementos de prueba que, a juicio de la Comisión, le permitan comprobar una infracción del Tratado CE (314) en relación con un presunto cártel que afecta a la Comunidad.

Es preciso en este caso que se cumplan las condiciones cumulativas de que la Comisión, en el momento de aportarse los elementos de prueba, no disponga de elementos de prueba suficientes para establecer la existencia de una infracción del Tratado en relación con el presunto cártel y de que no se haya concedido una dispensa condicional de pago a ninguna empresa en virtud del supuesto anterior en relación con el acuerdo.

Además de los requisitos enunciados, deben cumplirse las siguientes condiciones cumulativas por la empresa:

Cooperar plena, continua y diligentemente a lo largo de todo el procedimiento administrativo de la Comisión y facilitar a ésta todos los elementos de prueba que obren en su poder o se hallen a su disposición, relacionadas con la presunta infracción.

Poner fin a su participación en la presunta infracción a más tardar en el momento en que facilite los elementos de prueba.

No haber adoptado medidas para obligar a otras empresas a participar en la infracción.

El procedimiento a seguir es el siguiente:

La empresa que desee solicitar la dispensa del pago de la multa deberá ponerse en contacto con la Dirección General con atribuciones en materia de competencia de la Comisión. Cuando quepa la posibilidad de obtener una dispensa de pago en relación con una presunta infracción, la empresa podrá, con el fin de cumplir los requisitos antes aludidos:

a) Facilitar de inmediato a la Comisión todos los elementos de prueba de que disponga en el momento de la solicitud en relación con la presunta infracción; o

b) Presentar inicialmente dichos elementos de prueba de manera hipotética, en cuyo caso la empresa deberá facilitar una lista descriptiva de los elementos de prueba que pretenda aportar en una fecha posterior que deberá convenirse.

La Dirección General mencionada remitirá un acuse de recibo por escrito de la solicitud por la empresa de la dispensa de pago del importe de la multa, confirmando la fecha en la que la empresa presentó los elementos de prueba o la lista descriptiva.

---

(314) Artículo 81.

Una vez que la Comisión haya recibido los elementos de prueba facilitados por la empresa y haya comprobado que cumple los requisitos establecidos, Concederá por escrito a la empresa la dispensa condicional del pago de las multas.

La Comisión no estimará otras solicitudes de dispensa de pago antes de haberse pronunciado sobre una solicitud ya presentada en relación con la misma presunta infracción.

Si, al término del procedimiento administrativo, la empresa ha cumplido los requisitos expuestos, la Comisión la dispensará del pago de la multa en la decisión correspondiente.

Reducción del importe de la multa. Las empresas que no cumplan las condiciones contempladas, podrán no obstante beneficiarse de una reducción del importe de la multa que de otro modo les habría sido impuesta. Para ello, la empresa deberá facilitar a la Comisión elementos de prueba de la presunta infracción que aporten un valor añadido significativo con respecto a los elementos de prueba de que ya disponía la Comisión, así como poner fin a su participación en la presunta infracción a más tardar en el momento en que facilite los elementos de prueba.

En toda decisión adoptada al término del procedimiento administrativo, la Comisión determinará:

a) Si los elementos de prueba facilitados por una empresa en un momento dado supusieron un valor añadido significativo con respecto a las pruebas que ya obraban en poder de la Comisión en aquel momento;

b) El nivel de reducción del que se beneficiará una empresa con respecto al importe de la multa que de otro modo le habría sido impuesta, que quedará establecido como se indica a continuación:

La primera empresa que aporte pruebas con valor añadido de treinta a cincuenta por ciento.

La segunda empresa: veinte treinta por ciento.

Las siguientes: hasta el veinte por ciento.

Para fijar el porcentaje de reducción dentro de esos márgenes, la Comisión tendrá en cuenta la fecha en que fueron comunicados los elementos de prueba, así como el grado de valor añadido que hayan comportado. Del mismo modo, la Comisión podrá tomar en consideración la magnitud y la continuidad de la cooperación prestada por la empresa a partir de la fecha de su aportación original.

Asimismo, cuando una empresa aporte elementos de prueba relacionados con hechos de los cuales la Comisión no tenga conocimiento previo y que repercutan directamente en la gravedad o duración del presunto cártel, la Comisión no tomará tales datos en consideración al fijar el importe de la multa que deba imponerse a la empresa que los haya aportado.

El procedimiento es el siguiente:

La empresa que desee acogerse al beneficio de una reducción del importe de la multa deberá proporcional a la Comisión elementos de prueba del cártel en cuestión.

La empresa recibirá de la Dirección General antes mencionada un acuse de recibo en el que constará la fecha en que se presentaron los elementos de prueba pertinentes. La Comisión no tomará en consideración los elementos de prueba presentados por una empresa que solicite la reducción del importe de una multa antes de haber adoptado una posición sobre las solicitudes anteriores de dispensa condicional del pago de la multa en relación con la misma presunta infracción. La Comisión evaluará la posición final de cada una de las empresas que hayan solicitado acogerse a la reducción del importe de la multa al término del procedimiento administrativo en la decisión que se adopte.

Reglas adicionales de carácter general:

1. Cuando, en cualquier fase del procedimiento administrativo, no se cumpla alguno de los requisitos contemplados, según proceda, la empresa podrá perder el beneficio del trato favorable en ellas contemplado.

2. La concesión de una dispensa de pago o una reducción del importe de la multa no exime a la empresa de las consecuencias civiles de su participación en infracciones del Tratado.

3. Toda declaración escrita dirigida a la Comisión en relación con la presente Comunicación forma parte de sus expedientes. No podrá divulgarse ni emplearse para fines diferentes de la aplicación del Tratado.

32. CONTENIDO Y REQUISITOS DEL ACTO SANCIONADOR

El contenido constituye objetivo esencial de todo acto administrativo y además el efecto práctico que se pretende conseguir con la producción del mismo, convirtiéndose en su objeto, aunque, como ha puntualizado el Tribunal Supremo, también puede diferenciarse, entendiendo por objeto un comportamiento, un hecho, un bien o una situación jurídica concreta (315); la LRJ regula el contenido de los actos administrativos disponiendo (316) que se ajusten al ordenamiento y a la finalidad para el que fueron dictados. El contenido, pues, tiene por objeto la

---

(315)   STS 24.10.1984.
(316)   LRJ artículo 53.2.

búsqueda de la voluntad real de la Administración, lo que supone que el criterio de la práctica profesional debe ser el de la interpretación literal de los términos utilizados en el acto (317) que pueden pertenecer al lenguaje corriente, en cuyo caso se interpretarán por su sentido usual, o ser propias de la terminología técnica del Derecho administrativo, en cuyo caso deben interpretarse por su sentido técnico. La interpretación de los actos está regida por un principio claramente espiritualista que determina, como regla general, la prevalencia de la voluntad real sobre su expresión literal. Por ello, es posible superar el resultado de la interpretación literal con indagaciones posteriores. Es fundamental el criterio teleológico del acto; pero no cabe interpretar los actos ambiguos en contra de la Ley (318).

Estas reglas resultan aplicables a las sanciones administrativas, si bien se modulan por la fuerza de un principio esencial de interpretación a favor del interesado. Si bien es cierto que, por principio, la necesaria precisión del contenido de los actos sancionadores debe dejar poco resquicio a la interpretación, la inteligencia de aquéllos siempre debe favorecer, en los aspectos oscuros, al sancionado. En ningún caso, se pueden aplicar criterios extensivos o analógicos. Realmente, se trata de aplicar al contenido de la sanción ya impuesta, los dictados del principio *in dubio pro reo*, así como los derivados de los principios rectores del Derecho penal.

Los requisitos del acto sancionador son los propios del acto administrativo, sin embargo dadas las peculiaridades evidentes de la sanción, como modalidad específica de acto de gravamen, que incide con especial intensidad en la esfera de derechos del interesado, la exigencia de regularidad en el contenido es extrema, debiendo proscribirse cualquier laxitud al respecto. En consecuencia los requisitos son los siguientes:

a) Acto sancionador lícito: La ilicitud del contenido determina la nulidad de pleno derecho del acto en caso de que tenga dimensión penal, grave o menos grave. Son nulos, incluso los actos cuyo objeto no sea constitutivo de infracción penal, pero que se deriven de infracciones penales previas (319).

La ilicitud administrativa o civil puede conducir a la invalidez por vicio de anulabilidad, o de nulidad. El ámbito de la nulidad radical es mucho más amplio en sede sancionadora que respecto del común de las resoluciones y demás actos administrativos, pues toda infracción procedimental generadora de indefensión tiene alcance constitucional, superando la mera legalidad y constituye lesión de derecho fundamental.

---

(317)   Art. 1281 Código Civil.
(318)   SSTS 23.9.1981 y 6.10.1986.
(319)   LRJ art.62.1 d).

b) Acto sancionador posible: Lo cual quiere decir que la sanción debe ser posible, dado que la imposibilidad del contenido conduce igualmente a la nulidad (320). Para que pueda apreciarse nulidad debe tratarse de una imposibilidad física o material, es decir real y no meramente teórica (321). La imposibilidad jurídica equivale a imposibilidad física, siempre que no sea una simple contradicción legal. Como ejemplo de sanción imposible una resolución privando de capacidad jurídica al sujeto infractor.

c) Acto sancionador determinado: El contenido de todo acto debe ser determinado o, cuando menos, susceptible de determinarse, de manera relativa, sin necesidad de manifestación adicional de voluntad del órgano del que emane; la indeterminación de objeto equivale a la imposibilidad, por lo que la jurisprudencia ha declarado que se trata más de un caso de inexistencia que de nulidad (322). La indeterminación no es resultado de interpretaciones subjetivas sino la real y material imprecisión que de modo objetivo haga el acto inejecutable produciendo seguridad jurídica.

En el ámbito sancionador sólo puede aceptarse muy excepcionalmente la determinación relativa, en supuestos en que no sea posible una delimitación completa del contenido sancionador, o en los que la indeterminación pueda ser despejada con una mera operación aritmética básica.

d) Unidad de contenido del acto sancionador. Aunque ningún precepto legal se opone a que, en un mismo acto administrativo se adopten decisiones de naturaleza diferente, sin embargo, en el caso de resoluciones sancionadoras, esta posibilidad solo admite en relación con la imposición de la medida represiva o, en su caso, del deber de reparación.

e) El acto sancionador debe ser adecuado a los fines del acto mismo, dado que el ejercicio desviado de la potestad sancionadora es contrario a los principios rectores de la actuación de las Administraciones públicas.

f) El acto sancionador debe ser manifestación auténtica de una potestad administrativa sujeta a Derecho público; es decir una actuación propia a característica del tráfico administrativo

g) El acto sancionador debe tener relevancia en el plano jurídico, más allá del ámbito propiamente material.

h) El acto sancionador debe responder siempre a un principio de unilateralidad, sin que pueda tener carácter negocial o contractual.

---

(320) LRJ art. 62.1 c).
(321) SSTS 27.3.1984 y 30.9.1995.
(322) SSTS 31.12.1983 y 24.10.1985.

En el contenido del acto, pueden distinguirse varios planos:

1) Contenido natural, formado por los elementos esenciales, es el propio e indispensable de todo acto administrativo. Puede variar en función del tipo de acto o del ámbito en que se produzca. Sin este contenido mínimo no puede tener existencia el acto. Como contenido natural del acto sancionador siempre debe darse la imposición de una represión concreta, como consecuencia de una infracción administrativa cometida.

2) Contenido implícito, es el ordinario o normal de cada especie de acto. Se presupone por el ordenamiento, de forma que configura las consecuencias no expresas, cláusulas implícitas. Puede alterarse por manifestación contraria en el caso concreto, siempre que esta manifestación no vulnere elementos indisponibles del acto de que se trate. Por ejemplo, la posibilidad de ejecutar una resolución a través de los medios legalmente establecidos es implícita al contenido del acto sancionador, aunque no se contenga declaración expresa sobre ello.

3) Contenido eventual, equivalente a los elementos accidentales del negocio jurídico, únicamente en el caso de que se establezca concretamente y pueden ser condición suspensiva o resolutoria, plazo, inicial o final, y modo o carga (323). Son especialmente frecuentes en el ámbito tributario, de la admin.istración local y en el de la contratación administrativa. Aunque este aspecto eventual, resulta de difícil admisión en las resoluciones sancionadoras, si lo es la limitación de la extensión temporal de la sanción, en cuyo caso, el acto sancionador es impecable y no resulta sometido a plazo; todo ello, sin perjuicio de que la sanción se someta a fecha de inicio y fin.

4) Condición de la eficacia del acto sancionador, a la notificación al interesado o a la publicación del acto (324).

Las Administraciones tienen el deber de resolver que en este caso recae en el órgano administrativo correspondiente que intervenga con competencia resolutoria en uno de los procedimientos sancionadores. Este deber genérico se compone de tres aspectos concretos:

a) Deber de dictar resolución expresa en el procedimiento sancionador, a no ser que concurra alguno de los supuestos legalmente previstos como excluyentes de la obligación de resolver (325). En defecto de acto expreso notificado dentro del plazo máximo legalmente establecido, sobreviene la caducidad y no puede ejercerse la potestad sancionadora. No existen las sanciones presuntas.

---

(323) Ver LRJ art. 57 y STS 25.11.1985.
(324) Se condiciona la eficacia pero al acto es existente y válido.
(325) LRJ art. 42.

b) Deber de pronunciarse, en la resolución, sobre todas las cuestiones que se deriven del expediente y sólo sobre estas cuestiones. La obligación de extender la resolución a todos los aspectos derivados del expediente es una manifestación del carácter inquisitivo del procedimiento administrativo sancionador y resulta de la implicación directa del interés general en las actuaciones de la Administración (326). No obstante, ha de conciliarse lo anterior con la eventual limitación del objeto del procedimiento a partir de la denuncia o imputación que genera su incoación; en todo caso, extremando las posibilidades de alegación del interesado ante cualquier ampliación o restricción de dicho objeto.

c) Deber de motivar cumplidamente los actos sancionadores (327). Lo cual exige con especial intensidad dada la especial naturaleza de estos.

33. FINALIDAD DEL ACTO SANCIONADOR Y DESVIACIÓN DE PODER

La finalidad de todo acto administrativo, considerado en sentido amplio, es constituir, modificar o hacer cesar una situación concreta, conforme a las disposiciones del ordenamiento jurídico. Constituye la razón de su producción, de ahí que en caso de faltar, sea aquél contrario al ordenamiento y, por tanto, inválido. Lo anterior se especifica respecto del acto sancionador, cuyo fin es reaccionar ante la comisión de una infracción administrativa determinada, imponiendo una represión concreta, alcance retributivo, y promoviendo la eliminación de conductas similares futuras, alcance preventivo (328).

La adecuación del contenido del acto a los fines del mismo es consecuencia de la aplicación del principio de congruencia administrativa, entendida tanto con carácter general, como vinculación del contenido del acto sancionador a la finalidad de la potestad actuada, en la práctica interdicción de la desviación de poder; como en un ámbito procedimental, referido al contenido posible de los actos sancionadores resolutorios que recaen en procedimientos iniciados de oficio, nunca a instancia de interesado.

La desviación de poder supone una discrepancia entre los móviles del acto y la legalidad que se aplica. Implica la existencia en la actuación administrativa de un fin ilegítimo enmascarado con la mención del fin previsto en la Ley, de modo que aquélla, implícita o explícitamente, se desentiende de los fines legalmente fijados para ella.

Declara la jurisprudencia que la desviación de poder tiene lugar cuando consta que la actuación administrativa ha sido dirigida hacia un fin distinto de aquel con-

---

(326)   LRJ arts. 89 y 113.
(327)   LRJ art. 54.
(328)   STS 26.9.1984.

creto interés público para el que está legalmente prevista, y que por ello constituye uno de los presupuestos de su validez (329). Para poder apreciarla es precisa la constatación, de una disfunción entre el fin objetivo que corresponde a su naturaleza y a su integración en el ordenamiento jurídico y el fin instrumental propuesto por el órgano administrativo del que deriva, disfunción que es apreciable tanto si se persigue un fin privado, totalmente ajeno al interés general, como si la finalidad que se pretende obtener, aunque de naturaleza pública, es distinta de la prevista en la norma habilitante. En suma, es precisa una intencionalidad torcida en la actuación de la Administración (330). Debe constar una actuación administrativa que, con apariencia de legalidad, persiga un fin distinto al fijado por el ordenamiento, sin que todo ello pueda fundarse en meras conjeturas o presunciones, por ello es preciso acreditar hechos o elementos suficientes para configurar la convicción de que el órgano administrativo acomodó su actuación a la legalidad con una finalidad distinta a la pretendida. Para esa constatación no es necesaria una prueba plena, basta con la existencia de hechos o elementos que permitan formar la convicción de que el apartarse del fin puede ser aceptado como un resultado de alta probabilidad. Sin embargo, la innecesariedad de prueba plena no disminuye la necesidad de argumentación adecuada por parte del interesado, resultando insuficientes las meras alegaciones carentes de base fáctica y debiéndose aportar elementos que permitan configurar la convicción, mas allá de las simples sospechas o conjeturas; siendo aceptables las presunciones adecuadamente fundamentadas La carga de la prueba de los hechos que sirven de soporte a la desviación corresponde a quien ejercita la pretensión de reconocimiento del defecto invalidante del acto, aunque la regla debe conjugarse con el criterio de la facilidad, en virtud del principio de la buena fe procesal, considerando que hay hechos fáciles de probar para una de las partes que, sin embargo, son de difícil acreditación para la otra. Esto altera el juego tanto de la carga formal como la material de probar (331).

La desviación de poder también es posible en el ámbito de la potestad sancionadora, esencialmente reglada. Efectivamente, aunque el terreno más apropiado para su desarrollo es el de la actividad discrecional de la Administración, no existe obstáculo que impida a priori su aplicación a la actividad reglada. No obstante, la desviación de poder es más difícil de aislar y detectar cuando tiene lugar con ocasión del ejercicio de potestades regladas. Su detección exige analizar si el efecto derivado de y conseguido con la sanción de cuya eventual desviación se discute, es el natural de la misma o no lo es. En el primer caso, no puede entenderse que concurra la desviación de poder, así la sanción consistente en la remoción de puesto de trabajo tiene como fin natural separar al infractor del mismo, en consecuencia, perseguir este efecto natural no puede considerarse desviado (332).

---

(329)   STS 14.2.2000.
(330)   SSTS 11.10.1993 y 22.4.1994.
(331)   STS 23.6.1987.
(332)   STS 7.4.1992.

Como casos de desviación de poder en el ámbito sancionador puede citarse la alteración, en la resolución sancionadora, del importe de una sanción pecuniaria con el fin de imposibilitar el recurso judicial por falta de competencia; el empleo de la potestad sancionadora contra un sujeto dado con el fin indirecto de promover funcionarialmente a un tercero; el inicio de un expediente sancionador con el fin exclusivo de suspender la actividad del presunto infractor a través de medidas cautelares; la utilización de potestades sancionadora con el fin meramente formal de restaurar la legalidad urbanística alterada; Privación de un complemento de productividad a un funcionario dado con finalidad sancionadora; imposición injustificada de sanción a un concesionario, por parte de la Administración titular del servicio.

34. CAUSA Y FORMA DEL ACTO SANCIONADOR

La causa es requisito esencial de todo acto administrativo. En la medida en que viene directamente condicionada por el interés público, no sólo ha de existir sino además, ser típica (333). La causa típica de la sanción es la consecución del respeto al ordenamiento jurídico administrativo y la depuración de la responsabilidad concurrente en el infractor. Los motivos deben coincidir, por definición, con dicho objetivo. En el acto administrativo los motivos están siempre incorporados a la causa, lo que permite la identificación conceptual de ambos conceptos. La divergencia o separación de causa y motivos en un acto dado, podría suponer apartarse del fin propio del mismo, lo que lleva a la desviación de poder, con la consiguiente invalidez. El mecanismo fundamental de control de la causa del acto es la motivación o justificación del criterio administrativo (334).

La causa del acto no sólo ha de existir al tiempo de producirse, sino anteriormente, en el momento del inicio del procedimiento que terminará con aquél; y posteriormente a la producción o nacimiento del mismo, ya que ha de subsistir en aquellos supuestos en los que la medida ejecutiva contenida en la resolución genera un estado de cosas o una situación jurídica permanente. Igualmente, la desaparición de la misma antes de la producción del acto, impide que ésta tenga lugar, con el consiguiente archivo del expediente que se hubiera incoado. Se aplica el principio según el cual una vez que desaparece la causa, cesa el efecto, es el caso de el archivo de procedimientos sancionadores en trámite como consecuencia de una reforma legislativa que destipifica la conducta perseguida; la extinción de las sanciones ya impuestas consistentes en un estado o situación de limitación de derechos o facultades, como consecuencia de la destipificación de la conducta corregida; la revisión administrativa o judicial del importe de sanciones pecuniarias, como consecuencia de la entrada en vigor de una reforma que reduce el importe de aquéllas.

---

(333)   STS 22.3.1988.
(334)   STS 11.2.1998.

Los actos, resoluciones o acuerdos, sancionadores constituyen declaraciones de voluntad administrativa, por las que se corrigen determinadas conductas mediante el ejercicio de la potestad represiva e imposición de la correspondiente medida gravosa del patrimonio o esfera jurídica de un administrado. Por ello es elemento esencial de los mismos la expresión externa que permita su existencia y producción la constancia de dicha declaración o manifestación volitiva, que posibilite su efectividad.

La omisión de los requisitos formales es equivalente a un vicio de procedimiento, por lo que sólo en aquellos casos en los que la ausencia de forma sea esencial, impidiendo alcanzar su fin a la sanción, o cuando produzca indefensión estaremos en presencia de resultado de invalidez, que será de nulidad radical, frente a la regla general de la anulabilidad (335).

La regla general que rige en lo que respecta a la producción de los actos administrativos es el antiformalismo de manera que aquellos, salvo que así esté legalmente dispuesto, no deben guardar una forma determinada para ser considerados producidos y existentes (336). Los actos deben expresarse en aquella forma adecuada a su contenido y naturaleza. Como regla general, los actos administrativos se han de producir por escrito, a menos que su naturaleza exija otra forma más adecuada de expresión y constancia. La resolución de los actos sancionadores puede formalizarse por cualquier medio que acredite la voluntad del órgano competente para adoptarla.

Por lo general, la expresión del acto será escrita, pudiendo ser meramente oral en caso de que su naturaleza lo permita. La naturaleza sancionadora no excluye, en principio, la expresión no escrita, si bien la posibilidad de actos sancionadores expresados en forma oral debe aceptarse con extrema cautela. El acto sancionador ha de ser expreso, nunca presunto, lo cual no significa que haya de ser necesariamente escrito; si bien la forma verbal se limita a los casos en que la sanción sea compatible con esa forma o bien en sectores en los que las circunstancias materiales de gestión de expedientes, por su volumen, hagan aconsejable esta vía de expresión.

Es discutible si es precisa la expresa previsión de la forma verbal en la norma procedimental especial de aplicación, si la hay. Entendemos que basta con la formulación general contenida en la LRJ, aunque, en defecto de previsión específica, resultaría conveniente la justificación en el expediente de la falta de forma escrita. Si por la especie de sanción no hay formalmente un procedimiento previo, es necesario incluir dicha justificación al dejar constancia documental de la sanción impuesta o en su traslado. El criterio general para el empleo de la forma verbal

---

(335)   LRJ arts.62 y 63.
(336)   LRJ art. 55.

debe ser directamente proporcional a la gravedad o relevancia de la sanción de que se trate, es decir a mayor contenido sancionador menor será el empleo de la forma verbal.

Es preciso aclarar que constancia o expresión escrita no significa, necesariamente, en soporte papel y por ello debe admitirse, como norma general, la expresión del acto sancionador en soporte informático, siempre que la autoría del mismo quede garantizada suficientemente.

La normativa que regula la utilización de medios telemáticos en la actuación administrativa, que es de aplicación a la tramitación sancionadora establece el régimen siguiente:

a) Las Administraciones públicas deben impulsar el empleo de las técnicas y medios electrónicos, informáticos y telemáticos, para desarrollo de su actividad y el ejercicio competencial.

b) Cuando sea compatible con los medios técnicos de que dispongan las Administraciones públicas, los ciudadanos pueden relacionarse con ellas para ejercer sus derechos a través de técnicas y medios electrónicos, informáticos o telemáticos con respecto de las garantías y requisitos previstos en cada procedimiento.

c) Los procedimientos que se tramiten y finalicen en soporte informático deben garantizar la identificación y el ejercicio de la competencia por el órgano que la ejerce. En relación con ello, la expresión o resumen de anotaciones informáticas acreditadas de los trámites del expediente hace prueba de la existencia y fecha de dichos trámites, a los efectos oportunos lo cual es habitual en algunos ámbitos de sanción como tráfico y seguridad vial.

d) Los programas y aplicaciones electrónicos, informáticos y telemáticos que vayan a ser utilizados por las Administraciones públicas para el ejercicio de sus potestades, han de ser previamente aprobados por el órgano competente, quien debe difundir públicamente sus características.

e) Los documentos emitidos, cualquiera que sea su soporte, a través de los repetidos medios por las Administraciones públicas, o los que éstas emitan como copias de originales almacenados por estos mismos medios, gozan de la validez y eficacia de documento original, siempre que quede garantizada su autenticidad, integridad y conservación y, en su caso, la recepción por el interesado, así como el cumplimiento de las garantías y requisitos exigidos por la Ley.

Respecto a la constancia escrita de actos verbales, en los casos en que los órganos administrativos ejerzan su competencia de forma verbal, la constancia escrita del acto, cuando sea necesaria, se efectuará y firmará por el titular del órgano inferior o funcionario que la reciba oralmente, expresando en la comunicación del mismo la autoridad de la que procede (337).

Si se trata de resoluciones, el titular de la competencia debe autorizar una relación de las resoluciones que haya dictado de forma verbal, con expresión de su contenido. La autorización se ha de efectuar mediante la firma autógrafa. Se ha discutido si esta regla es compatible con el ejercicio de la potestad sancionadora. En cualquier caso, es práctica habitual en el ámbito de resoluciones sancionadoras en materia de tráfico y seguridad vial, así como en sede de transportes por carretera. Conforme a esta regla, la autoridad sancionadora, suscribe una relación colectiva única, sin perjuicio del traslado individualizado de cada acto al respectivo interesado.

La jurisprudencia admite como correcta, en general, la utilización de esta práctica en el ámbito sancionador, si bien con notables restricciones:

Consiste en una técnica de racionalización y simplificación del trabajo administrativo que trata de dar solución al problema que plantea la necesidad de conjugar la garantía con la eficacia, sin atentar contra principio alguno impuesto por el Estado de Derecho.

Esta norma se ha considerado aplicable en expedientes sancionadores, siempre que el acto exista efectivamente y se refleje su existencia (338). De esta manera, no es aceptable que se remita la constancia colectiva a una propuesta de resolución inexistente.

La falta de previsión legal de su aplicabilidad a expedientes sancionadores se ha considerado argumento en contra de tal posibilidad, lo cual debería clarificarse. También puede sostenerse la tesis contraria dado que la LRJ (339) no incluye la prohibición de aplicación de este extremo a los expedientes sancionadores. Por otra parte, la necesidad de motivación de los actos sancionadores les hace incompatibles con la aplicación de la norma examinada, salvo que en la constancia escrita de la resolución verbal se motive cumplidamente con el contenido mínimo indispensable normativamente exigido La autorización de la relación de estos actos ha de efectuarse por la firma de la autoridad competente. Dada la especial relevancia de la misma en estos casos, no parece posible aplicar a los mismos la consideración de que la omisión de la firma, autógrafa o electrónica avanzada, pueda considerarse como una mera omisión involuntaria, carente de relevancia y susceptible de corrección.

---

(337)   Ver LRJ art. 55.2.
(338)   STS 22.5.2001.
(339)   Artículo 55.2.

La resolución sancionadora debe contener la valoración de las pruebas practicas, y especialmente de aquéllas que constituyan los fundamentos básicos de la decisión, que fijen los hechos y, en su caso, la persona o personas responsables, la infracción o infracciones cometidas y la sanción o sanciones que se imponen o, bien, la declaración de no existir infracción o responsabilidad, resolviendo de forma sucinta las cuestiones planteadas por los interesados y aquellas otras derivadas del procedimiento.

La resolución sancionadora no puede ser equiparada ni sustituida por la mera certificación del secretario ni por el traslado o notificación de la resolución; por ello si un hubiera resolución del órgano sancionador, habría nulidad de pleno derecho por inexistencia de acto, lo que no significa que la resolución de un procedimiento sancionador no pueda ser verbal.

En cuanto al requisito de firma, el acuerdo o resolución sancionador debe incluir la firma autógrafa (340) del titular o titulares del órgano competente para dictarlo. Los actos administrativos sancionadores no pueden ir firmados con firma delegada (341); así la falta de firma adecuada ha sido considerada en ocasiones tan relevante como para hacer inexistente el acto administrativo; por ejemplo, la falta de firma del jefe de unidad de sanciones en la copia de la resolución sancionadora, unida a la falta de constancia del original en el expediente son causa de inexistencia del acto sancionador. La cuestión es la relevancia que se otorgue a la constancia de firma, en relación con la expresión del consentimiento o con la declaración de voluntad del titular o titulares del órgano sancionador, de manera que si entendemos que la declaración puede existir sin constancia formal de firma, la ausencia de ésta será un defecto leve, siempre que resulte indubitada la autoría e imputabilidad orgánica de aquél; por el contrario, si entendemos que, para entender consumada la declaración de voluntad del órgano sancionador, es esencial la constancia formal de firma, debemos entender inválido el acto administrativos sin firma. Con todo, este respecto el Tribunal Supremo tiene declarado que la falta de firma es defecto subsanable no invalidante (342).

Respecto a la firma electrónica se admite para todos los actos administrativos, incluidos los de carácter sancionador. La firma electrónica avanzada, basada en un certificado reconocido tiene, respecto de los datos consignados, igual valor jurídico que la firma manuscrita y es admisible como prueba en proceso judicial. Tienen carácter de firma electrónica avanzada la que permite la identificación del signatario y ha sido creada por medios que éste mantiene bajo su control exclusivo, de manera que está vinculada únicamente al mismo y a los datos a los que se refiere.

---

(340)   No estampillada.
(341)   LRJ art. 16.4.
(342)   STS 16.11.1999.

Por lo común la constancia de fecha de resolución se considera elemento esencial la constancia, sin embargo, pueden suscitarse dudas acerca de si, atendidas las circunstancias concurrentes, podría entenderse que la falta de fecha sea una mera irregularidad no invalidante o un defecto material, de todos modos debe quedar claro que todas las afirmaciones al respecto de los actos administrativos en materia de fecha son extensibles al caso de las sanciones, con la diferencia de que la acción administrativa actuada a través de estas, además de estar procedimentalmente sujeta a plazo de caducidad, lo está al de prescripción de la infracción, lo que supone un argumento adicional para considerar a la fecha como elemento necesario para conocer si la acción es ejercida dentro del plazo prescriptivo.

El régimen formalización de los documentos administrativos que contengan actos de esta especie, es plenamente aplicable a las sanciones; sin embargo la falta de cumplimiento de las reglas establecidas al respecto, no, necesariamente, implica defecto invalidante del acto, siempre que se cumpla una mínima exigencia de expresión formal adecuada a su naturaleza (343).

35. MOTIVACIÓN DEL ACTO SANCIONADOR

Se entiende por motivación del acto administrativo la justificación del por qué de su producción y contenido (344).

No todo acto debe motivarse, sino solamente aquellos a los que la norma legal o reglamentaria de aplicación exijan contener justificación específica de su criterio, a partir de las características, tipo del acto o circunstancias del mismo. Como excepción, en el ámbito de la potestad tributaria, la regla, a partir de la suma de supuestos concretos en los que se precisa la motivación, es la contraria. Tanto el principio de legalidad y el respeto a la seguridad jurídica como el derecho a la tutela judicial efectiva, así como la interdicción de la arbitrariedad de los poderes públicos exigen, cuando legalmente se requiera, el deber de motivar los actos administrativos, la justificación de los actos de los poderes públicos, publicidad del procedimiento, etc. (345).

La imposición de sanciones, constituye uno de los supuestos de motivación necesaria, porque están dentro de los actos desfavorables o de gravamen. La consideración de los actos administrativos sancionadores como restrictivos de derechos subjetivos no sólo excluye la denegación de tutela efectiva o la producción de la indefensión, sino que exige la efectividad de la misma, en función de la cual debe demandarse a la Administración que no motive expresamente sus actos resoluto-

---

(343) Con independencia de las posibles repercusiones disciplinarias para el empleado público trasgresor.
(344) LRJ art. 54.
(345) CE arts. 9, 14, 24,103, 105 y 120 y SSTS 14.12.199 y 26.5.2000.

rios, convirtiéndose la exigencia de motivación en una condición de efectividad del derecho a la protección jurisdiccional, preceptiva sin duda en actos sancionadores o restrictivos (346).

La justificación de la exigencia del acto, responde a la doble naturaleza con dos caras: deber para la Administración y derecho para el particular. El deber de motivación es el pilar que fundamenta la transparencia de la actuación administrativa, los derechos de tutela judicial efectiva, prohibición de la indefensión, seguridad jurídica, etc. y los principios de interdicción de la arbitrariedad de los poderes públicos y legitimidad de la actuación administrativa, que fundamentan el Estado de Derecho.

El deber de motivar sólo existe cuando una norma lo requiere expresamente, solo tiene alcance constitucional en procedimientos sancionadores, y su contravención es susceptible de recurso judicial de protección de derechos fundamentales y de amparo constitucional. La falta motivación en el acto no debe confundirse con la ausencia de justificación de la actuación administrativa, dado que la motivación no tiene, necesariamente, eficacia constitutiva (347).

Respecto de la finalidad, desde el punto de vista interno, la motivación garantiza la correcta formación de voluntad de la Administración dejando manifiesto que ordena y dispone y al mismo tiempo razona y justifica estas decisiones, siendo elemento esencial para excluir la arbitrariedad. Desde un punto de vista formal supone la exteriorización de los fundamentos por cuya virtud se dicta un acto administrativo constituyendo una garantía para el ciudadano al que se brinda la posibilidad de conocer el fundamento de la decisión administrativa (348). Finalmente, la motivación facilita el control jurisdiccional de la Administración (349).

Por otra parte la extensión y grado de suficiencia de la motivación depende del ámbito y relevancia del acto administrativo, así como de la complejidad de la materia y otros factores concurrentes.

Como regla general, la motivación debe ser sucinta y sin formalidades que no sean esenciales, bastando que en su contexto directo o referencial se encuentren suficientemente expresados los fundamentos de hecho y de derecho que, como premisas necesarias conducen a la parte dispositiva del acto administrativo que se cuestiona (350). Por otra parte, el contenido de la motivación debe ser congruente con el contenido decisorio de la resolución de que se trate; además debe existir relación precisa entre los fundamentos citados en el texto del acto, o derivados

---

(346)   STC 72/1986 y 175/1987.
(347)   STS 22.9.1981.
(348)   SSTC 36/1989 y 174/1992 y STS 18.4.1990.
(349)   CE art. 106.
(350)   LRJ art.54 y SSTS 14.12.1999 y 12.4.2000.

del procedimiento y la decisión que conlleva, dada la vinculación existente en la práctica entre el principio de congruencia y el derecho de defensa están íntimamente ligados (351).

Es regla general que la cita de los preceptos y disposiciones legales o reglamentarias aplicables al caso es suficiente, siempre que la misma sea congruente. Sin embargo la mera citación o transcripción de preceptos normativos aplicables no siempre es suficiente; por lo general, la mención de los preceptos aplicados debe ser complementada con razones y argumentos siempre que lo exija la complejidad de la materia del asunto (352).

Por otra parte, el Tribunal Supremo ha declarado que la motivación debe entenderse cumplimentada cuando en el expediente consta que se han aceptado informes, dictámenes o memorias considerando que aquellos se han asumido por la resolución considerando incluso como motivación adecuada la mera remisión a informes y otra documentación (353).

Como criterio de la práctica administrativa podemos señalar que cuanto mayor sea el margen de apreciación que corresponda a la Administración, más extensa y profunda deberá ser la motivación, teniendo en cuenta que en determinados casos se exige, legalmente, motivación exhaustiva. Finalmente la jurisprudencia (354) ha señalado que la falta de motivación o la motivación defectuosa pueden constituir o bien un vicio de nulidad radical, en caso de resoluciones sancionadoras, dado que se trata de un defecto formal que produce indefensión (355); o un vicio de anulabilidad, si es producto de la ignorancia de los motivos que fundan la actuación administrativa; o bien una irregularidad no invalidante, dependiendo de las consecuencias que pueda tener la insuficiencia de justificación en cada caso, pues no toda ausencia de motivos produce, ipso facto, indefensión (356).

Respecto de la posibilidad de apreciación de oficio, o no, de la insuficiencia de motivación por el órgano revisor hay que señalar que si se considera que es requisito formal, la falta o defecto de motivos sólo invalida el acto, por lo general, en caso de que la resolución insuficientemente inmotivada produzca indefensión o resulte inhábil para alcanzar su finalidad. Todo ello excepto en los casos en que la falta de justificación del acto constituya vicio de nulidad.

Las resoluciones sancionadoras deben motivarse y en este ámbito la justificación tiene por objeto incorporar la valoración de pruebas que se hayan practicado

---

(351)   SSTS 31.5.1995 y 30.3.2000.
(352)   SSTS 17.2.1990 y 21.9.1990.
(353)   SSTS 25.5.1998 y 3.2.2011.
(354)   SSTS 1.10.1988 y 3.4.1990.
(355)   Esto en el ámbito sancionador supone la vulneración de una garantía constitucional.
(356)   STS 7.5.2000.

y la subsunción de los hechos que se consideran probados en la norma tipificadora aplicable, así como el juicio de culpabilidad (357).

La motivación guarda especial relación con la aplicación de principio de proporcionalidad, es un elemento esencial para la graduación de la sanción impuesta y como hemos señalado su motivación no queda satisfecha con la indicación de la norma aplicable sino con la explicación de los criterios empleados para graduar la sanción impuesta, dado que de lo contrario no sería posible verificar la correcta aplicación del principio de proporcionalidad en cada caso.

La motivación sancionadora resulta, especialmente, necesaria en casos de aplicación de pruebas por indicios dado que, en estos casos, la motivación tiene por objeto dejar constancia tanto del razonamiento por el que se aplican, a determinados hechos declarados sin más probados, las normas jurídicas que fundamentan el fallo, sino también de las pruebas practicadas y los criterios que hayan fundado su valoración, pues en este tipo de prueba es imprescindible una motivación expresa para determinar, si estamos ante una prueba de cargo, o ante un mero abanico de sospechas o posibilidades, incapaces de desvirtuar la presunción de inocencia (358). Es decir, ha de razonarse la actividad deductiva seguida.

36. CONTENIDO DE LA RESOLUCIÓN SANCIONADORA

Las resoluciones sancionadoras deben comprender en su decisión (359), la valoración de pruebas practicadas, especialmente de aquellas que constituyan los fundamentos básicos de la decisión; los hechos probados; la persona o personas responsables; la infracción o infracciones cometidas y la sanción o sanciones que se imponen, además de la adopción de disposiciones cautelares precisas para garantizar su eficacia en tanto no sean ejecutivas, y, cuando proceda, la declaración de no existencia de infracción o responsabilidad.

La resolución sancionadora debe, además, identificar al órgano sancionador, con expresión de la norma atributiva de su competencia y la concreción de infracción y sanción presuponen la mención de las normas que las tipifican tipificación, además, la resolución sancionadora debe pronunciarse sobre todas las cuestiones planteadas por los interesados y aquellas otras derivadas del mismo, lo que discurre paralelo al deber de congruencia procesal, y, en su caso, debe incluir un pronunciamiento sobre el resarcimiento de daños y perjuicios (360).

---

(357)   SSTC 122/1991 y 174/1992.
(358)   SSTC 174 y 175/1985.
(359)   LRJ arts. 54, 89, 130 y 138.
(360)   STS 8.11.1990.

La motivación de las resoluciones administrativas tanto de los hechos como del Derecho que se aplique debe ser lógica y jurídicamente suficiente; además para evaluar la suficiencia de la motivación no basta con atender al propio contenido del acto sino que es preciso considerar todo el procedimiento incluyendo las alegaciones y las pruebas practicadas, que permitan conocer el objeto y ámbito de discusión y poder valorar si la Administración motivó adecuadamente su decisión, lo cual implica diferenciar entre:

A) Motivación fáctica que valora dos aspectos: los hechos probados en sí mismos y la prueba practicada, de cuyo iter y proceso debe quedar constancia en el expediente a fin de poder conocer si se ha ajustado a las reglas del criterio lógico, o crítica adecuada y, en cualquier caso, para conocer si efectivamente de las pruebas practicadas cabe deducir, legítimamente, el hecho que se considera probado (361).

B) Motivación jurídica que constituye la argumentación jurídica, que debe ser suficiente, técnicamente correcta, clara e inteligible para el particular.

La fijación o establecimiento de los hechos y de las normas a aplicar tiene que plasmarse tanto en el apartado de la resolución sancionadora que justifique la conducta infractora como en el correspondiente a la sanción.

En definitiva la necesidad de motivación adecuada se vincula con tres principios fundamentales del Derecho sancionador: la presunción de inocencia, la culpabilidad y el principio de proporcionalidad.

Por otra parte la particular naturaleza de las sanciones lleva a ciertas peculiaridades en los parámetros esenciales de su motivación, de manera que, además de las exigencias específicas expuestas para los actos sancionadores son reglas propias de su motivación las que se exponen a continuación.

Es frecuente que el acto administrativo inicial no motivado adecuadamente, sea completado en vía de recurso administrativo, de forma que la resolución del recurso fundamente lo que no fundamentó el acto originario, En estos casos (362), la aplicación del principio de economía procesal suele aconsejar, en la práctica profesional fuera del ámbito sancionador, dar por buena esta motivación en vía de recurso, aunque sea no sea totalmente regular, no obstante el Tribunal Supremo ha negado esta práctica por irregular (363) y que debe rechazarse en ámbitos san-

---

(361)   Ley de Enjuiciamiento Civil arts. 382, 384 y 386, no es infrecuente utilizar la «ley de ritos civiles» para iluminar supuestos no regulados en las normas de aplicación más directa y para los que la práctica profesional necesita un derrotero por el que proseguir el procedimiento con garantías de seguridad jurídica y legalidad.

(362)   Que se denominan de motivación sucesiva.

(363)   STS 12.2.1990, 21.11.1990.

cionadores, por considerar absolutamente esencial a la sanción su justificación cumplida y competa en el momento de su imposición.

En resumen, la motivación en fase de recurso no libera de la obligación de motivar el acto desde que éste se emite obligación cuyo incumplimiento, en el ámbito sancionador, es causa de invalidez insubsanable de las mismas (364).

Por otra parte, en lo que respecta al acto sancionador, no es aplicable la regla general según la cual lo determinante del acto administrativo no es su motivación, sino su contenido resolutorio o, lo que es igual, la decisión que contiene, razón por la cual, en caso de actos administrativos que incorporen una motivación errónea o insatisfactoria pero que, no obstante, adopten una decisión correcta, procede su confirmación (365).

En casos de que el interesado en el procedimiento haya formulado alegaciones, la resolución debe especificar, en su caso, la razón por la que los alegatos del interesado no son tenidos en cuenta. Además en el ámbito de los actos sancionadores se excluye o limita al máximo la motivación por reenvío, la cual consiste en la remisión en un acto concreto al contenido de otro semejante dictado previa o simultáneamente, con igual contenido, conexión o vinculación respecto del objeto de un acto dado. Sin perjuicio de que la resolución sancionadora pueda efectivamente tomar en consideración la motivación de otros actos no basta con una mera remisión a ellos, sino que es necesario que cada acto sancionador contenga una argumentación justificativa de la decisión.

Una motivación genérica, ajustada a un modelo de repetición y más o menos desvinculada de las circunstancias concretas del procedimiento no resulta suficiente para justificar el criterio administrativo de la resolución sancionadora. La exigencia general de suficiencia de motivación en el procedimiento sancionador, exige aplicar criterios materiales que impidan aceptar meras apariencias de motivación que desvíen la efectividad real de la norma y por ello se exige que la resolución, concebida como parte del procedimiento sancionador del que forma parte, permita identificar cuáles son las normas que se aplican y cuál ha sido el juicio, fundado en criterios jurídicos razonables, que ha fundamentado la aplicación de la norma sancionadora al hecho concreto correctamente acreditado en el precepto normativo (366). Finalmente, respecto al contenido, es exigible que la sanción impuesta tenga fundamento adecuado en el tipo normativo aplicado de infracción a fin de cumplir con el principio de legalidad sancionadora. La constitucionalidad de la actuación sancionadora depende tanto del respeto al tenor literal del enunciado normativo, como de su previsión, estando vinculadas por los principios de

---

(364)   STC 53/1986.
(365)   STS 28.2.1986.
(366)   STC 122/1991.

legalidad y de seguridad jurídica, lo cual exige evitar resoluciones que impidan a los ciudadanos programar sus comportamientos sin temor a posibles condenas por actos no tipificados previamente (367). No sólo vulneran el principio de legalidad las resoluciones sancionadoras que se sustenten en una subsunción de los hechos ajena al significado posible de los términos de la norma aplicada sino que son también constitucionalmente rechazables aquellas aplicaciones que, por una argumentación ilógica o indiscutiblemente extravagante o por una base valorativa ajena a los criterios que informan la Constitución conduzcan a soluciones esencialmente opuestas a la orientación material de la norma y, por ello, imprevisibles para sus destinatarios (368). A fin de aplicar este principio debe partirse de la motivación explícita contenida en las resoluciones sancionadoras, de forma que cabe apreciar una vulneración del derecho a la legalidad sancionadora cuando se constate una aplicación extensiva o analógica de la norma a partir de la motivación de la correspondiente resolución, o cuando la ausencia de fundamentación revele que se ha producido dicha extensión.

37. PRESUNCIÓN DE LEGALIDAD. AUTOTUTELA DECLARATIVA Y EJECUTIVA

Una de los aspectos que más caracterizan al acto administrativo es su ejecutividad y la ejecutoriedad en cuya consecuencia, por el mero hecho de producirse con respeto al procedimiento establecido y a la competencia del órgano administrativo actuante, el acto administrativo constituye un título legitimador de la actuación material administrativa y permite ser llevado a efecto incluso en contra de la oposición del tercero afectado u obligado por él (369).

El acto de la Administración pública sujeto a Derecho público es ejecutivo y ejecutorio, de forma que, este tipo de actos se presumen válidos y producen efectos desde la fecha en que se dicten, salvo que en ellos se disponga otra cosa. La Administración no puede iniciar actuaciones materiales de ejecución de resoluciones limitadoras de derechos sin que, previamente, haya sido adoptado el acuerdo que le sirva de fundamento jurídico (370). En consecuencia, el órgano competente puede evacuar el título legitimador de la actuación y desarrollarla, asumiendo la ejecución hasta la realización efectiva del contenido del acto, dada tanto la presunción de legalidad del acto administrativo como la necesidad de que la actuación administrativa se produzca con regularidad y continuidad.

Respecto a la validez y eficacia, si bien los actos y disposiciones generales de la Administración se presumen válidos siempre que se adopten por el procedimiento

---

(367)   SSTC 64/2001, 196/2002 y 129/2003.
(368)   SSTC 42/1999 y 87/2001.
(369)   LRJ artículo 53.
(370)   LRJ 57 y 93.

establecido y se dicten por órgano competente siguiendo el procedimiento establecido, la práctica profesional demuestra que a pesar de todo, los actos pueden resultar contrarios a Derecho, sea por infracción de procedimiento o sustantiva. Junto a la validez del acto administrativo, la eficacia se define como la habilidad o aptitud para producir los efectos que le sean propios, bien aplicando una medida concreta si se trata de un acto o bien integrando el ordenamiento si es un reglamento. La eficacia no depende de la validez, sino que ambos son conceptos independientes. El acto puede tener eficacia, con independencia de que sea válido, siempre que se hayan cumplido los requisitos legales para producir efectos: ser correctamente notificado o publicado. Por el contrario, resulta ineficaz, con independencia de su adecuación al ordenamiento, si es incapaz de producir sus efectos por ausencia de dichos requisitos de efectividad.

En consecuencia, un acto puede ser eficaz o ineficaz con independencia de su validez y a la inversa un acto puede ser válido o inválido, con independencia de su eficacia. Los actos inválidos eficaces que hayan sido correctamente recurridos, cuyos efectos ejecutivos se hayan producido, deben removerse al ser estimado el recurso, restituyendo al interesado, en la medida de lo posible, al estado precedente o compensándole mediante la indemnización que resulte procedente.

Por otra parte, la efectividad o eficacia del acto, válido o inválido, en cuanto sea recurrido, puede suspenderse mediante solicitud y obtención de suspensión de la ejecución, en vía administrativa o judicial.

La presunción de legalidad o validez del acto se caracteriza por varias notas:

a) Es un rasgo esencial del acto administrativo, incluido el ámbito sancionador.

b) Decae en supuestos de que se prescinda o ignore el procedimiento establecido o en caso de incompetencia manifiesta, previa acreditación de ésta. En suma, en casos de vía de hecho.

c) Se configura como un elemento muy próximo a la autotutela declarativa, aunque son figuras que no deben confundirse: la presunción de legalidad se entiende iuris tantum y supone que el acto es conforme a Derecho salvo que se pruebe lo contrario, la autotutela, por su parte, consiste en la potestad de dictar títulos o declaraciones jurídicas (371) susceptibles de ejecución (372).

d) Es una presunción legal en sentido procesal, especialmente en cuanto ligada a la presunción de certeza, que está obligado a desmentir el interesado, dado que en ausencia de recurso, el acto adquiere firmeza.

---

(371)   Que son actos administrativos.
(372)   STS 19.9.1990.

En este ámbito, rige la presunción de legalidad del acto administrativo sancionador, pero se contrae a desplazar sobre el sancionado en vía administrativa la carga de accionar contra la sanción (373). De este modo, interpuesto recurso contra una resolución sancionadora, corresponde a la Administración sancionadora la aportación al expediente de prueba suficiente para deshacer la presunción de inocencia, lo puede llevarse a cabo mediante prueba documental adecuadamente constituida que figure en el expediente o haya sido determinante en su incoación del mismo. Frente a la regla según la cual los documentos públicos hacen prueba, aun frente a tercero, del hecho que motiva su otorgamiento y de la fecha de éste (374), el contenido de expresión del acto recogido en el documento s e presume cierto. Hay que recordar que algunos documentos administrativos, como por ejemplo las actas de inspección, gozan de presunción de certeza, cuando una norma, expresamente, lo disponga.

e) La presunción no siempre es absoluta sino que se atenúa en caso de vicios formales del acto o de tramitación del procedimiento.

f) La presunción de validez es un concepto diferente de la apariencia de legalidad del acto, dado que la falta de ésta puede destruir aquélla.

g) La motivación del acto no es requisito para que opere la presunción de legalidad expuesta, como tampoco su fuerza ejecutiva.

Autotutela declarativa o ejecutividad es el carácter de los actos administrativos en cuya virtud éstos se convierten, desde su producción y eficacia, en títulos ejecutivos de una medida con incidencia en la situación jurídica, derechos e intereses de los particulares. Se trata de una potestad que, al tiempo, supone prerrogativa funcional de la Administración; incluso a veces, se considera un privilegio, porque supone la fuerza obligatoria del acto administrativo, respecto del destinatario (375). Tiene como fundamento la necesidad de las Administraciones de instrumentos idóneos para desarrollar con eficacia su servicio en garantía de los intereses generales, lo que determina el carácter no suspensivo de los recursos (376).

La ejecutividad de los actos administrativos presenta las siguientes características:

a) Se encuentra implícito en el de eficacia con que ha de actuar la Administración, principio que inspira también el de ejecutoriedad, es decir, el del derecho/deber de la Administración de ejecutar sus actos administrativos (377).

---

(373)   STC 147/1997.
(374)   Artículo 1218 Código Civil.
(375)   Ver LRJ artículos 56 y 57.
(376)   LRJ artículo 111.
(377)   STC 22/1984.

b) La autotutela no exime de la motivación del acto ejecutivo, siempre que ésta proceda.

c) La ejecutividad no representa obstáculo para el control jurisdiccional de la actuación administrativa.

d) No cabe confundir la ejecutividad con la exigencia de requisitos previos al recurso administrativo o judicial, por ejemplo con la exigencia *solve et repete,* siempre que no constituya un obstáculo a la efectividad del derecho al procedimiento como parte del principio de tutela judicial (378) efectiva. Sin embargo, no es contrario a la Constitución el hecho de que el acto recurrido sea ejecutivo y se ejecute efectivamente si no es suspendido en su efectividad.

e) A efectos de que un acto administrativo sea ejecutivo, es irrelevante la adscripción orgánica del órgano que lo produzca, siempre que pertenezca efectivamente a la Administración activa o a la revisora, no a la consultiva.

f) La ejecutividad de los actos administrativos nos impide que, en ciertos supuestos, la prudencia administrativa aconseje su no ejecución. Por ejemplo, en caso de que existan procesos judiciales que interfieran en la causa o circunstancias del acto, aunque no sean impugnación del mismo

Con respecto a la ejecutividad de los actos sancionadores debe tenerse en cuenta que la fuerza ejecutiva de las sanciones no lesiona el principio de presunción de inocencia, ni es contraria a la Constitución (379). La concesión de fuerza ejecutiva a los actos de contenido sancionador antes de ganar firmeza en vía administrativa o negarles tal fuerza hasta dicha firmeza, es una cuestión que depende de la propia disposición reguladora, desde un punto de vista de garantías constitucionales es válida cualquier opción, siempre que se permita suspender la ejecutividad y someter a fiscalización judicial la decisión adoptada al respecto (380). Por lo general, una sanción administrativa, con las eventuales excepciones de algunas sanciones disciplinarias inmediatamente ejecutivas en el ámbito militar y penitenciario, sólo alcanza ejecutividad en el momento en que deviene firme en vía administrativa (381). Una vez firme, la sanción es título de ejecución forzosa, si bien el Tribunal Constitucional tiene declarado que durante el plazo de interposición del recurso judicial la ejecución de acto sancionador debe quedar en suspenso (382).

---

(378)   STS 21.7.2000.
(379)   SSTS 23.2.1984 y 13.2.1987 y STC 66/1984.
(380)   STC 78/1996.
(381)   LRJ artículo 138.
(382)   SSTC 78/1996 y 1999/1998.

Si bien el principio de autotutela administrativa no es contrario a la Constitución, la ejecución inmediata de un acto administrativo es relevante desde la perspectiva del principio de tutela judicial efectiva, ya que ésta sólo queda satisfecha cuando la ejecutividad pueda ser sometida a la decisión de un tribunal, de modo que la Administración no debe ejecutar sus actos sancionadores, antes de que el órgano judicial revisor pueda pronunciarse sobre la suspensión. Una vez dictado el pronunciamiento judicial la Administración puede y debe ejecutar la sanción.

Finalmente señalar que autotutela ejecutiva o ejecutoriedad consiste en la fuerza interna del acto para ser llevado a efecto incluso contra la oposición del interesado, por alguno de los medios y con los límites y excepciones establecidos por la Ley, hasta su total ejecución. En el caso de las resoluciones sancionadoras, una vez agotada la vía administrativa y en caso de no suspenderse su ejecución, o levantada ésta, la ejecución queda sometida somete a ciertas normas (383):

— No puede iniciarse actuación material de ejecución de un acto de gravamen (384), sin que previamente haya sido adoptada la resolución que le sirva de fundamento jurídico, dado que de lo contrario, incurre en vía de hecho.

— En caso de ejecución de actos favorables, no es preciso someterse al procedimiento rigurosamente establecido; pero en caso de actos con doble efecto, la ejecución debe someterse al tratamiento de los actos desfavorables.

— El órgano que ordene un acto de ejecución material debe notificar al particular la resolución correspondiente.

— Los actos administrativos son susceptibles de ejecución forzosa. Sin embargo, existen algunas excepciones como los actos sancionadores que se encuentren suspendidos administrativa o judicialmente, aquellos casos en que una disposición establezca lo contrario o necesiten aprobación o autorización superior; los actos que por su propia naturaleza no son susceptibles de ejecutarse forzosamente.

— Es posible y frecuente la colaboración interadministrativa en la ejecución forzosa de actos, cuyo caso, La Administración ejecutante necesita un título jurídico válido otorgado por la Administración pública solicitante de colaboración.

— La ejecución del acto prosigue hasta su culminación, salvo excepción legal y siempre debe llevarse a cabo, respetando siempre el principio de proporcionalidad, mediante el apremio sobre el patrimonio; la ejecución subsidiaria; la multa coercitiva y la compulsión sobre las personas. Si son varios los medios de ejecución admisibles debe escogerse el menos restrictivo de la libertad individual.

---

(383) LRJ artículos 93 a 100.
(384) Limitador de derechos.

Capítulo 6

Guía de procedimientos sancionadores

La potestad sancionadora debe ejercerse con especial cuidado en cumplir las garantías formales que rodean esta competencia administrativa que la Constitución española manda, expresamente, respetar. El procedimiento sancionador es el conjunto de actos administrativos encaminados a la aplicación de sanciones en supuestos, verificados, de infracción. En el presente capítulo examinamos los diferentes aspectos que conforman el procedimiento sancionador y los sujetos actuantes.

1. INICIO DEL PROCEDIMIENTO SANCIONADOR

El procedimiento sancionador siempre se inicia de oficio en virtud del acuerdo de incoación que dicte el órgano competente (1), lo cual garantiza el derecho al interesado legitimado a que se inicie el procedimiento, de tal modo que si la solicitud de inicio no fuera atendida de manera expresa podrá recurrirse contra ella como una denegación presunta o expresa en caso de inadmisión expresa. Por ello en la práctica cuando exista un sujeto legitimado que solicite la incoación del procedimiento sancionador, ejercitando un derecho legalmente reconocido, la Administración estará obligada a atender dicha solicitud.

La cuestión de si, ante la apreciación de unos hechos que se presentan como infracción administrativa, el ejercicio de la potestad sancionadora es obligatorio para la Administración o, por el contrario, supone una facultad del órgano competente; es decir que si ante indicios claros de infracción o una denuncia fundada, la administración está obligada o no a incoar el procedimiento sancionador, o al menos a investigar y llevar a cabo actuaciones y diligencias al respecto, debe responderse afirmativamente.

---

(1) La Ley 30/1992 de Régimen Jurídico de las administraciones Públicas y del Procedimiento Administrativo Común (LRJ) contempla el procedimiento sancionador, en su artículo 44, como una modalidad de los procedimientos iniciados de oficio, lo cual reitera, en su artículo 11, el Reglamento para el ejercicio de la potestad sancionadora (RPS) aprobado por RD 1398/1993.

En virtud del carácter oficial que rodea la actuación administrativa y sobre todo como una exigencia directa del principio de legalidad debe concluirse la obligatoriedad para la administración del ejercicio de la potestad sancionadora, lo cual ha sido, reiteradamente, declarado por el Tribunal Supremo (2); por ello aunque la jurisprudencia, con objeto de dar aplicación a ciertos instrumentos jurídicos como el principio de proporcionalidad, ha reconocido cierto margen de discrecionalidad a la Administración para evaluar las conductas y ajustarlas o no al tipo de infracción y sanción correspondientes, ello es una cuestión distinta a si dicha discrecionalidad se refiere a la decisión de incoar, o no, el procedimiento sancionador que como hemos dicho es obligatorio para la Administración.

El Reglamento de Procedimiento para ejercicio de la Potestad Sancionadora (RPS) regula las posibilidades de incoación de estos procedimientos, que se iniciarán de oficio, por acuerdo del órgano competente, por propia iniciativa o como consecuencia de orden superior, petición razonada de otros órganos o por denuncia (3), modalidades que examinamos seguidamente.

1.1. Inicio por propia iniciativa

En este supuesto el procedimiento se inicia cuando el órgano competente para iniciarlo conoce directa o indirectamente los hechos presuntamente infractores y decide incoar procedimiento sancionador, lo cual puede producirse tanto de una manera eventual o *ad hoc* o bien porque dicho órgano tenga, expresamente atribuidas, competencias de inspección o investigación o la condición de autoridad pública. Así lo reconoce el RPS en cuya virtud los procedimientos se iniciará siempre de oficio, por acuerdo del órgano competente, regla que se incluye en la normativa que regula los procedimientos sancionadores de la Comunidades autónomas.

Este conocimiento de los hechos por la Administración puede haberse producido de tres modos:

a) De manera ocasional sin que haya una actuación oficial deliberada o dirigida a ello.

b) Porque la persona o agente que tuvo conocimiento de los hechos ostente la condición de autoridad pública.

c) Por tener atribuidas funciones específicas de inspección, averiguación o investigación en la materia.

---

(2)   SSTS 30.4.1979, 25.5.1987 y 4.5.1999 entre otras.
(3)   Art. 11 RPS.

1.2. Inicio por orden superior

El procedimiento puede iniciarse como consecuencia de una orden emitida por un órgano administrativo superior jerárquico de la unidad administrativa competente para iniciarlo, lo cual, en aplicación del principio de jerarquía administrativa (4), debe ser entendido que esa orden puede partir no solo del superior inmediato sino de cualquier órgano superior de la citada unidad administrativa y a ese órgano deberán ser comunicadas las resoluciones que pongan fin al procedimiento incoado. La orden debe incluir, siempre que sea posible, los presuntos responsables, las conductas o hechos susceptibles de constituir infracción administrativa y su tipificación, así como el lugar y la fecha o periodo en que los hechos hayan sido consumados (5). El carácter vinculante de la ordena no debe suponer obstáculo para la práctica de actuaciones previas por el órgano competente, cuando así se estime necesario para el correcto ejercicio de la potestad sancionadora.

1.3. Inicio en virtud de petición razonada

El procedimiento sancionador también puede iniciarse en virtud de una propuesta formulada por cualquier órgano administrativo sin competencia para iniciarlo siempre que éste hubiera tenido conocimiento de las conductas o hechos que pudieran ser constitutivas de infracción, bien ocasionalmente o bien por tener atribuidas funciones de inspección o investigación. Esta petición debe contener los mismos elementos exigidos para la orden superior; pero no es vinculante para el órgano competente para incoar quien en caso de no hacerlo debe dictar resolución motivada incluyendo las razones por las que no procede a la incoación del procedimiento comunicando la misma al peticionario a quien, también debe ser comunicada la resolución resultante de incoar procedimiento.

1.4. Inicio a consecuencia de denuncia

El procedimiento sancionador también puede iniciarse como consecuencia de denuncia que es el acto por el que una persona una persona, en cumplimiento, o no de una obligación legal, pone en conocimiento de un órgano administrativo la existencia de un hecho que pudiera constituir infracción.

Las denuncias deben tener un contenido mínimo que debe expresar los extremos siguientes:

1. La identidad de la persona o personas que presentan la denuncia (6).

---

(4)   Art. 103 CE y 3.1 LRJ.
(5)   Art. 21 LRJ y 10 RPS.
(6)   Las denuncias anónimas carecen de eficacia procedimental y no se tramitan.

2. El relato de los hechos que pudieran ser constitutivos de infracción y la fecha de su comisión, sin valoración o calificación jurídica. La identificación de los presuntos responsables siempre que sea posible.

Además las denuncias pueden contener, o no, solicitud de inicio del procedimiento sancionador, de manera que únicamente si se incluye dicha solicitud, el órgano competente para iniciar, estará obligado a comunicar al denunciante tanto el inicio como la decisión de no iniciar el procedimiento según proceda.

Las denuncias se dirigen al órgano competente para iniciar el procedimiento dentro de la Administración que ostente la competencia para sancionar y ante una presentación errónea el órgano receptor debe remitir la denuncia al órgano competente para iniciar el procedimiento sancionador.

2. ACTUACIONES PREVIAS

Las actuaciones previas del procedimiento sancionador tienen por objeto dar a conocer las circunstancias del asunto y de las personas presuntamente infractoras, además de hacer posible la valoración de la conveniencia o no de iniciar el procedimiento, permitiendo, por otra parte, comprobar hasta que punto, exista fundamento racional para estimar cometida una infracción y su imputabilidad a un sujeto de derecho evitando la tramitación de un procedimiento sancionador estuviera clara la falta de indicios de infracción.

En el ámbito de las actuaciones previas es posible la práctica del trámite de información reservada que se lleva a cabo sin conocimiento ni intervención del posible imputado, cuyo carácter, meramente interno, se justifica en el hecho de evitar toda publicidad que permita el conocimiento de la intervención de la Administración, por parte del sujeto objeto de dicha información y de que los fines del procedimiento no resulten frustrados.

Sobre el derecho de los particulares a conocer estas actuaciones previas, el Tribunal Supremo tiene declarado que el derecho a conocer de la acusación solo surge cuando el procedimiento lo permita por haber llegado a un momento en que las imputaciones puedan ya formularse con fundamentos sólidos; además el derecho a no declarar contra sí mismo no resulta vulnerado por el hecho de que el infractor realice declaraciones de autoinculpación en la fase de actuaciones previas antes de que la Administración formule imputación por no conocerse aún contra quien ha de dirigirse el procedimiento (7).

---

(7)   Otra cosa sería el caso de que la actuaciones previas resulten dilatadas con objeto de conseguir una declaración sin garantías ni conocimiento, en cuyo caso resultarían vulnerados los derechos del particular. STS 27.2.2003.

Las actuaciones previas deben llevarse a cabo, antes del inicio del procedimiento sancionador, para determinar la conveniencia o justificación de iniciarlo, por ello en sentido propio no forman parte del procedimiento sancionador ya que no constituyen, propiamente, un procedimiento administrativo sino un antecedente procedimental, sin embargo las actuaciones se incorporan al expediente sancionador una vez iniciado el procedimiento (8).

Los órganos competentes para llevar a cabo las actuaciones previas del procedimiento sancionador son, con preferencia, aquellos que tengan atribuidas funciones de investigación, averiguación e inspección en la materia de que se trate; subsidiariamente, por el órgano o funcionario que haya designado, expresamente, el órgano competente en el procedimiento sancionador.

Las diferentes clases de actuaciones previas pueden clasificarse en aquellas susceptibles de llevarse a cabo por cualquier tipo de funcionario o unidad administrativa como es la identificación personal o de objetos con elementos de identificación y aquellas que solo pueden ser llevadas a cabo por órganos o funcionarios con especial habilitación técnica como por ejemplo las características de objetos concretos (9), sin perjuicio de que la legalidad y adecuación al procedimiento sancionador de cualquier información o elemento probatorio que pudiera obtenerse en las actuaciones previas pueda ser cuestionada en el momento procedimental oportuno. El Tribunal Supremo tiene declarado que la competencia procedimental no puede alterar la competencia de los órganos responsables de inspección o investigación de manera que cuando en el ámbito de de unas actuaciones previas haya que tomar muestras de productos o inspeccionar una actividad determinada, la competencia es de estos últimos órganos o funcionarios responsables de inspección o investigación (10).

La cuestión de si las actuaciones previas cuentan a efectos de interrumpir el plazo de prescripción depende, según tiene declarado el Tribunal Supremo, de que el sujeto afectado por ellas tenga, o no, conocimiento en forma de las mimas; de este modo al quedar exteriorizada la actuación administrativa dirigida a preparar e iniciar el procedimiento, con la práctica de estas actuaciones con conocimiento del interesado debe considerarse interrumpida la prescripción; por el contrario si esta exteriorización y conocimiento por el interesado no se realiza, las actuaciones previas no interrumpirán la prescripción, dado que toda actuación administrativa que afecte a los interesados deber ser legalmente notificada y reflejada documentalmente en el expediente de manera oportuna (11). Por otra parte la duración prolongada de las actuaciones previas no debe afectar a la ca-

---

(8)   SSTS 22.2.1985 y 26.5.1987.
(9)   Armas de caza, artes o aparejos de pesca, productos de alimentación, etc.
(10)   STS 5.10.1992.
(11)   SSTS 26.11.1996 y 30.10.1993.

ducidad del procedimiento que tienen como inicio el acuerdo de incoación; no obstante estas actuaciones no deben ser mantenidas de modo injustificado o no razonable, tomándose declaración en ellas al que vaya a ser imputado siempre que existan indicios suficientes y elementos de cargo importantes para formular una acusación (12).

Cuando, por falta de indicios o evidencias mínimas la autoría, imputabilidad, la existencia o naturaleza infractora de los hechos, así como cuando se compruebe que ha prescrito la infracción y el órgano se abstenga de iniciar procedimiento sancionador archivando las actuaciones, está obligado a dictar resolución expresa de archivo con específica declaración de no iniciarse el procedimiento, que debe ser comunicada al denunciante, en su caso, que interesara el inicio y al órgano que cursó la petición. Esta resolución, aunque es un acto de trámite puede ser objeto de recurso administrativo por el interesado siempre que se acredite la imposibilidad de iniciar el procedimiento (13). Hay que tener en cuenta que la resolución de archivo de actuaciones es un acto administrativo reglado o más bien un acto debido de manera que si el órgano actuante apreciara la no procedencia de incoar procedimiento debe archivar las diligencias, de igual modo como quiera que las funciones administrativas de inspección y averiguación constituyen obligaciones y responsabilidades ineludibles para el funcionario u órgano competente, la determinación de la existencia de hechos infractores determinan la obligación de continuar con el procedimiento sancionador; por ello el Tribunal Supremo estima que procede estimar un recurso administrativo interpuesto contra la decisión de archivo de un procedimiento, cuando se hubiera incumplido la obligación administrativa de averiguación, recurso que podría fundamentarse en la existencia de base racional para entender cometida la infracción o en la acreditación de la autoría o imputación o no prescripción de la infracción (14).

La documentación y otros elementos obtenidos de juicio y conocimiento obtenidos en la fase de actuaciones previas, se incorporan al expediente y en consecuencia quedan sometidos a las normas generales de la prueba del procedimiento sancionador. El valor probatorio de lo obtenido en actuaciones previas, se mantiene, incluso, en procedimiento sancionadores posteriores, en el caso de que el procedimiento sancionador fuese archivado por caducidad, pudiendo si no ha caducado la infracción, utilizar los mismos documentos que con valor de denuncia determinaros la incoación del primer procedimiento; además la caducidad del primer procedimiento no supone la falta de efectos de actas o informes en los que se haya de fundar el acuerdo de inicio que pueden ser incorporados al nuevo expediente.

(12)   STS 27.2.2003; ver también art. 20.6 RPS.
(13)   Ver LRJ. arts. 31 y RPS. 6.1 y 11.2.
(14)   STS 27.6.1984.

3. RESPONSABLE DE LA INFRACCIÓN

El presunto infractor o responsable de la infracción es un interesado principal en el procedimiento sancionador, teniendo en cuenta que no deja de tener la condición de presunto hasta que se dicte la resolución del procedimiento y esta sea firme. El presunto infractor tiene en el procedimiento una serie de derechos que la Administración no puede desconocer:

a) Derecho a ser parte en el procedimiento sancionador

El derecho a ser parte se materializa en el derecho a formular alegaciones y utilizar los medios de defensa que el Ordenamiento jurídico admite y resulten procedentes en su caso como las alegaciones al acuerdo de inicio, a la práctica de prueba, al acuerdo de audiencia, a las actuaciones complementarias posteriores a la propuesta de resolución y a la consideración de mayor gravedad de la infracción (15).

b) Derecho a ser notificado: de los hechos que les sean imputados, de las infracciones de que tales hechos puedan ser constitutivos y, en su caso, de las sanciones que se le puedan imponer, así como de la identidad del instructor y autoridad competente para imponer la sanción y además de la norma que atribuya dicha competencia.

Este derecho a la notificación está garantizado por la propia notificación del acuerdo de inicio, cuyo contenido mínimo debe comprender los datos mencionados dado que, como ha declarado el Tribunal Constitucional, constituye una exigencia del derecho a la tutela judicial efectiva (16).

c) Derecho de conocimiento del estado del procedimiento y obtención de copias de documentos del expediente.

La información que tiene derecho a obtener debe ser específica y concreta; acerca de cuestiones administrativas relacionadas el servicio de atención al ciudadano y solo será accesible al presunto infractor y otros interesados.

Esta información es compatible con la información general relativa a la identificación, fines, composición, estructura, funcionamiento y localización de organismos y unidades, a los requisitos técnico-jurídicos de ciertas actuaciones o a la tramitación de procedimientos y por ello no debe ser confundida con la información relativa al estado de tramitación de los procedimientos; dado que mientras la primera se refiere a la existencia, competencia y circunstancias de los procedimientos, informado de los cauces necesarios para solicitar cierta actuación o prestación

---

(15)   RPS arts.16 a 20.
(16)   SSTC 29/1984 y 190/1987; ver art. 13 RPS.

de la Administración, la segunda tiene lugar una vez incoado el procedimiento y dentro del mismo de manera que se entiende, concretamente, con el interesado no con el ciudadano en general (17).

d) A actuar por medio de representante, pudiendo, en dicho caso y si se ha indicado así al órgano competente, notificarse al representante el inicio del procedimiento y trámites ulteriores. Sin embargo, el Tribunal Supremo ha declarado que la Administración carece de competencias para considerar representante del presunto responsable o lo haya sido en otras actuaciones distintas, solo por esta circunstancia, dado el carácter personalísimo que tienen las sancionas administrativas (18).

e) Derecho a conocer la identificación de las autoridades y personas bajo cuya responsabilidad se tramite el procedimiento.

Para ello en el acuerdo de inicio debe hacerse constar el nombre del instructor o jefe de la unidad encargada de la instrucción del procedimiento sancionador, el nombre del secretario a fin de tener la posibilidad de recusarles si procede. Este derecho de conocimiento no se restringe a la identificación de la autoridad o personal que ponga fin al procedimiento sino que se extiende a todo el personal que toma parte en la tramitación y cualesquiera que entren en contacto con el presunto infractor y demás interesados en las actuaciones. A este respecto en la práctica procedimental, la identificación de los empleados públicos actuantes se consigue exigiendo que en todos los documentos de que consta el expediente en que consten actos administrativos se haga constar la denominación completa del cargo o puesto de trabajo del titular del órgano administrativo competente para la emisión del documento, así como el nombre y apellidos de la persona que formaliza el documento, indicando a su vez la delegación o suplencia en cada caso (19). Este derecho también se refiere al conocimiento de los empleados públicos que se relacionen verbalmente con el presunto infractor con ocasión del procedimiento.

La presencia del infractor es necesaria en el procedimiento, sin él no cabe imponer sanción alguna y por ello el fallecimiento del presunto responsable cuando es una persona física extingue el procedimiento dado que la responsabilidad derivada de infracciones administrativas es una responsabilidad personalísima.

4. INTERESADOS EN EL PROCEDIMIENTO SANCIONADOR

La situación general de los interesados es similar a la que ostentan en otros procedimientos administrativos. No todo el mundo es interesado en un procedimiento

---

(17)   LRJ 35 a 37 y RPS art. 3.
(18)   STS 29.1.2001.
(19)   Ver RD 1465/1999 art. 4.2.

sancionador. La condición de interesado supone un antecedente o presupuesto necesario para la admisión a la intervención en el procedimiento administrativo, atribuye legitimación que se obtiene por la concurrencia de dos elementos:

a) La titularidad de un derecho subjetivo o un interés legítimo, individual o colectivo que debe producirse de manera coetánea a la actuación administrativa: actual, subsistente, perfecto y consumado, no pasado ni futuro ni hipotético (20), dado que en ese caso resultaría incierta. Como consecuencia de ello los derechos caducados o prescritos no atribuyen la condición de interesado; además como ha declarado el Tribunal Supremo los extremos que constituyen la condición de interesado son hechos sometidos a prueba cuya carga corresponde al quien aporta el derecho o interés legítimo (21).

b) La personación actual o potencial en el procedimiento sancionador. De acuerdo con ello interesado es aquel que actúa o puede actuar en un procedimiento cuyo objeto afecta a derechos o intereses propios individual, colectiva o corporativamente considerados.

En consecuencia hay que distinguir tres tipos de interesado dentro del procedimiento:

— El denunciante que promueva el procedimiento siempre que ostente un derecho o interés legítimo individual o colectivo (22).

— El que sin haber promovido el inicio ostente algún derecho que pueda resultar afectado por la sanción que pueda adoptarse. En este caso la Administración tiene el deber de comunicarle la existencia del sancionador si su identificación resulta del expediente para que pueda personarse (23).

— El que sin haber promovido el inicio del procedimiento sea titular de interés individual o colectivo que pudiera resultar afectado por la sanción que, en su caso, se adopte y se persona antes de que se dicte resolución definitiva. En este caso su intervención en el procedimiento depende de su personación sin que exista obligación administrativa de comunicarle el mismo.

Estos interesados tienen participación plena en el procedimiento sancionador dado que se les notifica el acuerdo de inicio; intervienen en el trámite de audiencia; pueden presentar alegaciones, documentos y proponer prueba en plazo; evacuan trámite de audiencia tras la propuesta de resolución; se les notifica el trámite de actuaciones complementarias; pueden interponer recursos contra la resolución

---

(20)   STC 93/1990.
(21)   STS 25.10.1982.
(22)   LRJ art.31.1, y RPS art. 11.1.
(23)   Situación en la que se encuentra el presunto infractor.

sancionadora y en cualquier momento tienen acceso al expediente y a conocer el estado del procedimiento (24).

La condición de interesado no se pierde pasivamente en el procedimiento sancionador, sino que la pasividad solo produce la preclusión de los trámites no cumplimentados por el interesado, dado la naturaleza de oficio del procedimiento sancionador la actitud pasiva del interesado no produce la caducidad sin perjuicio de que puedan verse afectados por caducidad o perención (25).

5. EL DENUNCIANTE EN EL PROCEDIMIENTO SANCIONADOR

El examen de esta figura obliga a distinguir los supuestos del mero denunciante en el procedimiento sancionador, del denunciante que tiene la condición de interesado y del denunciante que lo es en cumplimiento de una obligación legal.

5.1. El mero denunciante

Es denunciante cualquier persona física o jurídica que, en cumplimiento o no de una obligación legal, pone en conocimiento de un órgano administrativo la existencia de un determinado hecho que puede constituir infracción administrativa, pudiendo o no solicitar el inicio de un procedimiento sancionador. El denunciante debe ser un sujeto identificado en el escrito de denuncia y en consecuencia no se admite la denuncia anónima o simple delación (26). El Tribunal Supremo tiene declarado que la condición de denunciante es diferente de la de parte interesada y por ello carece de iniciativa procedimental ni de legitimación para crear obligaciones a la Administración para investigar la denuncia (27). Los denunciantes no tienen un interés legítimo en el procedimiento sancionador dado que éste se dirige a defender los intereses generales en consecuencia aquel no puede recurrir el archivo de actuaciones ni intervenir, necesariamente, en el procedimiento sancionador ni recurrir la resolución; y aunque sí puede ser llamado como testigo, como ha reconocido la jurisprudencia, tiene el carácter de un simple tercero y carece de la condición de parte legítima (28).

El mero denunciante puede intervenir el procedimiento sancionador a través de la presentación de la denuncia expresando su identidad y al quien debe comunicársele la iniciación o no del procedimiento. Además también puede comparecer como testigo en el procedimiento siempre que sea llamado por el inculpado, por la Administración o por otros interesados.

---

(24)   RPS arts: 3, 13, 16, 19 y 20.
(25)   LRJ art.42.
(26)   RPS art. 11.1.
(27)   STS 26.10.2000.
(28)   STS 12.3.1991.

5.2. El denunciante legitimado

Aunque el denunciante no es necesariamente parte legítima, ambas figuras no son incompatibles de manera que si el denunciante reúne la condición de interesado podrá recurrir el archivo de las actuaciones así como intervenir en las diferentes fases del procedimiento y recurrir la resolución sancionadora. Si la denuncia afecta a intereses directos del denunciante éste pasa a ostentar la condición de interesado para la adecuada defensa de aquellos intereses. A estos efectos pueden distinguirse dos clases de denunciante: Simple denunciante y denunciante cualificado en que concurre, además un interés legítimo sobre los hechos que denuncia (29).

5.3. El denunciante en cumplimento de obligación legal

Es el denunciante que incoa o interviene en el procedimiento sancionador en cumplimiento de un deber legal (30). Por lo general la normativa sectorial reguladora establece el deben de denunciar por parte de los funcionarios de la Administración a quien corresponda el ejercicio de la potestad sancionadora; pero hay que tener en cuenta que cuando un funcionario público que no está destinado en la Administración sancionadora competente, denuncia un hecho objeto de infracción, hay que seguir entendiendo que la denuncia está fundada en el deber legal que tienen todo funcionario público de denunciar los hechos puedan ser constitutivos de infracción además si dicho funcionario tiene la condición de autoridad este extremo será determinante a fin de considerar, a efectos de prueba en el procedimiento, que su testimonio oficial pueda enervar la presunción de inocencia, lo cual la jurisprudencia ha determinado fundándose en el criterio de la colaboración interadministrativa (31).

6. COMPETENCIA SANCIONADORA

El ejercicio de la potestad sancionadora corresponde a los órganos de la Administración a los que se encuentre legal o reglamentariamente mente atribuida, esta atribución puede ser directa o resultar de la aplicación de diversos preceptos legales mediante reenvío, siempre que resulta clara e indubitadamente atribuida. Cuando se atribuye esta competencia a una administración sin especificar el órgano responsable de ejercerla, debe entenderse que la facultad de instruir y resolver los procedimientos corresponde a los órganos subordinados competentes por razón de la materia y del territorio y cuando existan varios de este tipo, al que

---

(29)   Ver, en este sentido, SSTS 18.2.1998, 20.2.1998 y 3.6.1998.
(30)   RPS art. 11.
(31)   STC 64/1982 y STS 14.11.1991.

sea superior jerárquico común (32). Por otra parte hay que tener en cuenta que cada Administración Pública tiene potestad de propia organización y dentro de ésta se encuentra la facultad de establecer sus propias estructuras de administración y los órganos que deben intervenir en el ejercicio de la potestad sancionadora debiendo diferenciar los órganos encargados de la instrucción de aquellos competentes para emitir la resolución que son los propiamente sancionadores (33); a este respecto, hay que tener en cuenta que el concepto de órgano competente engloba al de unidad a que se refiere la normativa de aplicación, de manera que, siempre será un órgano el responsable de ejercer la potestad sancionadora, sin perjuicio de la intervención en el procedimiento de la unidad administrativa que corresponda (34).

Las reglas para atribuir competencias en el procedimiento sancionador se refieren a tres tipos: competencias para acordar el inicio, competencias para la instrucción del procedimiento y competencias para la resolución.

El órgano competente para acordar el inicio del procedimiento sancionador será el que esté previsto en la norma reguladora y si no es posible determinarlo concretamente hay que entender que es competente para iniciar el procedimiento, el que lo sea para resolver.

Al órgano competente para iniciar el procedimiento sancionador le corresponden las actuaciones siguientes:

a) Dictar acuerdo de inicio que debe notificar al inculpado y los interesados, así como comunicarlo al instructor.

b) Decidir, si procede, la incoación de procedimiento y el archivo de actuaciones.

c) Comunicar, en su caso, al órgano que haya dirigido la petición de inicio, los motivos por los que no proceda el inicio del procedimiento.

d) Comunicar el inicio o no del procedimiento al denunciante que lo solicitó.

e) Determinar quien debe llevar a cabo las actuaciones previas, cuando, en la materia, no existan órganos de investigación, inspección o averiguación determinados.

f) Nombra al instructor y secretario del procedimiento.

g) Adoptar medidas de carácter provisional cuya adopción sea de urgencia inaplazable para iniciar el procedimiento.

---

(32)   LRJ art. 12.3.
(33)   LRJ art.134 y RPS art. 10.
(34)   En un órgano administrativo puede haber diversas unidades administrativas.

h) Ordenar, formalizar y custodiar, bajo su propia responsabilidad, los documentos en que consten las actuaciones del inicio hasta el momento de su traslado al instructor.

Respecto a las reglas de competencia sancionadora en el ámbito de la Administración General del Estado, hay que señalar que, además de las que corresponden al Consejo de Ministros, Comisiones Delegadas del Gobierno, Ministros, Secretarios de Estado, Directores Generales y asimilados, en el ámbito de la Administración territorial del Estado los Delegados del Gobierno ejercen las potestades legalmente atribuidas y las delegadas o desconcentradas; los Subdelegados del Gobierno en las provincias, son los competentes para iniciar los procedimientos cuya resolución corresponda a los Delegados del Gobierno en la Comunidad Autónoma.

Respecto a la competencia de las Administraciones autonómicas hay que recordar que no todas tienen aprobado un procedimiento sancionador con carácter general similar al RPS, sin embargo las que no lo han aprobado sí que han regulado sectorialmente esta materia. A este respecto hay que señalar que las Comunidades autónomas tienen competencia para regular su propio procedimiento sancionador para ejercicio de su propia potestad autonómica sin adentrarse en el ámbito concreto de la potestad sancionadora de la Comunidad Autónoma en materias de competencia normativa plena del Estado.

De todos modos la inaplicación del procedimiento que proceda legalmente en el ámbito sancionador, es decir dictar una sanción prescindiendo total y absolutamente del procedimiento establecido, constituye un vicio de nulidad de pleno derecho, dado que en el ámbito sancionador la observancia formal del la forma procedimental establecida constituye una garantía expresamente establecida por la Constitución (35).

Con respecto a la Administración Local hay que diferenciar entre la competencia sancionadora de las diputaciones provinciales y la competencia sancionadora municipal.

Respecto de la competencia de las Diputaciones provinciales la competencia sancionadora, en defecto de norma que establezca otra cosa se atribuye a los presidentes siendo éstos competentes para dictar resolución.

Respecto de los municipios; en los de régimen común la competencia corresponde al alcalde sancionar las faltas por desobediencia o infracción a las ordenanzas salvo en casos en que esta competencia se halle atribuida a otros órganos. En los municipios de régimen especial la competencia para sancionar se ejerce por la Junta de Gobierno Local. Tanto al alcalde como a los órganos locales, en cada

---

(35)   LRJ art.62.1 e) y art. 34 CE.

caso, les corresponde la competencia para dictar resolución salvo que, normativamente, se encuentre atribuida a otro órgano de la Administración municipal.

7. ACUERDO DE INICIO

El acuerdo de inicio o es el acto administrativo por el que se acuerda la incoación del procedimiento sancionador y cuya fecha determina el comienzo del plazo a efectos de caducidad procedimental (36). El acuerdo, puede contener, o no, el pliego de cargos; pero si se incluye, éste debe indicar al menos de modo sucinto los hechos por los que se incoa, la persona o personas contra las que s e dirige, así como el instructor que haya de designarse en el procedimiento.

El acuerdo de inicio del procedimiento es un acto de trámite que no es susceptible de impugnación mediante recurso administrativo ni judicial dado que en él se fijan los hechos que pueden ser alterados posteriormente a lo largo del procedimiento. El acuerdo de inicio deja de ser un acto de trámite, pasando a ser definitivo, si a él se añaden otros actos con efectos inmediatos como la paralización cautelar de obras o cierre inmediato de establecimiento, en consecuencia en esto casos debe admitirse recurso administrativo contra el mismo (37).

El artículo 13 RPS dispone que, el inicio de los procedimientos sancionadores, debe formalizarse con el contenido mínimo siguiente:

A. Identificación de la persona o personas presuntamente responsables.

B. Los hechos sucintamente expuestos que motivan la incoación del procedimiento, su posible calificación y las sanciones que pudieran corresponder, sin perjuicio de lo que resulte de la instrucción.

C. El instructor y, en su caso Secretario del procedimiento, con indicación, expresa, del régimen de recusación.

D. El órgano competente para la resolución del procedimiento y norma que atribuya dicha competencia, indicando la posibilidad de que el presunto responsable pueda reconocer, voluntariamente, su responsabilidad.

E. Las medidas provisionales que se hubieran acordado por el órgano competente para iniciar el procedimiento, sin perjuicio de las que puedan adoptarse durante el mismo.

F. Indicación expresa: del derecho a formular alegaciones y a la audiencia en el procedimiento y de los plazos para su ejercicio.

---

(36)   Arts. 42 y 132 LRJ.
(37)   SSTS 7.5.1999 y 9.10.1999.

El acuerdo de inicio, legalmente notificado, puede ser considerado como una propuesta de resolución siempre que incluya una declaración acerca de la responsabilidad imputada y se cumplan los cuatro requisitos siguientes:

— Que dicha posibilidad sea advertida al inculpado en acto de notificación del acuerdo de inicio.

— Que el acuerdo de inicio cumpla el contenido mínimo legalmente exigido.

— Que el inculpado no presente alegaciones en plazo sobre el contenido del acuerdo de inicio.

— Que, de la instrucción, no resulte modificada la determinación inicial de los hechos, calificación, sanciones o responsabilidades sancionables (38).

El Tribunal Supremo ha declarado que basta que el interesado no haya formulado alegaciones sobre el contenido de la denuncia que dar lugar a inicio del procedimiento, para que, la notificación de la propuesta de resolución no sea preceptiva, ni obligatorio el trámite de audiencia, dado que el acuerdo de inicio sirve como propuesta de resolución (39).

El acuerdo de inicio debe ser comunicado al instructor, junto con las actuaciones existentes, también debe ser objeto de notificación al inculpado y, en su caso, a los denunciantes que reúnan la condición de interesados, de manera que transcurridos dos meses desde la fecha en que se inició el procedimiento sin haberse practicado la notificación de éste al imputado, se procederá al archivo de actuaciones, notificándoselo al imputado, sin perjuicio de las responsabilidades en que hubiera podido incurrir (40). Este plazo de dos meses supone un supuesto de caducidad inicial que supone una garantía procedimental para el administrado en el ejercicio de la potestad sancionadora. La caducidad inicial tiene lugar solo si es al imputado a quien se notifica el transcurso del plazo no en el caso de notificación a denunciantes u otros. Una vez producida la caducidad se debe acordar el archivo de actuaciones, teniendo en cuenta que subsiste la posibilidad de incoar un nuevo procedimiento sancionador por los mismos hechos siempre que no haya prescrito el derecho de la Administración para sancionar la infracción cuyo plazo de prescripción no se habrá visto interrumpido con las actuaciones realizadas hasta ese momento; sin embargo antes de dar inicio a una nueva incoación la administración competente está obligada a notificar, previamente, al imputado, el archivo de las actuaciones y además esperar a que dicho acto administrativo de archivo de actuaciones sea firme.

---

(38)   LRJ arts.13 y 16.
(39)   STS 19.12.2000.
(40)   RPS art. 6.2.

El acuerdo de incoación, incluso aunque incurra en caducidad inicial, es un acto de trámite que no puede ser objeto de recuso, sin embargo éste es un motivo alegable en el recurso contra la resolución sancionadora que ponga fin al procedimiento.

8. MEDIDAS PROVISIONALES

La Administración puede verse obligada o en la necesidad de adoptar, cautelarmente, medidas de carácter provisional encaminadas a evitar que la conductas personales o circunstancias sobrevenidas llegue a frustrar la finalidad del procedimiento sancionador, o que, en su caso sea necesario aplicar para defensa de los intereses generales y en eso se fundamentan las medidas provisionales o cautelares.

Como reiteradamente ha declarado la jurisprudencia, estas medidas no tienen naturaleza de sanción ni constituyen un adelanto de la misma y por ello no son contrarias al principio de presunción de inocencia siempre que sean adoptadas mediante resolución fundada en derecho, que cuando no es reglada debe basarse en un juicio de razonabilidad acerca de la finalidad perseguida y las circunstancias concurrentes, dado que una medida desproporcionada o irrazonable no sería propiamente cautelar, sino que tendría carácter punitivo en cuanto al exceso (41).

La LRJ regula estas medidas tanto con carácter general, en su artículo 72, como en el ámbito concreto sancionador, en su artículo 136, que constituye un principio rector de este tipo de procedimientos, disponiendo que, cuando así esté previsto en las normas que regulen los procedimientos sancionadores, se podrá proceder, mediante acuerdo motivado, a la adopción de medidas de carácter provisional que aseguren la eficacia de la resolución final que pudiera recaer.

El RPS dispone que, el órgano competente para resolver, podrá adoptar en cualquier momento, mediante acuerdo motivado, las medidas de carácter provisional que resulten necesarias para asegurar la eficacia de la resolución que pudiera recaer, el buen fin del procedimiento, evitar el mantenimiento de los efectos de la infracción y las exigencias de los intereses generales. Cuando así venga exigido por razones de urgencia inaplazable, el órgano competente podrá iniciar el procedimiento o el órgano instructor podrá adoptar las medidas provisionales que resulten necesarias. Las medidas de carácter provisional podrán consistir en la suspensión temporal de actividades y la prestación de fianzas, así como en la retirada de productos o suspensión temporal de servicios por razones de sanidad, higiene o seguridad y en las demás previstas en las correspondientes normas específicas. Las medidas provisionales deben estar expresamente previstas y ajustarse

---

(41)   SSTC 13/1985, y 66/1989 y SSTS 16.10.1995 y 3.2.1997, entre otras.

a la intensidad, proporcionalidad y necesidades de los objetivos que se pretenda garantizar en cada supuesto concreto.

Por lo general a falta de norma expresa que disponga otra cosa, la competencia para resolver el procedimiento recae en el mismo órgano que lo inicia, cuando quien inicie el procedimiento no sea el mismo órgano a quien corresponda su resolución, las medidas provisionales que adopte éste último órgano deberán adoptarse mediante una resolución independiente (42); sin embargo el acuerdo de medidas del órgano que resuelva, puede ser incorporado a la notificación del acuerdo de incoación.

Para la adopción de medidas provisionales de urgencia inaplazable con carácter previo a la incoación del procedimiento (43), es preciso que una norma con rango de ley lo establezca. Lo que caracteriza las medidas de urgencia inaplazable no es momento en que deban ser decididas sino la manera en que se decidan, es decir son medidas adoptadas según criterios de inmediatez, por el instructor o por quien haya incoado el procedimiento y que están sometidas al misma régimen que las medidas anticipadas que regula el artículo 72 LRJ.

Las medidas provisionalísimas o de urgencia inaplazable, previas al procedimiento, solo pueden ser acordadas por el órgano competente para resolver, las que se adopten simultáneamente al acuerdo de incoación del procedimiento, pueden adoptarse tanto por el órgano resolutorio como por el que lo incoe en el caso de que sean diferentes. Las que se adopten en un momento posterior, una vez que se haya designado instructor del procedimiento, podrá acordarlas además del órgano resolutorio o iniciador, el propio instructor del procedimiento, dado que puede ser que, da a inmediatez que se precisa en muchos supuestos en que es necesaria la adopción de medidas provisionales, será el propio instructor quien mejor situado esté para conocer la necesidad y urgencia de las mismas, según las circunstancias que vaya conociendo.

El Tribunal Constitucional ha clasificado las medidas provisionales según su finalidad en internas y externas: medidas internas son las adoptadas en un procedimiento para asegurar la efectividad de la resolución final definitiva y medidas externas las que pretenden algo diferente de lo anterior (44); en consecuencia pueden calificarse como medidas provisionales internas aquellas que persigan el aseguramiento del buen fin de la resolución sancionadora o el buen fin del procedimiento, finalidades que atienden a garantizar la «efectividad» de la resolución o de la potestad sancionadora de la Administración y por el contrario la medidas ex-

---

(42)   El RPS prevé en su art. 13 que el acuerdo de incoación recoja las medidas cautelares adoptadas por el órgano que lo incoe.

(43)   También llamadas medidas anticipadas.

(44)   STC 104/1995.

ternas tienen por finalidad evitar el mantenimiento de los efectos de la infracción o bien atender a las exigencias de los intereses generales.

La finalidad de evitar el mantenimiento de los efectos de la infracción solo exige la existencia de un mero riesgo potencial pues como tiene declarado reiteradamente el Tribunal Supremo, la finalidad de esta cautela no es remediar lo pretérito, sino evitar la repetición de hechos idénticos a los ya producidos o la prosecución o pervivencia de efectos lesivos de los que aún continúan produciéndose, por su propia naturaleza no se requiérela plena probanza y acreditación de los hechos ilícitos, sino la fundada probabilidad de los mismos basada en datos concretos y expresados (45).

Por lo general las medidas provisionales se adoptan en el momento de dictarse el acuerdo de inicio del procedimiento; pero pueden tomarse en cualquier momento posterior siempre que se estimen necesarias para el buen fin del procedimiento, de manera extraordinaria y por razones de urgencia inaplazable, pueden adoptarse medidas anticipada, antes del inicio (46), siempre que una norma con rango de ley así lo establezca; además dichas medidas deben quedar sin efecto si, finalmente, el procedimiento no se inicia en el plazo establecido o cuando el acuerdo de inicio no contenga pronunciamiento expreso acerca de ellas, con lo cual las medidas adoptadas devienen en nulas de pleno de derecho (47).

Las medidas provisionales deben ser razonables y estar adaptadas a las circunstancias que concurran durante la tramitación de procedimiento y según tiene declarado el Tribunal Constitucional están tácitamente sometidas a la cláusula *rebus sic stantibus* (48); además pueden ser alzadas o modificadas, de oficio o a instancia de parte, durante la tramitación del procedimiento, en virtud de circunstancias sobrevenidas o que no pudieron ser tenidas en cuenta en el momento de su adopción; en cualquier caso se extinguen con la eficacia de la resolución administrativa que ponga fin al procedimiento (49). La duración de las medidas, en tanto que provisionales, viene determinada por la duración del procedimiento, de manera que la resolución supone el límite de eficacia de la medida, dado que cuando la medida provisional pierde su naturaleza cautelar se convierte en pena o sanción impuesta con infracción del principio de legalidad que rige el derecho punitivo en nuestro ordenamiento jurídico y ampara nuestra constitución (50).

---

(45)   SSTS 26.5.1989 y 3.2.1997.
(46)   LRJ art.72.2 y RPS art. 15.
(47)   STS 3.2.1993.
(48)   STC 105/1994.
(49)   LRJ art. 72.4.
(50)   STC 104/1995 anula una suspensión de funciones mantenida más allá de la condena, límite legal infranqueable; ver art. 25 CE.

9. CRITERIOS Y LÍMITES DE ADOPCIÓN DE MEDIDAS PROVISIONALES

La LRJ permite al órgano administrativo la adopción de las medidas que estime oportunas lo cual supone un claro margen de discrecionalidad como, al tiempo la obligatoriedad de un ejercicio de aplicación de la razonabilidad como criterio fundamental, los cuales son objetos de control jurisdiccional a través de diversas medidas que ha venido estableciendo la jurisprudencia.

Como límite material la LRJ prohíbe las medidas que puedan causar perjuicios de difícil o imposible reparación a los interesados o que impliquen violación de derechos amparados por las leyes; por otra parte como criterios concurrentes en su adopción el RPS dispone que las medidas deberán ajustarse a la intensidad, proporcionalidad y necesidades de los objetivos que pretendan garantizarse en cada supuesto concreto; además, puede añadirse como límite temporal que estas medidas se extinguen con la resolución que ponga fin al procedimiento (51).

9.1. Necesidad de Motivación

El Tribunal Constitucional ha declarado que estos límites y criterios que exige la ley imponen al órgano administrativo un juicio de razonabilidad (52), además la LRJ hace referencia expresa a la concurrencia de los elementos de juicio suficientes para ello (53), necesarios para ponderar, en cada caso concreto, l oportunidad de acordar las medidas provisionales y la decisión de la medida concreta que deba adoptarse. Este juicio razonable debe clarificar tanto el interés de la Administración en asegurar la buena finalidad del procedimiento, como la eficacia de la sanción, evitando que pueda surgir una situación de frustración de la utilidad sancionadora, así como el interés en evitar el mantenimiento de los efectos de la infracción y la salvaguardia de los intereses generales. Todo ello supone la obligación de que el órgano motive su resolución exponiendo las razones y criterios que justifiquen tanto la adopción de la medida provisional como el tipo de medida en concreto que se haya decidido, sin que sea admisible un tipo de motivación genérica o ambigua (54).

9.2. Límites materiales de las medidas provisionales

La LRJ (55) recogiendo la doctrina del llamado *periculum in mora*, dispone que, las medidas provisionales, no deberán causar perjuicios de difícil o imposible re-

---

(51) LRJ art. 72. 3 y 4 RPS art. 15.3.
(52) STC 108/1984.
(53) LRJ art. 72.1.
(54) LRJ art. 54.
(55) LRJ art 72.3.

paración. De este modo frente a los perjuicios irreparables o de difícil reparación que pudieran derivarse por la duración del procedimiento que justifican la medida cautelar o suspensión del acto impugnado, el *periculum in mora* del interesado supone un elemento de amparo frente a dicha medida provisional, dado que de la misma manera la ley trata de evitar la elusión del ejercicio de la potestad sanciona-dora de igual modo debe tratar de evitar que se produzcan situaciones irreversibles e irreparables derivadas de la vulneración de interés legítimos de los particulares, que de producirse mediante una medida provisional tendrían la consideración de medidas plenamente punitivas o penas anticipadas, con vulneración del principio de presunción de inocencia.

Otro límite material legal de la LRJ a este respecto lo constituye la prohibición de las medidas que puedan suponer violación de derechos amparados por las le-yes. El interés y responsabilidad de la Administración a garantizar el ejercicio de la potestad sancionadora no puede prevalecer sobre el derecho subjetivo protegido por la ley, dado que lo contrario supondría incurrir en una vulneración del dere-cho a la presunción de inocencia que garantiza la constitución (56).

9.3. Criterios para su adopción

Los criterios que deben regir para adoptar medidas provisionales los establece la normativa de aplicación y los ha puntualizado y aclarado numerosa jurispru-dencia (57) y en cualquier caso deben tener en cuesta al tiempo de la adopción de aquellas, debiéndose considerar adecuada una medida provisional si en el mo-mento en que se acordó su aplicación existían indicios racionales de infracción que la justificaran, incluso aunque más adelante se archive el expediente sancio-nador (58).

Dos de los criterios más importantes que deben iluminar la adopción de estas medidas son la proporcionalidad y el principio de *favor libertatis*.

1) Proporcionalidad de la medida provisional.

Las medidas no deben ser desproporcionadas y su aplicación debe estar acom-pañada de una idoneidad o adecuación de la medida con el fin que se persigue, de manera que, como ha señalado reiteradamente la jurisprudencia, una medida desproporcionada o no razonable se convierte en una medida punitiva (59).

El RPS dispone que, las medidas provisionales, deben ajustarse a la intensidad, proporcionalidad y necesidades de los objetivos que pretendan garantizarse en

---

(56) Ver arts. 24 y 25 CE.
(57) SSTC 108/1984 y 66/1989; SSTS 3.6.1994 y 17.6.2002.
(58) STS 17.6.2002.
(59) SSTC 108/1984 y 13/1985, SSTS 3.2.1997 y 17.6.2002.

cada caso concreto. Por ello el juicio sobre la proporcionalidad debe atender a la finalidad que se persiga con la adopción de la medida, teniendo en cuenta, además, las circunstancias que concurran en cada supuesto y los diferentes aspectos cuantitativos y cualitativos (60) de la resolución que pueda dictarse. En consecuencia cuando el objeto de la medida sea asegurar la eficacia de la sanción que deba imponerse la jurisprudencia exige un grado homogeneidad o vinculación entre el tipo de medida que se adopte y la naturaleza de la sanción, de manera que cuando la sanción que se haya previsto sea una multa la medida cautelar precedente sea una medida meramente económica, pudiendo acordarse una medida de suspensión cautelar de actividad cuando se prevea una sanción de privación temporal o definitiva de actividad (61). Su finalidad es evitar el mantenimiento o reiteración de efectos de la conducta infractora o atender las exigencias del interés público (62).

El examen pormenorizado del requisito de la proporcionalidad exige llevar a cabo una actividad casuística; sin embargo como síntesis puede afirmarse que una medida provisional podrá calificarse como desproporcionada cuando al tratarse por ejemplo de una fianza se exija garantizar un importe superior al contemplado en la sanción o bien cuando se clausura un local de negocio por ruido excesivo de una de las máquinas que allí funcionan cuando podría simplemente precintarse la máquina ruidosa. Asimismo, la proporcionalidad debe proyectarse en el tiempo que dure la medida de manera que ésta será desproporcionada cuando, por su duración, resulte demasiado gravosa para el fin perseguido por ella, lo cual también puede producirse si resultan alteradas las circunstancias que justificaron su adopción.

2) Aplicación del *favor libertatis*.

En virtud de este principio, solo pueden adoptarse las medidas que resulten estrictamente indispensables para alcanzar el fin que persiguen debiendo, de entre varias, adoptarse la que resulte menos gravosa.

10. TRÁMITE DE ADOPCIÓN DE MEDIDAS PROVISIONALES

Las medidas provisionales se adoptan por decisión del órgano competente, bien sea por propia iniciativo o a consecuencia de una solicitud cursada por quien esté legitimado para ello, por eso un denunciante podrá solicitar medidas provisionales; pero deberá acreditar su condición de interesado en el procedimiento.

---

(60) Cuantitativos como la cuantía económica de una multa y cualitativos como la característica de una sanción por ejemplo la clausura definitiva de un local.
(61) STS 3.2.1997.
(62) Como molestias de vecinos, peligrosidad o nocividad de la actividad realizada, protección medioambiental etc.).

Cuando las medidas se adopten con ocasión de dictarse el acuerdo de inicio del procedimiento sancionador y éste deba incorporar cargos, la decisión de adoptar medidas deberá incorporarse a la resolución, en los demás casos podrán adoptarse mediante una resolución autónoma diferente del acuerdo de incoación; además si las medidas provisionales deben adoptarse en otro momento, tanto antes como después de la incoación del procedimiento deberán adoptarse, necesariamente, mediante una resolución autónoma diferente del acuerdo de incoación.

La decisión de adopción de medidas provisionales constituye un acto de trámite cualificado, susceptible de impugnación mediante recurso individualizado y para ello es necesario que con la notificación de este acuerdo a todos los interesados, se indiquen los recursos, organismo y plazos a los que deba someterse el régimen de recurso.

Aunque ni la LRJ ni el RPS se refieren a la necesidad de que, con carácter previo a la adopción de medidas, sea preceptivo un trámite de audiencia a los interesados, si que ha sido exigido por la jurisprudencia fundamentando este criterio en que la omisión del mismo puede ser causa de indefensión; en consecuencia y a la vista de que la normativa de aplicación no lo ha previsto, en la práctica profesional habrá que entender que, solo es preceptivo el trámite de audiencia en aquellos casos en que su omisión pudiera causar indefensión en los interesados (63), debiendo establecerse un plazo de diez días (64), que es el que la ley establece para la realización de trámites que no tengan un plazo concreto establecido.

Cuando la medida deba adoptarse en circunstancias de urgencia inaplazable podrán adoptarse medidas provisionalísimas, sin audiencia de parte, lo cual no debe excluir la procedencia de que posteriormente, una vez adoptada la medida urgente, sea concedida audiencia al presunto infractor y a los otros interesados con objeto de que puedan presentar alegaciones sobre el mantenimiento o modificación de la medida y de no conceder se este trámite de audiencia podría producirse indefensión. Esta audiencia con sus alegaciones deberá concederse antes de que tenga lugar la decisión posterior en el procedimiento y precisamente para fundarla. Trasladar estas alegaciones «post-medida» a un trámite ulterior al de la resolución de ratificación, modificación o levantamiento de las medidas urgentes adoptadas podría asimismo generar situaciones de indefensión.

Las medidas provisionales no tienen naturaleza sancionadora ni constituyen un anticipo de la sanción y por ello son inmediatamente ejecutivas y su efectividad se ajusta, totalmente, a las normas generales de la LRJ de manera que la

---

(63)   El Tribunal Supremo ha exigido la audiencia preliminar del interesado debido a la importante restricción de derechos que supone la medida provisional consistente en el cierre de establecimiento STS 24.4.1991.

(64)   LRJ art. 76.

medida no resulta suspendida si la resolución que las acordó es impugnada; sin embargo también puede el recurrente, en estos casos, solicitar la suspensión de la medida (65). Los actos de ejecución de las medidas también se hallan sujetos al mismo régimen normativo de impugnación.

La resolución sobre medidas provisionales es impugnable toda vez que carecería de fundamento demorar el control de legalidad de la medida provisional al momento del dictado de la sanción, lo que puede generar perjuicios irreversibles o injustificados por ello el Tribunal Constitucional tienen declarado al respecto que a pesar del carácter instrumental y provisional de las medidas cautelares, a pesar de su dependencia del procedimiento principal y de su vigencia temporal, no cabe ignorar que la resolución cautelar presenta una relevancia y trascendencia propias en cuanto tienen una incidencia directa e inmediata en los derechos e intereses legítimos del afectado y puede causar la pérdida irreversible de tales derechos e intereses incluidos en el ámbito del artículo 24 CE por lo cual estos actos deben tener, en lo relativo a su impugnabilidad y control judicial, iguales garantías que los actos definitivos (66); además de todo ello, la LRJ, en su redacción actual, prevé, al respecto, el recurso que proceda contra el acuerdo de inicio que haya de pronunciarse acerca de las medidas provisionalísimas acordadas anticipadamente, norma que debe entenderse extensiva a cualquier decisión que se adopte en materia de medidas provisionales (67).

Respecto de los recursos administrativos contra estas medidas, el objeto del recurso será la decisión por la que se adopta la medida, tanto si se establece mediante resolución autónoma como si forma parte del contenido del acuerdo de incoación del procedimiento sancionador, dado que, como se ha señalado anteriormente, esta resolución constituye un acto de trámite cualificado (68) por otra parte el Tribunal Supremo ha declarado que el acuerdo de inicio de un procedimiento sancionador deja de ser acto de mero trámite para convertirse en uno definitivo si a él se añade otro acto de efectos inmediatos como sería la paralización cautelar de una obra debiendo admitirse recurso contra esta decisión cautelar (69).

11. ALEGACIONES AL ACUERDO DE INICIO

Una vez notificado el acuerdo de inicio, tanto el imputado como los demás interesados, si los hubiera, pueden, en un plazo de quince días, presentar alegaciones, aportar documentos o suministar informaciones que consideren conve-

---

(65)   Por ejemplo en caso de una medida acordada por un órgano manifiestamente incompetente que esté generando perjuicios de muy difícil o imposible reparación.
(66)   STC 235/1998.
(67)   Ver Código Civil art. 3.1.
(68)   LRJ art. 107.
(69)   STS 7.5.1999.

nientes a su derecho o interés legítimo; todo ello sin perjuicio de que, trascurrido dicho plazo, puedan, hasta el momento del trámite de audiencia posterior a la notificación de la propuesta de resolución, formular nuevas alegaciones y aportar nuevos documentos.

Este escrito de alegaciones o pliego de descargos tiene por objeto materializar la defensa del imputado, mediante diferentes argumentaciones como el rechazo de la competencia administrativa, la prescripción de la infracción, la negativa de los hechos o el desacuerdo con su calificación jurídica o atribución de responsabilidades, etc.

Los documentos aportados deben ser adjuntados con el pliego de alegaciones (70); en el mismo plazo de quince días puede proponerse prueba con indicación de los medios.

12. LA INSTRUCCIÓN PROCEDIMENTAL

La Instrucción del procedimiento sancionador corresponde al instructor cuyo nombramiento se lleva a cabo en el acuerdo de inicio lo cual permite a los interesados conocer su identidad teniendo en cuenta que la atribución recae sobre el órgano concreto si bien es la persona titular quien está obligada a identificarse, lo cual constituye una garantía del procedimiento y a un derecho del acusado que por ello tendrá la posibilidad de recusarlo (71). La falta de identificación del instructor es defecto que no invalida el procedimiento y el interesado puede pedirla a lo largo del desarrollo del procedimiento.

La función instructora debe encomendar a un órgano diferente del que resuelva, sin embargo el Tribunal Constitucional tiene declarado que por la naturaleza misma de los procedimientos administrativos en ningún caso puede exigirse una separación entre la instrucción y resolución equivalentes a la que, respecto de los jueces ha de darse en los procesos jurisdiccionales (72).

Todos los actos del procedimiento sancionador y en concreto los de instrucción, deben quedar formalizados mediante documentos ordenados sistemáticamente de manera que se forme un expediente en que consten todos los documentos, testimonios, actuaciones, actos administrativos, notificaciones y demás diligencias que aparezcan o se vayan llevando a cabo (73).

---

(70)   Sin perjuicio de que pueden ser aportados en cualquier momento antes del trámite de audiencia posterior a la notificación de la propuesta de resolución RPS art. 3.2.
(71)   LRJ arts. 28, 29 y 135.
(72)   STC 76/1990 en el mismo sentido ver SSTS 27.1.1997 y 7.12.1998.
(73)   Reglamento del Procedimiento para Ejercicio de la Potestad Sancionadora aprobado por Real Decreto 1398/1993, art. 3.

Una vez cursada la notificación del acuerdo de inicio comienza la fase de instrucción del procedimiento sancionador, sin que sea preciso esperar a que la notificación sea efectiva, la duración de esta fase procedimental está fijada por el plazo legal para dictar resolución que obliga a la administración a realizar la instrucción con tiempo suficiente para resolver en plazo. A pesar de que el RPS (74) admita que el reconocimiento de la responsabilidad o, en su caso el pago voluntario de la sanción pecuniaria dan lugar a la terminación anticipada del procedimiento, sin embargo hay que tener en cuenta que en la práctica profesional se sabe que mediante el reconocimiento o pago puede ocultarse una voluntad de fraude o encubrimiento de otros responsables en cuyo caso cabría continuar el procedimiento sancionador.

Todos los ciudadanos tienen derecho a un procedimiento sin dilaciones indebidas que reconoce la Constitución (75), lo cual según ha declarado reiteradamente el Tribunal Constitucional es plenamente aplicable al procedimiento sancionador.

La LRJ (76), permite modificar la duración del plazo para resolver en diversos supuestos, entre ellos cuanto estén pendientes de emisión informes determinantes para la resolución procedimental (77).

El procedimiento sancionador es público en lo relativo al presunto responsable y los interesados dado que la ley les reconoce el acceso al mismo; sin embargo en relación con terceros la LRJ establece que el acceso a los documentos de carácter nominativo que sin incluir otros datos pertenecientes a la intimidad de las personas figuren en los procedimientos de aplicación del Derecho, salvo los de carácter sancionador o disciplinario y que, en consideración a su contenido puedan hacerse valer para el ejercicio de los derechos de los ciudadanos, podrá ser ejercido, además de por sus titulares por terceros que acrediten un interés legítimo y directo (78). Sobre esta cuestión el Tribunal Constitucional ha declarado que el principio de publicidad de actuaciones debe admitirse; pero con restricciones, dado que éstas existen en el ámbito del proceso penal, con más razón hay que admitirlas en el procedimiento administrativo sancionador (79).

Respecto a la posibilidad de recurrir los actos de instrucción del procedimiento sancionador, es de aplicación del régimen general del procedimiento administrativo teniendo en cuenta que como los actos de instrucción, son por lo general, actos de trámite contra los que cabe recurrir cuando decidan directa o indirectamente el fondo del asunto o cuando produzcan indefensión o prejuicio

---

(74)   Art. 8.
(75)   CE art. 24.
(76)   Arts.42 y 44 LRJ.
(77)   LRJ art. 83.3.
(78)   LRJ art.37 y RPS art. 3.
(79)   SSTC 2/1997 y 190/187.

irreparable a derechos o intereses legítimos, es decir cuando se trate de actos de trámite cualificados.

13. EL PRECEDENTE EN EL PROCEDIMIENTO SANCIONADOR

Si bien el ámbito normal en que se desenvuelve el precedente administrativo es el de las potestades discrecionales, en cuya actuación la Administración puede optar entre diversas soluciones posibles y en el ámbito del Derecho sancionador la potestad administrativa es taxativamente reglada, sin embargo. Definiendo el precedente como un supuesto anterior similar que se plantea en el procedimiento ante el órgano competente para resolver. Es difícil admitir la operatividad del precedente simple en el ámbito sancionador.

La plena especificación fáctica de cada acto sancionador es un elemento esencial de su contenido, así como el juicio de culpabilidad respecto de la persona infractora, en consecuencia hay que señalar que cada acto sancionador es unitario e independiente de otros actos sancionadores anteriores, coetáneos y posteriores de contenido similar, lo cual no empece para admitir que pueda darse alguna vinculación relativa entre diversos actos sancionadores que, por lo general, se manifiesta en la resolución semejante de procedimientos similares aplicando criterios uniformes que, sin embargo se modulan por la aplicación de cada concreta sanción a la luz del principio de igualdad que debe presidir la aplicación del derecho sancionador, en algún caso cabría reconocerse la operatividad del precedente simple como elemento de interpretación de normas poco claras.

Por el contrario el presente cualificado tiene plena cabida en el derecho sancionador.

El precedente cualificado puede definirse como el acto previo vinculante para una administración determinada respecto de la posición jurídica de un administrado concreto, con las características siguientes:

a) Opera en actuaciones conexas respecto de un mismo administrado, de forma que la actuación posterior debe someterse al criterio resultante del acto anterior.

b) La administración no puede apartase de su criterio ni aún en caso de motivar el apartamiento.

c) Debe tenerse en cuenta aunque la resolución o actuación administrativa objeto del precedente cualificado no emane del mismo órgano administrativo; dado que el principio de personalidad jurídica de la Administración pública hace que las declaraciones de derechos formuladas por uno de sus órganos no puedan ser desconocidas o contradichas por otra sin seguir para ello el procedimientos de revisión de oficio, declaración de lesividad y recurso jurisdiccional o revocación en su caso (80).

d) No cabe en relación con actuaciones previas de otras administraciones públicas o incluso respecto de organismos públicos dependientes de la administración actuante.

e) Este tipo de precedente responde a la exigencia de que la Administración en su relación con los particulares observe un grado mínimo de coherencia cuando esa relación se manifiesta en procedimientos sancionadores diversos.

El precedente cualificado tiene aplicación en tres escalones: en el procedimiento sancionador, en el recurso administrativo y en el de la revisión judicial, por aplicación del principio de unidad de doctrina que exige la aplicación de criterios uniformes en supuestos semejantes como manifestación del principio de igualdad (81).

En el caso en que no se aplique el precedente cualificado y se tenga como resultado una situación de discriminación la consecuencia es la invalidez del acto administrativo con vicio de nulidad o anulabilidad en función de se considere lesionado, o no, el derecho fundamental a la igualdad.

En consecuencia el principio de igualdad exige una resolución en los mismos términos cuyo objeto sea igual o semejante, lo cual supone que un órgano jurisdiccional no puede apartarse del sentido de sus decisiones precedentes en asuntos similares salvo que para ello se base en una justificación suficiente y razonable que debe ser cumplida. El órgano debe ser el mismo que haya resuelto anteriormente sin que pueda ser aplicado a órganos diferentes por aplicación del principio de independencia judicial (82), las resoluciones pueden ser anteriores o coetáneas; el término de comparación debe ser un asunto absolutamente idéntico; debe tener en cuenta la diversa actividad probatoria de las partes en cada proceso que pueda justificar un trato diferenciado en el fallo y finalmente el principio de igualdad no impide, en cualquier caso, atribuir trato desigual a dos situaciones que puedan considerarse iguales sino que es necesario que el diferente tratamiento se fundamente y justifique en criterios razonables y objetivos comúnmente admitidos (83).

14. TRÁMITES DE INSTRUCCIÓN PROCEDIMENTAL

Ya se indicó que el acuerdo de inicio del procedimiento debe contener la designación del instructor y del secretario del procedimiento, con indicación del su

---

(80)   LRJ arts. 102 y 103 STS 14.6.1989.
(81)   SSTC 1271988 y 161/1989, SSTS 27.6.1989 y 30.11.1992.
(82)   SSTC 1135/1987 y 86/1992.
(83)   SSTC 340/1993 y 72/1994.

régimen de recusación; en este sentido el tribunal supremo ha declarado que el nombramiento de instructor no es separable del acuerdo de incoación (84).

El RPS dispone que las personas designadas como órgano instructor o, en su caso, los titulares de las unidades administrativas que tengan atribuida dicha función, serán responsables directos de la tramitación del procedimiento y en especial del cumplimiento de los plazos establecidos (85).

El instructor desarrolla una serie de actuaciones administrativas necesarias encaminadas a la correcta tramitación del procedimiento después de su inicio hasta la resolución.

Las actuaciones de este órgano en el procedimiento sancionador, son las ordinarias de instrucción en todo procedimiento administrativo regido por los principios de celeridad e impulso de oficio, de manera que se exige que en la tramitación se guarde un orden sistemático incorporando sucesiva y ordenadamente los documentos, testimonios, actuaciones, actos administrativos, notificaciones y diligencias que se practiquen; impone la realización de oficio de cuantas actuaciones resulten necesarias para el examen de los hechos recabando datos e informaciones que resulten relevantes para determinar la responsabilidades sancionables; por otra parte el nombramiento atribuye al instructor (86) responsabilidad directa sobre la tramitación del procedimiento y cumplimento de plazos. Cabe por tanto la designación personal o la atribución de esta función a un órgano de la Administración.

El Secretario del procedimiento desarrolla las funciones propias de su cargo teniendo encomendad la llevanza personal del procedimiento y custodia del expediente durante la tramitación así como la realización de los trámites ordinarios de impulso como notificaciones, emplazamientos, requerimientos, así como la práctica material de algunas pruebas. El nombramiento del Secretario es preceptivo si lo exige la norma procedimental concreta o en otro caso, su nombramiento queda a expensas de que se considere necesario porque así lo aconseje la naturaleza, volumen o complejidad del procedimiento.

La falta de notificación del nombramiento de instructor es alegable ya que con él se garantiza la posibilidad de formular, en su caso, la recusación; sin embargo el conocimiento del instructor que la Ley garantiza puede tener lugar en un momento posterior al acuerdo de inicio con ocasión de la práctica de cualquier acto de instrucción. Esa omisión se considera una simple irregularidad no invalidante si no se acredita que, con ella, se ha generado indefensión si no se invoca por el

---

(84)   STS 23.1.1991.
(85)   RPS art. 14.
(86)   Ya sea la persona designada o el titular del órgano administrativo a quien se atribuye la instrucción.

sancionado algún motivo que hubiera podido fundamenta una recusación. Como ha señalado el Tribunal Supremo, diferente a lo anterior es la falta del propio nombramiento de instructor dado que, por considerarse un trámite esencial, genera indefensión (87); por su parte la falta de designación de secretario no anula el procedimiento sancionador, como en el caso del instructor, pero si lo hace anulable si el nombramiento de secretario está regulado normativamente y si la omisión del mismo ha generado indefensión que hay que acreditar.

La fase de instrucción se compone de diversas actuaciones administrativas que o bien se realizan por iniciativa del instructor que constituyen su obligación y así lo establece el RPS y otras se llevan a cabo o se incorporan al expediente por iniciativa del interesado en el procedimiento que constituyen un derecho y por ello el RPS deja a criterio del responsable la aportación la aportación de alegaciones, informaciones o documentación (88). Por ello a diferencia de lo exigido con respecto a la administración respecto a la que la LRJ dispone que los actos de instrucción se realizarán de oficio por el órgano que tramite el procedimiento, respecto al interesado se dispone que tendrá derecho a proponer aquellas actuaciones que requieran su intervención o constituyan trámites establecidos, sin embargo aunque el interesado no esté legalmente obligado a la aportación de documentos, esta omisión podría ser tenida en cuenta en el momento de dictarse resolución (89).

El instructor está obligado a realizar, de oficio, cuantas actuaciones resulten precisas para llevar a cabo el análisis de circunstancias, hechos e informaciones, necesarios para llegar a determinar la existencia de responsabilidades sancionables, por ello la LRJ (90) dispone que los órganos y dependencias oficiales pertenecientes a cualquier Administración Pública están obligadas a facilitar al instructor del procedimiento, los antecedentes e informes necesarios para el desarrollo de sus actuaciones. Bajo el título de actuaciones y alegaciones, el RPS (91) dispone que cursada la notificación el instructor del procedimiento realizará, de oficio, cuantas actuaciones resulten necesarias para el examen de los hechos, recabando los datos e informaciones que sean relevantes para determinar, en su caso, la existencia de responsabilidades susceptibles de sanción. Aquí lo que la Ley exige del instructor es que acredite no solo la realización efectiva de los hechos sino también si procede o no atribuir responsabilidad efectiva al presunto responsable como apunta el RPS al establecer que las actuaciones previas tiene como fin determinar, con la mayor precisión posible la identificación de la persona o personas que pudieran resultar responsables (92).

---

(87)   STS 8.7.1985.
(88)   Ver en ambos sentidos RPS art. 16.
(89)   Ver STC 45/1997.
(90)   LRJ art. 4.
(91)   RPS art. 16.
(92)   RPS art. 12, referencias similares en reglamentos de las Comunidades autónomas.

En muchas ocasiones, los procedimientos sancionadores se refieren a hechos en que los hechos han dado lugar a una serie de daños o perjuicios o a una alteración de situaciones, casos en los que se establece que la resolución determinará, en su caso, la obligación de restitución o indemnización; por ello la fase de instrucción debe aquí llegar a determinar o acreditar la realización efectiva de los daños y perjuicios o en su caso la alteración de circunstancias o situaciones. Por otra parte, el órgano de instrucción puede también, por razones de urgencia, adoptar cuantas medidas provisionales resulten necesarias.

Todas estas actuaciones deben documentarse y comunicarse al interesado para que quede garantizado el principio de contradicción.

El presunto responsable puede realizar alegaciones tanto durante el curso de la instrucción referidas al acuerdo de inicio como con ocasión de la propuesta de resolución, referidas a ésta última.

El RPS dispone respecto de las primeras que, los interesados dispondrán de un plazo de quince días para aportar cuantas alegaciones, documentos e informaciones estimen convenientes y, en su caso, proponer prueba concretando los medios de que pretenden valerse. En la notificación de la iniciación del procedimiento se indicará a los interesados dicho plazo; estas alegaciones deberán referirse a los hechos dado que el acuerdo de incoación fija hechos y anuncia sanciones por lo cual, desde el punto de vista práctico, lo relevante para el interesado es negar los hechos tal y como se imputan.

Respecto de las segundas, el mismo RPS dispone que, la propuesta de resolución se notificará a los interesados indicándoles la puesta de manifiesto del procedimiento, concediéndoles un plazo de quince días para formular alegaciones y presentar los documentos e informaciones que estimen pertinentes ante el instructor del procedimiento (93); en esta caso lo relevante la para el interesado aquí es el discutir las consecuencias jurídicas de los hechos. No obstante el presunto responsable puede a su criterio avanzar las discrepancias jurídicas, o presente cualquier cuestión que impida la prosecución del procedimiento a su juicio; por otra parte, puede resultar de interés avanzar las cuestiones jurídicas para que puedan ser tenidas en cuenta en la propuesta de resolución.

El RPS dispone que, con anterioridad al trámite de audiencia, los interesados pueden formular alegaciones y aportar los documentos que estimen convenientes; la ausencia de alegaciones puede suponer que el inicio sea considerado como una propuesta de resolución cuando contenga un pronunciamiento preciso acerca de la responsabilidad imputada (94).

---

(93)   RPS arts.16 y 19.
(94)   RPS arts 3, 18 y 19.

Además de alegaciones el presunto responsable puede aportar documentos concepto que incluye cualquier medio de reproducción de imagen y sonidos, así como los instrumentos que permitan almacenar datos verbales y escritos, palabras o números que resulten relevantes para el procedimiento. Si el interesado quiere presentar documentos que están en poder de la Administración la LRJ le faculta a no presentarlos y solicitar quesea la propia Administración la que los recabe, lo cual es obligatorio para ésta. Por otra parte el interesado también tiene n derecho de acceso a los registros y archivos de las Administraciones públicas en los términos previstos en la Ley.

Como hemos dichos en este plazo de quince días hábiles, una vez notificado el acuerdo de inicio, tienen derecho a efectuar alegaciones, aportar documentos o suministrar informaciones tanto el imputado (95) como los demás interesados, sin perjuicio de que puedan, siempre hasta el momento de trámite de audiencia, formular nuevas alegaciones y aportar nuevos documentos. La aportación de estos documentos no da lugar a la apertura de un periodo probatorio concreto para ello, debiendo ser unido a las alegaciones y sin perjuicio de poder aportarse en cualquier momento procedimental antes de trámite de audiencia.

En relación con las diligencias probatorias que se hubieran practicado antes de la incoación del procedimiento pueden documentarse en acta que puede acompañarse o mencionarse en el acuerdo de incoación, teniendo en cuenta que la práctica de dichas diligencias no es contraria a derecho (96).

15. FASE DE INSTRUCCIÓN Y ACTUACIÓN SANCIONADORA

La LRJ (97) dispone que los procedimientos que regulen el ejercicio de la potestad sancionadora deberán establecer la debida separación entre la fase instructora y la sancionadora encomendándolas a órganos distintos, mandato que reitera el RPS (98) disponiendo que a efectos de dicho reglamento son órganos administrativos competentes para la iniciación instrucción y resolución de los procedimientos sancionadores, las unidades competentes sin que puedan atribuirse al mismo órgano las fases de instrucción y resolución del procedimiento.

Aunque estas disposiciones imponen la necesidad de establecer la separación entre fases instructora y sancionadora la LRJ en su art. 134 parece encomendar ambas fases a sujetos que se encuentren en órganos administrativos diferentes, principio que reitera el RPS cuando indica en su preámbulo que la innovadora recepción que efectúa la LRJ del principio del orden penal de la separación entre

---

(95)   Anteriormente solo presunto infractor.
(96)   STS 22.10.1997.
(97)   LRJ art. 134.2.
(98)   RPS art. 10.1.

órgano instructor y órgano que resuelve ha de entenderse, como es evidente y ha sido declarado por la Jurisprudencia constitucional, de forma adecuada a la naturaleza administrativa. En el orden penal, el principio atiende a la configuración, en muchas ocasiones unipersonal, de los órganos judiciales y pretende, por tanto, que no sea la misma persona o personas las que acusen y resuelvan. En sede administrativa la traslación de tal principio requiere, para que constituya una verdadera garantía, que el concepto de órgano no sea asimilable al de órgano administrativo meramente organizativo y jerárquico que recogen algunas normas, sino que la capacidad de autoorganización que la LRJ (99) reconoce a las Administraciones Públicas debe traducirse en el ámbito sancionador en una flexibilización al servicio de la objetividad. En consecuencia, el concepto de órgano que ejerce, iniciando, instruyendo o resolviendo, la potestad sancionadora resulta de la atribución de tales competencias a las unidades administrativas que, en el marco del procedimiento de ejercicio de la potestad sancionadora y a sus efectos, se constituyen en órganos, garantizándose que no concurran en el mismo las funciones de instrucción y resolución. En consecuencia la separación de funciones entre órganos debe entenderse referida a la separación de funciones entre unidades administrativas.

Este principio ha sido recogido y proclamado por varias sentencias del Tribunal Constitucional (100), en las que se afirma que la imparcialidad del juzgador es incompatible con su actuación como instructor; sin embargo el propio Tribunal Constitucional ha reconocido que es su doctrina reiterada que no puede pretenderse que el instructor en un procedimiento administrativo sancionador y menos aún. El órgano llamado a resolver el procedimiento goce de las mismas garantías que los órganos judiciales porque en este tipo de procedimientos, el instructor, es también acusador en cuanto formula una propuesta de resolución sancionadora y, por otra, el órgano llamado a decidir es el mismo que incoa el procedimiento y por ello no deja de ser juez y parte al mismo tiempo (101); por ello reconoce la especialidad de los procedimientos administrativos frente a los judiciales declarando que dada la naturaleza especial de los procedimientos administrativos, en ningún caso puede exigirse una separación entre instrucción y resolución equivalente a la que, respecto de los jueces, debe darse en los procesos jurisdiccionales. El derecho al juez ordinario predeterminado por la ley y a un proceso con todas las garantías, entre ellas la independencia e imparcialidad del juzgador, es una garantía característica del proceso judicial que no se extiende al procedimiento administrativo dado que la estricta imparcialidad e independencia de los órganos del Poder Judicial no es por esencia predicable, con igual significado y en una misma medida, de los órganos administrativos.

---

(99)   LRJ art. 11.
(100)   SSTC 106/1989 y 55/1990.
(101)   STC 22/1990.

La infracción de este principio no da lugar a la nulidad del procedimiento ni de la sanción dado que como el Tribunal Constitucional ha declarado que, al enmarcarse dentro de las garantías esenciales del proceso penal acusatorio no es necesariamente extensible a otros procesos de similar naturaleza como es el caso del procedimiento administrativo sancionador (102). Por otra parte y ante el argumento de que el no aplicar el artículo 134 LRJ (103) suponga la inexistencia de tutela judicial efectiva, ha declarado que en estos casos no existe una omisión de la tutela judicial efectiva siempre que la separación entre fases del procedimiento sancionador haya tenido lugar de modo efectivo, dado que, en modo alguno nos encontraríamos con una irregularidad invalidante (104).

16. ACTUACIONES Y ALEGACIONES EN LA FASE DE INSTRUCCIÓN

El capítulo III del RPS dedicado a la instrucción del procedimiento sancionador comienza con un artículo que regula las actuaciones y alegaciones de los interesados, es decir trámites reglados de alegación y aportación de documentos de que disponen los interesados a lo largo del procedimiento sancionador (105). El trámite de alegaciones se dirige a contestar u oponerse a los extremos del acuerdo de inicio que comprende la imputación provisional, con independencia de ello, y además del trámite, posterior de contestación u oposición a los extremos contenidos en la propuesta de resolución, los interesados en el procedimiento también pueden esgrimir alegaciones y aportar documentos en cualquier momento del curso procedimental antes del trámite de audiencia regulado en el artículo 19 RPS. Por ello la posibilidad legal de presentar alegaciones hace que si se presentan en el plazo establecido en el artículo 16 RPS, el acuerdo de inicio podría convertirse, directamente, en propuesta de resolución, siempre que contenga un pronunciamiento concreto sobre la responsabilidad imputada (106).

De este modo los interesados a quienes se haya notificado el acuerdo de inicio disponen de un plazo de quince días para efectuar alegaciones (107), plazo que empieza a contar desde el día siguiente a la recepción de la notificación del acuerdo de inicio y debe computarse por días hábiles de acuerdo con lo que dispone la LRJ (108).

---

(102) SSTC 22/1990 y 136/1992.
(103) Que establece que en los procedimientos sancionadores debe existir una separación entre la fase instructora y la fase sancionadora propiamente dicha.
(104) STS 8.10.1999.
(105) Aunque anteriormente se ha hecho una referencia breve a las alegaciones al acuerdo de inicio, el examen detallado de las mismas se realiza en este apartado.
(106) RPS art. 13.2.
(107) RPS art.16.
(108) LRJ art.48.

En cuanto al contenido, las alegaciones que puede realizar el presunto responsable, en el procedimiento sancionador, puede ser incriminatorio o defensivo y dentro de esta posibilidad cabe distinguir entre las defensas formales y materiales.

16.1. Alegaciones reconociendo la responsabilidad

El escrito de alegaciones puede presentar contenido incriminatorio y por ello el RPS exige que en el acuerdo de inicio se indique al inculpado la posibilidad de que voluntariamente reconozca su responsabilidad; es decir que es posible que el imputado proceda, en este primer trámite de alegaciones, a reconocer su responsabilidad, aceptando como ciertos los hechos ilícitos imputados y declarándose responsable de su comisión, con efecto de que pueda resolverse el procedimiento imponiendo la sanción que proceda (109). También cabe la posibilidad de que su declaración incriminatoria sea realizada solo parcialmente, bien reconociendo como ciertos los hechos; pero eximiéndose de la responsabilidad sobre algunos de ellos o bien negando parte de los hechos y declarando su responsabilidad sobre los demás. Como dichos supuestos no están concretamente regulados por el RPS, en la práctica profesional será aconsejable continuar, normalmente, con el procedimiento con la consecuencia de que la Administración no está ya obligada a probar los hechos y circunstancias reconocidos por el presunto infractor.

16.2. Alegaciones de oposición

Lo habitual en este trámite de alegaciones al acuerdo de inicio, es que el contenido sea defensivo dado el derecho del imputado a de promover su defensa frente a cualesquiera elementos de hecho, derecho, formales o materiales, expresamente contenidos o tácitamente inferidos del acuerdo de inicio (110).

La oposición formal frente a la imputación administrativa provisional puede presentarse entre otros en los ámbitos siguientes:

a) Nulidad de pleno derecho del acuerdo de inicio porque haya sido dictado por órgano manifiestamente incompetente por razón de la materia o del territorio (111).

b) Nulidad de pleno derecho del acuerdo de inicio porque se haya prescindido total y absolutamente, en su elaboración, del procedimiento establecido.

---

(109)   RPS art. 8.1.
(110)   También se denominan defensas formales y defensas materiales.
(111)   LRJ art 52.1.

c) Nulidad de pleno derecho del acuerdo de inicio por que se haya producido indefensión del presunto responsable (112).

d) Incompetencia del órgano instructor o decisor del procedimiento sancionador que pudiera acarrear la nulidad de actuaciones o de la resolución del procedimiento.

e) Falta de imparcialidad de los órganos encargados de instruir y resolver el procedimiento.

f) Inadecuación del procedimiento administrativo sancionador.

g) Caducidad del procedimiento por que se hubiera formalizado la notificación el acuerdo de inicio, una vez transcurrido el plazo de dos meses desde la fecha de su emisión, sin que se haya dictado acuerdo de archivo de actuaciones.

El presunto responsable también puede presentar su oposición frente a la imputación provisional mediante la alegación defensas materiales consistentes en hechos extintivos y hechos excluyentes de la culpabilidad.

Los hechos extintivos de la responsabilidad extinguen el derecho a la persecución de la infracción y a la imposición de la sanción que corresponda es el supuesto del abono anticipado de una multa.

Los hechos excluyentes de la responsabilidad son aquellos mediante los cuales resulta excluido el ejercicio de la potestad sancionadora de la Administración, por ejemplo porque la infracción haya prescrito.

Finalmente hay que señalar que no es admisible como modo de oposición los denominados hechos impeditivos que son aquellos que vienen configurados por circunstancias que impiden en nacimiento del derecho a sancionar que, por ejemplo, se produce en los casos en que una de las partes carece de capacidad (113).

En cuanto a la forma, el trámite de alegaciones que regula el art. 16 RPS debe ser formalizado por escrito, en plazo y presentado bien directamente ante el órgano instructor o por cualquiera de los canales previstos en la Ley. Este escrito puede ser acompañado de cuantos documentos e informaciones estimen oportunos los interesados y proponer en el mismo los medios de prueba de que intenten valerse para la acreditación de los hechos contenidos en el escrito de alegaciones.

---

(112)   LRJ art. 62. La indefensión puede tener lugar por diversas causas, por ejemplo porque no constan los hechos ilícitos en el expediente o por estar insuficiente mente constatados quedando dificultada la defensa; por que no conste el nombramiento e identidad del órgano instructor; porque no conste la indicación de la competencia para resolver el procedimiento; porque la imputación se haya dirigido a sujetos indeterminados, etcétera.

(113)   Falta de capacidad en las personas o falta de competencia en las administraciones.

17. ABSTENCIÓN Y RECUSACIÓN EN EL PROCEDIMIENTO SANCIONADOR

La imparcialidad y neutralidad de la actuación sancionadora y del procedimiento sancionador se materializan por medio de una serie de causas de abstención que si no son tenidas en cuentas pueden dar lugar a la recusación del funcionario actuante. De este modo, estas causas de abstención y recusación son instrumentos que permiten garantizar el principio de objetividad, neutralidad e imparcialidad de las Administraciones públicas en su actuación en los procedimientos a través de los que se ejerce la potestad sancionadora, manteniendo las actuaciones desarrolladas a cubierto de cualquier incompatibilidad con los intereses públicos.

Por otra parte el incumplimiento del deber de abstención en cualquier tipo de procedimiento administrativo punitivo, sea sancionador o disciplinario, puede ser constitutivo de infracción administrativa o incluso penal.

En el ámbito del procedimiento sancionador la valoración de los motivos de abstención y causas de recusación debe hacerse de modo estricto dada la particular incidencia del acto sancionador en la esfera personal y patrimonial del presunto infractor, no obstante son de aplicación las reglas generales con arreglo a las cuales no basta la mera invocación genérica de dichas causas, sino que es necesario acreditarlas plenamente, salvo que se trate de motivos tan notorios y evidentes que no precisen ser probados. La neutralidad en el ámbito sancionador es tan importante que, tanto el instructor como el titular del órgano resolutorio, deben responder a las exigencias y apariencias de imparcialidad; por ello en la práctica profesional puede exigirse la abstención de ambos y si no fuera cumplimentada podría oponerse en el procedimiento la correspondiente causa de recusación; también puede pedirse la recusación de cualquiera que intervenga.

18. PRESUNCIÓN DE INOCENCIA EN DERECHO SANCIONADOR

El principio de presunción de inocencia está proclamado en la constitución y recogido en diversas disposiciones de nuestro ordenamiento jurídico (114). Como ha declarado el Tribunal Constitucional, la presunción de inocencia supone que los procedimientos administrativos sancionadores deben respetar la presunción de no existencia de responsabilidad administrativa en tanto que no se demuestre lo contrario: la presunción de inocencia rige sin excepción en el ordenamiento sancionador garantizando el derecho a no sufrir sanción que no tenga fundamento

---

(114)   Ver artículo 24 CE, art. 24.2 LRJ, artículo 8 del Reglamento del procedimiento para el ejercicio de la potestad sancionadora aprobado por Real Decreto 1398/1993 y el artículo 137 de la Ley General Tributaria.

en un actividad probatoria previa sobre la cual el órgano competente pueda fundamentar un juicio razonable de culpabilidad (115).

Este principio goza de la condición y protección propia de un derecho fundamental. Rige sin excepciones en el ordenamiento sancionador y ha de ser respetada en la imposición de cualquier sanción, ya sea penal o administrativa (116), pues el ejercicio del derecho sancionador, en sus diversas manifestaciones, está condicionado al juego de la prueba y a un procedimiento contradictorio en el que puedan defenderse las propias posiciones. Conforme a este principio, no puede imponerse sanción alguna en razón de la culpabilidad del imputado si no existe una actividad probatoria de cargo, que, en la apreciación de las autoridades u órganos llamados a resolver, destruya esa presunción. En este sentido, comporta las siguientes consecuencias:

d) Que la sanción ha de estar basada en actos o medios probatorios de cargo o incriminaciones de la conducta reprochada;

e) Que la carga de la prueba corresponde a quien acusa, sin que nadie esté obligado a probar su propia inocencia; y

f) Que cualquier insuficiencia en el resultado de las pruebas practicadas, libremente valorado por el órgano sancionador, debe traducirse en un pronunciamiento absolutorio (117).

La presunción de inocencia implica el derecho de no autoinculpación, que comprende el derecho a no aportar documentos que puedan inculpar al interesado (118). Incluso, se afirma el derecho del interesado a mentir en el procedimiento sancionador (119).

La destrucción de la presunción de inocencia exige que la resolución sancionadora contenga un denominado juicio de culpabilidad. Este juicio de culpabilidad debe contener la imputación subjetiva, la tipificación y antijuridicidad, el grado de culpabilidad y la sancionabilidad. Además, en caso de invocación de causa de exclusión de culpabilidad, ha de justificarse su rechazo (120).La resolución que destruya la presunción de inocencia tiene que dictarse efectivamente y contar con firma manuscrita del titular o de los titulares del órgano sancionador, bajo pena de nulidad o inexistencia, sin perjuicio de que se admitan los actos colectivos (121),

---

(115)   SSTC 138/1990 y 212/1990.
(116)   STC 13/1981.
(117)   Ver SSTC 76/1990 y 109/1986.
(118)   Sentencia Tribunal Europeo de Derechos Humanos de 24.2.1994.
(119)   STC 118/2004.
(120)   STS 23.10.1989.
(121)   Artículo 55 LRJ y artículo 55 del Reglamento sancionador en materia de tráfico, circulación de vehículos a motor y seguridad vial, en su redacción actual.

respecto de los cuales la doctrina de los tribunales superiores de justicia es contradictoria.

Son compatibles con la presunción de inocencia las medidas cautelares, acordadas en el procedimiento, o antes de su incoación, por el órgano competente con el fin de asegurar la efectividad de la resolución que, en su caso, recaiga (122). No obstante, si se consideran excesivas, tendrían alcance punitivo en cuanto al exceso (123). Asimismo, la fuerza ejecutiva de las sanciones no lesiona el principio de presunción de inocencia (124).

19. DINÁMICA DE LA PRESUNCIÓN DE INOCENCIA EN DERECHO SANCIONADOR

Las pautas de funcionamiento de la presunción de inocencia en el ámbito del derecho administrativo son las siguientes:

a) Los procedimientos sancionadores incoados han de partir de y respetar la presunción de no existencia de responsabilidad administrativa, mientras no se pruebe lo contrario; lo que significa que la prueba de cargo ha de ser aportada por la administración.

Esto no significa que en este campo no rija la presunción de legalidad del acto administrativo sancionador, sino que se contrae a desplazar sobre el sancionado en vía administrativa la carga de accionar contra el acto sancionador. Si no se recurre y deviene firme, deberá pasarse por él. En caso de recurso, corresponde la prueba de cargo a la administración pública sancionadora (125).

b) Los hechos declarados probados por resoluciones judiciales firmes del orden penal vinculan a la administración instructora de los expedientes sancionadores.

c) Se presume la certeza de los hechos constatados por funcionarios públicos a quienes se reconozca la condición de autoridad y que se formalicen en documento público (126). Sobre esta presunción, hay que precisar que debe entenderse sin perjuicio de las pruebas que el expedientado pueda aportar en defensa de sus derechos; no supone una inversión de la carga de la prueba, sino que los citados documentos son un medio de prueba de cargo, medio que

---

(122)   Artículo 72 LRJ.
(123)   SSTC 66/1984 y 108/1984.
(124)   STS 23.2.1984.
(125)   STC 14/1997.
(126)   Ver artículos: 1216 del Código Civil; 99 y 153 de la LGT; 52 y 53 del Texto Refundido sobre Infracciones y Sanciones en el Orden Social aprobado por Real Decreto Legislativo 5/2000 y artículo 76 del texto articulado de la Ley sobre Tráfico, Circulación de vehículos a motor y Seguridad vial, aprobado por Real Decreto Legislativo 339/1990.

no es incompatible con, ni excluyente de, otros medios de prueba, respecto de los cuales no tiene valor preferente (127). El principio de presunción de inocencia es totalmente compatible con el derecho a la tutela judicial efectiva (128).

Sólo se produce el efecto en caso de que los documentos estén correctamente levantados, con las formalidades y requisitos legales; y sólo respecto de los aspectos fácticos directamente constatados por el actuario o funcionario actuante (129). En otro caso, los documentos no pasan de tener la fuerza de documento privado o de otro medio más de prueba. Por otra parte, la valoración conjunta de la prueba puede arrojar resultado contrario al contenido de tales documentos. El contenido de estos documentos no es indiscutible, no excluye otros medios de prueba y no es de valor superior o preferente a los mismos.

Hay que tener en cuenta que el Tribunal Supremo tiene declarado que los informes oficiales no son documentos públicos y no gozan de presunción de veracidad, con efecto de prueba de cargo, sino que constituyen un material probatorio igual al resto del expediente, que se incorpora al mismo y que como tal ha de valorarlo (130). El hecho de que el denunciante no tenga en sentido estricto condición de funcionario público o autoridad, no resta presunción de certeza a los hechos constatados en sus denuncias, si aquel desempeña una función pública. Es el caso de los guardias fluviales de las confederaciones hidrográficas o de los veedores de los consejos reguladores de denominaciones de origen (131). La fuerza probatoria de las actas levantadas por los inspectores del Consejo regulador de la denominación de origen (132), que tienen la consideración legal de documentos públicos, no requiere de la presencia o conformidad del interesado y se extiende a los cálculos matemáticos contrastables contenidos en las mismas (133).

d) En lo que se refiere a la práctica de la prueba, tanto de oficio como a instancia de parte, para la determinación de los hechos y de las posibles responsabilidades, el órgano instructor puede rechazar aquellos medios probatorios que resulten

---

(127) SSTS 27.4.1998 y 14.91998.
(128) Artículo 24 CE.
(129) SSTS 10.3.1994 y 28.9.1995.
(130) SSTS 15.6.1983 y 28.9.1987.
(131) SSTSJ de La Rioja 20.11.2000 y 15.6.2001 derivadas de procesos derivados de actuaciones y procedimientos sancionadores del Consejo Regulador de la Denominación de Origen Rioja.
(132) Los consejos reguladores de denominaciones de origen son entidades que desempeñan funciones y potestades públicas por delegación de la Administración de la Comunidad Autónoma o del Estado en caso de que abarquen un ámbito que implique a más de una Comunidad Autónoma.
(133) SSTS 21.10.2001 y 12.12.2001.

22. SUPUESTOS DE APLICACIÓN

La exclusión de duplicidad se produce en los siguientes supuestos:

Entre sanciones penal y administrativa. Una vez impuesta una de ellas, cualquiera que sea la primera en recaer, queda radicalmente excluida la segunda; incluso en caso de que la sanción impuesta primero sea la gubernativa (146). Para evitar esta situación, el principio de supremacía del orden penal determina la paralización del procedimiento administrativo sancionador y la remisión de actuaciones a la jurisdicción criminal. Sin embargo, en caso de que no se realice tal paralización y remisión, recayendo sanción administrativa, queda excluida la sanción penal posterior. No obstante, la anterior tesis se ha matizado por, que ha entendido, que la previa sanción administrativa no debe excluir siempre la penal posterior, sino que lo que se proscribe es la efectiva duplicación de sanciones que constituya el exceso punitivo materialmente prohibido por la Constitución (147). De esta forma no se excluye el doble reproche aflictivo, sino la reiteración sancionadora de los mismos hechos con el mismo fundamento padecida por el mismo sujeto, lo que supone una rectificación de la doctrina precedente, que entendía que la mera declaración de la sanción infringe el derecho fundamental. En consecuencia, en un supuesto de actuación administrativa irregular que no suspende el procedimiento administrativo sancionador sobre el que pendan diligencias penales, se ha considerado conforme a la Constitución la sentencia penal que descuenta de la pena la multa administrativa impuesta y la duración de la retirada del carnet de conducir, pues no ha tenido lugar efectiva duplicación de la sanción prohibida por la Constitución (148). El Tribunal Constitucional también ha declarado que es de aplicación tanto entre dos o más sanciones administrativas derivadas de procedimientos distintos, como entre dos o más sanciones gubernativas derivadas del mismo procedimiento sancionador, salvo que sean sanción accesoria y principal (149).

23. SUPUESTOS DE INAPLICACIÓN

Sin embargo, el principio no es de aplicación porque no se produce duplicidad de sanciones en diversos supuestos:

a) En casos en que unos mismos hechos lesionen diversos bienes jurídicos protegidos por normas sectoriales diferentes. Cuando el ordenamiento jurídico establece una dualidad de procedimientos en los que ha de producirse un distinto enjuiciamiento y calificación del hecho, éstos se desarrollan con independencia,

---

(146)   STS 7.4.1999.
(147)   Artículo 25 CE.
(148)   STC 2/2003 y 224/2005.
(149)   SSTC 94/1986 y 154/1990.

siempre que vengan fundados en la aplicación de normativas diferentes (150). Esta situación suele producirse en casos de administrados sometidos a relaciones de sujeción especial, como, por ejemplo, sanciones administrativas y disciplinarias, en caso de funcionarios públicos.

Para considerar justificada una doble sanción a un sujeto por los mismos hechos han de concurrir las siguientes circunstancias:

No basta la dualidad de normas, sino que es preciso que las mismas contemplen el hecho desde la perspectiva de relaciones jurídicas diferentes entre administración pública y sancionado, protegiendo bienes jurídicos distintos.

La existencia de una relación de sujeción especial no es suficiente, pues en tales relaciones los sujetos no están privados de sus derechos fundamentales. Es preciso que exista un interés protegido distinto y que se respete el principio de proporcionalidad (151).

Asimismo, la conducta del sujeto debe haberse producido en razón de su sometimientos a un sujeción especial, como el funcionario público actuando en ejercicio de su cargo, no en su mera condición de ciudadano, salvo que la conducta redunde negativamente en su función.

b) Cuando los hechos sancionables son diferentes (152).

c) Cuando se produce la prescripción de los plazos administrativos para sancionar, lo cual no impide la sanción penal.

d) Cuando las medidas tendentes a restaurar la legalidad infringida son compatibles con la sanción que se imponga, pues carecen de carácter sancionador. Estas medidas son netamente diferentes de las sancionadoras, de forma que están desvinculadas entre sí, pudiendo ser aplicadas de forma independiente sin vulnerar el principio *non bis in ídem* (153).

En relación con este supuesto, téngase en cuenta que las órdenes de ejecución no son sanciones (154). Tampoco es sanción, y puede concurrir en su caso con ella, la caducidad de una concesión o la revocación de una autorización, como títulos habilitantes de una actuación o uso determinado (155).

---

(150)   SSTS 21.2.1984 y 17.5.1999.
(151)   STC 294/1991 y STS 30.5.2000.
(152)   Ver STS 16.11.1994
(153)   STS 4.12.1990.
(154)   STS 6.6.1998.
(155)   Ver artículos 95.2 Ley 22/1998 de Objeción de conciencia y prestación social sustitutoria y 168 del reglamento de Dominio Público Hidráulico en su redacción actual.

e) Pueden ser compatibles las sanciones principales y accesorias (156). En cambio, las medidas cautelares adoptadas antes de que recaiga la resolución sancionadora no están excluidas por el principio en estudio (157).

Los administrados se encuentran frente a la Administración pública en situación de sujeción general, como simples particulares, cuando no concurre un título especial, sino el carácter general, de sometimiento a la Administración. Están en situación de sujeción especial en caso de sumisión especial por virtud de título concreto no concurrente en el común de los administrados, como por ejemplo, los funcionarios públicos, los reclusos o los expendedores de productos estancados (158).

Se ha considerado lesionado el principio «no bis in ídem» en un caso de imposición a un funcionario de policía, por los mismos hechos, de una sanción penal por cohecho y de una disciplinaria de separación del servicio (159).

Las infracciones administrativas que engloban una pluralidad de actos entre los que existe conexión de causa-efecto (160), se sancionan con una única penalidad, pues en caso contrario, su sanción por separado atentaría al principio *non bis in idem*. Sobre estos tipos únicamente puede imponerse la sanción asignada a la actuación que suponga el resultado final perseguido (161). En supuestos de coautoría o concurso de varios sujetos responsables, la imposición de sanción a cada uno no viola el principio analizado (162).

En materia de regulación municipal de estacionamiento de vehículos, la exigencia de un precio público o tasa no impide que el aparcamiento indebido en zonas reguladas se considere como infracción administrativa, con la correspondiente sanción (163).

Es problemática La resolución de supuestos en los que se imponen dos sanciones conexas suele dar problemas en la práctica profesional es el caso de que se imponga una sanción administrativa a una sociedad, y otra sanción penal al administrador responsable de la sociedad. En Estos supuestos no se vulnera el principio *non bis in idem* en caso de sanción administrativa a la sociedad por infracción de la legislación sancionadora del orden social y una sanción penal al administrador por la comisión de un delito de naturaleza laboral (164). En cambio

---

(156)   STC 76/1990.
(157)   Artículo 72 LRJ.
(158)   SSTS 21.6.2000 y 3.7.2000.
(159)   STS 12.6.1998.
(160)   Por ejemplo en los casos de parcelaciones ilegales en materia de urbanismo.
(161)   STS 1.6.1988.
(162)   STC 129/2002.
(163)   STS 15.7.1986.
(164)   El Título XV del Código Penal recoge los delitos contra los derechos de los trabajadores, artículos 311 a 318.

el tribunal Constitucional ha declarado que, en un caso de sanción administrativa por vertidos a una persona jurídica y sanción penal a su administrador por delito medioambiental, el principio *non bis in idem* resulta vulnerado (165).

Ante varias sanciones impuestas al mismo sujeto por los mismos hechos, no ha considerado infringida la regla en estudio, por responder cada una a lesiones de distintos bienes jurídicos protegidos. La conducta puede resumirse resume en el abandono de servicio por un miembro de las Fuerzas y Cuerpos de Seguridad de Estado, en estado ebrio, que conduciendo un automóvil atropella a un particular; las sanciones que se impusieron fueron: una condena penal por los delitos de imprudencia temeraria con resultado de lesiones y de daños en concurso real con otro de omisión de socorro (166); sanción disciplinaria leve por ocasionar accidente de circulación; condena penal militar por abandono de servicio; sanción de separación del servicio (167).

La jurisprudencia del Tribunal de Justicia de la Unión Europea ha negado que se viole el principio estudiado en caso de concurrencia de sanciones comunitaria y nacional por la misma conducta en materia de competencia, puesto que el bien jurídico protegido es diferente en ambos casos: la sanción del Derecho comunitario reprime el daño generado a los objetivos de la infracción en el mercado interior o nacional. En tales supuestos, se tramitan dos procedimientos distintos que han de coordinarse. Para ello, el órgano interno competente podrá aplazar la resolución del procedimiento si se acredita que está siguiendo un procedimiento por los mismos hechos ante órganos comunitarios europeos, alzándose la suspensión cuando recaiga resolución firme de éstos.

24. SANCIONES Y MULTAS COERCITIVAS

En el tema de la sanción y la reparación civil o multas coercitivas, cuya compatibilidad el ordenamiento reconoce, no juega el principio *non bis in idem*, dado que obedece a motivaciones diferentes. La sanción tiene unos fines específicos como reprobación, prevención, ejemplificación por la conducta infractora, mientras que las medidas reparadoras están llamadas a retribuir, a compensar a las víctimas de ilícito, penal o administrativo (168). La imposición de una multa adicional después de haber impuesto una de carácter sancionador no infringe el principio *non bis in idem*, porque se trata de una medida de naturaleza diferente, porque las multas coercitivas impuestas para forzar el cumplimiento de mandatos administrativos no tienen

---

(165)   STC 177/1999.
(166)   Artículos 565, 420 y 563 del Código Penal vigente 1973.
(167)   Ver artículos 7 Ley Orgánica 11/1991 de Régimen disciplinario de la Guardia Civil, 144 del Código Penal Militar y STC 180/2004.
(168)   STS 16.12.1987.

carácter sancionador. Son diferentes (169) Por su parte, las medidas tendentes a restaurar la legalidad infringida son netamente diferentes de las sancionadoras, de forma que están desvinculadas entre sí, pudiendo ser aplicadas de forma independiente sin vulnerar el principio *non bis in idem*. De este modo carecen de carácter sancionador, las órdenes de ejecución; la caducidad de concesión o la revocación de una autorización, como títulos habilitante de actuación o uso determinado (170).

El Tribunal Constitucional ha declarado que el principio *non bis in idem* actúa en nuestro Estado de Derecho con diversas bases de actuación como el control jurisdiccional de la actividad administrativa sancionadora; el rechazo de la simultaneidad de procedimientos en los ámbitos penal y administrativo y la vinculación a la Administración de lo actuado por la jurisdicción (171).

25. PRINCIPIO DE PREVALENCIA DEL ORDEN PENAL

El principio de prevalencia de la jurisdicción penal opera en este campo con una doble finalidad garantizadora que se traduce en:

a) Un primer aspecto instrumental, cronológico o de prioridad temporal. Si la Administración pública aplica su potestad sancionadora en un expediente en el que se pone de manifiesto la posible tipificación, como delito o falta penal, de la conducta reprochada, debe paralizar el expediente administrativo, cualquiera que sea la fase procedimental en que se encuentre, para remitir a la jurisdicción penal los hechos a efectos de su eventual enjuiciamiento en dicha sede e impedir, precisamente, que ésta sancione algo administrativamente que puede constituir infracción penal y que ha de ser enjuiciada por quien tiene competencia exclusiva para ello: el orden jurisdiccional penal.

b) Un segundo aspecto sustantivo de la proclamada prevalencia. Dictada sentencia penal absolutoria, la Administración que reanude el expediente sancionador queda vinculada por los hechos probados declarados por aquélla (172)

26. OTROS ASPECTOS DEL PRINCIPIO *NON BIS IN IDEM*

a) La garantía de no ser sometido a bis in ídem en su vertiente material, impide sancionar en más de una ocasión el mismo hecho con el mismo fundamento, de modo que la reiteración sancionadora constitucionalmente proscrita puede producirse:

---

(169)   SSTS 10.7.1984 y 20.10.1992.
(170)   Ver SSTS 4.12.1990 y 6.6.1998.
(171)   SSTC 77/1983 y 10/1988.
(172)   Artículo 137 LRJ y 7.3 REPOSA.

Mediante la sustanciación de una dualidad de procedimientos sancionadores, abstracción hecha de su naturaleza penal o administrativa; o en el seno de un procedimiento único procedimiento de lo cual se deriva que la falta de reconocimiento del efecto de cosa juzgada puede ser el vehículo a través del cual se ocasione, pero no es requisito necesario para su producción (173).

b) En relación con la garantía consistente en la interdicción de un doble proceso penal con el mismo objeto, se prevé la imposibilidad de proceder a un nuevo enjuiciamiento penal si el primer proceso ha concluido con una resolución de fondo con efecto de cosa juzgada, ya que en el ámbito de lo definitivamente resulto por un órgano judicial no cabe iniciar, a salvo del remedio extraordinario de la revisión y el subsidiario del amparo constitucional, un nuevo procedimiento. Si así se hiciera se menoscabaría, sin duda, la tutela judicial dispensada por la anterior decisión firme, pues, además, con ello se arroja sobre el reo la carga y la gravosidad de un nuevo enjuiciamiento que no está destinado a corregir una vulneración en su contra de normas procesales con relevancia constitucional (174).

Tampoco cabe reabrir un proceso penal que ha terminado con una sentencia firme condenando por la realización de un hecho calificado de falta, con la pretensión de que el mismo se recalifique como delito, pues ello vulneraría la cosa juzgada y la prohibición de incurrir en bis in ídem (175). Hasta el presente el alto Tribunal sólo ha reconocido de manera expresa autonomía al derecho a no ser sometido a un doble procedimiento sancionador cuando se trata de un doble proceso penal, de modo que la mera coexistencia de procedimientos sancionadores —administrativo y penal—   que no ocasiona una doble sanción no ha adquirido relevancia constitucional en el marco de este derecho (176).

c) También se ha dotado de relevancia constitucional a la vertiente formal o procesal de este principio. Se concreta en la regla de la preferencia o precedencia de la autoridad judicial penal sobre la Administración respecto de su actuación en materia sancionadora en aquellos casos en los que los hechos a sancionar puedan ser, no sólo constitutivos de infracción administrativa, sino también de delito o falta según el Código Penal. Si bien la Constitución no ha excluido la existencia de una potestad sancionadora de la Administración, sino que la ha admitido (177), dicha aceptación se ha efectuado sometiéndole a las necesarias cautelas, que preserven y garanticen los derechos de los ciudadanos. Entre los límites que la potestad sancionadora de la Administración encuentra en la Constitución se declaró

---

(173)   Entre otras SSTC 66/1986 y 154/1990.
(174)   STC 159/1987.
(175)   STC 1001/1987.
(176)   SSTC 98/1989, 413/1990.
(177)   Artículo 25 CE.

la necesaria subordinación de los actos de la Administración de imposición de sanciones a la autoridad judicial. De esta subordinación derivan tres exigencias:

1) Necesario control judicial de los actos administrativos mediante recurso.

2) Imposibilidad de que los órganos de la Administración lleven a cabo actuaciones o procedimientos sancionadores, en los casos en que los hechos puedan ser constitutivos de delito o falta, mientras la autoridad judicial no se haya pronunciado sobre ellos.

3) Necesidad de respetar la cosa juzgada (178).

Para que se entienda vulnerado el principio *non bis in idem* la normativa exige una dualidad de sanciones, administrativas ambas o penales y administrativas, por idénticos sujeto, hechos y fundamento. Debe resaltarse el cambio de criterio operado por el Tribunal Constitucional respecto de dos pronunciamientos (179), en que sostuvo que la declaración efectuada por los órganos judiciales penales relativa a la existencia de la triple identidad, hechos, sujeto y fundamento, no puede ser cuestionada por el Tribunal Constitucional y constituye el obligado punto de partida para el examen de la vulneración del principio de *non bis in idem*. Sin embargo, esta doctrina se ha modificado, dado que la triple identidad constituye el presupuesto de aplicación de la interdicción constitucional de incurrir en bis in ídem, y delimita el contenido de los derechos fundamentales reconocidos por la Constitución (180), ya que éstos no impiden la concurrencia de cualesquiera sanciones y procedimientos sancionadores, ni siquiera si éstos tienen por objeto los mismos hechos, sino que estos derechos fundamentales consisten en no padecer una doble sanción y no ser sometido a un doble procedimiento punitivo, por los mismos hechos y con el mismo fundamento (181).

Respecto a la Identidad de sujeto. El sujeto-administrado interesado en los procesos o procedimientos, judiciales o administrativos, debe ser el mismo, resultando irrelevante, con independencia del título de culpabilidad que se le oponga o de que haya resultado sancionado en un procedimiento solidariamente con otros y en el siguiente resulte imputado individualmente.

En relación con la identidad de los hechos (182), el aspecto beligerante es el que afecta a los hechos constitutivos de la infracción. Quedan desvalorizados los hechos que rodean a la perpetración del ilícito, pero que no configuran su núcleo.

---

(178)   STC 77/1983.
(179)   SSTC 177/1999 y 152/2001.
(180)   Artículo 25.1 CE.
(181)   STC 3/2003.
(182)   Artículos 129 y 130 LRJ.

No se produce duplicidad de sanciones cuando los hechos sancionables son diferentes (183).

En relación con la Identidad de fundamentos, la mayoría de la doctrina considera que la identidad causal o de fundamentos se predica de la semejanza entre los bienes jurídicos protegidos por las distintas normas sancionadoras o entre los intereses tutelados por ellas. Si los bienes jurídicos afectados por un mismo hecho resultan heterogéneos, existirá diversidad de fundamento; mientras que si son homogéneos, no procederá la doble punición aunque las normas jurídicas vulneradas sean distintas. La línea interpretativa para esclarecer esta cuestión es que, para que la dualidad de sanciones, penal y administrativa, por un mismo hecho, sea constitucionalmente admisible, es preciso que la normativa que la impone pueda justificarse porque contempla los mismos hechos desde la perspectiva de un interés jurídicamente protegido que no es el mismo que la sanción de penal intenta salvaguardar y que la sanción sea proporcionada a dicha necesidad de protección adicional (184).

27. IMPROCEDENCIA DE SANCIONES GLOBALES

Es regla general que cada conducta constitutiva de infracción ha de ser sancionada autónomamente, sin que sea posible, a salvo de precisión legal específica, la imposición de sanciones globales o conjuntas por la totalidad de hechos cometidos, sin perjuicio de la apreciación de infracciones continuadas, cuando ello sea posible. Así sucede, por ejemplo, en el ámbito tributario, en caso de que se proceda a la comprobación de la situación fiscal de un sujeto pasivo, relativa a varios ejercicios sucesivos, normalmente, todos los no prescritos. En tal caso, las sanciones, multas proporcionales, impuestas en el procedimiento o procedimientos sancionadores autónomos que se inicie, se han de aplicar tomando como base el resultado que arroje cada ejercicio, sin proceder a computar todos ellos conjuntamente. De igual modo, en caso de que la comprobación arroje saldo favorable al sujeto pasivo en algún ejercicio, no se debe tomar en consideración para reducir la base de cálculo de la sanción en los restantes.

28. JURISPRUDENCIA EUROPEA Y CONSTITUCIONAL

El Tribunal Constitucional tiene declarado el alcance otorgado a la interdicción de incurrir en bis in ídem, en cuanto comprensiva tanto de la prohibición de la aplicación de múltiples normas sancionadoras, como de la proscripción de ulterior enjuiciamiento, cuando el mismo hecho ha sido ya enjuiciado en un primer procedimiento en el que se ha dictado una resolución con efecto de cosa juzgada.

---

(183)   STS 16.11.1964.
(184)   STC 234/1991.

Coincide en lo sustancial con el contenido asignado en los convenios internacionales sobre derechos humanos (185).

Existen instrumentos internacionales que corroboran la posición del alto Tribunal, así el Pacto internacional de derechos civiles y políticos, dispone que nadie puede ser juzgado ni sancionado por un delito por el cual haya sido ya condenado o absuelto por una sentencia firme de acuerdo con la ley y el procedimiento penal de cada país (186). Por otra parte el Protocolo 7, del Convenio Europeo de Derechos Humanos (CEDH) (187), reconoce este derecho con un contenido similar. Lo dispuesto en él constituye un adecuado marco de referencia en cuanto expresivo de un modelo jurídico-constitucional común en nuestro entorno. A los efectos de la aplicación de las garantías del proceso justo del CEDH. El Tribunal Europeo de Derechos Humanos (TEDH) incluye dentro de los conceptos de infracción y sanción penal también las de carácter administrativo partiendo de un concepto sustantivo de la materia y no considerando relevante la denominación de la legislación en la que se encuentran. El TEDH, para considerar inaplicable la prohibición de bis in ídem, establece que no basta con que las infracciones aplicadas presenten diferencias, o que una de ellas represente sólo un aspecto parcial de la otra, pues la cuestión, que atañe a las relaciones entre los dos ilícitos aplicados, no limita su protección al derecho a no ser sancionado en dos ocasiones, sino que la extiende al derecho a no ser perseguido penalmente. El TEDH afirma que el citado Protocolo (188) no se refiere al mismo ilícito, sino a ser perseguido o sancionado penalmente de nuevo por un ilícito por el cual ya ha sido definitivamente absuelto o condenado, de modo que si bien entiende que el mero hecho de que un solo acto constituya más de un ilícito no es contrario a este artículo, no por ello deja de reconocer que este artículo despliega sus efectos cuando un acto ha sido perseguido o sancionado penalmente en virtud de ilícitos sólo formalmente diferentes. También señala que existen casos en los que un acto, a primera vista, parece constituir más de un ilícito, mientras que un examen más atento muestra que únicamente debe ser perseguido un ilícito porque abarca todos los ilícitos contenidos en los otros. Por ejemplo: un acto que constituya dos ilícitos, uno de los cuales contenga precisamente los mismos elementos que el otro más uno adicional. Puede haber otros casos en los que los ilícitos únicamente se solapen ligeramente.

29. PROPUESTA DE RESOLUCIÓN

La propuesta de resolución es el acto mediante el cual el instructor del procedimiento sancionador, una vez finalizado el periodo de prueba, formula propuesta de

(185) SSTC 2/2003 y 334/2005.
(186) Vigente en España *(BOE* 3.4.1977), artículo 14.
(187) No ratificado pero si firmado por España.
(188) En su artículo 4.

acusación o absolución de los cargos que en el acuerdo de inicio se imputaron al presunto responsable. La propuesta debe servir para que, por parte de la autoridad competente se dicte la resolución que corresponda. El RPS dispone que concluida, en su caso, la prueba el órgano instructor del procedimiento formulará propuesta de resolución en la que se fijarán de forma motivada los hechos especificándose los que s e consideren probados y su exacta calificación jurídica, se determinará la infracción que, en su caso, aquellos constituyan y la persona o persona que resulten responsables, especificándose la sanción que propone que se imponga y las medidas provisionales que se hubieran adoptado, en su caso, por el órgano competente para iniciar el procedimiento o por el instructor del mismo; o bien se propondrá la declaración de no existencia de infracción o responsabilidad (189).

La propuesta de resolución tienen como contenido normal la acusación que el instructor dirige al acusado en el procedimiento que en este caso y a la vista de las investigaciones realizadas y de las actividades probatorias practicadas en el procedimiento es ya una acusación definitiva que el órgano instructor aprecia como cierta y la eleva al criterio de la autoridad competente para que la Resolución del procedimiento. Es el equivalente procesal al escrito de calificaciones definitivas que las partes acusadoras formulan en el proceso penal y, como ha declarado el Tribunal Supremo, abre la última defensa efectiva en el procedimiento frente a los hechos que se dan por probados frente a la calificación de los mismos.

La emisión de la propuesta de resolución del procedimiento es competencia de la unidad administrativa designada por la norma sancionadora para la instrucción procedimental y cuando no esté prevista en la norma a la unidad que resulte competente por aplicación de las normas sobre atribución de competencias (190).

La norma no concreta plazo para la formulación de la propuesta, simplemente dispone que, concluido el periodo de prueba deberá formularse propuesta de resolución, o, en el supuesto de que no haya habido periodo de prueba, una vez evacuados los escritos de alegaciones o cumplido el plazo para cumplir este trámite. Por ello el instructor se ve obligado, en la práctica, a valorar el periodo de tiempo pasado desde la fecha en que fue emitido el acuerdo de inicio a fin de evitar la caducidad del procedimiento (191).

Respecto de la estructura y contenido el RPS exige como mínimo la constancia de los hechos, indicando los que el instructor considere probados, su calificación jurídica, la persona o personas que se consideran responsables de su comisión, la sanción que en su criterio debe imponerse y las medidas cautelaras

---

(189)   Reglamento para ejercicio de la Potestad Sancionadora (RPS) art. 18.
(190)   LRJ arts. 12 y ss. y RPS art. 10.
(191)   RPS arts.16, 18 y 26.

adoptadas hasta ese momento procedimental; por otra parte si los hechos no están tipificados como infracción o el imputado no aparece como culpable el instructor debe proponer una resolución que declare la inexistencia de infracción o culpabilidad. Como quiera que la propuesta es de resolución resulta aconsejable, en la práctica profesional, que su redacción tome forma de resolución de manera que la misma pueda convertirse por sí misma en la resolución del procedimiento sancionador mediante el mero conforme de la autoridad competente para resolver.

30. ESTRUCTURA Y CONTENIDO

La estructura de la propuesta de resolución debe incluir los siguientes apartados:

30.1. Determinación de los hechos

Que debe incluir la descripción ordenada de los hechos ilícitos imputados que sean constitutivos de infracción administrativa y aquellos otros, concurrentes, que formen las circunstancias modificativas de la responsabilidad. También deben hacerse constar, en este apartado, los datos sobre identidad de los presuntos responsables indicando el título de imputación de responsabilidad: directa, subsidiaria o solidaria, en su caso.

La determinación de los hechos debe hacerse cronológicamente, indicando los hechos que se consideren probados y la valoración de las pruebas practicadas, dado que el instructor es quien mejor situado está para valorar los hechos que deben reputarse probados en el expediente, dado que es él ante quien se habrá llevado a efecto la fase probatoria.

Con respecto a la constancia de los hechos, el Tribunal Supremo ha declarado que constituye el único contenido esencial de la propuesta de resolución y que la adecuada protección de los intereses de los administrados y su defensa frente a las actuaciones de la Administración, en concreto cuando ejerce la potestad sancionadora, exige un exquisito respecto a las normas que regulan la tramitación procedimental de manera que cuando la relación circunstanciada del hecho resulta omitida por no haber hecho constar expresamente los hechos concretos que se imputan al presunto culpable o la inclusión defectuosa de los mismos puede ocasionar la indefensión del interesado, no siendo admisible el argumento de que cuanto menos concreta y extensa sea la redacción del cargo, más fácil resultará al interesado poder rebatirlo (192).

Finalmente y con respecto a la importancia de la fundamentación fáctica, el tribunal supremo ha declarado reiteradamente que los principios inspiradores y

---

(192)   STS 23.11.1987.

garantías del orden penal son de aplicación, con ciertos matices, al derecho administrativo sancionador, tanto en sentido material como procedimental; en entre estos principios se encuentra el acusatorio de manera que la sanción que haya de imponerse viene determinada en su aspecto fáctico por los recogido en el pliego de cargos que, a estos efectos cumple el mismo papel instrumental que la calificación definitiva en el juicio oral; de manera que no puede sancionarse al imputado en un procedimiento administrativo sancionador por hechos que no figuren en el pliego de cargos de un modo concreto, dado que es un trámite esencial e ineludible del procedimiento sancionador (193).

30.2. Calificación jurídica

Como complemento a la fundamentación fáctica, la calificación jurídica incluye la ubicación de los hechos probados en un determinado tipo de infracción, además de la apreciación de circunstancias que conlleven la agravación o atenuación de la pena. La exigencia de calificación jurídica en la propuesta de resolución supone la subsunción de los hechos recogidos en un tipo de infracción administrativa legalmente aprobado y en consecuencia el conocimiento de la sanción que deba imponerse, posibilitando al tiempo la apreciación de circunstancias modificativas de la sanción, de acuerdo con la aplicación del principio de proporcionalidad.

En caso de que los hechos no puedan encajarse en ninguna norma sancionadora aunque se haya probado la participación, en ellos, del presunto responsable, deberá decretarse la absolución por tratarse de una conducta atípica a los efectos sancionadores.

Hay que tener en cuenta que la calificación jurídica de los hechos es atribución de la autoridad competente para resolver que no se encuentra vinculada a la calificación realizada por el instructor en la propuesta de resolución. A la autoridad solo le vinculan los hechos no la calificación jurídica de manera que al formular resolución la autoridad decisora solo se encuentra vinculada, en este aspecto, por el principio de legalidad.

30.3. Responsabilidad administrativa

La propuesta de resolución debe hacer constar la identidad del responsable de la infracción. La responsabilidad puede se rúnica cuando hay un solo responsable o conjunta cuando hay varias y además, ésta puede ser directa, subsidiaria o solidaria.

---

(193)   SSTS 8.11.1990 y 12.2.1990.

30.4. Parte dispositiva

De acuerdo con lo establecido en el RPS (194) la propuesta de resolución debe contener una propuesta concreta al órgano decisor ya sea sancionadora o exculpatoria, cuyo contenido no vincula a éste que para emitir resolución definitiva puede imponer la sanción que corresponda con independencia de que el órgano instructor haya propuesto otra cosa, dado que, como se ha visto lo único que vincula al órgano decisor es la relación de hechos probados.

Por ello la propuesta de resolución debe contener la consecuencia sancionadora concreta que se imputa, para lo cual no es suficiente hacer una mención abstracta o colateral a dicha responsabilidad o consecuencia sancionadora; además cunado la valoración de las pruebas pueda constituir el fundamento básico de la decisión que se adopte en el procedimiento, por ser pieza imprescindible para la valoración de la hechos, debe incluirse en la propuesta de resolución; por ello el Tribunal Supremo tiene declarado que, cuando la propuesta de resolución no se refiere a una responsabilidad concretada ni el pliego de cargos reconoce una mención concreta a dicha responsabilidad o consecuencia sancionadora, la sanción debe ser anulada (195).

En consecuencia la propuesta de resolución contendrá dos tipos de pronunciamiento final; o bien impondrá la sanción que corresponda o bien propondrá la declaración de no existencia de hecho infractor o de responsabilidad. En algunos procedimientos sancionadores regulados en el ámbito de las Comunidades autónomas se utiliza la expresión sobreseimiento o absolución que resultan más apropiados para referirse al proceso penal, por lo cual es preferible hablar de inexistencia de responsabilidad.

El RPS establece, además una serie de contenidos adicionales de la propuesta de resolución, relativos a la modificación de los extremos consignados en el acuerdo de inicio, a la valoración de las pruebas practicadas y a la responsabilidad civil derivada de infracción administrativa.

Si como consecuencia de la instrucción procedimental resultase modificada la determinación inicial de los hechos, de su posible calificación, de las sanciones imponibles o de las responsabilidades susceptibles de sanción, se notificará todo ello al inculpado en la propuesta de resolución. El RPS se refiere a la existencia de una modificación efectiva de los datos consignados en el acuerdo de inicio del procedimiento, como resultado de investigaciones o actuaciones probatorias llevadas a cabo durante la fase de instrucción (196), dado que, para elaborar la propuesta de resolución, el instructor no se encuentra vinculado ni restringido por

---

(194)   RPS art. 18.
(195)   STS 15.9.1999; RPS art.17.6.
(196)   RPS arts. 13 y 16.

los extremos incluidos en el acuerdo de inicio y tiene que hacer constar en la propuesta de resolución cualquier modificación resultante respecto de los extremos del acuerdo de inicio.

Cuando la valoración de las pruebas practicadas pueda constituir el fundamento básico de la decisión que se adopte en el procedimiento, por ser pieza imprescindible para la evaluación de los hechos, deberá incluirse en la propuesta de resolución. Pero en este caso no es suficiente con un enunciado de los hechos que el instructor considere probados, sino que deberá incluirse una motivación concreta que comprenda la valoración que da el instructor a cada medio de prueba practicado en el procedimiento, como medio para dar, a la autoridad decisora, nuevos elementos de juicio en los que fundamentar su convicción al momento de elaborar la resolución definitiva del procedimiento.

Finalmente el RPS determina que, cunado las conductas sancionadoras hubieran causado daños o perjuicios a la Administración pública, la resolución definitiva del procedimiento podrá declarar la exigencia al infractor o la indemnización por los daños y perjuicios causados cuando su cuantía haya quedado determinada a lo largo del iter procedimental. En cualquier caso, en la propuesta de resolución debe incluirse la responsabilidad patrimonial derivada de la conducta constitutiva de infracción de manera que el instructor deje constancia de este extremo a efecto de una mayor información para la autoridad competente para resolver.

31. EFICACIA DE LA PROPUESTA DE RESOLUCIÓN

La propuesta de resolución, que debe revestir forma de resolución, constituye un acto de mero trámite no susceptible de recurso administrativo y así lo tiene reconocido el Tribunal Supremo que tiene declarado que es un acto no susceptible de recurso porque es semejante al acto de acusación en los procesos penales; frente a este acto, el interesado tiene derecho a defenderse a través del importante trámite de audiencia, importancia que queda bien expresada por la propia Constitución cuyo artículo 15 lo exige y el 24 lo ampara.

Otra cuestión que cae dentro de la eficacia es la notificación de la propuesta que debe ser practicada a los interesados indicándoles la puesta de manifiesta del expediente acompañando a tal efecto una relación de los documentos obrantes en el mismo.

El conocimiento de la propuesta de resolución por el presunto responsable se engloba en el ámbito de acción del derecho a conocer la acusación que protege el artículo 24 de la Constitución (197), por lo que su desconocimiento es causa de nulidad de las actuaciones.

---

(197)   STC 29/1980.

El Tribunal Supremo ha declarado inadmisible que la notificación del acuerdo de inicio o del pliego de cargos, desplace al derecho del presunto responsable a tener conocimiento de la concreta calificación jurídica de los hechos que s ele imputan, dado que la propuesta de resolución conlleva una calificación concreta que no se encuentra en el acuerdo de inicio (198).

La propuesta de resolución notificada debe ser íntegra sin omitir ningún elemento esencial dado que lo contrario equivaldría a falta de notificación; además la propuesta de resolución tiene algún otro aspecto vinculante además d e los indicados, en la medida que cualquier agravamiento requiere audiencia del presunto responsable (199), agravamiento que debe entenderse en sentido amplio tanto respecto de la sanción *stricto sensu* como de otras responsabilidades que se impongan; sin embargo en caso de que la sanción resulte atenuada la falta de notificación no generaría indefensión (200).

32. TRÁMITE DE AUDIENCIA EN EL PROCEDIMIENTO SANCIONADOR

Con la denominación de trámite de audiencia, el RPS (201) regula un trámite adicional de alegaciones en favor del interesado con lo cual se posibilita el derecho de defensa frente a los extremos que hayan sido acreditados en la fase de instrucción, mediante investigaciones y pruebas y, consten en la propuesta de resolución, dado que frente a los consignados en el acuerdo de inicio ha podido defenderse en el trámite de alegaciones anterior (202). La jurisprudencia ha declarado al efecto que el trámite de audiencia al interesado es un principio defendido constitucionalmente, y es de aplicación, especialmente en el procedimiento sancionador, siempre que se plantee una decisión sobre derechos y deberes que haya de basarse en hechos o fundamentos diferentes de los alegados por los interesados.

En el escrito que da lugar al trámite de audiencia los interesados pueden llevar a efecto una serie de alegaciones similares a las que son objeto de los trámites de conclusiones, razonando en su favor las diligencias de prueba practicadas en el procedimiento, analizando los resultados extraídos de la práctica de prueba que favorezcan la posición del interesado. Además es un trámite adecuado para argumentar y oponerse a todos los elementos nuevos de hecho o derecho que el instructor haya introducido en la propuesta de resolución. Por ello tanto la argumentación sobre la prueba practicada como la oposición a los nuevos elementos

---

(198) SSTS 15.9.1999 y 20.12.1999.
(199) Al igual que sucede en el proceso penal en que los escritos de acusación constituyen un topo de la pena que, en principio, puede imponerse.
(200) SSTS 15.12.1994 y 23.12 2002.
(201) RPS art. 19.
(202) Regulado en el art. 16 RPS.

propuestos por el instructor y la reiteración de la defensa forman el contenido esencial del trámite de audiencia.

De este modo, formulada la propuesta de resolución se notifica a los interesados a quienes se pone de manifiesto el expediente, a dicha propuesta de resolución deben acompañarse la relación de documentos obrantes en el expediente para que los interesados puedan obtener copias de los que estimen convenientes; por otra parte los interesados disponen de un plazo de quince días para presentar alegaciones y documentos, así como las informaciones que estimen oportunas.

Aunque se haya dictado propuesta de resolución, podrá ser remitida directamente al órgano competente para dictar resolución definitiva en el procedimiento, sin dar audiencia a los interesados, cunado en el procedimiento no figuren ni sean tenidos en cuenta otros hechos ni otras alegaciones y pruebas que las aducidas, en su caso, por el interesado; por ello la omisión del trámite de audiencia no producirá invalidez den este caso pues lo determinante para ello es que la omisión de un trámite produzca indefensión. Con independencia de todo ello, no se produce trámite de audiencia cuando, por no presentarse alegaciones al acuerdo de inicio, éste pudiera se utilizado como una propuesta de resolución; no obstante hay que tener en cuanta que a pesar de todo si finalmente se constata que ha resultado modificada la determinación inicial de los hechos, de su posible calificación, de las sanciones imponibles o de las responsabilidades susceptibles de sanción, deberá, en todo, caso notificarse al inculpado la propuesta de resolución.

El Tribunal Supremo sigue un criterio estricto sobre esta cuestión, declarando que en procedimientos sancionadores en materia de tráfico (203), declarando no preceptiva la notificación ni necesario el trámite de audiencia cunado el interesado no hay formulado alegaciones sobre el contenido del boletín de denuncia que da inicio al procedimiento o cuando a pesar de haberse formulado las alegaciones, solo sean tenidas en cuentas los hechos, alegaciones y pruebas aducidos por el interesado (204). Sin embargo ha declarado que cuando el acuerdo de inicio sea considerado como propuesta de resolución, debe practicarse el trámite de audiencia (205).

33. OBLIGATORIEDAD DE LA PROPUESTA DE RESOLUCIÓN Y SUS EXCEPCIONES

Con carácter general la propuesta de resolución debe dictarse y notificarse. El interesado debe conocer la propuesta de resolución dado que el procedimiento que concluye con sanción debe dar lugar a información de los hechos que se atribuyen

---

(203) Real Decreto 320/1994 sobre procedimientos sancionador en materia de tráfico, circulación de vehículos de motor y seguridad vial en relación con el art. 13 del RPS.
(204) STS 19.12.2000.
(205) STS 5.12.2001.

al expedientado con el fin de que su defensa pueda desarrollarse en el curso del propio procedimiento sin que sea preciso acudir a la vía posterior del recurso, de este modo la jurisprudencia ha declarado que la omisión de la comunicación de la propuesta de resolución constituye una vulneración del derecho del acusado a ser informado de las acusaciones formuladas contra él reconocido por el artículo 24 de la Constitución (206) y la falta de conocimiento de la propuesta de resolución por parte del imputado pueda dar lugar a indefensión y a la nulidad de los actuado desde ese trámite procedimental, sin que dichas actuaciones puedan ser convalidadas mediante la impugnación de la resolución definitiva y la revisión judicial en vía contenciosa deberá decretar la nulidad de actuaciones retrotrayéndolas al momento en que debió producirse la notificación de la propuesta de resolución (207).

Hay que puntualizar que de manera excepcional puede prescindir de la notificación si en un trámite anterior se ha notificado el pronunciamiento de los hechos imputado, su posible calificación jurídica y la responsabilidad que se imputa, pronunciamiento que se produce con la notificación del acuerdo de inicio y siempre que los presupuestos del acuerdo inicial no hayan variado (208), de este modo la jurisprudencia ha señalado que si, en la práctica, se notificó, adecuadamente, el acuerdo de inicio, la falta de notificación de la propuesta de resolución no genera indefensión. El Tribunal Supremo tiene declarado que, con carácter excepcional, puede prescindirse del trámite de propuesta de resolución cunado el imputado ha conocido ya de modo concreto los hechos por los que se tramita el procedimiento, así como la específica responsabilidad sancionadora que se imputa, permaneciendo dichos elementos sin variación durante la tramitación procedimental. Por ello en la práctica, cuando se haya notificado, correctamente, al imputado el acuerdo de inicio con indicación de los hechos y su calificación como infracción, así como las sanciones que puedan aplicarse, puede prescindir de la propuesta de resolución cuando no haya habido alteración de estos extremos. Lo cual se corresponde con la consideración del acuerdo de inicio como propuesta de resolución cunado se disponga de un pronunciamiento concreto acerca de la responsabilidad imputada si han sido formuladas alegaciones por el imputado (209). No obstante, si el acuerdo de inicio incumple los requisitos de contenido, por ejemplo cunado el pliego de cargo o acuerdo de inicio solo recoge una mención abstracta a la responsabilidad o sanción que pudiera corresponder, el acuerdo de inicio no puede ser considerado como propuesta de resolución (210).

En consecuencia si el acuerdo de inicio tiene contenido legalmente adecuado y suficiente y el inculpado presenta alegaciones deberá dictarse y notificarse pro-

---

(206)   STS 29.9.1990 y 19.12.1991, STC 29/1989.
(207)   SSTS 26.5.1987 9.9.1988.
(208)   RPS art. 13.
(209)   STS 6.6.1997.
(210)   SSTS 6.6.1997 y 16.11.2001.

puesta de resolución; además excepcionalmente y si no se han alterado las características iniciales del acuerdo de inicio, la omisión de notificación del acuerdo de inicio no genera indefensión por lo que el instructor puede remitir la propuesta directamente a la autoridad competente para la resolución.

Si el acuerdo de inicio tiene contenido legalmente correcto pero el inculpado no presenta alegaciones, hay que dictar y notificar la propuesta de resolución; sin embargo y de acuerdo con lo dispuesto por el propia RPS (211), podrá darse al acuerdo de inicio la consideración de propuesta de resolución si en la instrucción no se han alterado las características iniciales del acuerdo de inicio.

Cuando el acuerdo de inicio solo incluya una determinación imprecisa o cuando de la instrucción resulten modificadas las circunstancias y características del acuerdo de inicio, será obligatorio dictar y notificar la propuesta de resolución tanto el imputado presente o no alegaciones.

Por todo ello no es preceptivo notificar la propuesta de resolución cunado el interesado no haya presentado alegaciones sobre el acuerdo de inicio o boletín de denuncia o cuando, a pesar de haberlas formulado no se tengan en cuenta otros hechos otros hechos, pruebas o alegaciones que las presentadas por el interesado (212).

También hay otras sentencias que defienden, en todo caso, la exigencia de notificación de la propuesta de resolución dado que ello afecta a un derecho fundamental (213).

De todos modos, la indefensión causada por la falta de conocimiento debe valorarse desde un punto de vista del procedimiento en conjunto, de manera que si el interesado recurre, el propio recurso subsana la indefensión parcial producida por la falta de notificación dado que en vía de recurso tendrá ocasión de alegar (214), no obstante en la práctica el interesado podría defenderse alegando la necesidad de ser especialmente riguroso y preciso con la indefensión dado que estamos en un procedimiento sancionador; además el procedimiento en vía de recurso es un procedimiento diferente del procedimiento sancionador.

34. ACTUACIONES COMPLEMENTARIAS DE INSTRUCCIÓN

El órgano competente para resolver puede, antes de dictar resolución, decidir mediante acuerdo motivado la práctica de actuaciones complementarias que sean

---

(211)   RPS art. 13.
(212)   STS 19.12.2000.
(213)   STS 22.4.1999.
(214)   STS 23.12.1997.

necesarias para la resolución del procedimiento sancionador (215). Así lo tiene reconocido la jurisprudencia señalando que la autoridad competente para decidir la imposición, en su caso, de la sanción puede ordenar la práctica de nuevas actuaciones con objeto de contar con elementos de juicio complementarios; pero en cualquier caso es precios que se cumplan todas las garantías del procedimiento dando oportunidad al inculpado para que pueda presentar nuevas alegaciones, una vez notificada la propuesta de resolución en que se recoja la práctica de estas actuaciones complementarias (216), como puede comprobarse, la jurisprudencia es, a este respecto, plenamente consecuente con la interpretación del derecho a la defensa de manera que cuando en el procedimiento se hayan practicado actuaciones, se tengan en cuenta hechos, pruebas o informaciones sobre los que el interesado no ha tenido ocasión de alegar la falta de esta posibilidad produce indefensión. En consecuencia el RPS prevé un plazo de siete días para que los interesados puedan formular las alegaciones que estimen oportunas; por otra parte durante la práctica de estas actuaciones complementarias quedará en suspenso el plazo de diez días para dictar resolución definitiva del procedimiento; pero hay que tener en cuenta que el plazo total de seis meses para resolver se mantiene totalmente aplicable, dado que se trata de actuaciones habituales de tramitación procedimental que se llevan a cabo por iniciativa y dirección de la administración sancionadora lo cual no justificaría la ampliación del plazo global para dictar y notificar resolución cuya vulneración produce la caducidad del procedimiento. Aunque estas actuaciones tienen naturaleza instructora y por ello debieran figurar en la fase de instrucción, son llevadas a acabo por el órgano responsable de dictar resolución definitiva y por ello desde un punto de vista metodológico pueden comprometer la autonomía entre las fases de instrucción y resolución, por ello alguna legislación de la s Comunidades autónomas ha dispuesta que estas actuaciones complementarias se lleven materialmente a cabo por el órgano instructor del procedimiento (217).

Si la autoridad competente para resolver entiende que, una vez emitida la propuesta de resolución o practicadas las actuaciones complementarias, la infracción revista mayor gravedad que la determinada en la propuesta de resolución y así lo recoge en la resolución hay que considerar que consecuentemente con el principio de defensa del inculpado a que nos hemos venido refiriendo, será preceptiva la audiencia del interesado previamente al dictado de la resolución definitiva, concediéndose un plazo de quince días para formular alegaciones, así lo reconoce el Tribunal Supremo declarando que dictada y notificada una propuesta de resolución, al no haberse notificado una segunda propuesta de resolución que intro-

---

(215) Los informes que preceden a la resolución final del procedimiento sancionador no tienen carácter de actuaciones complementarias.

(216) STS 9.5.1996.

(217) Ver Ley 4/2005 de 1 de junio de funcionamiento y Régimen Jurídico de la Comunidad autónoma de La Rioja.

duce, ex novo, una agravante por reincidencia, haciendo más onerosa la sanción, se ha producido indefensión y por ello tramitado el procedimiento vulnerando el artículo 24 de la Constitución (218).

Acordada y notificada, a los interesados, la propuesta de resolución y finalizado el plazo de alegaciones se considera finalizada la fase de instrucción que no puede ser reabierta por el órgano competente para resolver dado que en caso de que considere incompleta la misma tiene en su mano, como hemos examinado, el trámite de actuaciones complementarias. En consecuencia finalizada la fase de instrucción, el instructor debe remitir su propuesta de resolución con los documentos que obren en el expediente, a la autoridad competente para resolver, con lo cual dará comienzo la fase decisora del procedimiento sancionador o fase de resolución.

35. LA FASE DE RESOLUCIÓN

La fase de resolución corre a cargo y bajo la dirección del órgano con potestad sancionadora y en la que se decide la imposición o no de la norma punitiva al inculpado mediante la restricción de derechos o de algún tipo de sanción tipificada.

Esta fase de resolución del procedimiento se divide en los trámites siguientes.

a) Recepción de la propuesta de resolución junto con el expediente documental enviados por el instructor a partir de la cual comienza a contar el plazo de diez días para dictar resolución definitiva (219).

b) Acuerdo motivado, si procede, para llevar a cabo actuaciones complementarias, incidente que deja en suspenso el plazo para dictar resolución definitiva del procedimiento.

c) Decisión sobre la concesión, al inculpado, de un trámite adicional de alegaciones, en el caso de que proceda a la vista de la propuesta de resolución.

d) Formalización de la Resolución definitiva.

e) Notificación a los interesados.

f) Incoación, si procede, de un procedimientos *ad hoc* dirigido a cuantificar la indemnización por daños y perjuicios de la que deba hacerse cargo el inculpado (220).

---

(218)   STS 6.2.1989.
(219)   RPS arts.19 y 20.
(220)   RPS art. 22.

g) Firmeza de la resolución comenzando a contra los plazos para la interposición de los correspondientes recursos contra la resolución.

36. PRÁCTICA DE ACTUACIONES COMPLEMENTARIAS

La decisión sobre actuaciones complementarias corresponde al órgano competente para resolver dado que éstas constituyen un conjunto de diligencias de investigación complementarias que en definitiva el órgano instructor debió practicar en la fase de instrucción. El RPS establece que el plazo para resolver el procedimiento quedará suspendido hasta la terminación de las actuaciones complementarias, no obstante el plazo total de caducidad para resolver el procedimiento no resulta afectado dado que es independiente de la realización, o no, de actuaciones complementarias (221); por otra parte, el acuerdo sobre actuaciones complementaria debe emitirse dentro del plazo de diez días desde la recepción de la propuesta de resolución. El acuerdo sobre actuaciones complementarias debe ser motivado y notificado a los interesados a quienes se concede un plazo de siete días para presentar alegaciones, las cuales deben ir dirigidas a demostrar, ya sea lo innecesario de realizar dichas actuaciones complementarias por improcedentes o reiterativas ya sea la demora en la resolución o los prejuicios que pueden causar al interesado.

La práctica de actuaciones complementarias debe llevarse a cabo de manera similar a como se llevan a cabo otras actuaciones procedimentales de investigación en la fase de instrucción y en un plazo no superior a quince días a cuya finalización comenzará a correr el plazo para dictar resolución definitiva.

En el caso de que la autoridad decisora aprecie que los hechos objeto del procedimiento sancionador son susceptibles de una calificación jurídica más grave a la que aparece en la propuesta de resolución la nueva calificación deberá ser notificada al presunto responsable para que, en el plazo de quince días presente las alegaciones que considere oportunas al efecto (222). Esta disposición busca reforzar la garantía de defensa del inculpado frente a una revisión de oficio de la apreciación y calificación de la infracción (223). El imputado por su parte podrá presentar alegaciones que normalmente irán dirigidas a mostrar lo erróneo o acertado, en su caso, de la nueva calificación realizada.

La notificación, de la nueva calificación, al inculpado, la remisión del escrito de alegaciones o el transcurso del plazo para su realización habilitad al órgano competente para dictar resolución en el plazo de diez días.

---

(221)   Regulado en el art, 20.6 RPS.
(222)   RPS art. 20.3.
(223)   STS 30.3.1989.

37. CONTENIDO DE LA RESOLUCIÓN

El contenido de la resolución sancionadora está regulado por la LRJ y el RPS (224), en cuya virtud las resoluciones de los procedimientos sancionadores deben contener la decisión motivada, la valoración de las pruebas practicadas, fijando los hechos y personas responsables, la infracción y la sanción o absolución, así como los recursos que procedan contra ella.

En consecuencia la resolución sancionadora debe incluir los siguientes elementos:

a) Identificación del órgano sancionador, indicando la norma atribuya la competencia sancionadora.

b) Fundamento de la decisión en que se indiquen los trámites realizados en el procedimiento y los antecedentes que se hayan tenido en cuenta.

c) Determinación de los hechos probados y valoración de las pruebas practicadas principalmente las que constituyan el fundamento de la resolución.

d) Determinación del responsables o responsables.

e) Calificación jurídica de los hechos como infracción y de las sanciones impuestas incluyendo el plazo en que deben ser cumplimentadas.

f) Obligación, si procede, de reponer la situación alterada por la conducta infractora a su estado original e indemnizar los daños y perjuicios causados expresamente determinados (225), concediéndose un plazo para su cumplimentación.

g) Las disposiciones cautelares, que sean necesarias, para garantizar la eficacia de la resolución hasta que sea ejecutiva.

h) Pie de notificación en que se exprese si la resolución agota o no la vía administrativa, indicando los recursos que puedan interponerse, órgano y plazo de interposición.

En el caso de que la resolución agote la vía administrativa cabe recurso contencioso-administrativo, en el plazo de dos o seis meses según que la resolución haya sido correctamente notificada o no; en el caso de que no agote la vía administrativa cabrá recurso de alzada en el plazo de un mes.

---

(224) LRJ art.89.1 y RPS art. 20.4
(225) RPS art. 22 si la determinación, se produce con posterioridad en procedimiento complementario deberá hacerse constar así en la resolución.

Por otra parte la resolución puede ser absolutoria lo que no la exime de estar correctamente motivada incluyendo manifiestamente la mención de la inexistencia de infracción y responsabilidad.

La resolución debe ser congruente debiendo decidir todas las cuestiones planteadas por los interesados y aquellas otras derivadas del procedimiento. Cuando se trate de cuestiones conexas no planteadas por los interesados, el órgano competente podrá pronunciarse sobre las mismas, poniéndolo antes de manifiesto a aquellos por un plazo no superior a quince días para que formulen las alegaciones que estimen pertinentes y, en su caso aporten los medios de prueba.

La LRJ dispone que en la resolución no pueden aceptarse hechos distintos de los determinados en el curso del procedimiento con independencia de su diferente valoración jurídica, precepto desarrollado por el RPS que dispone que el la resolución no podrán aceptarse hechos distintos de los determinados en la fase de instrucción, salvo los que resulten de la realización de actuaciones complementarias; no obstante cuando el órgano competente para resolver considere que la infracción reviste mayor gravedad que la determinada en la propuesta de resolución, se notificará al inculpado para que aporte cuantas alegaciones estime convenientes concediéndole un plazo de quince días. El Tribunal Supremo ha reiterado que la alteración de los hechos en la resolución respecto de los incluidos en el pliego de cargos constituye un vicio que determina invalidez por indefensión (226), en este sentido la alteración de los hechos debe ser importante y no una mera denominación diferente de los mismos (227).

La autoridad competente para resolver puede alterar la calificación jurídica pero deberá ofrecer audiencia al interesado para sancionar con mayor gravedad que la propuesta por el instructor, porque como ha dicho el Tribunal Supremo que la facultad de alterar, previa audiencia de los interesados, la calificación jurídica de los hechos por parte del órgano administrativo competente para resolver no es contrario a los principios del procedimiento sancionador; además la audiencia del interesado no es necesaria cuando la relación de hechos se mantenga, la calificación no sea modificada y la sanción, aunque mayor que la fijada en la propuesta de resolución sea una de las prevista por la ley; porque hay reiterado criterio jurisprudencial en que no existe vinculación del órgano decisor a la propuesta del instructor sino que los límites que debe respetar la resolución final del procedimiento son los hechos, la homogeneidad de la calificación de la infracción sobre la que el interesado haya tenido oportunidad de defenderse pudiendo adecuar la cuantía de la sanción dentro de los márgenes de la norma y el aumento de la sanción se

---

(226)   SSTS 8.4.1981 y 8.11.1990.
(227)   SSTS 27.1.2003 y 29.1.2003.

haga de forma motivada (228); tampoco es ajustada a derecho la inclusión en la resolución de una nueva sanción no prevista en la propuesta de resolución.

38. FORMA DE LA RESOLUCIÓN SANCIONADORA

La resolución sancionadora consiste en una declaración de voluntad de la Administración por la que se corrigen determinadas conductas mediante la imposición de una sanción, por ello es precisa la constancia de una manifestación externa que permita conocer la existencia y constancia de la resolución. La jurisprudencia ha diferenciado entre el acto administrativo sancionador, su manifestación o su traslado, por eso no cabe aplicar al acto los requisitos de forma exigibles a su comunicación (229), la inexistencia de esta manifestación da lugar a la invalidez de la resolución cuando se produce indefensión.

La resolución sancionadora puede adoptarse por cualquier medio que acredite la voluntad del órgano competente para adoptarla y como norma general se realizará por escrito, salvo que su naturaleza exija o permita otra forma más adecuada de constancia y expresión (230), porque los actos deben expresarse de aquella forma más adecuada a su contenido y naturaleza.

La naturaleza de un acto sancionador no excluye la expresión no escrita aunque la posibilidad de actos sancionadores expresados de forma oral es admisible con cautela; pero el hecho de que el acto sancionador deba ser expreso, no presunto, no significa que tenga que ser por escrito; por ello la vía oral deberá estar limitada a aquellos casos en que la sanción sea compatible con este medio de exteriorizarla como por ejemplo las sanciones de arresto impuestas al personal militar; también se admite en ámbitos en que por las circunstancias o volumen de gestión sea aconsejable este cauce de comunicación; no obstante en la práctica, es sumamente aconsejable dejar constancia en el expediente o en el documento de traslado del acto de imposición de la falta de forma escrita y justificación. No obstante y como norma práctica hay que tener en cuenta que a mayor gravedad de la sanción menos posibilidades deberá emplear la forma verbal. Con todo hay que señalar la práctica judicial es, en general, reiterativa en denegar la posibilidad de resolver el procedimiento sancionador mediante resolución no escrita, declarando que la tanto prohibición de indefensión como la seguridad jurídica exigen la forma escrita de resolución del procedimiento sancionador, por ser la única que garantiza el conocimiento efectivo de la motivación que debe incluir toda resolución sancionadora.

---

(228)   SSTS 7.4.1982 y 15.12.1987.
(229)   STS 31.12.1983.
(230)   LRJ art.55 RPS art. 22.

Cuando un órgano administrativo ejerza su competencia en forma verbal, se dejará constancia por escrito con la firma del funcionario que la reciba siempre que sea necesario, expresando la autoridad de donde procede, lo cual es práctica habitual en procedimientos sancionadores en materia de seguridad vial. La jurisprudencia lo admite en el ámbito sancionador pero con algunas limitaciones de manera que no ha admitido una constancia colectiva por escrito que se remita a una propuesta de resolución inexistente; en otros casos la falta de disposición legal expresa previendo dicha práctica ha servido para argumentar el rechazo de su aplicación en procedimientos sancionadores. También se ha declarado que el carácter necesariamente motivado de los actos sancionadores le s hace incompatibles con la aplicación de esta práctica salvo que en la constancia por escrito de la resolución verbal quede incluida la motivación exigida por la ley.

La autorización de estos actos debe incluir la firma de la autoridad competente y la constancia por escrito referencia a la valoración de pruebas practicadas sobre todo aquellas que constituyan los fundamentos básicos de la decisión, fijen los hechos, la infracción, las personas responsables y la sanción que se impone o bien la declaración de no haber infracción o responsabilidad (231). De todos modos la resolución sancionadora no puede ser sustituida por una certificación ni por un acto de traslado o notificación de la misma; la falta de la resolución del órgano competente para ejercer en cada caso la potestad sancionadora da lugar a la nulidad de pleno derecho por inexistencia del acto administrativo, lo cual no significa que la resolución no pueda ser verbal; pero debe quedar acreditada su constancia.

La constancia por escrito, admite diferente soporte documental, de manera que es admisible al acto sancionador en soporte o documento informático siempre que su autoría queda acreditada (232), a estos efectos en relación con el empleo de medios telemáticos en las Administraciones públicas hay que tener en cuenta que la ley obliga a éstas a impulsar el uso de técnicas y medios electrónico e informáticos para ejercicio de sus competencias y desarrollo de su actividad; que los ciudadanos pueden relacionarse electrónicamente con la administración siempre que los medios de ésta lo permitan y que los procedimientos tramitados y finalizados en soporte informático deben garantizar la identificación y el ejercicio de la competencia por el órgano que la ejercita de manera que la existencia de anotaciones informática hacen prueba de la existencia de los trámites procedimentales a que se refieran; los documentos o copias emitidos por las Administraciones públicas, cualquiera que sea su soporte gozan de la validez y eficacia de documento original siempre que quede garantizada su autenticidad, integridad y conservación, así como la recepción por el interesado y el cumplimento de requisitos legales; además los programas y aplicaciones informáticos deben estar oficialmente aprobados.

---

(231) RPS art. 20.
(232) Por ejemplo mediante firma electrónica.

39. MOTIVACIÓN DE LA RESOLUCIÓN SANCIONADORA

La motivación es uno de los requisitos esenciales de la resolución sancionadora, por eso la LRJ establece en este sentido que la resolución que ponga fin al procedimiento habrá de ser motivada y resolverá todas las cuestiones planteadas en el mismo (233), por ello, tanto las resoluciones en las que se imponga una sanción como las que liberen de responsabilidad deben incluir los motivos que han inducido al órgano sancionador a decidir de ese modo concreto en su resolución.

La motivación de una resolución administrativa es la justificación de la razón de su emisión y de su contenido, no todas las resoluciones deben ser necesariamente objeto de motivación sino solo aquellas cuya norma reguladora de aplicación la inclusión en la misma de una justificación del criterio tenido en cuenta y el sancionador constituye uno de los ámbitos de administración donde los actos administrativos deben ser necesariamente motivados porque limitan derechos e intereses legítimos, es decir son actos desfavorable so de gravamen; por ello como quiera que las resoluciones sancionadoras son actos restrictivos de derechos y por ello cuando se producen inmotivadamente son causa de indefensión.

El tribunal supremo tiene declarado que la necesidad de motivación de las resoluciones sancionadoras es exigible en razón de los principios de legalidad, seguridad jurídica e interdicción de la arbitrariedad de los poderes públicos, igualdad, tutela judicial efectiva y prohibición de la indefensión del interesado, justificación de los actos de los poderes públicos, de objetividad y publicidad del procedimientos sancionador y necesidad de justificación de la actuación administrativa respecto a sus fines (234).

La justificación del motivo de la resolución sancionadora constituye un derecho del interesado y un deber para la Administración, dado que es en este deber donde se funda tanto la transparencia de la actuación administrativa como los principios sobre los que debe apoyarse todo procedimiento (235), máxime el procedimiento sancionador donde es preciso asegurar el desarrollo de un procedimiento con todas las garantías y la necesidad de que las resoluciones se produzcan de acuerdo con el ordenamiento jurídico y que la jurisprudencia considera fundamental para el logro de la seguridad jurídica en el ámbito de las actuaciones administrativas (236).

---

(233) LRJ art.138 y RPS art. 20.
(234) STS 26.5.2000 ver Constitución española arts. 9, 14, 24, 103 y 106.
(235) Se han mencionado entre otros los de tutela judicial efectiva, prohibición de la indefensión, seguridad jurídica, legitimidad de la actuación administrativa y interdicción de la arbitrariedad.
(236) STS 15.12.1999.

Hay que tener en cuenta que el deber de motivar existe cuando una norma lo imponga expresamente y únicamente tiene alcance y relevancia constitucional en el ámbito sancionador de manera que la vulneración de este derecho a obtener resolución sancionadora motivada da lugar a la posibilidad de interponer recurso judicial de protección de los derechos fundamentales, incluso el recurso de amparo.

Desde el punto de vista procedimental en derecho del interesado a la motivación de la resolución sancionadora tiene su reflejo simétrico en el deber del órgano sancionador de expresar la justificación y razonamiento de su decisión sancionadora de manera expresa en el propio cuerpo de la resolución. El fundamento de este deber de motivación de las resoluciones sancionadoras es una de las garantías procedimentales que conforman el derecho constitucional a la tutela judicial efectiva y se encuentra en relación con el derecho a recurso que asiste al interesado dado que si no se incluye motivación en la resolución sancionadora, en la práctica el interesado se ve privado del ejercicio efectivo del recurso ya que, como ha declarado el Tribunal Constitucional, sólo si una resolución o una sentencia están motivadas es posible llevar a cabo un control adecuado de la correcta aplicación del Derecho (237), por eso el derecho a la motivación requiere que las decisiones sancionadoras sean motivadas lo cual no quiere decir que, en el cuerpo de la resolución haya de incluirse una descripción exhaustiva de la argumentación que lleva al órgano sancionador a resolver de una determinada manera, bastando con que la motivación cumpla la finalidad de exteriorizar el fundamento de la decisión adoptada poniendo de manifiesto que, ésta responde a una interpretación y aplicación determinadas del Derecho y por otra parte permitir el posible control en vía jurisdiccional mediante la interposición de los correspondientes recursos administrativos; en este sentido la jurisprudencia constitucional ha declarado que, no cabe utilizar la vía del recurso de amparo alegando insuficiencia o concentración del razonamiento si éste permite conocer el motivo que justifica la decisión y garantiza la exclusión de la arbitrariedad en la resolución (238). Lo cual hay que entenderlo también referido a la práctica administrativa y a su procedimiento con las características propias de este ámbito de actuación (239), teniendo en cuenta que el deber de motivar solo existe cuando, expresamente, lo impone una norma y que únicamente tiene alcance constitucional en procedimientos sancionadores, abriéndose la posibilidad de los recursos de protección jurisdiccional y de amparo para defender este derecho fundamental.

El Tribunal Supremo ha declarado que la plasmación material de la resolución sancionadora consistente en la inclusión de un estampillado en la propuesta de resolución firmado por el alcalde y del que da fe el secretario de la corporación local, cumple con el requisito de la motivación de los actos administrativos sin pro-

---

(237) STC 55/1987.
(238) SSTC 13/1987 y 150/1988.
(239) SSTS 26/1981 y 36/1982.

ducir indefensión ni confundir las funciones de instrucción y resolución siempre que en la propuesta se expresen, debidamente, las razones de hecho y derecho de la sanción que se impone (240). Para que se cumpla, adecuadamente, el requisito de la motivación la resolución sancionadora debe incluir la norma concreta utilizada como fundamento legal dado que el deber de motivación de las resoluciones administrativas se traduce en el ámbito sancionador en la necesidad de identificar la norma administrativa que describe como ilícito administrativo sancionable la conducta de que se trata, no obstante esta omisión no conlleva un vicio invalidante si no se ha producido indefensión al interesado. Por otra parte no debe confundirse la motivación escueta con la falta de motivación y en este sentido el tribunal supremo ha declarado que la utilización de formularios para redactar la resolución no vulnera el deber de motivación dado que no implica, por sí misma ningún tipo de indefensión siempre que consten, con claridad y detalladamente, los datos fácticos y jurídicos que posibiliten la necesaria contradicción y permitan a los sancionados la aportación, al expediente, de los elementos de prueba que sirvan para desvirtuar la apreciación de la Administración, sin que el sancionado haya suministrado dato alguno que pueda conducir a la apreciación de que se ha producido indefensión, con todo, la falta de motivación puede ser subsanada en una resolución posterior que resuelva el recurso de reposición (241). No obstante alguna jurisprudencia constitucional ha relacionado la falta de motivación de las resoluciones sancionadoras con la vulneración del principio de legalidad sancionadora declarando que el derecho fundamental a la legalidad sancionadora en relación con el principio de seguridad jurídica exige que cuando la Administración ejerce la potestad sancionadora sea la propia resolución que finaliza el procedimiento la que, como parte de su motivación identifique, expresa o al menos de manera implícita, el fundamento legal de la sanción que se haya impuesto. Solo así puede conocer el ciudadano en virtud de que concretas normas con rango legal se le sanciona. En consecuencia una sanción podría ser anulada por falta de motivación si en ella no se identifica la norma legal que le haya dado cobertura lo cual no implica que con ello se esté vulnerando el principio de legalidad (242).

Respecto a la estructura de la resolución, se ha sostenido que como quiera que consiste en un razonamiento o expresión racional del juicio, tras la fijación de los hechos de que se parte y la inclusión de éstos en una norma jurídica no es una simple exigencia formal sino que es un requisito de fondo, dado que solo a través de los motivos pueden los interesados conocer las razones que justifican el acto (243). Sin embargo en otras ocasiones, la motivación se ha considerado como un elemento formal y externo a la resolución, de manera que si carecen de ella

---

(240)   STS 19.11.2001.
(241)   STS 21.5.1997 y 31.5.2001.
(242)   STC 161/2003.
(243)   SSTS 18.5.1991 y 20.1.1998.

solo se considera relevante si produce indefensión (244). El Tribunal Supremo ha diferenciado en otras ocasiones la ausencia de constancia de la motivación en la resolución con la falta de justificación de la actuación administrativa, lo contrario supondría dar a la motivación una naturaleza y significado diferentes de los propios sustituyendo el verdadero sentido y alcance de la expresión formal de los factores determinantes de la adoptada por un tipo de calificación con eficacia constitutiva en cuya virtud todo motivo no expresamente mencionado equivaldría a la declaración inmutable de su inexistencia, lo cual conduciría al absurdo de que la falta de motivación que constituye un defecto meramente formal intrascendente a la legalidad y validez de fondo, sería tanto como el reconocimiento de la ausencia de causas o razones para una resolución administrativa (245).

40. RAZONES Y ALCANCE DE LA MOTIVACIÓN

Las resoluciones sancionadoras deben motivarse a fin de incorporar la valoración de las pruebas que se hayan practicado en la fase de instrucción, la subsunción de los hechos en el tipo de infracción y el correspondiente juicio de culpabilidad. La jurisprudencia ha declarado que la motivación asegura la seriedad en la formación de la voluntad del órgano sancionador, razonando y justificando porque se ha tomado la decisión, también es un elemento fundamental para excluir la arbitrariedad, desde un punto de vista formal constituye una garantía para el interesado que puede impugnar la resolución con posibilidad de criticar sus fundamentos y, además facilita el control jurisdiccional de la Administración que gracias ala motivación puede llevarse a cabo con conocimiento de todos los datos precisos (246).

La motivación tiene una gran relación con la aplicación del principio de proporcionalidad es un elemento externo de la graduación de la sanción impuesta en cada caso y no se cumplimenta con la mera indicación de la norma aplicable sino que es preciso especificar los criterios empleados para realizar dicha graduación dado que de lo contrario no podría llevarse acabo un control correcto del principio de proporcionalidad.

Si la motivación es necesaria en todas las resoluciones sancionadoras, más todavía lo es en el caso de que la resolución se fundamente en la práctica de pruebas indiciarias, en cuyo caso la motivación tiene como finalidad principal hacer públicos los razonamientos y argumentaciones a través de las cuales se aplican las normas correspondientes a unos hechos declarados probados y también las pruebas practicadas y criterios racionales que han guiado su valoración, dado que en este tipo de prueba es imprescindible una motivación expresa para determinar si es-

---

(244)   STS 2.11.1987 y 15.2.1991.
(245)   STS 22.9.1981.
(246)   SSTC 36/1989 y 172/1992 SSTS 12.1.1998 y 11.12.1998.

tamos en presencia de unas simples sospechas incapaces de desvirtuar la presunción de inocencia o nos encontramos ante una auténtica prueba de cargo (247).

La suficiencia de la motivación de las resoluciones depende del ámbito en el que se dicta el acto, la relevancia del mismo, la complejidad de la materia y otros elementos que concurran. Si bien la suficiencia de la resolución debe apreciarse objetivamente y no en relación con el interesado, en algunas ocasiones la práctica judicial ha atendido a los conocimientos profesionales del interesado, al objeto de valorar si ha habido o no indefensión (248).

Con carácter general la motivación debe ser breve y no se encuentra sujeta a formalismos no esenciales y basta con que en su argumentación directa o por referencia se encuentre expresados con claridad y suficiencia los fundamentos de hecho y de derecho en que se basa la resolución: La brevedad de la motivación supone que los actos que precisan justificación deben contener la razón esencial de la decisión tomada con la claridad y amplitud que permita que el interesado pueda defenderse y que, en caso de impugnación, los órganos judiciales puedan conocer los elementos de hecho y de derecho necesarios para resolver adecuadamente el recurso planteado. La motivación debe ser además plenamente congruente con el contenido de la decisión dado que el principio de congruencia se encuentra plenamente ligado al derecho de defensa (249). Como norma general la congruencia se cumple con la cita de los preceptos y disposiciones legales aplicables a los hechos probados siempre que las misma sea congruente; sin embargo también se ha dicho que la mera cita o transcripción de preceptos aplicables sin más no es suficiente en todos los casos y por lo general debe completarse con razones adicionales en los casos en los que lo exija la complejidad de la materia objeto del acto de que se trate; en otras ocasiones, el Tribunal Supremo ha considerado que la ausencia de cita de preceptos no da lugar a defecto por falta de motivación dada la presunción de conocimiento de la norma que permite al juez controlar los actos administrativos aún en ausencia de cita de preceptos (250).

Como norma práctica hay que recordar que cuanto mayor sea el margen de apreciación que corresponde al órgano sancionador actuante, mayor será la intensidad de la motivación. La falta de motivación o motivación defectuosa constituye un vicio de nulidad radical en caso de resoluciones sancionatorias, si se trata de un defecto de forma que ha producido indefensión, dado que el derecho a la tutela judicial efectiva en el ámbito sancionador constituye una exigencia constitucional.

---

(247)   STC 175/1985.
(248)   STS 16.7.1982.
(249)   SSTS 29.1.1980 y 31.5.1995. SSTC 116/1986 y 75/1988.
(250)   SSTS 14.2.1979 y 21.9.1990.

Es dudoso si el defecto de motivación puede apreciarse de oficio por el órgano de control o si por el contrario es necesario aplicar un criterio rogatorio es decir de petición de parte. Si consideramos a la motivación como un elemento formal su ausencia o defecto solo invalida el acto en caso de que se produzca indefensión o cuando se acreditara que la resolución fuera inhábil para alcanzar su finalidad; si hay indefensión, si ésta se considera como algo subjetivo que deba ser valorado en primer término por el que la sufre hay que concluir que si no es alegada por el que la sufre hay que considerarla inexistente o consentida y por ello no será posible apreciar de oficio el vicio por defecto de motivación, de lo cual hay que excepcional los casos en que la falta de motivación constituya vicio de nulidad radical.

41. PLAZO Y NOTIFICACIÓN

La resolución debe dictarse plazo de diez días hábiles contados bien desde la fecha en que el órgano sancionador reciba la propuesta de resolución del instructor, bien desde la fecha de finalización de actuaciones complementarias o del transcurso del trámite de alegaciones por agravamiento de la calificación contenida en la propuesta de resolución, la inobservancia de este plazo constituye una mera irregularidad no invalidante, salvo que en por causa de la notificación tardía se haya superado el plazo de caducidad de seis meses (251).

La resolución debe ser notificada, en plazo, al sancionado y demás interesados, en algunos ámbitos especiales suele ser frecuente que la publicación en edictos incluya un listado con múltiples resoluciones sancionadoras en las que únicamente se individualiza la identidad del sancionado, el precepto infringido y la sanción impuesta, apareciendo el resto del contenido de la resolución como elemento común para todas las resoluciones.

Por otra parte la resolución sancionadora debe ser objeto de comunicación, en su caso, al órgano administrativo cuya orden superior o petición razonada hubiera dado lugar al inicio del procedimiento; el denunciante que no tenga la condición de interesado solo tienen derecho a que se le comunique la circunstancia del inicio o no del procedimiento y solo si hubiera pedido el inicio en su denuncia; en consecuencia no hay obligación de comunicarle la resolución.

El régimen regulado en la LRJ respecto a la notificación de actos administrativos (252) tiene carácter imperativo, sin perjuicio de las especialidades legales existentes, y por ello no puede alterarlo por normas reglamentarias; la notificación es un acto de trámite accesorio respecto de la resolución que pretende comunicar-

---

(251)   LRJ art.58 y RPS art 20.5.
(252)   Arts. 58 a 60 LRJ.

se y constituye el acto finalizador del procedimiento accesorio del principal que es la emisión de la resolución definitiva (253).

42. FECHA Y FIRMA DEL ÓRGANO SANCIONADOR

La fecha es un elemento que se considera fundamental para constatar la emisión del acto administrativo por ello en lo relativo a las consecuencias de la falta de fecha hay que entender que para actos administrativos dictados en fecha anterior a la entrada en vigor de la Ley 4/1999 (254), la constancia de fecha tiene carácter esencial, dado lo dudoso del momento a que barca el plazo en que se produce caducidad del procedimiento: emisión de resolución, notificación o publicación; para actos posteriores es necesario resolver y notificar en el plazo de caducidad legalmente establecido.

La resolución sancionadora debe ir suscrita con la firma autógrafa del titular del órgano competente para resolver el procedimiento de manera que no cabe ni el sello estampillando la firma ni la firma delegada.

La ausencia de firma adecuada es considerada como defecto relevante pata hacer inexistente el acto administrativo; la práctica judicial ha considerado la firma del jefe de unidad de sanciones en la copia de la resolución sancionadora unida a la falta de constancia del original en el expediente, como causa de nulidad del acto sancionador, en otros casos la mera omisión de la firma, se ha considerado un acto subsanable.

La constancia de la firma corre pareja con la relevancia de la misma en relación con la expresión del consentimiento o declaración de voluntad del titular del órgano competente para la emisión de la resolución, si se estima que la declaración puede existir sin constancia de la firma, la falta de este constituiría defecto subsanable, de lo contrario sería un defecto invalidante (255).

La firma electrónica debe admitirse en los procedimientos sancionadores, siempre que esté basada en un certificado reconocido y oficialmente aprobado, teniendo el mismo valor jurídico que la firma manuscrita y admisible como prueba documental en proceso judicial.

43. EL EXPEDIENTE SANCIONADOR

El expediente sancionador es el conjunto ordenado de documentos que recogen los trámites, actuaciones y declaraciones llevados a cabo a lo largo del pro-

---

(253)   STS 23.6.1994.
(254)   Modificación de la Ley 30/1982, 15 de abril de 1999.
(255)   STS 26.11.1999.

cedimiento. En este sentido el RPS regula el acceso a los documentos que obren en los expedientes sancionadores y la transparencia en el procedimiento sancionador (256). El reconocimiento del principio de acceso a los documentos incluye varios derechos para el interesado:

a) El derecho a conocer el estado de la tramitación del procedimiento.

Es un derecho que pueden ejercitar tanto el propio imputado, como las terceras personas interesadas que hayan comparecido en el procedimiento. Constituye un medio mediante el que el interesado puede tomar conocimiento de las actuaciones que la Administración está llevando a cabo para impulsar el procedimiento y, además, constituye un instrumento para advertir a la Administración sobre demoras y dilaciones procedimentales para que las corrija.

b) El derecho a acceder a los documentos contenidos en el expediente y a aquellos otros integrantes de procedimientos administrativos ya concluidos.

Derecho que puede ejercitarse tanto mediante petición escrita como verbal y personalmente por los interesados mediante la personación en las dependencias administrativas solicitando la consulta de los expedientes sin necesidad de cumplimentar escrito alguno de petición y sin que la Administración, en este caso, esté obligada a contestar por escrito.

c) El derecho a obtener copias de documentos contenidos en un procedimiento sancionador pendiente o ya finalizado.

Derecho que puede ser ejercitado tanto con ocasión del ejercicio del previo derecho de acceso al expediente o de manera autónoma solicitándose copia del documento o documentos en cuestión.

Las causas por las cuales la Administración puede denegar la expedición de copia son las mismas que las que fundamentan la denegación del acceso: no tener la condición de interesado o concurrir las limitaciones que la LRJ establece al efecto (257).

d) E derecho a formular alegaciones y aportar documentos que estimen convenientes (258).

Mediante este derecho se hace efectivo el derecho de defensa del inculpado y el derecho a hacerse oír de los demás interesados afectados por la resolución.

---

(256)   RPS art. 3.
(257)   LRJ art. 37 Derecho de acceso a archivos y registros.
(258)   LRJ arts.35 a 37 RPS art. 3.

El RPS (259) establece una serie de normas que la Administración debe tener en cuenta a la hora de formalizar, materialmente, el expediente sancionador, estas normas responden a un principio, fundamental, de seguridad jurídica son las de promover e impulsar el procedimiento de modo ordenado y sistemático, incorporando en la carpeta correspondiente y de manera sucesiva todos los documentos, testimonios, actuaciones, actos administrativos, notificaciones y demás diligencias que vayan apareciendo o se vayan realizando.

La ordenación exhaustiva y sistemática del expediente garantiza la transparencia procedimental, la defensa del imputado y la de los intereses de otros posibles afectados; pero también es necesaria para incrementar la eficacia de la acción administrativa, dado que, únicamente, si se cuenta con un expediente ordenado y sistematizado será posible determinar con un esfuerzo mínimo y máxima economía el estado concreto en que se encuentra el procedimiento y realizar la actuaciones necesarias en cada caso para impulsar su desarrollo tomando conocimiento de las notificaciones y comunicaciones practicadas, así como de cualquier tipo de retraso que pueda originar reanudaciones del cómputo de plazo de prescripción o caducidad. Por otra parte una ordenación adecuada del expediente permitirá remitirlo a la autoridad administrativa o judicial que corresponda pata que ésta tenga conocimiento total de todas las actuaciones practicadas.

Finalmente el expediente incumbe a la Administración la custodia adecuada del expediente en cada fase procedimental hasta el momento de la remisión de propuesta de resolución a la autoridad competente que debe hacerse cargo del mismo y de su continuación hasta su archivo definitivo, en caso de interposición de recurso el deber de custodia recaerá en el órgano competente para resolver que, tras emitir su resolución deberá devolver el expediente al órgano del que proceda. Por todo ello cabe concluir tanto a los titulares como al personal de los órganos y unidades responsables del despacho y resolución de los asuntos corresponde el deber de la tramitación procedimental y de la custodia del expediente, debiendo adoptar las medidas oportunas para remover los obstáculos que impidan, dificulten o retrasen el ejercicio pleno de los derechos de los interesados o el respeto a sus intereses legítimos, disponiendo lo necesario para evitar y eliminar toda anormalidad en la tramitación de procedimientos (260).

---

(259)   RPS art. 3.
(260)   LRJ art. 41.

Capítulo 7

Práctica profesional sobre documentos en la Administración

El documento es el soporte por excelencia de la actuación administrativa. Se trata de un instrumento mediante el cual los órganos y unidades de la Administración llevan a cabo la mayor parte de sus funciones. En el presente capítulo examinamos los requisitos generales de forma y contenido que debe cumplir el documento administrativo actual (1), tanto el redactado por la Administración como el que presentan los ciudadanos; también se examinan las funciones y requisitos de otros documentos que se utilizan en la Administración Pública como los informes, las actas y certificados y las actas de inspección. Como continuación a este análisis documental se examina la regulación y aspectos prácticos de las falsificaciones documentales, como irregularidades muy vinculadas al ámbito de actuación de la Administración Pública, constituyen un delito que requiere ser cometido especialmente por autoridades o funcionarios públicos por ello es una cuestión que entra de lleno en la práctica profesional administrativa. El ámbito de comisión se encuentra cercano a los expedientes de concesión de ayudas, autorizaciones, permisos o titulación pero puede plantearse en cualquier ámbito funcional de la Administración. El supuesto de hecho en este caso está constituido por la conducta de un servidor público que falsifica una documentación que debe emitir o manejar en uso de sus atribuciones legales, pensemos en supuestos de falsificación de certificaciones de registros, censos o listados administrativos dando lugar a que un tercero pueda percibir ilegalmente, subvenciones, fondos comunitarios, etc. cuando no le corresponden, o bien casos de libramientos de certificados falsos que desplegarán efectos en otros ámbitos otorgando situaciones, facultades o derechos de manera ilegal.

1. CONCEPTOS BÁSICOS SOBRE DOCUMENTACIÓN

La voz documento tiene correlato en inglés record y su etimología en el latín *documentum* que se deriva del verbo *docere*, enseñar instruir y que ha evolucionado hacia la significación de prueba siendo muy utilizado en terminología normativa.

---

(1)   Entre los documentos oficiales utilizados para redactar estas prácticas documentales de la Administración Pública queremos mencionar expresamente el Manual de Documentos Administrativos que es una de las prestigiosas publicaciones oficiales realizadas por el Ministerio de Administraciones Públicas con varias ediciones desde 1994.

El Diccionario de Terminología archivística del Consejo Internacional de archivos define documento como la combinación de un soporte y la información registrada en él, que puede ser utilizado como prueba o para consulta.

Los elementos que caracterizan al documento son:

a) El soporte que le confiere corporeidad física, desde una simple tablilla de barro hasta un disco óptico.

b) La información que transmite.

c) El registro, es decir la fijación de la información en el soporte, ya sea mediante tinta, impulsos electromagnéticos u otro método.

Desde un punto de vista de técnica documentalista y archivística, el documento tiene cuatro características que los definen:

a) Carácter seriado, toda vez que los documentos se producen uno a uno y con el paso del tiempo se agrupan en series documentales.

b) Exclusividad, puesto que la información que contienen rara vez se encuentra idéntica en otro documento con igual extensión e intensidad.

c) Interrelación, como principio general las piezas aisladas, documentos sueltos, tienen menos sentido que su relación con un conjunto documental, lo que en la Administración se denomina expediente en activo o unidad archivística.

Pero además desde una perspectiva organicista el documento y principalmente el administrativo posee otras características definitorias y diferenciadoras entre ellas la autenticidad, la fiabilidad, la integridad y la manejabilidad.

La autenticidad es una cualidad mediante la cual podemos calificar de auténtico o no auténtico un documento. Siendo auténtico aquel documento que en sí mismo puede acreditar que es lo que pretende ser, ha sido creado y enviado por la persona u organismo que se presume y ha sido creado o enviado en el lapso de tiempo que se presume.

La fiabilidad es otra cualidad documental que hace referencia a que sus contenidos puedan ser creídos como representación exacta y completa de las transacciones, actividades o hechos de los cuales dan fe y seguridad, tanto durante su desarrollo, como en transacciones o acciones futuras. En definitiva si sus contenidos son fidedignos o no.

La integridad cualidad que hace referencia a si el documento está completo e inalterado.

La manejabilidad se refiere a si el documento es susceptible de ser localizado, recuperado, presentado e interpretado.

Con todo podemos también definir el documento como toda información registrada producida o recibida en la iniciación, desarrollo o finalización de una actividad institucional o individual que consta de contenido, contexto y estructura suficiente para proporcionar prueba de la actividad a que se refiere.

De estos tres elementos documentales el contenido es la materia propiamente dicha del documento; la estructura hace referencia al uso de encabezamientos y otros dispositivos utilizados parta identificar y etiquetar partes del documento; así como el usos de tipografías diversas, cursiva, negrita, etc, para destacare la parte significativa del contenido. El contexto, por su parte, hace referencia al entorno y a la red de relaciones en los que el documento ha sido creado y utilizado, por ejemplo cuando el documento se relaciona con otros en una unidad o agrupación documental.

Todos estos elementos sirven para que los usuarios del documento, tanto destinatarios, como gestores o el ciudadano en general, tengan mayor facilidad para comprender el valor completo del documento, pues la ausencia de cualquier a de estos elementos puede llevar a una interpretación errónea de la naturaleza o consecuencias que el creador del documento pretendió.

2. ESTRUCTURA DOCUMENTAL

La estructura de cualquier documento hace referencia a caracteres externos y caracteres internos.

A) Entre los CARACTERES EXTERNOS del documento se incluyen la clase, el tipo, el formato, la cantidad y la forma.

La clase está determinada por el procedimiento empleado para obtener información de este modo tenemos al menos cinco clases de documentos:

a) Documentos textuales: son los que transmiten la información mediante un texto escrito, sea manuscrito, mecanografiado o impreso; son el producto por excelencia de las administraciones públicas y los más abundantes en los archivos.

b) Documentos iconográficos: emplean la imagen, signos no textuales, colores, etc. Para representar la información, por ejemplo mapas, planos, dibujos, fotografías, diapositivas, transparencias, microformas, etc.

c) Documentos sonoros: permiten grabar y reproducir cualquier sonido, casi siempre palabras y en el caso de los archivos también discos, cintas magnéticas, discos compactos, etc.

d) Documentos audiovisuales: combinan la imagen en movimiento y el sonido por ejemplo filmes, cintas de vídeo, video discos, etc.

e) Documentos electrónicos o informáticos: son generados en el entorno de los ordenadores, por ejemplo fichas perforadas, cintas magnéticas, disquetes, CD ROM, etc.

El tipo es una característica del documento que va más allá de los meramente físico o externo, por cuanto revela tanto el contenido como su estructuración en el documento y deriva de la acción representada.

El formato es una característica que esta en función del modo de agruparse o reunirse los documentos y del soporte que presenten por ejemplo en caso de papel se habla en la práctica administrativa de expedientes y en la archivística de legajos, volúmenes, DIN A3, A4 o medida de grosor en caso de disquetes etc.

La cantidad se refiere al número de unidades, volúmenes, legajos, documentos, etc. y al espacio que ocupan los documentos.

La forma más conocida con el término más estricto en la diplomática de tradición documental consiste en la llamada «ingenuidad documental» es decir la condición de original o copia y sus diversas variantes: copia simple, copia certificada; primera o segunda copia, etc.

B) Entre los CARACTERES INTERNOS se incluyen la entidad productora, los orígenes funcionales, la fecha y lugar de producción y el contenido sustantivo.

La entidad productora hace referencia al autor del documento que puede ser tanto una persona física como jurídica privada o pública entre ellas todas las entidades oficiales de las administraciones públicas civiles y limitares así como los organismos de la Administración judicial nacionales y extranjeros o de naturaleza internacional.

Los orígenes funcionales hacen referencia a las razones por las que se ha producido un documento, tomando en consideración tres elementos por este orden:

a) la función en cuya virtud ha sido producido.

b) La actividad por la que se hay realizado.

c) El trámite a través del cual ha sido producido.

La fecha y el lugar de producción, también denominados datación crónica y tópica del documento que lo ubica en un sitio concreto del tiempo y del espacio.

El contenido sustantivo del documento hace referencia al asunto o tema de que trata un documento, es decir a los fine su objetivos perseguidos con su redacción y emisión.

El valor es un concepto intrínseco a todo documento aunque por lo general suele expresarse en plural para referirse a las diversas connotaciones que adquiere.

Los valores archivísticos de un documento dependen de diversos momentos o puntos de vista que puede variar a lo largo del tiempo adquiriendo otros valores o mejor dichos otros planos de valor:

a) Se denomina valor primario al valor que tienen el documento desde su nacimiento que dependen de la finalidad para la que ha sido creado. Su objetivo es dejar constancia de la gestión de una actividad determinada. Este valor inicial es el valor administrativo del documento que va perdiendo fuerza con el tiempo desde el punto de vista de la gestión administrativa dando lugar al surgimiento y desarrollo de un valor paralelo de carácter legal, jurídico o probatorio cuyo plazo de prescripción abarca desde unos años hasta la imprescriptibilidad según los casos.

b) Sin embargo, cumplido el periodo vital y una vez ha cumplido sus funciones básicas, el documento cobra una nueva dimensión o un nuevo valor, acrecentado con el tiempo: servir como fuente para la actividad de investigación histórica y para la acción cultural es el valor secundario también denominado valor histórico o permanente.

c) No obstante muchos autores que componen la doctrina sobre diplomática y archivística consideran que pueden detectarse otros muchos valores subyacentes, así dentro del valor primario podría delimitarse el valor financiero o tributario. Por otra parte, también se han mencionado el valor informativo que es el valor que poseen los documentos utilizados con fines de referencia o investigación, independientemente de su valor como testimonio para la historia de la entidad productora lo cual no deja de ser también un valor histórico por cuanto ilustra de aspectos diferentes a los de su productor. El valor intrínseco de un documento depende de factores tales como su contenido, las circunstancias de su producción, la presencia o no de firmas y sellos, en definitiva se trata de un valor derivado de la solemnidad del documento o incluso de su rareza.

3. DOCUMENTOS ELECTRÓNICOS

La definición de documento electrónico, que ha empleado la Guía Europea de la Información numérica, coincide con la de documento a secas; de modo que es un conjunto de datos registrados en un soporte o bien un fragmento de información registrada generada, reunida o recibida desde el comienzo, durante el seguimiento y hasta la finalización de una actividad institucional o personal y que comprende un contenido, un contexto y una estructura suficiente para constituir una prueba de dicha actividad. También se ha definido simplemente como documento creado de forma electrónica.

Los elementos más característicos del documento electrónico son los siguientes:

a) El medio: es decir el portador físico del mensaje.

b) El contenido: el mensaje que el documento trata de comunicar.

c) La forma física e intelectual: las reglas de representación tenidas en cuenta para la comunicación del mensaje.

d) La acción: el ejercicio de voluntad que da origen al documento.

e) Cuatro elementos personales que coinciden con las entidades que actúan por medio del documento: el autor, el destinatario, el redactor y el creador.

f) El vínculo archivístico que es la relación que vincula cada documento con el anterior y con el siguiente.

g) El contexto es el marco jurídico, administrativo, procedimental o documental en que se haya creado el documento.

En todo tipo de documento electrónico confluyen al menos dos tipos de información:

— El contenido del documento y su estructura interna.

— Los «metadatos» que describen el documento y todas sus partes constituyentes.

La gestión de documentos electrónicos tiende a concentrarse en ellos al nivel de unidad o documento simple, no obstante puede consistir en más de uno, por lo que los metadatos deberán tratarlo en su conjunto incluyen do las relaciones con los demás documentos y la clase o categoría a la que se asigna para tratarlo como una unidad (2).

4. DOCUMENTO TRADICIONAL Y DOCUMENTO ELECTRÓNICO

El Comité de documentos electrónicos del Consejo Internacional de Archivos estableció hace diez años las diferencias entre el documento electrónico y el documento tradicional en sus diferentes aspectos:

A) Registro y uso de símbolos: mientras que el contenido de un documento tradicional está recogido en un medio a través de símbolos que lo hacen directamente accesible para el ser humano, el documento electrónico se recoge en un medio a través de símbolos que deben ser descodificados para que sea accesible. Por ello tanto el medio (hardware) como los símbolos (software) constituyen condiciones previas que hacen posible el documento electrónico.

B) Conexión entre el contenido y el medio: mientras que el contenido de un documento tradicional es inseparable de su medio o soporte que lo recoge, el contenido de un documento electrónico puede ser separado de su medio originario y transferido a otro u otros soportes diferentes. Esta posibilidad incrementa

---

(2)   Esta clase o categoría se refiere a la posibilidad de poder agruparlos en un expediente y asignarlo a una serie dada dentro de un cuadro de clasificación.

las posibilidades de falsificación y constituye un factor crítico para garantizar la autenticidad y fiabilidad de los documentos electrónicos.

C) Características de la estructura física y lógica: mientras que la estructura constituye una parte integral y aparente, así como uno de los principales criterios para valorar la autenticidad en los documentos tradicionales, la del documento electrónico no es tan aparente sino que depende del hardware y del software, hasta el punto de cambiar cuando se pasa de un medio a otro, por lo que no puede tener el mismo valor que en el documento tradicional. Además la estructura lógica lo identifica y representa los elementos de su estructura interna, por ello, para que pueda ser considerado como documento completo y auténtico el documento debe conservar esta estructura originaria.

D) Los metadatos se definen como datos sobre los datos que hacen que el documento pueda ser utilizado y comprendido. El documento electrónico carece de los elementos que en uno tradicional permiten establecer su contexto funcional y administrativo; esta función la desempeñan los metadatos, que describen como, cuando y por quien ha sido registrada la información, como se encuentra estructurada y cuando ha sido utilizada. Por todo ello también se ha definido el documento electrónico como un objeto encapsulado en metadatos.

Con todo, los metadatos necesarios para cumplir los requisitos documentales y archivísticos necesarios en cualquier sistema actual de gestión de documentos, puede organizarse en seis niveles:

a) El Registro que contiene información relativa a la captura del documento.

b) Los términos y condiciones: necesarios para conocer si el documento está disponible para su lectura, para quien y con que requisitos.

c) La estructura informa sobre la dependencia del software necesario para su representación así como las posibilidades de interoperabilidad con otros sistemas en función de las normas seguidas en su configuración.

d) El contexto viene dado por los metadatos que preceden al contenido y cumplen la función de mostrar la procedencia y el entorno en que el documento ha sido creado.

e) El contenido está constituido por los datos que pueden tener cualquier forma.

f) Finalmente la historia del uso sirve para conocer cuando, como y de que manera ha sido archivado, clasificado, valorado, seleccionado y utilizado cada documento.

E) La identificación no puede hacerse por los medios tradicionales sino a través de metadatos.

F) La conservación no depende solo de meras condiciones de almacenamiento sino de la rapidez con que los equipos electrónicos se hacen obsoletos.

Lo que distingue a la información con que se trabaja en la gestión de documentos es que cumple simultáneamente tres condiciones:

1.º) Se trata de una información interna producida por personas físicas o jurídicas en desarrollo de sus actividades, de manera necesaria.

2.º) Es una información previsible, con secuencia de procesos establecidos ya sean procedimientos administrativos en las diferentes administraciones públicas o procesos de relación comercial o de otro tipo en entidades privadas ya sea la gestión de actividades propias de las personas físicas en las que no interviene la voluntad de creación.

3.º) Constituye una información reglada en su misma creación, uso y conservación; la creación de todos estos documentos está recogida y regulada en normas de diferente rango y naturaleza; todo lo que se refiere a su utilización: tramitación, acceso, información, obtención de copias, etc, está regulado por diferentes tipos de normas sobre procedimientos, protección de datos, régimen jurídico de las administraciones públicas, leyes procesales, normativa notarial y registral, etc. Además también hay que mencionar la normativa interna de las organizaciones privadas de aplicación a todas las personas vinculadas con las mismas por razones de organización laboral, relación comercial o personal etc.

5. GESTIÓN DE DOCUMENTOS

No es lo mismo la gestión electrónica de documentos que la gestión de documentos electrónicos, la primera enfatiza la aplicación de las tecnologías para la administración de documentos en cualquier formato, por su parte la gestión de documentos electrónicos hace hincapié en la naturaleza de los documentos creados, utilizados y conservados en diferentes entornos tecnológicos.

La gestión de documentos electrónicos es una faceta más de la gestión de documentos entendido como una gestión administrativa de expedientes, protocolos o archivos, sin embargo al igual de los que ha sucedido con los documentos en papel, su reconocimiento como función archivística no ha partido del reparto funcional de las organizaciones sino de la ocupación por la vía de los hechos en un primer momento, y después con un reflejo normativo a la vista de las soluciones aportadas por la práctica de cada organización.

Dado el relativo estado de desatención que afecta a los documentos electrónicos debe plantearse la mejora y desarrollo de muchos aspectos relacionados con ellos teniendo en cuenta que la situación actual se caracteriza por los siguientes rasgos:

1.º) Nos encontramos en una etapa de transición del papel al electrón, en que todavía es habitual que las organizaciones documenten sus procesos mediante sistemas mixtos con diversidad de soportes y formatos. Es habitual que los documentos relativos a un mismo procedimiento se presenten en diversos soportes y formatos: papel, correo electrónico, archivos de procesador de textos, hojas de cálculos, etc. Estos sistemas mixtos plantean la necesidad de mantener vinculados documentos y sistemas de diferente naturaleza en la secuencia de lógica documental de que se trate, un procedimiento administrativo, un proceso de ejecución judicial o una relación comercial, de acuerdo con la cual hayan sido creados y que es imprescindible para evidencias y acreditar las actividades o declaraciones que recogen. Así como los documentos en papel que componen un expediente administrativo o un legajo son relativamente fáciles de vincular siguiendo la cadencia de la tramitación y de mantenerlos unidos en dicho soporte físico, en el momento de transición y sistema mixto, que ahora vivimos, de la cosa no es tan sencilla ya que si se imprimen los documentos electrónicos, se digitalizan los documentos de papel, o se microfilman todos, no encontramos con obstáculos y tanto operativos como legales (3) que no son fáciles de superar. Por todo ello el reto principal de este momento en materia documental es conseguir mantener los vínculos entre unos y otros tipos de documentos mientras tengan valor para la resolución de los asuntos para los que hayan sido creados y ello solo es posible interviniendo en el ciclo de vida: diseño de procesos para reconversión en un sistema unificado de cara a su conservación en el futuro de modo que se garantice su autenticidad y perdurabilidad, no obstante el reto de los documentos electrónico no acaba con esto pues de entrada se vislumbra el gran reto que representan los sistemas totalmente electrónicos de la administración futura.

2.º) Inalterabilidad de los procesos en que basan su actuación las organizaciones que en la actualidad las tecnologías se limitan a reproducir de manera que tanto su base jurídica como el ordenamiento y su desarrollo permanecen como en los sistemas de papel hasta el punto que sus propios símbolos e iconografía se reproduce en los instrumentos informáticos: carpetas, documentos, etc.

3.º) Contraposición del concepto documentos electrónicos frente a bases de datos de manera que debemos aclarar que se gestiona realmente pues los documentos electrónicos no son lo mismo que las bases de datos de los que aquellos se alimentan realmente por ello en el ámbito electrónico se impone definir con claridad el objeto de gestión y conservación.

4.º) Carácter imprevisible de las tecnologías de la información y de las comunicaciones cuya dirección resulta difícil prever con seguridad.

---

(3)   Operativos: por ejemplo interferencia en el trabajo de las oficinas. Legales: el valor de los documentos electrónicos se fundamenta en su formato digital original.

Con todo ello se impone como conclusión la necesidad de adoptar a medio plazo estrategias de tipo organizativo, más que tecnológicas; entre ellas pueden mencionarse, a título de ejemplo las siguientes:

a) Implicarse en el ciclo de vida integral de los documentos electrónicos, aunque parezca un contrasentido (4).

b) Ubicación en la estructura de la organización administrativa, pues si es importante para la gestión de los documentos en soporte papel, lo es más todavía para los documentos electrónicos. Se trata de una función estratégica que implica a toda la organización y debe ocupar una situación preferente en la estrategia organizacional de la entidad.

c) Integración con las políticas de gestión de procesos y tecnologías de la información y comunicaciones, participando en el análisis y respuesta a los retos tecnológicos.

d) Visibilidad-entornos web, intranet y extranet, en dos direcciones: hacia adentro, potenciando el acceso y hacia fuera, potenciando la gestión.

e) El escenario que se plantea a largo plazo es el de la materialización de las administraciones y otras organizaciones electrónicas, oficina sin papeles, teniendo en cuenta que las nuevas tecnologías son imprevisibles, sin embargo puede anticiparse que la función administrativa en materia documental puede y debe llevar a cabo una función de organización en cuanto a clasificación y descripción y acceso a documentos electrónicos; conservación y en definitiva un papel que garantice el periodo de transición entre el mundo del papel y el mundo del electrón.

6. LOS DOCUMENTOS EN LAS ADMINISTRACIONES PÚBLICAS

La actividad administrativa se distingue por que se refleja en documentos administrativos que constituyen el testimonio de dicha actividad.

Por ello podemos definir los documentos administrativos como el soporte en que se plasman los diferentes actos de la administración pública es decir la forma externa de dichos actos.

La LRJ dispone, en su artículo 46, que tienen la consideración de documento público administrativo los documentos válidamente emitidos por los órganos de las administraciones públicas.

Los documentos administrativos cumplen dos funciones principales:

---

(4)   Sobre todo teniendo en cuenta que esto es todavía una asignatura pendiente en el ámbito de lo documentos convencionales.

a) Función de constancia, mediante la cual el documento asegura la pervivencia de las actuaciones administrativas al constituirse en su soporte material. De este modo queda garantizada la conservación de los datos y la posibilidad de demostrar su existencia, sus efectos y sus posibles errores, así como el derecho de acceso de los ciudadanos a los mismos.

b) Función de comunicación: los documentos administrativos sirven como medio de comunicación de los actos de la Administración. Esta comunicación puede ser tanto interna, entre unidades que componen la organización administrativa, como externa de la Administración con los ciudadanos y con otras organizaciones.

Los caracteres que hacen que un documento pueda calificarse como documento administrativo son principalmente tres:

1.º) Son documentos que producen efectos

Solo cabe calificar como documentos administrativos los documentos destinados a producir efectos, de este modo no pueden calificarse como documentos administrativos los resúmenes, extracto o las anotaciones manuscritas.

Loas documentos administrativos siempre producen efectos frente a terceros o en la propia organización administrativa; pero dichos efectos no son siempre y necesariamente jurídicos pues en muchos casos tienen una mera finalidad informativa o comunicativa.

2.º) Por principio son documentos emitidos por un órgano administrativo

El emisor de un documento administrativo (autoridad u órgano que lo produce) siempre será uno de los que integran la organización de la Administración pública.

El hecho de que en la mayoría de los documentos administrativos aparezca de hecho como autor una persona física no se opone al principio expresado anteriormente.

3.º) Su emisión es válida

Un documento es válido cuando su emisión cumple con una serie de requisitos formales y sustantivos exigidos por las normas que regulan la actividad administrativa, por ello no es válido el documentos por un emisor que carezca de competencia para esa emisión documental.

Junto a los documentos administrativos también hay que hacer referencia a los documentos presentados por los ciudadanos ante la Administración.

7. SOPORTES DOCUMENTALES

El documento administrativo es el soporte material del acto administrativo. Hasta ahora el soporte habitual ha sido el papel mediante la escritura, por ello se ha venido identificando plenamente el concepto documento administrativo con el de documento escrito. Sin embargo la incorporación de nuevas tecnologías a la actividad administrativa supone la generalización de otros soportes diferentes del papel y además de otras formas de expresión por ejemplo la utilización de soportes informáticos, electrónicos y telemáticos conlleva el uso de codificaciones diferentes de la escritura y por ello, la ampliación del concepto y utilidad del documento administrativo. Sin embargo hay que tener en cuenta que estos documentos codificados mediante caracteres informáticos deben ser descodificados para que puedan ser comprendidos por los destinatarios.

La validez legal de la utilización de soportes diferentes al papel para comunicaciones entre la administración está fuera de toda duda desde que mediante un real decreto de 1986 se permitió que se realizasen comunicaciones entre la administración y los particulares por vía telegráfica, télex o cualquier otra vía de la que quede constancia por escrito lo cual quedó plenamente confirmado con la entrada en vigor de la LRJ que dio validez a cualquier tipo de soporte en todos los ámbitos de la Administración.

El Real Decreto-Ley 14/1999 sobre firma electrónica otorgó a ésta el mismo valor jurídico que a la firma manuscrita siempre que esté fundada en un certificado reconocido y haya sido producida por dispositivo seguro de creación y de firma.

De este modo, los documentos administrativos pueden plasmarse en cualquier soporte siempre que éste cumpla, al menos los siguientes requisitos:

a) Autenticidad: El soporte debe garantizar la identificación y autenticidad del documento, impidiendo sui posible falsificación, suplantación o manipulación

b) Integridad: El soporte debe garantizar que el documento mantiene su unidad sin que se permita que puedan faltar algunas de sus partes o elementos.

c) Conservación: El soporte debe asegurar la conservación del documento evitando su deterioro total o parcial, así como su pérdida definitiva o destrucción.

d) Recepción por el destinatario: El soporte debe garantizar que el documento pueda ser recibido por el destinatario, para lo cual debe ser compatible con los medios de que él dispone (5) y debe reunir características que hagan posible acreditar la recepción.

Por todo ello puede asegurarse que la actividad administrativa se encuentra plenamente abierta a la utilización de cualquier tipo de soporte electrónico, informático, telemático o audiovisual, confiriéndole plena validez legal.

---

(5)   Hay que tener en cuenta que no es posible enviar un soporte informático a quien no disponga de los equipos precisos para acceder al mismo.

8. CLASIFICACIÓN DE LOS DOCUMENTOS ADMINISTRATIVOS

Hemos señalado que los documentos administrativos constituyen la forma externa de los actos administrativos de manera que todo documento administrativo tiene una declaración. De este modo los documentos administrativos se clasifican de acuerdo con el tipo de declaración que contienen y siguiendo este criterio también pueden clasificarse los documentos presentados por los ciudadanos ante la Administración.

A. Documentos administrativos:

a) Documentos de decisión: Resoluciones, acuerdos.

b) Documentos de transmisión: Notificaciones, publicaciones, comunicaciones.

c) Documentos de constancia: Actas, certificados de actos expresos y de actos presuntos.

d) Documentos de juicio: informes, dictámenes.

B. Documentos presentados ante la Administración: Solicitudes, denuncias, alegaciones, recursos.

9. LENGUA DE LOS DOCUMENTOS ADMINISTRATIVOS

La Constitución española reconoce el castellano como lengua oficial del Estado otorgando carácter oficial a las demás lenguas españolas en su respectivo ámbito de actuación de conformidad con lo regulado en cada Estatuto de autonomía. En su virtud tienen carácter oficial el castellano en todo el ámbito estatal, el Catalán en Cataluña y Baleares, el Vascuence en el País Vasco y Navarra el Gallego en Galicia y el Valenciano en la Comunidad Valenciana.

Este carácter oficial tiene como efecto principal su posible utilización en los documentos administrativos y en los documentos presentados por los ciudadanos a la administración de acuerdo con una serie de normas generales:

A) La Administración General del Estado (AGE) debe utilizar el castellano en los procedimientos que tramite, sin embargo los ciudadanos que se dirijan a los órganos o unidades de la AGE con sede en el territorio de una Comunidad autónoma que disponga de otra lengua española oficial además del castellano, también puede utilizar ésta que tendrá carácter de lengua oficial del procedimiento correspondiente. Cuando haya varios interesados que manifiesten opciones diferentes sobre la lengua oficial que deseen utilizar la lengua oficial será el castellano, si bien los documentos o testimonios que requieran los interesados se expiden en la lengua que éstos hayan elegido.

B) Las administraciones autonómicas y locales deben ajustar el uso de la lengua a lo previsto en la normativa autonómica correspondiente.

C) Cualquiera que sea la lengua oficial del procedimiento el organismo instructor deberá encargarse de que sean traducidos al castellano los expedientes o documentos o sus partes que, estando redactados en una lengua oficial particular de la comunidad autónoma, deban surtir efectos fuera del territorio de la misma, así como aquellos que deban ser dirigidos a los interesados que así lo hayan solicitado. No es precisa la traducción cuando estos documentos o expedientes deban surtir efectos en la misma comunidad autónomas donde se lleva a cabo la instrucción del procedimiento.

D) En el ámbito de la producción documental y material impreso de la Administración General del Estado hay que tener en cuenta, además las siguientes directrices (6):

a) Los impresos normalizados que se pongan a disposición de los ciudadanos en las dependencias de la Administración General del Estado situadas en comunidades autónomas con lenguas cooficiales deben ser bilingües en castellano y la otra lengua oficial. Además, estos impresos oficiales deben expresar todos sus contenidos y epígrafes en ambas lenguas por líneas o por bloques diferenciados de texto, dejando espacios únicos para su cumplimentación por el ciudadano en la lengua de su elección, o bien, cuando así se determine, por la complejidad o extensión del documento, deberán ponerse a disposición de los ciudadanos dos modelos alternativos redactados en castellano y en la otra lengua oficial quedando destacada la advertencia de que existen impresos en ambas leguas.

b) Las instrucciones e información que deben acompañar a todo modelo normalizado de solicitud deben estar redactadas en ambas lenguas.

c) En el material impreso utilizado por los órganos y unidades que tengan su sede en el ámbito territorial de una Comunidad Autónoma con otras lenguas oficiales para comunicaciones dentro de dicho ámbito, los datos correspondientes al membrete y a la identificación del órgano u organismo de la administración deben figurar en castellano y en la otra lengua oficial. Sin embargo no hay dicha obligación cuando se utilice para comunicaciones dirigidas fuera del ámbito territorial autonómico en cuyo caso pueden figurar únicamente en castellano los datos y denominaciones mencionados.

---

(6)   Establecidas por Real Decreto 1465/1999 de 17 de septiembre por el que se establecen criterios de imagen institucional y se regula la producción documental y el material impreso de la Administración General del Estado modificado por Real Decreto 209/2003 de 21 de febrero, por el que se regulan los registros y notificaciones telemáticas, así como la utilización de medios telemáticos para la sustitución de la aportación de certificados por los ciudadanos.

d) Con todo deben ser asimismo bilingües las señalizaciones exteriores de identificación de dependencias administrativas, así como los contenidos más relevantes de los indicadores de carácter publicitario o informativo que se elaboren para ser colocados en ámbitos territoriales de las comunidades autónomas con más de una lengua oficial.

10. ESTILO DOCUMENTAL DE LA ADMINISTRACIÓN

La Administración actual concebida con una indubitada vocación de servicio público a los ciudadanos que son que la sostienen y financian debe dirigirse a éstos con un lenguaje y redacción documental que sea inteligible para todos utilizando un estilo correcto pero que esté cerca del que utilizan los ciudadanos.

El lenguaje que utilizó tradicionalmente la administración en los documentos se ha caracterizado por una serie de aspectos que hoy día tienen a ser abandonados entre ellos:

a) La imposición de distancias con respecto a los particulares creando situaciones de prepotencia que carecen de sentido en el marco actual que regula y legitima el papel de la Administración respecto a los ciudadanos (7).

b) Abuso de tecnicismos que solo tienen aplicación en colectivos profesionales específicos o funcionariales.

c) Despersonalización de las fórmulas utilizadas diluyendo responsabilidades y difuminando responsabilidades mediante el uso de fórmulas y giros que tendían a difuminar y oscurecer la procedencia de la decisión adoptada.

d) El excesivo carácter burocrático utilizando formalismos arcaicos provenientes de otras épocas que hoy no tienen justificación.

e) Pretensiones literarias produciendo documentos, comunicaciones etc. Retóricas difíciles de comprender para los ciudadanos.

El proceso de modernización que la administración ha puesto en marcha hace unos años exige una renovación del lenguaje administrativo pues se trata del principal elemento de contracto entre aquella y los administrados por ello no sería coherente que una administración pública que pretende acercarse a los ciudadanos mantuviera un lenguaje de otra época e incomprensible además no puede llevarse

---

(7)   Tradicionalmente el ciudadano era un simple administrado sujeto a la actuación de la Administración que estaba llena de formulismos y cláusulas de estilo obsoletas e incomprensibles para la mayor parte de los destinatarios que tendía a presentar las actuaciones regladas y exigibles para la administración como actos graciables..

a cabo ninguna reforma administrativa de carácter democrático sino se cuenta con un vocabulario que acerque la administración a los ciudadanos.

El Real Decreto 1465/1999 de 17 de septiembre por el que se dictan criterios de imagen institucional y se regula la producción documental y el material impreso de la Administración General del Estado estableció una serie de principios que dieron pie a la publicación por el Ministerio de Administraciones Públicas de un Manual de estilo de lenguaje administrativo. Fue modificado por Real Decreto 209/2003 añadiendo un nuevo párrafo que dispone que Todo modelo normalizado de solicitud correspondiente a procedimientos en los que se requiera la aportación de cualquier tipo de certificaciones emitidas por los órganos de la Administración General del Estado y los organismos vinculados o dependientes de aquélla deberá establecer un apartado para que el interesado deje constancia, en su caso, de su consentimiento expreso para que los datos objeto de certificación puedan ser transmitidos o certificados por medios telemáticos directamente al órgano requirente. Por otra parte se establece expresamente que todo modelo normalizado de solicitud con efectos frente a terceros, cualquiera que sea su soporte, deberá publicarse en el «Boletín Oficial del Estado.»

11. CARACTERÍSTICAS DE ESTILO

Entre las características de estilo para el lenguaje de la administración que se recogen en el Manual pueden citarse las siguientes:

11.1. Claridad en la redacción

La redacción de los documentos administrativos debe facilitar la comprensión rápida y eficaz de su contenido tanto por los ciudadanos como por los propios funcionarios y agentes de las administraciones públicas. Para ello se incluyen las siguientes recomendaciones:

a) Utilizar frases claras, cortas y concisas, evitando párrafos largos y expresiones de estilo o ambiguas que no aporten ninguna información.

b) No deben darse por sobre-entendidos términos, denominaciones o expresiones, máxime cuando el receptor del documento sean los ciudadanos que no están obligados a conocer las características de organización administrativa, los criterios de actuación o la normativa reglamentaria interna de la administración.

c) Debe evitarse el abuso de terminología técnica y cunado no sea posible prescindir de ella deberá definirse o utilizarse de forma que el receptor comprenda su significado más común.

d) El título y subtítulos de un documento administrativos deben ser informativos y explicativos de su contenido.

e) Las palabras deben ordenarse correctamente en oraciones, respetando su construcción, sus reglas sintácticas y la correspondencia de los tiempos verbales que exige la correcta gramática y sintaxis castellana.

f) La puntuación del texto debe estar correctamente situada, respetando pausas y entonaciones, de manera que su sentido resulte comprensible.

11.2.   Sencillez en la redacción

La redacción de los documentos administrativos debe ser ante todo natural en la expresión alejada de pretensiones retóricas y literarias. A este respecto se incluyen las siguientes recomendaciones:

a) Evitar el uso de arcaísmos, latinismos y expresiones redundantes.

b) Evitar la utilización de nuevas palabras o expresiones que no se hallen acreditadas por el uso.

c) Dar preferencia a la utilización del verbo simple sobre la construcción de verbos más sustantivo.

d) Cuando exista equivalente español, comúnmente aceptado, no debe utilizarse anglicismos, galicismos u otros.

11.3.   Concisión en el contenido

La expresión de la documentación que contiene todo documento administrativo debe ser precisa, concreta y limitada su contenido esencial. En su virtud:

a) La redacción deberá destacar el mensaje o contenido que, realmente, resulte de utilidad para el receptor, eliminando o restringiendo elementos superfluos.

b) La información debe ordenarse de forma lógica, usando oraciones cortas pero explicativas y evitando frases u oraciones artificialmente añadidas que extiendan o dificulten la comprensión del documento.

11.4.   Corrección en el uso gramatical

Cualquier redacción buena está sujeta a reglas gramaticales y ortográficas que deben ser respetadas por ello:

a) Nunca debe omitirse la tilde y deben respetarse las reglas de acentuación.

b) Se escriben con mayúscula:

— La primera letra de las palabras situadas después de punto y de las que siguen al signo de interrogación o exclamación si no se interpone coma.

— La primera letra de los nombres propios, títulos y nombres de dignidades, sobrenombres y apodos, tratamientos personales, cuando vayan en abreviatura, nombres y adjetivos que integren denominación de una institución o corporación y denominaciones de servicios públicos.

— Los números romanos.

c) Se escriben con minúscula los nombre de los días de la semana, meses y estaciones del año.

d) La necesaria de brevedad de un escrito no justifica la omisión de artículos.

e) Debe evitarse la omisión de la conjunción que: «le ruego que me remita expediente.»

f) Se utiliza la forma «esta» delante de sustantivos femeninos «esta acta.»

g) No es correcto utilizar de forma repetitiva las expresiones «el mismo» «la misma.»

Utilizar formas actuales de redacción:

Las estructuras gramaticales deben modernizarse y actualizarse abandonando giros, expresiones y términos alejados del uso normal del lenguaje, sustituyéndolos por otros más próximos que sean comprensibles para todos. Con respecto a este aspecto se incluyen las siguientes recomendaciones:

a) Evitar fórmulas arcaizantes y obsoletas.

b) No abusar de los gerundios y participios en escritos administrativos, debiendo sustituirlos por fórmulas más ágiles y directas.

c) Evitar frases hechas y muletillas que privan al documento de un aire de singularidad

d) Evitar infinitivos con valor imperativo.

Contexto:

El tono y los términos en que se redacta el documento están condicionados por el ámbito administrativo en que se utilizan y varían en función del grado de formalidad que se pretenda. Por ello:

a) Solo debe utilizarse el todo imperativo en los documentos cuando sea realmente necesario, es de uso preferente solicitar, sugerir, rogar.

b) En la redacción de documentos administrativos hay tres posibilidades de utilización de tratamiento personal en función de que se pretenda mayor o menor solemnidad:

— Primera persona del singular siempre que se pretenda un estilo más directo, individualizado y conciso, mediante el presente documento le comunico el acuerdo que ha dictado el órgano responsable de la resolución del procedimiento.

— Tercera persona del singular siempre que se desee marcan una distancia con el receptos del documento, reduciendo el papel de la relación personal, el presidente del Organismo acuerdo autorizar la actividad solicitada por…

— Primera persona del plural es de utilización en dos supuestos: Siempre que predomine el aspecto institucional del departamento, centro directivo, unidad administrativa o dependencia, sobre el personal. Siempre que quiera evitarse una imagen personalizada cuando se emita un juicio, criterio u opinión.

— Uso no sexista en los escritos de la Administración: Debe evitarse toda discriminación en la utilización de términos y tratamientos administrativos. Por ello siempre que se sepa que los puestos o cargos administrativos están ocupados por mujeres, la mención de su denominación debe hacerse en femenino. Además deben evitase los términos varón hembra y sustituirse por hombre y mujer.

12. DOCUMENTOS DE LOS CIUDADANOS PRESENTADOS A LAS ADMINISTRACIONES PÚBLICAS

Los ciudadanos presentan ante las administraciones públicas diversas clases de documentos para plantear solicitudes, peticiones o alegaciones o bien interponer recursos administrativos, y aunque éstos documentos no tienen la consideración de documentos administrativos porque no los emite un órgano oficial si son, como hemos dicho documentos que circulan por las entidades oficiales y son objeto de actuaciones y trámites administrativos; además estos documentos producen muchos efectos en la organización administrativa pues la administración tiene como una de sus principales funciones el prestar servicios a los ciudadanos y estos documentos son el principal instrumento de relación entre los ciudadanos y la Administración.

El contenido, finalidad y efectos de los documentos ciudadanos varían en función de la posición que ocupan en cada relación con el procedimiento de que se trate. Por lo general el ciudadano ocupa una postura activa frente a la administración que se traduce en un aserie de intervenciones y manifestaciones, realizadas a través de documentos escritos, que influyen en el proceso de formación de voluntad de la administración.

Los documentos que los ciudadanos utilizan ante la administración reciben diferentes denominaciones de acuerdo con la etapa procedimiento al en que se utilicen:

a) En la fase previa al inicio del procedimiento administrativo, los documentos ciudadanos son por lo general solicitudes o denuncias.

b) En las fases intermedias del procedimiento el ciudadano puede presentar documentos con alegaciones

c) En la fase posterior a la resolución administrativa el ciudadano interpone recursos administrativos.

Las solicitudes son documentos que contienen una o varias peticiones de un ciudadano dirigidas a promover la acción del órgano administrativo al que se dirige para satisfacer una o varias pretensiones fundamentadas en un derecho subjetivo en un interés legítimo. Cualquier presentación de una solicitud dirigida a un centro, unidad u organismo de las administraciones públicas tienen como consecuencia necesaria la existencia de actividad administrativa y por lo general el inicio de un procedimiento.

Las denuncias son documentos mediante los cuales cualquier ciudadano, sea o no en cumplimiento de una obligación legal, pone en conocimiento de un organismo oficial la existencia de un hecho determinado que pudiera obligar a la iniciación de un procedimiento administrativo determinado. La denuncia también conlleva, por lo general, la existencia de actividad administrativa correspondiente y, si procede, el inicio de un procedimiento administrativo al menos de averiguación.

Las alegaciones son documentos mediante los cuales el interesado en un procedimiento administrativo aporta datos o valoraciones de hecho o de derecho para que sean considerados por los órganos responsables de dicho procedimiento administrativo. El documento de alegaciones constituye el instrumento más común de que se vale el ciudadano que tiene la consideración de interesado en un procedimiento administrativo para participar en las diferentes fases de su tramitación influyendo en la decisión que deba tomar el órgano administrativo competente.

Podemos definir el recurso administrativo desde un punto de vista documental como el documento mediante el cual los ciudadanos impugnan un acto administrativo que afecta a sus derechos o intereses legítimos, pidiendo la anulación porque incurre en alguna de las causas de invalidez que establece el ordenamiento. Los recursos administrativos suponen una garantía del ciudadano que puede alegar o discutir la validez u oportunidad de un acto. Desde un punto de vista documental hay que incluir en la mima categoría a las reclamaciones previas a la vía civil o laboral contra la administración así como la reclamación previa al recurso contencioso-administrativo por omisión indebida de la administración o al requerimiento exigido con carácter previo al recurso contencioso contra la vía de hecho de la Administración. Ahora bien de todos ellos solo el recurso administrativo propiamente dicho es un instrumento para la revisión de las decisiones administrativas que se pone en marcha por iniciativa del interesado.

Los tipos de recurso administrativo que el ciudadano puede interponer son lo siguientes:

a) Recurso de alzada que tienen por finalidad la impugnación de resoluciones que no pongan fin a la vía administrativa y actos de trámite que impidan la continuación del procedimiento o produzcan indefensión. El órgano competente para resolver este recurso es el superior jerárquico al órgano que dicto el acto que se recurre.

b) Recurso voluntario de reposición tienen por finalidad impugnar actos administrativos que pongan fin a la vía administrativa que pudieran ser recurridos directamente ante la vía judicial contencioso-administrativa. El órgano competente es el mismo órgano que dictó el acto que se recurre.

Tanto el recurso de alzada como el de reposición pueden ser motivados en las causas de nulidad y anulabilidad recogidas en los artículos 62 y 63 del la LRJ.

c) Recurso extraordinario de revisión tiene la finalidad de impugnar los actos administrativos firmes y solo puede interponerse por las causas señaladas en el artículo 118 de la LRJ.

13. DOCUMENTOS DE LOS CIUDADANOS: REQUISITOS GENERALES

Las disposiciones legales que regulan los documentos que los ciudadanos presentan ante la administración se caracterizan por una marcada elasticidad antiformalista de manera que con carácter general no están sometidos a restricciones que no se hallen incluidas en normativa concreta como los casos en que existe un impreso reglamentariamente establecido que en cualquier caso es gratuito para la presentación documental.

Por todo ello la presentación debe ser aceptada siempre en cualquier registro o lugar de presentación legal sin perjuicio de su ulterior consideración y tratamiento.

Los requisitos formales de carácter general que se exigen en los documentos que los ciudadanos presentan a la administración son los siguientes:

A) Datos de identificación del emisor y del destinatario, debiéndose consignar la identificación competa del ciudadano emisor del documento, expresando el nombre y apellidos así como el número de DNI en los casos en que se exija por alguna normativa reguladora. Además tiene que incluirse el destinatario señalando la denominación del centro directivo unidad u órgano administrativo al que se dirige. Hay que tener en cuenta que en el ámbito de los escritos oficiales de la Administración General del Estado está suprimidos los tratamientos y fórmulas de cortesía.

B) Datos de identificación de los medios y lugares de notificación teniendo en cuenta que la LRJ permite que las notificaciones se practiquen por medios diversos y en lugares diferentes pero con especial atención a los que hayan consignado los interesados en sus actuaciones. Por ello en estos documentos que presentan los ciudadanos debe indicarse expresamente el medio preferente que se utilizará para practicar la notificación así como el domicilio a efectos de notificaciones.

C) Soporte porque la utilización de diversos soportes queda al criterio de cada ciudadano con la única limitación de que tanto dichos soportes como los medios empleados deben ser compatibles con los que tenga disponibles la administración destinataria (8).

D) Lugares de presentación de manera que los documentos que se dirigen a la administración deben presentarse en una serie de lugares determinados que señala la LRJ:

a) Registros de los órganos administrativos a que se dirijan

b) Registros de cualquier órgano administrativo que pertenezca a la Administración General del Estado.

c) Registros de cualquier órgano administrativo de las Comunidades autónomas.

d) Registros de cualquier Administración Local si existe el oportuno convenio de colaboración al respecto. A este respecto se ha previsto la aceptación por los tres niveles de Administración, estatal, autonómico y local, de criterios uniformes en cuanto al funcionamientos del sistema de intercomunicación de registros administrativos de documentos y escritos, previéndose para el futuro la posibilidad de constituir un solo sistema registral informatizado con arreglo a estándares y parámetros de normalización que necesariamente deberá estar consensuado por las administraciones intervinientes para evitar incompatibilidades que dificulten o hagan más costosa la consecución del objetivo último del proyecto: el que cualquier comunicación del ciudadano llegue a su destino en tiempo real, con independencia del lugar donde se presente. La propia LRJ prevé la celebración de convenios de colaboración entre diversas administraciones públicas dirigidos a establecer sistemas de intercomunicación y coordinación de los registros que garanticen su compatibilidad informática así como la transmisión telemática de los asientos registrales, solicitudes, escritos, comunicaciones y documentos presentados (9).

El Ministerio de administraciones públicas ha formalizado diversos convenios de colaboración con las Comunidades autónomas con objeto de determinar las

---

(8)   La LRJ dispone que cuando sea compatible con los medios técnicos de que dispongan las administraciones públicas, los ciudadanos podrán relacionarse con ellas para ejercer sus derechos a través de técnicas y medios electrónicos, informáticos o telemáticos con respecto de las garantías y requisitos previstos en cada procedimiento (art. 45.2).

(9)   Por Orden de 19.2.1999 se creó la Comisión Nacional de Cooperación entre Administraciones Públicas en el campo de los sistemas y tecnologías de la información que está situado en el seno del Consejo Superior de Informática (BOE de 27.2.1990).

medidas e instrumentos de colaboración que permitan un proceso coordinado de implantación de un sistema intercomunicado de los registros administrativos, el intercambio de bases de datos e instrumentos de información y atención ciudadana, así como la simplificación de trámites y procedimientos en las respectivas administraciones. Pero además también establece un convenio marco general de obligaciones para que los ciudadanos puedan presentar en los registros de las entidades locales solicitudes, escritos y comunicaciones que dirijan a los centros y organismos de la Administración General del Estado y de las Comunidades Autónomas (10).

e) En las Oficinas de Correos en la forma establecida reglamentariamente, de manera que el Reglamento de prestación de servicios postales (11) regula en su artículo 31 la admisión de solicitudes, escritos y comunicaciones que los ciudadanos dirijan a los órganos de las administraciones públicas que deben presentarse en sobre abierto, al objeto de que en la primera hoja se haga constar, el nombre, la oficina y la fecha, el lugar, la hora y el minuto de su admisión, circunstancias que también deben figurar en el resguardo justificativo de su admisión. No obstante el remitente también tiene derecho a que se hagan constar las circunstancias del envío, previa comparación de su identidad con el documento presentado que se quiera enviar. Practicadas estas diligencias el propio remitente cierra el sobre y el empleado de correos formaliza y entrega el resguardo cuya matriz queda archivada en la oficina correspondiente.

f) En las representaciones diplomáticas u oficinas consulares de España en el extranjero.

g) En cualquier otro lugar que establezcan las disposiciones vigentes.

14. DOCUMENTOS DE SOLICITUD DIRIGIDO A LA ADMINISTRACIÓN

Como regla general puede decirse que la presentación de un documento de solicitud provoca el inicio de un procedimiento administrativo encaminado a la

---

(10)   Los convenios establecen criterios comunes para la aplicación de obligaciones administrativas sobre todo en lo que se refiere a la expedición de recibos, copias selladas y compulsadas. Por otra parte también establecen el compromiso y los instrumentos para asegurar la compatibilidad de los requisitos, parámetros, estándares con arreglo a los que se instalen los registros de las Administraciones intervinientes en soporte informático garantizando la posibilidad de interconexión y transmisión de datos y documentos. Resolución de 7.4.1997 de la Secretaría de Estado para la Administración Pública por la que se dispone la publicación del Acuerdo de Consejo de Ministros de 4.4.1997 para la progresiva implantación de un sistema intercomunicado de registros entre la Administración General del Estado, las Administraciones de las Comunidades autónomas y las Entidades que integran la Administración Local (BOE 14 abril 1997).

(11)   Aprobado por Real Decreto 1829/1999 (BOE 31.12.1999).

adopción de una decisión sobre las pretensiones que haya presentado el ciudadano o la entidad correspondiente.

La presentación de una solicitud caracteriza, además, el modo de iniciación del procedimiento administrativos contraponiendo la iniciación de oficio a la iniciación a solicitud de parte interesada (12).

La solicitud es un documento esencial del procedimiento pues constituye una primera determinación de la voluntad del ciudadano de cara al desarrollo del procedimiento que se siga.

14.1. Formas de solicitud

La solicitud, al igual que el resto de documentos de los ciudadanos puede presentarse utilizando los siguientes medios:

— En soporte papel.

— Por medio informáticos, electrónicos o telemáticos.

Aunque la solicitud no exige requisitos especiales de forma y puede formularse por cualquier medio y utilizando cualquier forma de expresión el algunos ámbitos concretos el documento de solicitud debe realizarse utilizando una forma previamente establecida por la administración incluso en un impreso que muchas veces se publica, en los diarios oficiales, como anexo a las normas reguladoras de la materia concreta de que se trate. Estos modelos y sistemas se establecen en todo caso cuando haya procedimientos en los que se prevea el planteamiento de un elevado número de solicitudes. En estos casos los interesados pueden informarse sobre la existencia de dichos modelos o impresos consultando en las oficinas de información de los departamentos competentes para tramitar los procedimientos.

Hay que tener en cuenta que el impreso normalizado de solicitud, además de un medio de comunicación entre los ciudadanos y la Administración es un documento de trabajo en las oficinas administrativas cuyo objeto principal es facilitar al ciudadano, con una presentación uniformada, la comunicación de datos e informaciones precisas para que la administración tramite adecuadamente sus pretensiones, peticiones, denuncias, comunicaciones, requerimientos, etcétera.

Cualquier impreso normalizado debe contar con un título de encabezamiento destacado que exprese con claridad el objeto principal de la solicitud incluyendo

---

(12)   No obstante debe tenerse en cuenta que entre las clases de iniciación de oficio de un procedimiento se encuentra la denuncia que en su caso puede ser presentada mediante un escrito de un ciudadano o entidad.

los espacios adecuados para la constancia mecánica, manual o informática de la fecha de entrada oficial.

El cuerpo del documento debe incluir los datos relativos al solicitante y la solicitud exigidos por la normativa que regule la materia sobre la que se presenta la solicitud o resulten necesarios para tramitar el procedimiento.

Además debe figurar el listado de documentos preceptivos legalmente exigidos que el ciudadano debe acompañar al modelo así como los que voluntariamente puede aportar.

Una cuestión muy importante es la necesidad de constancia de un apartado específico para que el ciudadano consigne el medio o medios preferentes por los que desea que se les practique la notificación y apartados para que se consignen al menos dos lugares donde practicarla.

En la parte final del modelo se incluyen apartados para consignar el lugar, fecha y firma así como de otras circunstancias incluyendo el centro directivo unidad u órgano de la administración donde se dirige la solicitud.

A cada modelo normalizado le acompañarán unas breves instrucciones por escrito donde se informe de los requisitos y efectos básicos del procedimiento y para cumplimentar el impreso.

14.2. Contenido mínimo de la solicitud

El contenido de los documentos de solicitud es variable en función de la pretensión cuya satisfacción se solicita; pero presenta unos elementos comunes que establece la LRJ en su artículo 70 y otras normas sectoriales:

a) Datos de identificación del emisor y receptor de la solicitud, en el sentido que se ha examinado.

b) Exposición de los motivos por los que se plantea la solicitud, es decir los hechos que la fundamentan y las razones que la justifican expresando las normas que amparan la pretensión del ciudadano.

c) Petición donde se exprese de forma clara y concreta lo que se solicita en el escrito.

Cualquier escrito de solicitud que se presente a la administración debe indicar el lugar y fecha en que se hayan formalizado, el medio preferente y el lugar escogido para notificaciones así como la firma y otros códigos de acreditación de la voluntad; además cuando el escrito haya sido emitido por un representante del interesado, por ejemplo el caso de menor de edad incapacitado para hacerlo por él mismo. Deberá hacerse constar dicha circunstancia mediante la identificación del representante y del representado.

El escrito de solicitud puede ir acompañado de elementos que tienen la finalidad de precisar o completar el contenido de la solicitud y pueden clasificarse según sean exigidos o no por una norma en vigor; los primeros son aquellos que necesariamente deben acompañar a la solicitud porque así lo establece la disposición normativa que regule la materia de que se trate y los aportados voluntariamente son aquellos que los interesados tienen derecho a aportar porque lo estiman conveniente para apoyar o completar su solicitud.

Todos los elementos complementarios deben ser admitidos por la administración que reciba la solicitud y además deben ser tenidos en cuenta en la instrucción del procedimiento.

14.3. Subsanación y mejora

Las solicitudes son admitidas de forma automática en los diferentes lugares en los que los ciudadanos pueden presentar documentos dirigidos a los órganos administrativos. Una vez que el escrito llega a su destino se comprueba si reúne los requisitos legales exigidos para su admisión que afectan tanto al contenido como a los elementos complementarios normativamente exigidos.

Si se aprecia la falta de algún requisito, la administración debe requerir al solicitante para que subsane la falta o presente el documento exigido, advirtiendo al interesado de que dispone de diez días para ello que pueden ser ampliados hasta quince cuando falte algún documento cuya obtención sea especialmente dificultosa. Además si el órgano administrativo considera que el escrito de solicitud contiene algún tipo de error que pueda perjudicar la tramitación del procedimiento podrá recabar al interesado para que mejore su solicitud.

15. DOCUMENTOS DE DENUNCIA SUJETO Y CONTENIDO

Hemos dicho anteriormente que el inicio de los procedimientos administrativos tiene lugar muchas veces a consecuencia de una solicitud del interesado; pero junto a ellos también hay otros procedimientos que se inician de oficio por iniciativa de la administración aunque en determinados casos el inicio tiene su origen en una actuación del ciudadano que pone en conocimiento de la administración unos hechos que determina necesariamente el comienzo de un procedimiento.

El documento mediante el que los ciudadanos comunican a la administración los hechos a que nos referimos es la denuncia.

Si bien por lo general el término denuncia tiene su residencia en el ámbito de un procedimiento sancionador iniciado a consecuencia de la comunicación de los hechos objeto de una infracción por la denuncia de un agente autorizado, la formulación de una denuncia por un ciudadano también puede tener como consecuencia la tramitación de cualesquiera procedimientos que se inician de oficio (13).

El denunciante es el sujeto emisor del documento de denuncia que puede actuar bajo dos presupuestos diferentes:

A) Bien como consecuencia de una obligación legal que puede afectarle de modo genérico como cualquier ciudadano que denuncia unos hechos que pudieran ser constitutivos de delito de los que haya tenido conocimiento o de modo especial como la que corresponde a determinados funcionarios o agentes obligados de manera singular en razón de su puesto de trabajo por ejemplo un agente de la policía municipal cuando tienen conocimiento de una infracción de las ordenanzas municipales de medio ambiente, de movilidad, etcétera tiene obligación de denunciar los hechos.

B) Pero la denuncia puede también no responder al cumplimiento de una obligación legal en el caso de que se presente de manera voluntaria por el denunciante.

Hay que tener en cuenta que la presentación de una denuncia no conlleva necesariamente la participación del denunciante en el procedimiento que se inicie a consecuencia de la misma, pues esta participación solo se produce si concurre en el denunciante la cualidad de interesado porque tiene derecho o interés legítimo relacionados con los hechos objeto de la denuncia.

Por lo que se refiere a la forma el documento de denuncia es esencialmente antiformalista de manera que la normativa administrativa facilita la formulación de estos documentos de puesta en conocimiento de hechos ante la administración, de hecho entre los documentos de los ciudadanos es al que menos requisitos formales se le exigen sobre todo en los casos en que el denunciante no tenga cualidad de interesado en el procedimiento subsiguiente.

Sin embargo y por razones prácticas es aconsejable que todo documento de denuncia tenga al menos los siguientes elementos:

a) Los datos de identificación del denunciante o denunciantes.

b) Una relación clara y ordenada de los hechos que se comunican a la administración, incluyendo el lugar y fecha en que hayan tenido lugar.

---

(13)   Los procedimientos se iniciarán de oficio por acuerdo del órgano competente, bien por propia iniciativa o como consecuencia de orden superior, a petición razonada de otros órganos o por denuncia. Articulo 69 LRJ.

c) Las personas que pudieran estar interesadas en el procedimiento que se derive de la denuncia.

d) Cuando así lo crea conveniente el denunciante puede incluir una solicitud expresa de que se de inicio al procedimiento administrativo correspondiente, teniendo en cuenta que esta decisión no es una cuestión que se deje al arbitrio de la administración sino que dependerá, en cualquier caso, de la naturaleza de los hechos denunciados.

e) Indicación expresa del medio y lugar designado para recibir notificaciones.

16. DOCUMENTOS DE ALEGACIONES DEL CIUDADANO

Los documentos de alegaciones constituyen uno de los más importantes instrumentos de participación de los ciudadanos en la actividad de las administraciones públicas y su finalidad es el enriquecimiento del procedimiento administrativo mediante la aportación de datos, razonamientos o valoraciones relativos al objeto de un procedimiento concreto o a las cuestiones que se planteen en su tramitación.

Del mismo modo que la solicitudes y denuncias, los documentos de alegaciones también pueden ser acompañados de los elementos complementarios que se estimen convenientes.

La LRJ regula el derecho de los ciudadanos y de los interesados en los procedimientos a formular alegaciones en tres de sus disposiciones:

a) Derecho de los ciudadanos a formular alegaciones y aportar documentos en cualquier fase del procedimiento anterior a al trámite de audiencia, que deberán ser tenidos en cuenta por el órgano que redacte la propuesta de resolución (14).

b) Derecho de los interesados de aducir alegaciones y aportar documentos u otros elementos de juicio que deberán ser tenidos en cuenta al redactar la propuesta de resolución (15).

c) Instruidos los procedimientos e inmediatamente antes de redactar la propuesta de resolución, se deben poner de manifiesto a los interesados o, en su caso,

---

(14)   LRJ art. 35 e).

(15)   Además en todo momento los interesados pueden alegar los defectos de tramitación y, en especial, los que supongan paralización, infracción de los plazos preceptivamente señalados o la omisión de trámites que pueden ser subsanados antes de la resolución definitiva del asunto. dichas alegaciones pueden dar lugar, si hay razones para ello, a la exigencia de la correspondiente responsabilidad disciplinaria de los responsables (art. 79 LRJ).

a sus representantes, salvo lo que afecte a las informaciones y datos relativos a la intimidad de las personas (16).

De todos ello se deduce que la presentación de alegaciones debe ser admitida siempre que se produzca en las fases o momentos legalmente establecidos, del procedimiento.

Clases de documentos de presentación de alegaciones

La presentación de alegación puede producirse a través de dos clases de documentos de alegaciones uno común otro presentado en le trámite de audiencia:

a) Documento común u ordinario de alegaciones es el que es emitido en el ejercicio del derecho que asiste a presentar alegaciones y documentos en cualquier fase del procedimiento anterior al trámite de audiencia. Se trata de un documento que puede presentarse en cualquier momento anterior a la práctica de dicho trámite y al que no se exigen especiales requisitos en cuanto a la forma y contenido.

b) La presentación del documento de alegaciones en el trámite de audiencia es plenamente compatible con la presentación de documentos de alegaciones en otras fases del mismo procedimiento, pues hay que tener en cuenta que todo procedimiento en tanto que cadena de actos para la formación de la voluntad administrativa está formado por actuaciones ordenadas en diferentes fases, denominadas trámites y al llegar el momento inmediato a la redacción de la resolución es necesario que el interesado tenga la posibilidad de expresar nuevos razonamientos y aportar otros documentos o informaciones en reconocimiento del derecho de contradicción que asiste a todo ciudadano.

17. DOCUMENTACIÓN DE RESOLUCIONES Y ACUERDOS

Se denominan documentos administrativos de decisión aquellos que contienen una declaración de voluntad de algún órgano de la Administración sobre materias de su competencia o responsabilidad.

Los documentos administrativos de decisión se clasifican en dos categorías cuya diferencia es consecuencia de las distintas funciones y efectos que se atribuyen a estos actos en la práctica administrativa y principalmente en el procedimiento:

a) Documentos que contienen un Acuerdo

b) Documentos que contienen una Resolución.

---

(16)   LRJ artículo 84.

18. EL ACUERDO EN EL ÁMBITO DE LA ADMINISTRACIÓN

Acuerdo es el acto que consiste en una decisión de un órgano administrativo competente sobre la materia en que s e haya pronunciado, este acto de decisión se recoge en documentos que se denominan documentos de acuerdo incluyendo las cuestiones que se planteen a lo largo de la tramitación de un procedimiento con carácter previo a la resolución del mismo.

El acuerdo como documento administrativo de decisión siempre contiene una declaración del órgano administrativo y se distingue de otros documentos bilaterales que utilizan la misma denominación de acuerdo en que en este caso que examinamos de documentos decisorios la declaración tiene carácter unilateral.

La LRJ recoge una serie de acuerdos y sobre esta regulación normativa puede contemplarse una clasificación de los acuerdos en relación con el procedimiento administrativo que se refieren a la iniciación del mismo:

De este modo los acuerdos contemplados en la LRJ pueden clasificarse metodológicamente en:

a) Acuerdo de inicio del procedimiento administrativo (17)

b) Acuerdos de procedimiento o instrumentales entre ellos se encuentran los siguientes:

— Acuerdos de tramitación urgente del procedimiento administrativo (18).

— Acuerdos de ampliación de plazos (19).

— Acuerdos de acumulación de procedimientos (20).

— Acuerdos de apertura de periodo de prueba (21).

— Acuerdos de práctica simultánea de trámites procedimentales (22).

c) Acuerdos de fondo o sustantivos:

— Acuerdos de adopción de medidas provisionales (23).

---

(17)   LRJ art. 69.
(18)   LRJ art. 50.
(19)   LRJ arts.42 y 49.
(20)   LRJ art. 73.
(21)   LRJ art. 80.
(22)   LRJ art. 75.
(23)   LRJ art. 72.

— Acuerdo de admisión o inadmisión de pruebas en procedimiento (24).

— Acuerdo de información pública sobre circunstancias del procedimiento (25).

19. LAS RESOLUCIONES ADMINISTRATIVAS

La resolución es un acto administrativo que recoge la decisión de un órgano competente de la Administración que pone fin a un procedimiento resolviendo las cuestiones planteadas en el mismo. Pero una resolución también puede contener disposiciones normativas es decir puede haber resoluciones que además de una acto de la administración incluyan una disposición de aplicación general o incluso Resoluciones que constituyan normativa de aplicación general pero en esta práctica examinamos el aspecto formal donde se recoge la Resolución es decir el documento por ello, desde un punto de vista formal podemos definir el concepto de Resolución como el documento administrativo que recoge las decisiones del órgano competente que ponen fin a un procedimiento, resolviendo todas las cuestiones planteadas en el mismo.

La LRJ regula (26), las resoluciones administrativas señalando que La resolución que ponga fin al procedimiento decidirá las cuestiones planteadas por los interesados y aquellas otras derivadas del mismo.

Cuando se trate de cuestiones conexas que no hubieran sido planteadas por los interesados, el órgano competente podrá pronunciarse sobre ellas, poniéndolo antes de manifiesto a los mismos durante un plazo no superior a quince días hábiles para que puedan presentar las alegaciones que consideren oportunas y aportar, los medios de prueba que estimen conveniente.

En los procedimientos tramitados a solicitud del interesado, la resoluciones deben ser congruentes con las peticiones presentadas por éste, sin que en ningún caso pueda agravarse la situación inicial (27) sin perjuicio de la potestad que asiste a la Administración para incoar de oficio un nuevo procedimiento si procede.

Las resoluciones deben contener la decisión del órgano que debe ser motivada en los siguientes casos:

a) Cuando se limiten derechos subjetivos o intereses legítimos.

---

(24)   LRJ art. 80.
(25)   LRJ art. 86.
(26)   LRJ art. 89.
(27)   *Reformatio in peius.*

b) Cuando se resuelvan procedimientos de revisión de oficio de actos o disposiciones, recursos administrativos o reclamaciones previas y procedimientos de arbitraje.

c) Cuando se separen del criterio seguido en actuaciones precedentes o del dictamen de órganos consultivos.

d) Los acuerdos de suspensión de actos y adopción de medidas provisionales.

e) Los acuerdos de aplicación de tramitación de urgencia o ampliación de plazos.

f) Los actos que se dicten en ejercicio de potestades discrecionales y los que deban serlo por aplicación de disposición legal o reglamentaria.

La LRJ también establece de manera expresa que los actos administrativos se producirán por escrito a menos que su naturaleza permita otra forma más adecuada de expresión. Cuando los órganos ejerzan su competencia de manera verbal la constancia escrita del acto se llevará a cabo mediante firma por el titular del órgano inferior o funcionario que la reciba de modo verbal, expresando en la comunicación del mismo la autoridad de la que procede, cuando se trate de resoluciones, el titular de la competencia debe autorizar una relación de las que hubiera dictado de forma verbal, expresando su contenido.

Siempre que deba dictarse una serie de actos administrativos de la misma naturaleza, como nombramientos, concesiones o licencias, podrán refundirse en un acto único, acordado por el órgano competente, que debe especificar las personas y circunstancias que singularicen los efectos del acto para cada interesado.

Las Resoluciones pueden clasificarse atendiendo a diversos aspectos:

A) De acuerdo con el sentido de la decisión recogida, las resoluciones pueden clasificarse en positivas y negativas:

a) Son resoluciones positivas aquellas que confirman el antecedente o presupuesto de hecho que dio lugar al inicio del procedimiento, estimando la solicitud del interesado o ratificando la iniciativa de un órgano administrativo. Por ello pueden incluirse entre las resoluciones positivas las que autorizan, conceden, reconocen o confirman una situación.

b) So resoluciones negativas las que desmienten el presupuesto de hecho que provocó el inicio del procedimiento, desestimando la solicitud de un interesado o, en su caso, rectificando la iniciativa de un órgano de la Administración. De este modo se incluyen entre las resoluciones negativas las que deniegan, desautorizan, no conceden o no confirman.

B) De acuerdo con el contenido de la decisión pueden encontrarse tantos tipos de resoluciones administrativas como ámbitos en los que interviene y actúa la Administración, no obstante si se puede establecer una clasificación que ordene de algún modo la diversidad de resoluciones existentes en tres grandes grupos:

a) Resoluciones que aumentan o extienden los derechos y facultades de los ciudadanos conocidas con la denominación de Resoluciones ampliatorias y entre las cuales se encuentran los tipos de resoluciones siguientes:

— Autorizaciones para ejercicio de facultades o actividades.

— Concesiones de dominio público.

— Concesiones de servicios públicos.

— Reconocimientos de derechos económicos.

— Concesiones de subvenciones y ayudas públicas.

b) Resoluciones que restringen los derechos o facultades de los ciudadanos denominadas Resoluciones restrictivas entre las cuales pueden mencionarse las resoluciones sancionadoras y aquellas otras limitadoras de derechos y facultades.

c) Resoluciones que modifican otras Resoluciones administrativas también denominadas Resoluciones modificatorias entre ellas pueden mencionarse las siguientes:

— Las resoluciones estimatorias de recursos administrativos.

— Las que declaran la nulidad de pleno derecho de actos administrativos.

— Las que declaran la lesividad de actos favorables que sean anulables.

— Las que revocan actos de gravamen o desfavorables para el ciudadano.

— Las que contienen rectificación de errores.

Con todo ya hemos visto que además la LRJ (28), la denominada Resolución de inadmisión, aplicable en los supuestos en que una solicitud pretende el reconocimiento de derechos no previstos en el ordenamiento o que carezcan de fundamento jurídico, la cual tienen como consecuencia la finalización del procedimiento administrativo sin necesidad de completar la tramitación en su totalidad.

---

(28)   LRJ art. 89.

20. ESTRUCTURA FORMAL DE ACUERDOS Y RESOLUCIONES

La estructura formal de cualquier documento de decisión sea un acuerdo o una resolución consta de tres partes esenciales: encabezamiento, cuerpo y pie del acuerdo o resolución.

20.1. Encabezamiento

El encabezamiento está formado por el título del documento que contiene el acuerdo o resolución y por los datos generales de identificación, es una parte dirigida a proporcionar a quien reciba el documento una información básica, resumida y suficiente de los elementos fundamentales del mismo.

En el ámbito de la Administración General del Estado el Real Decreto 1465/1999 por el que se establecen criterios de imagen institucional y se regula la producción documental y el material impreso en la Administración General del Estado (29) exige que en el encabezamiento de todos los documentos que contengan actos administrativos, incluidos los de mero trámite, cuyos destinatarios sean los ciudadanos figuren al menos el título del documento que exprese con claridad el tipo y contenido esencial del mismo, así como el procedimiento en que se inserta y el número o clave de identificación del expediente para facilitar al ciudadano su referencia y localización.

20.1.1. Título del acuerdo o resolución

El título expresa el tipo de documento que se trata sea un acuerdo o una resolución, así como la decisión que contiene en este tipo de documentos hay que tener en cuenta las siguientes normas de redacción:

En primer lugar debe ser un título redactado con claridad y situado en un lugar fácilmente visible seguido del logotipo del órgano y de los demás datos de identidad oficial procurando que quede un espacio en blanco para la colocación del sello del registro o algún otro signo en que conste la fecha de salida del documento. El título debe estar redactado con caracteres destacados del resto del cuerpo documental.

Pero también debe ser un título redactado con precisión es decir de modo concreto y evitando en lo posible el uso de más de una línea así como la inclusión de siglas y abreviaturas, de manera que exprese de manera comprensible para los posibles receptores la decisión contenida en el documento respetando en cualquier caso las normas esenciales del idioma castellano.

---

(29)   Modificado por Real Decreto 209/2003.

Como ejemplo práctico de títulos pueden mencionarse, entre otros, los siguientes:

• Resolución de autorización de obras.

• Resolución de concesión del servicio de recogida de basuras.

• Acuerdo de suspensión de un acto.

• Acuerdo de inicio de un procedimiento sancionador.

20.1.2. *Datos generales de identificación del acuerdo o resolución*

Estos datos recogen las informaciones más destacadas que facilitan la identificación por sus receptores del documento y las operaciones de gestión administrativa: registro, envío, anotación, etc.

Entre los datos generales de identificación se encuentran los siguientes:

— Número o clave del expediente (30), para conocimiento interno del departamento u órgano responsable y la posible mención por los destinatarios e interesados en sus comunicaciones posteriores.

— Asunto, que expresa de manera sintética el objeto concreto del procedimiento en el que se inserta el documento. También debe estar redactado con claridad, brevedad y precisión evitando el uso de siglas y abreviaturas y ocupando solo una línea. Como ejemplos prácticos: Retirada de la licencia de obras, Celebración de espectáculo pirotécnico, Subvenciones para funcionamiento de organizaciones profesionales agrarias.

— Interesado. En este apartado queda identificado el interesado o interesados en el procedimiento correspondiente que, de acuerdo con lo establecido en el artículo 31 LRJ, lo serán quienes lo hubieran promovido como titulares de derechos e intereses legítimos; los que, sin haber iniciado procedimiento, ostenten derechos o intereses que pudieran resultar afectados por el mismo.

— Procedimiento. Este apartado determina el tipo general de procedimiento administrativo a que se refiere el expediente sea materia de autorizaciones o licencias, subvenciones públicas, responsabilidad patrimonial, procedimiento sancionador, etc. Viene a complementar la información contenida en el apartado asunto.

— Fecha de inicio. Indica la fecha en que se inició el plazo legal existente para la modificación del acuerdo o resolución. Cuando el procedimiento se hubiera hincado de oficio, se consigna la fecha en que se formalizó el corres-

---

(30)   Por ejemplo 202/2011.

pondiente. Cuando el procedimiento se hubiera iniciado a petición de interesado habrá que consignar la fecha de entrada de la solicitud en el registro correspondiente.

20.2. Cuerpo del acuerdo o resolución

Es la parte del documento en la que se refleja el contenido del acto administrativo, suele ser la parte más amplia y ocupa todo el espacio que sea preciso para su exposición.

El contenido del cuerpo documentos se estructura en cuatro apartados:

— Antecedentes.

— Motivación (31).

— Competencia del órgano decisor.

— Decisión.

a) Los antecedentes sirven de introducción al destinatario del documento, mediante la expresión de un resumen de las circunstancias que han determinado la necesidad de adoptar la decisión. Entre los antecedentes se incluyen los siguientes datos: forma de inicio de procedimiento de oficio o a instancia de interesado; datos del solicitante interesado u órgano de la administración; referencia al hecho o conducta que haya dado lugar al inicio y a la adopción del acuerdo o resolución.

b) Los hechos constituyen la expresión de las acciones u omisiones que el órgano emisor del acuerdo o resolución considera suficientemente acreditadas y que están relacionadas con los aspectos que han sido objeto de la decisión. No obstante la descripción de los hechos solo se lleva a cabo en las resoluciones y acuerdos que deban ser legalmente motivados.

Los hechos deben ordenarse de forma clara, concreta y separada, siguiendo un orden cronológico e incluyendo todos los datos, lugares y fechas tenidos en cuenta en la decisión. Cada hecho debe figurar en párrafo separado y numerado con una redacción clara y sencilla que permita su fácil comprensión.

Por otra parte la relación y redacción de hechos debe ser objetiva, sin incluir apreciaciones o valoraciones y respetando el orden temporal en que aquellos hubieran sucedido.

---

(31)   Hechos y fundamento jurídico.

c) Fundamento jurídico. La valoración jurídica de los hechos viene a ser una interpretación de las normas que son de aplicación a los mismos a fin de que una vez calificados pueda fundamentarse la decisión. En este apartado deben incluirse las disposiciones que sirvan de base normativa para emitir una valoración, concretando el rango jerárquico de cada una así como su título, numeración y fecha de publicación.

Cada valoración se incluye en párrafo separado con numeración correlativa a la de los hechos de referencia.

d) La competencia del órgano administrativo para adoptar el acuerdo o resolución, que en los casos de delegación (32) será diferente, debiendo citarse el órgano competente así como la normativa que atribuye la competencia citando el artículo y otra identificación de cada disposición.

e) La decisión expresa la declaración adoptada por el órgano administrativo acerca de las cuestiones planteadas en el documento: esta declaración debe estar expresada con la extensión que fuera precisa ordenada en párrafos correlativos y separados según su contenido. La redacción debe ser clara y sencilla de modo que resulte comprensible para los ciudadanos y destacando los datos e informaciones que puedan revestir especial interés.

f) En un apartado especial, referido a los recursos contra el acuerdo o resolución, debe incluirse información sobre si el acuerdo es susceptible o no de recursos y sobre si la resolución agota o no la vía administrativa indicando expresamente el tipo de recurso que proceda y el órgano de interposición así como el plazo para presentarlo. También deben incluirse en este apartado las indicaciones o referencias normativas relacionadas con los derechos que legalmente se reconocen a los ciudadanos en materia de oposición a acuerdos y resoluciones por ejemplo la mención de que contra el acuerdo o resolución cabe interponer recurso administrativo, contencioso-administrativo ante el órgano judicial y en el plazo que corresponda o bien cuando se trate de un acuerdo contra el que no quepa interponer recurso, la posibilidad de presentar alegaciones para oponerse al mismo.

g) Notificación. El órgano responsable de formalizar estos documentos decisorios debe ordenar que se curse la correspondiente notificación incluyendo la siguiente fórmula: «Mediante el presente documento se notifica a .... el/la presente acuerdo/resolución según lo exigido por el artículo 58.1 de la Ley 30/1992 ...»

En la notificación de acuerdos de iniciación de oficio de un procedimiento, debe hacerse referencia al plazo máximo normativamente establecido para su resolución y notificación, así como los efectos legales que produce el silencio administrativo. En este caso, la notificación debe señalar la fecha a partir de la cual se inicia el

---

(32)   De la firma o de la competencia.

cómputo del plazo, así como los datos que identifican el procedimiento y los medios a los que debe acudirse para obtener información sobre el estado de tramitación.

20.3. Pie del acuerdo o resolución

Es la parte inferior del documento donde se incluye la fecha y la firma.

a) Deben incluirse el lugar y fecha, día, mes y año) en que se formaliza el acuerdo o resolución.

b) Hay que distinguir firma y antefirma. Por un lado hay que consignar la antefirma con expresión del cargo y puesto de trabajo que corresponde a la persona que formaliza el documento, a continuación, su firma y rúbrica así como otros símbolos y códigos que sirvan para autenticar figurando en último lugar el nombre y apellidos del firmante.

Cuando el acuerdo o resolución se hubieran dictado por delegación de competencia o de firma, deberá hacerse constar este extremo inmediatamente después de la antefirma citando la disposición en que se fundamenta el ejercicio de facultades delegadas.

Ambos requisitos de antefirma, firma y datación son obligatorios para todos los documentos oficiales en que se contengan actos administrativos incluidos los de mero trámite, además en los casos en que el soporte documental se encuentre fragmentado, la firma o acreditación de la autenticidad debe hacerse constar en cada una de las partes de que se componga el documento, debiendo firmarse o acreditar en el margen izquierdo las páginas de que conste el acuerdo o resolución.

21. PARTES DEL DOCUMENTO QUE CONTENGA UN ACUERDO

a) Título: Denominación del acuerdo.

b) Número o identificación del expediente.

c) Resumen del objeto del procedimiento.

d) Identificación de interesados.

e) Indicación del tipo de procedimiento: autorización, subvenciones o ayudas, sancionador, etc.

f) Fecha de inicio.

g) Origen y forma de adopción del acuerdo: si se acuerda a petición de interesado o bien de oficio en alguno de los casos siguientes: por orden superior, petición razonada de otros órganos o por denuncia. El documento comenzará con este punto y deberá especificar los datos que resulten de utilidad: sobre el solicitante, el órgano que adopta el acuerdo, la unidad administrativa, las fechas etc. En los casos en que el acuerdo se adopte por propia iniciativa del órgano competente el oficio se inicia haciendo referencia a dicho órgano, salvo que se adopte en el marco de un procedimiento en cuyo caso el documento se inicia haciendo referencia al asunto o tema que se sigue en el procedimiento.

h) Indicación del tipo de procedimiento.

i) Explicación del asunto sobre el que se sigue el procedimiento.

j) Órgano, persona o unidad que tenga atribuida la competencia originaria para adoptar el acuerdo.

k) Disposición que atribuye el ejercicio competencial respecto de los datos de identificación y publicación.

l) Disposición o disposiciones que sirvan de base al acuerdo adoptado.

m) Contenido del acuerdo, en uno o varios apartados numerados correlativamente, con expresión de los motivos si fuera necesario.

n) Cuando quepa la interposición de recursos administrativos debe hacerse constar el tipo de recurso, el órgano ante el que se interpone y el plazo de interposición. Cuando se trate de acuerdos que tengan la naturaleza de actos de trámite, debe indicarse expresamente que los mismos no son susceptibles de recurso, sin perjuicio de que puedan formularse alegaciones contra ellos que deben tenerse en cuenta en la resolución que ponga fin al procedimiento.

o) El acuerdo debe notificarse en el mismo documento consignando el nombre y apellidos del interesado. En los acuerdos de inicio de un procedimiento se indica además el plazo máximo legalmente establecido para resolver y notificar así como los efectos derivados del silencio administrativo, además en los acuerdos emitidos por órganos de la Administración General del Estado debe añadirse la indicación de la fecha a partir de la que comienza a contarse el plazo y además una enumeración de los medios a los que puede acudirse para obtener información sobre el estado de tramitación del procedimiento.

p) Lugar y fecha.

q) Antefirma, con el cargo o puesto de trabajo oficial, y cuando el acuerdo haya sido adoptado por delegación de competencia o firma delegada, debe hacerse constar esta circunstancia, seguidamente después de la antefirma citando la disposición que permite la delegación.

r) Nombre y apellidos de quien firme el documento que contiene el acuerdo.

22. PARTES DEL DOCUMENTO QUE CONTENGA UNA RESOLUCIÓN

a) Título: Denominación de la Resolución.

b) Número o identificación del expediente.

c) Síntesis del objeto del procedimiento.

d) Identificación de interesados.

e) Indicación del tipo de procedimiento: autorización, subvenciones o ayudas, sancionador, etc.

f) Fecha de inicio.

g) Forma de adopción de la Resolución: si se acuerda de oficio o a petición de interesado

h) Referencia al asunto sobre el que se sigue el procedimiento.

i) Hechos que sirven de base a la Resolución.

j) Valoración completa de los hechos, fundamentada en la normativa de aplicación.

k) Órgano, persona o unidad que tenga atribuida la competencia originaria para adoptar la Resolución.

l) Disposición que atribuye el ejercicio competencial, con los datos de identificación y publicación.

m) Contenido de la Resolución, en apartados correlativamente numerados.

n) Determinar si la Resolución pone o no fin a la vía administrativa.

o) Cuando quepa la interposición de recursos administrativos debe hacerse constar el tipo de recurso, el órgano ante el que se interpone y el plazo de interposición.

p) La Resolución debe notificarse en el mismo documento consignando el nombre y apellidos del interesado.

q) Lugar y fecha.

r) Antefirma, con el cargo o puesto de trabajo oficial, y cuando el acuerdo haya sido adoptado por delegación de competencia o firma delegada, debe hacerse constar esta circunstancia, seguidamente después de la antefirma citando la disposición que permite la delegación.

s) Nombre y apellidos de quien firme el documento que contiene el acuerdo.

23. LOS INFORMES EN LA ADMINISTRACIÓN PÚBLICA

De entrada y de modo resumido cabe hacer una distinción documental de los informes según se trate de un documento unitario emitido espontáneamente a partir de una solicitud de información concreta para fundamentar una decisión o bien se trate de un informe incluido en un procedimiento regulado con detalle y que por ello deba formar parte de un expediente administrativo, del cual no puede tener una consideración aislada.

Podemos definir informe como el documento que describe resultado

Informes administrativos son aquellos documentos que contienen una declaración de juicio emitida por un organismo, centro directivo o unidad de la administración sobre cuestiones de hecho o derecho que sean objeto de un procedimiento.

Se incluyen entre los documentos administrativos de juicio u opinión

La finalidad de estos documentos es proporcionar a los órganos administrativos competentes para la instrucción y resolución del procedimiento, datos, valoraciones y opiniones precisos para la formación de su voluntad y la adopción de los acuerdos o resoluciones.

La misión de los documentos de juicio debe ser previamente solicitada de manera que no cabe que la emisión de un informe se produzca de oficio, si esto se produce el documento será una moción o una propuesta las primeras estás previstas en la normativa que regula algunos órganos como el Tribunal de Cuentas y la segunda cabe que sea realizada por cualquier órgano administrativo dentro de su ámbito competencial. Estos documentos de juicio, por lo general se denominan informes pero cuando se realizan en el ámbito interno de una unidad o centro directivo también se denominan notas informativas que en la práctica se da a los informes de una categoría inferior y de menor trascendencia; por su parte reciben la denominación de dictamen los documentos de juicio emitidos por órganos consultivos y por lo general colegiados cuya función s e encuentra específica y detalladamente regulada como es el caso del Consejo de Estado o los Consejos Consultivos de las comunidades Autónomas o por Ejemplo la Junta Consultiva de Contratación administrativa dentro del Ministerios de Economía y Hacienda.

24. TÉCNICAS DE INFORMAR EN LA ADMINISTRACIÓN PÚBLICA

Los informes de la administración siempre son emitidos por funcionarios, órganos o autoridades diferentes a los que corresponda dictar resolución o propuesta de resolución, con la finalidad de proporcionar declaraciones que sirvan de fundamento a la decisión.

La cadena documental de los informes se inicia cuando el peticionario del informe formula una demanda de información que y continúa con el centro que emite el informe finalizando en el propio peticionario que es destinatario del informe. Son por tanto las unidades de información responsables de la emisión del informe las únicas capaces de llevara acabo el registro y ostión de los informes elaborados y emitidos.

La LRJ dispone, en su artículo 82, que a efectos de la resolución del procedimiento, se solicitarán aquellos informes que sean preceptivos por disposiciones legales y los que se juzguen necesarios para resolver, citándose el precepto que los exija o fundamentado, en su caso la conveniencia de reclamarlos.

Entre las técnicas consultivas con mayor tradición en la administración hay que mencionar la de los órganos colegiados externos al órgano que realiza la consulta que actúan mediante un procedimiento regulado produciéndose el dictamen por escrito y mediante votación de los miembros del órgano consultivo colegiado.

Por otra parte, los órganos con competencias resolutorias denominados órganos activos precisan del apoyo técnico de otros órganos administrativos para preparar sus decisiones, desarrollando un actividad consultiva que se desarrolla a través de técnicas de diversa naturaleza, además actualmente se observa que la posibilidad que tienen estos órganos activos de plantear consultas, asesoramientos y opiniones sean formales o informales de otros órganos está produciendo en muchos casos fenómenos de indecisión o del traslado de la responsabilidad de decidir a este tipo de órganos consultivos lo cual en muchos casos conlleva cierta paralización de la actividad administrativa provocada por esta resistencia a tomar decisiones y a practicar maniobras dilatorias mediante la creación de comisiones y otros órganos colegiados que producen una lentitud en la administración actual. Por otra parte hay que tener en cuenta de lo que se esconde en la mayor parte de las ¡ocasiones tras ese afán de los órganos decisorios por el asesoramientos es un temor a la responsabilidad de decidir que por diversos medios se intenta eludir, retrasar o compartir con el pretexto de un mayor estudio o de la consulta a otros órganos de dentro y de fuera de la administración e incluso de la participación de los administrados a través de audiencias, encuestas o informaciones públicas de manera que de la consulta información se está pasando en muchos casos a la consulta negociación.

En la actualidad administrativa son muy diferentes los órganos consultivos de apoyo inmediato que asesoran a los órganos activos sin seguir un procedimiento formalizado y de los cuales son un simple instrumento sin relevancia alguna fuera de la unidad o centro directivo. En estos casos tanto el informe como la petición de asesoramiento o consulta puede manifestarse oralmente o por escrito sin que la forma escrita de exteriorización de una u otra actuación responda a regla alguna del informe preceptivo por lo cual no es obligada su incorporación al procedimiento de que se trate, en estos casos aunque el órgano informante se componga de varias personas, por ejemplo el jefe y sus subordinados la estructura no es colegial sino jerárquica al no producirse votaciones que lleven a la formulación del informe como expresión del parecer u opinión propia del conjunto con posibilidad de emitir votos discrepantes.

Hay otros grupo de órganos consultivos que participan de algunas caracteres de los anteriores como ocurre con las Secretarías Generales Técnicas y Asesorías Jurídicas de los Departamentos ministeriales pues en unos casos prestan asistencia directa oral o escrita a los titulares de los órganos activos de los que dependen sin necesidad de que el informe tenga que incorporarse al correspondiente procedimiento y en otros la forma escrita se impone por norma por lo cual deberá dejarse constancia del informe en el procedimiento como ocurre con los informes que emiten las Secretarías Generales Técnicas de los Departamentos ministeriales.

25. TIPOLOGÍA ESENCIAL DE LOS INFORMES EN LA ADMINISTRA-CIÓN PÚBLICA

La tipología de los informes puede ser variada de manera que pueden hacerse varias clasificaciones en función de diferentes criterios.

25.1. Obligatoriedad

Por la obligación legal de solicitar los pueden clasificarse en informes preceptivos y facultativos.

Son informes preceptivos aquellos que deben ser solicitados por imperativo de una disposición legal y pueden clasificarse a su ven en dos grupos:

Informes determinantes son aquellos informes preceptivos que, a juicio del órgano competente, resultan imprescindibles para adoptar una decisión o resolución de un procedimiento. Este carácter de determinante debe hacerse constar en el medio y momento en que se solicite el informe, además si este tipo de informes no son emitidos en el plazo legalmente previsto se produce la interrupción del cómputo del plazo legal establecido para la resolución (33).

Son informes no determinantes aquellos informes preceptivos que, a juicio del órgano competente, no resultan imprescindibles para la resolución del procedimiento aún en el caso de ser exigidos por una disposición legal. Si no se emiten en el plazo establecido no se interrumpe el cómputo de plazo continuando la tramitación del procedimiento aun en el caso de que tuviera carácter vinculante y sin que sea preciso tenerlo en cuenta para la adopción de la resolución (34).

---

(33)   LRJ art. 83.3.
(34)   LRJ arts. 4 y 83.3.

Son informes facultativos aquellos que solicita el órgano administrativa competente aunque no está obligado a solicitarlos muchas veces estos informes se solicitan para aclara alguna cuestión o incluso para reforzar la auctoritas de una propuesta, decisión o procedimiento mediante la incorporación de una opinión favorable de un órgano determinado competente por razón de la materia.

En estos casos también se trata de obtener datos, opiniones o valoraciones que se estiman convenientes.

25.2. Vinculación

Por la vinculación con su parecer los informes se clasifican en vinculantes y no vinculantes:

Informes vinculantes que son lo que obligan al órgano administrativo a resolver en el sentido informado.

Informes no vinculantes son aquellos cuyas conclusiones asesoran al órgano que lo solicita, pero éste puede resolver, o no, en el sentido del informe, por lo general en este último caso deberá motivar la decisión sobre todo si se aparta de un dictamen no vinculante de un órgano consultivo.

La LRJ establece como regla general que los informes no son vinculantes salvo que una disposición expresa así lo establezca en cada caso concreto.

25.3. Tipo de decisión o resolución

Por el tipo de resolución que aportan los informes pueden clasificarse en:

a) Informes de resolución única que son aquellos que finalizan con una sola propuesta o conclusión.

b) De resoluciones alternativas que son aquellos que finalizan con propuestas o resoluciones múltiples, proporcionando la posibilidad de optar entre diversas alternativas.

25.4. Contenido

Por razón de su contenido los informes pueden ser informes vinculados que son aquellos que someten su contenido y conclusiones a cuestiones concretas por otra parte se conocen como informes libres aquellos cuyo contenido tiene un carácter general y abarca soluciones o propuestas que van más allá de la cuestión concreta que justifica la elaboración del informe.

25.5.   Órgano de emisión

En función del órgano que los emite los informes pueden ser internos que son aquellos emitidos por la misma administración de la que forma parte el órgano que los solicita y externos son aquellos emitidos por una administración diferente de la del órgano solicitante o por una entidad privada.

Señala, con razón, Julia Marchena (35) que la lectura de un informe siempre supone un gasto de tiempo y esfuerzo de atención para la dirección de una organización que es víctima de una sobrecarga de material informativo teniendo en cuenta la natural resistencia del lector a introducirse en la lectura de extensos informes.

Sin embargo esta prevención puede superarse por parte del emisor del informe teniendo en cuenta una serie de requisitos relativos a la forma y orden del contenido dirigidos a conseguir mayor facilidad para que el lector del mismo centre su atención en las partes del informe que más le interesan. De este modo de aumenta la receptividad desde el momento en que el destinatario del informe entra en contacto con el pues muchas veces la impresión recibida sobre cualquier documento tiene su origen en la primera impresión recibida en la presentación física del documento.

26.   VALORACIÓN JURÍDICA Y DOCUMENTAL DE LOS INFORMES

La definición de informe interna que venimos manejando encaja con el objeto de estudio de la archivística incluyendo los informes como documentos de archivables en el sentido de soportes que contienen un texto que es resultado de una actividad administrativa de una entidad pública, efectuada en cumplimiento de sus objetivos y finalidades. De acuerdo con esta definición, las semejanzas del informe como tipología específica incluida entre los documentos de archivo, puede delimitarse señalando que el informe es un documento nacido de la actividad administrativa para cumplimiento de sus objetivos y finalidades. La actividad administrativa estaría perfectamente justificada en el informe jurídico y técnico que se inserta en un expediente administrativo; no obstante hay que tener en cuenta que la inclusión o delimitación de los informes administrativos en el ámbito administrativo es una de las varias posibilidades del informe como objeto de estudio pero no la única, pues lo que realmente dota de razón de ser y caracteriza de forma global a cualquier tipo de informe es su dimensión informativa por encima de las formalidades documentales y tramitaciones administrativas.

---

(35)   Marchena Navarro, Julia *Estructura de los documentos de juicio Manual de Documentos Administrativos*, Madrid 2003.

La Ley 16/1985 de Patrimonio Histórico español define como documento toda expresión de lenguaje natural o convencional y cualquier otra expresión gráfica, sonora o en imagen recogidas en cualquier tipo de soporte material, incluso los soportes informáticos dentro de la cual cabe el concepto de informe; otro de los argumentos que permiten incluir al informe como documento bajo la tutela archivística se refiere a las etapas de su valor que concluyen con su eliminación o conservación, pues un informe nace ante una necesidad de información puntual y relevante y una vez que ha terminado su función o se haya extinguido el objeto por el que fue creado, el documento pierde su interés y valor primario. De este modo un informe puede ser generado ante una petición de información sobre un tema de actualidad, pero una vez pasado ese momento de necesidad informativa, el informe interno pierde gran parte de su valor para cargarse de otro valor más cercado al histórico o archivístico, pero incluso un informe redactado para facilitar una toma de decisión puede recobrar su valor primario pasado mucho tiempo siempre que el asunto para el que fue creado vuelva a suscitar interés en la organización.

Por otra parte hemos clasificado al informe centre los documentos de juicio al que podemos definir como la opinión emitida por funcionarios, autoridades u organismos diferentes de aquellos a quienes corresponde emitir actos de decisión.

Ya hemos apuntado la diferencia entre informe y dictamen en cuanto a su diferencia en función de la importancia del órgano informante que haya emitido el documento; pero puede establecerse además otra diferencia entre ambos conceptos de manera que el informe es un documento de información de contenido más genérico, mientras que el dictamen es de carácter técnico además de jurídico teniendo en cuenta que, por lo general, los informes son sucintos y exponen razonamientos y opiniones con claridad y precisión; pero cuando deben servir para dar lugar a una resolución, se redacta de un modo mucho más elaborado muchas veces inspirado en los formularios judiciales. Por ello puede decirse que, desde un punto de vista administrativo, el informe cuenta con las solemnidades requeridas y formalidades diplomáticas según se utilice para una u otra finalidad. El informe redactado a petición de un órgano directivo con el fin de conocer los datos más relevantes sobre un asunto, dan lugar a una pieza documental unitaria, de escasa visibilidad, muy poco normalizada y en general con pocos elementos informativos de identificación. El caso contrario se observa en supuestos de cuando la resolución administrativa para la que se pide asesoramiento se encuentra enmarcada en un procedimiento reglado y deba ser dictada basada en un informe preceptivo en cuyo caso su elaboración será más formal.

La visibilidad y acceso a un informe incluido en un procedimiento administrativo depende del grado de confidencialidad que se haya conferido al expediente en el que se inserte pues en estos casos el informe pierde su individualidad para formar parte del conjunto documental formado por el expediente administrativo en que se encuentre incluido, pues el informe es el documento de asesoramiento por excelencia y por ello debe estar incorporado a los expedientes administrativos a los que se refiera.

De todos modos el informe en otros ámbitos del sector público como es el caso de los procesos judiciales, no goza de las mismas peculiaridades validatorias del documento público autenticado ante funcionario público: informes, oficios y comunicaciones, pues no se trata de documentos públicos solmenes en el sentido que da a este concepto la Ley de Enjuiciamiento Civil y por ello no gozan de plena presunción de autenticidad legal. Por un lado si que tienen una autenticidad parcial porque se trata de documentos auténticos desde el punto de vista externo al haber sido expedidos por funcionario en ejerció de sus competencias; pero por otro no se reputan documentos auténticos en lo relativo al su contenido, es decir a la información que contienen porque con ellos se transmite una información que no consta debidamente registrada en una unidad administrativa o en su archivo.

Por ello aunque externamente se trata de documentos auténticos no lo son respecto a la información que suministran que se considera una mera declaración escrita por lo cual a este efecto tiene el mismo valor que documentos privados cuyo contenido debe ser objeto de autenticación por cualquier medio probatorio en el ámbito del proceso judicial.

27. ESTRUCTURA DOCUMENTAL DEL INFORME

Los principios en que debe apoyarse la ordenación y lógica de todo informe son el criterio de unidad y el de importancia.

El primero se basa en que el informe debe trasladar una impresión de elemento integrado y coherente. Para conseguir esta impresión de conjunto debe cuidarse la lógica, coordinación y ordenación sistemática de las diferentes partes de que consta el informe. De acuerdo con el criterio de importancia o primacía hay que tener en cuenta que no todas las partes del informe tienen la misma importancia pues algunas tienen prioridad sobre las demás; por ello los aspectos más importantes deben ser destacados por el propio informe a fin de que el destinatario perciba esta diferenciación.

Siguiendo este criterio los puntos o aspecto que interesa destacar deben situarse al principio o al final del cuerpo del informe por ser las partes que en un examen rápido suelen merecer mayor detenimiento en la lectura.

Por lo que se refiere a las diferentes partes de un informe pueden señalarse con carácter general las seis siguientes: portada, índice, introducción, cuerpo principal, conclusiones y anexos cuando sean necesarios.

27.1. Parte Inicial del Informe

27.1.1. Cubierta del informe

Sirva para dar la vista inicial al informe. Debe ser clara, distintiva e informativa.

27.1.2. Portada del informe

Con la denominación de portada se conoce a la primera página del informe y viene a ser como la tarjeta de visita del informe a través de la cual el destinatario recibe la primera impresión del informe. En toda portada deben incluirse al menos el título del informe que debe contener una indicación clara del asunto de que trata con el menor número de palabras posible; la naturaleza del informe que aclare si se trata de un borrador, un informe provisional o definitivo; el autor del informe y la fecha de elaboración.

27.1.3. Resumen del informe

Es conveniente que los informes extensos y complejos vengan acompañados de un resumen de su contenido que se presenta inmediatamente después de la información de la portada. Si se hace en página separada deben figurar los datos de identificación de la portada. El texto del resumen debe ser tan informativo como sea posible teniendo en cuenta el contenido y naturaleza del documento de que se trate; de todos modos debe definir el objetivo, método, resultados y conclusiones y tiene que constituir un documento completo para que sea comprensible sin necesidad de hacer referencia al cuerpo completo del informe. Por lo general se redacta después de haber completado el cuerpo principal del informe y como una síntesis del mismo.

27.1.4. Índice del contenido

El índice vale para poder conducirse con claridad a lo largo del contenido del informe, para la elaboración de un índice debe tenerse en cuenta, en cuanto a extensión que no ocupa más de una página si es posible para que pueda proyectar una presentación general apreciando el conjunto con una simple mirada. Además es también recomendable enumerar los capítulos del informe y sus secciones con los números de página. Si los números de los capítulos y sus secciones están claramente redactados el índice podrá trasladar al destinatario una idea de la estructura y contenido del informe.

27.1.5. Prefacio

Aunque es una parte que no es siempre necesario incluir a veces es preciso para definir el estudio o destacar algún aspecto en particular.

27.1.6. Cuerpo del informe

El cuerpo del informe tienen tres partes: introducción, núcleo principal y conclusiones.

a) Introducción

Es el título que por lo general tienen el primer capítulo del informe donde se establecen el alcance y objetivos del informe.

Como regla general la introducción suele incluir los siguientes elementos:

— Tema y finalidad del estudio, indicando quien pidió el informe, a que órgano se pidió y por qué razones.

— Objetivo del estudio.

— Enfoque o metodología que explica el modo en que se ha realizado el informe, antecedentes y elementos tenidos en cuenta, etc.

— Resumen de las conclusiones.

Este primer capítulo es importante en cualquier tipo de informe sobre todo en aquellos informes que no presentan un resumen inicial del contenido. Los elementos introductorias que se han citado pueden tener una ordenación de diverso modo, según se relacionen unos con otros pudiendo acortarse o alargarse. En todo caso es importante que esta parte no tenga una extensión excesiva para que pueda hojearse con facilidad.

b) Núcleo principal del informe

Es el corazón del informe que se divide en partes según del tema concreto de que se trate; así en un informe extenso las principales divisiones se denominan capítulos que se dividen en secciones con las correspondientes subdivisiones.

Cuando se trata de informes de pequeña extensión no hay necesidad de una división en capítulos de su contenido pudiendo desempeñar igual finalidad una serie de secciones cortas; de todos modos la forma más natural de ordenar el contenido de un informe es que cada capítulo trate de una parte diferente y en aquellos casos en que el informe se ocupe de un asunto específico, la estructura total del mismo será la que corresponda a un capítulo teniendo en cuenta que a efectos de información hay que tener en cuenta estas dos reglas:

— Los títulos de cada capítulo y de cada sección deben ser informativos de manera que ningún aspecto fundamental de los que se tratan en el contenido carezca de título.

— Cada capítulo debe comenzar con un párrafo preliminar que indique cual es el contenido de todo el capítulo.

— El orden lógico de los capítulos o secciones consistirá en presentar primero las observaciones o pruebas, después un análisis de éstas y finalmente las conclusiones obtenidas; pues siempre es más fácil recordar lo que se encuentra situado al comienzo y al final de un documento.

c) Conclusiones del informe

La parte final del informe tiene gran importancia pues es donde se remata la opinión del informante con mayor énfasis; además al final del informe el lector precisa visualizar el conjunto de todos los puntos que se han examinado.

Por ello el capítulo dedicado a conclusiones debe incluir, al menos, los siguientes elementos:

— Las opiniones o juicios de valor que realiza el autor del informe como consecuencia del examen de los hechos mencionados en el cuerpo del informe. En ocasiones convendrá combinar y contrastar estas opiniones con una mención adicional de los hechos señalados, a fin de reforzar los argumentos que van a fundamentar la opinión que se sostiene en el informe.

— Las recomendaciones son las líneas o propuestas de actuación que se derivan de lo anterior.

— Los beneficios o ventajas que se obtendrían con la implantación de las recomendaciones o propuestas.

Con todo hay que tener presente que, al igual que en los que se refiere a la introducción, el capítulo dedicado a conclusiones no debería exceder de un número razonable de páginas, siempre en función de la extensión total del informe, sin pasar de cinco o seis.

d) Anexos del informe

En los casos en que se considere oportuno, deberá incluirse como anexo aquella documentación elaborada de antemano que haya podido servir de base para redactar el informe o que aporte una información complementaria. Esta información por lo general consiste en textos normativos, estadísticas, gráficos explicativos, etcétera.

El criterio a seguir para incluir esta documentación en el capítulo de anexos y no en el cuerpo principal del informe debe ser, en cualquier caso, que pueda leerse y comprenderse el informe sin que haya necesidad de tener delante, al tiempo, esta documentación sin perjuicio que esta lectura pueda resultar de interés para determinados lectores del informe con mayor interés en cuestiones concretas.

De todos modos en el índice del informe debe hacerse referencia detallada a dicha documentación.

28. ACTAS Y CERTIFICADOS EN LA ADMINISTRACIÓN PÚBLICA: AS-PECTOS DOCUMENTALES

Los documentos de constancia son aquellos que contienen una declaración de conocimiento de un órgano administrativo cuya finalidad es la acreditación de hechos actos o efectos jurídicos.

Los documentos administrativos de constancia pueden clasificarse, de acuerdo con el objeto de la acreditación que constituye su fundamento en tres clases diferentes: actas, certificados y certificaciones de actos presuntos, que sean consecuencia del silencio administrativo de la administración pública.

Aunque en la práctica a veces se utilizan estas tres categoría de modo indistinto hay que reconocer que constituyen documentos con objeto y finalidad diferente.

29. LAS ACTAS EN LA ADMINISTRACIÓN

Con carácter general podemos definir las Actas como documentos en los que se recogen determinados hechos, acuerdos o manifestaciones con el fin de obtener por ese procedimiento la prueba de los mismos.

Se entiende por Acta, tanto el documento de carácter privado, en el que con dicha condición, se pretende recoger cierta información, como los documentos redactados por funcionarios públicos en el ejercicio de sus funciones hasta el instrumento de carácter público otorgado por un notario o levantado dando fe de la sesión de un tribunal de Justicia. En su virtud las Actas pueden clasificarse como Actas de carácter privado o, de carácter público y dentro de estas habrá que distinguir a su vez las Actas notariales, las Actas administrativas, las Actas judiciales, etc. Las Actas pueden clasificarse asimismo como aquellas que recogen hechos o las que recogen acuerdos; las referentes a actos contenciosos o a actos que no lo son, etc.

Como principios generales que se refieren a todas las Actas señalaremos que, han de reflejar la verdad, su contenido no puede ser modificado sin el expreso consentimiento de los que en la misma intervinieron y en su redacción han de observarse los principios que las regulen.

En la Administración pública con carácter general son documentos que surgen como constancia y control de los actos, hechos, circunstancias o acuerdos de reuniones oficiales, celebradas por órganos colegiados.

No obstante hay que recordar que también existen otros tipos de actas también oficiales pero que son ajenas a la Administración como las actas notariales y las actas judiciales que en esta práctica no vamos a examinar.

Dentro de las actas administrativas hay que hacer referencia ala as actas de infracción que se expiden por funcionarios y agentes de la Administración pública en uso de su cargo y funciones para acreditar hechos que constituyes infracciones administrativas.

Con carácter general el término acta se utiliza para denominar los documentos que acreditan hechos, circunstancias, juicios o acuerdos.

En la práctica cotidiana de la administración las modalidades de acta más habituales son las siguientes:

29.1. Actas de los órganos colegiados

Son los documentos acreditativos de cada sesión celebrada por un órgano colegiado donde debe figurar la relación de asistentes, los puntos del orden del día el lugar y fecha de celebración, así como las deliberaciones habidas y los acuerdos aprobados.

A diferencia de lo que se requiere en el caso de los órganos legislativos, en el caso de las actas de órganos colegiados de la administración no se exige que reflejen el contenido exacto de todo lo que allí se diga o se produzca sino solo los aspectos principales. De esta manera deberá levantarse acta, por el secretario, de cada sesión que celebre el órgano colegiado como señala el artículo 27 de la LRJ.

En el acta debe figurar el voto contrario al acuerdo adoptado, su abstención y los motivos que la justifiquen o el sentido de su voto favorable, además los miembros que discrepen del contenido del acta pueden formular un voto particular (36), ahora bien, en la práctica administrativa habitual de la administración, los miembros de un órgano que pretendan que el acta refleje la transcripción íntegra de sus intervenciones deberán presentar ellos mismos un texto cuyos contenidos coincidan con su intervención oral en la sesión correspondiente lo cual se lleva a cabo leyendo en la sesión el contenido del escrito y presentándolo después al secretario para su incorporación al acta; no obstante la ampliación en el acta

---

(36)   La Sentencia del Tribunal Constitucional 50/1999 de 6 de abril declaró que los párrafos 2,3 y 5 del artículo 27 de la LRJ no tienen carácter básico por lo que son contrarios al orden constitucional de competencias.

de las intervenciones de los miembros también puede llevarse a cabo mediante el voto particular reiterando el sentido de las intervenciones orales incluyendo en el escrito las justificaciones de su voto discrepante de la mayoría.

En la Legislación Local también se define el acta señalando que de cada sesión deberá extenderse acta por el Secretario de la Corporación o, en su caso, del órgano correspondiente, haciendo constar como mínimo, la fecha y hora de comienzo y fin, los nombres del presidente y demás asistentes, los asuntos tratados el resultado de los votos emitidos y los acuerdos adoptados (37).

Un trámite esencial para la validez de las actas de los órganos colegiados es su aprobación por el mismo órgano en la misma sesión o en la siguiente no obstante y por razones funciones y operativas del propio órgano de la administración, el secretario puede emitir certificados sobre los acuerdos específicos que se hayan adoptado sin perjuicio de la aprobación posterior de la redacción del acta.

29.2. Actas de inspección (38)

Es el documento emitido por funcionarios o agentes que dispongan de la condición de autoridad pública, para acreditar los hechos susceptibles de constituir infracciones administrativas.

El ejercicio de la potestad administrativa de inspección se materializa en documentos escritos denominados Actas.

Las Actas relativas a la inspección pueden incluirse entre las denominadas Actas de presencia que el antiguo y derogado Reglamento Notarial definía diciendo que mediante ellas se acredita la realidad o verdad del hecho que motiva su autorización. Estos documentos constituyen antecedente imprescindible para que la inspección se entienda como correctamente realizada, aunque el contenido del Acta no necesariamente tiene garantizada su autenticidad, y el órgano que debe adoptar la resolución o decisión definitiva no se halla vinculado estrictamente por dicho contenido, dado que, frente al ejercicio de la potestad de inspección, los inspeccionados disponen de un completo cuadro de garantías que sirven de compensación a esta potestad.

---

(37)   Texto Refundido de las disposiciones legales vigentes en materie de régimen local aprobado por Real Decreto legislativo 781/1986, art. 50.

(38)   Debido a la importancia que tienen las actas de inspección como documentos de la práctica administrativa en diversas actuaciones de control que corresponden a la Administración General del Estado, y a las Administraciones de las Comunidades Autónomas y Corporaciones locales dedicaremos una práctica profesional específica al análisis documental de las actas de inspección en el ámbito de la Administración pública.

El contenido de las Actas sirve frecuentemente, para que el órgano competente para resolver, pueda adoptar medidas cautelares sin perjuicio de que la Resolución final sea en un sentido o en otro.

En nuestra opinión en el Ordenamiento español queda pendiente de desarrollo reglamentario la definición de Acta y la regulación expresa de la potestad de expedición de las mismas con una descripción de su contenido mínimo en muchos ámbitos de competencia administrativa.

De esta manera podría establecerse que los inspectores o agentes de la Administración competente, cuando observen actos que pudieran ser constitutivos de infracción, extenderán una Acta con expresión de los hechos y circunstancias relativos a la presunta infracción. Señalando que en el Acta deberán expresarse, en todo caso, las medidas cautelares adoptadas.

De dicho Acta debe entregarse copia al presunto infractor en el momento de su extensión, si fuera posible y en todo caso al notificarse la incoación de procedimiento.

En la disposiciones reglamentarias que regulen esta materia debe recogerse expresamente la presunción *juris tantum* de veracidad de las Actas declarada por la jurisprudencia (39).

29.3. Actas procedimentales

Son los documentos que acredita la realización de trámites y actuaciones en procedimientos administrativos por ejemplo el acta de ocupación en un procedimiento expropiatorio contemplada en el artículo 53 de la Ley de expropiación forzosa.

30. ESTRUCTURA DE LAS ACTAS ADMINISTRATIVAS

Como ya se ha señalado anteriormente el término acta no designo solo un documento, sino que hace referencia a diverso tipos de documentos de constancia que, con la denominación de actas cumplen fines y objetos diferentes en la administración además de tener diferente contenido, por ello no es posible definir una estructura genérica de estos documentos que estará determinada por la naturaleza y contenido de cada clase de acta.

---

(39)   La jurisprudencia del Tribunal Supremo en este sentido hace ya tiempo confirmó la teoría sobre la fuerza probatoria de las actas de inspección. Así entre otras las sentencias de 15 de abril de 1.961, sobre acta de liquidación de cuotas de mutualidad laboral; 8 de mayo de 1.961 sobre actas de liquidación de seguros sociales; 28 de febrero de 1.961 sobre presunción de certeza de las actas de la Inspección de Hacienda.

Sin embargo las actas de los órganos colegiados constituyen una categoría específica que presenta caracteres uniformes que permiten precisar su estructura formal.

La práctica administrativa considera que corresponde redactarla al secretario del órgano, la derogada Ley de régimen jurídico de la administración del estado recogía como una de las funciones del secretario de las comisiones del gobierno la de levantar acta de los acuerdo adoptados por ello no es extraño que la LRJ dijera que en cada sesión que celebre el órgano colegiado se levante acta por el secretario.

Como muchos otros documentos, éste puede dividirse en tres partes encabezamiento, cuerpo y pie del acta.

30.1. Encabezamiento

El encabezamiento del acta se compone de varios elementos:

Título indicando el órgano colegiado del que se trata, el número de la sesión y su carácter ordinario o extraordinario, por ejemplo Acta de sesión ordinaria de la Junta Consultiva de Contratación Administrativa.

Datos generales entre los que se especifica el día y la hora de la sesión, así como el lugar en que haya tenido lugar.

Asistentes: Indicación de las personas que hayan asistido, consignando el nombre y apellidos, el cargo que ocupen dentro del órgano (presidente, vocal, secretario). La indicación suele colocarse en la cabecera del acta, lado izquierdo formando un recuadro de forma que el texto quede remitido en el encabezamiento, además en el mismo texto del acta se hace constar «con la asistencia de los señores que se citan al margen.»

Ausentes relación competa de los miembros del órgano que no asistan a la sesión indicando las mismas circunstancias que en el apartado asistentes.

Orden del día: Indicación de apartados del orden del día, fijados por el presidente, numerados correlativamente.

30.2. Cuerpo del acta

El cuerpo documental recoge el relato del desarrollo de la sesión ordenados en varias partes:

Los puntos principales de la deliberación, haciendo constar los que tenga importancia real en relación a los acuerdos que se adopten. En algunos casos se recoge una trascripción extractada de las deliberaciones producidas a lo largo de la sesión, ordenándolas en apartados numerados que se refieran a cada uno de los temas tratados. De cualquier modo la redacción debe reflejar las intervenciones y deliberaciones identificando a los miembros participantes.

La forma y resultado de la votación toda vez que existen varias formas posibles de votar: pública, secreta, verbalmente o por escrito.

Contenido de los acuerdos consistente en la expresión ordenada de los mismos y por lo general se enumeran de acuerdo con la enumeración del orden del día reflejando la deliberación correspondiente a cada uno de ellos y haciendo constar el acuerdo sobre cada asunto.

Los votos contrarios al acuerdo adoptado y los motivos que lo justifiquen así como las abstenciones y los motivos que las justifiquen y el sentido de su voto favorable.

30.3.   Pie del acta

Donde figura la firma y antefirma del secretario y el visado del Presidente.

Hay que tener en cuenta que el secretario del órgano colegiado ejerce funciones de fedatario en materia de los acuerdos tomados por el órgano en cuestión de manera que su firma autentica el acta la firma del presidente significa que el secretario o funcionario que las expide y autoriza lo hace en ejercicio de su cargo y que su firma es auténtica.

Las actas se aprueban en la misma o en una sesión posterior y la aprobación de las mismas y el acto de su aprobación supone tanto como la conformidad de los miembros asistentes a lo que se haya redactado. La jurisprudencia tiene declarado que las actas de los órganos colegiados firmadas por el secretario con el visto bueno del presidente deben aprobarse en la misma o posterior sesión y que esta aprobación, responde en puridad a un control, de la redacción del acta por el propio órgano colegiado, dando su aprobación cuando refleje con exactitud lo acordado y los términos relevantes del debate y denegándola en cualquier otro caso. Por todo ello la aprobación del acta no debe suponer ninguna resolución o acuerdo sino limitarse a constatar que el documento refleja adecuadamente lo ya decidido con anterioridad (40).

31.   LIBRO DE ACTAS

La LRJ no habla para nada del libro de actas, a diferencia de lo que ocurre con la legislación local en la que se dispone que el Libro de Actas tiene la consideración de instrumento público solemne y deberá llevar en todas sus hojas, debidamente foliadas, la rúbrica del presidente y el sello de la corporación, añadiendo que no serán válidos los acuerdos que no aparezcan en el libro de actas que reúna

---

(40)   STS 9.2.1996.

los requisitos legales. De este modo la incorporación al libro de actas de los acuerdos que toman las corporaciones locales tienen una importancia fundamental, ya que dicha incorporación es requisito de validez.

El libro de actas tradicional, foliado y encuadernado, con la correspondiente diligencia de apertura firmada por el secretario en la que se haga constar el número de folios y la fecha en que se inicia la trascripción de los acuerdos tienen el inconveniente de que las actas deben extenderse en él a mano lo que puede dar lugar a dificultades de comprensión de lo que se haya escrito cuando el transcriptor carezca de las condiciones exigibles en un buen redactor por ello la práctica actual de la Administración a acabado imponiendo los libros de hojas intercambiables que hoy día tiene pleno reconocimiento en el ámbito de la Administración Local el artículo 199 del Reglamento de Organización, Funcionamiento y Régimen Jurídico de las Corporaciones Locales establece una serie de reglas a tener en cuenta sobre los libros de hojas móviles para cuando se utilicen medios mecánicos para la transcripción de las actas.

32. LOS CERTIFICADOS OFICIALES

Los certificados son documentos que acreditan la existencia de una información contenida en un documento para que sirva como testimonio fehaciente. Su destinatario puede ser una persona, un órgano o una entidad que pretenda la producción de efectos ya sea en un procedimiento administrativo o en el marco de las relaciones jurídico-privadas por ejemplo un certificado de asistencia a un curso de formación o certificado de asistencia a puesto de trabajo; también puede definirse como declaración de conocimiento que pone de manifiesto un hecho que consta en un documento o expediente localizado en un archivo o bien que sirve para emitir una opinión mediante una serie de análisis previos.

No obstante en la práctica habitual de la administración también se usa la expresión certificado para referirse a los documentos expedidos por el secretario de un órgano colegiado.

33. ESTRUCTURA DE LOS CERTIFICADOS

El certificado es un documento con pluralidad de finalidades toda vez que son muchos lo posibles objetos de la acreditación, sin embargo en su forma presenta una estructura homogénea que puede definirse genéricamente.

33.1. Encabezamiento

En el encabezamiento del documento deberá expresarse el título que consistirá en una descripción del objeto del certificado por ejemplo Certificado sobre el desempeño de un determinado puesto de trabajo o de Retribuciones.

33.2. Cuerpo del certificado

En el cuerpo de un documento de certificación se contienen los siguientes elementos:

Identificación del emisor, apartado donde consta el nombre y apellidos de la persona que firma o acredita el certificado y, por lo tanto, es responsable de su autenticidad. A continuación figura el cargo o puesto de trabajo orgánico que desempeña en cuyo ejercicio se emite el certificado.

Identificación del solicitante, puesto que el certificado es un documento emitido, generalmente, a solicitud de una persona, órgano o entidad, que puede o no estar directamente involucrada en el objeto de la certificación. Hay que incluir la identificación completa del solicitante, consignando su nombre y apellidos o la denominación orgánica, institucional, social o mercantil.

Objeto del certificado que es la parte que por adaptarse a cada circunstancia concreta es más variable. En esta parte deben expresarse con precisión y claridad los elementos cuya constancia se garantiza en la certificación debiendo incluirse asimismo la documentación originaria donde consta lo certificado, por ejemplo datos que constan en el registro de variedades vegetales, etc.

Efectos del certificado. Los certificados pueden ser solicitados para efectos genéricos que no estén concretados en el momento de su emisión; pero también pueden solicitarse para que produzcan efectos concretos, en cuyo caso deberá hacerse constar esta circunstancia mediante expresiones concretas como por ejemplo la siguiente:

> «el presente certificado se emite a los efectos de la participación de don Melchor Toubes Lucendo en la convocatoria para la adjudicación de contrato de obras de modificación del recinto de control de productos agrolimentarios en el término municipal de Baza (Granada) convocado por Orden de la Consejería de Agricultura de Andalucía de 20 de noviembre de 2007».

Validez temporal. Es un apartado de mucho interés pues los certificados acreditan situaciones que están sometidas a cambios y que han podido variar por el transcurso del tiempo; en estos caso el certificado debe expresar el periodo temporal para el que se garantiza la veracidad.

33.3. Pie del certificado

En el pie del certificado debe consignarse el lugar y fecha de su emisión, así como la firma y otros elementos de autentificación; no obstante en el certificado no es necesario incluir antefirma, ni firmado puesto que tales elementos figuran en el cuerpo del propio documento.

34. LAS CERTIFICACIONES DE ACTOS PRESUNTOS

Son documentos que acreditan la existencia y efectos de un acto administrativo presunto producido por el silencio administrativo y que debe emitirse por el órgano competente para la adopción del acto expreso. El artículo 43 de la LRJ dispone, en su apartado 5 que los actos administrativos producidos por silencio administrativo se podrán hacer valer tanto ante la administración como ante cualquier otra persona física o jurídica pública o privada y su existencia puede ser acreditada por cualquier medio de prueba admitido en derecho, incluido el certificado acreditativo del silencio producido que pudiera solicitarse del órgano competente para resolver. Solicitado el certificado este deberá emitirse en el plazo máximo de quince días.

El acto administrativo presunto se produce siempre que haya transcurrido el placo establecido para dictar y notificar la resolución expresa de un procedimiento iniciado a solicitud de interesado y en caso que silencio tenga sentido estimatorio (silencio positivo).

El certificado de actos presuntos deberá contener el siguiente contenido:

— Solicitud que haya causado el inicio del procedimiento u objeto del mismo.

— Fecha de inicio, plazo para la resolución expresa y fecha de vencimiento.

— Fecha de solicitud de la certificación.

— Efectos estimatorios del acto producido por silencio administrativo incluyendo las consecuencias en que se plasma dicha estimación.

35. ESTRUCTURA DEL CERTIFICADO DE ACTOS PRESUNTOS

La certificación de actos presuntos por silencio administrativo es un documento nuevo dentro de la práctica administrativa, cuya necesidad es consecuencia del marco jurídico de las administraciones públicas y de la normativa sobre el silencio administrativo.

La LRJ establece, en su artículo 43, que los actos administrativos producidos por silencio administrativo pueden hacerse valer tanto ante la propia administración como ante cualquier otra persona física o jurídica, pública o privada, y para ello, deben acreditarse, previamente, mediante cualquier medio de prueba admitida en Derecho, incluido el certificado acreditativo del silencia, que puede solicitarse del órgano competente para resolver, que debe ser emitido en el plazo de quince días hábiles desde su solicitud.

La estructura del documento certificante se divido en varias partes de acuerdo con las exigencias legales que regulan su contenido: datos generales, exposición, certificación, recursos, notificación, lugar y fecha y firma.

Datos generales

En este apartado se consignan todos los datos necesarios para la identificación del procedimiento de que se trate, entre ellos el número del expediente, la identificación del interesado, el tipo de procedimiento de que se trata, el asunto, la fecha de inicio y fecha de vencimiento del plazo para resolver.

A continuación debe incluirse el órgano competente para emitir certificación así como la disposición normativa que le atribuye dicha competencia consignando finalmente la identificación del interesado y el objeto del procedimiento que debió ser resulto en su día. Con dichos datos se hace referencia a los antecedentes que han provocado la propia certificación.

Exposición

En esta parte se incluye toda la información relativa a los plazos y las fechas en que debiera haberse resuelto expresamente el procedimiento en cuestión, además de las disposiciones que los regulan.

Certificación

La certificación hace referencia a la habilitación legal contenida en el art. 43 LRJ, acerca de la capacidad de la Administración pública para emitir certificaciones.

Esta parte contiene dos tipos de declaración una relativa a los efectos de la falta de resolución expresa y los preceptos normativos en que se regula y otra sobre los requisitos que deben cumplir las certificaciones oficiales. En este último apartado deberá reseñarse el conjunto de condiciones a las que se encuentra sujeto el silencio positivo.

Recursos

Del mismo modo que ocurre en los supuestos de resolución expresa, la certificación de actos presuntos también puede ser objeto de recurso administrativo por lo cual debe ser expresamente incluido este extremo en el documento señalando el tipo de recurso que cabe interponer, así como el plazo y el órgano ante el que debe interponerse.

Notificación

La certificación y la notificación se recogen en el mismo documento por ello es suficiente con advertir de esta circunstancia en la propia certificación y consignar el nombre del interesado al que se notifica y la disposición legal que obliga a la administración a hacerlo.

36. VALORACIÓN JURISPRUDENCIAL DE ESTOS DOCUMENTOS

La naturaleza jurídica de las actas es la de documentos que contienen un acto que es el acuerdo por consiguiente podrá discutirse en un proceso judicial (41) sobre la validez o veracidad de un acta, siempre y cuando se hayan impugnado el acuerdo o acuerdos que se hubieran consignado en ella, pues son estos los que tienen la consideración de actos administrativos a estos efectos procesales, pues el acto administrativo conlleva siempre una manifestación de voluntad, lo que no se produce con la redacción del acta de una sesión de un órgano colegiado que simplemente atestigua la celebración de una sesión que culmina con la adopción de unas determinados acuerdos. El acto administrativo es el acuerdo o resolución enjuiciable cuyo objeto lo constituyen las declaraciones de voluntad no solamente su constancia.

La jurisprudencia solo confiere el carácter de actos administrativos a efectos de su revisión en vía judicial a las resoluciones o manifestaciones de voluntad que sea creadoras de situaciones jurídicas determinadas, rechazando que tenga la consideración de acto administrativo cualquier otra declaración o manifestación que, provenga de órganos administrativos, no sea, por sí misma, creadora o modificadora de situaciones jurídicas o, lo que viene a ser lo mismo, que carezca de efectos decisorios o imperativos. Por ello no pueden tener la calificación de actos impugnables ante la jurisdicción contencioso-administrativa los dictámenes o informes, manifestaciones de juicios provenientes de órganos consultivos, actas ni tampoco las respuestas a consultas de los administrados, propuestas de resolución ni las certificaciones (42).

37. LAS ACTAS DE INSPECCIÓN

La Ley de Enjuiciamiento civil incluye entre los documentos públicos aquellos expedidos por funcionarios públicos legalmente facultados para dar fe en lo que se refiere al ejercicio de sus funciones, entre ellos se encuentran las actas de inspección que se encuentran entre los documentos administrativos que tienen naturaleza de documentos público. El Código Civil exige que los documentos públicos se autoricen con las solemnidades legales y la LRJ dispone, en su artículo 137, que los hechos se formalicen en documento público observando los requisitos legales que correspondan, por ello, y como quiera que la LRJ no establece ninguna otra disposición respecto al valor probatorio del documento y los hechos que en él se constaten, hay que acudir a otras disposiciones sobre interpretación de actos administrativos.

---

(41)   Recordemos que pueden ser objeto de revisión judicial mediante el recurso contencioso-administrativo, entre otros, los actos, las omisiones, las vías de hecho y los reglamentos de la administración directamente o impugnando su aplicación.

(42)   Ver SSTS 14.10.1979; 30.4.1984.

La constancia de cualquier hecho exige una forma escrita puesto que es este el modo de asegurar la certidumbre y la observancia del régimen procedimental establecido; sin embargo hay que tener en cuenta que no siempre es absolutamente necesaria la forma escrita pues, por ejemplo el artículo 55 de la LRJ si bien generaliza la escritura, añade que es posible utilizar otra forma más adecuada de expresión y constancia, por ello el criterio que debe regir la manifestación formal de un documento o acta de inspección es la mejor adecuación del mismo al efecto de recoger las circunstancias de hecho que el responsable encargado de su redacción estime que resultan relevantes.

38. FORMATO DEL ACTA DE INSPECCIÓN

Como quiera que la LRJ solo determina algunos formatos concretos de actos administrativos la doctrina distingue varios caracteres que deben concurrir en los actos administrativos que deben cumplir las actas de inspección.

En primer lugar es preciso que el documento recoja un encabezado con indicación del funcionario que realiza el acto y emite el documento de este modo se cumple la exigencia recogida por la LRJ (43) como derecho de los interesados, se trata de una identificación necesaria para garantizar que concurren los requisitos de competencia y no se producen causas de abstención.

También es preciso que se indique cual es la norma que atribuye competencias al emisor del acta incluyendo su propia firma como emisor del acta.

Respecto a la forma del acta podemos atenernos a lo establecido en el Real Decreto 1465/1999 sobre criterios de imagen institucional y se regula la producción documental y material impreso en esta administración que exige la constancia documental de los siguientes datos:

a) El título del documento.

b) El número asignado para la identificación del expediente en el que se integra el documento.

c) La denominación completa del cargo o puesto de trabajo del titular del órgano administrativo competente para la emisión del documento.

d) Lugar y fecha de formalización del documento.

e) Identificación del destinatario (nombre y apellidos en el caso de las personas físicas y denominación social en el caso de las personas jurídicas).

---

(43)   LRJ art. 35.

39. LENGUA DEL ACTA

En los casos de comunidades autónomas con más de una lengua oficial habrá que estar a lo dispuesto por la LRJ, en su art. 36, sobre la lengua de los procedimientos que señala que la administración instructora deberá traducir al castellano los documentos, expedientes o partes de los mismos que deban surtir efecto fuera de la comunidad autónoma y los documentos dirigidos a los interesados que así lo soliciten expresamente. A efectos de práctica administrativa hay que tener en cuenta que la expresión surtir efectos no se limita a los circunscritos a las administraciones, sino que abarcará también a los procesos judiciales. Esta circunstancia es posible que se produzca en el caso de imposición de sanciones que, ulteriormente sean objeto de recursos en el domicilio del demandante en el supuesto en que fuera distinto de aquel donde se encuentre la sede del órgano autor del documento administrativo originario.

Otro aspecto que debe considerarse es la lengua en que deban recogerse los hechos constatados por el funcionario o agente habilitado de la Administración la LRJ establece, en su artículo 36, como regla general que la tramitación de los procedimientos efectuada por la Administración General del Estado (AGE) se lleve a cabo en castellano, aunque no obstante lo anterior los interesados que se dirijan a los órganos de la AGE con sede en el territorio de la comunidad autónoma podrán utilizar la lengua que sea cooficial en ella; en estos casos el procedimiento se tramitará en la lengua elegida por el interesado.

Respecto a si el interesado puede elegir la lengua en que el inspector deba redactar el acta la LRJ utiliza, en su artículo 36, el término de tramitados el cual debe entenderse como comprensivo de las constataciones de hechos que se incluyen en el correspondiente acta lo cual encuentra justificación en el empleo de la expresión expedientes o partes de los mismos en referencia a aquellos que surtan efectos fuera del territorio de la Comunidad Autónoma con lengua cooficial.

Como es lógico las actas constituyen partes del expediente como conjunto documental que recoge la tramitación de un procedimiento por ello puede decirse que el interesado tendrá derecho no tanto a que el agente redacte el acta en la lengua que aquel decida sino a que finalmente la administración entregue el acta en la lengua cooficial que haya escogido.

40. HECHOS, IDENTIDAD DEL TERCERO Y FECHA

El objeto nuclear del documento son los hechos constatados y la forma en que éstos se hayan percibido por el funcionario responsable, lo cual es una labor que corresponde realizar con detalle, pues las meras circunstancias de hecho no deben tener necesariamente valor probatorio que se indica en el art. 137 de la LRJ. Por ello la exactitud y detalle requeridos dependen del tipo de actividad que se constate de la complejidad que se rodee y también de las posibles consecuencias que se deriven del levantamiento del acta y es por ello por lo que la jurisprudencia no ha venido aceptando el valor probatorio de las actas bien se a por su parcialidad al aportar documentos relevantes o por su propia insuficiencia.

El acta recoge actividades de terceros cuya identidad sea conocida aunque no siempre sea posible esto último A pesar del silencio de la LRJ sobre esta materia los principios del procedimiento sancionador y la normativa de carácter sectorial hacen necesario recordar esto.

El artículo 130 de la LRJ y la regla general de solidaridad que impone el apartado 3 del mismo artículo para el caso de obligaciones que correspondan a varias personas de modo conjunto.

A pesar de que la LRJ consagra esta pauta, hay que tener en cuenta ante todo la obligación legal que tiene la administración de intentar precisar la responsabilidad de cada uno, sin aplicar necesariamente la regla de solidaridad como se establece en diversas normas como por ejemplo la ley 4/1989 de conservación de espacios naturales y de la flora y fauna silvestres.

También debe recoger el lugar y la fecha de emisión, el primero es importante porque hace referencia a la localización en donde se hayan constatado los hechos que constaten el acta y la fecha de constatación de los hechos es un elemento que no puede soslayarse en caso de que se hubiera cometido una infracción aislada o se trate de una continuada, además también servirá para determinar el cómputo de la prescripción.

41. ALEGACIONES DEL INSPECCIONADO

Desde una perspectiva netamente horizontal la LRJ, y a diferencia de otras normas sectoriales, no menciona la posibilidad de que se recojan en el acta, alegaciones del inspeccionado, la Ley general Tributaria, por el contrario reconoce en su artículo 34.1 el derecho a que las manifestaciones relevantes sean recogidas en las diligencias extendidas en los procedimientos tributarios. En cualquier caso el interesado que sea objeto de una actuación inspectora tienen derecho a manifestar todo lo que considere conveniente para sus derechos incluyendo la oposición expresa a lo que se haya recogido por el funcionario o agente habilitado y además firmar el acta.

Como quiera que el principio contradictorio rige plenamente en las funciones inspectoras podemos decir que el derecho a formular alegaciones debe entenderse como una facultad general de los ciudadanos derivada de lo que establece la LRJ (44).

También cabe examinar quien está legitimado para realizar dichas alegaciones de modo que tratándose de una inspección oficial no cabe duda ninguna que debe ser el propio interesado o su representante legal en el caso de que se trate de una persona jurídica.

La LRJ establece una presunción general de que se actúa a través de representante para los actos y gestiones de mero trámite, de manera que las solicitudes, los recursos así como los supuestos de renuncia y desistimiento quedan fuera de esta presunción legal, pero la ley también requiere la presencia del interesado en materia de acceso a la información o respecto de la comparecencia de los ciudadanos ante la Administración (45).

Las actuaciones de inspección no están sujetas a estos requisitos de manera que en determinadas circunstancias resultará precisa la presencia adicional de un tercero que, por sus conocimientos técnicos pueda prestar mejor servicios para desarrollar las actuaciones de inspección (46). Además la complejidad de diversas actividades sujetas a diferentes requisitos legales explica esto último, sin embargo la existencia de instrumentos de representación no evita la actuación del representado, de manera que puede éste incluir sus propias manifestaciones de conformidad o disconformidad con el acta. En el caso de que se recojan las alegaciones del inspeccionado en el acta, solo podrán ser atribuidas a quien las realice, sin que sea de aplicación la presunción de los hechos que constata el funcionario que extiende el acta.

42. FIRMA Y NOTIFICACIÓN DEL ACTA DE INSPECCIÓN

La firma del acta por parte del sujeto inspeccionado es un requisito impuesto por diferentes normas sectoriales referidas a diversos ámbitos de inspección de manera que el deber de firma del acta implica el conocimiento de la existencia del acta y de su contenido, lo cual es válido si está recogido en una norma con rango de ley formal puesto que se trata de un deber por ello si la previsión legal no existe no habrá obligación de firmar el acta con independencia de que el sujeto tenga derecho a soportar con su firma solo los aspectos que el hubiera alegado con respecto a los hechos constatados por el inspector.

---

(44)   LRJ arts. 35 y 79.
(45)   Artículos 37 y 40 LRJ.
(46)   Varios reglamentos comunitarios disponen que los abogados debidamente habilitados pueden facilitar información solicitada en nombre de sus representados a los organismos nacionales competentes a efectos de lo establecido en el Ordenamiento comunitario, ver Reglamentos CE 1/2003 y 139/2004.

Por otra parte también hay que señalar que la firma del acta implica su conocimiento; pero no su aceptación y ni tampoco en que el firmante se considere como coautor del acta lo cual ha descartado la propia LRJ en su artículo 137; además la falta de firma tampoco es causa de que el acta sea nula o ineficaz ni que se rebaje en nada su eficacia probatoria (47). Cuando haya previsión legal acerca de la firma del acta, la negativa a firmar podría dar lugar a la correspondiente sanción compulsiva si esta circunstancia se encontrara prevista; pero sin que la falta de firma implique aceptación por el firmante de lo recogido en el acta.

Respecto a la notificación del acta a efectos prácticos debe distinguirse entre el acto de notificación propiamente dicho y el acto que se notifica, la simple aceptación de la notificación en las condiciones generales en que se regula en la LRJ no implica que se reconozca el acto que se declara, el ejemplo más común es una denuncia de tráfico. Por tanto, la imposición del deber legal de firmar el acta podrá serlo a efectos de la notificación misma, aunque la administración podría acudir a otras reglas para imponerla (48). Cuando se produzca la entrega in situ del acta deberá quedar constancia de que ha sido recibida por el interesado o su representante, así como de la fecha de recepción, la identidad y el contenido del acto notificado, ya que la regla general del artículo 59 de la LRJ se aplica con independencia del lugar en que aquella se realice, respondiendo a una norma de constancia de los extremos anteriores y con ella la garantía de la eficacia del acto.

43. PUBLICIDAD DEL ACTA

La LRJ no incluye referencia expresa a la necesidad de publicación del acta y la única referencia indirecta es la relativa a los modelos y sistemas normalizados de solicitud cuando se trate de procedimientos que impliquen la resolución numerosa de una serie de procedimientos en el artículo 70.4 sin embargo la LRJ no exige expresamente su publicación. Este si se regula en el real Decreto 1465/1999 al decir que todo modelo normalizado de solicitud deberá publicarse en el Boletín Oficial del Estado, no obstante las actas no son documentos que sirvan para formalizar una solicitud del ciudadano a la administración; se trata de actos y documentos que emite la propia administración aunque en ellos no puedan aparecer manifestaciones del ciudadano incluyendo su identidad.

---

(47) El Tribunal Supremo ha declarado que la negativa a firmar el acta no puede considerarse como conducta constitutiva de obstrucción a la actuación inspectora, pues puede entenderse como una manifestación de disconformidad con ella STS de 12.4.1999.
(48) Las notificaciones se practicarán por cualquier medio que permita tener constancia de la recepción por el interesado o su representante, así como de la fecha, la identidad y el contenido del acto notificado. La acreditación de la notificación efectuada se incorporará al expediente art. 59.1 LRJ.

Por lo general la LRJ prevé normas de publicación para aquellos actos que tengan por destinatario una pluralidad indeterminada de personas o cuando así se establezca en las normas reguladoras de cada procedimiento o bien en caso de interés público.

Por ello se explica que no exista, en principio una obligación de publicación del modelo de acta, salvo que una norma expresamente lo establezca.

Respecto a la necesidad de que el acta que se emita sea objeto de publicación en el lugar en que se haya desarrollado, dependerá del tipo de actividad o servicio que haya sido inspeccionado, ya sea una guardería, un bar o cualquier establecimiento abierto al público. Si la inspección constituye una potestad preventiva que persiga verificar la adecuación de determinadas actividades con las exigencias del ordenamiento jurídico, resultaría necesaria que el acta en que se haya reconocido dicha adecuación fuera publicada en el lugar en que se desarrolle dicha actividad de esto modo cualquier usuario del servicio público o de otra actividad de la administración podría tener información concreta de que dicho servicio público se adecua o no a las normas reguladoras que le son aplicables y además que la actividad administrativa de control es efectiva.

44. VALOR PROBATORIO DE LAS ACTAS

La LRJ dispone, en su art. 37, que las actas tienen valor probatorio sin perjuicio de las pruebas que en defensa de sus respectivos derechos puedan señalar o aportar los propios ciudadanos; pero esta ley no determina una presunción de certeza *stricto sensu*, pues la norma que se refiere a este aspecto es la Ley de Enjuiciamiento Civil cuando dispone en su artículo 319 que, en defecto de lo dispuesto por la legislación administrativa especial, los hechos, actos o estados de cosas que consten en estos documentos se tendrán por ciertos, a los efectos de la sentencia que se dicte, salvo que otros medios de prueba desvirtúen la certeza de lo documentado.

No obstante el concepto de certeza si se utiliza en otras disposiciones al regular diversos aspectos de las actuaciones de inspección, a señalando que las personas que realicen labores de inspección tendrán carácter de agentes de la autoridad y los hechos constatados por ellos y formalizados en cata gozarán de presunción de certeza a efectos probatorios (49)

Se ha señalado que el fundamento del valor probatorio de las actas es una consecuencia natural de la consideración de su contenido como acto administrativo que goza de presunción de legalidad de acuerdo con lo que establece ella LRJ en

---

(49)   Ver artículo 38 de la Ley 3/2001 de Pesca Marítima del Estado y 29 de la Ley 10/1998 de Residuos.

su artículo 57; sin embargo cabe plantearse por que se añade una previsión expresa sobre el valor probatorio de los actos producidos por funcionarios que constaten hechos bajo determinadas condiciones. Por lo general se han venido distinguiendo tres teorías acerca de la justificación del valor probatorio de las actas:

a) Teoría sobre el principio de eficacia y potestad de policía en cuya virtud la constatación de los hechos, por parte de funcionarios habilitados al efecto garantiza que las potestades administrativas puedan ser adecuadamente garantizadas

b) Teoría sobre la acreditación de los hechos fugaces es decir la dificultad que existe, en determinados casos de acreditar una infracción administrativa a posteriori, a través de medios ordinarios de prueba, pero hay que señalar que no se produce una situación de dificultad en toda circunstancia.

c) Por ello la teoría más aceptada para explicar la atribución de veracidad a los hechos que constate el funcionario es la teoría fundada en la especialización, capacidad técnica e imparcialidad del funcionario. La neutralidad que se exige al funcionario está dirigida a evitar influencias de carácter extralegal. Esta explicación resulta adecuada respecto de las actas de inspección. Por otra parte el propio Tribunal Constitucional ha reconocido que el legislador dispone de amplio margen para decidir sobre la separación o acumulación de funciones de inspección y liquidación tributaria en unos mismos órganos, por lo cual la opción entre una y otra solución cae dentro del ámbito legítimo de la discrecionalidad del legislador. Con todo el valor probatorio no se predica de cualquier constatación realizada de este modo la LRJ exige la concurrencia de determinados aspectos previos sin los cuales no se puede otorgar eficacia a estas constatación de hechos por todo ello podemos concluir que la objetividad constituye un principio general de la actuación administrativa que proporciona una justificación adecuada de la presunción de veracidad de las actas.

45. JURISPRUDENCIA SOBRE EL VALOR PROBATORIO DE LAS ACTAS DE INSPECCIÓN

El valor probatorio de las actas de inspección ha sido objeto de la jurisprudencia del Tribunal Supremo y del Tribunal Constitucional en numerosas ocasiones debido al conflicto que se produce entre el derecho constitucional a la presunción de inocencia y la presunción de veracidad y valor probatorio de las actas, la doctrina fundamental en esta materia fue dictada por el Tribunal Constitucional al examinar la constitucionalidad del artículo 145.3 LGT que disponía que las actas y diligencias extendidas por la inspección de tributos tienen naturaleza de documentos públicos y hacen prueba de los hechos que motiven su formalización salvo que se acredite lo contrario (50).

---

(50)   STC 76/1990.

En la citada sentencia el Tribunal señaló que el principio de partida para examinar la virtualidad de las actas es la propia presunción de inocencia consagrada en el artículo 24.2 de la Constitución de manera que cualquier ejercicio, en sus diversas manifestaciones, del juspuniendi por la administración está condicionado, por razón de dicho precepto, al resultado probatorio y a un proceso contradictorio en que puedan defenderse las propias posiciones. Por ello se impone la concurrencia de la certeza tanto en los hechos imputados como en el juicio de culpabilidad.

El principio de interpretación del valor probatorio de las actas no es otro que el de presunción de inocencia y solo si se constatan ambas certezas cabe que quede destruida esta presunción. Lo cual implica que cualquier resolución sancionadora, penal o administrativa, implique el rechazo de la responsabilidad presunta u objetiva, así como de la inversión de la carga de prueba en relación con el presupuesto fáctico de la sanción.

Por otra parte el Tribunal Supremo ha declarado que los inspectores no son fedatarios públicos; pero sin embargo los hechos que constaten tienen valor probatorio lo cual ha dado lugar a opiniones diversas; para unos las actas de inspección tienen un valor especial intermedio entre la prueba vinculante y de libre valoración, lo cual se traduce en el deber del órgano decidor de resolver en el sentido de lo que el acta disponga a menos que estime que la presunción de certeza ha sido debidamente destruida mediante prueba en contrario; pero hay que entiende que el valor probatorio de las actas de inspección es compatible con la presunción de inocencia precisamente porque no constituye una presunción de veracidad que anule aquella, en este sentido el acta tendría una simple calidad de prueba sin valor jurídico especial en el sentido que señala el artículo 137 de la LRJ.

Por otra parte el Tribunal Constitucional también ha señalado que la eficacia que se concede a las actas no es patente de posible arbitrariedad y por ello no implica la intangibilidad de los hechos constatados pues el acta constituye un medio de prueba que puede ser vencido mediante la aportación de elementos que lo contradigan, es decir que constituye un primer medio de prueba que sirve como elemento de fundamentación, pero no concluyente, a efectos ulteriores decisiones administrativas, por ello no se le atribuye fehaciencia sino que se le da relevancia probatoria, por ello el valor probatorio de las actas no es pleno sino limitado no obligando al órgano competente a resolver en el sentido marcado por ellas y al margen del resultado que susciten otras pruebas que consten en el expediente (51).

---

(51)   La intervención de funcionario público no significa que las actas gocen, en cuanto a tales hechos, de una absoluta preferencia probatoria que haga innecesaria la formación de la convicción judicial acerca de la verdad de los hechos empleando las reglas de la lógica y de la experiencia. STC 76/1980.

Por su parte el Tribunal Supremo, con una línea argumental parecida tienen declarado que el acta no es un acto de investigación a manera de atestado con valor de denuncia, sino un documento al que las normas reguladoras de un procedimiento especial solo le otorgan una presunción *juris tantum* pero no *juris et de jure* (52).

E Tribunal constitucional vino a confirmar esta misma postura en otra sentencia posterior señalando que si se estableciera en la Ley una presunción de veracidad de las *actas juris et de jure* el precepto sería inconstitucional por ser contrario a la presunción de inocencia (53). Por ello las actas no constituyen pruebas incontrovertibles, sino elementos probatorios susceptibles de ser valorados y llevar al convencimiento de la realidad de la conducta que se impute en ellas en lo cual se ha ratificado también el Tribunal Supremo (54), por todo ello frente a las actas pueden utilizarse los medios de defensa correspondientes, pues como ha declarado el mismo tribunal la exactitud de los hechos declarados probados por la administración no tienen a su favor la mera presunción de veracidad del acta que haya podido levantar el funcionario competente, sino sobre todo, la coherencia de su versión frente a la del ciudadano que le permita destruir la presunción de inocencia de éste (55).

Con todo hay que señalar que la atribución de determinado valor a las actas de inspección encierra la consecuencia de trasladar la carga probatoria al ciudadano hasta tal punto que el propio Tribunal Supremo ha llegado a declarar en alguna sentencia aislada que la presunción de veracidad es bastante para destruir la presunción de inocencia del artículo 24 de la constitución y para trasladar a la parte que niega los hechos la carga de desvirtuarlos (56) postura que es muy dudoso que se pueda compartir si lo que busca es trasladar la carga probatoria al ciudadano amparado por la garantía constitucional.

Como se ha señalado anteriormente y así admite la jurisprudencia mayoritaria de los altos tribunales mencionados la carga de la prueba recae sobre la Administración y una jurisprudencia abrumadora sostienen que es la inspección a quien corresponde probar los hechos sin que pueda desplazarse la carga de la prueba, por otra parte, las actas solo pueden verificar hechos objetivos que se incorporen a ellas de manera que la presunción de certeza se limita solo a los hechos que, por su objetividad sean susceptibles de percepción directa por el inspector (57) o a los que sean inmediatamente deducibles de aquellos o que ha-

---

(52)   STS de 2.11.1990.
(53)   STC 341/1993 FJ 11.
(54)   STS de 11.7.1997.
(55)   STS 24.4.1993.
(56)   STS 29.11.1996.
(57)   SSTS 16.2.1996 y 27.3.1996.

yan sido acreditados por medios de prueba consignados en el propio acta como documentos o declaraciones incorporadas a ella, lo cual exige no solo la completa descripción de tales hechos sino la especificación de la forma en que se ha llegado a su conocimiento (58). Por ello la jurisprudencia ha sostenido que cuando el acta se refiera a hechos situados en el pasado no susceptibles de captación directa por el inspector no son beneficiarios de la presunción de certeza atribuidos en otros casos a las actas. Por ello quedan fuera de la presunción de certeza las calificaciones jurídicas, los juicios de valor, las simples opiniones o las conjeturas (59) pues dichos juicios no responden a una labor imparcial del inspector en sus funciones de constatación de hechos; por ello las posibles deducciones que pueda llevara a cabo un inspector a la vista de determinados documentos carecen de virtualidad si dichos documentos no se incorporan al acta lo cual es igualmente predicable si no constan los datos acreditativos de uno de los elementos del tipo infractor o si se aceptan informaciones exteriores y ajenas cuyos datos no consten en el acta.

Toda esta doctrina jurisprudencial está además apoyada desde el ordenamiento penal toda vez que el Código penal castiga con penas de prisión de tres a seis años y multa de seis a veinticuatro meses e inhabilitación especial por tiempo de dos a seis años, a la autoridad o funcionario público que, en el ejercicio de sus funciones cometa falsedad mediante cualquiera de las siguientes actuaciones:

a) Alterando un documento en alguno de sus elementos o requisitos de carácter esencial.

b) Simulado un documento en todo o en parte, de manera que induzca a error sobre su autenticidad.

c) Suponiendo en un acto la intervención de personas que no la hayan tenido o atribuyendo a las que han intervenido en él declaraciones o manifestaciones diferentes de las que hubieran hecho.

d) Faltando a la verdad en la narración de los hechos (60).

46. RATIFICACIÓN DEL ACTA

La LRJ no contempla el deber de ratificación del funcionario que haya constatado los hechos que niegue el ciudadano que sin embrago si se contempla por la Ley Orgánica de Protección de la Seguridad Ciudadana (61) mientras que otras normas dejan a discrecionalidad de los instructores del procedimiento el solicitar

---

(58)   STS 7.6.1990.
(59)   STS 20.7.1995.
(60)   Artículo 390 del Código Penal.
(61)   Ver artículo 37 de la Ley Orgánica 171992, de 21 de febrero, de Protección de la Seguridad Ciudadana.

de los inspectores la ratificación de las actas o diligencias formalizadas por éstos, además el deber de ratificación no es un requisitos que se haya exigido de manera reiterada en la jurisprudencia.

Con todo hay que señalar que, desde un aspecto práctica la ratificación es necesaria sobre todo si el presunto responsable niega los hechos, lo cual puede implicar un indicio de que las circunstancias referidas por el funcionario merecen una atención más detenida que la simple aceptación de sus afirmaciones pues una de las causas que pueden motivar la apertura de la fase probatoria en el procedimiento es el no tener por ciertos los hechos alegados por el interesado de manera que la oposición de éste a los hechos constatados por el funcionario puede suponer un indicio de contradicción que precise ser contrastado con la ratificación de los hechos por el funcionario.

Respecto al valor procedimental, las actas se configuran como actos de trámite y en consecuencia rige para ellas la regla general establecida en la LRJ que no permite recurrirlos salvo en los casos expresamente tipificados en la Ley. (62).

47. FALSEDADES DOCUMENTALES EN LA ADMINISTRACIÓN PÚBLICA

La falsedad se ha definido por la doctrina, civil, penal y administrativa como la apariencia de conformidad a la realidad que producen determinados nombres, denominaciones, documentos símbolos, etc. lo que supone un atentado contra la fe pública protegida por el Estado, por ello la falsedad consta de la alteración consciente que crea una apariencia de verdad, que sea apta para producir daño o perjuicio y esté destinada a entrar en el tráfico jurídico.

El artículo 390 del Código Penal castiga a la autoridad o funcionario público cometa falsedad con una de las siguientes conductas:

1. Alterando un documento en alguno de sus elementos o requisitos de carácter esencial.

2. Simulando un documento, en todo o en parte, de manera que induzca a error sobre su autenticidad.

3. Suponiendo en un acto la intervención de personas que no la han tenido, o atribuyendo a las que han intervenido en él declaraciones o manifestaciones diferentes de de las que hubieran hecho.

4. Faltando a la verdad en la narración de los hechos.

---

(62)   Ver artículo 107 de la LRJ.

Con todo, la jurisprudencia del Tribunal Supremo (63), ha declarado que el delito de falsedad en documento público oficial o mercantil requiere los siguientes elementos:

— Un elemento objetivo que consiste en la alteración de la verdad mediante alguno de los medios descritos en el tipo penal descrito.

— Que esta alteración afecte a aspectos esenciales del documento de manera que repercuta en los efectos normales de las relaciones jurídicas reflejadas y plasmadas en el mismo.

— Un elemento subjetivo, consistente en el conocimiento y voluntad de alterar la verdad del documento público, dolo de falsedad y un especial elemento subjetivo del injusto consistente, o bien, en el ánimo de perjudicar o bien en la intención de lucro.

El Código establece una pena de prisión de tres a seis años, multa de privación de libertad de seis a veinticuatro meses e inhabilitación especial para cargo o empleo público de dos a seis años.

La acción del delito de falsedad debe ser adecuada para inducir a error a las personas, para hacer pasar un signo ilegítimo o falso como legítimo o verdadero y, además debe estar destinada a entrar en el tráfico jurídico.

47.1. Elemento objetivo: documento

El objeto material del delito de falsedad, es aquí el documento que viene definido, a estos efectos en el propio Código Penal (64) como cualquier objeto o soporte físico que incorpore datos, narraciones, etc. y que tenga eficacia probatoria o relevancia jurídica, pues si carece de dicha relevancia no puede ser considerado documento a efectos penales.

En este sentido es documento tanto una escritura público o privada un documento administrativo, una cinta magnetofónica, un disquete, o cinta de vídeo, etc.

La jurisprudencia distingue entre documentos públicos, oficiales, mercantiles y privados.

Respecto a los documentos públicos el artículo 1216 del Código Civil define como tales los autorizados por notario o empleado público competente, con las solemnidades requeridas por la ley. Además la Ley de Enjuiciamiento Civil considera documentos públicos a efectos de prueba en juicio:

---

(63)   SSTS 20.4.1997 y 13.3.1999.
(64)   Art. 26 C.P.

— Las resoluciones y diligencias de actuaciones judiciales de toda especie y los testimonios que de las mismas expidan los secretarios judiciales.

— Los autorizados por notario con arreglo a Derecho.

— Los intervenidos por corredores de comercio colegiados y las certificaciones de operaciones en que hubiesen intervenido, expedidas por ellos con referencia al libro registro que deban llevar conforme a derecho.

— Las certificaciones que expidan los registradores de la propiedad y mercantiles de los asientos registrales.

— Los expedidos por funcionarios públicos legalmente facultados para dar fe en lo que se refiere al ejercicio de sus funciones.

— Los que, con referencia a archivos y registros de órganos del Estado, de las Administraciones Públicas o de otras entidades de Derecho público, sean expedidos por funcionarios facultados para dar fe de disposiciones y actuaciones de aquellos órganos, administraciones o entidades.

47.1.1. Documentos públicos

La eficacia de los documentos públicos se encuentra determinada por el artículo 1218 del Código Civil: los documentos públicos hacen prueba, aún en contra de tercero, del hecho que motiva su otorgamiento y de la fecha de éste: También harán prueba contra los contratantes y sus causahabientes, en cuanto a las declaraciones que en ellos hubiesen hecho los primeros. La Ley de Enjuiciamiento civil dispone que los documentos públicos especificados en los números 1 a 6 de su artículo 317, hacen plena prueba del hecho, acto o estado de cosas que documenten, de la fecha en que se produce esa documentación y de la identidad de los fedatarios y demás personas que intervengan en ella. Además añade la fuerza probatoria de los documentos administrativos señalando que a los que las leyes otorguen el carácter de públicos, será la que establezcan las leyes que les reconozcan tal carácter. En defecto de disposición expresa en tales leyes, lo hechos, actos o estados de cosas que consten en los referidos documentos se tendrán por ciertos, a los efectos de la sentencia que se dicte, salvo que otros medios de prueba desvirtúen la certeza documentado.

47.1.2. Documentos oficiales

Se denominan documentos oficiales los que proceden de las administraciones públicas, estatal, autonómica, local, encaminados al cumplimiento y desarrollo de sus funciones y de los servicios públicos, considerándose entre ellos el carné de conducir, los cupones de la ONCE, las recetas médicas del INSALUD o de la

MUFACE, el DNI y los pasaportes, las placas de matrícula o el número de bastidor de vehículos según ha reconocido la jurisprudencia del Tribunal Supremo (65).

El Tribunal Supremo ha declarado que como lo Códigos penales no han desarrollado un catálogo de documentos oficiales, la jurisprudencia ha completado este elemento normativa del tipo del delito de falsificación, comprendiendo en su concepto todos los documentos expedidos por autoridades o funcionarios públicos, en relación con las actividades o funciones que les estén específicamente atribuidas (66).

47.1.3. Documentos mercantiles

Se entiende por documento mercantil a efectos de falsificación, todos los que reflejen una operación mercantil o comercial estén admitidos por las leyes o por los usos mercantiles.

El Tribunal Supremo ha considerado documentos mercantiles a efectos del delito de falsedad:

— Los que tengan concreta denominación jurídica y estén regulados en el Código de comercio y leyes especiales.

— Todas las representaciones con fines de preconstitución probatoria que plasmen o acrediten la celebración de contratos o la asunción de obligaciones de naturaleza mercantil o comercial aunque carezcan de denominación conocida.

— Aquellos que se refieren a la fase de ejecución o de su consumación de contratos u operaciones mercantiles, como albaranes, facturas, recibos o libros de contabilidad.

47.1.4. Documentos privados

Son aquellos que no son público, oficiales ni de comercio; son escritos que consignan una obligación civil destinados al tráfico jurídico, facturas de teléfono, o de talleres de reparación, entradas de espectáculos, etc.

Señala el Código civil que el documento privado, reconocido legalmente tendrá el mismo valor que la escritura pública entre los que lo hubiesen suscrito y sus causahabientes (67), además la Ley de Enjuiciamiento civil dispone que los documentos privados, harán plena prueba en proceso, cuando su autenticidad no sea impugnada por la parte a quien perjudiquen. Cuando se impugne la autenticidad

---

(65)   SSTS 28.10.1997 y 20.2.1998.
(66)   STS 8.11.1999.
(67)   Art. 1225 CC.

de un documento privado, el que lo haya presentado puede pedir el cotejo pericial de letras o proponer cualquier otro medio de prueba que resulte útil al efecto.

47.2. Elemento subjetivo: autoridad o funcionario público

Es la autoridad o el funcionario público que, en el ejercicio de las funciones de su cargo que tenga encomendadas, cometa falsedad de alguno de los modos señalados en el tipo penal. El delito de falsificación de documento público requiere que sea un funcionario público que se halle en el ejercicio de determinadas y específicas funciones públicas y abuse de las mismas (68). El tipo penal supone un exceso en el desempeño de las funciones asignadas por el ordenamiento jurídico.

Para cometer el delito no basta con ostentar la condición de funcionario, sino que éste debe actuar de forma desmedida e injusta por el área de funciones que le corresponden por el cargo, vulnerando el deber específico de hacer que los documentos que de él emanen o hayan de ser utilizados por él, acomoden su contenido a la verdad que deben reflejar (STS 4.4.1994).

Cuando la falsificación se lleve a cabo en un ámbito en que el funcionario sea manifiestamente incompetente su conducta no puede subsumirse en el artículo 390 sino en el 392 del Código Penal que sanciona al particular que comete falsificación en documento público, oficial o mercantil.

Además el elemento subjetivo requiere la conciencia de la alteración de la verdad por medio de una acción a través de la cual se ataca la fe pública y, en último caso a la confianza que la sociedad tiene n depositada en el valor de los documentos, pues es la autenticidad y la seguridad del tráfico mercantil lo que constituye la razón principal de la incriminación de esas infracciones, por eso debe quedar acreditada la intención maliciosa. Pero la voluntariedad de la falsedad documental. dolo en la falsedad, no se detiene en la alteración material o conceptual del documento, sino que, además, requiere para que la acción sea penalmente reprochada, la voluntad de trastocar los efectos del documento, es decir la intención de que pase por auténtico en el tráfico jurídico lo que el Tribunal Supremo ha señalado que ese dolo es la conciencia deliberada del falseamiento del documento o propósito de que surta efectos como genuino sin serlo en el tráfico (69). También ha señalado que la voluntad de alterar la verdad por medio de una acción a través de la cual se ataca a la fe pública y a la confianza que la sociedad tienen depositada en el valor de los documentos públicos y oficiales (70).

---

(68)   SSTS 21.3.1989 y 5.2.1991.
(69)   SSTS 6.10.1993 y 12.6.1997.
(70)   STS 20.7.1998.

47.3. Elemento funcional: la conducta típica

Las diversas acciones típicas se clasifican en:

— Falsedad material que consiste en la alteración o creación total o parcial de un documento, atentándose a la legitimidad de ese documento, aunque no a su veracidad. (art. 390.1 y 2).

— Falsedad ideológica, que consiste en la aseveración de lo que no es verídico, aunque el documento sea legítimo. Falta de veracidad pero no de legitimidad (71).

La acción consiste en cometer falsedad en un documento de alguna de estas formas:

1.º Alterando un documento en alguno de sus elementos o requisitos de carácter esencial. Es decir el elemento que se falsea sea de entidad suficiente como para que el documento pueda surtir los efectos que pretendía el falsificador por lo que las falsedades burdas serán impunes. El Tribunal Supremo ha recordado que el carácter evidente o grosero de una falsedad que es incapaz d engañar a nadie y surtir el efecto propuesto ha sido de antiguo reconocido como una forma de las falsedades inocuas, excluidas de la punición ante su incapacidad de atentar contra la fe pública (72).

2.º Simulando un documento en todo o en parte, de manera que induzca a error sobre su autenticidad, es decir dar apariencia distinta de la realidad. Simular equivale a crear un documento configurándole de tal forma que produzca una apariencia de veracidad por su estructura y por su forma de confección (73).

3.º Suponiendo en un acto la intervención de personas que no la han tenido, o atribuyendo a las que han intervenido en él declaraciones o manifestaciones diferentes de las que hubieran hecho. Estas declaraciones o manifestaciones han de ser relevantes en el sentido de que el documento altere sustancialmente su contenido.

4.º Faltando a la verdad en la narración de los hechos. La falsedad tienen lugar cuando en un documento público se recogen expresiones o manifestaciones que no se corresponden con la realidad, incluyendo en él datos, ideas, pensamientos o decisiones referentes a elementos esenciales y fundamentales para los efectos del

---

(71)   Art. 390-3 y 4.
(72)   STS 17.3.1994.
(73)   STS 18.9.1993.

documento que son manifiestamente falsos y con potencial afectación negativa al ordenamiento jurídico (74).

48. CONSUMACIÓN, TENTATIVA Y PARTICIPACIÓN

En la doctrina no hay unanimidad en la determinación del momento en que su produce la consumación del delito, pues hay quien entiende que el delito se consuma en el momento en que el documento se altera, en tanto que otros exigen que el documento se incorpore al tráfico jurídico para que tenga lugar la consumación del delito.

La jurisprudencia ha entendido que el delito se consuma en el instante mismo de la alteración, ocultación o mutación de la verdad, cualquiera que sea los propósitos ulteriores y siendo irrelevante que llegue a causarse daño (75), reiterando esto volvió a reiterar que la consumación del delito de falsedad no exige que se produzca daño efectivo en el tráfico jurídico sino que basta la posibilidad de ese daño (76).

En cuanto a la participación el Tribunal Supremo ha examinado los problemas que surgen en relación con la conducta de un extraño que participa en un delito especial estimando como tales aquellos en los que no toda persona puede ser autor sino que el círculo de autores se encuentra limitado a determinados sujetos, como el delito de falsedad cometida en documento oficial por funcionario público, dado que en el tercero no concurre la calificación exigida por el tipo penal, pues no es funcionario público, de ahí que haya que resolver su participación, bien como partícipe del delito cometido por el funcionario, bien como partícipe del delito cometido por el funcionario, bien como partícipe del delito común que subyace en el cualificado. Se entiende que el partícipe, es partícipe en el hecho ajeno y responde como partícipe del delito especial, pues el que presta colaboración indispensable para llevar a cabo un delito tan especial como es el de falsedad en documento oficial cometido por funcionario público, no puede ser coautor, porque falta la calidad de funcionario indispensable para que el delito se produzca, pero responderá como inductor, cooperador necesario o cómplice.

La falsedad puede concurrir con otros delitos como la estafa. Otra sentencia del Tribunal Supremo (77) recoge un supuesto de concurso entre falsedad y malversación se trata de unos agentes de la guardia civil que tras perseguir a una furgoneta cargada de tabaco rubio procedente de contrabando hicieron constar

---

(74)   STS 17.11.1995.
(75)   SSTS 26.12.1991 y 6.10.1993.
(76)   STS 22.4.1996.
(77)   STS 22.4.1996.

la aprehensión de menor número de cajas de tabaco de las realmente aprehendidas, ocultando las que se habían apropiado y repartiéndoselas posteriormente.

También cabe la comisión del delito de falsedad por imprudencia grave recogido en el artículo 391 que castiga a la autoridad o funcionario público que por imprudencia grave incurriere en alguna de las falsedades previstas en el artículo anterior o diere lugar a que otro las cometa. La pena es de multa de privación de libertad de seis a doce meses y suspensión de empleo o cargo público por tiempo de seis meses a un año.

Se exige que la imprudencia sea grave y así lo vino entendiendo la jurisprudencia como en casos de notario que sin conocer a los comparecientes acredita el conocimiento, el corredor de comercio que no se cerciora de la identidad y capacidad de las partes o la del médico del Registro civil que certifica como natural una muerte que evidentemente se había producido violentamente.

La imprudencia debe ser grave equivalente a la imprudencia temeraria o negligencia inexcusable donde no se hayan cumplido los deberes objetivos de cuidado.

El ámbito del delito culposo se limita al cometido por autoridad o funcionario, recayendo solo en un documento público, oficial o mercantil.

49. FORMAS ESPECIALES DE FALSEDAD EN LA ADMINISTRACIÓN

49.1. Falsificación de certificados

El artículo 398 del Código Penal castiga a la autoridad o funcionario público que librare certificación falsa con una pena de suspensión de seis meses a dos años.

Aquí se entiende por certificado el documento que un funcionario facilita a un tercero en el que se hacen constar datos en base a las atribuciones que el funcionario tiene legalmente conferidas.

El sujeto debe ser necesariamente una autoridad o funcionario público con facultades para expedir certificados, que realice el hecho en ejercicio de las funciones de su cargo.

La conducta tipificada consiste en librar certificación falsa es decir con conocimiento de su falsedad, por lo que se trata de una falsedad conceptual o ideológica que hace constar como cierto algo que no lo es.

Se exige que el funcionario realice la conducta en el ejercicio de sus funciones, pues si la acción es llevada a cabo por un particular o un funcionarios público actuando como particular, la conducta estará tipificada por el artículo 399 que sanciona al particular que falsificare una certificación de las designadas en los artículos anteriores, así como al que hiciere uso, a sabiendas, de la certificación falsa, con la pena de multa de privación de libertad de tres a seis meses.

49.2. Fabricación o tenencia de efectos destinados a cometer falsedades

El artículo 400 contiene una disposición general aplicable a los delitos de falsificación de moneda y efectos timbrados y a las falsedades documentales castigando la fabricación o tenencia de útiles, materiales, instrumentos, sustancias, máquinas, programas de ordenador o aparatos específicamente destinados a la comisión de delitos descritos en los apartados anteriores.

Se trata de un delito de sospecha que equipara, a efectos de penalidad, la fabricación o tenencia de útiles u otros efectos destinados específicamente a la comisión de delitos de falsedades.

Para el Tribunal Supremo estas conductas son actos preparatorios respecto a los verdaderos delitos de falsedad, que han sido elevados a la categoría de «infracciones criminales autónomas.»

La tenencia no equivale solo a la tenencia material e inmediata, sino disponibilidad y posesión de los objetos referenciados (78).

49.3. Falsificación de despachos telegráficos

El artículo 394.1 del Código Penal sanciona a la autoridad o funcionario público encargado de los servicios de telecomunicación que supusiere o falsificare un despacho telegráfico u otro propio de dichos servicios, con pena de prisión de seis meses a tres años e inhabilitación especial por tiempo de dos a seis años.

El sujeto activo debe ser la autoridad o funcionario público encargado de los servicios de telecomunicación que realice la conducta en el ejercicio de las funciones de su cargo, la falsificación realizada por otra persona no es delito por ejemplo entregar al funcionario un telegrama en que se afirma algo que sea falso o poner un nombre diferente al de la persona que realmente lo remite.

La conducta típica consiste en suponer o falsificar un despacho telegráfico u otro propio de los mencionados servicios conducta que se reduce a:

— Creación de un despacho telegráfico imaginario.

---

(78)   STS 5.7.1985.

— Constatación falsa del texto entregado.

— Alteración de alguna de las indicaciones esenciales del despacho telegráfico como fechas, contenido o lugar de expedición.

La falsificación puede ser material o conceptual y para la consumación no es suficiente con la suposición o falsificación del despacho en sí, sino que, además, debe ser puesto en circulación sin ser necesario que llegue a conocimiento de tercero o surta cualquier tipo de efecto.

El artículo 394.2 castiga al que, a sabiendas de su falsedad, hiciere uso del despacho falso para perjudicar a otro.

En este caso el sujeto activo puede ser cualquier persona, aunque el uso del despacho falso sería una conducta posterior impune si fuera realizado por la autoridad o funcionario público que hubiere intervenido en la falsificación.

Capítulo 8

Los actos administrativos y su conservación

Uno de los presupuestos teóricos fundamentales que rigen la actuación administrativa es la presunción de la validez de los actos administrativos que se traduce en un criterio general favorable a la conservación de los mismos y que ha dado lugar a una serie de técnicas concretas de actuación que se presentan en la práctica profesional cotidiana de las Administraciones públicas. Esta materia está regulada en nuestro Ordenamiento administrativo y su aplicación ha dado lugar a diversas opiniones doctrinales y jurisprudenciales así como a una práctica coherente en el tratamiento de la conservación de los actos administrativos, cuyas diferentes modalidades examinamos en los siguientes apartados.

1. INTRODUCCIÓN

La LRJ trata de minimizar las consecuencias de la irregularidad de los actos administrativos en aras de un principio general de eficacia de la Administración, para ello regula figuras como la convalidación de actos administrativos anulables, subsanando los vicios que tengan. También regula el mismo texto legal otra figura que examinamos que es la conversión de los actos administrativos técnica mediante la cual un acto inválido es susceptible de producir efectos válidos diferentes a los previstos por el órgano administrativo que lo emitió, por ejemplo la autorización de una licencia para edificar hasta cierta altura en un ámbito territorial determinado que se hubiera anulado por sobrepasar el límite establecido en una norma general podría tener efectos como autorización hasta el límite que la ordenanza reguladora permite.

Recordemos que el principio operativo de conservación de los actos administrativos, que constituye una manifestación de los principios generales de economía procesal y de eficacia, ha sido reiteradamente alegado como fundamento de justificación de diversos instrumentos jurídicas de Derecho público que están recogidas en la LRJ y cuya finalidad es determinar el alcance objetivo de la anulación o, en ciertos casos, de la declaración de nulidad.

Estos instrumentos jurídico-administrativos son la convalidación, la conversión la incomunicación de la invalidez y la conservación de trámites y actos que no guardan relación de causalidad con el anulado o declarado nulo.

2. LA CONVALIDACIÓN Y SUS MANIFESTACIONES

El artículo 67 de la LRJ dispone que la Administración puede convalidar los actos anulables, subsanando los vicios de que adolezcan, por otra parte el acto de convalidación producirá efecto desde su fecha, salvo lo dispuesto anteriormente para la retroactividad de los actos administrativos.

Si el vicio consiste en incompetencia no determinante de nulidad, la convalidación puede llevarse a cabo por el órgano competente cuando sea superior jerárquico del que dictó el acto viciado y cuando el vicio consista en la falta de alguna autorización, podrá ser convalidado mediante la concesión de la misma por el órgano competente.

Es la más discutida de todas estas instituciones que examinamos, al menos desde el punto de vista de la nulidad radical de pleno Derecho.

La subsanación o convalidación, que consiste en la eliminación de la irregularidad que afectaba al acto convalidado por otro acto posterior, que convalida el acto anterior, viene a cumplir las exigencias legales que habían sido incumplidas por el acto convalidado.

La aplicación de la convalidación a los actos nulos viene siendo negada por un amplio sector doctrinal, basándose en una innegable interpretación sistemática del artículo de la LRJ que regula esta figura en su artículo 67 y que, a diferencia de lo que ocurre con otros artículos de la misma Ley (1), que regulan, respectivamente, la conversión y la conservación de actos y trámites, no incluye mención alguna a la nulidad de pleno Derecho y sí, por el contrario, a la anulabilidad e incluso excluye expresamente los supuestos de nulidad cuando se refiere a la convalidación de actos dictados por órganos incompetentes.

Frente a este criterio general también hay opiniones que defienden que el principio de conservación de los actos administrativos debe llevar a la conclusión de que la operación de convalidar un acto nulo solo es posible, siempre y cuando el vicio, de que adolece el acto, sea subsanable, en consecuencia, y dada la condición de principio general que tiene la conservación de actos, en nuestro Ordenamiento, el artículo 67 de la LRJ debiera interpretarse desde esta perspectiva. Esta afirmación, que suele ser fundamentada en complejas argumentaciones

---

(1)   Artículos 65 y 66 LRJ.

no parece la más autorizada y acertada teniendo en cuenta que parte de un presupuesto que no es totalmente exacto.

Y es que el principio de conservación de los actos no puede tener como finalidad el no apoyar una pretensión de convalidación de un acto nulo y ello porque la conservación debe responder, como cualquier actuación de la administración pública, a una finalidad de interés público que en cualquier caso esté plenamente respaldada por el ordenamiento y no cabe afirmar que el mantenimiento de una declaración que se encuentra viciada de nulidad sea susceptible de responder a ninguna clase de interés de público; por el contrario habrá que reconocer que en estos casos existe un interés público en que se produzca efectivamente la desaparición definitiva de dicho acto.

El propio Ordenamiento respalda esta idea ya que a diferencia de lo que ocurre con los actos que son simplemente anulables, los actos nulos de pleno derecho ni tan siquiera son objeto de subsanación por el transcurso de los plazos establecidos para la impugnación de su nulidad. Lo cual se encuentra regulado de este modo porque el sistema jurídico regulador de la eficacia de los actos administrativos en nuestro Ordenamiento legal, considera inaceptable mantener la eficacia de un acto afectado por causa de nulidad; otorgando consideración especial al hecho de su eliminación, lo cual no sólo permite a la propia Administración pública actuar de oficio a la misma, sino que, incluso lo considera un deber legal de la administración responsable, sin que pueda alegarse al respecto ningún tipo de potestad discrecional a favor de aquella, como ocurre en los casos de actos que son meramente anulables.

De este modo debe quedar claro que las causas de nulidad son consideradas, por nuestro Ordenamiento jurídico administrativo, como vicios no subsanables dado que se entiende que el interés público así lo exige y esta valoración no ha de ser objeto de discusión ni de interpretación más extensiva por quien debe proceder a la aplicación de las normas dado que solo al legislador está permitido es sentido estricto definir en las normas legales el objeto del interés general.

Por otra parte, esta regulación también responde a necesidades institucionales innegables incluso a ciertas exigencias constitucionales, dado que, la nulidad establece algo parecido a un límite respecto a la obligación del ciudadano en lo que se refiere al cumplimiento de los mandatos de los poderes públicos, es decir la obediencia por parte del particular a las instrucciones de la Administración, que no deberá verse sancionado por el desconocimiento o incumplimiento de actos nulos. Es en nuestra opinión una de las muchas manifestaciones que tiene la sustitución del concepto tradicional de administrado por el de ciudadano en su concepción funcional, más allá de que éste habite en un medio urbano o rural.

Si el acto nulo pudiese ser subsanado retroactivamente esta garantía quedaría reducida a nada. Por otra parte hay que reconocer que si el acto nulo no es eficaz es porque no debe producir efectos y en ello consiste, precisamente, el fundamento mismo del rechazo a la convalidación del acto nulo por parte de nuestro ordenamiento legal.

Es decir que el acto nulo carece de eficacia y por ello no obliga a los ciudadanos no obliguemos que el atribuir eficacia retroactiva a un deber público u obligación que no existían anteriormente sería contrario al principio constitucional de seguridad jurídica y determinación previa de las disposiciones restrictivas de derechos.

Con todo, en este contexto debiera aclararse lo que se entienda por acto que puede subsanarse y si se defiende que la convalidación depende no del tipo de vicio del acto, sino de que el mismo pueda subsanarse, habría que aclarar la manera como se subsana un acto administrativo por ejemplo en los siguientes supuestos:

a) Que sea constitutivo de delito.

b) Que en su mandato incluya la exigencia de un acto delictivo a su destinatario.

c) Que lesione derechos fundamentales del ciudadano.

d) Que tenga un contenido imposible.

e) O por el cual se adquiera un derecho o facultad careciendo de los requisitos esenciales para su adquisición.

Francamente sería prácticamente imposible encontrar razón de interés público mínimamente aceptable que avalase esta subsanación y que no produjera de un modo u otro un atentado a derechos y garantías fundamentales.

Y es que hay que tener ene cuenta que si, por un lado, el hecho de subsanar un acto administrativo afectado de graves vicios, puede llegar a violentar la confianza de los ciudadanos en el ordenamiento legal vigente, por otro la prohibición de que la Administración tenga facultades para corregir irregularidades en las que hubiera incurrido, aunque sean graves, en lugar de afirmar la confianza social de la opinión pública ciudadana en unos poderes públicos que cumplen los requisitos mínimos de legalidad, puede, por el contrario, generar una sensación de injusticia originada por la permanencia de actos y resoluciones desacertadas, «mantenella e no enmendalla». No obstante esta argumentación puede ser válida para aquellos supuestos en que resulte favorable a los destinatarios, sin embargo hay que tener en cuenta que en justicia si se admite dicha posibilidad también habría que admitir su aplicación cuando el acto no fuese favorable. La cuestión fundamental es el peligro que puede suponer la posibilidad de convalidar actos emitidos sin garantías de cumplimiento de requisitos que exige el interés general.

Con ello que se estaría limitando la aplicación de la subsanación a los actos nulos cuya resolución de fondo sea acertada. Pero aun admitiendo que la tesis analizada se limitase a los actos incursos en defectos formales que permiten al ciudadano apreciar que la decisión en el fondo era correcta, la primera cuestión a plantearse en este caso, sería ¿por qué habría que considerar nulos a dichos actos? Si se tiene en cuenta que la virtud invalidante de cualquier vicio formal depende de que dicho vicio impida verificar si la resolución administrativa, en cuestión, fue correcta en cuanto al fondo.

Por otra parte, en el caso de los vicios formales, la subsanación no serviría, o al menos no debería servir, para nada que no se pueda obtener ya por otros medios, porque la Ley ya dispone en estos casos la posibilidad de conservación de trámites que no estén viciados de nulidad.

Por otra parte, el acto dictado en sustitución del declarado mulo puede tener efectos retroactivos en la misma medida en la que los podría tener la subsanación, tal y como establece el artículo 67.2 LRJ. Sin embargo, debemos recordar que toda posibilidad de dotar de efectos retroactivos a un acto administrativo, dictado en sustitución de un acto nulo, debe pasarse, por el filtro precautorio del principio de la seguridad jurídica que proclama la constitución, de manera que siempre que el ciudadano haya confiado en la nulidad del acto se impida dicha retroactividad. Para evitar el hecho de que a pesar de dicha nulidad el ciudadano pueda ser sancionado por su conducta basada simplemente en la ineficacia del acto, o bien que el mismo ciudadano pudiera ser privado de las prestaciones en las que legítimamente confió o que pueda ser sometido a una obligación con carácter retroactivo y con la que, por lo tanto, no pudo contar.

Por último, alegar un interés público a la conservación de un acto ilegal por encima de las propias previsiones que haya realizado la Ley parece poco coherente con las exigencias del principio de legalidad, que, a su vez, es fuente de la que debe deducirse todo aquello que se considere exigencia del interés público.

Por todo ello, y de acuerdo con opinión mayoritaria de la jurisprudencia y con lo que, en esta materia se regula en la mayoría de los ordenamientos de Derecho comparado, principalmente en estados miembros de la Unión Europea cabe afirmar que hay sobrados argumentos para mantener la interpretación sistemática y textual de lo que establece la LRJ en su artículo 67, negando la posibilidad de convalidación de un acto nulo (2).

---

(2)   Hay que tener en cuenta que, en el ámbito de las Administraciones Locales, se ha mantenido la posibilidad de convalidación de actos nulos de pleno derecho por falta de consignación presupuestaria acudiendo al mecanismo del reconocimiento de los créditos por el Pleno de la Corporación y la tramitación del procedimiento de concesión de crédito extraordinario o suplemento de crédito en su caso, pero ello nos introduce en otros escenarios económico presupuestarios que no examinamos en la presente práctica profesional.

La convalidación de los actos administrativos, por lo tanto, solo es posible cuando se trate de actos anulables de aquí que la LRJ solo haga referencia a ellos omitiendo los nulos de pleno derecho, teniendo en cuenta que la figura de la convalidación consiste en subsanar los defectos de un acto anulable.

El acto convalidado produce efectos desde su fecha, salvo lo dispuesto para la retroactividad de los actos administrativos. La retroactividad es esencial a la subsanación en mayor grado que en relación a cualquier otro tipo de modalidad de convalidación, porque si se le priva de dicho efecto solo queda un acto administrativo nuevo que se ha beneficazo de los actos de trámite válidos de un procedimiento cuya resolución o acto definitivo ha resultado inválido, no obstante hay que tener en cuenta que la LRJ hace un mentís expreso de esta postura al determinar los efectos del acto convalidado, salvo que se den los supuestos que justifican, con carácter general, al otorgamiento de validez con eficacia retroactiva.

El vicio de incompetencia que no incurra en nulidad absoluta puede convalidarse por el órgano superior jerárquico del que dictó el acto viciado. Finalmente señalar que en el ámbito de la administración local se ha venido aplicando la convalidación del acto (3).

Finalmente también debe tener en cuenta que cuando el vicio del acto administrativo consista en la falta de algún tipo de autorización, el acto puede ser convalidado mediante otorgamiento de ésta por el órgano competente. En cuyo supuesto parece que no será precisa la audiencia y vista de los interesados, bastando que se haya cumplido el trámite en el procedimiento en que se dictó el acto anulable.

3. LA CONVERSIÓN Y SUS UTILIDADES

En cuanto a la segunda de las figuras dirigidas a la conservación de los actos administrativos, es decir la conversión, su aplicación a los casos de nulidad de

---

(3)   El Tribunal Supremo se ha manifestado en este sentido en algunas sentencias entre las más relevantes, con ocasión de examinar ciertas cuestiones relacionadas con las licencias municipales de obra la STS de 16.4.1992; STS 9.12.1980 la relación entre el Alcalde y el Teniente de Alcalde no es una relación estrictamente jerárquica y puede permitirse aplicar entre ellos la fórmula convalidatoria por analogía; STS 31,1979 anulable el acuerdo adoptado por el alcalde en materias de competencia de la Comisión Permanente, si ésta había resuelto un recurso de reposición y dio cuenta al Pleno municipal; STS 16.10.1978 convalidación por el Pleno de un acuerdo tomado por la Comisión Permanente; STS 21.1.1975 de acuerdo con el viejo brocardo que recuerda que «quien puede lo más puede lo menos» no puede decirse que hay incompetencia cuando el Pleno municipal resuelve cuestiones de competencia de la Comisión o si ésta lo hace con las competencias que corresponden al alcalde; finalmente la STS de 18.3.1970 declaró que no existe nulidad cuando el Pleno adopta un acuerdo que es competencia del Alcalde con asistencia de éste.

pleno derecho es innegable en nuestro sistema regulador, dada la propia declaración de la LRJ en este sentido. Declaración que, por otra parte, resulta coherente con el régimen de ineficacia del acto nulo, ya que si aunque estos actos no deben producir los efectos que serían propios del tipo de actos que aparentan, nada impide, por otro lado, que puedan producir los efectos propios de otro acto diferente cuando reúnan los elementos y características del mismo.

La conversión de los actos nulos o anulables es una técnica mediante la cual se consigue que un acto inválido pueda producir efectos válidos diferentes a los previstos por el órgano que lo produjo y que por otra parte completa y justifica el principio general de conservación de los actos de la administración. En relación con esta figura la LRJ prefiere moverse en el plano de la eficacia antes que en el de la invalidez; el artículo 65 contempla no solo los actos nulos sino también los anulables. Teniendo en cuenta que los actos de convalidación producen, por lo común, efectos desde la fecha de su efectividad y no siempre cabe la retroacción al momento en que se dictó el acto convalidado, mientras que la figura de la conversión es eficaz desde la fecha del acto constitutivo de su objeto.

A la hora de determinar el régimen de esta figura de la conversión se plantean otros problemas, dada lo escueto del precepto legal. El primer aspecto controvertido es el relativo a la necesidad de una declaración expresa para que pueda apreciarse la conversión. Cuestión que, en caso de duda, debe resolverse a favor de dicha necesidad ya que, de otro modo, se generaría un grado notable de inseguridad jurídica en el ciudadano destinatario del acto que pretende unos efectos que el acto no puede producir, evitando así que se produzcan situaciones de posible indefensión de los particulares frente al acto convertido, ya que éste no podría surtir efectos dada su nulidad de pleno derecho.

Hay ordenamientos como el alemán donde la naturaleza jurídica de la declaración de conversión del acto administrativo es muy discutida por diferentes sectores doctrinales y de la práctica profesional de la administración pública, siendo la opinión mayoritaria la que se inclina por la postura de no atribuir a dicha declaración el carácter de acto administrativo, ya que se trata de una mera declaración de conocimiento declaración de conocimiento. Sin embargo, dados los presupuestos de nuestro sistema legal-administrativo y la necesidad de otorgar tutela jurídica a quien se vea perjudicado por la conversión, tutela que un amplio sector de la doctrina germana ve de difícil justificación al no admitirse recursos contra el acto de conversión en sí misma considerada, lo que supondría, al menos en nuestro sistema, que en los actos anulables no sería posible la impugnación si el acto convertido ya era firme lo que, a su vez, resultaría difícilmente admisible desde las exigencias que supone el derecho a la tutela judicial efectiva, por ello parece razonable sostener que la conversión adoptará forma de acto administrativo en tanto en cuento la lleve a cabo la Administración.

Todo ello no es óbice para que la operación de conversión y sus efectos también sea posible a través de una declaración judicial del orden contencioso-administrativo, teniendo en cuenta que la LRJ, en su artículo 65, no ha limitado la eficacia de esta figura a su utilización por la Administración. Teniendo en cuenta, además que la conversión es una práctica relativamente extendida en la actividad de los tribunales de ese orden jurisdiccional.

No se trataría en todo caso de una sentencia constitutiva, sino meramente declarativa del carácter que va a tener el acto tras la conversión. En cuanto a los requisitos que ha de reunirse para que sea posible la conversión, el artículo 65 LRJ se refiere a la necesidad de que el acto a convenir tenga los elementos constitutivos del acto en que va a ser convertido. Empleando una terminología de neta inspiración latina muy común en nuestro derecho Público, lo que viene a exigirse es que el acto que por su ilegalidad no pueda producir los efectos buscados deberá reunir todos los requisitos de validez que se exijan al nuevo acto en el que vaya a convertirse.

Por tanto, el acto debe haber seguido los trámites procesales propios de una declaración con los efectos que, efectivamente, vaya a tener; por otra parte, tiene que haber sido dictado por órgano competente para adoptar un acto de esa clase y, además, debe cumplir los requisitos sustantivos de fondo, resultando, esto, especialmente importante en supuestos de decisiones discrecionales, que cumplan con el fin establecido por la norma que atribuye la potestad.

En el caso de conversión judicial resulta, también, necesario que las partes hayan planteado la conversión del acto ante el órgano jurisdiccional, toda vez que una decisión de tal calado va mucho más allá de lo que permiten las potestades de oficio de dichos órganos y, además tampoco podría ser planteada por la vía de los artículos 33.2 o 65.2 de la LJ 1998, teniendo en cuenta que trasciende el mero ámbito de los motivos del recurso, aunque en la práctica judicial parece que la conversión suele declararse de oficio.

En lo que hace a los efectos de la conversión, en contra de lo que la doctrina suele establecer, en nuestra opinión deben extenderse, en principio, sólo sobre el futuro, porque mientras no se le notifica al ciudadano la conversión, éste sólo ha recibido una notificación que se corresponde con un acto nulo y, por tanto, ineficaz en nuestro caso, o anulable, pero, en todo caso, orientado a producir unos efectos distintos a los que efectivamente va a producir que el ciudadano no tiene la obligación de intuir. Lo contrario es tanto como desconocer la principal función del acto administrativo que es aplicar el Derecho en el caso concreto clarificando la situación jurídica y dotando a sus destinatarios de una pauta clara de comportamiento. Naturalmente cuando el acto sea favorable y no se afecte derechos de terceros, nada impide el carácter retroactivo de la conversión conforme a las reglas generales.

No debe negarse que el instrumento administrativo así configurado se distancia tanto de la institución de la conversión existente en el ámbito del derecho civil que, teniendo en cuenta, la tradición histórica y configuración de esta institución que ya operaba en Derecho romano, esta designación terminológica no parece muy adecuada con la tradición jurídica, ya que se asimila más a una reproducción del negocio que a la conversión de los negocios propiamente dicha, pero no cabe llegar a otra conclusión en la práctica administrativa y en la práctica de interpretación jurídica de nuestro derecho público, si se tienen en cuenta los principios a los que se encuentra sometida la actuación de la Administración; por otra parte, y dada la existencia conversiones judiciales, no parece que la conversión del acto administrativo y la mera reproducción del negocio sean enteramente asimilables.

Solo acabar esta apartado reiterando que la conversión de actos administrativos es una figura de la práctica profesional de la administración y de la práctica judicial que da vida a otros actos diferentes desapareciendo el acto nulo o anulable y naciendo otro diferente y nuevo por ello en muchos casos podría hablarse no solo de conversión sino más bien de transformación dado que el acto anterior desaparece y el acto del que derivan los efectos que subsistan es un acto nuevo de manera que el vínculo que hay entre un acto y otro está formado por los elementos que permanecen y dan vida al acto nuevo y que ya figuraban en el acto que desaparece.

4. INCOMUNICACIÓN DE LA INVALIDEZ Y CONSERVACIÓN DE ACTOS Y TRÁMITES

La LRJ contempla la cuestión de la nulidad parcial en su artículo 65 que, para reconocer una nulidad parcial exige el cumplimiento de los siguientes requisitos:

1.º Que el acto sea divisible, lo que a su vez puede suceder por distintos motivos:

En primer lugar, porque en el acto en cuestión existan distintas declaraciones, como puede ser el caso cuando se acumulan en una misma resolución distintos pronunciamientos que entre sí no están vinculados más que por razones de concentración procedimental (4) o cuando el acto viene acompañado por un modo que, en pluralidad, no se integra en el mismo, pero también, en nuestra opinión, cuando el acto tenga un contenido esencial y otros contenidos accesorios, acto sometido a cláusulas accesorias.

---

(4)   Por ejemplo el acto por el que se aprueba a varios aspirantes a la expropiación de diversos terrenos que se ordena de manera conjunta.

En segundo lugar, porque el acto tenga un objeto o prestación que es divisible al poder variarse su cantidad, su número, o su duración temporal. Es así divisible un acto que otorga o exige una cantidad de dinero, pero no lo es un acto que otorga la nacionalidad española.

2.º Que pueda determinarse inaparte del acto ajustada a la legalidad y que no tenga una relación jurídica de dependencia respecto a la parte nula. Esto es lo que la LPC exige al señalar que la parte nula del acto no debe tener tal importancia que sin ella el acto no hubiera sido dictado.

La aplicación de este segundo requisito es muy clara en los actos reglados divisibles y también en aquellos en los que la discrecionalidad se haya agotado en el caso concreto, pero plantea problemas en los actos discrecionales. Ámbito este último en el que para decretar o no la nulidad total el órgano jurisdiccional tendrá que hacer una valoración desde la perspectiva, no de la voluntad del titular del órgano, ni de la defensa que haga la Administración, sino del fin que persigue la norma que atribuyó la potestad discrecional (5).

La última figura que examinamos es la conservación de actos y trámites, que viene regulada con carácter general en el artículo 66 de la LRJ y en su vertiente procesal en el artículo 64.1 y que también está expresamente referida a los supuestos de nulidad de pleno derecho.

Tanto el llamado principio del *favor facti* como el de economía procedimental exigen el mantenimiento del acto si su anulación no hubiera modificado su contenido, hay que señalar que en ciertos casos será difícil conocer en la práctica profesional habitual de la administración si la anulación del acto administrativo modificaría su contenido, por ello solo es posible la previsión de de que la repetición de actuaciones conduzca a actos de igual contenido toda vez que siempre es posible que un órgano administrativo cambie de criterio al producir un acto o cumplir un trámite concreto. Por ello lo que debe tenerse en cuenta en estos casos son los datos objetivos que consten en el expediente y si a la vista de estos datos pueda presumirse, razonable y equitativamente, que los actos que se repitan tendrían el mismo contendido que tenían antes de la declaración de nulidad.

(5)   En el ámbito del derecho privado este principio es diferente, de manera que la nulidad parcial solo puede cuando la interpretación del negocio jurídico de que se trate no muestre una voluntad contraria en el autor o autores del mismo; no obstante en este ámbito del derecho privado tampoco cabe admitir que la simple voluntad contraria a la nulidad parcial de una de las partes del negocio jurídico, una vez que se hubiera apreciado la infracción que afecte a un aspecto del negocio deba llevar consigo la nulidad total, cunado con dicha petición de nulidad total se esté tratando de eludir el cumplimiento contractual y además puede interpretarse que el negocio sigue satisfaciendo equilibradamente los intereses de las partes.

Para hacer operativo el contenido de estos preceptos es necesario partir del ámbito de aplicación de los mismos. Esto es, determinar qué actos o trámites se verán potencialmente afectados por la declaración de nulidad de otro (6).

Lo razonable para fijar el campo potencial de los efectos de la declaración de nulidad es partir de la exigencia de una relación de causalidad entre el acto o trámite en el que se ha cometido la irregularidad y aquellos otros que deben estar afectados también por la sanción de la misma.

Esta relación de causalidad se puede dar en dos supuestos: bien porque el acto o trámite posterior toma al acto nulo como presupuesto lo que es típico de los actos encadenados dentro de un procedimiento administrativo, pero puede darse también al margen del mismo, bien porque inserta el contenido del acto o trámite nulo en el suyo propio.

Determinado así el potencial ámbito de aplicación de la sanción de nulidad la misma sólo será efectiva si el acto en cuestión, que objetivamente trae causa del acto nulo, pudo tener potencialmente otro contenido de no haberse producido la infracción.

Esta regla está técnicamente bien concebida y, en nuestra opinión, el principio en ella expresado más allá del alcance puramente formal que, a veces, la da nuestra doctrina, puede ser aplicado, al menos por analogía, para resolver problemas tradicionales como los derivados de los nombramientos antijurídicos de funcionarios o de agentes de la Administración, ya que en estos casos la nulidad del nombramiento no debe afectar a los actos que se hayan adoptado en virtud del mismo cuando dicha nulidad no haya influido en la corrección material de dichos actos.

En cuanto al problema suscitado por la anulación de actuaciones, hay que tener en cuenta que esta decisión requiere una orden expresa dirigida a la Administración y basada en consideraciones de oportunidad administrativa sobre la necesidad de continuar el expediente que sólo puede hacerse en el seno de las relaciones jerárquicas administrativas y dentro de la práctica profesional. Por ello un órgano judicial sólo podrá declarar nulo o anular el acto que se ha impugnado o desestimar el recurso en el caso de que entienda que el acto es plenamente ajustado a Derecho, que es a lo que únicamente le autoriza la LRJ (7), pero no pue-

---

(6)   El régimen de conservación de actos y trámites en la Administración se aplica tanto cuando se declare «la nulidad de actuaciones» como cuando se declare «la nulidad o anule actuaciones» siendo este régimen que contienen los artículos 65 y 66 de la LRJ susceptibles de dos interpretaciones o bien se entiende que incluye los casos de nulidad de pleno derecho al considerarse que la nulidad de actuaciones determina siempre la anulabilidad, ex art. 63.2 LRJ o bien interpretando el término nulidad como equivalente a invalidez del acto final. Con todo hay que tener en cuenta que la justificación de la figura de conservación es la misma en ambos supuestos.

(7)   En su artículo 70.

de obligar a la Administración a seguir un procedimiento en el que tal vez ya no exista un interés público. Debe hacerse, no obstante, una importante matización. En el caso de que el acto administrativo impugnado lo sea por haber denegado un contenido favorable al particular, la declaración de nulidad por motivos formales sí puede traer consigo la condena a la Administración a que se vuelva a pronunciar sobre la solicitud del mismo, siendo posible que en estos casos el órgano jurisdiccional a instancia del particular dicte una sentencia marco en la que se señalen a la Administración las pautas de un comportamiento acorde a la legalidad.

Capítulo 9

Revocación de los actos administrativos

En este capítulo se examina la revocación de actos administrativos para lo cual partimos de la exposición de un supuesto práctico diseñado al efecto, para examinar seguidamente las diferentes facetas de la figura de la revocación de los actos administrativos sus tipologías, requisitos y consecuencias.

1. SUPUESTO PRÁCTICO

El Ayuntamiento impone una sanción de tráfico a un ciudadano, por mal estacionamiento en la vía pública, en condición de propietario del vehículo. La fecha de la infracción fue el quince de marzo de 2007. El agente denunciante no localizó al conductor en el momento de comisión de la infracción, por lo que no le pudo notificar la denuncia iniciadora del expediente de infracción.

La notificación de la denuncia se hizo, por vía sustitutiva, en el Boletín Oficial de la Provincia de diecisiete de marzo de 2007, al no poder localizarlo en su domicilio.

La resolución sancionadora, de noventa euros de importe, se impuso en fecha veintidós de agosto de 2007, publicándose en el Boletín Oficial de la Provincia, en fecha veintiocho de agosto de 2007, por el mismo motivo. En ningún momento el ciudadano sancionado realizó actuación ni alegación de ningún tipo ante la Administración durante la instrucción del expediente.

En fecha cinco de febrero de 2008, en procedimiento en vía de apremio para el cobro de la multa, el ciudadano sancionado presenta escrito dirigido al Ayuntamiento, junto con documentación acreditativa de todos los extremos que afirma, en la que señala que en la fecha en la que se cometió la infracción que se le imputa él se encontraba en el extranjero cursando estudios universitarios, extremo que acredita documentalmente.

Asimismo, señala que durante todo el tiempo de instrucción del expediente permaneció en el extranjero y que no era conocedor de que se había abierto un expediente sancionador contra él ni que se le había impuesto una multa, por lo que no realizó ninguna alegación ni recurso, extremo que vuelve a acreditar documentalmente.

Afirma a su vez que si bien considera que el expediente está bien instruido y notificado en la forma procedente según el artículo 59 de la LRJ y que el mismo es firme e inatacable, queda suficientemente acreditado que él no pudo cometer la infracción por estar, desde tres meses antes, en el extranjero por lo que solicita que se le revoque la sanción a los efectos de evitar que se cometa una injusticia.

2. EXAMEN JURÍDICO

Los actos administrativos, una vez que devienen en consentidos y firmes, por no haberse interpuesto en plazo los recursos administrativos o jurisdiccionales oportunos, se convierten en inatacables, aunque adolezcan los vicios graves contra la legalidad.

El principio de seguridad jurídica en la actuación de la Administración Pública determina que otros valores, como el de sujeción de la actuación administrativa a la legalidad, cedan transcurrido un determinado período de tiempo.

El no plantear contra dicha actuación administrativa las medidas de reacción correspondientes, interponiendo los recursos de impugnación ordinarios, en los breves plazos de uno o dos meses, determina la imposibilidad de discutir la ilegalidad de los mismos. Extremo que se acentuó con la redacción dada en 1999 al artículo 103 de la LRJ, que descartó que dicho cauce, cuyo plazo de ejercicio es de cuatro años, pueda ser instado por los interesados, sino que únicamente puede ser utilizado de oficio para la Administración. En ese sentido la exposición de motivos de la Ley 4/1999 señaló expresamente que en cuanto a los actos anulables, se elimina la potestad revisora de la Administración, prevista en el artículo 103, con lo que se obliga a la Administración Pública a acudir a los tribunales si quiere revisarlos, mediante la pertinente previa declaración de lesividad y posterior impugnación, eliminando también la posibilidad de que los ciudadanos utilizasen esta vía que había desnaturalizado por concepto el régimen de los recursos administrativos. De esta forma, se colocan Administración y ciudadanos en una posición equiparable.

En el presente caso se aprecia como irregularidad importante el hecho de que el expediente se haya instruido contra el propietario del vehículo y no contra el conductor del mismo.

El principio de presunción de inocencia determina que no se puede imputar una conducta al propietario del vehículo por el simple hecho de serlo, ya que el vehículo es susceptible de ser usado por cualquier tercero, que en condición de conductor es quien realmente habría cometido la infracción de estacionar indebidamente en el presente caso.

En aquellos casos en los que el agente de la autoridad no puede localizar al conductor que ha cometido la infracción (1), la Administración debe dirigirse al propietario del vehículo a los efectos de que el mismo cumpla con la obligación establecida en el artículo 72.3 del Real Decreto Legislativo 339/1990, de 2 de marzo, Texto Articulado de la Ley sobre Tráfico, Circulación de Vehículos a Motor y Seguridad Vial (2), que dispone que el titular del vehículo, debidamente requerido para ello, tiene el deber de identificar al conductor responsable de la infracción y si incumpliere esta obligación en el trámite procedimental oportuno sin causa justificada será sancionado pecuniariamente como autor de una falta grave.

Ante el incumplimiento de esta obligación de identificación del conductor, el propietario incurriría en una infracción por ello, pero no por el mal estacionamiento, infracción cuya autoría quedaría sin acreditar su autoría, por falta de pruebas. Si no fuese así, pretender castigarle por el mal estacionamiento sería tanto como castigar por el simple hecho de ser propietario del vehículo, por una razón objetiva, lo que entraría en clara colisión con el principio del artículo 130.1 de la LRJ cuando señala que sólo podrán ser sancionadas por hechos constitutivos de infracción administrativa las personas físicas y jurídicas que resulten responsables de los mismos aun a título de simple inobservancia.

El artículo 72.3 del Real Decreto Legislativo 339/1990, sobre el que se han planteado múltiples cuestiones de inconstitucionalidad, por entender que incumple el artículo 24.2 de la Constitución Española, que señala que nadie está obligado a declarar contra sí mismo, ha sido ratificado en su constitucionalidad por el Tribunal Constitucional (3).

En el presente caso no se ha actuado de esa forma, exigiendo al propietario del vehículo la identificación del conductor, sino que se la ha imputado directamente la comisión de una infracción sin pruebas de ningún tipo. En ese sentido la actuación de la Administración ha sido incorrecta.

Además, por datos posteriores, se evidencia que la infracción no se ha cometido por el sancionado.

Con independencia de ello, al no haberse impugnado la resolución en plazo, la actuación sancionadora de la Administración ha devenido en firme e inatacable.

---

(1)   Por ejemplo los casos de mal estacionamiento.
(2)   Adaptado a la Ley Orgánica 15/2007.
(3)   SSTC 154/1994, 197/1995 y 7/1996.

Las distintas resoluciones han sido notificadas al interesado, si bien no de forma directa porque ha sido imposible su localización en su domicilio, sí en la forma sustitutiva establecida por la legislación procedimental, artículo 59 de la LRJ, en los siguientes términos: «Cuando los interesados en un procedimiento sean desconocidos, se ignore el lugar de la notificación o el medio a que se refiere el punto 1 de este artículo, o bien, intentada la notificación, no se hubiese podido practicar, la notificación se hará por medio de anuncios en el tablón de edictos del Ayuntamiento en su último domicilio, en el Boletín Oficial del Estado, de la Comunidad Autónoma o de la Provincia, según cuál sea la Administración de la que se proceda el acto a notificar, y el ámbito territorial del órgano que lo dictó».

En la fase ejecutiva de vía de apremio, a efectos del cobro por la Administración del importe de la multa, ante su impago en período voluntario, no es posible ya argumentar ni alegar nada en contra de los vicios de la resolución que provoca la imposición de la multa. Extremo que se deduce de la Ley General Tributaria, que regula los motivos de impugnación de la providencia de apremio con un carácter tasado. Sólo cabe alegar defectos de notificación, por ser la premisa de la eficacia de necesario cumplimiento para que se puedan adoptar medidas administrativas ejecutorias. La ejecutividad precede y legitima la ejecutoriedad. Así, el artículo 167.3 de la LGT cuando señala que: Contra la providencia de apremio sólo serán admisibles los siguientes motivos de oposición: ... c) Falta de notificación de la liquidación. Dicha actuación supone la imposición de una restricción.

El particular, consciente de que el acto administrativo no es atacable por la vía ordinaria de recursos, ha solicitado la revocación del acto, en los términos del artículo 105.1 de la LRJ que es la cuestión que se plantea en los siguientes apartados de esta práctica profesional.

El régimen jurídico de la revisión de oficio, que regulan los artículos 102 y siguientes de la LRJ, tiene un alcance genérico por lo que resulta de aplicación tanto a la Administración General del Estado como a las de las Comunidades Autónomas y a las entidades que integran la Administración Local, así como a las entidades de Derecho público con personalidad jurídica propia vinculadas o dependientes de aquellas. En estos casos es preceptivo el informe del Consejo de Estado o del órgano consultivo equivalente de las comunidades autónomas.

3. REVOCACIÓN DE LOS ACTOS ADMINISTRATIVOS

Con carácter general se entiende por revocación la retirada definitiva por la administración de un acto suyo anterior, mediante otro acto administrativo de signo contrario.

Dentro de este concepto se encuentran multitud de aspectos de la práctica profesional de las administraciones públicas principalmente derivados de la complejidad que supone la revocación de un acto de la Administración Pública.

La revocación se fundamenta en el principio general de que las acciones de las Administraciones Públicas debe presentar siempre el máximo de coherencia con el interés público tanto cuando el acto nace sino también a lo largo de toda su existencia, de este modo puede decirse que la revocación es procedente cuando haya quedado demostrado que el acto dictado ha devenido inadecuado para la finalidad para la que fue dictado, ya sea porque fueron mal estimadas las circunstancias y necesidades generales en el momento en que fue tomado el acuerdo o porque posteriormente dichas necesidades y circunstancias fueron modificadas con lo cual el acto resulta contrario al interés público.

No obstante los principales problemas de esta figura se presentan en la práctica administrativa no siempre se producen cuando pretende revocarse un actos por irregularidades en un procedimiento sancionador sino, sobre todo, cuando la administración pretende la revocación de los actos declarativos de derechos como ocurre con autorizaciones, concesiones, nombramientos, etc. en que se plantea una indemnización. En estos casos planteándose la legitimidad de la revocación, se cuestionan las causas y motivos así como su precio es decir la indemnización toda vez que el titular del derecho revocado tendrá derecho a indemnización en función de las causas que determinen la revocación así como de la naturaleza del derecho afectado.

Con un criterio doctrinal cabe distinguir entre un tipo de revocación de origen legal prevista por la Ley en ciertos supuestos que la LRJ denomina como revisión de oficio y una revocación de origen negocial prevista o pactada en una cláusula accesoria del propio acto. También es frecuente y posible la utilización de la revocación por vía de sanción en caso de incumplimiento de las obligaciones asumidas por el destinatario del acto; en tercer lugar también hay que tener en cuenta la cuestión de las revocaciones indirectas con cuya denominación se hace referencia a los casos en que un determinado acto queda, total o parcialmente, sin efecto al quedar eliminado el acto que le servía de soporte.

A estos efectos recordemos que el artículo 102 LRJ dispone que Las Administraciones Públicas podrán revocar en cualquier momento sus actos de gravamen o desfavorables, siempre que tal revocación no constituya dispensa o exención no permitida por las leyes, o sea contraria al principio de igualdad, al interés público o al ordenamiento jurídico. A este respecto hay que tener en cuenta que para que pueda declararse, válidamente, la revocación de un acto nulo es preciso que el Consejo de Estado aprecie la existencia de causa determinante de la revocación es decir un dictamen favorable que no solo es preceptivo en este caso sino también vinculante para el órgano responsable de la Administración.

Dicho cauce revisor se separa sustancialmente de los establecidos en el artículo 102 y 103 LRJ. Se establece un menor rigor procedimental y la inexistencia de un límite temporal porque los actos que son objeto del mismo son actos desfavorables, de gravamen, que el penalizado por los miamos no tiene ningún interés legítimo en soportar y mantener sobre su esfera personal y patrimonial, lo que justifica ese menor rigor para proceder a su eliminación por parte de la propia Administración.

El apartado 3 del artículo 102 LRJ faculta a la Administración para acordar motivadamente la inadmisión a trámite de las solicitudes formuladas en materia de revocación de actos administrativos por nulidad si tan siquiera solicitar el dictamen del órgano consultivo cuando estas solicitudes no se basen en algunas en algunas de las causas de nulidad que establece el artículo 62 LRJ (4), carezcan de fundamento o sean sustancialmente iguales a otras ya desestimadas, con anterioridad, en cuanto al fondo.

En esta disposición la LRJ permite a la Administración establecer en la misma resolución por la que se declare la nulidad de un acto administrativo objeto de revocación, las indemnizaciones que proceda reconocer a los interesados; previsión que evita tener que iniciar con posterioridad una reclamación de responsabilidad por los daños y perjuicios derivados de la declaración de nulidad del acto administrativo. No obstante, debe quedar claro que, en ningún caso habrá lugar a indemnización cuando exista dolo, culpa o negligencia graves imputables al perjudicado (5).

Por otra parte el artículo 103 de la LRJ establece que las Administraciones públicas podrán declarar lesivos para el interés público los actos favorables para los interesados que sean anulables conforme a lo dispuesto en la propia Ley, a fin de proceder a su ulterior impugnación ante el orden jurisdiccional contencioso-administrativo.

De la sujeción a un procedimiento específico de la revisión de oficio de los actos anulables por la anterior normativa de procedimiento administrativo se de-

---

(4) — Los que lesionen los derechos y libertades susceptibles de amparo constitucional.
— Los dictados por órgano manifiestamente incompetente, por razón de la materia o del territorio.
— Los que tengan un contenido imposible.
— Los que sean constitutivos de infracción penal o se dicten como consecuencia de ésta.
— Los dictados prescindiendo total y absolutamente del procedimiento legalmente establecido o de las normas esenciales para la formación de la voluntad de los órganos colegiados.
— Los actos expresos o presuntos contrarios al ordenamiento jurídico por los que se adquieren Facultades o derechos, cuando se carezca de los requisitos esenciales para su adquisición.
— Cualquier otro que se establezca expresamente en una disposición de rango legal.
(5) Ver SSTS 26.9.1981, 2.3.1982 y 24.7.1989 en que el Tribunal Supremo ha delimitado con precisión las excepciones.

ducía un principio de libertad en cuanto a la revocación de los actos anulables de gravamen, al menos en cuanto dicho principio no entrara en colisión con otros de signo opuesto y por ello aquella legislación facultaba a las administraciones públicas para revocar esta clase de actos en cualquier comento siempre que dicha revocación no fuera contraria al ordenamiento jurídico.

En la redacción dada al artículo 105 de la actual LRJ se dispone la posibilidad de revocar de oficio los actos anulables de gravamen en cualquier momento; pero siempre que dicha revocación no constituya dispensa o exención no permitida por las leyes y por supuesto que no sea contraria al principio de igualdad, al interés público o al ordenamiento jurídico (6), en consecuencia no hay nada que objetar a la revocación de oficio de los actos anulables de gravamen, técnica de eficacia probada en la práctica profesional de la Administración pública. Sin embargo, conviene destacar que dicho artículo 105.1 ha sufrido una evolución encaminada a aumentar los límites para su uso, descartándose el carácter arbitrario y siendo posible sólo su aplicación si atiende a motivos de legalidad (7).

No obstante, es preciso tener en cuenta que dicho procedimiento no está articulado en la norma como una acción que se pueda ejercer por el interesado.

Se trata de un procedimiento que se inicia de oficio, no a instancia de parte y que, en consecuencia, queda al total arbitrio de la Administración su apertura.

El particular que lo solicita, ante el silencio u omisión de la Administración, no puede entenderlo desestimado e instar una resolución judicial. Ni menos puede entender estimada su solicitud.

Queda en el buen hacer de la Administración el iniciar dicho procedimiento ante las evidencias que se le señalan de no comisión de la infracción o de invalidez de la misma.

Dado el fin para el que se instituyen las sanciones, que es el castigo del infractor, si se constata claramente la no comisión de la infracción, ello debiera determinar en todo caso una conducta pública revocatoria de la sanción, aunque la misma sea consentida y firme para el afectado, extremo que sin embargo, no admite control ni impulso judicial en caso de que la Administración omita cualquier planteamiento revocatorio del acto. La inexistencia de acción instable por el interesado lleva a esta conclusión.

---

(6)   La Ley General Tributaria incluye entre las materias reservadas a la Ley la condonación de deudas y sanciones tributarias y la concesión de moratorias y quitas, como no puede ser menos, por ser excepciones a las obligaciones tributarias que afectan a todos.

(7)   Como en el presente caso si se constata que, efectivamente no se hubiera cometido infracción.

Una alternativa a este planteamiento es entender que la actuación de la Administración, imputando sin más una conducta infractora al propietario del vehículo por el simple hecho de serlo, lesiona un derecho fundamental, el de presunción de inocencia (8), lo que admite un cauce extraordinario de revisión del acto, el del artículo 102.1, LRJ la revisión de oficio de actos nulos de pleno derecho, al incumplirse el artículo 62.1 a) de la misma ley, lo que permite el ejercicio de la acción de nulidad por el interesado, sin límite de tiempo, disponiendo que las Administraciones Públicas, en cualquier momento, por iniciativa propia o a solicitud de interesado, y previo dictamen favorable del Consejo de Estado u órgano consultivo equivalente de la Comunidad Autónoma, si lo hubiere, declararán de oficio la nulidad de los actos administrativos que hayan puesto fin a la vía administrativa o que no hayan sido recurridos en plazo, en los supuestos previstos en el artículo 62.1.

En el mismo capítulo que la Ley dedica a la revisión de oficio de los actos administrativos, se incluye un precepto que no se refiere a la revocación propiamente dicha sino a la corrección de errores materiales y aritméticos señalando en el artículo 105.2 LRJ que las Administraciones públicas podrán rectificar en cualquier momento, de oficio o a instancia de los interesados los errores materiales de hecho o aritméticos existentes en sus actos, respecto a lo cual conviene recordar que la mera rectificación material de este tipo de errores no supone una revocación del acto en sentido jurídico estricto pues el acto materialmente rectificado sigue teniendo el mismo contenido después de la rectificación, cuya único objeto es eliminar los errores de trascripción o de simple cuenta con el fin de evitar cualquier posible confusión. Por ello la rectificación de errores materiales puede hacerse en cualquier momento, tanto de oficio, como a instancia del propio ciudadano afectado en cuyo caso la teoría del acto consentido no resulta de aplicación para impedir el juego de la disposición dado que ésta nace precisamente con el fin de eliminar la vinculación de la administración con los actos declarativos de derechos y de dejar sin efecto la doctrina del acto consentido o confirmatorio respecto del ciudadano.

4. REVOCACIÓN POR MOTIVOS DE OPORTUNIDAD

Nuestro Ordenamiento jurídico carece de normativa general que regule y ampare la retirada de actos administrativos por meras razones de oportunidad, de manera que un acto que declare derechos a favor de un ciudadano y que no presente vicios en su constitución, no puede ser revocado de oficio por la propia Administración con pretexto de que se haya convertido un inconveniente o un acto inoportuno en una determinada coyuntura, principio que constituye una garantía de seguridad jurídica ante posibles cambios de criterios de la Administración

(8)   Artículo 24 de la Constitución Española y 137 de la LRJ.

sin embargo también resulta demasiado rígido en algunas ocasiones por ellos se ha dicho que debiera aceptarse la posibilidad de este tipo de revocación condicionándola a algún tipo de indemnización equitativa.

Hay que tener en cuenta que la revocación de actos declarativos de derechos por razones de oportunidad constituye una operación de naturaleza expropiadora, de acuerdo con la normativa que regula esta institución de derecho público (9). No obstante hay que reconocer que desde un punto de vista formal la revocación de actos por motivos de oportunidad no es posible incluirla en el marco de la expropiación forzosa pues ésta consiste en un instrumento negocial, de carácter solemne, que exige, como requisito previo, una declaración legal de utilidad pública o interés social de la privación coactiva de los derechos que pretenden expropiarse de manera que solo en los casos en que exista dicha habilitación legal será posible la revocación o retirada, por motivos de oportunidad, de actos administrativos que reconozcan derechos y sean perfectamente válidos, revocación que llevará consigo la obligación de indemnizar, es el caso del rescate de las concesiones por el cual la administración concedente recupera la gestión del servicio público concedido si bien no es preciso llevarla a cabo a través del procedimiento expropiatorio.

Ya hemos señalado que, en nuestro Ordenamiento, no existe una normativa general que posibilite la revocación de actos por razones de oportunidad mediante la correspondiente indemnización, lo cual da lugar, en la práctica administrativa, a la proliferación de las llamadas reservas de revocación; denominación que se da a las cláusulas accesorias que se incluyen en determinados actos y negocios administrativos para garantizar a la Administración la posibilidad de revocar el acto cuando así lo exija el interés público. En estos casos la revocación tiene su origen aparente en un pacto, sin embargo la voluntad del ciudadano, es en realidad inexistente toda vez que la administración se encuentra en condiciones de imponer la solución.

Por lo general la doctrina considera improcedentes este tipo de reservas negociales siempre que el acto o negocio en el que se incluyen resulte del ejercicio de una potestad reglada. Si la potestad que se ejercita es discrecional, la reserva de revocación será admisible siempre que se acompañe de una previsión de indemnización al ciudadano beneficiario del acto o que éste renuncie a ella expresamente. Si la finalidad de estas reservas persigue la exclusión de la indemnización y preparar una libertad revocatoria absoluta, soplo cabría admitirlas en situaciones

---

(9)   El artículo 1 de la Ley de Expropiación Forzosa considera expropiación forzosa, cualquier forma de privación singular de la propiedad privada o de los derechos o intereses patrimoniales legítimos, cualesquiera que fuesen las personas o entidades que pertenezcan, acordada imperativamente, ya implique venta, permuta, censo, arrendamiento, ocupación temporal o mera cesación de su ejercicio.

excepcionales en que el propio objeto del acto no sea el otorgamiento de un derecho sino una mera tolerancia de carácter provisional.

Otro aspecto lo constituyen los actos administrativos sujetos a condición, en que el incumplimiento de la condición justifica la revocación del acto, que, en estos casos adopta la función de sanción por incumplimiento de la condición resolutoria, es el supuesto que se contempla en la Ley 38/2003 de 17 de noviembre, General de Subvenciones en materia de reintegro regulado por los artículos 37 y siguientes de la misma, en los artículos 55 y 58 de la Ley 22/1988 de 28 de julio de Costas el primero de los cuales regula la revocación unilateral de las autorizaciones sin derecho a indemnización cuando resulten incompatibles con la normativa aprobada con posterioridad, produzcan daños en el dominio público, impidan la utilización para actividades de mayor interés público o menoscaben el uso público, cuya constitucionalidad, además, ha sido expresamente declara por el Tribunal constitucional que ha declarado que la revocación de una autorización por resultar incompatible con la normativa aprobada con posterioridad es, en sí, una previsión legal que se limita a establecer el régimen de autorizaciones demaniales, cuya aprobación no se ha discutido al legislador estatal (10); por su parte el artículo 58 de la misma ley regula un listado de condiciones que deben incluir las autorizaciones de vertido cuyo listado que ha complementado el Reglamento de la Ley, en sus artículos 115.4 y 118. En el ámbito de la Administración Local respecto a la el Reglamento de Servicios de las Corporaciones Locales dispone en su artículo 16.1 que las licencias quedarán sin efecto si se incumplieren las condiciones a que estuvieren subordinadas., pueden ser anuladas las licencias y restituidas al ser y estado primitivo cuando resultaren otorgadas erróneamente, finalizando con un tercer párrafo en que dispone que la revocación fundada en la adopción de nuevos criterios de apreciación y la anulación por causa señalada en el párrafo anterior, comportarán el resarcimiento de los daños y perjuicios que se causen. Por todo ello puede decirse que el citado precepto regula cuatro tipos de revocación de actos administrativos:

a) revocación por incumplimiento de condiciones.

b) Revocación por cambio de circunstancias.

c) Revocación por cambio de criterios de apreciación.

d) Revocación por error en el otorgamiento.

De estos tipos la revocación por cambio de criterios de apreciación es el tipo de revocación que denominamos por razones de oportunidad, pues es el caso de que la licencia fue otorgada en su momento con arreglo a la normativa reguladora; pero pasado un tiempo, la Administración considera inconveniente el manteni-

---

(10)   STC 149/1991.

miento de la misma debido a criterios nuevos de mera oportunidad o conveniencia coyuntural, de manera que el equilibrio entre los intereses del titular de la licencia y la administración actuante requiere que ésta le indemnice por los daños y `perjuicios que le ocasione la retirada de la licencia, teniendo en cuenta que la Administración no tiene obligación jurídica alguna de retirarla por lo se trata de un acto facultativo o discrecional (11).

La jurisprudencia considera de aplicación este precepto en razón de su carácter especial y su compatibilidad con la regulación del procedimiento administrativo y la Legislación de Suelo y Urbanismo si más excepción que las que suponen las licencias urbanísticas otorgadas erróneamente.

En la práctica cotidiana de la Administración, la revocación por cambio de criterios de apreciación, se encuentra muy próxima a la revocación por cambio de circunstancias cuyo régimen supone un caso de ineficacia sobrevenida por incompatibilidad de la actividad autorizada con las circunstancias surgidas con posterioridad al la producción del acto administrativo (12) ya que en las licencias de tracto sucesivo que regulan el ejercicio indefinido de ciertas actividades, la adecuación a las circunstancias de cada momento debe entenderse como una condición implícita en el mismo acto de su otorgamiento. Teniendo en cuenta el diferente régimen existente entre este tipo de revocación y la que constituye la toma en consideración de criterios nuevos de apreciación (13). Finalmente la revocación por error en su otorgamiento, que regula el artículo 16 del citado Reglamento, se reduce al procedimiento de revisión de oficio de los actos administrativos en el supuesto de que el error sea de una cuestión de legalidad.

Con todo hay que señalar que la jurisprudencia considera inválidos los actos revocatorios que obligan a indemnización cuando ésta no hubiera sido acordada como un pronunciamiento de los propios acuerdos (14).

5. REVOCACIONES INDIRECTAS

Para concluir la presente práctica profesional merece hacer mención de las llamadas revocaciones indirectas figura en la que se incluyen los supuestos en que un acto administrativo posterior modifique o deje sin efecto ya sea total o parcialmente, otro acto anterior o simplemente destruya el que servía de soporte al acto de que se trata, todo ello con una concreta cobertura legal, sería el caso de

---

(11)   Si bien es cierto que muchos aspectos extralegales y circunstancias coyunturales que afectan a la Administración se presentan, muchas veces, como imposiciones que, no por extrajurídicas, resultan, de facto, menos imperiosas.

(12)   Otorgamiento de licencia.

(13)   Una es forzosa y no conlleva indemnización por daños y perjuicios seguidos de la revisión o revocación, la otra facultativa y si lleva aparejada indemnización.

(14)   SSTS 19.1.1969 y 28.2.1970.

la supresión de puestos de trabajo como consecuencia de una modificación de la Relación de Puestos de Trabajo (RPT) o de una reorganización administrativa, decisión que suele ser habitual en la práctica cotidiana de la Administración Pública en aplicación de la potestad para organizar los servicios públicos; en estos casos la supresión del puesto de trabajo no conlleva la supresión del nombramiento del titular del puesto que sigue surtiendo los efectos correspondientes, sino solo una modificación administrativa del funcionario. Con todo hay que señalar que si la cobertura legal no fuera suficiente el acto que produce la revocación indirecta será nulo de pleno derecho, al haber sido dictado prescindiendo total y absolutamente del procedimiento (15), de acuerdo con lo dispuesto en el artículo 62.1 e) en relación con el 102 de la LRJ, pudiendo también dar lugar a la responsabilidad patrimonial de la Administración por los daños y perjuicios que la revocación pueda ocasionar.

---

(15)   De acuerdo con lo dispuesto por el artículo 62.1 e) en relación con el 102 de la LRJ.

Capítulo 10

Concepto y fundamento de los errores materiales en la actividad de las Administraciones Públicas

Los errores materiales, que son una parte ineludible de la actividad humana, constituyen uno de los aspectos que la política de calidad en la actividad de las Administraciones públicas se propone reducir al mínimo, lo cual supone uno de los retos frente a las exigencias del ciudadano; sin embargo la existencia de errores materiales tiene otra vertiente que se centra en la correcta definición de los que sea error material y sus consecuencias para el interés de los particulares y para el acto administrativo que se encuentra viciado con el error. En este capítulo examinamos las diferentes clases de error que pueden derivarse de las actuaciones de la Administración pública y sus principales consecuencias, incluyendo los diferentes aspectos de la corrección de errores así como los requisitos procedimentales de la rectificación.

1. CONCEPTO Y CLASES DE ERROR

El aumento de la actividad de la administración pública lleva consigo el incremento del riesgo de equivocaciones y dentro de los diferentes tipos de error que considera el ordenamiento administrativo se encuentran diferentes clases como el error materia y error de hecho, contrapuestos al error de derecho y otras veces diferenciándose del error aritmético cuya diferenciación conceptual ha ido realizando la jurisprudencia. Pero la propia LRJ dispone que las administraciones públicas podrán rectificar, de oficio o a instancia de los interesados, los errores materiales, de hecho o aritméticos existentes en sus actos (1).

2. POTESTAD DE RECTIFICACIÓN DE ERRORES

La potestad de rectificación encuentra regulada en el artículo 105 LRJ cuando señala que las administraciones públicas podrán rectificar en cualquier momento, de oficio o a instancia de los interesados, los errores materiales, de hecho o aritmé-

---

(1)   LRJ artículo 105.2.

ticos existentes en sus actos Puede decirse que esta disposición es un réplica en el ámbito administrativo de los que la Ley Orgánica del Poder Judicial (LOPJ) regula en el ámbito judicial disponiendo que los errores materiales manifiestos y los aritméticos de las sentencias y autos definitivos podrán ser rectificados en cualquier momento, de oficio o a instancia de parte o del ministerio fiscal (2). La normativa de las Comunidades Autónomas que regula el procedimiento administrativo se remite la LRJ o reproduce sus disposiciones sobre esta materia.

Un ámbito donde es muy abundante la revisión y rectificación de actos es la materia tributaria y recaudatoria en todos los ámbitos de Administración, estatal, autonómica y local. La amplitud de esta normativa está fundamentada en la disposición adicional quinta de la LRJ en cuyo apartado segundo señala que la revisión de los actos en vía administrativa en materia tributaria se ajustará a lo dispuesto en la Ley General Tributaria y disposiciones dictadas en desarrollo de la misma; disposición adicional sexta por su parte dispone lo mismo en relación con los actos de gestión recaudatoria de la Seguridad Social.

La rectificación de errores materiales supone la subsistencia del acto que se mantiene a diferencia de los que ocurre en los supuestos de anulación. Rectificación es corrección de un error material del acto administrativo hacer que el acto tenga la exactitud que debiera tener y aunque es cierto que la rectificación supone una revisión del ato toda vez que se vuelve sobre el mismo y se procede a subsanarlo, sin embargo esta revisión no se somete a los procedimientos solemnes que se exigen para evitar los efectos del acto cuando se declarar su nulidad de pleno derecho o anulación. A este respecto la jurisprudencia ha señalado la posibilidad de que la rectificación de errores materiales no cierra en absoluto la posibilidad de llevar a cabo una revisión de oficio del acto administrativo por otras causas dado que en la rectificación no s encontramos con una actividad de alcance limitado en cuanto se trata solo de arbitrar una fórmula que evite que pervivan los errores materiales y cause efectos indeseados (3).

3. CLASES DE ERROR SUSCEPTIBLES DE RECTIFICACIÓN

Las clases de error que la administración puede rectificar son los errores materiales, de hecho o aritméticos; pero la Ley no ha concretado que debe entenderse por cada uno de ellos. Esta definición tan escasa edre la normativa sobre errores explica que otras normas específicas se hayan extendido en este aspecto como la Orden que desarrolla el Reglamento General de Recaudación de Recursos del Sistema de la Seguridad Social, cuando enumera los supuestos que pueden ser encuadrados en la categoría de error material.

(2) Artículo 105.2.LRJ y 267 LOPJ. Las leyes de Procedimiento laboral y Procesal militar. siguen el mismo criterio.
(3) SSTS de 23.3.1993, 16.5.1994 entre otras.

Un concepto de error material también no lo puede dar la normativa hipotecaria cuando regula la rectificación de errores registrales en los asientos y entiende la propia Ley hipotecaria que se entenderá que se comete error material cuando, sin intención conocida se escriban unas palabras por otras, se omita la expresión de alguna circunstancia formal de los asientos o se equivoquen los nombres propios o las cantidades al copiarlas del título, sin cambiar por ello el sentido general de la inscripción o asiento de que se trate, ni de ninguno de sus conceptos. Esta ley contrapone el error material al de concepto que es el que se comete cuando al expresar algo en el asiento se varíe el sentido contenido en el título original (4).

La jurisprudencia ha interpretado el concepto de error material en el sentido de que dentro de este concepto hay que entender las simples equivocaciones elementales de nombres, fechas, operaciones aritméticas y transcripciones de documentos. La poca importancia de estos errores no puede significar que la Administración no sea responsable de ello y que no pueda exigírsele una compensación por los perjuicios producidos siempre que éstos sean demostrados como exige la LRJ (5).

El Tribunal Supremo, además ha diferenciado las actuaciones administrativas declarativas de derechos de aquellas otras realizadas por simple error de hecho, toda vez que las primeras no pueden ser anuladas por la administración sino a través de un procedimiento específico (6), mientras que los errores materiales pueden rectificarse en cualquier momento. De este modo el propio Tribunal Supremo ha declarado que una cosa son los errores materiales o de hecho y aritméticos del acto o resolución administrativos, cuya rectificación no supone revocación de los mismos y otra muy diferente los errores que hayan llevado a la formación de la voluntad administrativa, cuya corrección pasa por la anulación de aquellos (7).

4. ELEMENTOS DEL ERROR MATERIAL Y ERROR DE HECHO

El Tribunal, Supremo también ha declarado que los errores tienen que apreciarse teniendo en cuenta solo los datos del expediente administrativo en que hayan sido advertidos (8) pues hay que tener en cuenta que, como dispone expresamente la LRJ (9) los errores de hecho que motivan la interposición del recurso extraordinario de revisión tiene que estar en los documentos que forman el expediente y además debe tratarse de errores patentes y claros, sin que sea precio

---

(4)   Ver artículos 212 y 216.
(5)   STS 30.9.1986.
(6)   Regulado en los arts. 109 y 110 LRJ.
(7)   STS 4.5.1993.
(8)   SSTS de 24.3.1977; 30.5.1985 y 19.1.1999.
(9)   Art. 1181ª.

acudir a la interpretación de normas aplicables a cada materia pues los aspectos mencionados son los rasgos esenciales que caracterizan y distinguen el error de hecho del error jurídico.

El error material no debe producir una alteración fundamental en el sentido del acto y debe afectar a los presupuestos fácticos determinantes de la decisión administrativa, pues no existe este error de este tipo cuando su apreciación implique un juicio valorativo o exija una operación de calificación jurídica.

El Consejo de Estado, en doctrina reiterada ha advertido la necesidad de interpretar el artículo 105-2 de la LRJ (10) de forma restrictiva señalando que la técnica de rectificación de errores de actos administrativos implica que dichos actos subsistan rectificado y por ello sean revocados, de este modo la diferencia sustancial entre la revisión de oficio y la rectificación de errores, consiste en que en aquellos casos el acto administrativo es eliminado y, en su caso, sustituido por otro, mientras que en la rectificación de errores subsiste dicho acto, si bien se corrige el error. El Consejo de Estado ha señalado que esta técnica de la rectificación de errores es utilizable de acuerdo con el criterio del Tribunal Supremo (11) exige las siguientes condiciones materiales a la corrección de errores:

a) Que se trate de simples equivocaciones elementales de nombres, fechas, operaciones aritméticas o de trascripciones de documentos.

b) Que el error se aprecie teniendo en cuenta, exclusivamente, los datos del expediente administrativo.

c) Que el error se patente y notorio, sin necesidad de acudir a normas jurídicas aplicables.

d) Que no se proceda de oficio a la revisión de actos administrativos firmes y consentidos.

e) Que no se produzca una alteración fundamental en el sentido del acto toda vez que no existe error material cuando su apreciación implique un juicio valorativo o exija una operación de valoración jurídica.

f) Que no padezca la subsistencia del acto administrativo.

g) Que se aplique con un hondo criterio restrictivo.

<hr/>

(10)   Art 105.2 LRJ, dispone que las Administraciones Públicas podrán, asimismo, rectificar en cualquier momento, de oficio o a instancia de los interesados, los errores materiales, de hecho o los aritméticos existentes en sus actos.
(11)   SSTS 26.12.1991 y 23.12.1992.

Señala el Consejo de Estado que la aplicación de estos criterios no amparan la actuación de anular una resolución que reconoce derechos sin seguir el procedimiento establecido en la LRJ (12).

La rectificación del error de hecho al que suele identificarse con el error material no debe afectar a la existencia del acto administrativo y por tanto no puede acarrear su anulación ni revocación en cuanto a creador la anulación o revocación del mismo en cuento creador de derechos.

El actos administrativo rectificador debe mostrar idéntico contenido dispositivo, sustantivo y resolutorio que el acto que se haya rectificado sin que la administración pueda encubrir una auténtica revisión bajo el pretexto de su capacidad rectificadora de oficio pues ello entrañaría un fraude de ley susceptible de control en vía contencioso-administrativa. Además cuando la supuesta corrección no se limita a errores accidentales de contenido meramente material o de hecho sino que consiste en una circunstancia que desvirtúa, plenamente, el acto administrativo, cuyo alcance y sentido resultan totalmente contrarios al sentido y alcance del acto administrativo originario, en estos casos las rectificación se convierte en revisión de oficio lo cual exige una serie de garantías de tiempo y procedimiento para el ciudadano.

La potestad, que el artículo 105.2 LRJ atribuye a la Administración, no permite declarar nulo y sin efecto el acto administrativo ni revisar, anular o alterar su contenido esencial. Lo cual no significa que en algunos supuestos puedan deducirse determinados efectos de la actuación rectificadora que afecten en parte a su contenido.

El error de hecho se caracteriza por una equivocación de trascripción o de cuenta, por ello no existe error de hecho cuando la comprobación del mismo exige el acudir a datos de los que no hay constancia en el expediente administrativo.

Los errores aritméticos consisten en simples equivocaciones cometidas al consignar un número determinado o el resultado de operaciones aritméticas sometidas a reglas claramente establecidas.

Con un sentido diferente a los simples errores de trascripción mecanográfica, se encuentran los llamados errores informáticos nacidos en el ámbito de la Administración electrónica y que se han identificado con inconsecuencias entre lo que exige la relación de hechos y la fundamentación jurídica que se utiliza, es decir un aflata de congruencia en la formación de la resolución administrativa, en este sentido el Tribunal Constitucional ha declarado que, en el ámbito judicial, se puede admitir que la rectificación implique alteraciones del sentido del fallo, sustituyéndolo por otro, siempre que el error material que se rectifica consista en

_____

(12)   LRJ arts. 102 y 103.

un simple desajuste o contradicción clara e independiente de juicios de valor o apreciación jurídica entre la doctrina establecida y el fallo de la resolución siempre que quede claro que el órgano se equivocó el resultado argumental al fallo, también ha declarado que, cuando el error material que produce una resolución equivocada, sea un error grosero, manifiesto y apreciable con la simple lectura de la resolución sin necesidad de interpretaciones complementarias, puede procederse a la rectificación aunque varíe el sentido del fallo (13).

5. ERROR ARITMÉTICO

El error aritmético consiste en meras equivocaciones de cálculo aritméticos y hay que tener en cuenta que la administración no puede alterar los sumandos o factores. Este tipo de error es resultado de equivocaciones al consignar un determinado número o el resultado de operaciones aritméticas sometidas a reglas claramente establecidas. El error aritmético susceptible de corregirse se refiere a las equivocaciones derivadas de una operación matemática que no altera los fundamentos ni pruebas que hayan servido en la creación del acto administrativo y para adoptar una decisión. De este modo puede decirse que su ámbito se limita al desarrollo o práctica de las modificaciones que no impliquen un cambio jurídico sustancial en la decisión adoptada, teniendo dicha figura un uso restrictivo y limitado, bajo esta postura el error no puede ser utilizado como herramienta jurídica válida para alterar el sentido y alcance de los actos administrativos, mediante una nueva práctica de la evaluación probatoria, la aplicación de nuevos fundamentos jurídicos o la inobservancia de los que sirvieron de sustento a la decisión: Incluso en el caso de presentarse duda respecto a la naturaleza jurídica del error, es decir si éste es o no error aritmético, es deber de la administración proceder en el sentido más garantista para el administrado, de manera que no se afecte la posición obtenida legítimamente por éste. Esto está de acuerdo con los principios generales de imparcialidad y agilidad que informan el ejercicio de la función administrativa. La Administración, so pretexto de revocar parcialmente un acto administrativo por error aritmético, no puede atribuirse competencia para revisar el acto en todo su contexto.

6. ERRATAS

El error en cuanto se refiere a la publicación de normas y determinados actos administrativos ofrece algunas especialidades que merece la pena destacar:

Hay un primer concepto de errata que equivale a error material y consiste en una divergencia entre el texto original de la disposición y el texto publicado. Si el texto original refleja una equivocación, si la voluntad de la administración se

---

(13)   Ver STS 30.4.1992 y SSTC 262/2000 y STC 111/2000.

manifestó erróneamente no estamos ante una errata. En ésta todos los datos se encuentran en el texto original, no hay equivocación en los datos, sino en la manipulación de ahí que sea preciso el cotejo del texto enviado al Diario Oficial con el realmente publicado, para saber si, efectivamente, hay una errata.

El Tribunal Supremo ha definido la errata señalando que Fe de errata equivale a salvar equivocaciones materiales de impreso o manuscrito, los errores de linotipistas al estampar o transcribir el texto original que se les remite.

El Real Decreto 181/2008, de ordenación del diario oficial Boletín Oficial del Estado incluye, en su artículo 26 y bajo el titulo de correcciones, una serie de normas a tener en cuenta cuando en alguna disposición aparece publicada con errores que alteren o modifiquen su contenido:

A) se corrigen de oficio los errores de composición producidos en la publicación, siempre que supongan alteración o modificación del sentido de las mismas o puedan suscitar dudas al respecto. A tal efecto, los servicios de la Dirección General del Secretariado del Gobierno y la Agencia Estatal Boletín Oficial del Estado deben conservar los originales de cada número durante un plazo de seis meses contados desde la fecha de publicación.

B) Cuando se trate de errores padecidos en el texto remitido para publicación, su rectificación se lleva a cabo del siguiente modo:

a. Los meros errores u omisiones materiales, que no constituyan modificación o alteración del sentido de las disposiciones o se deduzcan claramente del contexto, pero cuya rectificación se juzgue conveniente para evitar posibles confusiones, se salvan por los organismos respectivos instando la reproducción del texto, o de la parte necesaria del mismo, con las debidas correcciones.

b. En los demás casos y siempre que los errores u omisiones puedan suponer una real o aparente modificación del contenido o del sentido de la norma, se salvan mediante disposición del mismo

7. MODALIDADES Y ASPECTOS DEL ERROR EN LA ADMINISTRACIÓN PÚBLICA

El concepto de error en las Administraciones Públicas puede tener diversas modalidades o especies de las que podemos hacer una breve relación:

a) Error de derecho o error iuris que lleva consigo una calificación jurídica y la consiguiente interpretación normativa.

b) Error material o de hecho que exige una constancia inequívoca y una apariencia manifiesta. Para descubrirlo es suficiente una mera labor de comprobación.

Los errores materiales son aquellos cuya corrección no varía el contenido del acto administrativo en que se produjo, de modo que éste subsista con los mismos efectos y alcance una vez que haya sido subsanado (14).

c) La comprobación correspondiente al error material se obtiene sin salir del mismo expediente. También cabe la comprobación de que existe un error en un acto administrativo acudiendo a medio ajenos al expediente por ejemplo en un verificación llevada a cabo por la Inspección de servicios u otro órgano de control interno o externo.

d) El error de cuenta o aritmético implica una operación matemática equivocada. Es una equivocación cometida al consignar un determinado número o el resultado de operaciones aritméticas sometidas a reglas claramente establecidas (15)

El Tribunal Supremo ha declarado, reiteradamente, que, para que pueda ser apreciado, el error administrativo debe ser ostensible, manifiesto e indiscutible y directamente verificable con los meros datos que obren en el correspondiente expediente administrativo que soporte el acto, además el error debe poseer realidad independiente de la opinión o criterio de interpretación de las normas jurídicas aplicables (16).

Hay que tener en cuenta que puede haber errores materiales que encubran infracciones normativas en cuyo caso el error es algo más que susceptible de rectificación.

Esto último tiene muchas aplicaciones prácticas en el ámbito de la contratación pública donde las precisiones que se hacen a los actos unilaterales sufren a veces ciertas modulaciones.

8. ACTUACIONES DE LA ADMINISTRACIÓN PARA CORREGIR ERRORES: RECTIFICACIÓN Y REVISIÓN

Sobre el procedimiento a seguir, hay que señalar la legitimación del interesado, el carácter imprescriptible de la acción (17) aunque ello no impida la aplicación de lo establecido respecto de los límites a la revisión (18) y la necesaria audiencia de los interesados.

Cualquier acto administrativo puede contener errores que exijan actuaciones de la Administración, dirigidas a corregirlos. Estos errores pueden ser de varios

---

(14)   STS 29.11.1983.
(15)   STS 8.7.1982.
(16)   SSTS 24.3.1977 y 30.5.1985.
(17)   En cualquier momento.
(18)   Art. 106 LRJ.

tipos: errores materiales; errores de hecho o errores de derecho; pero en cualquier caso, todo error constituye un funcionamiento incorrecto de la Administración que requiere una corrección diferente, en función de la clase de error de que se trate; pero que puede dividirse en dos grandes grupos: la rectificación y la revisión.

Por lo común tanto la doctrina como la jurisprudencia han definido, tanto la potestad de revisión como la de rectificación como verdaderas excepciones al principio general de que la Administración no puede ir contra sus propios actos que habilitarían a ésta a corregir los vicios de procedimiento en la formación del acto (19); a modificar la voluntad del órgano de la Administración (20) o a modificar la exteriorización de la voluntad en cuyo caso estaremos ante una rectificación.

La rectificación no constituye una excepción al principio citado, toda vez que no ataca la firmeza del acto (21) que en todo momento debe subsistir, sino sobre un acto existente, válido y eficaz pero cuya exteriorización ha resultado defectuosa y por ello se trata de adecuar la declaración exteriorizada a la auténtica; pero en ningún caso de volver a examinar la verdadera decisión.

Por su parte la potestad de revisión tampoco constituye una excepción del principio que prohíbe volver contra sus propios actos a la Administración, toda vez que la revisión que mediante la revisión de las propias decisiones se pretende retirar aquellos actos que resulten ser viciados, siendo preciso seguir alguno de los procedimientos establecidos para la revisión de actos.

De esto modo puede decirse que la Administración cuenta con diversas vías para poder ir contra sus propios actos administrativos, vías que varían según se trate de retirar del ámbito jurídico actos declarativos de derechos (22) o bien actos de gravamen. Estas vías, incluidas en el amplio concepto de potestad de revisión, son diferentes con la técnica de rectificación de errores de los actos administrativos, la cual comporta que dichos actos subsistan (23) y por ello que no sean revocados; de este modo la diferencia esencial entre la revisión de oficio y la rectificación de errores, consiste en que en la revisión el acto administrativo es retirado del ámbito jurídico, para, en su caso, ser sustituido por otro mientras que en la rectificación de errores dicho acto subsiste, si bien el error padecido, se corrige.

No obstante y aunque esto resulta bastante claro, en la práctica suelen presentarse dificultades para distinguir, adecuadamente, lo que constituye un mera rec-

---

(19)   Revisión por motivos de legalidad.
(20)   Revisión por razones de oportunidad.
(21)   En el sentido de que no se vuelve sobre el contenido de la declaración de voluntad.
(22)   O favorables.
(23)   Rectificados.

tificación de lo que sea una revisión de oficio de los actos administrativos, dichas dificultades, unidas a la necesidad de preservar las garantías de los ciudadanos, debe llevar a un uso precavido y responsable de la vía de la rectificación de manera que única mente se produzca en aquellos casos en los que esté claro que se ha producido un mero error material, de hecho o aritmético en el acto administrativo y que dicho error se deduzca, del propio acto administrativo, sin necesidad de interpretaciones adicionales, en los demás casos deberá acudirse a la vía de revisión que es el camino a través del cual la administración pretende volver sobre sus propios actos por considerarlos nulos (24).

El Tribunal Supremo participa de esta interpretación poniendo de relieve que la corrección de un acto administrativo declarativo de derechos que esté viciado de error de hecho o de derecho, deberá llevarse acabo mediante el procedimiento previsto para la revisión de actos nulos o anulables (25) y no mediante el procedimiento de rectificación (26).

Respecto a los conceptos de revisión y rectificación hay que dejar claro que se trata de términos que se excluyen mutuamente.

La rectificación de errores consiste en un mecanismo de corrección que se ejerce sobre actos válidos, eficaces y existentes, que se fundamenta en la necesidad de adecuación entre la voluntad de la Administración y su manifestación externa, o lo que es igual, en la necesidad de traducir al exterior el verdadero contenido de la única y originaria declaración. Mediante el uso de este mecanismo correctivo no se trata de revisar el proceso de formación de la voluntad del órgano emisor del acto, ni revocar decisiones administrativas por motivos de oportunidad, sino evitar que la declaración de voluntad administrativa tenga efectos no queridos por la administración, como consecuencia de un simple error material en la exteriorización. En otras ocasiones el Tribunal Supremo ha puesto de manifiesto que la rectificación tiene por finalidad arbitrar una fórmula que evite simples errores materiales y patentes pervivan y produzcan efectos desorbitados o necesiten para ser eliminados de la costosa formalidad de los procedimientos de revisión, si bien esta posibilidad legal de rectificación de plano debe ceñirse a los supuestos en que el propio acto administrativo revele una equivocación evidente por sí misma y manifiesta en el acto susceptible de rectificación sin afectar a la pervivencia del mismo (27). Por otra parte el mismo Tribunal acepta la utilización de las acepcio-

---

(24)   Dictamen del Consejo de Estado núm. 2082/1995 que pone de relieve que la técnica de la revisión de oficio (Revocación de actos administrativos por la propia Administración sin necesidad de acudir a los tribunales) constituye un privilegio que solo es viable utilizar cuando medie alguno de los vicios de nulidad previstos en el art. 62 de la LRJ. Ver, asimismo, el Dictamen del Consejo de Estado 6179/1997.

(25)   Artículos 102 y 103 de la LRJ.

(26)   LRJ artículo 105.2, ver SSTS de 19.5.1999 y 9.12.1999.

(27)   SSTS 20.7.1984 y 27.2.1990.

nes error aritmético y error de hecho o error material toda vez que, como señala expresamente, existen tres tipos de error: error material que comprende el aritmético, error de hecho que es diferente del anterior y error de derecho. La naturaleza del error material es incompatible con la revocación de una licencia que se otorga con infracción de la normativa existente, el error material presupone una realidad diferente del ámbito interpretativo del órgano que dicta la resolución errónea cuya enmienda debe ser verificada sin que se altere el criterio jurídico que lo haya determinado.

A diferencia de la rectificación la potestad de revisión supone un mecanismo de corrección que surge para sanar la actividad patológica más grave de la Administración (28) y que puede suponer la anulación del acto viciado, se trata de un tipo de regularización que se encuentra fuertemente limitado de manera que solo puede actuar mediante los procedimientos de revisión de los actos administrativos que están especialmente previstos para ello. Al utilizar esta técnica se vuelve sobre el acto y se revisa el proceso de formación de voluntad, a diferencia de lo que ocurre en el caso de la rectificación, en la que la administración continua manteniendo su voluntad expresada anteriormente.

La corrección de los defectos o errores entendida como una revisión de los actos administrativos inválidos con el fin de legalizarlos o adecuarlos a las verdaderas circunstancias puede tener dos efectos diferentes sobre el acto viciado:

a) Su regularización, mediante la anulación del acto.

b) Su subsanación mediante la convalidación del acto.

Hay que reconocer que si el ordenamiento jurídico permite a la Administración anular un acto propio a fin de adecuarlo a la realidad, también le permita que pueda revisarlo cuando el fin de la revisión no sea la anulación sino su conservación.

Por ello la doctrina suele distinguir en esta materia la utilización de dos conceptos: rectificación y revisión, para designar tres ideas o conceptos y tres maneras de corrección: rectificación, revisión y subsanación. El término de rectificación indica una sola idea y un solo procedimiento de corrección, sin embargo el término revisión es algo más complejo, pues es un vocablo que a veces se presenta para expresar la anulación del acto y otras para expresar su convalidación.

Por otro lado hay que reconocer que tanto la rectificación como la subsanación son manifestaciones del principio de conservación de los actos administrativos, al tratarse de procedimientos cuya finalidad consiste en legitimar el mantenimiento de un acto en el orden jurídico.

---

(28)   Que supone el dictar actos de vulneren el Ordenamiento jurídico o actos con errores de Derecho, así como actos incongruentes con la realidad.

Por el contrario el procedimiento de revisión de actos administrativos de oficio o a petición de parte a través de los recursos administrativos o contenciosos no obedece a dicho principio de conservación de los actos, pues se trata de procedimientos que solo deben aplicarse cuando la trascendencia del vicio afecte al mismo acto de manera que no quede otra medida correctora capaz de sanar la actividad administrativa que la retirada del acto inválido y su sustitución por otro.

En la siguiente práctica profesional examinaremos las modalidades de corrección que pueden llevarse a cabo ante el error material en el ámbito de las Administraciones públicas.

9. VÍAS DE CORRECCIÓN DE ERRORES EN LA ADMINISTRACIÓN PÚBLICA

En este apartado se examina n las diferencies vías de corrección de que dispone la administración para cada tipo de error

En primer lugar el error material exige un procedimiento de rectificación y en dichos casos queda descartada la aplicación del sistema de revisión por que su utilización supone, como hemos dicho, volver a examinar el proceso de formación de voluntad y que de acuerdo con los motivos señalado, en estos casos no es de aplicación otro procedimiento que el de rectificación de errores en el que la administración se afianza en su voluntad anteriormente expresada. La jurisprudencia ha confirmado este extremo reiterando que únicamente en casos de error material resulta de aplicación el procedimiento de rectificación por ejemplo en un caso de abono de haberes adicionales erróneamente pagados a funcionarios que habían sido cesados de sus cargos declara que no procede el descuento posterior siguiendo el procedimiento de rectificación pues supone una calificación jurídica que determina un juicio valorativo no una simple y elemental equivocación de nombres, fechas, operaciones aritméticas o transcripciones de documentos. En otros supuesto el Tribunal Supremo anuló el acuerdo de un jurado provincial de expropiación que había determinado la fijación de un justiprecio derivado de la aceptación de una hoja de aprecio de la administración expropiante que rectificaba su primitiva hoja al caer en la cuenta de que la expropiada había consignado en su hoja una superficie construida inferior a la reconocida en la hoja de aprecio de la Administración. En otras ocasiones el alto Tribunal se pronunció en términos similares estimando que la administración expropiante no puede alterar por sí misma, mediante el procedimiento de rectificación, y declara el derecho del demandante a percibir un justiprecio calculado con base en haberse producido un error material que posee una realidad independiente de cualquier criterio de interpretación de las normas jurídicas y aparece de forma ostensible de la mera comparación de cifras que se hacen constar en los documentos administrativos, reconociendo, además que el error puede rectificarse sin que sufra alteración la subsistencia jurídica del acto que contiene (29).

El alto Tribunal considera que el error que se produce en la notificación de un acto administrativo es un error material capaz de ser subsanado mediante un procedimiento de rectificación, señalando que no debe confundirse la notificación de un acto con el acto mismo, lo cual lleva a estimar que en los casos concretos, el acto que rectifica la notificación supuestamente errónea es válido, siempre que se trate de la rectificación de un simple error material en la notificación.

El error de hecho derivado de un acto incongruente, por su parte, exige un procedimiento de revisión que en unos casos determina la anulación y en otros la convalidación, dado que se trata de un error que afecta a la causa del acto administrativo que tienen como consecuencia la ruptura de la relación entre los hechos y el contenido de la decisión. Pero ya se ha dicho que no todos los errores de hecho son del mismo grado y por ello no tienen todos iguales consecuencias de manera que para que el error produzca incongruencia del acto administrativo es preciso que el defecto recaiga sobre los elementos esenciales del acto administrativo porque se trata de un error leve o que verse sobre hechos accidentales no resultará alterada la regular constitución del mismo.

Ante todo hay que subrayar que aunque se trate de un error sobre los requisitos esenciales del acto o un error sobre sus presupuestos accidentales, este tipo de errores deben incluirse en cualquier caso en el ámbito de la invalidez de los actos administrativos, sin perjuicio de las consecuencias no invalidantes que, adicionalmente, puedan derivarse del error que recae sobre los hechos accidentales. En dichos casos el mecanismo de corrección de errores que debe aplicarse es el de la revisión toda vez que es el que permite volver sobre la formación del acto que en este caso se encuentra viciada, a fin de eliminar los defectos en que incurre para adaptarla a la realidad. Por otra parte sabemos que la revisión puede tener dos tipos de consecuencias sobre el acto viciado o bien determinar su regularización y consiguiente anulación o producir su convalidación mediante la subsanación. Por ello lo que importa es averiguar cuando la corrección de los errores exige la anulación del acto y cuando puede llevarse a cabo dicha corrección conservando el acto anteriormente viciado, y la respuesta se halla en función de si la corrección conlleva o no modificación del contenido del acto, pues si se modifica el acto será anulado y si no se modifica habrá lugar a la convalidación, no obstante el efecto convalidador o anulatorio de la corrección no depende del vicio que tenga el acto administrativo, sino de su incidencia en el acto que lo posee.

---

(29)   SSTS 25.5.1999 y 12.1.2000.

10. NATURALEZA DE LA RECTIFICACIÓN DE ERRORES

Respecto a la naturaleza de la rectificación pueden señalarse las siguientes notas:

a) Es un procedimiento administrativo, al que, en principio resultan de aplicación las normas generales del procedimiento administrativo en tanto no se impongan las especialidades impuestas por su particular objeto.

b) Es un procedimiento especial de revisión; sin embargo, no es un recurso administrativo y, por ello, no está sometido a requisitos como el plazo preclusivo.

c) El objeto de la revisión no es la verificación de la nulidad o anulación del acto para privarle de efectos, sino solo verificar si hay error material para llevar a cabo la correspondiente rectificación sin perjuicio de la subsistencia del acto administrativo. Por ello no es admisible que la administración, con la excusa de llevar a cabo una corrección de errores materiales o de hecho, proceda a revisar de oficio un acto administrativo.

d) El procedimiento de rectificación de errores puede incoarse de oficio también puede ser pedida por los interesados en el procedimiento es decir quienes lo promuevan ostentando derechos o intereses legítimos en el procedimiento, quienes sin promoverlo pudieran verse afectados en sus derechos e intereses (30); pero esta solicitud de rectificación también debe considerarse abierta a la acción pública en los sectores que ésta pudiera ejercitarse, de hecho la jurisprudencia ha entendido que los administrados también se encuentran habilitados para solicitar la rectificación, pues los errores claros y evidentes tienen como primera consecuencia legal la posibilidad de su rectificación tanto en beneficio de los interés particulares de los ciudadanos como del interés general, por ello, más de hablar de una acción de nulidad o de anulación de errores materiales, debe hablarse de una acción de rectificación toda vez que la corrección no puede anular la esencia y virtualidad del acto corregido.

Como regla práctica de carácter general la decisión de rectificar es discrecional de la administración autora del acto y en tanto surja una petición de parte la administración tendrá obligación de resolver expresamente ya sea corrigiendo el error o denegando el error material.

La jurisprudencia ha declarado reiteradamente que la rectificación de errores no puede suponer la declaración de nulidad del acto que se rectifica (31) por lo que no es una modalidad de revisión de oficio (32) el uso de dicha potestad que-

---

(30)   LRJ art. 31.
(31)   SSTS 23.10.1990, 23.12.1991 y 14.11.1991, entre otras.
(32)   STS 26.10.1989.

da limitado a la subsanación de aquellos errores que permitan la subsistencia del acto que los contiene para que su corrección haga compatible lo formulado por lo pretendido por la Administración creadora de acto administrativo.

También ha señalado expresamente el Tribunal Supremo que los fundamentos de la potestad rectificadora se encuentran en el principio de conservación de los actos administrativos; pero también el los principios de eficacia y de indemnidad por actos ajenos y en el principio de responsabilidad patrimonial de la Administración (33).

11. LÍMITES A LA RECTIFICACIÓN

La revisión del acto propio solo se permite por razón de existencia de un error material de hecho no aritmético, no por razones de oportunidad ni por infracción del ordenamiento. La jurisprudencia del Tribunal Supremo se ha servido de la contraposición entre el error de hecho o material y error de derecho.

La corrección del error aritmético no autoriza a variar o alterar los elementos numéricos y constituye un remedio que corresponde al error aritmético cometido cuando un agente de la administración se equivoca en los resultados de una operación numérica, por ello es una materia relacionada con números que resulta de la operación aritmética que se haya practicado si n variar ni alterar los elementos de que se compone.

El error aritmético o de hecho debe ser patente y claro sin necesidad de acudir a la interpretación normativa y además no debe producir una alteración fundamental en el sentido del acto toda vez que no hay error cuando su apreciación implica un juicio valorativo o exige una operación de calificación jurídica.

—-La LRJ (34) establece que las facultades de revisión no pueden ser ejecutadas cuando por la prescripción de acciones, el tiempo transcurrido u otras circunstancias, su ejercicio resulte contrario a la equidad, a la buena fe, al derecho de los particulares o a las leyes, además estos límites también pueden predicarse del ejercicio de la potestad rectificadora ya que la disposición citada es aplicable a todos los procedimientos contenidos en el capítulo II del Título VII de la LRJ: Revisión de oficio, declaración de lesividad, revocación de actos y rectificación de errores.

La LRJ establece en su artículo 106 que las facultades de revisión no podrán ser ejercitadas cuando por prescripción de acciones, por el tiempo transcurrido o por otras circunstancias su ejercicio fuera contrario a la equidad, la buena fe, el derecho de los particulares y las leyes, entre los que hay que destacar la buena

---

(33)   STS 28.51987.
(34)   Art. 106.

fe que fue introducida, expresamente, por la LRJ y la doctrina suele invocar este aspecto como una especie de correctivo de la imprescriptibilidad de la acción correctiva.

Por otra parte la jurisprudencia ha considerado contrario a la equidad la petición de revisión de oficio y rectificación una vez que el mismo interesado haya dejado transcurrir un dilatado plazo de tiempo, cuando se trata de un acto de trascendencia importante para él, la inactividad del interesado es más grave cuanto mayor es la trascendencia de los errores a corregir ya que, menos justificada estará entonces su pasividad al no haber solicitado la rectificación con mayor diligencia. Aunque las acciones de nulidad y rectificación pueden solicitarse en cualquier momento ello no quiere decir que sean imprescriptibles (35).

También la buena fe sirve como referente para atenuar una disposición demasiado rígida o para completar otra demasiado escueta. El artículo 106 LRJ se refiere a que por prescripción de acciones, por el tiempo transcurrido u otras circunstancias su ejercicio resultase contrario a la equidad, no obstante hay que tener presente que la prescripción de acciones opera con independencia de la equidad, por lo que ésta podrá invocarse cuando por el tiempo transcurrido u otras circunstancias, la anulación fuese contraria a la equidad.

Puede ponerse como ejemplo de esas otras circunstancias a las que alude la LRJ (36), el hecho de que el interesado inste el procedimiento de revisión y la rectificación como modo de reabrir la vía administrativa que dejó de utilizar o como instrumento para plantear en la vía judicial cuestiones que no quiso debatir en un proceso. En cuyo caso la administración no debe iniciar el procedimiento porque el interesado, pretende algo contrario al espíritu y finalidad de la norma, bajo la apariencia de un acto lícito o lo que es igual un acto en fraude de ley.

Sin embargo el límite más importante de la potestad rectificadora de la administración es el propio contenido de los errores a los que alcanza y que pueden ser corregidos toda vez que el sentido original de la resolución solo podrá verse afectado por la corrección de manera excepcional sin que sea posible anularla o revisarla.

Cuan sea así el resultado de loa facultad rectificadora no puede deducirse otra conclusión sino que se ha prescindido de manera total y absoluta del procedimiento legalmente establecido para la revisión de los actos prescritos incurriéndose por ello en un supuesto de nulidad de pleno derecho.

---

(35)   STS 4.2.1993.
(36)   LRJ art. 106.

Los encargados de enjuiciar y valorar si la aplicación de estas limitaciones y la interpretación de los conceptos jurídicos indeterminados ha sido adecuada, son los tribunales de justicia.

12. ERROR SOBRE ELEMENTOS SUSTANCIALES O ACCIDENTALES

Una diferencia fundamental para determinar las consecuencias del error es si éste recae sobre hechos sustanciales o accidentales.

El error que recae sobre hechos sustanciales del acto administrativo, provoca una formación errónea de la voluntad porque forma parte de los presupuesto del acto y determina su anulación y sus sustitución por otro acto Administrativo debido a que se trata de vicios que inciden sobre el contenido del acto. A estos casos de error que incide sobre hechos impidiendo el mantenimiento del acto afectado por el mismo se ha referido el Consejo de Estado reconociendo que, aun tratándose de un error de hecho en el cómputo del tiempo, procede anular un acto administrativo sancionador; en otro supuesto señaló que la resolución sancionadora incurrió en error de hecho al afirmar que la interesada carecía de título administrativo habilitante para prestar el servicio correspondiente; error de hecho que resultaba de un documento incorporado al expediente, con anterioridad a la resolución sancionadora, así como del contenido de las anotaciones en registros gestionados por la propia Administración (37).

Por ello puede asegurarse que este criterio del Consejo de Estado no ofrece dudas sobre las consecuencias que se siguen en caso de error de hecho resultante de la apreciación de la Administración, al afirmar que, en los casos en que exista una inadecuada apreciación de datos por parte de la Administración, no será normalmente viable la aplicación del artículo 105.2 de la LRJ que no se tratará de un error material aritmético o de hecho; en consecuencia y ante la calificación como acto declarativo de derecho o favorable, deberá acudirse a las vías de revisión de oficio o, si procede, a la declaración de lesividad del acto administrativo para posteriormente impugnarlo en vía judicial; sin embargo, debe utilizarse el procedimiento de revisión, tanto en los casos en que el origen del vicio sea consecuencia de un error en la apreciación de los datos que obran en el expediente, como en los casos en que el origen del vicio se encuentre en un error informático. De producirse este último supuesto deberá acudirse a la revocación de los actos administrativos declarativos de derechos o favorables y solo en aquellos casos en los que se produzcan errores elementales materiales, aritméticos o de hecho, que se deduzcan del propio acto administrativo y que no requieran ninguna valoración jurídica, será posible acudir al procedimiento de rectificación previsto en la Ley (38).

---

(37)   Dictámenes del Consejo de estado nums. 2057/1998 y 3806/1998.
(38)   Dictamen del Consejo de Estado 2082/1995.

De conformidad con todo esto, podemos concluir que cualquier acto administrativo favorable a los administrados, que se base en un error de hecho, puede considerarse nulo, de pleno derecho, si el error afecta a los requisitos esenciales; en consecuencia para obtener la declaración de nulidad habrá que acudir a la vía de la revisión de oficio de actos nulos.

Por el contrario, si el error recae sobre hechos accidentales, es decir sobre presupuesto de hecho secundarios que no sean determinantes de la resolución final, no se produce una ruptura entre los hechos y el contenido del acto. La simple discordancia que producida, en estos casos, nunca es causa suficiente para producir una quiebra total de la relación entre hechos y contenidos; en consecuencia, el acto debe ser revisado, a fin de subsanar el vicio de que adolezca; revisión que determinará la convalidación de dicho acto, sin necesidad de que sea eliminado del ámbito jurídico. El procedimiento de subsanación que debe seguirse, en estos casos, permite volver sobre el acto erróneo, revisar el proceso de formación de voluntad y corregir el vicio que le afecta, lo cual tendrá como resultado la obtención de un acto subsanado, es decir el propio acto, originalmente viciado, al que se ha corregido el defecto de que adolecía. Ahora bien debe quedar claro que el acto subsanado no es un acto administrativo diferente del subsanado, pues si antes era un acto viciado ahora será un acto plenamente válido, pues con la subsanación se corrigen vicios que, con carácter general no inciden en el contenido esencial del acto, lo cual significa que la declaración concreta en que consiste el acto administrativo, no varia después de la subsanación.

En consecuencia, lo que se pretende con la técnica de la subsanación es evitar la anulación de un acto que aunque era irregular por no haber respetado algunos elementos accidentales su contenido o declaración de derechos en que consiste ha sido esencialmente correcta, por ello puede afirmarse que en los casos en que se aplica la subsanación son supuestos en los que podría haberse dictado el acto correctamente de haberse podido ver los hechos de forma adecuada.

Un caso concreto examinado por el Tribunal Supremo donde pone de manifiesto el alto tribunal que el error en que incurre una resolución sancionadora al manifestar que el interesado no había formulado alegaciones, cuando en realidad éstas se habían presentado, es un defecto que no se refiere a los presupuestos fácticos determinantes de la decisión administrativa y por ello si bien admite que la resolución sancionadora impugnada incurrió en error, no admite que éste sea suficiente para declarar la nulidad de pleno derecho del procedimiento que no resulta decisivo sobre el fondo de la cuestión y que, por otra parte, no produce indefensión al interesado ni tiene valor decisivo o probatorio.

Con todo cabe recordar que los errores materiales, es decir, los que dan lugar a al procedimiento de rectificación por tratarse de defectos que afectan a la exteriorización de la declaración de derechos, no son errores denominados consentibles, lo que significa que no sanan con el paso del tiempo, por lo que la única forma de subsanarlos es a través del procedimiento de rectificación que puede llevarse a cabo en cualquier momento. Lo que si se consiente son las declaraciones de derechos, no los errores que afecten a su manifestación, de manera que el acto que se halle afectado por una irregularidad formal es consentible, es decir que adquiere firmeza, si no se recurre; por ello, pasado al plazo para impugnarlo mediante un recurso administrativo, la declaración de derecho que contiene no podrá ser anulada dado que el acto anulable se entiende convalidado y resulta, además de eficaz, válido e inatacable.

Por lo tanto, en caso de errores de hecho que recaigan sobre elementos esenciales el procedimiento que debe aplicarse es el de revisión que determina la anulación del acto con independencia de que el vicio sea determinante de nulidad de pleno derecho o de anulabilidad en el caso de errores de hecho que recaigan sobre presupuestos accidentales procederá la revisión que determina la convalidación del acto, y pueden distinguirse dos posibilidades que el vicio sea consecuencia de anulabilidad pero que por no afectar al contenido del acto, sea susceptible de subsanación, o que se trate de una mera irregularidad no invalidante en cuyo caso ni siquiera se produce el vicio de anulabilidad y puede procederse a la subsanación.

13. REQUISITOS Y PROCEDIMIENTO DE LA RECTIFICACIÓN DE ERRORES MATERIALES

El procedimiento de rectificación de errores materiales regulado en el artículo 105 de la LRJ requiere una serie de requisitos subjetivos, objetivos y de plazo temporal que examinamos en los apartados siguientes.

13.1. Requisitos subjetivos

Que se exigen tanto al órgano administrativo como a los interesados.

Respecto al órgano administrativo, así como a la competencia para decidir acerca de la nulidad o anulación, se atribuye solo al órgano superior de la Entidad, la competencia para rectificar un error material corresponde al mismo órgano que dictó el acto. Pues si tiene competencia para dictar un acto, lógicamente debe tenerla para rectificar los errores materiales en que hubiera incurrido al dictarlo.

Aunque la jurisprudencia suele hacer una mención genérica de la Administración Pública, es evidente que presupone la competencia del propio órgano que dictó el acto objeto de rectificación, al enjuiciar la validez de los actos de rectificación emanados del mismo órgano que el acto rectificado.

Por lo que hace a los interesados la exigencia legal que se interpreta en la práctica profesional de la Administración se refiere a dos tipos de legitimación una para incoar el procedimiento de rectificación de errores y otra para personarse en el mismo.

Por lo que se refiere a la primera ya hemos visto que la LRJ establece que las Administraciones públicas podrán rectificar errores de oficio o a instancia de los interesados. Por tanto estarán legitimados para instar rectificación los titulares de derechos o intereses legítimos individuales o colectivos a quienes perjudique el error cuya rectificación se pretende, si hubieran incoado, o no el procedimiento en que se dictó el acto, aunque no se hubieran personado en su día en el procedimiento (39).Por lo que respecta a la legitimación para personarse se siguen las reglas generales de la LRJ.

13.2. Requisitos objetivos

Los requisitos o motivos que pueden invocarse en este procedimiento están limitados por la naturaleza del mismo toda vez que aquí no se decide la validez del acto y su privación de efectos sino la mera rectificación del error material, por ello solo podrá plantearse cuando se den las circunstancias siguientes:

a) Que se trate de la pura rectificación del acto teniendo en cuenta que no puede plantearse la validez del acto a través del cauce formal de este procedimiento por ello no procedería ningún pronunciamiento sobre la nulidad o anulabilidad del acto. Como ha declarado el Tribunal Supremo aquí el acto administrativo rectificador debe mostrar idéntico contenido dispositivo, sustantivo y resolutorio del acto rectificado, sin que la Administración pueda, so capa de ejercer la potestad de rectificación, encubrir una verdadera potestad revocatoria, lo cual entrañaría un auténtico fraude de ley constitutivo de desviación de poder (40).

b) Que el objeto sea la rectificación de un error de hecho. Es decir un arreo material o un error aritmético, de manera que este procedimiento rectificador se admite no solo para errores aritméticos sino además para cualquier error de hecho, pues como ha señalado el Tribunal Supremo al respecto no hay que olvidar que los errores de he-

---

(39)   La STS de 16.5.1994 reconoció la legitimación a una opositora para solicitar la revisión de la propuesta del tribunal calificador basada en posibles errores aritméticos.

(40)   El propio Tribunal Supremo pone de manifiesto la diferencia entre el error de derecho y el mero error material o de hecho, negando la existencia de éste, siempre que su apreciación implique un juicio de valor, requiera una calificación jurídica o cuando la rectificación, aparente, represente, en realidad, una alteración fundamental del sentido del acto. Añadiendo que no hay posibilidad de rectificación en caso de duda o cuando la comprobación del error exija acudir a datos que no estén en el expediente, entendiendo que el error material o aritmético es un error evidente que consiste en meras equivocaciones aritméticas u operaciones permaneciendo fijos los sumandos o factores operativos, es decir, aquellos que no transforman ni perturban la eficacia sustantiva del acto en que tienen su existencia. La notificación de un acto, no puede confundirse con el propio acto. SSTS 8.2.1990, 24.3.1992 y 31.1.1994, entre otras.

cho o aritméticos se caracterizan porque versan sobre un hecho, cosa o suceso, acerca de una realidad independiente de opiniones criterios particulares o calificaciones, estando excluido de su ámbito, todo aquello que se refiera a cuestiones de derecho, valoración legal de pruebas, interpretación de disposiciones legales y calificaciones jurídicas que puedan establecerse (41). No procede introducir modificaciones en un acta de ocupación, que constituyan diferencias conceptuales de significado trascendente para los interesados, utilizando un procedimiento de rectificación (42).

c) Que sea posible la rectificación, es decir que el error sea susceptible de subsanación, sin que ello conlleve privar de efectos al acto. En este sentido el Tribunal Supremo ha declarado que la posibilidad de rectificar errores materiales o de hecho y los aritméticos debe ser entendida en el sentido de limitarla a los supuestos concretos en que el acto administrativo demanda la corrección material de una equivocación teniendo en cuenta que en la práctica la rectificación debe suponer en cualquier caso la subsistencia del acto rectificado, con la única modificación de la corrección operada, pues si la nueva resolución contiene estimaciones nuevas o diferentes, es evidente que no se ha producido una mera rectificación de error material sino una modificación de conceptos (43).

Para tener una idea exacta del error matemático o material, debe partirse del criterio de que no se trata de una realidad independiente de lo opinable, sin errores que se producen por la simple transcripción de una cuenta, sin que pueda afectar a sumandos o factores. Consisten en simples equivocaciones cometidas al consignar un determinado número o el resultado de operaciones aritméticas sometidas a reglas claramente establecidas.

13.3. Requisitos de tiempo

La LRJ dispone, en su artículo 105, que la rectificación puede hacerse en cualquier momento pues no se encuentra sujeta a limitaciones temporales, no obstante la Ley General Tributaria, al regular la rectificación de errores materiales en el ámbito tributario establece un límite de cinco años señalando que la Administración rectificará los errores materiales siempre que no hubiesen transcurrido cinco años desde que se dictó el acto objeto de rectificación, este plazo se establece para limitar los efectos de la rectificación consistentes en la devolución de cantidades como consecuencia del error que solo procede dentro del plazo de cinco años.

El Tribunal Supremo se ha pronunciado en cuanto a los requisitos que deben concurrir para la aplicación de este mecanismo de rectificación recordando que la doctrina jurisprudencial tiene establecido al respecto que el error material o

---

(41)   SSTS. 18.4.1990, 4.5.1993.
(42)   STS 11.3.1997.
(43)   STS 22.10.1986.

de hecho se caracteriza por ser ostensible, manifiesto e indiscutible, implicando por sí solo, la evidencia del mismo, sin necesidad de mayores razonamientos y exteriorizándose por su sola contemplación (44) por lo que para poder aplicar el mecanismo procedimental de rectificación de errores materiales o de hecho, se requiere que concurran, en esencia, las siguientes circunstancias:

a) Que se trate de simples equivocaciones elementales de nombres, fechas, operaciones aritméticas o trascripciones de documentos.

b) Que el error se aprecie teniendo en cuenta, exclusivamente, los datos del expediente administrativo en el que se advierte.

c) Que el error sea patente y claro, sin necesidad de acudir a interpretaciones de normas jurídicas aplicables.

d) Que no se proceda de oficio a la revisión de actos administrativos firmes y consentidos.

e) Que no se produzca una alteración fundamental en el sentido del acto, dado que no existe error material cuando su apreciación implique un juicio valorativo o exija una operación de calificación jurídica.

f) Que no padezca la subsistencia del acto administrativo, es decir que no se genere la anulación o revocación del mismo, en cuanto creador de derechos subjetivos, produciéndose uno nuevo sobre bases diferentes y sin las debidas garantías para el afectado, pues el acto administrativo rectificador ha de mostrar idéntico contenido dispositivo, sustantivo y resolutorio que el acto rectificado, sin que esté permitido a la administración so pretexto de su potestad de rectificación de oficio, encubrir una auténtica revisión por que ello entrañaría un fraude de ley constitutivo de desviación de poder (45).

14. FUNDAMENTO Y REGULACIÓN DEL PROCEDIMIENTO DE RECTI-FICACIÓN

El fundamento de este procedimiento es que ante los errores materiales en que pueda incurrir cualquier acto administrativo y con independencia de sus infracciones al ordenamiento jurídico, no debe permitirse la producción de limitaciones en los derechos e intereses de los ciudadanos derivados del error y tampoco deben derivarse limitaciones del transcurso del tiempo para la posibilidad de realizar las rectificaciones que procedan, por ello no es posible alegar la confirmación del acto frente a una solicitud de rectificación que haya planteado un interesado.

(44)   Frente al carácter de calificación jurídica, seguida de una declaración basada en ella que ostenta el error de derecho.
(45)   STS 28.9.1992.

Ya hemos dicho que la LRJ, regula (46) la rectificación de errores materiales o de hecho, siendo de aplicación supletoria las normas generales sobre procedimiento administrativo común.

En el ámbito tributario, la LGT regula la posibilidad de rectificar errores materiales estableciendo un plazo máximo de cinco años desde que se dictó el acto (47). El procedimiento a seguir para la rectificación de errores materiales o de hecho en el ámbito tributario se regula en el Reglamento de procedimiento de las reclamaciones económico-administrativas y por otra parte la LGT reconoce el derecho a la devolución de ingresos que se hubieran ingresado indebidamente en el Tesoro con ocasión del pago de deudas tributarias.

En la normativa autonómica se aplica el régimen general, por otra parte las normas de las Comunidades autónomas no suelen incluir regulaciones diferentes sobre esta materia a título de ejemplo pueden mencionarse la ley aragonesa sobre normas reguladoras de la Administración autonómica que dispone que los órganos competentes para instruir o decidir en los procedimientos administrativos podrán, en cualquier momento, de oficio o a instancia de interesado, rectificar los errores materiales, de hecho o aritméticos que se hubieran producido. Cuando la rectificación afecte a los interesados, deberá notificarse de modo expreso (48), una Resolución de la Consejería de Interior y Administraciones Públicas del Gobierno del Principado de Asturias sobre elaboración y control de disposiciones de carácter general dispone que sólo se incluyen en la corrección de errores, aquellos que no sean subsanables por el buen sentido del lector y no afecten a la comprensión del artículo o párrafo de que se trate, además nunca podrá modificarse sustancialmente una disposición. También dispone expresamente que la corrección no permite crear nuevos supuestos o modificar la disposición corregida sino solamente a rectificar errores materiales, tipográficos o de redacción. Debiéndose tener especial cuidado con los efectos jurídicos que puedan derivarse de la rectificación de errores y que deben consignarse expresamente en ella (49). La Ley sobre el Gobierno y Administración de la Comunidad Autónoma de Castilla y León señala que la rectificación de los errores materiales de hecho o aritméticos corresponde al propio órgano administrativo que haya dictado el acto (50). En la Comunidad Autónoma de Madrid tanto la Ley sobre Gobierno y Administración como el Reglamento de organización y régimen jurídico de las reclamaciones económico-administrativas que se susciten en el ámbito de la gestión económico-financiera de la Comunidad autónoma; la primera señala que la rectificación de errores materiales, de hecho

---

(46)   LRJ art. 105.
(48)   Ley 11/1996 de 30 de diciembre.
(47)   Artículo 156 Ley General Tributaria.
(49)   Resolución de la Consejería de Interior y Administraciones Públicas del Gobierno del Principado de Asturias de 9 de marzo de 1993.
(50)   Ley 3/2001 de 3 de julio.

o aritméticos corresponde al propio órgano administrativo que haya dictado el acto, el segundo dispone que en cualquier momento, a petición de los interesado o de oficio, se podrán rectificar los errores materiales o de hecho y los aritméticos que contengan los acuerdos y resoluciones por el propio órgano que los dictó. La rectificación no producirá efectos económicos en cuanto hubiesen transcurrido los plazos legales de prescripción. Finalmente también hay normativa autonómica que regula los procedimientos de reintegro derivados de los errores materiales en la confección de nóminas (51).

En el ámbito de la Administración Local

En el ámbito de la normativa estatal debemos recordar que aunque la LRJ no especifica nada al respecto la propia lógica impone que la competencia para rectificar un acto corresponda al mismo órgano que lo dictó Un caso concreto examinado por la jurisprudencia planteaba una cuestión de rectificación llevada a cabo por un órgano diferente al autor del acto, en el caso examinado una acto de una comisión de gobierno local fue convalidado por el Pleno con un acuerdo posterior que sanó los defectos advertidos (52). En determinadas circunstancias el órgano a quien corresponde la publicación del acto también puede corregir los errores observados de esto modo el Boletín Oficial del Estado puede rectificar por sí mismo los errores de composición o impresión que se produzcan en la publicación de disposiciones oficiales, siempre que supongan alteración o modificación del sentido de las mismas o puedan suscitar dudas.

La acción de rectificación es imprescriptible toda vez que la ley declara la posibilidad de rectificar en cualquier momento expresión que también utiliza cuando se refiere a la revisión de oficio de los actos nulos de pleno derecho (53). No es obstáculo para la rectificación del acto que éste sea firme consentido o confirmatorio. Sin embargo los límites a la revisión son totalmente operativos para la revisión y por ello puede ocurrir que, excepcionalmente, el tiempo transcurrido o la prescripción de acciones condicionen el ejercicio de esa acción.

El procedimiento requiere la concesión de audiencia al interesado salvo que no figuren en el procedimiento ni vayan a ser tenidos en cuenta en la resolución otros hechos ni otras alegaciones y pruebas que las que hayan sido aducidas por el interesado en la solicitud de rectificación. El Tribunal Supremo ha declarado que cuando el procedimiento se inicie de oficio este trámite parece más necesario y se extenderá a otras personas si hay terceros interesados que puedan resultar afectados por la resolución (54). A falta de plazo expreso en la Ley que fije el límite

---

(51)   Orden de 2 de junio de 2000 de la Consejería de Economía, Hacienda y Empleo de la Generalidad Valenciana.
(52)   STS de 3.10.2000.
(53)   Ver arts. 102 y 105 LRJ.
(54)   SSTS 13.12.1993 y 3.7.2000.

máximo de tiempo que la administración posee para pronunciarse expresamente sobre la solicitud de rectificación habrá que tener en cuenta el plazo supletorio de tres meses que establece la LRJ (55).

En el caso de falta de resolución en plazo lo más razonable es considerar que es denegatorio sólo cuando la estimación de la solicitud de rectificación pueda llevar aparejada la transferencia al solicitante o a terceros de facultades relativas al dominio público o servicio público.

En lo que hace a rectificación de disposiciones o normas suele plantearse la cuestión del rango formal que deba tener la corrección la materia se regulada por Real Decreto 181/2008 (56) de 8 de febrero del diario oficial Boletín Oficial del Estado que dispone que si alguna disposición oficial aparece publicada con errores que alteren o modifiquen su contenido, será reproducida inmediatamente en su totalidad o en la parte necesaria con las debidas correcciones señalando que las correcciones se realizarán de conformidad con las normas siguientes:

A) Errores de composición que se produzcan en la publicación, siempre que supongan alteración o modificación del sentido o puedan producir dudas al respecto, se corregirán de oficio. Para ello los servicios del *BOE* conservan los originales de cada número durante seis meses desde la fecha de su publicación.

B) Cuando se trate de errores que se encuentren en el texto remitido para publicación su rectificación se lleva a cabo del siguiente modo:

a) Los meros errores u omisiones materiales, que no constituyen modificación o alteración del sentido de las disposiciones o se deduzcan claramente del contexto pero cuya rectificación se considere conveniente para evitar posibles confusiones, se salvarán por los organismos respectivos instando la reproducción del texto, o de la parte necesaria del mismo, con las debidas correcciones.

b) En lo demás casos y siempre que los errores u omisiones puedan suponer una real o aparente modificación del contenido o del sentido de la norma, se salvarán mediante disposición del mismos rango. Como ha manifestado el Tribunal Supremo en relación con la misma disposición recogida en normativa precedente, esta previsión se trata de garantizar que cualquier corrección que pueda suponer una modificación real o aparente bien del contenido, bien del sentido de la norma se lleve a cabo mediante una norma del mismo rango con todos los requisitos procedimentales que su aprobación lleva a aparejada incluido el trámite de audiencia (57).

---

(55)   Art. 42.3 LRJ Cuando las normas reguladoras no fijen el plazo máximo este será de tres meses.

(56)   Antes por Real Decreto 1511/1986.

(57)   Art 24 LOFAGE. Ver STS 3.10.1997.

15. PROCEDIMIENTO PARA LA RECTIFICACIÓN DE ERRORES

Aunque la LRJ no regula expresamente el procedimiento para rectificar los errores materiales de hecho y aritméticos, la jurisprudencia ha considerado que la rectificación es un auténtico procedimiento administrativo especial, en el que no se produce ningún tipo de impugnación, toda vez que su objeto consiste en verificar la existencia de errores evidentes para que no permanezcan y produzcan consecuencias indeseables para los intereses generales; no obstante, el Tribunal Supremo ha declarado, expresamente, que el procedimiento debe llevarse a cabo con todas las garantías de manera que incluso algunos pronunciamientos del alto Tribunal han clasificado a la revisión de errores como procedimiento especial de revisión (58), una de las consecuencias principales de esta calificación es la necesaria aplicación de las normas generales sobre procedimiento administrativo común, si bien hay pronunciamientos judiciales que ha manifestado rotundamente que la Administración se encuentra facultad para revisar sus propios actos sin sujeción a procedimiento alguno, solo en los supuestos contemplados en el artículo 105 de la LRJ, lo cual incluye la revocación de los actos desfavorables, también denominados actos de gravamen.

Hay que tener en cuenta que, sobre todo desde un punto de vista de la practica profesional de los gestores de las Administraciones públicas no cabe duda que el objeto de la rectificación y la variable importancia de los errores que pueden ser corregidos mediante este procedimiento rectificador debe llevar, en la mayor parte de los casos, a prescindir de solemnidades que no añadan garantías prácticas apreciables que puedan se indispensables.

16. FASES DEL PROCEDIMIENTO

A) Inicio

El procedimiento puede incoarse de oficio o a instancia de interesado con arreglo a lo establecido en las disposiciones generales de la LRJ (59). En el supuesto de que se incoe a petición de interesado, deberá delimitarse exactamente el error de hecho en que incurre el acto objeto de rectificación y además incluir en la petición la forma en que deba ser rectificado el error.

B) Instrucción

En esta fase hay que recordar que debe concederse trámite de audiencia y vista a todos los interesados de acuerdo con la regla general que incluida en el artículo 84 de la LRJ, no obstante puede prescindirse de dicho trámite si una vez

---

(58)   SSTS 13.2.1976, 8.10.1979 y 26.10.1989.
(59)   Artículos 68, 69 y 70 de la LRJ.

incoado el procedimiento, a instancia de los interesados, se comprueba que no hay ningún otro titular de derechos o intereses legítimos a los que pueda afectar la rectificación que se pretende.

C) Terminación

El procedimiento concluye por resolución del órgano competente que debe pronunciarse acerca de la procedencia o improcedencia de la rectificación. Sin embargo en este punto se plantea una cuestión relacionada con el sentido que debe darse a la falta de resolución de la administración o de su notificación en plazo previsto, toda vez que en la normativa que regula este procedimiento de rectificación no existe disposición que presuma el silencio administrativo por lo que parece de aplicación lo dispuesto en el artículo 43.2 de la LRJ (60).

D) Efectos

Contra la resolución que ponga fin al procedimiento de rectificación caben recursos administrativos que procedan de acuerdo con lo dispuesto en la LRJ así como el recurso contencioso-administrativo, por otra parte, el Tribunal Supremo ha considerado que la solicitud de rectificación de errores materiales es equivalente en la vía administrativa al recurso de reposición previo al contencioso. Además el mismo Tribunal ha admitido la rectificación de errores con ocasión de la tramitación de un recurso administrativo.

En el caso de que se acceda a la rectificación, el acto subsiste, con la rectificación realizada, no obstante la rectificación del error puede producir importantes efectos, de modo que si el acto consistía por ejemplo en una licencia que legitimaba una actividad privada, la rectificación del error material producirá el correspondiente efecto legitimador en lo relativo al aspecto erróneo de que se tratara: medidas, extensión, tiempo etcétera., si es un acto que reconoce el derecho apercibir una determinada cantidad por diversos conceptos, la rectificación en más o en menos produce el efecto del derecho a percibir el exceso o a devolver la diferencia percibida; no obstante el supuesto más común de rectificación de errores materiales con producción de efectos económicos en los ciudadanos es la rectificación de acto que exigieron el pago de una cantidad, con lo cual la rectificación produce el efecto de la devolución de los ingresos indebidos, por ello suele

---

(60) Los interesados podrán entender estimadas por silencio administrativo sus solicitudes en todos los casos salvo que una norma con rango de ley o de derecho comunitario establezca lo contrario. Quedan exceptuados de esta previsión los procedimientos de ejercicio del derecho de petición a que se refiere el artículo 22 de la Constitución, aquellos cuya estimación tuviera como consecuencia que se transfieran al solicitante o a terceros facultades relativas al dominio público o al servicio público, así como los procedimientos de impugnación de actos y disposiciones, en los que el silencio tendrá efecto desestimatorio.

ser objeto de regulaciones especiales tanto en la normativa estatal como en la de las Comunidades Autónomas y Administraciones locales.

Con todo debe quedar claro que la rectificación no puede alterar el contenido fundamental de la decisión manifestada por la administración en el acto concreto, sino únicamente aspectos instrumentales o accidentales; por ello mediante este procedimiento de rectificación no pueden corregirse errores en la aplicación de las normas o en la calificación de los hechos, que son en realidad errores jurídicos. De este modo la administración queda facultada para corregir, de oficio o a instancia de parte, lo errores cometidos en sus actos, tanto en los actos de gestión, como en las resoluciones económico-administrativas, siempre que no hayan transcurrido más de cinco años desde que fueron dictados (61).

17. CRITERIOS JURISPRUDENCIALES

Ya hemos visto como la jurisprudencia mantiene una interpretación restrictiva de esta facultad de rectificación que regula la LRJ debido a que supone una excepción al régimen general de modificación de los actos administrativos de manera que los errores pueden afectar no solo a los actos definitivos sino también a los actos de trámite, además el tribunal supremo ha declarado que la notificación de una resolución, que tiene naturaleza de acto de trámite, no puede confundirse con el mismo acto (62).

En otro asunto el Tribunal Supremo consideró que una orden de un c0onsejero autonómico por la que se corregía el error producido en una orden anterior, aprobando unas tarifas de consumo por abastecimiento de agua a poblaciones y que se limitó a sustituir un epígrafe titulado «consumo doméstico facturación bimestral» por «Consumo Doméstico bimestral para residentes», excede del ámbito propio de la rectificación de errores ya que modifica el alcance subjetivo de las tarifas aplicables a los ciudadanos que en principio lo eran tanto para residentes como para no residentes del municipio en cuestión, para quedar limitada a los residentes una vez subsanados los errores (63).

Otra Sentencia derivada de un recurso originado en la propuesta de un tribunal calificador de oposiciones puso de manifiesto la indebida adjudicación de las plazas de turno libre a dos aspirantes, toda vez que la suma de los puntos obteni-

---

(61)   A la vista de lo dispuesto en el Real Decreto 391/1996 parece que la rectificación de errores materiales puede hacerse en cualquier momento, incluso después de transcurridos cinco años, aunque se reducirá a dicho plazo los efectos que puedan derivarse de la rectificación. No obstante teniendo en cuenta lo dispuesto en la Ley 1/1998 de Derechos y Garantías de los Contribuyentes, podría considerarse que el plazo sea de cuatro años.

(62)   SSTS 14.5.1986 y 20.1.1998.

(63)   STS 4.3.1995.

dos en cada uno de los tres ejercicios de que constaban las pruebas selectivas no alcanzaba el total que figuraba erróneamente en la lista que recogía las puntuaciones totales (64).

Al entrar a conocer sobre la legalidad de la rectificación de errores materiales del reconocimiento de una pensión de jubilación, rectificación realizada en base a un supuesto error en la nacionalidad del beneficiario, consideró que el establecimiento de este aspecto, en cuanto entraña un despliegue probatorio y requiere de una valoraciones en conceptos jurídicos no puede identificarse con los errores materiales o numéricos susceptibles de rectificación (65).

El error, a que se refiere el artículo 105.2 LRJ, presupone un discordancia entre lo que la Administración pretendía expresar, la declaración de voluntad administrativa y la efectiva formulación externa.

Pero no solo la jurisprudencia del Tribunal Supremo se ha ocupado de la consideración de errores materiales, también los tribunales superiores de justicia de las Comunidades Autónomas.

Así una Sentencia consideró que la indebida trascripción en un procedimiento sancionador del precepto que se reputa infringido puede tener el tratamiento de error material y, en consecuencia, corregida como error material sin mayor problema siempre que no se prive de eficacia al acto, no se ocasione indefensión, haya habido una comprensión perfecta del sentido del acto y el interesado haya gozado de toda clase de posibilidades defensivas (66).

También ha declarado esta jurisprudencia que no se está en presencia de una mera rectificación de error material o de hecho cuando se califica una determinada acción como infracción muy grave de un apartado de un artículo cuando debería decir de otro. Lo que hace la resolución correctora es modificar la calificación jurídica de los hechos que se contenía en la primera resolución, sin cambia ni innovar los hechos lo que ya de por sí vienen a indicar que no nos encontramos ante un mero error material; en un supuesto parecido otro tribunal superior consideró que el acta de inspección al calificar y encuadrar una presunta infracción en uno de los artículos de la norma sancionadora incurre en error mecanográfico toda vez que los hechos relatados en aquella no guardan relación con el precepto que se cita sino con otro de la misma disposición (67).

Finalmente, ha habido alguna sentencia judicial que ha anulado el acuerdo de un Pleno municipal porque, acudiendo al subterfugio consistente en decir que se

---

(64)   STS 11.4.1992.
(65)   STS 11.4.1992.
(66)   STSJ Cantabria 19.5.1998.
(67)   STSJ Galicia 31.3.1998 y STSJ Madrid 12.9.1996.

iba a corregir un simple error gramatical, el Pleno, más bien, dictaba un acto nuevo de contenido diferente al inicial, contraviniendo el sentido originario e imponiendo, a los interesados, requisitos diferentes y recortando sus legítimos intereses y derechos reconocidos en el acuerdo anterior (68).

18.   ANEXO: FORMULARIOS

18.1.   Solicitud de rectificación de errores materiales, de hecho y aritméticos

Marcelino Martínez Ortega, con DNI con DNI 8.118.363-H y con domicilio a efectos de notificaciones en [.../...] calle Lorente núm. 22, actuando en su propio nombre y derecho, ante la Gerencia Territorial de [.../...], competente para conocer esta solicitud, comparece y como mejor proceda

EXPONE

(Los escritos de solicitud dirigidos a las administraciones públicas deben reunir los contenidos a que hace referencia el artículo 70.1 LRJ)

Las solicitudes que se formulen deberán contener:

a) Nombre y apellidos del interesado y, en su caso, de la persona que lo represente, así como la identificación del medio preferente o del lugar que se señale a efectos de notificaciones.

b) Hechos, razones y petición en que se concrete, con toda claridad la solicitud.

c) Lugar y fecha.

d) Firma del solicitante o acreditación de la autenticidad de su voluntad expresada por cualquier medio.

e) Órgano, centro o unidad administrativa a la que se dirige)

Que en la resolución de esa Gerencia Territorial del Catastro de [.../...]. Por la que se determina el cálculo del valor catastral de la finca [.../...], cuya titularidad me corresponde, se aplica el coeficiente de ponderación comercial XB en el tipo 3,12 de lo cual resulta una valoración de [.../...] euros, siendo la base sobre la que se aplica dicho coeficiente la cantidad de [.../...]euros.

Estos antecedentes y relación de hechos se justifican sobre la base de los siguientes

---

(68)   STSJ Navarra 5.5.1995.

FUNDAMENTOS JURÍDICOS

Primero.— El presente escrito se formula al amparo de lo dispuesto en el artículo 105.2 de la Ley 30/1992 de Régimen Jurídico de las Administraciones Públicas y del Procedimientos Administrativo Común. El órgano competente para la resolución de esta solicitud es el mimo órgano administrativo que dictó el acto cuya rectificación se pide, el Gerente Territorial del catastro de [.../...]

La petición so formula sin sujeción a plazo de ejercicio teniendo en cuenta que la disposición citada señala que podrá solicitarse en cualquier momento.

Segundo.— Del análisis de la resolución cuya corrección se pide se deduce la aplicación del coeficiente de ponderación comercial XB en el tipo del 3,12 para la valoración de la finca de este interesado. De cuyo cálculo matemático correspondiente sobre la cantidad de [.../...] pesetas, resultaría la cifra de [.../...] y no la fijada por la valoración llevada a cabo por ese órgano, con lo cual nos hallaríamos ante un error aritmético.

Tercero.— Los errores aritméticos consisten en simples equivocaciones cometidas al consignar un determinado número o el resultado de operaciones aritméticas sometidas a reglas claramente establecidas. (Una operación de cálculo permaneciendo fijos los factores o sumandos).

La jurisprudencia exige que el tipo de errores del artículo 105.2 de la Ley 30/1992 consista en simples equivocaciones elementales de nombres, fechas, operaciones aritméticas, transcripciones de documentos. Los errores tienen que apreciarse teniendo en cuenta exclusivamente los datos del expediente administrativo en el que se advierte (69). Además deben ser patentes y claros, sin necesidad de acudir a interpretación de normas jurídicas aplicables, pues este es el dato esencial que distingue el error de hecho del error de derecho.

El error material no debe producir una alteración fundamental en el sentido del acto y debe afectar a los presupuestos fácticos determinantes de la decisión administrativa, pues no existe este error cuando su apreciación implique un juicio valorativo o exija una operación de calificación jurídica.

La rectificación del error de hecho (al que la doctrina y la jurisprudencia suelen identificar con el error material) no debe afectar a la subsistencia del acto administrativo, es decir, no puede acarrear la anulación o revocación del mismo en cuento creador de derechos subjetivos, produciéndose uno nuevo sobre bases diferentes y sin las debidas garantías para el afectado, pues el acto administrativo rectificador debe mostrar idéntico con tenido dispositivo, sustantivo y resolutorio que el acto rectificado, sin que pueda la Administración, so pretexto de su potestad rectificado-

---

(69)   SSTS 30.5.1985 y 19.1.1999.

ra de oficio, encubrir una auténtica revisión, pues ello entrañaría un fraude de ley, constitutivo de desviación de poder. Lo cual no es obstáculo para que en algunos supuestos puedan deducirse determinados efectos de la actuación rectificadora que afectan en parte a su contenido. Si el acto reconocía el derecho a recibir determinada cantidad por diversos conceptos y ha existido un error en su suma, la rectificación producirá el efecto del derecho a percibir el exceso o a devolver la diferencia.

Cuarto.— No estamos en presencia del error de hecho siempre que su apreciación implique un juicio valorativo o exija una operación de calificación jurídica, entendiendo que se caracteriza por poseer una realidad independiente de lo opinable y del razonamiento humano, que se produzcan en la trascripción o de simple cuenta. No existe error de hecho cuando la comprobación del mismo exija tener que acudir a datos de los que no hay constancia en el expediente administrativo.

En virtud de todo ello, y de acuerdo con lo dispuesto en el artículo 105.2 de la mencionada Ley 30/1992 de Régimen Jurídico de las Administraciones Públicas y del Procedimiento Administrativo común,

SOLICITA

Que se tenga por presentado este escrito, se sirva admitirlo y tenga por solicitada la rectificación del error aritmético cometido en la resolución de la Gerencia Territorial del Catastro de [.../...]. por la que se determina el cálculo del valor catastral de la finca [.../...] Sustituyendo la cantidad de [.../...] euros por la de [.../...] euros.

Lugar fecha y firma

GERENTE TERRITORIAL DEL CATASTRO DE [.../...]

18.2. Recurso de alzada contra la resolución que procede a rectificar un error

(El artículo 107.1 de la LRJ dispone que contra resoluciones y actos de trámite cualificados (70), podrán interponerse por los interesados los recursos de alzada y potestativo de reposición, que cabrá fundar en cualquiera de los motivos de nulidad o anulabilidad previstos en los artículos 62 y 63 de la ley.

---

(70) Se conocen como actos de trámite cualificados aquellos que son equivalentes a los actos definitivos para el interesado en el procedimiento administrativo y que menciona la Ley 30/1992 LRJ:
— Deciden directa o indirectamente el fondo del asunto.
— Determinan la imposibilidad de continuar el procedimiento.
— Producen indefensión en el interesado.
— Producen perjuicio irreparable en los derechos o intereses legítimos del interesado.

El plazo para la interposición del recurso de alzada será de un mes, si el acto fuera expreso. Si no lo fuera, el plazo será de tres meses y se contará, para el solicitante y otros posibles interesados, a partir del día siguiente a aquel en que, de acuerdo con su normativa específica, se produzcan los efectos del silencio administrativo. Transcurridos dichos plazos sin haberse interpuesto el recurso, la resolución será firme a todos los efectos).

Don Esteban González López con DNI 10.243.746-H y domicilio a efectos de notificaciones en [.../...] calle del Cerezo núm. 14, actuando en su propio nombre y derecho ante la Consejera de Urbanismo, Territorio y Medio Ambiente de la Comunidad autónoma de [.../...] comparece y

EXPONE

(De acuerdo con lo dispuesto por la LRJ en su artículo 110, la interposición del recurso debe expresar:

— El nombre y apellidos del recurrente, así como la identificación personal del mismo.

— El acto que se recurre y la razón de su impugnación.

— Lugar, fecha y firma del recurrente, identificación del medio y, en su caso, del lugar que se señale a efectos de notificaciones.

— Órgano, centro o unidad al que se dirige.

— Las demás particularidades exigidas, por las disposiciones específicas de aplicación.)

UNO.— Que por Resolución de fecha [.../...]. El Director General de Vivienda concedió al recurrente la ayuda mediante préstamo cualificado para la adquisición de vivienda de precio limitado, con el fin de que el tipo de interés devengado por el mismo fuera del 7,5 por ciento durante cinco años, ampliable por un periodo de igual duración.

Por otra Resolución del citado Director General de fecha [.../...] se reconoció, asimismo, el derecho a una subvención adicional por importe del 4 por ciento del precio de venta de la vivienda, condicionando su concesión al otorgamiento de escritura pública de compraventa, a la formalización del préstamo cualificado y a la presentación del certificado correspondiente expedido por la Delegación de Hacienda acerca de la base liquidable del Impuesto sobre la Renta de las Personas Físicas (IRPF) del solicitante correspondiente al periodo impositivo inmediatamente anterior a la fecha de la solicitud, requisitos que fueron cumplimentados por el citado solicitante.

DOS.— La Dirección General citada dictó, con fecha..., dos nuevas resoluciones una de las cuales concedió el subsidio al tipo de interés del 9 por ciento; pero la otra denegó la subvención del cuatro por ciento, notificándose ambas al interesado con la indicación de que, advertido error de hecho en las resoluciones anteriores, se procede a dejarlas sin efecto, sustituyéndose por las nuevas ya citadas.

FUNDAMENTOS JURÍDICOS

Primero.— Se interpone el presente recurso en tiempo y forma de acuerdo con lo que disponen los artículos 107 y siguientes de la Ley 30/1992, de 26 de noviembre, de Régimen jurídico de las Administraciones Públicas y del Procedimiento Administrativo Común.

Segundo.— Según se desprende del examen de las resoluciones administrativas impugnadas, tras dictarse las primeras resoluciones por las que se concedían al interesado las ayudas solicitadas, fue emitido informe de la Intervención Delegada en la Consejería en el cual se hacía constar que los ingresos declarados por el solicitante en el periodo impositivo de 2006 excedían cuatro veces el salario mínimo interprofesional, tomando como parámetro la base imponible del IRPF, de conformidad con lo dispuesto en .... A lo cual se añadía que en el expediente no constaba el certificado de la base imponible correspondiente a dicho periodo impositivo, aunque sí copia de la declaración del mencionado impuesto.

En virtud de lo consignado en el citado informe se dictaron las Resoluciones que ahora se recurren, denegando la subvención y reduciendo la ayuda por subsidio de intereses por considerar que los ingresos familiares del solicitante eran superiores al salario mínimo interprofesional en 3,5 veces.

Tercero.— En la comunicación al interesado se le hacía saber que se había advertido error de hecho en las resoluciones anteriormente dictadas, por lo cual se dejaban sin efecto, sustituyéndolas por las resoluciones ahora recurridas. Sin embargo, no puede considerarse error de hecho la diferencia de criterio existente para determinar los ingresos familiares anuales entre el órgano encargado de resolver la solicitud de ayuda y la intervención delegada, pues entre la documentación exigida al recurrente se encontraba el certificado de la Delegación de Hacienda acerca de la base liquidable del IRPF, que fue aportado por el recurrente siguiendo las propias instrucciones de la Administración ahora recurrido y de acuerdo al cual sus ingreso anuales no superaban en 3,5 el salario mínimo interprofesional.

Dicha documentación era, además, la exigida con carácter general para la solicitud de ayuda, según consta en la documentación correspondiente, en la que se indica expresamente que la concesión y pago de la subvención se llevar a cabo, previa presentación del certificado expedido por la Delegación de Hacienda de la base liquidable regular que conste en la declaración del IRPF que sirvió de base para la obtención del préstamo subsidiado.

De todo ello se deduce que, en la fecha en que la ayuda le fue concedida, el interesado reunía todos los requisitos exigidos por la Administración para ser beneficiario de la misma, y que la infracción de una norma reglamentaria por la Administración concedente a la hora de computar los ingresos familiares anuales no es, en ningún caso, un error de hecho, material o aritmético, por lo cual no puede ser corregido en cualquier momento sino que debe acudirse al procedimiento de revisión de oficio que tratándose de un acto declarativo de derechos, como en el presente caso, en cuanto otorga y reconoce una subvención, es el previsto en el artículo 103 de la mencionada Ley 30/1992.

En su virtud y de conformidad con los artículos 103, 105 y 107 de la repetida Ley 30/1992,

SOLICITA

Que se tenga por presentado este escrito de interposición de recurso de alzada, se sirva admitirlo y tenga por interpuesto ante la Consejera de Urbanismo, Territorio y Medio ambiente de la Comunidad Autónoma de [.../...], para que previa tramitación legalmente establecida resuelva acordando la procedencia del recurso y se anulen la resoluciones del Director General de Vivienda de fecha [.../...] por las que me concede un subsidio al tipo del nueve por ciento y deniega la subvención del 4 por ciento, que fueron dictadas como rectificación de los errores de hecho advertidos en sus resoluciones de fecha [.../...]

(Lugar fecha y firma)

CONSEJERA DE URBANISMO, TERRITORIO Y MEDIO AMBIENTE

Capítulo 11

Procedimiento y silencio administrativo en el ámbito de licencias urbanísticas

Comenzamos el presente capítulo con referencia a la operatividad en un caso de la práctica en el marco de una solicitud de licencia de obras. En nuestro caso sería una petición para construcción de una vivienda, con un proyecto que permite ejecutar mayor volumen que el autorizado por el planeamiento acogiéndose a una interpretación incorrecta de las disposiciones sobre retranqueo. Habiendo firmado el proyecto un ingeniero agrónomo.

Las normas urbanísticas del Plan General de Ordenación Urbana (PGOU) aprobado establecen previsiones procedimentales adicionales a las del Reglamento de Servicios de las Corporaciones Locales (RSCL) señalando que para que pueda iniciarse el expediente y operar el silencio administrativo es preciso que la documentación existente sea suficiente y esté correctamente suscrita por funcionario habilitado debiéndose entender, en caso contrario, como no presentada.

1. REGULACIÓN DEL SILENCIO ADMINISTRATIVO

La configuración actual del silencio administrativo se encuentra recogida en la LRJ en los siguientes términos:

A) Silencio administrativo en procedimientos iniciados a solicitud del interesado (1).

En los procedimientos iniciados a solicitud del interesado, el vencimiento del plazo máximo sin haberse notificado resolución expresa legitima al interesado o interesados que hubieran deducido la solicitud para entenderla estimada o desestimada por silencio administrativo, según proceda, sin perjuicio de la resolución que la Administración debe dictar en la forma legalmente prevista.

---

(1) Art. 43 LRJ.

Los interesados podrán entender estimadas por silencio administrativo sus solicitudes en todo caso, salvo que una norma con rango de ley o norma de Derecho comunitario Europeo establezca lo contrario.

Quedan exceptuados de esta última previsión los procedimientos de ejercicio del derecho de petición, a que se refiere el artículo 29 de la Constitución, aquellos cuya estimación tuviera como consecuencia que se transfirieran al solicitante o a terceros facultades relativas al dominio público o al servicio público, así como los procedimientos de impugnación de actos y disposiciones, en los que el silencio tendrá efecto desestimatorio.

No obstante y como una penalización que la LRJ pone a la administración que no haya notificado durante dos veces consecutivas en un mismo asunto la LRJ dispone que, cuando el recurso de alzada se haya interpuesto contra la desestimación por silencio administrativo de una solicitud por el transcurso del plazo, se entenderá estimado el mismo si, llegado el plazo de resolución, el órgano administrativo competente no dictase resolución expresa sobre el mismo.

La estimación por silencio administrativo tiene a todos los efectos la consideración de acto administrativo que pone fin al procedimiento administrativo.

La desestimación por silencio administrativo únicamente tiene los efectos de permitir a los interesados la interposición del recurso administrativo o contencioso-administrativo que resulte procedente en cada caso.

No obstante la propia LRJ impone, a la Administración, la Obligación de resolver en concreto a dictar resolución expresa en todos los procedimientos y notificarla cualquiera que sea su forma de iniciación (2).

Esta obligación de dictar resolución expresa a que se refiere la LRJ se atiene al régimen siguiente:

a. En los casos de estimación por silencio administrativo, la resolución expresa posterior a la producción del acto sólo podrá dictarse de ser confirmatoria del mismo.

b. En los casos de desestimación por silencio administrativo, la resolución expresa posterior al vencimiento del plazo se adoptará por la Administración sin vinculación alguna al sentido del silencio.

Los actos administrativos producidos por silencio administrativo se pueden hacer valer tanto ante la Administración como ante cualquier persona física o jurídica, pública o privada es decir tiene efectos *erga omnes;* además, producen efectos desde el vencimiento del plazo máximo en el que debe dictarse y notificarse la

---

(2)   Art. 42.1 LRJ.

resolución expresa sin que la misma se haya producido; finalmente su existencia puede ser acreditada por cualquier medio de prueba admitido en Derecho, incluido el certificado acreditativo del silencio producido que pudiera solicitarse del órgano competente para resolver. Solicitado el certificado, éste deberá emitirse en un plazo máximo de quince días.

En los casos de prescripción, renuncia del derecho, caducidad del procedimiento o desistimiento de la solicitud, así como la desaparición sobrevenida del objeto del procedimiento, la resolución consistirá en la declaración de la circunstancia que concurra en cada caso, con indicación de los hechos producidos y las normas aplicables.

Estando exceptuados de la obligación de resolver los casos en que el procedimiento termine por pacto o convenio, así como los procedimientos relativos al ejercicio de derechos sometidos únicamente al deber de comunicación previa a la Administración.

Además hay que tener en cuenta que la Ley 14/2000 de Medidas fiscales, administrativas y del orden social, dispuso (3) que la terminación convencional de procedimientos administrativos, así como los procedimientos de mediación, arbitraje o conciliación no se hallan sujetos al régimen de silencio administrativo previsto en la LRJ.

El plazo máximo en el que debe notificarse la resolución expresa es el que fije la norma reguladora del procedimiento correspondiente, el cual no puede exceder de seis meses salvo que una norma con rango de ley establezca uno mayor o así se haya previsto en la normativa comunitaria europea que sea de aplicación.

2. CONSIDERACIONES SOBRE EL SILENCIO ADMINISTRATIVO

La atribución de un valor negativo o desestimatorio al silencio o inactividad formal de la Administración tiene una funcionalidad muy ligada a la singular configuración técnica del recurso contencioso-administrativo como un proceso de impugnación de actos previos, cuya legalidad es objeto de revisión a posteriori.

La LRJ establece que la desestimación por silencio administrativo tiene los solos efectos de permitir a los interesados la interposición del recurso administrativo p contencioso `por ello no pone fin al procedimiento en el que se produce, ni tampoco exonera a la administración de su obligación de dictar resolución expresa, obligación que no admite excepción alguna, ni siquiera en los casos de prescripción, renuncia del derecho, caducidad del procedimiento, desistimiento de la solicitud o desaparición sobrevenida del objeto del procedimiento en los que la

---

(3)   Disposición Adicional 29ª de la Ley 14/2000 de 29 de diciembre.

resolución consistirá en la declaración de estas circunstancias con indicación de los hechos producidos y las normas aplicables.

La salvedad relativa a supuestos de terminación del procedimiento por pacto o convenio y a los procedimientos relativos al ejercicio de derechos sometidos únicamente al deber de comunicación previa a la administración, no es en rigor una excepción a la obligación de dictar resolución expresa ya que el pacto o convenio es un modo alternativo de terminación del procedimiento y en el segundo caso no es necesario cualquier pronunciamiento de la Administración. El Tribunal Constitucional así lo ha confirmado añadiendo que la administración no puede beneficiarse de su propia torpeza al incumplir la obligación legal de resolver, añadiendo que no existe norma legal que imponga el cierre definitivo del recurso (4), en consecuencia no solo es posible sino necesaria la resolución posterior al vencimiento del plazo fijado en cada caso por la norma reguladora del procedimiento de que se trate, resolución que debe adoptarse por la Administración sin vinculación ninguna al sentido del silencio.

Por otra parte la producción del silencio desestimatorio es, ahora, automática sin necesidad de denuncia de la mora y para su efectividad legal se toma como referencia la notificación de la resolución al interesado ya que solo la fecha de notificación es susceptible de control externo.

La estimación por silencio administrativo tiene todos los efectos y consideración de acto administrativo que pone fin al procedimiento administrativo, constituyendo un auténtico acto presunto equivalente al acto expreso por lo cual una vez vencido el plazo, establecido en cada caso por la norma reguladora del procedimiento, la resolución expresa posterior a la producción del acto solo puede dictarse de ser confirmatoria del mismo.

La producción del silencio positivo tampoco requiere preaviso o denuncia de la mora del interesado, el simple vencimiento del plazo establecido para resolver sin que se haya notificado a los interesados la resolución determina, de manera automática, el surgimiento del acto presunto estimatorio en los, procedimientos iniciados a instancia de aquellos (5).

Producido el silencio positivo sus efectos son los mismos que los que se derivarían de una resolución expresa, lo cual quiere decir que si la Administración considera que la situación creada por el silencio administrativo positivo adolece de vicios determinantes de la nulidad o constitutivos de una infracción grave. Lo que no es admisible en ningún caso es que la Administración desconozca el efecto inmediato del silencio administrativo, en relación alo cual el Tribunal Supremo ha

---

(4)   SSTC 27.10.2003 y 15.12.2003.
(5)   Art. 43.1 LRJ.

declarado que una resolución expresa denegatoria dictada después de haberse producido silencio positivo (6).

De esta regulación es preciso extraer las siguientes consideraciones:

a) La reserva de ley establecida para la fijación del silencio negativo.

b) Para excluir dicho efecto de silencio administrativo, a la Administración no le basta con dictar resolución expresa sino que además tiene que haber intentado su notificación en plazo (7).

c) El silencio se produce de forma automática, por el mero transcurso de los plazos para resolver y notificar, sin que el interesado tenga que realizar actuaciones procedimentales complementarias de ningún tipo.

d) El silencio negativo sólo tiene efectos meramente habilitantes de interposición de recurso, admitiendo cualquier actuación posterior resolutoria de la Administración, sea estimatoria o desestimatoria.

e) El silencio administrativo positivo es un acto administrativo en toda regla, que sólo puede ser destruido por los cauces expresamente habilitados por la ley para ello, no siendo admisible una respuesta extemporánea de la Administración que se desdiga de dicho acto, lo que en la práctica sería una revocación del acto, extremos que el artículo 105.1 de la LRJ, sólo le permite a la Administración para los actos administrativos desfavorables o de gravamen.

f) En el caso de actos administrativos reglados, como son las licencias de obras, dado que no es admisible dicha respuesta extemporánea que no sea confirmatoria del silencio positivo, ello determinaría la imposibilidad de pronunciamiento expreso, en el caso que la solicitud planteada adoleciese de vicios de ilegalidad y que el acto presunto hubiese hecho suyos.

g) Dichas previsiones son dictadas en virtud de la competencia exclusiva que tiene el Estado para fijar con carácter básico el régimen jurídico de las Administraciones y, en concreto, de sus decisiones administrativas. Este último extremo es determinante para entender el margen de maniobra que tengan el resto de las Administraciones Públicas para desarrollar normativamente aspectos del régimen del silencio administrativo. Dicho desarrollo nunca puede apartarse ni desvirtuar aquellos aspectos que se han pretendido esenciales por legislador es-

---

(6)   6 Con efectos del art. 43.4 LRJ es nula porque un Acuerdo de Consejo de Ministros no puede revocar una autorización tácita sin seguir el procedimiento legalmente previsto que sería el de revisión de los actos nulos que establece el artículo 102 LRJ o declaración de lesividad de los actos anulables y posterior recurso en vía judicial STS 1.4.2002 mencionada en la obra citada anteriormente.

(7)   La ley dice, *verbatim,* notificar en plazo.

tatal y determina que se debieran entender derogadas múltiples previsiones de las legislaciones autonómicas anteriores a 1999 (8) que articulaban mecanismos similares a la denuncia de la mora (9), así como normativa estatal, casos que incluyeron el art. 9 del Reglamento de Servicios de 1955 o del art. 33.4 del Reglamento de Actividades Molestas, Insalubres y peligrosas de 1961, que establecieron un mecanismo similar.

h) Las previsiones del artículo 43 de la LRJ, no pueden ser interpretadas con todos los parámetros jurisprudenciales dictados a raíz de la legislación anterior, que precisamente se ha pretendido modificar. No sirve en consecuencia la jurisprudencia de los últimos treinta años interpretativa de premisas normativas distintas, que se han pretendido cambian por el legislador.

3. CONCLUSIONES SOBRE EL SUPUESTO PLANTEADO

Todas estas consideraciones, llevarían a las siguientes conclusiones:

a) La normativa, estatal, autonómica o local, reguladora de aspectos procedimentales, en ningún caso podrá contradecir las previsiones que la LRJ ha pretendido de carácter básico para todas las Administraciones y el régimen jurídico de sus resoluciones y actos administrativos.

b) Una cosa es que dichas previsiones procedimentales establezcan la documentación que es precisa para poder tramitar un expediente o por ejemplo los plazos de resolución y notificación, extremos en los que no puede entrar la normativa básica estatal, y otra cosa distinta es el efecto y consecuencias jurídicas que se pueden extraer para el caso en el que por parte de la Administración no se pronuncie en plazo.

c) Si la Administración Local, en virtud de su normativa reguladora del oportuno procedimiento, considera que la documentación presentada no es suficiente o es inidónea, lo que se debe hacer es requerirle para que subsane ese defecto, pero ese requerimiento se debe hacer en plazo.

d) Partiendo de la premisa de que el plazo de resolución expresa y notificación en materia de licencia de obras sea de dos meses, sin perjuicio de lo que establezca la normativa autonómica, el Ayuntamiento ha contado con dos meses para desestimar la solicitud por su contenido ilegal o bien para inadmitirla por no suscrita por técnico competente.

---

(8)   Recordemos que la redacción de los preceptos de la LRJ relativos al silencio administrativo proceden de la reforma introducida por la Ley 4/1999 que aportó a la redacción originalidad mayor operatividad y eficacia de la figura del silencio administrativo.

(9)   Por ejemplo, la Disposición. adicional quinta de la Ley 6/1994, de la Comunidad Valenciana, Reguladora de la Actividad Urbanística.

e) La previsión de las normas urbanísticas del PGOU que establece que para que se pueda entender iniciado el expediente y operar el silencio administrativo será necesario que la documentación sea suficiente y esté suscrita por técnico competente, entendiéndola en caso contrario como no presentada, es preciso entenderla a los efectos de que no incurra en contradicción con las previsiones de la legislación básica estatal (10) en el sentido de que legitima a la Administración para inadmitir dicha solicitud o para requerir que se subsane la documentación presentada. Pero nunca para entender que no empiezan a contar los plazos establecidos para resolver expresamente y notificar. Se estaría sino premiando la inactividad de la Administración.

El Texto Refundido de la Ley del Suelo (11) dispone que, la ordenación territorial y la urbanística, son funciones públicas no susceptibles de transacción que organizan y define el uso del territorio y el suelo de acuerdo con el interés general, determinando las facultades y deberes del derecho de propiedad conforme al destino de éste. El ejercicio de la potestad debe ser motivado con expresión de los intereses generales a que sirve; además, la normativa sobre ordenación territorial debe garantizar la dirección control por las Administraciones públicas competentes del proceso urbanístico en sus diferentes fases; la participación de la comunidad en las plusvalías generadas por la acción de los entes públicos y el derecho a la información de los ciudadanos y entidades representativas de los intereses afectados por los procesos de urbanización

f) Si ésa fuese la interpretación admisible, en cierta forma se daría una contradicción. Disponiendo la Administración en un plazo de dos meses para resolver sobre una solicitud, la misma ni siquiera es capaz de pronunciarse en dicho plazo sobre la idoneidad de la documentación, permitiéndosele además que se manifieste sobre dicho extremo sin límite de tiempo, porque formalmente no habrían empezado a computar los plazos. Obviamente esa interpretación no es admisible en el actual contexto de la LRJ. La falta de documentación idónea determinará la interrupción de los plazos para resolver y notificar, una vez que la misma sea requerida de subsanación, en los términos del artículo 42.5 de la misma, y hasta que la misma sea aportada por el interesado.

g) Dicha previsión del PGOU guarda bastante sintonía con la estableció el Real Decreto-Ley 1/1986, de 14 de marzo, de Medidas Urgentes, extremo procedimental que hoy en día está superado por la actual LRJ.

Dicho artículo dispone que las licencias y autorizaciones de instalación, traslado o ampliación de Empresas o Centros de trabajo se entenderán otorgadas por

---

(10)   Art. 43 LRJ.
(11)   Aprobado por Real Decreto Legislativo 2/2008, de 20 de junio, por el que se aprueba el Texto Refundido de la Ley del Suelo.

silencio administrativo positivo, sin necesidad de denuncia de mora, transcurrido el plazo de dos meses, a contar desde la fecha de presentación de la solicitud, salvo que previamente tuvieran establecido un plazo inferior, siempre que los interesados presenten sus peticiones debidamente documentadas y éstas se ajusten al Ordenamiento Jurídico. La resolución expresa de la Administración podrá especificar el alcance de la autorización concedida y los requisitos y condiciones de ésta, dentro de los límites fijados por el Ordenamiento Jurídico y la solicitud del interesado (12).

Por otra parte, no puede existir una previsión normativa legal o reglamentaria, articuladora de un procedimiento administrativo, por muy sectorial y específico que éste sea, que prevea que la falta de documentación completa o de vicios de ésta, determina la no iniciación del plazo de resolución expresa del expediente, cuando el fin pretendido por la LRJ, y que toda norma de concreción debe respetar, es que haya una postura expresa de la Administración, indicativa de que lo solicitado es posible y legal, o por el contrario, indicativa de que lo solicitado es incorrecto, bien formalmente; lo que determinaría la inadmisión de la solicitud, o si fuese subsanable, el requerimiento, bien en los términos del art. 71, o el 92, con los efectos paralizadores del art. 42.5, bien en cuando al fondo, lo que determinaría la desestimación.

En el caso que plantea el supuesto de hecho se dan las siguientes circunstancias:

El proyecto es presentado por técnico incompetente para su suscripción (13), en los términos del artículo 10.2 de la Ley 38/1999, de Ordenación de la Edificación. Que, entre obligaciones del proyectista, establece la de estar en posesión de la titulación académica y profesional habilitante de arquitecto o arquitecto técnico, según corresponda y cumplir las condiciones exigibles para el ejercicio de la profesión. En caso de personas jurídicas designar al técnico redactor del proyecto que tenga la titulación profesional habilitante

Este aspecto debiera haber determinado la inadmisión de la solicitud planteada.

A su vez se constata que pretende obtener licencia para edificar más volumen de lo que permiten las previsiones de planeamiento.

Este extremo debiera haber determinado la desestimación de la solicitud.

(12) En el caso de que la previsión del PGOU fuera anterior a la Ley 4/1999 de modificación de la LRJ, habría que entenderla derogada por las previsiones de ésta.
(13) Art. 10.1 El proyectista es el que, por encargo del promotor y con sujeción a la normativa técnica y urbanística correspondiente, redacta el proyecto.

Por parte de la Administración Local no se ha producido pronunciamiento expreso de ningún tipo en uno u otro sentido, habiendo transcurrido un período de tres meses desde que se presentó la solicitud.

De conformidad con lo establecido en el artículo 43 de la LRJ será preciso entender que el interesado ha obtenido la licencia de obras por silencio administrativo.

Dicha licencia municipal de obras tácita es un acto administrativo en toda regla, un acto declarativo de derechos ejecutivo y eficaz, frente a la Administración y frente a terceros (14).

Y ello pese a que su contenido es ilegal, contradice la normativa vigente por los extremos antes indicados.

Pero ello no legitimará una respuesta extemporánea de la Administración desestimando la solicitud, extremo que sería tanto como la revocación de un acto administrativo, y que sólo es posible en los supuestos del artículo 105.1 de la LRJ, para actos desfavorables o de gravamen. En ese sentido, el artículo 43.4 a) de la misma Ley.

Por tanto, el responsable de la tramitación administrativa del expediente no puede, en la fecha en que se obtiene el informe técnico, proceder a proponer resolución desestimatoria de la solicitud porque la LRJ, artículo 43, sólo lo permite para aquellos casos en los que el silencio es negativo, al tratarse de una mera ficción a efectos procesales de interposición de recurso, pero no en el caso del silencio positivo, en el que se está ante un auténtico acto administrativo.

No obstante, es preciso tener en cuenta licencias en contra de la legislación o del planeamiento urbanístico no pueden entenderse adquiridas por silencio administrativo Efectivamente, se está ante actos reglados que admiten una única solución legal, al ser actos de comprobación o contraste de lo solicitado con la legalidad vigente.

Constatado que la licencia obtenida por silencio incumple la legalidad vigente por los motivos indicados y estando como se está ante un acto declarativo de derechos, el responsable de la tramitación, en defecto de previsión autonómica expresa en materia de Urbanismo, deberá disponerse la suspensión de los efectos de una licencia y consiguientemente la paralización inmediata de las obras iniciadas a su amparo, cuando el contenido de dichos actos administrativos constituya manifiestamente una infracción urbanística grave. Por su parte La normativa sobre disciplina urbanística, precisa que en todo caso, la autoridad que acuerde la suspensión de los efectos de la licencia procederá, en el plazo de tres días, a

---

(14)   LRJ arts. 5 y 43.3.

dar traslado directo de dicho acuerdo a la Sala de lo Contencioso-Administrativo competente. Extremo que debe ser completado con lo dispuesto en el artículo 127 de la Ley 29/1998, de la Jurisdicción Contencioso-administrativa (LJCA) que dispone que en los casos en que, conforme a las leyes, la suspensión administrativa de actos o acuerdos de Corporaciones o Entidades públicas deba ir seguida de la impugnación o traslado de aquéllos ante la Jurisdicción Contencioso-Administrativa, se procederá conforme a lo dispuesto en este precepto. En el plazo de los diez días siguientes a la fecha en que se hubiera dictado el acto de suspensión o en el que la ley establezca, deberá interponerse el recurso contencioso-administrativo mediante escrito fundado, o darse traslado directo del acuerdo suspendido al órgano jurisdiccional, según proceda, acompañando en todo caso copia del citado acto de suspensión.

En el presente caso el plazo para la remisión al órgano judicial es de tres días y no de diez. Si no se remite en dicho plazo, contado desde que se adoptó el acuerdo, el trámite se entiende caducado. Siendo, en consecuencia, necesario el pronunciamiento judicial sobre la invalidez de la licencia para que ésta desaparezca. Si cuando apreciase la ilegalidad de la licencia la obra ya estuviese finalizada, en ese caso debería ir o por la vía de las licencias nulas de pleno derecho) o de las licencias anulables, según el grado de invalidez en que incurriese el acto. En concreto, al tratarse de una infracción grave, se acudiría a la vía del artículo 103 de la LRJ, declaración de lesividad y posteriormente a la del artículo 46.5 de la Ley 29/1998, de la JCA. El artículo 103 dispone que las Administraciones Públicas pueden declarar lesivos para el interés público los actos favorables para los interesados que sean anulables conforme a lo dispuesto en el artículo 63 de dicha Ley, a fin de proceder a su ulterior impugnación ante el orden jurisdiccional contencioso-administrativo.

La declaración de lesividad no podrá adoptarse una vez transcurridos cuatro años desde que se dictó el acto administrativo y exigirá la previa audiencia de cuantos aparezcan como interesados en el mismo, en los términos establecidos por el artículo 84 de la propia LJCA.

Transcurrido el plazo de seis meses desde la iniciación del procedimiento sin que se hubiera declarado la lesividad se producirá la caducidad del mismo.

Si el acto proviniera de las entidades que integran la Administración Local, la declaración de lesividad se adoptará por el Pleno de la Corporación o, en defecto de éste, por el órgano colegiado superior de la entidad.

Por su parte el artículo 46 dispone que el plazo para interponer recurso de lesividad será de dos meses a contar desde el día siguiente a la fecha de la declaración de lesividad. Siendo en consecuencia necesaria la intervención del órgano judicial para destruir la licencia por parte de la Administración que la ha otorgado, ésta de forma tácita.

En materia de revisión de actos administrativos anulables, la redacción dada, a la LRJ, por la Ley 4/1999 quitó el carácter de ejecutivas a las decisiones que adopta la Administración para anular sus propios actos y necesita acudir a la tutela judicial. En definitiva, es preciso la destrucción del acto ilegal producido por silencio, la licencia, y no la ignorancia del mismo por parte de la Administración.

La Ley aparta de criterios legales anteriores, por lo que para la interpretación de la misma no se puede acudir de forma indiferenciada a toda la jurisprudencia dictada al amparo de la anterior legislación.

Dicha jurisprudencia partía de la premisa de que por silencio administrativo no se podía adquirir derechos o facultades contrarios a la ordenación urbanística y determinaron por vía jurisprudencial la necesidad de concurrencia de hasta seis requisitos que se tenían que dar para entender producido el silencio positivo. Lo que habilitaba al juez a entrar a analizar el fondo de la cuestión solicitada y ver si se producía el silencio positivo o no. La nueva solución legar no desvirtúa este planteamiento, porque el hecho de que el interesado haya adquirido por silencio alguna facultad o derecho en contra de la ordenación urbanística no determina que tenga derecho a su mantenimiento.

Lo que se establece es la necesidad de que la Administración para revisar ese derecho incorrecto e ilegal deba seguir los mismos trámites que si el acto fuese expreso. Se exigen en definitiva unos rigores procedimentales para su eliminación.

Extremo que opera por mera dinámica del principio de seguridad jurídica (15). Si la Administración tenía que plantear reparos, éstos los debía de haber formulado en el plazo en el que está obligada a resolver y notificar.

A partir de ahí, el particular podrá empezar a desarrollar la obra y podría ver malogradas sus inversiones, y provocados daños y perjuicios, si la Administración tuviese capacidad para dictar resolución desfavorable en cualquier momento y de cualquier forma.

Es la eterna tensión entre seguridad jurídica y legalidad. Para que aquella ceda ante ésta se deberá hacer en determinados plazos y con determinadas garantías procedimentales pero no con una simple respuesta extemporánea.

Lo contrario sería tanto como señalar que toda la iniciativa privada está supeditada a que la Administración responda cuando le dé la gana, sin límite de tiempo, a sus solicitudes para ejercer derechos preexistentes, que la Administración no crea, sino que se limita a comprobar.

---

(15)   Art. 9.3 de la Constitución.

Se destaca el carácter formal del silencio administrativo. Éste se produce con carácter automático por el mero transcurso del plazo para resolver sin que dicha circunstancia se haya producido, pero dicho mecanismo no permite entrar a un juicio sobre el fondo de la cuestión, es decir, a entenderla estimada si era legal o a entenderla desestimada si era ilegal, por que para dicho extremo la Administración ya ha tenido su plazo de resolución expresa. El análisis de si lo obtenido por silencio administrativo era legal o no, para lo que sirve es para determinar si se deben iniciar procedimientos revisores contra un acto administrativo ilegal.

Como conclusión de todo lo expuesto se puede señalar que el responsable de la tramitación deberá proponer la apertura de un procedimiento revisor, contra la licencia otorgada por silencio administrativo, constatado el contenido ilegal de la misma.

En el caso de que se siga el procedimiento del artículo 103 de la LRJ, la apertura y propuesta de apertura del expediente será del Alcalde, en los términos establecidos por el artículo 21 de la LBRL: La iniciativa para proponer al Pleno la declaración de lesividad en materias de la competencia de la Alcaldía; pero la resolución corresponderá al Pleno, artículo 22 k) La declaración de lesividad de los actos del Ayuntamiento.

En ambos casos se necesita la confirmación judicial de la ilegalidad de la licencia. No es admisible formular una respuesta extemporánea denegatoria de la licencia de obras solicitada.

Capítulo 12

El procedimiento administrativo electrónico

La Ley 11/2007 de acceso electrónico de los ciudadanos a los servicios supuso un notable avance en las posibilidades de utilización de los medios electrónicos en el ámbito de las Administraciones Públicas y en este capítulo vamos a examinar la regulación del procedimiento administrativo electrónico y otras actuaciones administrativas a través de estos medios incluyendo el estatuto legal que se atribuye a los documentos y expedientes electrónicos y teniendo en cuenta, además, tanto lo dispuesto en la normativa estatal como en la normativa de las comunidades autónomas que han regulado estas materias.

1. INTRODUCCIÓN

Debemos recordar que citada la Ley 7/2007 es de aplicación a la Administración General del Estado, a las Administraciones de las comunidades autónomas, a las corporaciones locales y a sus entidades vinculadas así como a las relaciones entre ellas y de éstas con los ciudadanos en tanto en cuanto actúen en el ámbito de derecho público. Esta nueva ley regula, con carácter de ley básica estatal, varios aspectos en lo relativo a la utilización de las tecnologías electrónicas:

a) Por un lado la utilización de tecnologías de la información en la actividad cotidiana de las administraciones públicas.

b) Por otro la utilización de tecnologías de la información en las relaciones entre diversas administraciones públicas.

c) Las relaciones de los ciudadanos con las Administraciones públicas utilizando dichas tecnologías.

Garantizando los derechos de estos últimos, así como un tratamiento informático homologado entre todas las Administraciones públicas, así como la eficacia y validez de la actividad administrativa a través de estos medios y en condiciones de seguridad jurídica.

Por todo ello la ley establece que las administraciones públicas deben utilizar las tecnologías de la información asegurando la disponibilidad, el acceso, la integridad, la autenticidad, la confidencialidad y la conservación de los datos, informaciones y servicios que gestionen en el ejercicio de sus competencias.

La ley regula los derechos de los ciudadanos al uso de medios electrónicos en sus relaciones con la administración, así como el régimen de la administración electrónicos, la gestión electrónica de procedimientos y la cooperación entre administraciones públicas para impulsar la utilización de la administración electrónica.

El régimen jurídico de la administración electrónica consiste en la regulación de varios aspectos fundamentales de la misma como la sede electrónica la identificación de los ciudadanos y las administraciones que intervienen, así como los registros y notificaciones electrónicas y los documentos y archivos electrónicos.

2. PROCEDIMIENTO ADMINISTRATIVO Y MEDIOS ELECTRÓNICOS: DISPOSICIONES Y ESPÍRITU DE LA LEY 30/1992

Una de las novedades que introdujo la LRJ fue la regulación de la incorporación de medios técnicos en el procedimiento administrativo de manera que no solo admite la realización de actuaciones administrativas en soporte magnético, sino que establece la obligación, por parte de las Administraciones públicas, de impulsar el empleo y aplicación de las técnicas y medios electrónicos, informáticos y telemáticos para desarrollo de su actividad y el ejercicio de sus competencias, con las limitaciones que a la utilización de estos medios establece la ley; pero la ley también permite que los ciudadanos se relacionen con respecto de las garantías y requisitos previstos en cada procedimiento, siempre que sea compatible con los medios técnicos de que dispongan las Administraciones Públicas (1).

Con respecto a los sujetos hay que tener en cuenta la necesidad de identificación electrónica de los interesados que dirigen escritos y solicitudes a un órgano administrativo, también el que los procedimientos se tramiten y concluyan en soporte informático deben garantizar la identificación y el ejercicio de la competencia por el órgano que la ejerce. La identificación en soporte electrónico se logra asignando claves y contraseñas a titulares que cifran sus comunicaciones con ellas, esta operatividad plantea el riesgo de que un tercero ajeno a la relación administrativa pueda hacer uso de las claves suplantando la personalidad del interesado en el procedimiento administrativo. Otra cuestión previa al examen telemático del procedimiento es la referente a la garantía de que el contenido documental que se comunica sea íntegro y no pueda ser interceptado ni modificado sin consentimien-

---

(1)   Artículo 45 LJ.

to de su emisor de manera que queden preservada la confidencialidad, integridad y autenticidad del documento.

También deben respetarse los requisitos formales como el régimen de notificaciones respetando los derechos del ciudadano en caso de duda y deberán matizarse los conceptos de sujeto receptor y del domicilio a efectos de notificaciones.

Un procedimiento administrativo electrónico debe combinar el régimen jurídico general del procedimiento administrativo, junto a los requisitos específicos del procedimiento sectorial y los que son propios de las comunicaciones telemáticas. Derecho y tecnología deben recogerse en aplicaciones y programas electrónicos, informáticos y telemáticos que vayan a ser utilizados por las Administraciones públicas para ejercicio de sus potestades.

El expediente informático hace posible el cumplimiento de tres principios de la ley de procedimiento administrativo (2):

a) Celeridad en la tramitación.

b) Normalización.

c) Acceso y conocimiento del estado de tramitación.

La LRJ condiciona la validez y eficacia de los documentos emitidos, cualquiera que sea su soporte, por medios electrónicos, informáticos y telemáticos por las Administraciones públicas, a la salvaguarda de la autenticidad, integridad, conservación y no repudio, al margen del cumplimiento de garantías y requisitos exigidos por el resto del ordenamiento jurídico.

Aquí se plantea un problema una cuestión entre Derecho y tecnología puesto que no siempre esta última hará posible la satisfacción de estas condiciones jurídicas, pues hay que tener en cuenta que en ámbitos telemáticos lo conceptos jurídico-administrativos quedan sesgados de alguna manera, por ejemplo la diferencia entre copia y original pierde sentido, las incidencias que se producen en relación al domicilio a efectos de notificación y el sujeto receptor se trasmutan, por lo cual la respuesta del derecho a los nuevos retos tecnológicos precisa de normativa específica, además hay condiciones especiales de la comunicaciones en soporte magnético de cumplimiento difícil, por ejemplo la dificultad de asegurar la autenticidad en la medida que nada impide que un tercero firme electrónicamente una comunicación.

El contenido del artículo 45 de la LRJ fue desarrollado por Real Decreto 263/1996 relativo a la utilización de técnicas electrónicas, informáticas o telemáticas por la Administración General del Estado, a pesar de ello en la práctica admi-

---

(2)   LRJ arts. 35.a), 70.4 y 74.

nistrativa no se ha generalizado la utilización de medios técnicos de manera que en la actualidad solo de manera testimonial se llevan a cabo comunicaciones en soportes magnéticos y además no siempre se respetan las condiciones de validez y eficacia que enumera el citado artículo.

Además el régimen jurídico que se aplica en la práctica de las comunicaciones telemáticas se traslada de las disposiciones legales y reglamentarias a los concretos programas y modelos de aplicación que aprueba cada organismo determinado de la Administración, con lo cual se plantea la cuestión de la falta de armonización de los sistemas y requisitos en un ámbito que debe estar presidido por la compatibilidad y normalización. En las diferentes comunidades autónomas se han regulado cuestiones como la firma electrónica mediante normas de rango legal.

La Ley 7/2007 otorga a los ciudadanos la posibilidad de escoger en cualquier momento el modo de comunicarse con las Administraciones públicas sea o no por medios electrónicos, salvo en los casos en que una ley establezca el uso obligatorio de un medio no electrónico; de todos modos la opción por un medio u otro no vincula al ciudadano que en cualquier momento puede optar por un medio diferente de comunicación con la administración del que inicialmente hubiera utilizado. No obstante las administraciones públicas deben utilizar, en sus comunicaciones con los ciudadanos, medios electrónicos siempre que así lo hayan solicitado o consentido expresamente, además tanto la solicitud como el consentimiento podrán emitirse y recabarse por medios electrónicos. De todos modos las comunicaciones por medios electrónicos se consideran válidas siempre que exista constancia de la transmisión y recepción, de sus fechas, del contenido íntegro de las comunicaciones y, además, se identifique de modo fehaciente al remitente y destinatario de las mismas, por ello cada administración debe publicar en el diario oficial y en la sede electrónica correspondiente, los medios electrónicos que pueden utilizar los ciudadanos en cada caso para comunicarse con ellas. Los requisitos de seguridad e integridad de las comunicaciones se establecen en cada caso de forma apropiada al carácter de los datos y objeto de aquellas de acuerdo con criterios de proporcionalidad de acuerdo con lo dispuesto en la normativa sobre protección de datos de carácter personal (3). En lo que respecta a las comunicaciones de las administraciones públicas entre sí la ley de acceso establece la preferencia de uso de medios electrónicos de acuerdo con los acuerdos que se establezcan entre ellas.

---

(3)   De todos modos la Ley 7/2007 prevé que cada Administración pública pueda establecer, de modo reglamentario, la obligatoriedad de uso exclusivo de medios electrónicos, siempre que los interesados se correspondan con personas jurídicas o colectivos de personas físicas que, por razón de su capacidad técnica o económica, dedicación profesional u otros motivos acreditados tengan garantizado el acceso y disponibilidad de los medios tecnológicos precisos. Artículo 27.6.

3. ELEMENTOS MATERIALES: EL DOCUMENTO ELECTRÓNICO EN LA ADMINISTRACIÓN PÚBLICA

En derecho español se ha venido reconociendo la existencia y valor del documento telemático, en disposiciones de sectores diversos del ordenamiento:

a) la Ley de Patrimonio Histórico Español define el documento como toda expresión en lenguaje natural o convencional y cualquier otra expresión gráfica, sonora o en imagen, recogida en cualquier tipo de soporte material, incluso en los soportes informáticos.

b) La Ley del Mercado de Valores regula las operaciones en bolsa que se llevan a cabo mediante el Sistema de Interconexión Bursátil, integrado en red informática.

c) La LRJ define el documento público administrativo como el documento válidamente emitido por los órganos de las administraciones públicas, al tiempo que reconoce la validez y eficacia de los documentos emitidos cualquiera que sea su soporte por medios electrónicos, informáticos y telemáticos por las Administraciones públicas siempre que quede garantizada su autenticidad, integridad y conservación (4). Por ello esta ley, al regular el derecho de acceso a los archivos y registros, admite los documentos cualquiera que sea la forma de expresión, gráfica, sonora o en imagen o el tipo de soporte material en que figuren.

d) El Código Penal introdujo, en la reforma de 1995, la posibilidad de considerar documentos en soporte diferente al papel al considerar en su artículo 26 como documento todo soporte material que exprese o incorpore datos, hechos o narraciones con eficacia probatoria o cualquier otro tipo de relevancia jurídica. El estatuto de la Fabrica Nacional de Moneda y Timbre facultó a la misma para la prestación de servicios de seguridad para las comunicaciones a través de técnicas y medios electrónicos, informáticos y telemáticos.

e) La Ley Orgánica 6/1985 del Poder Judicial permite la utilización por juzgados y tribunales de cualesquiera medios técnicos para el desarrollo de su actividad siempre que ofrezcan las adecuadas garantías de autenticidad e integridad. La legislación tributaria y la de la Seguridad Social también contemplan el documento en soporte informático.

f) La Ley de Enjuiciamiento Civil (LEC) que admite como instrumentos de prueba los medios de reproducción de la palabra, el sonido y la imagen, así como los instrumentos que permiten archivar, conocer o reproducir palabras, datos, cifras

---

(4)   LRJ arts.45 y 46.

y operaciones matemáticas llevadas a cabo con fines contables o de otra clase, relevantes para el proceso (5).

g) La Resolución de la Dirección General de los Registros y del Notariado de diez de abril de 2000, sobre el ámbito de aplicación de la normativa que regula la firma electrónica en relación con la actuación profesional de registradores de la propiedad y mercantiles en la que también se contemplan los documentos públicos telemáticos.

De acuerdo con la LRJ que admitió, en su momento y sin reservas, la incorporación de medios informáticos, electrónicos y telemáticos al procedimiento administrativo y con ello dio un giro radical en la institucionalización y oficialización de la utilización de los medios automáticos en el procedimiento (6), la Ley 11/2007 regula en su título II el Régimen Jurídico de la administración electrónica incluyendo un capítulo dedicado a los documentos y archivos electrónicos.

La nueva ley dispone expresamente que las administraciones pueden emitir válidamente por medios electrónicos los documentos administrativos a los que se refiere el artículo 46 de la LRJ (7) siempre que incorporen una o varias firmas electrónica de acuerdo con lo que regula la propia Ley de acceso electrónico.

Los documentos administrativos deben incluir una referencia temporal que se garantiza a través de medios electrónicos cuando así lo requiera la naturaleza del propio documento, además la Administración General del Estado, en su relación con los prestadores de servicios de certificación electrónica deberá especificar aquellos que, con carácter general, sean admitidos para prestar servicios de sellado de tiempo.

---

(5)   LEC art. 299.
(6)   El Real Decreto 263/1996 sobre técnicas electrónicas, informáticas y telemáticas por la Administración General del Estado desarrolló esta disposición definiendo al documento como una entidad identificada y estructurada que contiene texto, gráficos, sonidos, imágenes o cualquier otra clase de información que pueda ser almacenada, editada, extraída o intercambiada entre sistemas de tratamiento de la información o usuarios como una entidad diferenciada; también define al soporte como un objeto sobre el cual o en el cual es posible grabar y recuperar datos.
(7)   Artículo 46 Validez y eficacia de documentos y copias
1. Cada Administración Pública determinará reglamentariamente los órganos que tengan atribuidas las competencias de expedición de copias auténticas de documentos públicos o privados.
2. Las copias de cualesquiera documentos públicos gozarán de la misma validez y eficacia que éstos siempre que exista constancia de que sean auténticas.
3. Las copias de documentos privados tendrán validez y eficacia, exclusivamente en el ámbito de la actividad de las Administraciones públicas siempre que su autenticidad haya sido comprobada.
4. Tienen la consideración de documento público administrativo los documentos válidamente emitidos por los órganos de las Administraciones públicas.

La Ley define el expediente electrónico como el conjunto de documentos electrónicos correspondientes a un procedimiento administrativo, cualquiera que sea el tipo de información que contengan; el foliado de este tipo de expedientes se lleva a cabo mediante un índice electrónico, firmado por un responsable de la administración, órgano o entidad actuante y siguiendo los trámites que procedan. Este índice es el que garantiza la integridad del expediente electrónico permitiendo su recuperación siempre que sea necesario pues además, se admite que un mismo documento forme parte de diferentes expedientes electrónicos.

La remisión de expedientes podrá ser sustituida por la puesta a disposición del expediente electrónico, además el interesado también tiene derecho a obtener copia del expediente.

La ley regula también la realización de diversos tipos de copias:

a) Copias realizadas por medios electrónicos de documentos electrónicos emitidos por el ciudadano o por la administración: tienen consideración de copias auténticas, tengan o no tengan el formato original, siempre que, cumpliéndose los requisitos del artículo 46 de LRJ, el documento electrónico original se encuentre en poder de la administración y que la información de firma electrónica y sellado de tiempo permitan comprobar la coincidencia con dicho documento.

b) Copias realizadas por las Administraciones públicas utilizando medios electrónicos de documentos emitidos originalmente por la administraciones públicas en soporte papel: tienen consideración de de copias auténticas siempre que se cumplan los requisitos del artículo 46 de la LJ.

c) Las Administraciones públicas pueden obtener imágenes electrónicas de documentos privados aportados por los ciudadanos (8) que tienen la misma validez y eficacia en el procedimiento administrativo. Esta obtención puede realizarse de manera automatizada mediante el correspondiente sello electrónico (9).

d) Las copias realizadas en soporte papel de documentos públicos emitidos por medios electrónicos y firmados electrónicamente tienen la consideración de copias auténticas siempre que incluyan la impresión de un código generado de modo electrónico u otros modos de verificación que permitan contrastar su auten-

---

(8)   A través de procesos de digitalización que garanticen su autenticidad e integridad así como la conservación del documento imagen de los cual la administración esta obligada a dejar constancia en el expediente.

(9)   La ley dispone que en los casos de documentos emitidos originalmente en soporte papel de los cuales se hayan realizado copias electrónicas con los requisitos legales de autenticidad, integridad y conservación, podrá procederse a la destrucción de los originales siguiendo el procedimiento y requisitos que disponga cada administración en su propia normativa reguladora.

ticidad mediante acceso a los archivos electrónicos de la Administración o entidad que hubiera emitido el documento electrónico original.

4. VALOR DEL DOCUMENTO ELECTRÓNICO: EN LA JURISPRUDENCIA Y EN EL PROCESO JUDICIAL

La jurisprudencia del Tribunal Supremo había aceptado la existencia de los documentos en soporte magnético y ha servido para reconocer y dar impulso a la legislación de documentos telemáticos antes de la aprobación de la nueva Ley 11/2007 de acceso electrónico de los ciudadanos a los servicios públicos declarando que la relación jurídica que tradicionalmente se verifica por escrito puede extenderse a otros medios de comunicación aportados por los avances de la técnica moderna, como el telégrafo, el fax y el correo electrónico en todas sus variedades, que sirven para exteriorizar declaraciones de voluntad. También había reconocido el propio Tribunal que, aunque tradicionalmente se identificó documento con escrito, es decir como un objeto o instrumento en el que queda plasmado un hecho que s exterioriza mediante signos materiales permanentes del lenguaje ello no es óbice para que existan en la actualidad otros objetos que, sin tener esa condición puedan hacer prueba fidedigna de aquellos y que, por analogía, puedan equipararse a los mismos; pero en otros pronunciamientos el Tribunal Supremo llegó a calificar como documento a un ordenador en cuanto a que es una bien mueble apto para la incorporación de señales expresivas de un determinado significado (10).

De la eficacia probatoria de los documentos electrónicos en otros ordenamientos esté presente desde hace unos años así la reforma del Code Civil francés de hace unos años (11) amplió el concepto de la prueba literal que desde la entrada en vigor de la reforma dejó de consistir, necesariamente, en letras y se abre a un repertorio de posibilidades formales entre las que se encuentra la prueba electrónica, con ello el soporte y la grafía de los documentos resultan indiferentes, de manera que un escrito con forma electrónica tiene la misma fuerza probatoria que un escrito en soporte papel, pero para ello la ley francesa exige que pueda ser debidamente identificada la persona de la que emanó el documento y, además se garantice su integridad, lo cual se presume salvo prueba en contrario cuando la firma electrónica reúna las condiciones legales.

El derecho anglosajón también ha reconocido el valor probatorio de los documentos electrónicos y en concreto el Derecho Norteamericano (12) admite

---

(10) Ver SSTS. 31. 11.19181; 31.5.1993; 5.7.1984 y 5.2.1988.
(11) Ley 465/2000 de reforma del Código civil francés dirigida a la adaptación del procedimiento de prueba a las tecnologías de la información y a la firma electrónica.
(12) *Federal Rules of Evidence, modificada en diciembre de 2006 (art. IX authentication and identification. Art. X contents of writings, recordings, and photographs).*

que, si el contenido documental se encuentra introducido en un ordenador o instrumento parecido, cualquier impresión legible a la vista, con reflejo exacto de los datos, se considera legalmente un documento original. Por su parte el Derecho del Reino Unido (13) también establece que una declaración contenida en un documento electrónico constituye un medio legal de prueba. En este sentido es la seguridad tanto subjetiva, en lo que se refiere a la identificación del emisor, como objetiva, en lo que hace la integridad de la comunicación, la cuestión fundamental de todo el sistema de comunicaciones en soportes electrónicos, informáticos o telemáticos. Por ello, para que la voluntad declarada sea relevante es preciso conocer a quien corresponde así como constatar que la manifestación conocida corresponde, efectivamente, a la manifestada por el sujeto.

En soporte papel la seguridad se ha situado, tradicionalmente, en la firma del emisor, con la cual el firmante del documento acredita su identificación subjetiva y su voluntad en los términos que aparecen en el texto del documento.

En el ordenamiento jurídico español el mismo precepto constitucional que consagra el derecho a la tutela judicial efectiva (14) declara que todos tienen derecho a utilizar los medios de prueba pertinentes para su defensa de modo que el Tribunal Constitucional ha declarado en numerosas ocasiones la existencia de un derecho fundamental a utilizar medios de prueba, por ello el documento informático en el que se incluye la comunicación de un particular a la Administración o una notificación administrativa a un ciudadano debe ser considerado un medio de prueba (15).

---

(13)   Civil Evidence Act 1995.
        La Civil evidence Act de 1972 se modificó en 1995 (8 Proof of Statements contained in documents; 9 Proof of records of business or public authority).
(14)   Artículo 24 de la Constitución.
(15)   SSTC 116/1983, 51/1985, 30/1986,147/1987 y 205/1991). En esta última el tribunal señalaba que Conforme a reiterada doctrina de este Tribunal, el derecho a utilizar los medios de prueba pertinentes para la propia defensa, constitucionalizado por el art. 24.2 C.E., ejercitable en cualquier tipo de proceso e inseparable del derecho mismo de la defensa, consiste en que las pruebas pertinentes sean admitidas y practicadas por el Juez o Tribunal, sin desconocerlo u obstaculizarlo, e incluso prefiriéndose el exceso en la admisión a la postura restrictiva. Ello no supone desapoderar a los órganos jurisdiccionales de la competencia que le es propia para apreciar la pertinencia, por relación al asunto de fondo, de las pruebas propuestas, ni liberar a las partes de la carga de argumentar la trascendencia de las que propongan, de tal manera que la denegación de pruebas que el juzgador estime inútiles no implica necesariamente indefensión, pues tal facultad denegatoria viene impuesta por evidentes razones prácticas como son evitar dilaciones injustificadas del proceso. Pero basta con que la denegación o inejecución sea imputable al órgano judicial y la prueba denegada o impracticada sea decisiva en términos de defensa para que, en principio, el supuesto quede cubierto por la garantía constitucional. Entre otras muchas, ver SSTC 80/1986, 147/1987 y 50/1988.

La verificación de un documento electrónico a efectos de prueba exige, además de las reglas generales sobre la prueba documental contenidas en el Código civil y la Ley de enjuiciamiento civil, los requisitos especiales exigidos a las comunicaciones electrónicas y sus mecanismos específicos de firma; no obstante, para que el documento electrónico pueda se considerado un medio de prueba, debe reunir ciertos requisitos mínimos de validez y eficacia que ha enumerado la jurisprudencia del Tribunal Supremo que en referencia al valor probatorio de una cinta de vídeo ha declarado que su utilización probatoria exige siempre la necesaria y precisa adveración y certificación de autenticidad, veracidad y fidelidad que encuentra cauce procesal adecuado mediante el reconocimiento judicial, sometido a las reglas de procedimiento y valoración legalmente previstas (16), además ha declarado admisible el soporte magnético de documentos siempre que se cumplan las garantías que determinen y permitan establecer claramente la autenticidad de la autoría y por lo tanto la firma de quien asume esa autoría y contenido del documento (17).

La eficacia probatoria de estos documentos se reconduce al reconocimiento judicial y que, como reconoció el mismo Tribunal, la libertad de pruebas no es un derecho ilimitado que obligue al órgano judicial a tener que admitir cualquier medio de prueba, sino más bien un derecho relativo en la medida en que se encuentra limitado por el criterio de la pertinencia que constituye la cuestión decisoria para el tribunal (18).

5. PROCEDIMIENTO ADMINISTRATIVO ELECTRÓNICO

La Ley 11/2007 de acceso electrónico de los ciudadanos a los servicios públicos regula un título completo a la gestión electrónica de los procedimientos disponiendo que la gestión electrónica de la actividad administrativa debe respetar la titularidad y ejercicio de la competencia por la Administración, órgano o entidad que la tenga normativa mente atribuida así como el cumplimiento de requisitos formales y materiales establecidos en las normativa que regula la actividad en cuestión.

En cualquier caso la ley de acceso electrónico contiene un claro mandato a las administraciones públicas para que impulsen ola aplicación de medios electrónicos en la gestión de los procedimientos y actuaciones teniendo en cuenta siempre el criterio de simplificación administrativa, además en la aplicación de estos medios a la actividad administrativa habrá que tener en cuenta la dotación de medios necesarios al personal que utilice dichos medios electrónicos, además de la formación adecuada para ello.

(16)   STS 30.11.1992.
(17)   Ver SSTS 30.11.1992 y 3.10.1997.
(18)   STS 25.4.1984.

La normativa autonómica también ha ido regulando últimamente diversos aspectos de los procedimientos administrativos mediante medios electrónicos y un aspecto a destacar es la inclusión de las cláusulas de inalterabilidad de los derechos y deberes del ciudadano en el procedimiento administrativo común de manera que el empleo de procedimientos electrónicos no suponen modificación de la naturaleza y efectos de los actos administrativos que integran el procedimiento administrativo, además tampoco conlleva eliminación, reducción o condicionamiento alguno debido a los derechos reconocidos o atribuidos a los ciudadanos o de los deberes que la normativa reguladora del procedimiento establezca para la Administración (19).

El procedimiento administrativo electrónico también denominado ciber procedimiento se encuentra inspirado por una serie de principios generales de actuación entre los cuales podemos mencionar los siguientes:

a) Los requisitos subjetivos tanto de los documentos que los ciudadanos dirigen a la Administración como de las notificaciones administrativas, exigen la identificación del emisor de la comunicación, sea el ciudadano interesado o el órgano administrativo, así como la demostración de su voluntad de emitirlo. Sin embargo el correo electrónico no garantiza la autenticidad subjetiva en la medida que no erradica el riesgo de suplantación de identidad que es posible al usar claves criptográficas ajenas, por ello la satisfacción de este requisito se funda en la presunción *iuris tantum* que hace la Directiva 1999/1993 y el Real Decreto Ley 14/1999 de que el signatario de un documento mediante firma electrónica es el titular de las claves que se utilizan para la firma. Por eso nunca podrá haber seguridad plena de que un acto administrativo basado en una comunicación electrónica sea realmente definitivo.

b) Respecto de los requisitos objetivos de los documentos que dirige el ciudadano a la Administración o de las notificaciones, en relación a la coincidencia con el objeto real de la solicitud en el primer caso o a la coincidencia con el texto íntegro de la resolución, en el segundo caso, siendo así que la integridad como condición de validez y eficacia de los documentos informáticos, se satisface con la firma electrónica que se vincula al contenido del documento que se firma, de manera que cualquier manipulación de su contenido pueda detectarse, lo cierto es que, el cumplimiento de los requisitos objetivos no afecta al soporte electrónico, informático o telemático con que se verifica la comunicación y si que efectivamente se cifre el contenido completo de la comunicación. No obstante la existencia de comunicaciones dentro del procedimiento administrativo, pone de relieve la necesidad de que el contenido del documento administrativo, sobre todo el

---

(19)   Ver Ley Foral 11/2007, de 4 de abril para la implantación de la Administración electrónica en la Administración de la Comunidad Foral de Navarra, (Boletín Oficial de Navarra núm. 48 de 18.4.2007).

que dirige el ciudadano a la Administración, debe estar normalizado a efectos de garantizar la seguridad jurídica y poder hacer efectivas, las disposiciones de la LRJ sobre lengua de los procedimientos. Por ello aunque no constituya un mandato legal en sentido estricto sino más bien una recomendación de carácter práctico se plantea la necesidad de contar con documentos normalizados, al objeto de poner fin a la diversidad de criterios y contenidos que caracterizan a los mismos documentos de las diferentes administraciones públicas. Para ello deberían redactarse los formularios de solicitud e instancia de tal modo que se admitan en soporte electrónico todas las lenguas de procedimiento que existen en España.

.c) Entre los requisitos de orden formal, por lo que se refiere a la verificación de las comunicaciones de ciudadanos o a la práctica de la notificación, se plantea la cuestión de la imposibilidad de obtener el acuse de recibo. Cuando las comunicaciones no surten efecto en el seno de la Administración, hasta que el ciudadano no dispone de una garantía de que el órgano administrativo haya recibido efectivamente la solicitud o al revés el órgano administrativo no puede acreditar que el ciudadano interesado tiene conocimiento de la resolución o acto que se le notifica, resulta que el mecanismo de la firma electrónica no materializa esa función de acuse de recibo y la falta del mismo en el contexto de la relación jurídico-administrativa resulta sumamente importante por cuanto sin acuse de recibo no existe comunicación y sin ella no es posible dirigir solicitudes o instancias a un órgano administrativo ni notificar a un ciudadano interesado. Por ello las comunicaciones con medios electrónicos, informáticos o telemáticos no siempre permiten asegurar la identidad del receptor del acuerdo con el dato de la escindibilidad, si bien, en los casos en que ello sea posible, el destinatario podrá negar el acto jurídico celebrado.

a. Por todo ello la integridad, autenticidad y el acuse de recibo (cumplimiento, incumplimiento y requisitos legales) de las comunicaciones en el procedimiento administrativo condiciona la validez y eficacia de las comunicaciones en soporte electrónico, informático o telemático, la imposibilidad de que las tecnologías de la información y las comunicaciones den satisfacción a los requisitos jurídicos de las mismas hará que muchas de esas comunicaciones adolezcan de vicios de legalidad y que su eficacia dependa de que esa validez sea constitutiva de nulidad o anulabilidad.

b. En consecuencia, hay que concluir que todavía en la actualidad nuestro sistema administrativo adolece de las insuficiencias que registra la unión entre la informática y el derecho, pues ni la tecnología arbitran soluciones válidas y eficaces en la práctica ni el ordenamiento administrativo ha desarrollado por completo las previsiones normativas que la legislación actual se limita a enunciar y remitir a desarrollo reglamentario posterior que todavía no acaban de materializarse a pesar del interés demostrado por la Administración Pública en el sector de la tecnología y su aplicación a las relaciones entre la Administración y los ciudadanos, lo cual todavía constituye un reto de futuro en la practica de la Administración Pública.

Entre los derechos de los ciudadanos, que han reconocido las leyes autonómicas reguladoras, en relación con los medios electrónicos utilizados en la tramitación de procedimientos administrativos pueden citarse los siguientes:

a. A no ser discriminados por la aplicación de procedimientos administrativos electrónicos en la administración.

b. A utilizar el castellano u otra lengua oficial en la Comunidad Autónoma en estos procedimientos electrónicos en los términos regulados por el uso de las mismas.

c. A formular peticiones, entablar pretensiones y acciones, subsanar defectos, practicar alegaciones y pruebas, formular recursos y reclamaciones administrativos contra los actos de las administraciones públicas.

d. A obtener certificados administrativos por medios electrónicos.

e. A pedir y obtener informaciones y formular consultas por sistemas que no entrañen especial dificultad, preferentemente mediante correos electrónicos y similares.

f. A conocer el estado de tramitación de los procedimientos en los que tengan la condición de interesados.

g. Al uso de sistemas de identificación legalmente establecidos en los trámites telemáticos.

h. A la obtención y uso de la firma electrónica en las condiciones legalmente establecidas o de un sistema análogo de identificación personal.

i. A obtener copias electrónicas de los documentos administrativos electrónicos que formen parte de expedientes que sean el soporte de procedimientos en que sean parte interesada.

j. A que las administraciones garanticen un servicio de gestión de archivo para documentos electrónicos y la conservación de los actos administrativos electrónicos que formen parte de cada expediente.

k. La participación por medios electrónicos en la actividad administrativa mediante audiencias o informaciones públicas, cuando así esté regulado legalmente, o a la participación en encuestas y consultas en cualquier caso.

l. Al acceso a servicios y prestaciones públicas a través del canal o medio elegido entre los que estén disponibles en cada caso.

m. A la privacidad de sus datos personales y a la intimidad personal y familiar

n. A todas las garantías jurídicas que exijan las leyes de protección de datos.

o. Al uso libre y gratuito de medios y servicios electrónicos que se pongan a su disposición en las oficinas públicas o lugares establecidos para relaciones con la administración pública.

p. A no aportar datos o documentos que ya obren en poder de la Administración (20).

A todo ello hay que añadir que la Ley 11/2007 de acceso electrónico de los ciudadanos a los Servicios públicos establece los siguientes criterios para la gestión electrónica:

a) Supresión o reducción de la documentación requerida a los ciudadanos, mediante su sustitución por datos, transmisiones de datos o certificaciones, o la regulación de su aportación al finalizar la tramitación.

b) La previsión de medios e instrumentos de participación, transparencia e información.

c) La racionalización de la distribución de cargas de trabajo y de las comunicaciones internas.

6. INICIO DEL PROCEDIMIENTO POR MEDIOS ELECTRÓNICOS

Hay que recordar, que la relación del ciudadano con la Administración puede comenzar de tres modos, mediante presentación de un escrito, mediante la comparecencia en un procedimiento existente o mediante una relación administrativa formal al tener conocimiento de que se haya dictado una resolución que nos afecte bien para iniciar un procedimiento, momento en que se presenta un escrito para entrar en contacto con el órgano administrativo que corresponda (21).

---

(20)   Ver artículo 4 de la Ley Foral 11/2007 de Navarra.
(21)   El escrito de iniciación puede ser de cuatro tipos:
   A) Escrito de petición solicitando un acto graciable o la aprobación de nuevas normas, que se tramita de conformidad con la normativa que regula el derecho de petición, (Ley 92/1960 y art. 29.1 Constitución).
   B) Escrito de instancia que da lugar a la incoación de procedimiento administrativo, cuando se pretenda formular una pretensión fundada en el Ordenamiento jurídico, en cuyo caso es necesario determinar la norma en que se funda el escrito, si se trata de una cuestión de Derecho público administrativo debe incoarse un procedimiento administrativo si por el contrario se trata de cuestión regulada por el Derecho privado deberá formularse una reclamación previa a la vía procesal civil o laboral.
   C) Puede ser un escrito de denuncia que tienen la finalidad de poner en conocimiento de la Administración competente los hechos que podrían justificar la incoación. Hay

A) También puede iniciarse la relación administrativa sin escrito alguno sino mediante la comparecencia en un procedimiento ya existente. Aquí las actuaciones ya existían y nuestra actuación determina la intervención en el procedimiento.

B) Finalmente puede iniciarse la relación administrativa al tener conocimiento de que en un procedimiento administrativo se haya dictado una resolución que afecte a nuestros intereses por lo que cabe la vía de recurso.

El inicio procedimientos exige determinar el procedimiento concreto a seguir y el órgano administrativo competente, redactar y presentar el escrito.

Si existe un procedimiento regulado, hay que ajustarse a sus normas reguladoras, por lo que respecta al órgano no es tarea sencilla dada la multiplicidad de funciones competencia de diversos organismos y Administraciones diferentes, en los casos de reclamación por inactividad el escrito se presenta ante el órgano que s estime competente para realzar la prestación incumplida. En caso de duda sobre el órgano ante el que deba presentarse o del procedimiento es aconsejable dirigirse a las oficinas de información administrativa, además la Ley establece que si alguna disposición atribuye competencia a una Administración pública sin especificar el órgano que debe ejercerla se entenderá que la facultad de instruir y resolver los expedientes corresponde a los órganos inferiores competentes por razón de la materia y del territorio y si existen varios, el superior jerárquico común. La competencia territorial en casos de que haya varios órganos administrativos se determina por razón del lugar donde vaya a desarrollarse la actividad.

La Ley de Acceso dispone (22) que el inicio del procedimiento administrativo por medios electrónicos a solicitud de interesado requiere la puesta a disposición de los interesados de los correspondientes modelos o sistemas electrónicos de solicitud en la correspondiente sede electrónica que deberán ser accesibles sin otras restricciones tecnológicas que las derivadas de la utilización de estándares (23) y criterios de comunicación y seguridad aplicables de acuerdo con las normas y protocolos nacionales e internacionales.

---

que tener en cuenta que quien presenta una denuncia no tiene la condición de interesado en el procedimiento.

D) Una cuarta clase de escrito la constituye el que se presenta reclamando en casos de incumplimiento de realizar una prestación, si la reclamación no se atienda queda abierta la vía judicial. Además en casos en que la Administración haya actuado por vía de hecho (sin legitimación jurídica) puede presentarse un escrito intimando el cese de esta actitud.

(22)   Artículo 35 de la Ley 7/2007.

(23)   El artículo 4 de la Ley de acceso electrónico señala, en su apartado i, que a estos efectos las Administraciones Públicas utilizarán estándares abiertos así como, en su caso y de forma complementaria, estándares que sean de uso generalizado por los ciudadanos.

7. REDACCIÓN Y PRESENTACIÓN DE SOLICITUDES Y ESCRITOS EN EL PROCEDIMIENTO ELECTRÓNICO

Al igual que en el procedimiento normal, en el procedimiento electrónico los escritos de instancia deben redactarse en castellano y lengua oficial correspondiente en territorios de Comunidades las Autónomas, estos escritos deben concretar con claridad la petición poniendo especial cuidado en incluir el domicilio del interesado a fin de que puedan notificarse la existencia de defectos subsanables. Puede actuarse a través de representante, para lo cual es preciso acreditar representación cuando se formulen solicitudes, a través de documentos públicos o privados con firma legitimada o poder apud acta.

El escrito de inicio debe presentarse en el Registro existente donde tenga la sede el órgano administrativo destinatario, sin embargo hay que tener en cuenta que puede presentarse asimismo en los siguientes órganos:

a) Órganos administrativos que pertenezcan a cualquier Administración pública, si se trata de una entidad local solo si existe convenio entre distintas Administración es.

b) Oficinas de correos que al menos tengas la categoría de estafetas.

c) Otros órganos que en algunas ocasiones se han reconocido por la jurisprudencia, así en una notaría el último día de plazo cuando no hubiera oficina de correos abierta y siempre que el notario proceda al día siguiente a depositar el escrito en el registro correspondiente. En un juzgado de guardia se ha reconocido siempre que este órgano judicial no haya puesto reparos. Por ello estos lugares deben tenerse en cuenta solo excepcionalmente.

Las leyes autonómicas han regulado las incidencias y tramitación de los procedimientos administrativos electrónicos desde la presentación de las solicitudes de inicio señalando que los interesados en iniciar un procedimiento administrativo de este tipo deben presentar sus solicitudes en el Registro general electrónico, siguiendo para ello las prescripciones técnicas que se indiquen, dirigidas a facilitar la presentación de la solicitud y agilizar el propio procedimiento, en cualquier caso la aprobación de este tipo de prescripciones no podrá constituir una barrera discriminatoria sin justificación objetiva para los ciudadanos. Además la regulación de cada administración pública competente podrá exigir que las solicitudes se ajusten a los modelos normalizados que figuren en el registro general electrónico o en los propios procedimientos si los hubiera o bien adoptar una forma libre que siempre respete el contenido de los derechos de los ciudadanos en sus relaciones con las administraciones públicas a través de medios electrónicos (24).

---

(24) Ver artículo 24 de la Ley foral 11/2007 de Navarra para la implantación de la Administración electrónica en la Administración de la Comunidad Foral de Navarra, (Boletín

En cualquier caso las solicitudes que se presenten para hincar el procedimiento electrónico deben tener, al menos, el siguiente contenido:

a) Los datos personales y, en su caso, acreditativos del representante del interesado que exija la legislación general sobre procedimiento administrativo común.

b) La dirección de correo electrónico u otro medio electrónico suficientemente admitido por la Administración a efectos de la práctica de notificaciones.

c) La dirección del lugar en que pueda practicarse la notificación administrativa por cualquier otro medio, para el caso de que no sea posible técnicamente la práctica de la notificación en la dirección de correo electrónico.

d) Los hechos razones y petición en que se concrete, con claridad, la solicitud.

e) El lugar y fecha.

f) El órgano, departamento u organismo público al que se dirija la solicitud (25).

g) La firma electrónica.

Las solicitudes podrán acompañarse de los documentos que se estimen convenientes para precisar o completar las peticiones o justificar los hechos o razones que se contengan en éstas. Dichos documentos deben contenerse en archivos electrónicos adjuntos a la solicitud y su relación se identificará debidamente en la solicitud a fin de que quede constancia pública de su presentación como garantía para el ciudadano y además que no se produce extravíos o eliminaciones (26).

Respecto al procedimiento electrónico la propia Ley 7/2007 de acceso define el concepto de sede electrónica como aquella dirección electrónica disponible para los ciudadanos a través de redes de telecomunicaciones cuya titularidad, ostión y administración corresponde a una Administración pública, órgano o entidad administrativa en ejercicio de sus competencias. El establecimiento de una sede electrónica conlleva la responsabilidad del organismo o Administración titular de la misma respecto de la integridad, veracidad y actualización de la información y los servicios a los que se pueda acceder utilizando dicha sede, además cada Administración pública deberá determinar las condiciones e instrumentos de creación de las sedes electrónicas, con sujeción a los principios de publicidad oficial, responsabilidad, calidad, seguridad, disponibilidad, accesibilidad, neutralidad e inter-operatividad; pero en todo caso debe garantizarse la identificación del titular

---

Oficial de Navarra núm. 48 de 18.4.2007).
(25)   El desconocimiento por el ciudadano del órgano al que debe dirigirse no será, en ningún caso, obstáculo para la tramitación de la solicitud.
(26)   Ver Ley Foral 11/2007 de Navarra artículo 24.

de cada sede, la disposición de sistemas que permitan comunicaciones seguras, así como los medios para la formulación de quejas y sugerencias. Además las sedes electrónicas deben disponer de sistemas que permitan el establecimiento de comunicaciones seguras de manera que la publicación en ellas de informaciones, servicios y transacciones deberá en todo caso respetar los principios que permitan la accesibilidad y uso general de conformidad con lo establecido normativamente y con los estándares abiertos y, en su caso, otros que sean de uso generalizado entre los ciudadanos.

Una vez que sea presentada una solicitud de inicio de procedimiento electrónico en el correspondiente registro ya no será posible ni para el interesado ni para la Administración, la alteración de su contenido ni de los documentos o archivos que la acompañen y además las leyes autonómicas que regulan esta materia disponen que cualquier alteración que se lleve a cabo con posterioridad a la admisión de la solicitud se tendrán por no puesta lo cual se entiende sin perjuicio de la facultad general de la Administración para convertir técnicamente un documento siempre que sea necesario para leerlo, almacenarlo o bien archivarlo y además sin perjuicio del derecho del interesado para presentar otros documentos o formular las aclaraciones que estime necesarias, siempre que se cumplan los requisitos exigidos por las leyes que regulan el procedimiento administrativo.

8. REGISTROS ELECTRÓNICOS

La Ley de acceso electrónico de los ciudadanos a los servicios públicos dispone que las Administraciones públicas deben crean en sus propios ámbitos de competencia, registros electrónicos para la recepción y remisión de solicitudes, escritos y comunicaciones y estos registros electrónicos serán susceptibles de admitir los siguientes soportes:

a) Documentos electrónicos normalizados correspondientes a los servicios, procedimientos y trámites que se especifiquen conforme a lo dispuesto en la norma de creación del registro, cumplimentados de acuerdo con formatos pre-establecidos.

b) Cualquier solicitud, escrito o comunicación distinta de los mencionados en el apartado anterior que estén dirigidos a cualquier órgano o entidad de la administración que sea titular del registro electrónico.

Por otra parte la propia Ley citada impone como imperativo que en cada administración pública diferenciada haya, al menos, un sistema de registros electrónicos suficiente para recibir todo tipo de solicitudes, escritos y comunicaciones dirigidos a la misma, además las administraciones públicas pueden habilitar, mediante convenios de colaboración, a sus respectivos registros para la recepción de las solicitudes, escritos y comunicaciones de competencia de otra administración que se determinen en el convenio correspondiente. En lo que se refiere a la Administración General del Estado la ley es taxativa con el mandato de que se automaticen las oficinas de registro físicas a las que se refiere la LRJ (27) para garantizar la interconexión de todas sus oficinas y posibilitar el acceso por medios electrónicos a los asientos registrales y a las copias electrónicas de los documentos presentados. Con todo esto hay que tener en cuenta desde un punto de vista práctico que la ley establece que en la sede electrónica de acceso al registro debe figurar la relación actualizada de las solicitudes, escritos y comunicaciones que pueden presentarse en el registro.

Los registros electrónicos deben permitir la presentación de solicitudes, escritos y comunicaciones todos los días del año durante veinticuatro horas, a efectos del cómputo de plazo fijado en días hábiles o naturales y, en lo que se refiere a cumplimiento de plazos por los interesados, la presentación en un día inhábil se entenderá realizada en la primera hora del primer día hábil, salvo que una norma permita expresamente la recepción en día inhábil, además el inicio del cómputo de los plazos que deban cumplir los órganos de la administración y entidades de derecho público estará determinado por la fecha y hora de presentación en el registro (28); en cualquier caso, la fecha efectiva de inicio del cómputo de plazos deberá ser comunicada a que hubiera presentado escrito de solicitud o comunicación.

La presentación de solicitudes en el correspondiente registro electrónico de la administración competente y su admisión por éste supone tanto para la administración como para el interesado, la aceptación del procedimiento administrativo por medios electrónicos lo cual supone para ambas partes un deber general de proseguir y finalizar el procedimiento por ese medio incluyendo los recursos administrativos que puedan interponerse; no obstante cuando concurran causas justificadas el interesado puede ejercer su derecho a pasar al procedimiento administrativo convencional, utilizando soporte papel, previa manifestación ante el órgano administrativo competente de la tramitación del procedimiento, en cuyo caso, la posterior posibilidad de retornar al procedimiento administrativo electrónico exigirá la conformidad del citado órgano administrativo.

---

(27)   El artículo 38 de la Ley 30/1992 regula los registros administrativos, disponiendo que los órganos administrativos llevarán un registro general en el que se haga el correspondiente asiento de todo escrito o comunicación que sea presentado o que se reciba en cualquier unidad administrativa propia. También se anotarán en el mismo, la salida de los escritos y comunicaciones oficiales dirigidas a otros órganos particulares. La OM 124/1995 del Ministerio de Defensa regula los registros generales existentes en dicho Departamento, ver BOE 19.9.1995.

(28)   O en el caso de solicitudes, escritos o comunicaciones presentados en documentos diferentes a los normalizados por la fecha de entrada en el registro del destinatario. Ver artículo 264 Ley 7/2007.

El encargado del registro electrónico es el responsable de remitir las solicitudes presentadas al órgano administrativo competente cuando no hayan llegado directamente al mismo; además cuando un órgano administrativo reciba una solicitud para su tramitación electrónica que no sea de su competencia, debe remitirla, en forma electrónica por supuesto, y sin demora al órgano u organismo competente para su tramitación informando de todo ello al interesado en el correo electrónico fijado como referencia por el mismo.

En otro orden cuando una solicitud, de inicio, presentada en el registro electrónico no reúna los requisitos exigidos por la ley, el órgano competente deberá remitir un requerimiento a la dirección de correo electrónico señalada en la solicitud o, en su defecto, a la dirección alternativa indicada para notificaciones, con el fin de que el interesado proceda a subsanar los defectos o acompañar los documentos preceptivos, en el plazo establecido con indicación de que si no lo hace se le tendrá por desistido de su petición previa resolución que en su caso deberá ser dictada y notificada en la dirección de correo electrónico señalada (29).

En el caso de inscripciones en registros públicos creados por disposiciones legales o administrativas autonómicas la propia legislación autonómica obliga a que esta administración cree accesos directos a través de portal Web de Internet autonómico oficial sin obligar al interesado a pasar su solicitud por el registro cereal electrónico (30)

9. IDENTIFICACIÓN Y AUTENTICACIÓN: LA FIRMA ELECTRÓNICA

La Ley 7/2007 de acceso electrónico dispone, en su artículo trece, que las Administraciones públicas admitirán sistemas de firma electrónica en sus relaciones por medios electrónicos siempre que estén de acuerdo a lo que regula la legislación sobre esta materia (31) y resulten adecuados para garantizar la identificación de los participantes y la autenticidad e integridad de los documentos electrónicos. La utilización de la firma electrónica debe cumplir tres requisitos básicos: integridad, no rechazo en origen y autenticidad, además de la confidencialidad lo cual se consigue con la utilización de sistemas criptográficos de clave pública o asimétrica complementados con un certificado

---

(29)   Con todo deberá quedar constancia de este requerimiento. Ver artículo 28 de la Ley foral 11/2007 de Navarra.

(30)   Artículo 33 de la Ley 11/2007 de Navarra; además para estas inscripciones se establece un procedimiento administrativo normalizado por medios electrónicos que permita la inscripción directa y la realización de todos los trámites conexos, así como el pago de las tasas correspondientes que procedan.

(31)   Ley 59/2003, de 19 de diciembre, de firma electrónica.

digital (32). La criptografía simétrica se caracteriza por usar la misma clave para cifrar y descifrar de modo que toda la seguridad del sistema se basa en la privacidad de esa clave utilizada para ambos fines (33) y el gran problema que plantea este sistema es la distribución de claves además de que solo pueden garantizar ola confidencialidad pero no los otros tres objetivos. Los sistemas de clave pública o asimétrica se basan en el uso de dos claves asociadas: una privada solo conocida por el titular que debe mantenerla en secreto y una clave pública o clave de verificación relacionada con la primera y de acceso libre para cualquier interesado (34), el sistema de firma electrónica se completa con la emisión de un certificado digital por parte de una certificadora donde debe hacerse constar la clave pública del titular del certificado y otros datos personales.

En la administración la Fábrica Nacional de Moneda y Timbre es la responsable de prestar servicios técnicos y administrativos necesarios para garantizar la seguridad, validez y eficacia de la emisión y recepción de comunicaciones y documentos a través de técnicas y medios electrónicos, informáticos y telemáticos en el ámbito de las relaciones que se produzcan.

La Ley 7/2007 de acceso electrónico de los ciudadanos a los Servicios Públicos dispone la utilización de los siguientes sistemas de firma electrónica por parte de los ciudadanos para relacionarse con las Administraciones públicas (35), de acuerdo con lo que cada administración haya establecido:

A) En todo caso los sistemas de firma electrónica incorporados al Documento Nacional de Identidad, para personas físicas, que pueden utilizar las personas físicas con carácter universal en su relación con las Administraciones públicas a través de diferentes medios electrónicos. El régimen de uso y efectos del DNI se rige por su propia normativa.

B) Sistemas de firma electrónica avanzada, incluyendo los basados en certificado electrónico reconocido, admitidos por las administraciones públicas para identificarse y autenticar documentos. Por otra parte la relación de los sistemas de firma electrónica avanzada admitidos por cada Administración pública debe ser pública y accesible por medios electrónicos y, además deberá incluir información sobre los elementos de identificación utilizados así como, en su caso, las caracte-

---

(32) Que es en realidad el que garantiza la autenticidad documental y la identidad de la persona interesada.

(33) El emisor del mensaje genera una clave y después la transmite mediante un canal seguro a todos los usuarios autorizados a recibir el mensaje.

(34) Aquí aunque las dos claves se encuentran relacionadas entre sí, la ejecución de un sistema asimétrico hace imposible que quienes conocen la clave pública puedan derivar de ella la clave privada.

(35) Ver artículo 13.2.

rísticas de los certificados electrónicos admitidos, los prestadores que los expiden y las especificaciones de la firma electrónica que puede utilizarse con dichos certificados (36).

C) Otros sistemas de firma electrónica, como la utilización de claves concertadas en un registro previo como usuario, la aportación de información conocida por ambas partes u otros sistemas no criptográficos, en los términos y condiciones que en cada caso puede determinar, a la vista de los datos e intereses afectados, y siempre de manera justificada, los supuestos y condiciones de uso por los ciudadanos de otros sistemas de firma electrónica como claves concertadas en un registro previo, aportación de información, conocida por ambas partes u otros sistemas que no sean criptográficos. Cuando se utilicen estos sistemas para confirmar información, propuestas o borradores remitidos o exhibidos por una Administración Pública, ésta debe garantizar en todo caso la integridad y que no habrá rechazo de los documentos electrónicos por ninguna de las partes; además las administraciones públicas están obligadas a certificar, siempre que sea necesario, la existencia y contenido de las actuaciones de los ciudadanos en las que se hayan utilizado formas de identificación y autenticación electrónicas.

Sin perjuicio de la utilización de estos sistemas, cada administración pública puede habilitar bien de forma general o concreta a las personas físicas o jurídicas autorizadas para llevar a cabo determinadas transacciones electrónicas en representación de los interesados; habilitación que debe especificar, en cualquier caso, las condiciones y obligaciones a las que se comprometen quienes obtengan la condición de representantes, determinando la presunción de validez de la representación excepto que se disponga otra cosa por la normativa reguladora, en todo caso cada Administración pública competente puede requerir que se acredite dicha representación (37).

Por otra parte la Ley también estable los sistemas que podrán utilizar las administraciones públicas para su propia identificación electrónica y para la autenticación de los documentos electrónicos que produzcan:

A) Sistemas de firma electrónica basados en la utilización de certificados de dispositivo seguro o medio equivalente que permita identificar la sede electrónica y el establecimiento de comunicaciones seguras con ella a través de la utilización de sistemas de firma electrónica que se basen en certificados de dispositivo seguro o un medio equivalente.

---

(36)   Con todo la Propia Ley establece además que los certificados electrónicos expedidos a entidades sin personalidad jurídica previstos en la Ley 59/2003 de Firma electrónica, podrán ser admitidos por la Administraciones públicas en los términos que establezca cada una de éstas.

(37)   Ver artículos 13.2 y 23 de las Ley 7/2007.

B) Sistemas de firma electrónica para la actuación electrónica automatizada, para cuya utilización, las administraciones públicas pueden determinar en cada ámbito competencial en cada ámbito competencial los casos de utilización de los siguientes sistemas de firma electrónica:

a) Sello electrónico de Administración pública, órgano o entidad de derecho público, basado en certificado electrónico que reúna los requisitos exigidos por la normativa reguladora de la firma electrónica. En este caso los certificados electrónicos deben incluir el número de identificación fiscal así como la denominación correspondiente y además pueden contener la identidad de la persona titular en el caso de los sellos electrónicos de órganos administrativos. Por otra parte la relación de sellos electrónicos utilizados por cada Administración pública (38) debe ser pública y accesible por medios electrónicos; además cada administración debe adoptar, para su propio ámbito competencial, las medidas adecuadas para facilitar la verificación de sus sellos electrónicos.

b) Código de verificación que sea seguro y, además, esté vinculado a la Administración, organismo o entidad pública, a la persona firmante del documento, permitiéndose en todo caso la comprobación de la integridad del documento en cuestión mediante el acceso a la sede electrónica que corresponda.

C) Firma electrónica del personal al servicio de las Administraciones Públicas que se realizará sin perjuicio de la utilización de los sistemas descritos en los apartados anteriores. De este modo las Administraciones públicas pueden proveer a su propio personal de sistemas de firma electrónica que puedan identificar de forma conjunta al titular del puesto de trabajo o cargo así como a la Administración u órgano en que presta sus servicios incluyendo el sistema de firma electrónica basada en el Documento Nacional de Identidad.

D) Intercambio electrónico de datos en entornos cerrados de comunicación entre Administraciones públicas, conforme a lo específicamente acordado por las partes, en cuyo caso los documentos electrónicos transmitidos en dichos entornos deben ser considerados válidos a efectos de autenticación e identificación de los emisores y receptores en las condiciones establecidas en la Ley 7/2007 (39). En los casos en que los participantes pertenezcan a una misma Administración pública, ésta deberá determinar las condiciones y garantías por las que se regirá comprendiendo, al menos, la relación de emisores y receptores autorizados así como la naturaleza de los datos que deban intercambiarse. Por el contrario en los casos en que los participantes pertenezcan a diversas administraciones, las condiciones y garantías citadas en el apartado anterior deberán establecerse mediante

---

(38)   Incluyendo las características de los certificados electrónicos así como los datos de identidad de los prestadores que los expiden.

(39)   En el artículo 20 de la Ley 7/2007.

un convenio de colaboración entre ambas administración; pero en todos los casos la ley dispone, expresamente, que se garantice la seguridad del entorno cerrado de comunicaciones así como la protección de los datos transmitidos en el mismo.

Una de las cuestiones de mayor importancia operativa que regula la ley de acceso electrónico de los ciudadanos a los servicios públicos es lo que se refiere a la identificación y autenticación de los ciudadanos interesados por los funcionarios o agente públicos de manera que en los casos en que para llevar a cabo una operación a través de algún medio electrónico fuera exigible la identificación o autenticación de los interesados éstas pueden ser realizados por funcionarios autorizados mediante utilización del sistema de firma electrónica del que se encuentren provistos; además para que sea resulte efectivo, los ciudadanos deben identificarse y prestar su consentimiento expreso (40); para ello la administración pública debe mantener actualizado un registro oficial de los funcionarios y agentes habilitados para llevar a cabo la identificación y habilitación de interesados en cada procedimiento electrónico.

En otro orden los certificados electrónicos reconocidos que hayan sido emitidos por empresas prestadoras de servicios de certificación deben ser admitidos como documentos válidos para relacionarse con las administraciones públicas, siempre que aquellas empresas prestadoras hayan puesto a disposición de las Administraciones de referencia la información que sea necesaria en condiciones viables y de forma gratuita. Por su parte los sistemas de firma electrónica utilizados o admitidos por alguna administración pública que sean diferentes a los sistemas basados en certificaciones a que la ley hace referencia, también pueden ser admitidos como elementos válidos de comunicación oficial por otras administraciones de acuerdo con los principios de reconocimiento mutuo y reciprocidad. De todos modos la Administración estatal debe disponer por lo menos de una plataforma de verificación del estado de revocación de todos los certificados que hubieran sido admitidos por las Administraciones públicas, estatal, autonómicas y locales, y los organismos institucionales adscritos a ellas. Esta plataforma de verificación, que tendrá la estructura de un registro administrativo debe ser de acceso libre y general para todas las administraciones públicas y cada una puede disponer de los procedimientos que estime adecuados para la verificación del estado de revocación así como la firma con los certificados electrónicos admitidos en su ámbito competencial.

Con todo ello puede decirse que estamos en condiciones técnicas y legales adecuadas para que los ciudadanos que precisen comunicarse con las administraciones públicas se dirijan a la Fábrica Nacional de Moneda y Timbre y tras identificarse solicitar las claves que le permitan firmar electrónicamente mediante

---

(40)   La Ley exige que quede constancia en los casos en que se produzca discrepancia o litigio sobre este extremo.

la generación de dos claves una privada y otra pública, la primera es la que se usa para firmar el documento y es una especie de código de barras que figura en el extremo final de cada documento electrónico y que en esencia es el propio documento codificado, la clave privada es secreta y única para cada solicitante, la pública, por su parte, debe ser facilitada al destinatario del documento electrónico y por lo general se menciona en el propio documento, para que pueda descodificar la firma electrónica, una vez firmado el documento electrónico debe acompañarse certificado expedido por el prestador de servicios de certificación que certifica que la clave pública que aparece es quien debe ser, por ello solo el remitente del documento ha podido firmar el documento (41) que podrá ser descifrado con la clave pública puesto que ambas claves están asociadas y la clave pública solo puede descifrar aquello que haya cifrado la clave privada y una vez descifrada la firma electrónica podrá comprobarse que coinciden el documento remitido con el descifrado, con lo cual tenemos garantizadas:

a) La autenticidad es decir que quien firma un documento electrónico es quien dice ser.

b) La integridad es decir que el documento no ha sido manipulado después de ser firmado.

c) Además de los requisitos de seguridad que garantiza cualquier documento en soporte papel.

10. INSTRUCCIÓN DE PROCEDIMIENTOS ELECTRÓNICOS

10.1. Trámites generales de instrucción

En los procedimientos formalizados normativamente los diferentes trámites de instrucción previstos se encuentran delimitados, por tanto deberá estarse a lo que dispongan las normas reguladoras del procedimiento, lo dispuesto en el art. 79 LRJ con independencia del procedimiento concreto que se esté siguiendo.

En procedimientos no formalizados no hay duda de la posibilidad de presentar antes de la audiencia y vista del expediente por los interesados cuantos escritos de alegaciones se estimen oportunos y llevar a cabo la aportación documental que se estime necesaria, en aplicación del citado artículo al no regir el principio de preclusión.

Además debe tenerse en cuenta que los momentos en que pueden realizarse actos de instrucción por los interesados son el escrito de instrucción, los demás escritos presentados bajo lo dispuesto en el artículo citado y el trámite de audiencia con los requisitos siguientes:

---

(41)   Es decir cifrarlo con la firma electrónica.

a) En el escrito de inicio deben constar los hechos, razones y petición en que se concrete con toda claridad la solicitud (42). Por tanto es a la vez que un acto de iniciación, un acto de instrucción, en el mismo deben aportarse cuantos datos de hecho y de Derecho, sean precisos para que pueda dictarse Resolución de conformidad con la petición., y además, desde que se considere necesario, los elementos de prueba que el interesado tenga a su disposición tanto documental: certificaciones, testimonios, etc. Como testifical: declaraciones ante notario o pericial. Informes técnicos y pareceres con firma autenticada.

b) Cuando se a posible y pese a que se disponga con posterioridad de otros momentos y trámites para formular actos de instrucción debe procurarse que el fundamento de la solicitud sea adecuada y suficiente.

c) Como se ha dicho anteriormente los interesados pueden presentar, en cualquier momento, escritos de alegaciones y aportación de pruebas (43), en supuestos de personación de interesados diferentes al presentado para incoar el procedimiento, además es conveniente que las alegaciones se incluyan en el mismo escrito de personación.

Posteriormente en el trámite de audiencia y vista, podrán formular escrito de alegaciones, a la vista del expediente administrativo íntegro, sin embargo hay que tener en cuenta que este trámite puede no darse en algunos procedimientos pero de todos modos es conveniente presentar alegaciones para asegurar nuestra postura contando siempre como medida de precaución, la conveniencia de evitar hacer alegaciones prematuras pues al ser conocidas con antelación damos posibilidad a la parte contraria para que pueda rebatirlas con más facilidad, como quiera que esta posibilidad no debe existir respecto a las alegaciones que se hagan en trámite de audiencia pues el instructor debe procurar que las alegaciones formuladas por una parte no sean conocidas por la otra anteriormente a lo establecido por la normativa que regule el procedimiento.

10.2. Especialidades del procedimiento electrónico

Respecto al procedimiento a través de medios electrónicos la Ley 7/2007 dispone que los sistemas de comunicación utilizados en la gestión electrónica de los procedimientos para las comunicaciones entre los órganos y unidades que intervienen en la emisión y recepción de informes u otra actuaciones deben cumplir los requisitos ye exigencias que establece loa propia ley; además, las aplicaciones y sistemas de información utilizados para la instrucción por medios electrónicos de los procedimientos deben garantizar los siguientes extremos:

---

(42)   Art. 70 LRJ.
(43)   Art. 35 LRJ.

a) El control de tiempos y plazos.

b) La identificación de los órganos responsables del procedimiento.

c) La tramitación ordenada de los expedientes (44).

d) La simplificación y publicidad de los procedimientos.

11. PERÍODO DE PRUEBA

Aunque la propuesta y los tipos de prueba no se diferencian en el procedimiento electrónico de los del procedimiento general aquí hacemos una enumeración dirigida a realizar una exposición coherente con la dinámica del procedimiento administrativo. Cuando la Administración no considere como ciertos los hechos alegados por los interesados o cuando el tipo de procedimiento así lo exija, el instructor debe acordar la apertura de un periodo de prueba por un plazo no mayor de treinta ni menor de diez días para que puedan practicarse las pruebas necesarias.

Se trata de una norma estrictamente procedimental, que no desvirtúa las reglas generales sobre carga de la prueba y por ello es importante que quede claro a quien corresponde la carga de la prueba en cada procedimiento y en consecuencia quien quedaría perjudicado si no se practica la prueba. Como regla general es el interesado quien debe probar las circunstancias de hecho que vayan a ser tenidas en cuenta por la Resolución. En los procedimientos incoados de oficio corresponde la prueba de los hechos a la propia Administración mientras que los interesados pueden adoptar una postura de mero rechazo y negación, los procedimientos incoados a instancia de parte, ésta debe acreditar los que fundamenten su petición mientras que los oponentes harán valer los fundamentos que sostengan la oposición. Los trámites del periodo de prueba consisten en el escrito de presentación, otros escritos adicionales al amparo del art. 79 de la LRJ, el periodo probatorio propiamente dicho con las diferentes tipos de prueba: confesión, testifical, documental, pericial y reconocimiento.

a) Escrito de presentación y escritos ulteriores de proposición.

En los procedimientos incoados a instancia de parte el promotor debe probar los hechos que sirven de fundamento a la Resolución, comenzando en el mismo escrito de presentación acompañado de los medios de prueba que el interesado tenga a

---

(44) La Ley 7/2007 define el expediente electrónico como el conjunto de documentos electrónicos correspondientes a un procedimiento administrativo, cualquier que sea el tipo de información que contengan y cuyo foliado se lleva a cabo, a través de un índice electrónico firmado por la administración, órgano o entidad actuante que garantice la integridad del expediente a la vez que permita su recuperación cuando sea necesario.

su disposición, cuando alguno de ellos se encuentre en la misma dependencia a la que se dirige el escrito debe hacerse constar así como en caso de que obren en otra dependencia, así como la circunstancia de que de que se solicitara con anterioridad certificado testimonial de los mismos para que si no es posible su aportación durante la tramitación procedimental por causas imputables a la propia Administración podría hacerse constar válidamente esta circunstancia en procedimientos ulteriores de recurso o en la vía judicial, sin perjuicio de la responsabilidad orgánica o personal en que pueda haber incurrido la Administración o los titulares de la unidad.

En cualquier caso es aconsejable reseñar en el mismo escrito destacándolo por medio de un otrosí que si no se tienen por ciertos los hechos alegados, se solicita apertura de periodo de prueba al amparo del artículo 80.1 de la LRJ.

Los escritos pueden formular alegaciones o usarse para presentar pruebas que se vayan consiguiendo a lo largo de la tramitación procedimental. Además, si hay más interesados personados en el procedimiento, interesa no facilitarles la disposición de tiempo y medios para la preparación de las pruebas, por ello es conveniente retrasar la practica de aquellas hasta la presentación del escrito de alegaciones del trámite de audiencia y vista y si se llega a la fase final sin que se hubiera concedido dicho trámite se hará en un escrito de alegaciones normal sin perjuicio de la oportunidad que nos quede de alegar nulidad de alegaciones por omisión de trámite de audiencia.

b) Clases de prueba.

Una vez acordada la apertura del periodo probatorio debe instarse la práctica de las pruebas que se consideren necesarias teniendo en cuenta las reglas que regulan cada tipo de prueba: confesión procedimental, testifical, pericial, documental y de reconocimiento por el órgano instructor.

La confesión o interrogatorio de los interesados consiste en obtener su declaración sobre los hechos que sirven de fundamento a la Resolución y solo tendrá eficacia si procede de alguno de los interesados principales. La práctica de la confesión puede llevarse a cabo de acuerdo con las prácticas y normativa que regula el proceso civil, si la confesión es a iniciativa de la Administración, el interesado debe contestar a las pregustas que le formule el instructor, sin que sea precisa la previa presentación de un pliego de posiciones como se usa en el ámbito judicial, si embargo cuando la confesión sea a instancia de interesado, deberá presentarse pliego de posiciones para que previo examen sea aprobado por el instructor.

Por lo general los órganos de la Administración son muy reacios a admitir la prueba testifical en los procedimientos formulados ante ellos salvo en los casos de iniciación de oficio (45) y los que estime que esta prueba es necesaria para dic-

(45)   Procedimiento sancionador.

tar Resolución. En cualquier caso el instructor puede formular las preguntas que estime oportunas a las que el interesado podrá repreguntar. Esta comparecencia puede hacerla el interesado personalmente, mediante representante o técnico sin que sea precisa expresa designación.

Cuando un interesado considere necesaria la prueba testimonial de determinadas personas, conviene que si es posible, aporte la declaración en un acta notarial de presencia, unida al escrito de presentación o mediante un escrito específica para este fin.

En casos de practica de prueba a instancia de una de las partes, tampoco es necesaria la presentación previa de pliego de posiciones o repreguntas (46) y los interesados deben indicar al instructor las que estiman oportuno que deban hacerse, no obstante si el interesado quiere presentar voluntariamente el pliego de preguntas debe admitirse.

En el acta que se levante por el instructor pueden hacerse constar las propuestas sobre la inconveniencia de las preguntas y repreguntas o su formulación si se considera oportuno.

La prueba documental puede referirse a todos los documentos aportados en el procedimiento, cuyo contenido o veracidad hubiese sido negado, puesto en duda o cuando siendo falsos se haya guardado silencio sobre dicho extremo, o bien los documentos sobre los que se hubiera pedido certificación y no se hubiera librado, pues el trámite de la prueba documental no precisa de requisito alguno de solicitud ni autorización especial.

El procedimiento depende del tipo de documento teniendo en cuenta que si se trata de un documento público y obre en archivos de cualquier organismo de la Administración, debe solicitarse que se dirija oficio a éste a fin de que remita certificación, debe solicitarse así, en casos en que no se hubiese presentado copia o fotocopia y siempre que se hubiera negado o puesto en duda la autenticidad del documento presentado. Si el documento fuese privado, la prueba tiene más dificultad y el medio idóneo para demostrar su autenticidad sería la comparecencia personal de aquella persona de quien proceda el documento, a fin de reconocer la exactitud de su firma; no obstante, ante la resistencia de los órganos administrativos a la práctica de la prueba testifical que se verifica en la práctica cotidiana, en estos casos convendría aportar acta notarial de presencia que reconozca el documento como auténtico. En lo que se refiere a la validez probatoria del documento electrónico recordemos que la LRJ establece que los documentos emitidos, cualquiera que sea su soporte, por medios electrónicos, informáticos o telemáticos por las Administraciones públicas, o los que éstas emitan como copias

---

(46)   Que el instructor no puede exigir.

de originales almacenados por estos mismos medios, gozarán de validez y eficacia de documento original siempre que quede garantizada su autenticidad, integridad y conservación y, en su caso, la recepción por el interesado, así como el cumplimiento de las garantías y requisitos exigidos por las leyes (47).

La prueba pericial no está sujeta a reglas excesivas y es la que presenta menos rigidez procedimental; sin embargo es aconsejable, siempre que sea posible y el interés perseguido lo merezca, que el interesado aporte dictamen o informe pericial, con firma legitimada, que evite la necesidad de reconocimiento posterior. Además puede solicitarse la práctica de esta prueba mediante comparecencia de perito de forma similar a como se desarrolla en el ámbito judicial. Si los interesados no pudieran aportarla, deberán proponerla determinando con claridad y concreción el objeto sobre el que debe recaer el dictamen pericial, así como el número de peritos, título y especialidad así como otras condiciones que deban ostentar a cuyo efecto deberán tener en cuenta las disposiciones de la norma procesal (48).

Cuando sea preciso que el instructor examine por sí mismo un objeto que no admita la posibilidad de traslado sin que haya detrimento de su valor, podrá decidir, de oficio o a instancia de parte, la práctica de prueba de reconocimiento practicada de acuerdo con las disposiciones de la LRJ (49).

12. TRÁMITE DE AUDIENCIA Y VISTA

Sabemos que es una fase importante del procedimiento para que los interesados puedan ejercer su derecho de defensa y aportar los datos necesarios para una resolución adecuada. El cumplimiento de esta fase no implica que los interesados deban conocer los realizados, dentro del mismo trámite, con anterioridad por ello es aconsejable apurar el momento de evacuar el trámite o la prórroga al final del plazo. En relación con el procedimiento electrónico la Ley 7/2007 dispone que cuando se utilicen medios electrónicos para la participación de los interesados en la instrucción del procedimiento a los efectos del ejercicio de su derecho a presentar alegaciones en cualquier momento anterior a la propuesta de resolución o en la práctica del trámite de audiencia cuando proceda, se emplearán los medios de comunicación y notificación que esta ley establece (50).

Por su parte la normativa autonómica sobre regulación de procedimiento administrativo tiene en cuenta que la audiencia a los interesados en los procedimientos

---

(47)   Artículo 45 de la LRJ.
(48)   Ley de Enjuiciamiento Civil arts. 339 a 348.
(49)   Art. 81.
(50)   Artículos 27 y 28 de la Ley 7/2007 de acceso electrónico de los ciudadanos a los servicios públicos que regulan las comunicaciones y notificaciones electrónicas.

iniciados a instancia de parte, sean electrónicos o convencionales, se efectuará por sistemas electrónicos con todas las garantías jurídicas necesarias, cuando así se acepte de modo explícito por ellos. Por otra parte la Administración competente debe habilitar una dirección electrónica de acceso restringido donde los interesados puedan consultar el estado de la tramitación del procedimiento que hayan iniciado. Esta información sobre el estado de tramitación del procedimiento comprenderá la relación de actos de trámite realizados, con indicación sovbr4e su contenido y la fecha en que fueron emitidos (51).

13. TERMINACIÓN DEL PROCEDIMIENTO

La Ley de acceso electrónico dispone, en su artículo 38, que la resolución de un procedimiento utilizando medios electrónicos debe garantizar la identidad del órgano competente mediante el empleo de alguno de los instrumentos previstos en la propia ley.

Examinamos los casos de resolución expresa y presunta aplicables a todos los tipos de procedimientos y también a los procedimientos electrónicos.

Recaída y notificada la Resolución expresa conviene fijarse en que la fecha de recepción que figure coincida con aquella en que efectivamente se produjo la misma puesto que es la fecha referencial de plazos posteriores.

Hay que comprobar los requisitos formales de la notificación pudiendo solicitar la subsanación de defectos cuanto antes a fin de facilitar la posibilidad de recurrir la Resolución contraria a nuestro interés, también puede optarse por recurrir la Resolución (52).

En caso de que no haya habido notificación en regla y estemos ante una resolución presunta, conviene verificar el cumplimiento del plazo para dictar la resolución desde que el procedimiento fue incoado que en defecto de disposición especial será de tres meses, salvo que se hubiera acordado una ampliación del mismo. Cuando por normativa anterior esté establecida una duración del procedimiento superior a seis meses éste periodo de seis meses se entenderá como plazo máximo para resolver y notificar salvo que se establezca un o mayor por Ley.

Los procedimientos administrativos de competencia estatal de duración superior a seis meses están recogidos y enumerados de la Ley 14/2000 (53); para conocer la existencia y regulación de los procedimientos de competencia autonómica, hay que acudir a la normativa correspondiente, sin embargo la LRJ establece la consideración de inicio del procedimiento: si fue incoado de oficio, la fecha del

---

(51)   Ver artículos 30 y 31 de la Ley 11/2007 de Navarra.
(52)   En lugar de solicitar rectificación.
(53)   En su anexo I.

acuerdo de inicio, si fue a instancia de parte la fecha de entrada de la solicitud en el registro del órgano competente para su tramitación (54).

Una vez determinado el plazo, debe verificarse si se ha producido o no la notificación de Resolución y si no ha sido así se plantea la cuestión de considerar el silencio positivo o negativo, comprobando el sentido de la inactividad.

Como regla general en los procedimientos incoados a instancia de parte, hay que entender, como regla general, que el silencio es positivo y por tanto la Resolución estimativa (55), estimación que es un auténtico acto administrativo. Por ello salvo las excepciones contempladas en norma con rango de Ley sin que haya habido notificación de Resolución expresa, puede entenderse que se ha estimado la petición formulada, sin embargo hay que tener en cuenta que en tanto no se adapte la normativa de cada Comunidad Autónoma debe acudirse al sistema de listados de procedimientos seguido con la normativa de 1992, en todo caso la regla general del silencio positivo tendrá sus excepciones en los casos en que pueda resultar claramente contradictoria con la naturaleza de cada procedimiento.

No obstante la regla general del silencio positivo se exceptúa en los casos en que una norma con rango de ley establezca lo contrario, entre otros casos los siguientes:

a. Cuando se establezcan en norma con rango de ley.

b. Cuando lo disponga normativa comunitaria de aplicación directa.

c. Los procedimientos incoados en ejercicio del derecho de petición (56).

d. Los procedimientos cuya estimación tuviera como consecuencia la transferencia al solicitante o terceros de facultades relativas al dominio público o servicio público.

e. Procedimientos de impugnación de actos y disposiciones de carácter general, salvo que se trate de recurso de alzada contra la desestimación por silencio administrativo de una petición.

f. Procedimientos sobre responsabilidad patrimonial de Administraciones públicas.

El transcurso del plazo de quince días sin que se haya producido notificación de Resolución expresa produce los efectos del silencio sin que el administrado de-

---

(54)   Desde un punto de vista práctico hay que reconocer que son tantas las excepciones que el silencio negativo, desestimatorio, se ha convertido en la regla general.
(55)   LRJ art. 43.
(56)   Artículo 29 de la Constitución.

ba llevar acabo actuación alguna: en casos de estimación se entiende producido el acto a todos los efectos y en casos de desestimación se produce la ficción legal al efecto de permitir a los interesados el recurso administrativo o judicial correspondiente.

Un problema que puede plantearse es si la ejecución del acto producido por silencio administrativo requiere una actuación de la Administración, si no es así y el acto se limita a legitimar la actuación de un particular podrá actuar de acuerdo con el acto administrativo, sin embargo si la Administración dicta un acto en sentido contrario ala actividad privada al interesado no le cabe otra opción que interponerle recurso que quepa en cada caso.

La legislación de las Comunidades autónomas en materia de procedimiento electrónico ha regulado las formas anormales de terminación de este tipo de procedimiento administrativo disponiendo que el desistimiento o la renuncia de una solicitud que hubiera dado lugar a un procedimiento administrativo electrónico podrán formularse tanto mediante un documento electrónico como por medios convencionales. En este último caso, la administración competente dejará constancia, de oficio en el expediente, la anotación de desistimiento o renuncia que corresponda, sin perjuicio de que deba dictarse la correspondiente resolución administrativa (57).

14. NOTIFICACIONES EN EL PROCEDIMIENTO ELECTRÓNICO

El documento que contiene la notificación es la diligencia de notificación y tiene como finalidad servir de constancia y medio probatorio de la práctica de la notificación o, en su caso de los intentos fallidos de llevarla a cabo en el domicilio que corresponda o bien del rechazo de la misma. La diligencia de notificación no siempre tiene por sí misma eficacia acreditativa de manera que en los casos en que la notificación se haya practicado sin que figure la prueba de la recepción documental, deberá acompañarse el correspondiente testimonio escrito de que la notificación se ha efectuado, por ejemplo la notificación a través de burofax, en la que, junto a la correspondiente diligencia debe figurar una copia del documento que se envía con los sistemas de acuse de recepción que garantizan que se produjo la transmisión y la recepción del documento por el destinatario. La diligencia de notificación tiene, al igual que otros documentos de la Administración, tres partes Encabezamiento, cuerpo y pie. El cuerpo se articula en cuatro partes que se refieren al lugar, al medio y a las circunstancias, tanto de la notificación practicada como de la no practicada, separados entre sí. Por otra parte la diligencia de notificación debe ser cumplimentada por aquella persona que lleve a cabo este acto en nombre de la Administración, con independencia de cual se a el medio utiliza-

---

(57)   Artículo 32 de la Ley 11/2007 de Navarra.

do. La estructura formal del documento debe facilitar el cumplimiento de manera clara y con rapidez. Además, el pie de la diligencia de notificación está formado por la firma y cualquier otra forma de constancia de la persona que practica esta diligencia además de la fecha: día, mes y año y en algunos casos la hora

La LRJ dispone que las notificaciones deben ser cursadas en el plazo de diez días, a partir de la fecha en que se haya dictado el acto que se notifica y debe tener, al menos, el texto íntegro de la Resolución, una indicación expresa de si es o no definitiva en vía administrativa y los recursos que caben contra ella incluyendo el órgano ante el que debieran presentarse y el plazo de interposición (58).

La Ley 7/2007 establece que para que la notificación se practique utilizando algún medio electrónico se requiere que el interesado haya señalado dicho medio como preferente o haya consentido su utilización, sin perjuicio de lo dispuesto en la propia Ley (59); tanto la indicación de preferencia como el uso de medios electrónicos y el consentimiento podrán emitirse y recabarse por medios electrónicos. Además el sistema de notificación permitirá acreditar la fecha y hora en que se produzca la puesta a disposición del interesado del acto objeto de notificación, así como la de acceso a su contenido, momento a partir del cual la notificación se entenderá practicada. No obstante si hay constancia de la puesta a disposición y transcurren diez días sin que se acceda a su contenido se entenderá que la notificación ha sido rechazada con las consecuencias legales que correspondan, salvo que, de oficio o a instancia del destinatario se compruebe la imposibilidad de acceso. Con todo durante la tramitación del procedimiento el interesado puede requerir al órgano correspondiente que las notificaciones sucesivas no se practiquen por medios electrónicos usándose los demás medios admitidos por la LRJ (60). Con todo el acceso electrónico por los interesados al contenido de las actuaciones administrativas correspondientes, producirá los efectos propios de la notificación por comparecencia siempre que hubiera quedado constancia de dicho acceso.

---

(58)   Artículo 58 LRJ.

(59)   Que prevé el desarrollo reglamentario de la obligatoriedad de comunicarse con cada administración pública por medios electrónicos siempre que se trate de interesados con motivos acreditados y capacidad técnica y económica con acceso y disponibilidad de medios tecnológicos. Ver Ley 7/2007 artículo 27.6.

(60)   Por el artículo 59 de la LRJ que regula la práctica de la notificación. Las notificaciones se practicarán por cualquier medio que permita tener constancia de la recepción por el interesado o su representante, así como de la fecha, la identidad y el contenido del acto notificado. La acreditación de la notificación efectuada se incorporará al expediente.

Para que la se practique utilizando medios telemáticos se requerirá que el interesado haya señalado dicho medio como preferente o consentido expresamente su utilización, identificando, además la dirección electrónica correspondiente, que deberá cumplir con los requisitos reglamentariamente establecidos. En estos casos, la notificación se entenderá practicada, a todos los efectos legales, en el momento en que se produzca el acceso a su contenido en la dirección electrónica.

A la vista de todo ello puede concluirse que la ley considera que la Resolución y la notificación son actuaciones administrativas distintas con objeto y finalidad diferente y autónoma, tanto en el procedimiento administrativo normal como en el procedimiento electrónico, lo cual no significa que ambas puedan figurar en un mismo soporte documental. La inclusión de la notificación como parte del documento que contiene el acuerdo o la resolución, tiene la ventaja de conocer los efectos de aquella misma las actuaciones de la administración.

Los requisitos legales del contenido de toda notificación oficial de la administración pública pueden garantizarse en un solo acto documental evitándose la repetición de nuevo en el documento de notificación la reproducción del texto completo de la Resolución o Acuerdo, lo cual supone no solo un paso importante hacia la tendencia general de la administración a racionalizar y simplificar trámites procedimentales; pero además también asegura una serie de garantías adicionales para los interesados en lo que hace a la autenticidad de la notificación en los siguientes aspectos:

a) En relación con la firma o acreditación de la notificación por parte del titular del órgano emisor del acto objeto de notificación.

b) Sobre el cumplimiento del plazo legal, toda vez que puede cursarse notificación en el momento en que el titular del órgano competente firme la resolución.

c) La eliminación de notificaciones defectuosas por errores de transcripción.

La práctica de notificación puede llevarse a cabo bien mediante una persona que a estos efectos tienen la consideración de agente de la administración en esta diligencia o a través de un medio automático como el correo electrónico o el telefax. La LRJ permite la utilización de cualquier medio que permita la constancia de la recepción de la notificación además de la fecha en que se notifica, la identidad del interesado y el contenido del acto o circunstancia notificados. Cuando la notificación se lleva a cabo utilizando medios telemáticos, el interesado debe señalar dicho medio como preferente consintiendo expresamente su utilización, identificando además la dirección electrónica correspondiente. En estos casos la notificación se entiende practicada a todos los efectos en el momento en que tenga lugar el acceso consentido en la dirección electrónica. Por otro lado hay que entender que la notificación ha sido rechazada, cuando, a pesar de existir constancia de la recepción en la dirección electrónica, transcurran diez días naturales sin acceder a su contenido todo ello salvo que se compruebe efectivamente la imposibilidad técnica o material de llevara acabo el citado acceso.

Las notificación deben practicarse preferentemente en el domicilio que haya señalado el propio interesado; por otra parte las notificaciones no tienen que ser practicadas necesariamente en su domicilio habitual sino que tienen validez aunque se practiquen en cualquier otro lugar adecuado donde se tenga conocimiento que se encuentra el destinatario de la notificación y además pueda quedar constancia de la misma. También es posible practicar la notificación a personas distintas del interesado o a su representante, en concreto en la notificación practicada en el domicilio del interesado, si éste no se encuentra presente, podrá hacerse cargo de la notificación cualquier persona que se encuentre en el domicilio en cuestión y haga constar su identidad. Si nadie puede hacerse cargo de la notificación en el primer intento, la administración debe repetirlo en una hora distinta dentro de los tres días siguientes.

Por otra parte hay que tener en cuenta que el rechazo de la notificación por parte del interesado o su representante tiene como consecuencia que se tiene por efectuada la notificación y puede continuar el procedimiento correspondiente.

La LRJ exige que la acreditación de la notificación efectuada se incorpore al expediente administrativo donde deben constar entre otras circunstancias las siguientes:

— Que nadie ha podido hacerse cargo de la notificación practicada en el domicilio del interesado, así como el día y la hora en que fue intentada la notificación.

— Las circunstancias en las que se hubiera producido el rechazo de la notificación por el interesado o sus representantes.

Por otra parte las notificaciones administrativas electrónicas, la concesión de periodos de alegaciones o requerimientos de presentación de documentos por medios electrónicos en procedimiento administrativos por medios electrónicos iniciados de oficio no tendrán eficacia si no consta la aceptación del interesado la cual se entiende concedida cuando el mismo la hubiera otorgado expresamente o cuando, sin haberla otorgado, realice actos (61) que conlleven su otorgamiento.

15. EJECUCIÓN DE LA RESOLUCIÓN ADMINISTRATIVA

Una vez dictada y notificada la resolución, si la Administración tiene interés en ejecutar el acto utiliza los medios existentes para ello, pero si no está dispuesta a que el acto se lleve a efecto, la ejecución es una de las tareas más difíciles para el particular pues a la administración además de no costarle pleitear tienen muchas vías de diversión de sus obligaciones, pero estamos en un Estado de Derecho y el particular que tenga algún interés que defender puede, ante la pasividad de la Administración competente, tener en cuenta a las siguientes posibilidades:

a) Solicitar al superior jerárquico del órgano competente que ordene la ejecución del acto que es legalmente ejecutivo.

---

(61)   Artículo 35 de la Ley 11/2007 de Navarra.

b) En caso de actos administrativos que reconozcan derecho a prestación en favor de alguna persona, el interesado puede presentar reclamación previa y, transcurrido el plazo de un mes, interponer recurso contencioso-administrativo que se tramita por el procedimiento abreviado (62).

c) Dirigir escritos a la unidad competente recordando el deber legal de ejecutar la resolución, haciendo saber que se iniciará el correspondiente procedimiento para exigir responsabilidad patrimonial por funcionamiento anormal del servicio, así como el de responsabilidad personal del funcionario responsable.

Finalmente si, ante la pasividad del interesado, la Administración procede a la ejecución forzosa del acto, aquel debe comprobar si, efectivamente, ha existido notificación correcta del acto, con apercibimiento previo según exige la ley; si la Administración ha utilizado el medio idóneo de ejecución forzosa y, si el procedimiento seguido cumple los requisitos legales y el principio de proporcionalidad. En el caso de que todo se haya producido de modo adecuado todavía cabrá la posibilidad de impugnar el propio acto de ejecución.

---

(62)   Hay que tener en cuenta que toda inejecución del acto administrativo en estas condiciones constituye una lesión del derecho a la tutela judicial efectiva.

Capítulo 13

Interposición de recursos administrativos y reclamaciones

> La revisión en vía administrativa de los actos mediante la resolución de un recurso interpuesto implica que el control de dicho acto se lleva a cabo por el mismo órgano que lo produce; por ello no se trata de un control externo de los actos sino un mero control interno. La revisión de los actos en vía administrativa constituye una prerrogativa de la Administración para resolver por sí misma, con carácter previo a la vía judicial, las controversias que surjan entre ella y los particulares.

1. CONCEPTO Y REGULACIÓN LEGAL DE LOS RECURSOS ADMINISTRATIVOS

El recurso administrativo puede definirse como el acto con el que un sujeto legitimado pide a la Administración que revise una resolución administrativa (1), o excepcionalmente un acto de trámite, dentro de los plazos y con arreglo a las formalidades legales.

En la práctica los recursos administrativos se plantean por los particulares ante la Administración del mismo modo que las peticiones; sin embargo, hay varios elementos que diferencian ambas figuras administrativas:

La petición puede plantearse sin sujeción a plazos prefijados y no exige legitimación en quien la formula; además, se plantea para instar un acto administrativo inexistente hasta ese momento.

Por el contrario, el recurso administrativo se dirige a impugnar un acto administrativo preexistente y sólo puede plantearse por personas legitimadas para ello y dentro los plazos establecidos por la ley.

El recurso administrativo tiene una doble naturaleza:

---

(1) Un acto definitivo.

a) Por un lado constituye una garantía para el ciudadano, dado que es un medio para reaccionar contra las resoluciones administrativas perjudiciales.

b) Por otra parte también es una carga para el ciudadano (2), en la medida que constituye un trámite previo, preceptivo, para acudir a la vía judicial cuandom se reclama contra la Administración Pública.

En el sistema que, actualmente, regula los recursos administrativos en nuestro Derecho público, puede decirse que son actos que no han agotado la vía administrativa aquellos que requieren ser impugnados a través de un recurso de alzada antes de acudir a la vía judicial. Sin embargo los actos que han puesto fin a la vía administrativa (3) son inmediatamente recurribles en vía judicial.

Esta doble perspectiva hace que hayan gozado de mayor o menor favor del legislador (un criterio a favor de la garantía del ciudadano o de protección de la Administración) de este modo vemos leyes que incorporan una mayor preocupación garantista como la Ley 62/1978 de Protección de Derechos fundamentales de la persona que libera al administrado de la exigencia previa preceptiva de interposición de recurso administrativo y la propia Ley de la Jurisdicción Contencioso-Administrativa, actualmente en vigor, que dispensa de todo tipo de recurso o reclamación previos al proceso en los supuestos de inactividad o vía de hecho de la Administración.

En la práctica administrativa del reclamante se considera que, el verdadero privilegio de la Administración, no consiste tanto en condicionar el inicio del proceso contenciosos a la interposición previa de recurso administrativo, cuanto en la conversión de los mínimos plazos de interposición del recurso de alzada, un mes y contencioso-administrativo, dos meses, en auténticos plazos de prescripción de derechos sustantivos; pues, como quiera que la resolución administrativa funciona como un tipo de sentencia de primera instancia y el proceso contenciosos como un recurso de apelación contra aquella, resulta que no sirven de nada los plazos de prescripción del derecho material, si esos recursos no se interponen en los breves plazos citados, dado que la resolución gana firmeza y se convierte en definitiva, de manera que no cabe recurso alguno contra ella (4). Por ello se ha planteado la necesidad de suprimir los plazos de interposición de los recursos fijando el de interposición del recurso judicial contencioso-administrativo en un periodo mayor que podría ser, por ejemplo, de dos años.

2. CLASES DE RECURSOS

En Derecho Público español existen tres clases de recursos administrativos:

1. Los recursos comunes u ordinarios, entre los que se encuentran:

---

(2)   Un privilegio para la Administración.
(3)   El recurso de reposición tiene, actualmente, carácter voluntario en cualquier caso.
(4)   Salvo revisión.

a.   El Recurso de alzada y

b.   El Recurso de reposición.

2.   Los recursos especiales que solo proceden en los casos previstos en la ley que regule la materia específica entre ellos se encuentran:

a.   Las reclamaciones económico-administrativas existentes en el ámbito financiera que regula la Ley General Tributaria y el Reglamento General de Recaudación y

b.   Las reclamaciones e impugnaciones reguladas por leyes especiales.

3.   Recursos extraordinarios como el recurso de revisión que solo cabe contra actos administrativos que sean firmes.

Los recursos administrativos están regulados en la LRJ, norma estatal tiene carácter básico para todo el ordenamiento español. El Título VI de dicha ley contiene las disposiciones sobre revisión de actos en vía administrativa y dedica el Capítulo segundo a los recursos administrativos con cuatro secciones, la Sección primera contiene los principios generales que rigen los recursos administrativos, la segunda regula el recurso de alzada, la tercera el recurso de reposición y la cuarta el recurso de revisión.

El Recurso de alzada puede ser sustituido, mediante ley en aquellos sectores o supuestos en que la especialidad de la materia lo justifique, por otros procedimientos de impugnación, reclamación, conciliación, mediación y arbitraje, ante órganos colegiados o comisiones especiales no sometidas de instrucciones jerárquicas, con respecto a los principios, garantías y plazos que la LRJ reconoce a los ciudadanos e interesados en el procedimiento administrativo. El recurso de reposición también podrá ser sustituido con iguales requisitos y en las mismas condiciones teniendo en cuenta que los procedimientos deberán mantener el carácter potestativo para el interesado, por otra parte la aplicación de estos procedimientos en el ámbito de la Administración local no puede suponer el desconocimiento de las facultades resolutorias reconocidas por la ley a los órganos representativos electos.

Contra las disposiciones administrativas de carácter general (5) no caben recursos en vía administrativa. Los recursos contra un acto administrativo que se funde únicamente en la nulidad de alguna disposición administrativa de carácter general podrán interponerse directamente ante el órgano que dictó aquella disposición. Por otra parte la reclamaciones económico-administrativas se rigen por su normativa específica.

_____

(5)   Normativas.

3. PRINCIPIOS GENERALES DE LOS RECURSOS ADMINISTRATIVOS

Los recursos administrativos regulados por la LRJ se rigen por dos principios fundamentales:

a) Contra las resoluciones y actos de trámite, que determinen la imposibilidad de continuar el procedimiento o produzcan indefensión, los interesados pueden interponer el recurso de alzada y el recurso potestativo de reposición.

b) Contra los actos firmes en vía administrativa solo procede el recurso extraordinario de revisión cuando concurra alguna de las circunstancias previstas en el artículo 118 LRJ:

— Error de hecho que resulte del expediente

— Nuevos documentos que evidencien el error

— Que en la decisión que se recurre hubieran influido documentos falsos.

— Que dicha decisión fuera tomada mediante delito o conducta punible.

4. ELEMENTOS QUE COMPONEN LA PRÁCTICA DEL RECURSO ADMINISTRATIVO

Estos elementos hacen referencia al órgano competente de interposición, la materia recurrible con cada recurso, el modo de iniciación, los motivos por los que cabe interponer cada tipo de recurso, los efectos de la interposición, la ordenación e instrucción del procedimiento en vía de recurso y la terminación.

4.1. Órgano competente para resolver

La resolución de los recursos administrativos corresponde a un órgano o autoridad de la administración que dictó el acto recurrido:

a) En el recurso de Alzada es el superior jerárquico.

b) En los recursos de reposición y revisión es el mismo órgano que dictó el acto.

c) En los recursos especiales es el órgano especial que cada ley establezca por ejemplo los Tribunales Económico-administrativos.

La competencia legal para resolver recurso administrativos puede delegarse en otros órganos subordinados siempre y cuando éstos no hayan dictado los actos recurridos.

4.2. Materia recurrible

1.º) Son recurribles en vía administrativa los siguientes actos administrativos:

a) Las Resoluciones pongan o no fin a la vía administrativa.

b) Los actos de trámite llamados (cualificados) si:

— Deciden directa o indirectamente el fondo del asunto.

— Determinan la imposibilidad de continuar el procedimiento.

— Causan un perjuicio irreparable a los derechos e intereses que se ventilan en el procedimiento.

— Producen indefensión.

c) Los actos firmes en vía administrativa (mediante el recurso de revisión).

2.º) No cabe recurso en vía administrativa contra las resoluciones administrativas de carácter general ya que se trata de normas jurídicas

Además los actos administrativos que pongan fin a la vía administrativa son susceptibles de recurso contencioso-administrativo y también de recursos de reposición (voluntario). Las disposiciones administrativas de carácter general (normas reglamentarias) solo son susceptibles de recurso contencioso-administrativo.

Ponen fin a la vía administrativa

A. En la Administración estatal

a)   Artículo 109 LRJ.

— Las resoluciones de recursos de alzada

— Las resoluciones de procedimientos de recurso creados por Ley especial.

— Las resoluciones de órganos administrativos que carezcan de superior jerárquico (salvo que por Ley se establezca lo contrario)

— Las demás resoluciones de órganos administrativos cuando lo establezca una disposición legal o reglamentaria.

b)   Disposición Adicional 15.ª LOFAGE

— Los actos administrativos de los miembros y órganos del Gobierno

— En la Administración General del Estado:

- Los actos de ministros y Secretarios de Estado en ejercicio de propias competencias.

- Los de Directores Generales o asimilados en materia de personal.

— En los Organismos Públicos de la AGE los actos emanados de sus máximos órganos de dirección de acuerdo con su propia normativa, salvo que una ley establezca lo contrario.

B. En la administración autonómica

Para conocer las resoluciones de órganos autonómicos que ponen fin a la vía administrativa es preciso además examinar los que dispone la normativa específica, sobre esta materia, en cada Comunidad Autónoma, con carácter general pondrán fin a la vía administrativa:

— Las resoluciones del órgano superior de Gobierno y las de su presidente.

— Las resoluciones de los Consejeros, salvo que la ley otorgue recurso de alzada.

— Las resoluciones de los Viceconsejeros, Secretarios Generales y directores generales en materia de personal.

— Las resoluciones de órganos inferiores en los casos en que resuelvan por delegación de otro órgano cuyas resoluciones pongan fin a la vía administrativa.

— Las demás resoluciones dictadas en los recursos de alzada.

C. En la administración local

Resoluciones del Pleno de la Corporación, del Alcalde, Presidentes, Comisiones y Juntas de Gobierno local, así como los dictados por autoridades y órganos inferiores que resuelvan por delegación de los anteriores.

4.3. Iniciación del procedimiento de recurso

El procedimiento en vía de recurso se inicia con la interposición del recurso.

El escrito de interposición debe contener los siguientes elementos:

1.º El nombre y apellidos del recurrente, así como la identificación del medio y, en su caso, del lugar que se señale a efectos de practicar notificaciones.

2.º El acto que se recurre y la razón de su impugnación

3.º Lugar, fecha firma e identificación del recurrente.

4.º Órgano, centro o unidad administrativa al que se dirige el recurso.

5.º Las demás particularidades exigidas, en su caso, por las disposiciones específicas que recule cada recurso especial.

La falta de alguno de estos elementos no determina su inadmisión, salva que la falta impida su tramitación; además el error del recurrente en la calificación del recurso no debe ser obstáculo para su correcta tramitación, siempre que, del escrito se deduzca su verdadero carácter (6).

En todo caso antes de rechazar un recurso por defectos de forma debe concederse, al recurrente, un plazo de diez días para que pueda subsanar los defectos.

Se llama escrito de interposición pero en la práctica es un escrito de interposición y alegaciones pues en el mismo se incluyen las razones de hecho y derechos en que se apoya el recurrente respecto a lo que hay que tener en cuenta que la ley dispone que los vicios o efectos que hagan anulable un acto no pueden ser alegados por quienes los hubiesen causado.

4.4. Motivos de interposición

El fundamento o causa general para la interposición del recurso es diferente según sea el tipo de recurso:

a) En los casos de recurso de alzada y reposición, la interposición puede fundamentarse en cualquiera de los motivos de nulidad o anulabilidad previstos en la LRJ (7):

— Son nulos de pleno derecho los actos administrativos

— Que lesionen derechos y libertades susceptibles de amparo constitucional.

— Los dictados por órgano incompetente por razón de materia o territorio.

— Los de contenido imposible.

— Los constitutivos de infracción penal o dictados como consecuencia de ella.

— Los dictados prescindiendo del procedimiento o de las normas establecidas para tomar la decisión.

— Los contrarios al ordenamiento jurídico por los que se adquieran facultades o derechos cuando se carezca de los requisitos esenciales para su adquisición.

---

(6)   STS 25.9.1976.
(7)   LRJ arts.62 y 63.

— Cualquier otro que se establezca por Ley.

— Son anulables los actos administrativos que incurran en cualquier infracción del ordenamiento jurídico, incluso la desviación de poder.

El defecto deforma hace anulable el acto cuando haga que el acto carezca de los requisitos formales indispensables para alcanzar su fin o de lugar a indefensión de los interesados

La realización de actuaciones administrativas fuera de plazo solo hace anulable el acto cuando así lo establezca la naturaleza del plazo.

b) En caso de revisión, el recurso solo puede fundarse en alguna de las circunstancias del artículo 118 LRJ:

— Error de hecho que resulte del propio expediente.

— Documentos nuevos que evidencien el error.

— Que en la resolución influyeran documentos declarados falsos.

— Decisión tomada mediante delito o conducta punible.

4.5. Efectos prácticos de la interposición

La interposición de un recurso administrativo tiene como efectos prácticos:

a) Interrumpe el proceso de adquisición de firmeza del acto recurrido.

b) Coloca a la Administración en el deber de pronunciarse expresamente sobre su legalidad.

Por el contrario la no interposición de recurso en plazo determina la firmeza de la resolución, sin perjuicio de que proceda la revisión de oficio o el recurso de revisión.

Efectos respecto a la suspensión de la ejecución

La interposición de recurso administrativo no produce ningún efecto sobre la ejecución del acto administrativo que debe seguir adelante a pesar del recurso, salvo que una disposición establezca lo contrario (8).

Sin embargo la suspensión puede ser acordada, de oficio o a petición del recurrente, previa ponderación razonada y comparada entre el perjuicio que causaría

---

(8)   LRJ art. 111.

la suspensión y el que causaría la eficacia inmediata del acto recurrido, teniendo en cuenta las circunstancias siguientes:

— Que la ejecución podría causar perjuicios de imposible o difícil reparación.

— Que la impugnación se fundamente en alguna de las causas de nulidad de pleno derecho que enumera la LRJ (9).

La suspensión puede acordarse expresa o tácitamente puesto que debe entenderse concedida si transcurre un plazo de treinta días desde la presentación de la solicitud de suspensión sin que se hubiese dictado resolución expresa.

La suspensión concedida, de forma expresa o tácita, mantiene su eficacia aunque el recurso sea desestimado con posterioridad.

El órgano que decida sobre la suspensión del acto debe decidir sobre la adopción de medidas cautelares necesarias para asegurar la protección del interés público o de terceros y la eficacia del acto impugnado.

Cuando el recurso impugne un acto administrativo, que afecte a una pluralidad indeterminada de personas, la suspensión de su eficacia debe ser publicada en el mismo Diario Oficial en que el acto fuera publicado, en su día.

Con todo la suspensión de efectos del acto alcanzada por silencio administrativo puede quedar sin efecto si el órgano que acuerda la suspensión impone medidas cautelares excesivas que no estén al alcance razonable del recurrente.

El Tribunal Constitucional ha declarado que la Administración debe ejecutar sus actos cuando hayan agotado la vía administrativa, siendo recurribles en vía judicial.

4.6. Ordenación e instrucción del procedimiento de recurso

Son aplicables las reglas generales de ordenación del procedimiento administrativo:

a) Impulso de oficio y orden en la tramitación.

b) Celeridad

c) Cumplimiento de trámites por los interesados en el plazo máximo de diez días desde notificación.

d) No suspensión por planteamiento de cuestiones incidentales, salvo casos de recusación.

---

(9)   LRJ art. 62.

La resolución del recurso puede ir precedida de diversas actuaciones, puede abrirse un periodo de prueba, solicitud de informes, etc.

Respecto a la instrucción hay que tener en cuenta tres reglas:

1. Los nuevos hechos o documentos que se tengan en cuenta en el expediente deben ponerse de manifiesto a los interesados para alegaciones en plazo entre diez y quince días. En la resolución de los recursos no puede tenerse en cuenta, hechos, documentos o alegaciones del recurrente no aportados en el trámite de alegaciones si pudo hacerlo entonces.

2. Cuando haya otros terceros interesados en el recurso la ley dispone la necesidad de que sean legalmente notificados de la existencia del recurso y si comparecen en el procedimiento, se les debe dar traslado del expediente de recurso para que en plazo de entre diez y quince días formulen alegaciones. La omisión del trámite de audiencia de terceros interesados en el recurso determina la invalidez de la resolución del recurso que puede pedirse en vía contencioso-administrativa.

3. Antes de la resolución del recurso puede tener lugar la vista y audiencia del recurrente, tramite que solo resulta preceptivo cuando en la resolución del recurso hayan de tenerse en cuenta nuevos hechos o documentos no recogidos en el expediente originario (10).

A este respecto la LRJ establece que no tienen el carácter de documentos nuevos los informes, las propuestas ni los documentos que los interesados hayan aportado al expediente antes de recaer la resolución impugnada. La opinión tanto de la práctica administrativa como de la doctrina académica es contraria a que no se considere a los informes como documentos nuevos a efectos de ponerlos de manifiesto a los interesados dado que el contenido de los informes forma parte del expediente y en muchas ocasiones tienen una influencia decisiva en la propuesta de resolución, por ello no parece adecuada la exclusión del conocimiento de los interesados.

4.7. Terminación del procedimiento en vía de recurso

La terminación del procedimiento en vía de recurso puede ser normal o anormal:

a) La terminación normal tienen lugar con la resolución del recurso que puede ser expresa u presunta.

La resolución expresa puede adoptar tres tipos de acuerdo:

---

(10)   El que dio lugar al acto recurrido.

— Estimar el recurso en todo o en parte.

— Desestimar las pretensiones formuladas en el recurso.

— Declarar la inadmisión del recurso.

Si no se estima procedente resolver sobre el fondo del recurso porque existe vicio de forma, debe ordenarse la retroacción del procedimiento al momento en que el vicio fue cometido salvo que se trate de un vicio susceptible de convalidación.

La resolución debe decidir todas las cuestiones de fondo y forma que plantee el procedimiento, hayan sino o no alegadas por el recurrente y otros interesados, además la resolución debe ser congruente con las peticiones formuladas por el recurrente y en ningún caso puede agravar la situación previa al planteamiento del recurso (prohibición de la *reformatio in peius*).

Respecto de la resolución presunta la regla general es que el silencio administrativo en el procedimiento en vía de recurso se entiende desestimatorio o negativo salvo que la resolución recurrida hubiese sido presuntamente desestimatoria y el recurso se vuelva a resolver por silencio administrativo.

Los plazos para entender que hay silencio administrativo:

— En el recurso de alzada tres meses sin que recaiga resolución.

— En el recurso de reposición un mes sin que recaiga resolución

— En el recurso de revisión tres meses sin que recaiga resolución.

b) Terminación anormal

La terminación anormal tiene lugar mediante la renuncia el desistimiento y la caducidad del recurso que se rigen por las normas aplicables al procedimiento general.

Todo interesado puede:

— Desistir de su solicitud.

— Renunciar a sus derechos siempre que no lo prohíba le ley

Tanto el desistimiento como la renuncia pueden hacerse por cualquier medio que permita su constancia y la Administración declara concluido el procedimiento salvo que haya terceros interesados que pidan la continuación.

En los procedimientos iniciados a solicitud de interesado en los que se produzca la paralización imputable al mismo, la Administración debe advertirle expresamente que transcurridos tres meses se producirá la caducidad del mismo, además contra la resolución que declare la caducidad del procedimiento pueden interponerse los recursos pertinentes.

Acceso a la vía contencioso-administrativa:

a. plazo es de seis meses a Cuando haya resolución expresa, el plazo para interponer recurso contencioso-administrativo es de dos meses desde la notificación de aquella.

b. Cuando haya habido resolución presunta por silencio administrativo del recurso el contar desde el día en que s entiende que hay silencio administrativo.

5. RECURSOS Y RECLAMACIONES EN PARTICULAR

5.1. Recurso de alzada

Regulado en los artículos 114 y 115 de LRJ.

A) Actos contra los que cabe alzada:

• Contra actos definitivos, resoluciones expresas y presuntas

• Contra actos de trámite cualificados:

— Que decidan el fondo del asunto.

— Determinen la imposibilidad de continuar el procedimiento.

— Produzcan indefensión.

— Causen perjuicio irreparable.

B) Motivos de interposición

— Los de nulidad de pleno derecho artículo 62 LRJ

— Los de anulabilidad artículo 63 LRJ

C) Plazos de interposición de alzada

— Contra un acto expreso un mes desde el día siguiente al de notificación o publicación, en su caso, del mismo.

— Contra un acto presunto tres meses a partir del día siguiente al día en que se producen los efectos del silencio.

D) Plazos de resolución

El plazo máximo para dictar y notificar resolución es de tres meses desde su interposición.

E) órgano de interposición

Hay dos posibilidades de interposición del recurso de alzada:

— Cabe interponerlo ante el órgano que dictó el acto que se impugna el cual de remitirlo, en el plazo de diez días, al órgano superior competente para resolver. (Debe acompañar informe y una copia completa y ordenada del expediente) el órgano es responsable de este trámite.

— También cabe interponerlo directamente ante el órgano superior jerárquico, que requerirá informe del órgano que dictó el acto y dictará resolución.

F) órgano de resolución

El órgano de resolución es el superior jerárquico del que dictó el acto que se recurre.

G) Efectos de la interposición del recurso de alzada

Transcurridos tres meses sin resolución expresa el recurso se entiende desestimado, excepto que se interpusiera contra una desestimación presunta del procedimiento originario en cuyo caso se entenderá estimado.

Contra la resolución de un recurso de alzada no cabe ningún recurso administrativo salvo el de revisión, en su caso.

5.2. Recurso de reposición

Los actos que pongan fin a la vía administrativa pueden ser recurridos potestativamente en reposición, ante el mismo órgano que los hubiera dictado o ser impugnados directamente ante la jurisdicción contencioso-administrativa.

A) Tipos de actos recurribles: Los actos que pongan fin a la vía administrativa.

B) Motivos de interposición:

— Los de nulidad del artículo 62 LRJ.

— Los de anulabilidad del artículo 63 LRJ.

C) Plazos de interposición de reposición

— Contra un acto expreso: un mes desde el día siguiente al de notificación o publicación del acto.

— Contra un acto presunto: tres meses a partir del día siguiente a aquel en que se producen los efectos del silencio.

D) órgano de interposición y resolución

Ante el mismo órgano administrativo que dictó el acto objeto del recurso Plazo máximo para dictar y notificar resolución será de un mes.

E) efectos de interposición

No puede interponerse recurso contencioso-administrativo hasta que sea resuelto expresamente o se produzca desestimación presunta por silencio administrativo del recurso de reposición.

Transcurridos los plazos de interposición solo podrá interponerse recurso contencioso-administrativo, sin perjuicio, en su caso, de la procedencia del recurso extraordinario de revisión en los casos que corresponda.

Contra la resolución del recurso no podrá interponerse, de nuevo, recurso de reposición.

5.3. Recurso de revisión

Es un recurso extraordinario contra actos firmes en vía administrativa y solo cabe en casos tasados por la ley.

A) Motivos de revisión

Solo en caso de actos firmes en vía administrativa cuando concurra alguna de las circunstancias siguientes:

— Que al dictar el acto se hubiera incurrido en error de hecho que resulte del propio expediente administrativo. En la regulación actual la LRJ no exige que el error sea manifiesto, por lo que, es posible, por esta vía pedir cualquier revisión sobre los hechos. Por ello este motivo acerca mucho el recurso de revisión al recurso común, pues siempre que exista una discrepancia sobre los hechos deberá darse vía a la revisión, siempre que el acto sea firme.

— Que aparezcan documentos de valor esencial para la resolución que evidencien el error de hecho. No es más que una variante del motivo anterior.

— Que en la resolución hubieran influido documentos declarados falsos por sentencia firme anterior o posterior a la resolución

— Que la resolución se hubiese dictado como consecuencia de prevaricación, cohecho, violencia, maquinación fraudulenta u otra conducta punible y se haya declarado así por sentencia firme.

Se ha dicho que la regulación del recurso de revisión que contiene la LRJ incluye una considerable flexibilidad de motivos que, en la práctica, han dado al recurso de revisión posibilidades de recurso común no jerárquico que permite el controlo a posteriori de las cuestiones de hecho sobre las que se asiente la resolución recurrida, teniendo en cuenta sobre todo que este recurso puede interponerse con plazos muy amplios, como el de cuatro años desde la notificación si se funda en el primer motivo enumerado.

B) Plazos de interposición:

— Cuatro años siguientes a la fecha de notificación de la resolución impugnada, cuando se trate de actos que al dictarlos se haya incurrido en un error de hecho

— Tres meses desde el conocimiento de los documentos o desde que la sentencia judicial sea firme en los demás supuestos

Lo dispuesto en esta cuestión no perjudica el derecho de los interesados a formular solicitud e instancia de las revisiones y revocaciones de las disposiciones y actos nulos, ni su derecho a que los mismos se sustancien y resuelvan.

El órgano competente para la resolución del recurso podrá acordar motivadamente la inadmisión a trámite, sin necesidad de recabar dictamen del Consejo de Estado u órgano consultivo de la Comunidad Autónoma, cuando el mismo no se funde en alguna de las causas previstas o en el supuesto de que se hubieses desestimado en cuanto al fondo otros recursos sustancialmente iguales.

C) Plazo de resolución: Máximo tres meses desde su interposición.

El órgano al que corresponda conocer del recurso extraordinario de revisión debe pronunciarse no solo sobre la procedencia del recurso, sino también, en su caso, sobre el fondo de la cuestión resuelta por el acto recurrido.

D) Órgano de interposición y resolución: el mismo que dictó el acto.

E) Efectos de interposición

Transcurrido el plazo de tres meses desde la interposición del recurso extraordinario de revisión sin haberse dictado y notificado, se entenderá desestimado, quedando expedita la vía jurisdiccional contencioso-administrativa.

6. RECLAMACIONES PREVIAS A LA VÍA JUDICIAL CIVIL Y LABORAL

Las controversias judiciales que se originan cuando la administración actúa en relaciones de Derecho privado se materializan ante las jurisdicciones civil y laboral; pero antes de acudir a estas jurisdicciones para demandar a la Administración, la ley exige que se reclame previamente a ésta.

Estas reclamaciones son una manifestación de la posición especial de privilegio que ostenta la administración en sus relaciones de carácter judicial.

La reclamación previa es una técnica que sustituye al acto de conciliación en los procesos civiles y de los recursos administrativos en el contenciosos-administrativo.

Estas reclamaciones previas constituyen un requisitos previo para el ejercicio de toda clase de acciones fundadas en Derecho privado o laboral contra el estado y Organismos autónomos lo que hay que entenderlo referido a las Comunidades Autónomas, Entidades Locales y Organismos públicos dependientes de ellas.

Por tanto la reclamación previa es un trámite obligatorio cuando la Administración sea demandada en vía civil o laboral.

Regulación legal

La LRJ regula estas reclamaciones disponiendo que si planteada una reclamación ante las Administraciones públicas no ha sido resuelta y no ha transcurrido el plazo para entenderla desestimada, no puede plantearse la misma pretensión ante la jurisdicción competente hasta que la reclamación administrativa sea resuelta de modo expreso o presunto (11).

Una vez planteada la reclamación previa se interrumpen los plazos para ejercicio de acciones judiciales que volverán a contarse desde la resolución o desde que deba entenderse desestimada la reclamación previa.

6.1. Reclamación previa a la vía judicial civil

A)Fase de Inicio.

El escrito de inicio se dirige al órgano competente de la Administración (Ministro, Consejero, Alcalde, Presidente de Organismo Público, etc.).

La reclamación puede presentarse en cualquiera de los lugares previstos por la ley para la presentación de escritos y solicitudes.

B)Fase de Instrucción y Resolución.

El órgano ante el que se presentó la reclamación lo remite al órgano competente en plazo de cinco días, con todos los antecedentes que practica las actuaciones precedentes.

La Resolución se notifica al interesado en plazo de tres meses y éste podrá considerar desestimada su reclamación al efecto de formular la correspondiente demanda judicial.

---

(11)   LRJ arts. 120 a 126.

6.2. Reclamación previa a la vía laboral

Tramitación y Resolución

Debe dirigirse al jefe administrativo o director del establecimiento u organismo en que el trabajador preste sus servicios.

La Resolución debe dirigirse al interesado en el plazo de un mes desde la interposición.

Transcurrido el plazo sin que se haya notificado resolución alguna, el trabajador podrá considerar desestimada la reclamación a efectos de la acción judicial laboral.

No es preceptivo plantear esta reclamación previa en los siguientes procesos laborales (art. 70 Texto refundido Ley Procedimiento Laboral:

— Los relativos al disfrute de vacaciones.

— Los de materia electoral.

— Los procesos iniciados de oficio.

— Los de impugnación de convenios colectivos.

— Los de impugnación de estatutos sindicales.

— Los de tutela de la libertad sindical.

— Las reclamaciones contra el Fondo de Garantía Salarial.

Las reclamaciones del personal civil no funcionario de la Administración militar se rigen por disposiciones especiales.

7. FORMULARIOS PRÁCTICOS SOBRE RECURSOS

7.1. Recurso de alzada

7.1.1. Regulación legal

Artículos 107, 110, 114 y 115 de LRJ.

7.1.2. Modelo

D./Dña. [.../...], actuando en su propio nombre y derecho, con domicilio a efectos de notificaciones en [.../...] a V.E./V.I. me dirijo, y como mejor proceda en Derecho

DIGO:

Que con fecha [.../...] se me ha notificado la Resolución de (Autoridad o funcionario que ha dictado el acto o resolución) [.../...] de fecha [.../...] por la que [.../...]

Que de conformidad con lo dispuesto en los artículos 114 y concordantes de la Ley de Régimen Jurídico de las Administraciones Públicas y del Procedimiento Administrativo Común, vengo a interponer, en tiempo y forma RECURSO DE ALZADA, que baso en las siguientes

ALEGACIONES

Primera.—De los antecedentes [.../...]

Segunda.—

Tercera.—(Los fundamentos del recurso ordinario son cualquiera de las causas de nulidad y anulabilidad previstas en los arts. 62 y 63 de la LRJ.

Cuarta.—

Etc.

Es por lo expuesto que a [.../...]

SUPLICO:

Tenga por presentado este escrito junto a los documentos que se acompañan y por interpuesto, en tiempo y forma RECURSO DE ALZADA contra la Resolución de [.../...] dictada con fecha [.../...] por la que [.../...] y en virtud de lo expuesto declare la nulidad/anulación de la misma (y, en su caso reconozca el derecho del/ de la que suscribe a [.../...])

En [.../...] a [.../...] de [.../...] de 200[.../...]

(lugar, fecha y firma o identificación del recurrente, o su representante)

* (Inclusión potestativa).

OTROSÍ DIGO:

Que mediante el presente escrito vengo a solicitar la suspensión de la ejecución del acto/resolución impugnada/ ya que la ejecución de la misma podría causar daños de imposible o difícil reparación puesto que [.../...] (debe justificarse el tipo de daños y la imposibilidad de la reparación de los mismos)

Es por lo expuesto que a [.../...]

SUPLICO:

Tenga por hecha la anterior manifestación y en su virtud decrete la suspensión solicitada

En [.../...] a [.../...] de [.../...] de 200[.../...]

(lugar, fecha y firma o identificación del recurrente o de su representante)

Sr./Sra. [.../...]

7.2. Recurso potestativo de reposición

7.2.1. *Regulación legal*

Artículos 107, 110, 116 y 117 de la LRJ.

7.2.2. *Modelo*

D./Dña. [.../...] actuando en su propio nombre y derecho, con domicilio a efectos de notificaciones en [.../...], a [.../...] me dirijo y como mejor proceda,

DIGO:

Que con fecha [.../...] se dictó por [.../...] Resolución por la que [.../...]. Dicha resolución pone fin a la vía administrativa.

Que mediante el presente escrito, al amparo de los arts. 116 y 117 de la Ley 30/1992, vengo a interponer RECURSO DE REPOSICIÓN previo al contencioso-administrativo contra dicha Resolución, recurso que fundamento en las siguientes

ALEGACIONES

Primera.—De los antecedentes [.../...]

Segunda.—Del cumplimiento del resto de requisitos para recurrir

(Habrá de justificarse fundamentalmente la causa del Recurso, el agotamiento de la vía administrativa y el plazo de interposición).

Tercera.—(Razones que fundamentan, el recurso, particularmente las causas de nulidad o anulabilidad de los arts. 62 y 63 de la Ley 30/1992).

Es por lo expuesto que a [.../...]

SUPLICO:

Tenga por presentado este escrito junto con los documentos que al mismo se acompañan y, en su virtud tenga por interpuesto en tiempo y forma RECURSO DE REPOSICIÓN contra la Resolución de [.../...] dictada con fecha [.../...] por la que

[.../...] y estimando el recurso, anule dicha Resolución y (en su caso), reconozca el derecho del que suscribe a [.../...]

En [.../...] a [.../...] de [.../...] de[.../...]

(lugar, fecha y firma o identificación del recurrente o su representante)

Sr./Sra. [.../...] (órgano que dictó la Resolución que se recurre)

7.3. Recurso extraordinario de revisión

7.3.1. Regulación legal

Artículos 108, 110 y 118 y 119 de la LRJ.

7.3.2. Modelo

D./Dña. [.../...] actuando en su propio nombre y derecho, con domicilio a efectos de notificaciones en [.../...] a [.../...] me dirijo, y como mejor proceda,

DIGO:

Que con fecha [.../...] se dictó por [.../...] Resolución por la que [.../...]. Dicha resolución agotaba la vía administrativa y es hoy firme (por no haberse interpuesto recurso alguno frente a la misma/ o por haberse desestimado el que en su momento se interpuso)

Que mediante el presente escrito vengo a interponer RECURSO DE REVISIÓN, fundado en el artículo 118.1, de la Ley de Régimen Jurídico de las Administraciones Públicas y del Procedimiento Administrativo Común, recurso que se basa en las siguientes

ALEGACIONES

Primera.—De los antecedentes [.../...]

Segunda.—Del cumplimiento del resto de requisitos legales.

(Fundamentalmente la causa del recurso y el plazo de interposición.)

Tercera.—

Cuarta.—

(Explicitar las razones en que se apoya el motivo de revisión alegado, acompañando, en su caso, los documentos o sentencias a que se refiere el artículo 118.1, en apoyo de la pretensión que se deduce.)

Es por lo expuesto que a [.../...]

SUPLICO:

Tenga por presentado este escrito junto con los documentos que al mismo se acompañan y, en su virtud tenga por interpuesto en tiempo y forma RECURSO DE REVISIÓN contra la Resolución de [.../...] dictada con fecha [.../...] por la que [.../...] y estimando el citado recurso, anule dicha Resolución y (en su caso), reconozca el derecho del que suscribe a [.../...]

En [.../...] a [.../...] de [.../...] de 200[.../...]

(lugar, fecha y firma o identificación del recurrente o su representante)

Sr./Sra. [.../...] (órgano administrativo que dictó la Resolución recurrida)

7.4. Solicitud de suspensión

7.4.1. Regulación legal

Artículo 111 de la LRJ.

7.4.2. Modelo

D./Dña. [.../...] actuando en su propio nombre y derecho, en el recurso interpuesto ante ese (Centro Directivo, órgano administrativo o unidad administrativa), contra [.../...] como mejor proceda,

DIGO:

Que con fecha [.../...] interpuse RECURSO DE ALZADA contra [.../...] a fin de que [.../...]

Que al amparo de lo establecido en el Artículo 111 de la LRJ vengo a solicitar la suspensión del acto/resolución impugnado, solicitud que baso en las siguientes

ALEGACIONES

Primera.—

Segunda.—(La suspensión puede solicitarse cuando la ejecución cause daños de imposible o difícil reparación o cuando la impugnación se funde en alguna de las causas de nulidad de pleno derecho) [.../...]

Tercera.—

Es por lo expuesto que a [.../...]

SUPLICO:

Tenga por presentado este escrito y por solicitada la suspensión del acto/resolución que se recurre y en virtud de lo expuesto decrete la suspensión solicitada.

En [.../...] a [.../...] de [.../...] de 200[.../...]

(lugar, fecha y firma)

Sr./Sra. [.../...] (Órgano administrativo o unidad que esté tramitando el recurso).

7.5. Reclamaciones previas al ejercicio de acciones civiles y laborales

7.5.1. *Reclamación previa a la vía judicial civil*

7.5.1.1. Regulación legal

De carácter general, los artículos 120 y 121 de la LRJ.

Específicamente, los artículos 122,123 y 124 de la LRJ.

7.5.1.2. Modelo

D./D.ª [.../...] actuando en su propio nombre y derecho, con domicilio a efectos de notificaciones en [.../...] comparezco y como mejor proceda,

DIGO:

Que mediante el presente escrito vengo a interponer RECLAMACIÓN PREVIA A LA VÍA JURISDICCIONAL CIVIL y a la acción de [.../...] a fin de que [.../...], reclamación que baso en las siguientes:

ALEGACIONES

Primera.—De los antecedentes [.../...]

Segunda.—

Tercera.—

Cuarta.—

Es por lo expuesto que a [.../...]

SUPLICO:

Tenga por presentado este escrito y por formulada RECLAMACIÓN PREVIA A LA VÍA JURISDICCIONAL CIVIL y a la acción de [.../...] y con estimación de la misma declare (o reconozca) [.../...]

En [.../...] a [.../...] de [.../...] de 200[.../...]

(lugar, fecha y firma)

Sr./Sra. [.../...] (Autoridad o funcionario que sea competente. En el ámbito de la Administración General, el Ministro del Departamento que por razón de la materia sea competente)

7.5.2.   Reclamación previa a la vía judicial laboral

7.5.2.1.   Regulación legal

De carácter general, los Artículos 120 y 121 de la LRJ.

De carácter específico, los Artículos 125 y 126 de la LRJ.

Asimismo los preceptos citados son concordantes con los Artículos 69 a 73 de la Ley de Procedimiento Laboral.

7.5.2.2.   Modelo

D./D.ª [.../...] actuando en su propio nombre y derecho, con domicilio a efectos de notificaciones en [.../...], como mejor proceda, comparezco y DIGO:

Que mediante el presente escrito vengo a interponer RECLAMACIÓN PREVIA A LA VÍA JUDICIAL LABORAL y a la acción de [.../...] a fin de que se reconozca [.../...], reclamación que baso en las siguientes

ALEGACIONES

Primera.— De los antecedentes [.../...]

Segunda.—

Tercera.—

Cuarta.—

Es por lo expuesto que a (VE., VI. o Vd., según proceda)

SUPLICO:

Tenga por presentado este escrito y por interpuesta RECLAMACIÓN PREVIA A LA VÍA JUDICIAL LABORAL y a la acción de [.../...] y con estimación de la misma reconozca (o declaro) [.../...]

En [.../...] a [.../...] de [.../...] de [.../...]

(lugar, fecha y firma)

Sr./Sra. [.../...] (Jefe administrativo, Director del establecimiento u Organismo)

Capítulo 14

Régimen jurídico de la inactividad de la Administración Pública

En este capítulo examinamos el régimen jurídico de la inactividad de la Administración Pública en su sentido específicamente jurídico, la definición debe partir de la posición institucional otorgada a la Administración por las reglas y principios asentados en nuestro Ordenamiento Jurídico, de manera que puede darse una definición de inactividad administrativa que parta de un presupuesto de hecho que es que las Administraciones Públicas tienen jurídicamente regulada su actividad en cuanto representa la manifestación del poder público sujeto a Derecho. En consecuencia la inactividad de la Administración podemos definirla como la omisión por la Administración Pública de cualquier actividad jurídica o material legalmente debida y materialmente posible; el deber legal de resolver en plazo y las diversas consecuencias jurídicas de la falta de resolución en plazo, así como los aspectos principales relativos al control jurisdiccional de la inactividad indebida de las Administraciones Públicas. En este capítulo se analizan, además, las figuras de la caducidad en la instancia y otros efectos de la inactividad administrativa ilegal como la responsabilidad de empleados públicos y autoridades y la responsabilidad patrimonial de la Administración pública; también se examina la operativa de la prescripción en estos casos y el control judicial de la inactividad con los supuestos que se plantean en los diferentes procedimientos que regula la Ley de la Jurisdicción Contencioso-administrativa (1)

1. INTRODUCCIÓN

El concepto de inactividad puede diseñarse con tres elementos:

a) Uno material: Supone la constatación de una situación de pasividad o inercia de la Administración;

b) Otro formal: Consistente en la omisión de un deber legal de obrar o actuar y

---

(1) Ley 29/1998 reguladora de la Jurisdicción Contencioso-administrativa.

c)   Finalmente un elemento habilitante que presupone la inexistencia de impedimento físico-material para efectuar la actividad.

De este modo el deber jurídico de actuar de la Administración Pública está sólidamente vinculado con el carácter irrenunciable de las competencias administrativa lo cual somete a la Administración al deber legal de ejercitar las competencias cuando se presenta el supuesto de hecho contemplado por las normas que las regulan. La concreción de los deberes y cometidos a que se encuentra sujeta la Administración se efectúa a través de las leyes y sus normas de desarrollo, por ello, como ha reconocido el Tribunal Supremo la Administración no queda exenta de responsabilidad desde el momento en que un deber de actuación se ha concretado e individualizado en una materia determinada siempre que los deberes de la Administración se encuentren clara y legalmente definidos.

Podemos adelantar que omisión de la actividad debida de la Administración consiste en la falta de cumplimiento del deber de obrar y puede tratarse de una omisión del deber de dictar un acto jurídico o del deber de desarrollar una determinada actividad de medios o resultados, entendiéndose ambos supuestos uno como una inactividad formal en un caso, y otro como una inactividad material de actuaciones concretas previstas. La inactividad formal por su parte, puede ser normativa, convencional o singular; en la primera se incumple la obligación de aprobar el desarrollo reglamentario de una ley; en la convencional hay ausencia de una actividad conjunta con otro sujeto de derecho y, en la singular existe ausencia de actividad jurídica administrativa, es decir de efectuar la tramitación de las actuaciones o procedimientos administrativos pertinentes y de dictar el acto jurídico administrativo resolutorio que corresponda.

No hay inactividad sólo porque la Administración no actúe. La profunda publificación de nuestra sociedad y el papel relevante de las Administraciones públicas, en la actualidad, supone, muchas veces, un exceso de confianza en su capacidad de intervención y con frecuencia imputamos a la pasividad de la Administración la producción de situaciones, problemas y conflictos que no le corresponde resolver. En términos jurídicos, pues, dejando a un lado otro orden de consideraciones morales, políticas o ideológicas, lo relevante no es que la Administración pública no actúe, sino que deje de actuar cuando legalmente tiene el deber de hacerlo. En consecuencia el concepto de inactividad administrativa define un conjunto de situaciones contrarias a la Ley y caracterizadas por un elemento de hecho: ausencia de actividad, pasividad o inercia de la Administración y otro de Derecho: existencia de un deber legal de obrar o actuar que permita imputar, válidamente, a la Administración esta omisión o falta de actuación (2). Ahora bien, en relación con este deber, no debe olvidarse que nadie, ni siquiera la Administración, está obligado a lo imposible. La actuación ad-

(2)   Ausencia de actividad debida.

ministrativa puede verse materialmente impedida por la propia realidad natural, por la fuerza de las circunstancias sometidas a cambios no siempre previsible o convenientemente evaluados por el legislador al encargar o exigir la actuación administrativa. Entonces, la fuerza normativa de lo fáctico puede hacer decaer incluso un deber legal y excluir con ello la antijuridicidad de la pasividad administrativa. El concepto de inactividad presenta, por eso mismo, un carácter abierto, variable y mudable, como lo son el propio interés público y la realidad sobre la que se define; siendo, además, muy diversas, las manifestaciones de este fenómeno administrativo.

La inactividad administrativa, por consiguiente, consiste en la omisión, por la Administración, de cualquier actividad, jurídica o material, legalmente debida y materialmente posible. Conducta ilegal muy extendida, contraria a la vocación de servicio público de la Administración, que suscita desconfianza en las instituciones políticas y siembra un sentimiento de fraude e injusticia que menoscaba el valor del Estado Social y Democrático de Derecho y puede poner en riesgo muchos de sus logros. De ahí también la necesidad, no sólo jurídica, sino también política de prevenir, controlar y reducir la inactividad administrativa, reponiendo en su situación a los afectados o perjudicados por ella.

2. TIPOS DE INACTIVIDAD ADMINISTRATIVA

Aunque puede haber otros criterios de clasificación válidos; por ejemplo, el modo en que afecta a los sujetos, finalidad u objetos de las relaciones que la Administración está legalmente llamada a mantener, el criterio que permite ofrecer una descripción sistemática y completa de las situaciones de inactividad, también a la hora de examinar las técnicas de reducción o control jurisdiccional de esta conducta ilegal, es el que tiene en cuenta la naturaleza o clase de la actuación debida y omitida.

Así, es posible diferenciar las situaciones de inactividad administrativa según la omisión tenga por objeto una actuación jurídica (inactividad formal) o una actuación puramente material (inactividad material).

3. INACTIVIDAD FORMAL

Consiste en la omisión o falta de realización, por la Administración, de una declaración jurídica que resulta legalmente debida. Por la naturaleza de la declaración jurídica omitida es posible todavía señalar diversas modalidades de esta inactividad formal: normativa, convencional, de procedimiento y procesal:

A) Inactividad formal normativa. Se da cuando la Administración falta al deber legal de dictar normas o disposiciones de carácter general (también denominada inactividad reglamentaria).

B) Inactividad formal convencional. Aparece cuando la pasividad se refiere al desarrollo de actividades de concertación, ya porque la Administración falte a un deber legal de concurrir con otros sujetos a la formación de una declaración jurídica de alcance plurilateral, ya porque su falta de voluntad en el desarrollo del negocio jurídico sea contraria a la causa o interés público que fundamenta dicha relación convencional.

C) Inactividad formal de procedimiento. Consiste en la no formulación de una declaración unilateral de voluntad, juicio, conocimiento o deseo que resulta legalmente obligada en ejercicio de una potestad administrativa distinta de la reglamentaria. Esto es, se trata de la falta de ejercicio de una potestad administrativa en el curso de la tramitación y resolución de un procedimiento administrativo. Se califica de singular por venir referida normalmente al concreto ejercicio de una potestad, a la producción de un acto administrativo referido a una situación jurídica singular o concreta (ya sea individual o colectiva).

D) Inactividad formal procesal. Consiste en la falta de ejercicio, legalmente exigido, de las acciones o facultades procesales atribuidas para la defensa de bienes, derechos o intereses de titularidad administrativa.

4. LA INACTIVIDAD MATERIAL

Consiste en la omisión o falta de realización de una actividad técnica, material o física de trascendencia externa a la Administración. La actuación administrativa no se despliega sólo en el plano de la realidad jurídica: la ejecución de las leyes puede hacer necesaria también la transformación de la realidad material o fáctica y social, haciendo efectivas las declaraciones jurídicas y dando satisfacción material a los intereses públicos y privados que tutela la legalidad.

Las situaciones de inactividad material pueden, a su vez, clasificarse en diferentes tipos:

4.1. Inejecución material de actos administrativos:

La ejecutividad propia de estos actos, que descansa en la presunción de legalidad y validez que los reviste y en su eficacia jurídica, obliga a la Administración a garantizar su ejecución, tanto si ella misma es la destinataria del acto, como si se trata de un particular. Por consiguiente, se da esta clase de inactividad tanto cuando la Administración no lleva a cumplido efecto el acto por el que ella misma se obliga a dar o hacer algo, como cuando no ejercita los poderes de ejecución forzosa ni dispone de los medios materiales necesarios para vencer la resistencia de otros sujetos eventualmente obligados por la declaración administrativa. Este tipo de inactividad hoy puede ser directamente recurrida ante la jurisdicción contencioso-administrativa en los términos que prevé la Ley de la Jurisdicción Contencioso Administrativa (LJCA).

4.2. Inejecución material de sentencias judiciales

La inactividad de la Administración puede también referirse al contenido u objeto propio de las sentencias judiciales que impongan la obligación de dar o hacer algo. Hasta la entrada en vigor de la vigente LJCA, la ejecución de las sentencias estaba encomendada a la propia Administración lo que favorecía la tardanza o resistencia de ésta a la hora de darles cumplido efecto y ponía en entredicho la efectividad del derecho a la tutela judicial como garantiza la Constitución en su artículo 24. Sin embargo, de conformidad con el artículo 117 del texto constitucional corresponde, exclusivamente, a los juzgados y tribunales la facultad de hacer ejecutar lo juzgado, lo cual constituye una actuación judicial forma parte del contenido propio de la función jurisdiccional que tienen atribuida los órganos judiciales. Son éstos, por tanto, quienes haciendo uso de los poderes específicos (sustitución judicial de la actividad administrativa, sanciones coercitivas, apercibimiento…) que les confiere la legislación procesal deben vencer la resistencia de la Administración a la ejecución de las sentencias.

4.3. Inactividad prestacional

Es la que se refiere a las actuaciones materiales dirigidas a proporcionar los servicios o la asistencia a través de los que la Administración, de acuerdo con los objetivos del Estado social y en los términos previstos en las leyes, trata de crear las condiciones que aseguran la efectividad de la libertad e igualdad de los individuos y de los grupos en que se integran y garantiza la efectiva redistribución social de los recursos económicos. De esta actividad prestacional depende la efectividad de algunos derechos y principios constitucionales o la producción de algunos bienes y servicios de mercado que tengan interés para la colectividad o se consideren esenciales, contando o no con la concurrencia de la iniciativa empresarial particular. Así de extenso es el objeto de esta actividad prestacional que tras varias décadas de expansión ha venido contrayéndose por diversas causas entre otras por influjo de algunas políticas económicas sectoriales europeas, que han propiciado la liberalización de algunas actividades económicas que habían venido siendo desarrolladas como servicio de titularidad pública y la consecuente reducción de la regulación y controles administrativos.

4.4. Inactividad funcional

Es la que se refiere a las actuaciones materiales inherentes al ejercicio de ciertas potestades administrativas vinculadas a las funciones de autoridad más típicamente expresivas del poder jurídico que confiere la soberanía. Tienen esa naturaleza, por ejemplo, las actuaciones materiales a través de las que se desarrolla la acción administrativa de policía o control en cuyo ámbito se inscriben las actuaciones de inspección, de mera vigilancia y de mantenimiento de la seguridad pública o supervisión y control de algunas actividades económicas concretas como por ejemplo el sector de seguros, el de mercado financiero, etc. Actuaciones a las que también ha llegado la huida del Derecho Administrativo, trasladándose a ámbitos del sector privado el ejercicio de algunas de estas funciones públicas tradicional- mente vinculadas a las Administraciones públicas, operaciones que pueden con- llevar ciertos riesgos, porque la mercantilización de las funciones públicas de au- toridad, puede ser causa de la optimización de costes y consecuente degradación del servicio en perjuicio de los intereses públicos; también porque puede resultar más difícil llevar a cabo un control eficaz de los servicios deficientes o de la pura inactividad de los titulares de la concesión. Así, por ejemplo, la práctica de inspec- ciones técnicas deficientes o sólo pro forma resulta materialmente equiparable a la ausencia de inspección, resultando más difícil el control de estas omisiones que se produce al margen del ordenamiento administrativo.

5. LA INACTIVIDAD FORMAL SINGULAR: SILENCIO Y PROCEDIMIENTO

Por lo general las propias leyes permiten a la Administración declarar, inno- var o constituir, modificar y extinguir mediante propia actuación, relaciones y si- tuaciones jurídicas. La Administración lleva a cabo esta función mediante actos jurídico-administrativos consistentes en declaraciones de voluntad, declaraciones de juicio, declaraciones de conocimiento y declaraciones de deseo que tienen como finalidad la producción de efectos jurídicos, resultantes del ejercicio de potestades legales otorgadas con esa finalidad y que deben dictarse siguiendo los trámites o procedimientos formales legalmente establecidos. Cuando dichos actos no se dictan, haciendo dejación de las funciones legales inherentes a dichas po- testades, tiene lugar la figura de la inactividad formal singular, lo cual se produce, por ejemplo, cuando la Administración guarda silencio ante la solicitud de una autorización o de una subvención o cuando no incoa o no resuelve un procedi- miento sancionador.

Tratándose de la omisión indebida de un acto que debe dictarse siguiendo un procedimiento, la inactividad singular puede consistir: en falta de incoación o iniciación del procedimiento; en la omisión de actos de instrucción o actos de impulso; en la falta de resolución o no terminación del procedimiento, como se examina seguidamente.

6. INACTIVIDAD EN LA INCOACIÓN DEL PROCEDIMIENTO

La inactividad por falta de inicio de un procedimiento sólo se plantea ante procedimientos que se incoan de oficio, pues si pueden iniciarse a solicitud de persona interesada será esta misma solicitud la que, por su sólo efecto, lo ponga formalmente en marcha. Ahora bien, que un procedimiento sólo pueda iniciarse de oficio no significa que la Administración esté obligada a iniciarlo. En realidad, depende del carácter reglado o discrecional de la potestad a cuyo ejercicio sirve. Así, en la legislación administrativa española sobran casos en los que el órgano competente se halla legalmente obligado a incoar o iniciar, de oficio, un procedimiento; así, por ejemplo, para reclamar una indemnización en vía de regreso o para incoar un procedimiento por orden de un superior. La propia ejecutividad de un acto administrativo puede llevar implícita la obligación de incoar un procedimiento, deduce del otorgamiento de una licencia de obras la obligación de iniciar un expediente de expropiatorio.

La inactividad por falta de incoación de un procedimiento frecuentemente se pone en evidencia por la existencia de una denuncia (el acto que pone en conocimiento de la Administración un hecho determinante del ejercicio de una potestad), normalmente formulada con la intención expresan o implícita de que se incoe el correspondiente procedimiento. En principio, no parece que la Administración esté obligada a resolver sobre tal pretensión o solicitud la Administración no está obligada a resolver sobre cuantas solicitudes se le formulen, sino a dictar resolución expresa en todos los procedimientos cualquiera que sea su forma de iniciación. Sin embargo, cuando la Administración tiene el deber legal de incoar un procedimiento y el denunciante ostenta un legítimo interés en que dicho deber se cumpla, difícilmente puede negársele el derecho a una persona motivada, sobre la que podrá enjuiciarse la legalidad de su decisión sobre la incoación.

Ese derecho al trámite del denunciante no debe confundirse con su eventual derecho a que se incoe el procedimiento correspondiente, con su derecho a una resolución de fondo. Sigue abierto el debate sobre si el mero interés a la legalidad es título suficiente para pedir la incoación de un procedimiento o además es necesario que el denunciante-solicitante reúna alguna condición adicional. Como es sabido, varios son los sectores de la actividad administrativa donde, siguiendo una motivación constitucional, el legislador ha implantado la acción popular o pública en diferentes ámbitos (3). En ellos se hace innecesaria la ostentación de interés alguno más allá del que a cualquier ciudadano corresponde en cuanto al respeto de la legalidad objetiva para exigir éste ante la propia Administración o ante los Tribunales de Justicia, en consecuencia es incuestionable la legitimación del ciudadano para solicitar, con la denuncia, la iniciación del procedimiento correspondiente, en dichos ámbitos normativos.

---

(3)   Por ejemplo, disciplina urbanística, protección del patrimonio histórico, protección de las costas y normativa reguladora del Tribunal de Cuentas, entre otras.

7. ORDENACIÓN E INSTRUCCIÓN DEL PROCEDIMIENTO: CASOS DE INACTIVIDAD

La LRJ reconoce el derecho de los interesados a proponer aquellas actuaciones que requieran su intervención o constituyan trámites legal o reglamentariamente establecidos; en consecuencia, la omisión de trámites o actuaciones fundamentales entre otros:

a) Aquellos de los que dependan las posibilidades de defensa del interesado (4);

b) Aquellos de los que dependa el contenido de la resolución que pueda dictarse o su eficacia.

Puede ser motivo de nulidad de la resolución y causa de la retroacción de las actuaciones del procedimiento

7.1. Falta de recibimiento a prueba

La falta de recibimiento a prueba del procedimiento puede ser objeto de inactividad si la Administración está obligada a acordarlo. Esto sucede siempre que la Administración no tenga por ciertos los hechos alegados por los interesados o cuando la naturaleza del procedimiento así lo exija. En el primer caso, los hechos en contradicción deben ser relevantes para la decisión, pues de otro modo no será preceptivo el trámite de prueba. En el segundo es opinión del Tribunal Supremo que pueda concederse, a la Administración, un amplio margen de apreciación sobre la procedencia o necesidad del recibimiento a prueba; en cuya virtud, corresponde a los tribunales valorar la necesidad del recibimiento a prueba y decidir, a falta de ella, si hubo o no inactividad. En este caso, la inactividad constituye, realmente, un vicio de forma que, en tanto dé lugar a la indefensión de lo interesado, determinará la posibilidad de anulación de la resolución que se dicte.

7.2. Falta de trámite de audiencia

La omisión del trámite de audiencia es otro caso de inactividad de trámite que, causando indefensión a los interesados, constituye un vicio de forma que determina la anulabilidad de la resolución. Esta conclusión vale incluso para las denominadas resoluciones presuntas, deducidas del silencio administrativo positivo, que pueden ser anuladas como en el procedimiento no se ha dado audiencia a terceros interesados.

---

(4)   Práctica de una prueba de descargo.

Quejas por omisiones de trámite. La LRJ permite denunciar o alegar estas omisiones u otros defectos de tramitación. La eficacia de estas alegaciones o quejas suele ser escasa, pues depende de la actitud y receptividad de los responsables de los servicios administrativos de manera principal de de las Inspecciones Generales de Servicios. Pero no debe despreciarse su interés desde el punto de vista organizativo y preventivo, pues permiten realizar un control difuso de la calidad, también cabe decir de la legalidad, de los servicios administrativos y adoptar medidas de índole organizativa o disciplinaria para reducir la inactividad.

7.3. Falta de trámite de información pública o de contestación en dicho trámite

La omisión del trámite de información pública, siempre que ésta sea preceptiva, es otro ejemplo de inactividad de trámite. Son muchas las leyes sectoriales que incluyen este trámite en los procedimientos que regulan; así, por ejemplo, la aprobación del planeamiento urbanístico o de las ordenanzas locales; alteración de la calificación jurídica de bienes locales; otorgamiento de concesiones sobre el dominio público hidráulico o marítimo terrestre, etc.), debiendo considerarse potestativo a falta de otra indicación legal. La omisión de este trámite, únicamente puede combatirse, impugnando la resolución final que tenga vicio de forma pues tanto la concesión como la denegación expresa del trámite o su tácita exclusión son actos de mero trámite que, por regla general, no reunirán las condiciones exigidas para su impugnación autónoma. Por la falta de contestación en la información pública también hay inactividad. Los comparecientes en el trámite de información pública tienen derecho a obtener de la Administración una respuesta razonada, que podrá ser común para todas aquellas alegaciones que planteen cuestiones sustancialmente iguales. Este derecho no exige una contestación individualizada, ni tampoco previa a la resolución del expediente, pudiendo quedar satisfecho si la resolución resuelve todas las alegaciones formuladas. Por lo tanto, la inactividad aparece bien por la falta de actos específicos de respuesta, bien por la falta de resolución, bien por la incongruencia que supone la omisión de la resolución al no dar respuesta a las alegaciones presentadas.

7.4. Falta de petición o de emisión de informes

La falta de petición de informes constituye inactividad cuando la Administración está obligada a solicitarlos; esto es, cuando son preceptivos. De acuerdo con el criterio general de la LRJ, la falta de petición de un informe preceptivo es vicio formal que puede viciar de anulabilidad la resolución que se dicte, además de comprometer la responsabilidad disciplinaria del personal responsable, cuando impide que la resolución cumpla su finalidad, por haberse adoptado sin los elementos de juicio necesarios que garantizan su objetividad y acierto.

La jurisdicción contencioso-administrativa ejerce un control muy riguroso de los vicios de forma, llegando al punto de considerarlos vicios de orden público, susceptibles de un control preferente y de oficio, determinantes de la nulidad de las actuaciones. En relación con la omisión de dictámenes del Consejo de Estado, dicho rigor les llevó a declarar nulos tanto los actos presuntos, como las meras desestimaciones consecuencia del silencio administrativo negativo, ordenando la retroacción de las actuaciones y, por tanto, desactivando la garantía que ofrece al solicitante desatendido la técnica del silencio administrativo y contrariando su finalidad legal. Atendiendo a esta finalidad, sin embargo, debe negarse efecto invalidante a la omisión de informes preceptivos cuando el procedimiento retrasado puede reconducirse por silencio administrativo, porque, si no se adoptó una resolución expresa, la actividad previa de instrucción pierde su objeto y sus vicios devienen irrelevantes, subsumiéndose éstos en el incumplimiento del vicio principal consistente en la omisión del deber de resolver.

En caso del silencio positivo, el acto presunto resultante surge por el ministerio de la ley, no como resultado o efecto propio de la tramitación, debiendo por ello mismo considerarse irrelevantes las eventuales omisiones o defectos formales que le precedan. Y en el caso del silencio negativo, como veremos, ni siquiera haya acto que pueda considerarse afectado por vicio de forma alguno. Por eso, en la jurisprudencia terminó por imponerse el criterio que considera irrelevantes, una vez operado el silencio administrativo, los vicios de forma precedentes.

La falta de emisión de informes es otro caso de inactividad. Para evitar que paralice la tramitación, la LRJ dispone que de no emitirse el informe en el plazo señalado, y sin perjuicio de la responsabilidad en que incurra el responsable de la demora, se podrán proseguir las actuaciones cualquiera que sea el carácter del informe solicitado. Pero que pueda continuarse la tramitación del expediente hasta dictarse resolución no significa que ésta quede depurada del vicio formal que representa la omisión del informe correspondiente. Dicha omisión, de concurrir alguna de las condiciones establecidas en el artículo 63.2 LRJ, constituye motivo suficiente para anular la resolución. Por todo ello, y en previsión de que la falta de informe pueda constituir un vicio esencial que prive de validez a la resolución del procedimiento, el citado artículo concluye excepcionando la regla anterior y autorizando al instructor par detener las actuaciones en los supuestos de informes preceptivos que sean determinantes para la resolución del procedimiento, en cuyo caso se podrá interrumpir el plazo de los trámites sucesivos. Por todo ello, el procedimiento puede ser paralizado por falta de evacuación de informes de carácter preceptivo cuya emisión sea esencial, y en consecuencia los plazos de otros trámites sucesivos pueden ser interrumpidos. Interrupción o paralización del procedimiento que no exonera a la Administración de su deber de dictar resolución expresa y tampoco deja sin efecto el plazo para hacerlo, si bien suspende el cómputo de éste por el tiempo que media entre la petición del informe y su recepción, extemporánea o no, siempre que no exceda de tres meses. Así, la falta de resolución en plazo traerá las consecuencias que correspondan a la naturaleza del procedimiento con independencia de que se haya emitido o no el informe. Y si no se emite el informe, pero se resuelve en plazo, la resolución será nula o anulable por defecto de forma.

Distintos son el caso y la solución que prevé LRJ, si el informe debiera ser emitido por una Administración Pública distinta de la que tramita el procedimiento en orden a expresar el punto de vista correspondiente a sus competencias respectivas, y transcurriera el plazo sin que aquél se hubiera evacuado, se podrán seguir las actuaciones. El precepto evita que la inactividad de una Administración impida a otra proseguir con la tramitación de un procedimiento de su competencia. Y también descarta que la Administración silente pueda cuestionar la validez de la resolución que se dicte por faltar el informe que ella misma debió emitir. No obstante, hay que tener en cuenta, que hay ocasiones en que la normativa reguladora al tiempo que impone el deber de informar, atribuye un contenido o significado determinado al silencio del órgano informante, haciendo formalmente innecesario el informe expreso y concediendo, por tanto, al silencio el valor de una declaración tácita.

8. INACTIVIDAD ADMINISTRATIVA Y DEBER LEGAL DE RESOLVER EN PLAZO

La Administración pública, está obligada a dictar resolución expresa en todos los procedimientos y a notificarla cualquiera que sea la forma de iniciación y esta obligación no es sino una mera manifestación de la naturaleza instrumental o servicial de la Administración así como del principio de irrenunciabilidad de la competencia (5), el deber de resolver expresamente es una norma fundamental del régimen jurídico de las Administraciones públicas que se reitera y refuerza por la interdicción legal del incumplimiento de la obligación de resolver pues en ningún caso podrá la Administración abstenerse de resolver so pretexto de silencio, oscuridad o insuficiencia de los preceptos legales aplicables al caso. Por otra parte la propia naturaleza revisora de la jurisdicción contencioso-administrativa, cuya intervención tiene como objeto y presupuesto una actuación previa de la Administración, justifica la imposición legal de este deber de resolver, en cuya virtud la falta de resolución notificada de la Administración pública en cuestión es susceptible de revisión judicial.

El deber legal de resolver por parte de la administración exige una decisión sustantiva o de fondo; es decir, que la Administración resuelva las cuestiones jurídico-sustantivas plateadas en el procedimiento y que se contienen en el expe-

---

(5)   Artículo 42.1 LRJ.

diente (6); sin embargo, en algunas ocasiones este deber puede considerarse cumplido cuando se emite una resolución puramente adjetiva o formal, o bien mediante una simple contestación o respuesta, por que se considera que no es necesaria o resulta improcedente la decisión sobre las pretensiones o cuestiones de fondo. Esto es lo que ocurre cuando se produce la prescripción del derecho a que se refiera el procedimiento administrativo, de manera que el interesado renuncia a su derecho o desiste de su solicitud, caduca el procedimiento o desaparece su objeto; en estos casos, la resolución puede consistir en la simple declaración de dichas circunstancias, previa indicación de los hechos producidos y las normas aplicables (7). Tampoco es precisa una decisión de fondo cuando se solicita el reconocimiento de derechos no previstos en el ordenamiento o se realizan manifestaciones carentes de fundamento, supuestos en los que resulta suficiente una resolución de inadmisión, como en el caso de que se plantean cuestiones ajenas a la esfera de competencia administrativa (si bien el órgano administrativo que se estime incompetente debe remitir directamente las actuaciones al órgano que considere competente, si éste pertenece a la misma Administración (8). En los supuestos de ejercicio del derecho de petición o del ejercicio de derechos sometidos a previa comunicación, el deber de resolver o bien desaparece o bien se transforma en un simple deber de acuse o testimonio de recibo, además, tampoco existe deber de resolver (aunque nada impida el que se dicte resolución) en los procedimientos que puedan terminar por medio de un acuerdo, pacto, convenio o contrato.

Como quiera que se encuentra obligada a dictar resolución expresa en todos los procedimientos, la Administración competente debe resolver expresamente cuantas solicitudes tengan como efecto la incoación o iniciación de un procedimiento (9); pero hay peticiones de los ciudadanos o interesados que no tienen este efecto iniciador o impulsor, como las realizadas en el curso de un procedimiento ya iniciado, y sobre las que, por ello mismo, no pesa la obligación de resolver expresamente. Ahora bien, que no tenga que dictar resolución expresa, no significa que la Administración no deba tener en cuenta dichas peticiones y decidir sobre ellas en razón de su propia e irrenunciable competencia sobre el procedimiento, sino que puede hacerlo por medios menos formales como por ejemplo los siguientes:

a) Incorporando la decisión sobre este tipo de solicitud al contenido de otros actos o de la resolución final estamos en el caso de una decisión implícita que se produce cuando por ejemplo, cuando la Administración adopta una medida cautelar distinta a la solicitada por el interesado.

---

(6)   Artículo 89.1 LRJ.
(7)   Artículo 42 LRJ.
(8)   Artículos 20 y 89 LRJ.
(9)   Artículo 70 LRJ.

b) O bien mediante una decisión tácita, es decir cuando por falta de notificación de la Resolución se producen los efectos del silencio administrativo.

Esta obligación de resolver tanto el deber jurídico de dictar resolución como de notificarla (10). En consecuencia, no puede considerarse satisfecha hasta que la notificación se haya practicado materialmente o pueda darse por practicada como ocurre en los casos de rechazo de las notificaciones o de las notificaciones defectuosas que contengan el texto íntegro de la resolución (11). El deber de resolver tiene una dimensión temporal, hallándose sometido a plazo su cumplimiento. Leyes y reglamentos establecen plazos específicos para resolver considerando la duración deseable o previsible de cada procedimiento según su naturaleza, trámites y complejidad y las posibilidades materiales de la Administración (12).

Plazo de resolución. Será el que específicamente determine la norma reguladora de cada procedimiento y no podrá ser superior a seis meses, salvo que por ley o norma comunitaria se fije uno mayor. En defecto de plazo específico se estará al general de tres meses (13). Considerada la especialidad y variedad de los plazos y en aras de la seguridad jurídica, las Administraciones están obligadas a publicar y mantener actualizadas, a efectos informativos, las relaciones de procedimientos, con indicación de los plazos máximos de duración de los mismos. También deben informar a los interesados sobre el plazo máximo establecido en la notificación o publicación del acuerdo de iniciación del procedimiento o en comunicación dirigida al efecto dentro de los diez días siguientes a la recepción de las solicitudes.

9. REDUCCIÓN AMPLIACIÓN Y SUSPENSIÓN DEL PLAZO PARA RESOLVER

Cuando se acuerda la tramitación de urgencia de oficio o a petición del interesado, cuando razones de interés público lo aconsejen, reduciéndose por mitad los plazos ordinariamente establecidos, salvo los de presentación de solicitudes o recursos (14).

Excepcionalmente también puede acordarse, de oficio o a petición del interesado, cuando las circunstancias lo aconsejen, no se perjudiquen derechos de terceros y no haya vencido ya. En los procedimientos cumplimentados con misiones u oficinas en el extranjero o por residentes fuera de España se aplicará en todo caso la ampliación. La ampliación no podrá exceder de la mitad del plazo ordinariamente establecido, salvo que la ampliación se acuerde ante la imposibi-

---

(10)   Artículo 42 LRJ.
(11)   Artículos 58 y 59 LRJ.
(12)   Principio de especialidad.
(13)   Artículo 42 LRJ.
(14)   Artículo 50 LRJ.

lidad material de cumplir en plazo, en cuyo caso no podrá ser superior al plazo ordinariamente establecido. El acuerdo de ampliación, que no es susceptible de recurso, debe notificarse a los interesados.

El transcurso del plazo máximo legal para resolver y notificar la resolución puede suspenderse (15) en los casos y términos siguientes (16):

a) Cuando se requiera la subsanación de deficiencias o la aportación de documentos, por el tiempo que media entre la notificación del requerimiento al interesado y su cumplimentación o el transcurso del plazo concedido para efectuarla.

b) Cuando deba obtenerse previo y preceptivo informe de órgano europeo, por el tiempo que medie entre su petición (17) y la notificación del pronunciamiento.

c) Cuando sean necesarios otros informes preceptivos y determinantes de órganos de la misma o distinta Administración, desde la fecha de petición (notificada al interesado) hasta su recepción, sin que la suspensión pueda exceder de tres meses.

d) Cuando deban realizarse pruebas técnicas o análisis contradictorios o dirimentes para los interesados, durante el tiempo necesario para la incorporación de sus resultados al expediente.

e) Cuando se inicien negociaciones orientadas a la terminación convencional del procedimiento desde la formal declaración de inicio hasta la declaración de conclusión sin efecto.

f) Cuando por causa imputable al interesado no sea posible proseguir un procedimiento desfavorable, hasta que pueda reanudarse la tramitación.

El cómputo del plazo legal para dictar resolución (18), comienza en la fecha del acuerdo de iniciación de los procedimientos incoados de oficio y en los iniciados a solicitud del interesado, en la fecha en que hubiera tenido entrada en el registro del órgano competente para su tramitación. A este respecto, debe tenerse en cuenta que muchas Administraciones han establecido registros únicos o comunes para varios órganos administrativos, por ejemplo, en el ámbito de la Administración General del Estado se considera legalmente registro del órgano

---

(15)   Notificando a los interesados la oportuna providencia con el fin d eque se realicen las alegaciones que consideren pertinentes.
(16)   Ver artículo 42 LRJ.
(17)   Notificada al interesado.
(18)   Artículos 43 y 48 LRJ.

competente cualquiera de los registros del Ministerio al que corresponda dicho órgano (19).

Con todo es criterio reiterado del Tribunal Supremo (20), que no puede decirse con rotundidad que los interesados tengan derecho a que la Administración resuelva en el plazo legalmente establecido, sino a que resuelva en un plazo razonable de acuerdo con un principio de relatividad, de manera que la Administración pueda ampliar o reducir los plazos de tramitación atendiendo a las circunstancias concretas del expediente. Lo cual significa que, en determinados supuestos ya sea de urgencia o de necesidad, la Administración puede resultar obligada a resolver o actuar antes del plazo legalmente establecido y que, en cambio, en otros casos el retraso puede estar legalmente justificado y que por ello la extemporaneidad no llegue a invalidar el acto o el procedimiento.

En consecuencia no se trate de de negar carácter imperativo al plazo legalmente señalado, sino de atemperar este carácter a la propia realidad cuando, ante una situación concreta, y dada su brevedad, el plazo establecido sea de imposible cumplimiento o por el contrario dada su amplitud, el plazo establecido no sea susceptible de garantizar la finalidad u objeto del procedimiento (21). Por ello, en circunstancias concretas, cuya existencia y efectividad debe probar quien las invoque, el plazo legal puede anticiparse o postergarse el periodo que resulte razonable de acuerdo con las circunstancias alegadas.

El plazo legal constituye, de este modo, un criterio de normalidad en lo relativo a la exigibilidad del deber de resolver en tiempo; es decir un parámetro razonable que el órgano de control puede contrastar con las circunstancias del caso para confirmar o descartar la existencia de inactividad administrativa (22). Pero el vencimiento del término o plazo legal para resolver es también, haya inactividad o no, un hecho que comporta cambios en la situación jurídico-formal del expediente, dejando expedito el juego del silencio administrativo, la caducidad o prescripción del procedimiento (23). Así, pues, el incumplimiento administrativo del deber legal de resolver en el plazo legalmente establecido no es irrelevante. Lleva aparejadas consecuencias jurídicas de índole formal, esto es, referidas a la finalidad y objeto propios del procedimiento afectado por la inactividad, como lo son las inherentes al silencio administrativo y a la prescripción administrativa. Y también puede llevar aparejadas otras de índole sustantiva, esto es, referidas a la

---

(19)   Disposición Adicional 15.ª LRJ.

(20)   SSTS 30.3.1981 y 25.3.1991.

(21)   Artículos 42, 49 y 50 LRJ.

(22)   Así lo tiene declarado el Tribunal Supremo en diversas sentencias, ver SSTS 2.10.1985 y 27.12.1990.

(23)   Se conoce con el término de perención administrativa un concepto genérico que abarca conceptos específicos como la caducidad administrativa o la prescripción procedimental.

situación jurídica de la Administración, de las personas responsables de sus órganos y de los interesados, como la responsabilidad personal de las autoridades o empleados, la responsabilidad patrimonial de la Administración o la prescripción.

10. CONSECUENCIAS DE LA FALTA DE RESOLUCIÓN: SILENCIO ADMINISTRATIVO SUSTITUTIVO Y EJECUTIVO

Establecida en beneficio de los afectados por la falta de resolución, el silencio administrativo constituye una garantía legal que determina ya la sustitución o subrogación del órgano que no ha contestado (24), si se trata del silencio administrativo sustitutivo; ya la producción de todos los efectos jurídicos propios de la declaración jurídica o acto administrativo pretendido por los solicitantes que dieron inicio al procedimiento (silencio positivo, que alumbra un acto administrativo ficticio o presunto); ya la producción de los efectos procesales o formales propios de una denegación administrativa de lo solicitado (silencio negativo, que no da lugar a acto administrativo alguno; pero que permite interponer recurso administrativo o judicial para tutelar la situación jurídica desconocida o ignorada por la pasividad o indolencia administrativa). Estos dos últimos casos son lo que integran el silencio administrativo ejecutivo (25), así denominado porque trata de suplir la falta del acto administrativo ejecutivo que debió dictar la Administración deduciendo directamente de la ley, según el caso, todos o alguno de los efectos propios de un acto tal. Del mismo modo que la Ley atribuye una competencia a un órgano puede encomendar su ejercicio a otro cuando aquél no la ejercita en plazo.

Tal es el efecto traslativo o subrogatorio que realiza, por ministerio de la ley, el silencio sustitutivo. Una garantía más ante la falta de resolución expresa que contemplan algunas legislaciones sectoriales, pero que no está regulada en la LRJ. El hecho de que esta ley, como legislación básica estatal que es en esta materia, no regule esta técnica entre las previstas para los supuestos de falta de resolución expresa, induce a descartar que pueda ser utilizada en la legislaciones autonómica toda vez que ello supondría una posibilidad de desigualdad por razón del territorio en lo relativos a la normativa y garantías de los ciudadanos, salvo en aquellos casos en que esto lo autorice una legislación de carácter especial o sectorial que tenga la consideración legal de básica a estos efectos.

Este sistema opera ante la falta de resolución en plazo de los procedimientos iniciados a instancia de parte o de los procedimientos iniciados de oficio de carácter favorable. En virtud del silencio, una vez vencido el plazo máximo legalmente establecido para resolver sin que se les haya notificado la resolución expresa, los

---

(24) Trasladándose a otro la competencia para dictar resolución.
(25) Cuya regulación general se encuentra en los artículos 43 y 44 de la. LRJ

interesados quedan legitimados para entender estimadas o desestimadas sus solicitudes o pretensiones, con los efectos que más adelante se examinan.

La regla general es que los interesados podrán entender estimadas por silencio administrativo sus solicitudes o pretensiones en todos los casos (26). Pero quedan exceptuados —y, por tanto, deben entenderse desestimadas— en los siguientes casos:

a) Procedimientos de ejercicio del derecho de petición (27).

b) Procedimientos de transferencia de facultades relativas al dominio público o al servicio público.

c) Procedimientos de impugnación de actos. En vía de recurso, pues, la regla es que el silencio es negativo. No obstante, el recurso de alzada contra la desestimación silente de una solicitud podrá entenderse estimado si no se notifica su resolución expresa en plazo (28).

d) Procedimientos de revisión de oficio de actos nulos iniciados a instancia de parte (29).

e) Procedimientos de reclamación de responsabilidad patrimonial (30).

f) Procedimientos iniciados de oficio de carácter favorable (esto es, de los que pudiera derivarse el reconocimiento o la constitución de derecho u otras situaciones jurídicas individualizadas (31).

g) Procedimientos en que una norma con rango de ley o norma de Derecho Comunitario Europeo disponga lo contrario, siendo esto tan frecuente que en muchos ámbitos sectoriales resulta más habitual la excepción, es decir el silencio negativo que la regla esto es el silencio positivo.

La LRJ establece que, en aras de la seguridad jurídica, las Administraciones están obligadas a publicar y mantener actualizadas, a efectos informativos, las relaciones de procedimientos, con indicación de los efectos que produzca el silencio administrativo. También deben informar a los interesados sobre dichos efectos en la notificación o publicación del acuerdo de iniciación del procedimiento o en comunicación dirigida al efecto dentro de los diez días siguientes a la recepción de las solicitudes.

---

(26)   Artículo 43 LRJ.
(27)   Regulado por el artículo 29 de la Constitución Española.
(28)   Artículo 43.2 LRJ.
(29)   Artículo 102.5 LRJ.
(30)   Artículos 142 y 143 LRJ.
(31)   Artículo 44 LRJ.

11. SILENCIO ADMINISTRATIVO ESTIMATORIO

El silencio administrativo positivo o estimatorio tiene todos los efectos propios o característicos que tendría un acto que ponga fin al procedimiento (32), salvo el de dejar formalmente cumplido el deber de resolver. Esto es, produce actos administrativos que son actos presuntos que pueden hacerse valer ante la Administración o ante cualquier persona física o jurídica, pública o privada, desde el momento mismo del vencimiento del plazo máximo para dictar resolución expresa si ésta no se ha notificado. La existencia del silencio positivo puede acreditarse por cualquier medio de prueba admitido en Derecho (una copia registrada de la solicitud presentada en su día, por ejemplo), incluida la posibilidad de solicitar del órgano competente para resolver el correspondiente certificado que debe emitirse en el plazo de quince días.

— los actos presuntos gozan de la ejecutividad y de la presunción legal de validez y eficacia propia de todos los actos administrativos (33) y, por tanto, vinculan también a la Administración que únicamente podrá apartarse de ellos iniciado el procedimiento de revisión que legalmente corresponda. Por ello mismo, producido el silencio positivo, sólo podrá dictar resolución expresa que sería una resolución tardía para confirmar el acto presunto (34), quedando así privada de toda capacidad decisoria en el cumplimiento del deber que aun estaría pendiente, pero ya con carácter meramente formal, de dictar resolución expresa.

— Son nulos de pleno derecho los actos presuntos contrarios al ordenamiento jurídico por los que se adquieren facultades o derechos cuando se carezca de los requisitos esenciales para su adquisición (35). Ahora bien, para revisar y dejar sin efecto un acto presunto nulo o anulable la Administración debe seguir los procedimientos de revisión o declaración de lesividad legalmente previstos (36).

— No han de confundirse los casos de actos presuntos nulos o anulables obtenidos por silencio administrativo con los casos en que las propias leyes especiales o sectoriales descartan o excluyen el juego del silencio positivo ante la falta de resolución expresa de solicitudes que carecen del debido fundamento jurídico (así, por ejemplo, cuando las leyes establecen que en ningún caso podrá entenderse adquiridas por silencio administrativo facultades o derechos que contravengan una determinada ordenación sectorial, excepcionando así el principio legal que hace del silencio positivo regla general (37).

---

(32)   Artículo 43.3 LRJ.
(33)   Ver artículos 56 y 57 LRJ.
(34)   Artículo 43 LRJ.
(35)   Artículo 62 LRJ.
(36)   Artículos 102 y 103 LRJ y STS de 1.4.2002.
(37)   STS de 28.1.2009.

12. SILENCIO ADMINISTRATIVO DESESTIMATORIO

El silencio administrativo negativo o desestimatorio tiene como efecto principal permitir a los interesados interponer el recurso (38) que proceda. No hay ningún otro efecto de garantía procedimental que pueda equipararse a una denegación expresa reconocida por ministerio legal. En estos casos el deber y la capacidad de resolver de la Administración subsisten íntegramente, sin vinculación alguna al sentido del silencio (39) y a todo esto hay que recordar que en procedimiento de inspección interna de la Administración se hace valer este deber de los responsables de la dependencia de la administración que quede constancia documental en los archivos de las resoluciones administrativas

El silencio negativo, a diferencia del silencio positivo, no despliega sus efectos automáticamente, desde el momento mismo del vencimiento del plazo para resolver, sino cuando el interesado lo considera oportuno e interpone, acogiéndose al mismo, el recurso procedente, así se desprende, a contrario sensu de lo dispuesto en el artículo 43.5 LRJ, pues sólo los actos administrativos producidos por silencio producen efectos desde el vencimiento del plazo pues, el silencio negativo no produce actos administrativos).

En consecuencia y por esa razón, tampoco, en estos casos, existe una fecha establecida a partir de la cual puedan contarse, legalmente, los plazos para interponer el recurso administrativo o el correspondiente recurso judicial contencioso-administrativo que proceda, de modo que el interesado puede mantenerse a la espera de la resolución expresa sin que de ello pueda derivársele ninguna desventaja frente a la Administración, ni deba considerársele conforme con la situación silente, ni pueda devenir firme (porque no hay acto presunto alguno) la desestimación que la propia falta de resolución, de hecho, implica. El Tribunal Supremo ha declarado reiteradamente esta misma opinión; pero equiparando la situación del silencio negativo a la de la falta de notificación o notificación defectuosa de la resolución que hubiera podido dictarse en su caso (40).

En la siguiente práctica profesional concluiremos esta exposición sobre el régimen de inactividad de la Administración Pública examinando los aspectos más importantes del control de la inactividad administrativa

13. CADUCIDAD DE LA INSTANCIA

La caducidad de la instancia o perención (41) es una forma de terminación anticipada o anormal de los procedimientos que se hallan paralizados por falta

---

(38)   Administrativo o judicial.
(39)   Artículo 43 LRJ.
(40)   SSTS 23.1.º 2004 y 15.9.2008
(41)   Perención: Del latín peremptio, -onis, de perimere, destruir. Era un tipo prescripción que anulaba el procedimiento cuando pasaba cierto número de años sin que las partes hubieran hecho gestiones. Actualmente se denomina caducidad de la instancia. De la

de impulso, trámite o resolución. Es una institución que pone fin a la situación de pendencia e incertidumbre jurídica que la prolongada duración de un procedimiento entraña y que contradice la naturaleza esencialmente temporal o finita del procedimiento y el principio de seguridad jurídica.

En estos presupuestos objetivos encuentra la perención, pues, su fundamento no en un presumible abandono del procedimiento por las partes que la perención vendría a sancionar. A esta última fundamentación, subjetiva, se oponen, de un lado, el principio de irrenunciabilidad de la competencia (42) y el deber de resolver (43) que impiden a la Administración abandonar el procedimiento; y de otro, la existencia de cauces procedimentales específicos ya sea mediante la figura del desistimiento o de la renuncia, para que el particular interesado exprese su voluntad de abandono. Por eso parece posible prescindir de este fundamento de carácter subjetivo (44).

La caducidad de la instancia únicamente tiene efectos formales o adjetivos toda vez que, recaen sobre el propio procedimiento, y se agotan, dejando intangibles los derechos o situaciones jurídicas sustantivas que son objeto de aquel. El Tribunal Supremo tiene declarado que la perención tiene por objeto, únicamente, poner fin al procedimiento inconcluso y paralizado y tiene como consecuencia natural el archivo del expediente con las actuaciones que contenga en sus documentos (45), que quedan desprovistas de su eficacia anterior. De este modo se vuelve ineficaz, por ejemplo, la propia incoación del expediente y por ello, debe tenerse por inexistente la interrupción del cómputo del plazo de prescripción del derecho que subyace al procedimiento de que se trata; sin embargo no es la caducidad de la instancia propiamente dicha, la que determina la extinción del derecho, sino la prescripción. Además hay que tener en cuenta que las normas reguladoras de la perención pueden tener carácter retroactivo debido a este carácter adjetivo que hemos mencionado (46).

La paralización del expediente puede ser imputable tanto a la Administración como al interesado, siempre que su intervención resulte indispensable para la instrucción y resolución del mismo. La LRJ regula con carácter general ambos supuestos de caducidad de la instancia, cuyo ámbito y régimen difiere (47) teniendo en cuenta tanto el motivo de la paralización como el carácter favorable o desfavorable del procedimiento. Cuando el procedimiento se inicia por el interesado y

---

misma raíz proviene perentorio, en la práctica administrativa se dice del último plazo que se concede o de la resolución final que se toma en cualquier asunto en la administración, en definitiva, concluyente, definitivo o determinante.

(42)   Artículo 12 LRJ.
(43)   Artículo 42 LRJ.
(44)   Ver SSTS 12.4.1978, 21.10.1981, 24.3.1986, 2.7.1987 y 22.3.1993.
(45)   STS 16.1.1996.
(46)   Ver SSTS 21.5.1991 y 26.2.1991.
(47)   Sin embargo tanto su naturaleza como su fundamento son diferentes.

queda paralizado por causa imputable a dicho interesado, la Administración debe requerirle con el fin de que en el plazo de tres meses lleve a efecto las actuaciones necesarias para que pueda reanudarse la tramitación, advirtiéndole sobre la perención o caducidad como la denomina la propia LRJ (48). Pero aquí lo que interesa es el supuesto de la perención no imputable al interesado, supuesto con el que se corresponde la paralización por inactividad de la Administración, que está reservada para los procedimientos de carácter desfavorable que hayan sido iniciados de oficio (es decir, aquellos en los que la Administración ejercite potestades sancionadoras o, en general, de intervención, susceptibles de producir actos desfavorables o de gravamen (49).

Los procedimientos iniciados a instancia de parte que, por causas ajenas al interesado, simplemente se hallen paralizados; pero puede ponerse fin a su situación de pendencia o incertidumbre haciendo valer los efectos del silencio administrativo, como se ha visto. Lo mismo puede decirse de los procedimientos iniciados de oficio de carácter favorable, es decir de los que pudiera derivarse el reconocimiento o, en su caso, la constitución de derechos u otras situaciones jurídicas individualizadas (50). Por otra parte, también caducan, sino se hubiera dictado resolución en el plazo de tres meses, los procedimientos de revisión de disposiciones o actos viciados de nulidad que se hubieran iniciado de oficio (51). Sin embargo, no caducan los procedimientos de ejecución forzosa (52), referidos como están no al deber de resolver sino al de ejecutar la resolución como consecuencia de la ejecutividad y ejecutoriedad de los actos administrativos (53). En este caso, la falta de ejecución puede ser atajada por medio del recurso contra la inactividad que contempla el artículo (54).

La perención determina la finalización del procedimiento (55), liberando a la Administración de su obligación de dictar una resolución sobre el fondo y permitiéndole archivar las actuaciones (56) sin ulterior trámite (57), privándoles, por ello mismo, de eficacia. Estos efectos se producen automáticamente, por disposición legal sin que sea precisa su declaración previa por la Administración ni tampoco un requerimiento expreso del interesado.

---

(48)   Artículo 92.1.
(49)   Artículo 42.2 LRJ.
(50)   Artículo 44.1 LRJ.
(51)   LRJ arts. 102.5 y 103.3.
(52)   Artículo 96 LRJ.
(53)   Artículos 57 y 94 LRJ.
(54)   Artículo 29.2.LRJ.
(55)   Artículo 87.1 LRJ.
(56)   Escritos y documentos aportados, informes, pruebas y demás diligencias realizadas.
(57)   Artículos 41, 44 y 91 LRJ.

Nada impide a la Administración iniciar un expediente con la misma finalidad que el perimido, siempre que subsistan los presupuestos jurídicos sustantivos en que la incoación deba sustentarse.

Por otra parte, los efectos formales de la perención son idénticos a los que entraña la caducidad de los paralizados por causa del interesado (58).

14. RESPONSABILIDAD DE AUTORIDADES POR LA INACTIVIDAD

Es otro de los efectos de la inactividad de la Administración Pública. La Responsabilidad personal de las autoridades y empleados públicos causantes de la demora también puede servir para combatir la inactividad delatada por la falta de resolución en plazo. La LRJ alude reiteradamente a esta responsabilidad lo cual es correlato simétrico del correspondiente derecho de todo interesado a la identificación de las autoridades y funcionarios bajo cuya responsabilidad se tramitan los procedimientos (59):

a) De hecho constituye un derecho que corresponde a todos los ciudadanos el exigir las responsabilidades de las Administraciones Públicas y del personal a su servicio cuando así corresponda legalmente; un principio de responsabilidad dirige la tramitación y ordenación del procedimiento (60).

b) El cumplimiento del deber de resolver en plazo (61).

c) La emisión de informes o certificaciones de actos presuntos (62).

d) La obligación de dar traslado (63).

e) La responsabilidad se contempla en todas sus formas: disciplinaria, patrimonial y penal (64) si bien la amenaza de la responsabilidad no suele ser muy efectiva, por lo general, en la práctica de la Administración.

Ya hemos señalado que la responsabilidad a que se refiere el artículo 41 LRJ es responsabilidad patrimonial ya que a quien se exige es a la Administración siendo responsables aquellos funcionarios o agentes a que se refiere el mismo precepto, respecto a la cuestión de que se derive responsabilidad de otro tipo, en la práctica es bastante dudoso y en numerosos casos se ha reconocido que aquí la ley se abstiene de calificar, expresamente, el tipo de responsabilidad en que se incurriría

---

(58)   El artículo 44 remite al 92 de la misma LRJ.
(59)   Artículo 35 LRJ.
(60)   Artículos 41 y 74 LRJ.
(61)   Artículo 42 LRJ.
(62)   Artículo 83 y 44.2 LRJ.
(63)   Artículo 116.3 LRJ.
(64)   Artículos 127, 145 y 146.

por la infracción si bien parece que se limita a la responsabilidad patrimonial toda vez que dispone expresamente que los interesados podrán solicitar la exigencia de esa responsabilidad a la Administración Pública que corresponda, siempre que dichos daños se hubieran producido efectivamente, lo cual no excluye la posibilidad de que pueda darse una exigencia interna de responsabilidades el ámbito disciplinario en los casos en que los prejuicios ocasionados se hubieran producido por causa de un cumplimiento defectuosos de los deberes del empleado público responsable.

En efecto, tanto los defectos como los retrasos en la tramitación pueden dar lugar a responsabilidad en el ámbito disciplinario; pero también se deriva responsabilidad civil, de las autoridades o empleados responsables, por los daños y perjuicios que dicho retraso pueda ocasionar a los ciudadanos; sobre todo teniendo en cuenta que las autoridades de carácter político no se encuentran sometidas a responsabilidad disciplinaria. En otro orden hay que tener en cuenta que una actitud verificada de obstáculo a la actividad administrativa tanto genéricamente considerada como específica en los relativo a un procedimiento concreto que se encuentre en marcha podría ser subsumible en alguno de los supuestos de coacción o prevaricación siempre que la conducta respondiera, efectivamente, a una actitud dolosa encaminada a perjudicar a un interesado en beneficio del propio empleado público o de un tercero (65).

15. RESPONSABILIDAD PATRIMONIAL POR LA INACTIVIDAD DE LA ADMINISTRACIÓN

Si bien en el Ordenamiento español esta responsabilidad patrimonial se regula como responsabilidad objetiva, pues desvinculada de la idea de culpa cubre los daños causados por el funcionamiento de los servicios públicos, tanto da que sea normal o anormal (66), cuando el daño tiene origen en una omisión administrativa sólo cabe pensar en un funcionamiento anormal. Si la causa del daño o perjuicio proviene de una omisión, la circunstancia de la omisión sólo cabe determinarla respecto a un deber de obrar de cierta manera ante una situación que se produzca previamente regulada. Deber de cuyo incumplimiento resulta la antijuridicidad del perjuicio producido por esa ausencia de actuación y, por tanto, causa eficiente de la responsabilidad.

La responsabilidad administrativa por omisión siempre es, pues, una responsabilidad subjetiva que tiene como presupuesto no una mera pasividad innominada

---

(65)   Artículo 358 del Código Penal. Este caso podría definirse como un tipo de prevaricación de procedimiento lo cual es sustancialmente equiparable a la prevaricación mediante una resolución denegatoria.

(66)   Artículos 106 y 139 LRJ.

sino una inactividad de la Administración es decir una pasividad antijurídica porque existe previamente el deber de actuar.

Por ello hay que tener en cuenta que para comprometer la responsabilidad de la Administración no basta, por tanto, el simple retraso; ni el mero incumplimiento del plazo legal de resolución sino que es preciso, además, que se produzca una infracción o un incumplimiento por parte de la Administración pública concernida lo cual constituye un supuesto de inactividad de la Administración, ya que sólo entonces puede tenerse por daño o perjuicio, o mejor dicho, por lesión antijurídica, el perjuicio ocasionado por el retraso.

El artículo 41.2 LRJ, permite que los ciudadanos puedan solicitar a través de la Administración correspondiente que ésta exija la responsabilidad a que hace referencia el propio artículo lo cual obliga a ésta a tramitar el correspondiente expediente de responsabilidad. Finalmente como ha apuntado la jurisprudencia este precepto no incluye el órgano competente encargado de llevar a cabo las notificaciones, ya que el artículo se ha limitado a establecer que la responsabilidad de la tramitación corresponde a los titulares de las unidades administrativas y al personal al servicio de las Administraciones públicas que tuviesen a su cargo la resolución o el despacho de los asuntos (67).

16. PRESCRIPCIÓN POR CAUSA DE LA INACTIVIDAD DE LA ADMINISTRACIÓN PÚBLICA

Sólo de modo indirecto cabe considerar el incumplimiento del plazo de resolución como causa de prescripción de ciertas situaciones jurídicas administrativas como derechos, infracciones o sanciones.

Como es sabido, la incoación del procedimiento interrumpe el plazo de la prescripción de la infracción, de modo que mientras siga abierto aquél deja de transcurrir el plazo. Ahora bien, la falta de resolución en el plazo establecido conduce a la perención del expediente y, con ésta, a la desaparición del efecto interruptor del cómputo de la prescripción que tuvo la incoación, de modo que se cuenta como si nunca se hubiera interrumpido. De este modo, la falta de resolución puede provocar la caducidad de la instancia y como consecuencia de ésta la prescripción del derecho o la situación jurídica de que se trate, y de este modo es como se explica que la falta de resolución pueda ser causa remota o indirecta (68) de prescripción de derechos administrativos.

---

(67) STS 44/1997.
(68) En tanto en cuanto que es causa ancilar de la perención.

También merece una mención específica la disposición contenida en la LRJ relativa a la prescripción de las infracciones (69). El precepto reprueba la lentitud o inactividad de la Administración y levanta el efecto interruptor de la prescripción que tiene la incoación del expediente sancionador cuando éste queda paralizado durante más de un mes por causa no imputable al presunto responsable.

No obstante hay que recordar que la manera en que la prescripción vuelve a operar suscita algunas dudas y controversias en la practica, pues según el tenor literal del precepto el cómputo debe reanudarse es decir, continuar por donde se dejó, mientras que en nuestro sistema jurídico-administrativo el cómputo de la prescripción interrumpida se ha venido siempre reiniciando es decir, comenzando a contar de nuevo el plazo. A pesar lo cual, la literalidad del precepto y la necesidad de interpretar siempre las normas sancionadoras del modo más favorable al responsable, aunque se resienta el interés público tutelado por el ilícito, permiten concluir que el cómputo de la prescripción debe proseguir por donde quedó al interrumpirse.

En relación con la prescripción de las sanciones la LRJ (70) contiene una previsión similar, interrumpiendo la prescripción la iniciación, con conocimiento del interesado, del procedimiento de ejecución, volviendo a transcurrir el plazo si aquél está paralizado durante más de un mes por causa no imputable al infractor. También en este caso suele plantearse dudas en relación con el modo en que debe contarse el plazo de prescripción de la sanción cuando se trata de una multa y para su ejecución se ha iniciado —y luego se paraliza durante más de un mes— el procedimiento de apremio, notificando la correspondiente providencia. En estos casos el objeto es si el cómputo de la prescripción se retoma bien en la fecha en que se notificó la providencia de apremio del procedimiento ejecutivo después paralizado durante más de un mes o, bien en la fecha en que, transcurrido el mes, puede considerarse paralizado cuestión que depende de la naturaleza y eficacia que se asigne a la providencia de apremio ya que este acto otorga al sancionado un plazo cuya duración varía en función de la fecha de notificación (71),para realizar el pago, resultando cuestionable que el transcurso de este plazo pueda contarse como de paralización del procedimiento ejecutivo y jugar en contra de la Administración.

No obstante hay que reconocer, que llegado el plazo para dictar resolución en el procedimiento sancionador sin que se hubiera dictado y notificado aquélla, el procedimiento caduca (72), lo que determina el archivo de las actuaciones con los efectos previstos en el artículo 92 LRJ, advirtiendo este precepto que los procedi-

---

(69)   Artículo 132.2.
(70)   Artículo 132.3.
(71)   Artículo 65.5 Ley General Tributaria.
(72)   Artículo 44.2 LRJ.

mientos caducados no interrumpirán el plazo de prescripción. La Administración, por consiguiente, no puede servirse del efecto interruptor de la incoación y demás actuaciones del procedimiento sancionador para retrasar la prescripción, propiciando la sucesiva interrupción y reanudación del cómputo, porque el procedimiento sancionador debe resolverse en el plazo máximo legalmente previsto.

17. CONTROL JUDICIAL DE LA INACTIVIDAD DE LA ADMINISTRACIÓN PÚBLICA

La Constitución española declara y garantiza que los Tribunales controlan la legalidad de la actuación administrativa (73) y como quiera que la inactividad debida de la Administración es una conducta antijurídica como la actividad ilegal, al igual que ésta, puede ser sometida al control jurisdiccional. Así, está previsto que los Juzgados y Tribunales del orden contencioso-administrativo conozcan de las pretensiones que se deduzcan en relación con la actuación término referido tanto a los actos, como a la inactividad de las Administraciones públicas (74).

En consecuencia, tanto la inactividad de la Administración pública como sus efectos también pueden ser objeto de recursos ante la jurisdicción contencioso-administrativa, ya sea impugnando los actos presuntos derivados del silencio administrativo (75), o ya sea volviendo a plantear en sede judicial la solicitud que puede entenderse desestimada en caso de que haya que entender el silencio como desestimatorio o, bien reclamando por dicha vía judicial la actuación debida que s e pretende de la Administración (76), ya se trate de una prestación concreta, ya de la ejecución de un acto administrativo firme (77).

En los supuestos de inactividad de la Administración rige el plazo de de dos meses para la interposición del recurso judicial (78), este plazo se computa a partir del día siguiente al del vencimiento de los plazos establecidos para considerar que se ha producido dicha inactividad; lo cual supone que, una vez requerida la Administración, si en el plazo de tres meses (79) o de un mes (80) no hubiera dado cumplimiento a lo solicitado, comienza a correr el plazo de dos meses para interponer el recurso.

---

(73) Artículo 106.1 CE.
(74) Artículos 9.4 Ley Orgánica del Poder Judicial y 29.2 de la LJCA.
(75) Cuando se trata de silencio administrativo positivo artículo 25.1 LJCA.
(76) Artículo 25.2 LJCA.
(77) Artículo 29 LJCA.
(78) Artículo 46.2 LJCA.
(79) Supuesto general.
(80) Casos de ejecución de actos firmes.

En los casos en que el recurso contra la inactividad de la Administración se plantee por incumplimiento de la obligación de ejecutar un acto administrativo firme, el recurso debe plantearse mediante el procedimiento abreviado con independencia de la cuantía del asunto o del órgano judicial que conozca del asunto.

Cuando se trate de una cuestión en la que estén en juego derechos fundamentales y se utilice el procedimiento contencioso-administrativo especial que regula la ley (81) el plazo para interponerlo es de diez días contados una vez transcurridos veinte días desde la presentación de la reclamación que debe efectuar el interesado obligatoriamente (82).

Como puede comprenderse, las pretensiones planteadas en vía judicial deberán ser diferentes en cada supuesto. El interesado que recurre un acto presunto derivado del silencio administrativo positivo puede plantear que sea anulado por ser contrario al Ordenamiento Jurídico; pero a quien recurre al amparo del acto presunto desestimatorio (83) no podrá fundamentar la anulación del acto aunque se declare ilegal el silencio negativo negativo si esta declaración de ilegalidad del silencio de la Administración no se acompaña, además, del reconocimiento expreso del derecho a lo que el interesado pedía o pretendía en vía administrativa, incluida la adopción de medidas necesarias (84) para el restablecimiento de la situación jurídica individualizada afectada por la falta de resolución (85). Por otra parte, teniendo en cuenta el supuesto concreto de las obligaciones de llevar a cabo prestaciones específicas o de ejecutar actos administrativos determinados, el demandante puede pedir que se condene a la Administración al cumplimiento de sus obligaciones en los términos específicos en que estuviera establecido en la normativa de fundamento que se invoque (86).

Estas son, pues las pretensiones que pueden ser planteadas ante la jurisdicción contencioso-administrativa y acogidas en una eventual sentencia estimatoria en la que podría establecerse un plazo para el cumplimiento del fallo si éste declarara la exigencia de emisión de un acto administrativo o la práctica de una actuación material jurídicamente obligatoria (87).

La tutela judicial frente a la inactividad administrativa se complementa con una serie amplios poderes de que disponen los órganos judiciales para llevar a

---

(81)   En los artículos 114 a 122 LJCA.
(82)   En el procedimiento ordinario han de transcurrir tres meses.
(83)   Silencio administrativo negativo.
(84)   Incluyendo las de naturaleza indemnizatoria si fueran necesarias.
(85)   Artículo 31 LJCA.
(86)   Artículo 32 LJCA.
(87)   Artículo 71 LJCA.

cumplido efecto sus sentencias (88), que pueden ser ejecutadas por sus propios medios o bien requiriendo la colaboración de las autoridades y agentes tanto de la Administración condenada como de otras Administraciones públicas, así como adoptar las medidas necesarias para que el fallo adquiera la eficacia que, en su caso, sería inherente al acto omitido, entre las que se ha previsto incluso la ejecución subsidiaria con cargo a la Administración pública condenada por la sentencia judicial.

Finalmente en los casos en que la Administración dicte algún acto que solo suponga cumplimiento incompleto de lo solicitado, dicho acto debe ser recurrido de acuerdo con el régimen general de impugnación de los actos expresos.

---

(88)   Artículo 108 LJCA.

Capítulo 15

La suplencia en las Administraciones Públicas

En este capítulo examinamos la figura de la suplencia como instrumento necesario para el funcionamiento de la administración pública teniendo en cuanta que no se trata, ni mucho menos, de una técnica novedosa en el ámbito de la práctica administrativa y, por lo general, se produce cuando concurren en el órgano titular de la competencia motivos excepcionales o especiales de vacante, ausencia, enfermedad u otro tipo de imposibilidad siempre que tenga carácter temporal.

En esta como en otras prácticas profesionales administrativas, que se desarrollan en esta sección, se vienen mencionando y trayendo a colación criterios, opiniones y experiencias sobre diversas materias que son tomados, en muchas ocasiones, de la práctica administrativa profesional y que aquí son más tenidos en cuenta que otro tipo de criterios y opiniones de origen más académico; pero más basados en teorías y supuestos complejos y por ello más alejados de las vivencias y prácticas cotidianas de la Administración.

1. CONCEPTO Y DISTINCIÓN DE FIGURAS SIMILARES

La suplencia es un figura de Administración que supone una excepción derogación del principio general administrativo en cuya virtud sólo el titular del órgano puede válidamente ejercer sus competencias, pues los cargos públicos no admiten sustitución en su ejercicio hay que tener en cuenta que cualquier organización actúa a través de personas físicas que componen su personal y los órganos de los que el sistema administrativo se compone.

La inserción de los individuos en la organización se opera a través de su adscripción a un puesto de trabajo y al Centro directivo., órgano o unidad del que forme parte aquel como elemento constitutivo, por ello y para poder aplicar con facilitar esta figura en la práctica de la administración es preciso tener en cuenta algunos aspectos del personal en concreto aquellos que de manera más directa e inmediata se refieren al puesto de trabajo y a la unidad orgánica. Por otra parte La LRJ dispone en su artículo 17 que los titulares de los órganos administrativos podrán ser suplidos temporalmente en los supuestos de vacancia, ausencia o enfermedad, sin que ello implique alteración de la competencia, con el fin de evitar retrasos inútiles en la gestión y de que no se paralice la actuación del órgano en aquellos supuestos en que el titular falte o se halle imposibilitado para actuar. La terminología usada en la redacción de este apartado de la LRJ ha dado lugar a cierta confusión en la interpretación de esta figura administrativa y su comparación con otras figuras similares, especialmente con lo que se refiere a la sustitución, que era el término empleado por la derogada Ley de Procedimiento Administrativo de 1958 en su artículo 4, y que sí implica una transferencia inter-orgánica del ejercicio de la competencia administrativa puesto que la actuación de la administración en este caso se imputa al órgano que actúa en sustitución de otro.

Otra definición de la suplencia es el desempeño temporal de las funciones del titular de un órgano administrativo por otra persona física distinta, esté o no determinada en una norma, y para los casos en que el titular no exista o se halle materialmente imposibilitado de actuar. Esta operación tiene lugar mediante un acto administrativo o por la mera producción del supuesto de hecho contemplado en la misma norma.

Por ello un efecto diferente es el que se produce con la suplencia al ser el mismo órgano el que continúa actuando aunque con un titular interino o provisional (suplente). Esta nota es la que caracteriza a esta técnica como la única en la que el órgano que actúa la competencia de facto es el mismo que la tiene atribuida; no hay más alteración que la de la persona del titular, pero no la del órgano administrativo. La inmutabilidad de la competencia que implica la suplencia supone que los actos y resoluciones dictados en el ejercicio de la suplencia surten los mismos efectos, tienen igual forma y se ajustan a idéntico régimen de impugnación que si hubieran sido dictados por el titular suplido, por ello algunas declaraciones judiciales han llegado a concluir que quizá por esta misma razón.

La suplencia se diferencia de otras figuras como la sustitución o la suplencia en órganos colegiados. Así es frecuente la utilización del concepto sustitución para designar el cambio transitorio del titular de un órgano administrativo; no obstante la sustitución supone transferencia inter-orgánica del ejercicio de la competencia; de aquí que sea conveniente emplear esta denominación de suplencia para referirse a los demás supuestos en que no existe transferencia inter-orgánica de competencias ni a su ejercicio, sino mero cambio temporal del titular para que no se produzca paralización del órgano administrativo.

La utilización incorrecta del término sustitución no es algo privativo de teorías académicas ni de la propia practica profesional de las Administraciones Públicas, así algunas legislaciones de las Comunidades Autónomas, emplean este término al referirse a la suplencia, al igual que normativa de régimen local, aunque en este caso, encuentra más fácil justificación por haber sido dictada al amparo de la antigua LPA. La Ley LRJ incluyó en alguna de sus redacciones iniciales como proyecto de Ley este artículo referido a la expresión sustitución, y en el texto actual, al regularse las figuras del presidente, miembros y secretario de los órganos colegiados, se utiliza también esta expresión; por otra parte la jurisprudencia tampoco escapa a esta rutina tan censurable, como lo pone de manifiesto. Otro de los frenos que lastra el desarrollo de esta figura es el empleo constante de la delegación de competencia como modo de dar solución a situaciones de suplencia. La delegación es más que habitual echar mano de esta técnica ante la previsión de la vacancia o ausencia del titular del órgano, eludiendo la aplicación del orden de suplencias existente en cada caso o el que venga en aplicación conforme a las normas generales del régimen jurídico estatal o autonómicas. Sí es frecuente, y no parece incorrecto siempre que no se vulneren las normas reguladoras de la suplencia que están vigentes en cada Administración, y que además en la Resolución de delegación se establezca un régimen de suplencias que incluya un orden de prelación para el caso de que el titular del órgano delegado esté ausente; por otra parte hay que reconocer que es frecuente descubrir en Resoluciones, actos o publicaciones oficiales supuestos que sirven como ejemplo de un uso incorrecto de otras figuras administrativas como la avocación o la delegación de firma para soslayar las formalidades y requisitos que exige el procedimiento de puesta en marcha de la suplencia.

Por todo ello la figura de la suplencia no debe confundirse con ninguno de los supuestos de transferencia de competencias o de su ejerció de un órgano administrativo a otro. La competencia permanece en el órgano y es mismo órgano el que continua actuando, cuando se utiliza la figura de la suplencia se trata de permitir la actuación del mismo evitando con ello la paralización en aquellos casos en que el titular esté ausente o imposibilitado de actuar.

Aunque tradicionalmente no ha existido en nuestro derecho una normativa que regulara, con carácter general la figura de la suplencia, la práctica profesional de la administración se ha encargado de establecer normas internas o normas no escritas sobre los criterios de antigüedad, analogía de funciones y competencias y otros criterios similares para mejor funcionamiento del servicio que permitieran el automatismo en la suplencia en los casos en que esta figura no se ha previsto en la norma de organización.

La regulación que la LRJ establece acerca de la suplencia señala que el suplente se designará (1):

1 Por el titular del órgano competente para nombrar al titular que haya de ser suplido.

2 En defecto de ello, por quien designe el titular del órgano inmediatamente superior.

---

(1)   LRJ art. 17.

Con ello parece que se haya querido prever un supuesto de sustitución en sentido técnico: frente al órgano que se resista a designar el suplente, lo designa otro que lo sustituye en esa función de designar suplente, lo cual se ha discutido en términos de buenas prácticas y sencillez en la organización, pues queda pendiente de interpretar cuando haya que entender que el órgano no ha designado suplente y por ello tienen lugar la posibilidad de sustituirlo en la designación; por otra parte queda indeterminado si la designación debe ser nominativa u objetiva. Pero la LRJ no ha aclarado como deba orientarse la normativa que regulara esta materia en las diferentes administraciones públicas.

2. REGULACIÓN DE LA SUPLENCIA EN LAS ADMINISTRACIONES PÚBLICAS

Esta disposición contenida en el artículo 17.1 LRJ, fue recurrida por algunas Comunidades Autónomas a través del recurso de inconstitucional en el que los recurrentes no discutían la previsión genérica contenida en el citado artículo conforme a la cual los titulares de los órganos administrativos podrán ser suplidos temporalmente en determinados casos; sólo impugnaban la parte de la disposición en la que se determinaba quiénes debían ser esos suplentes. Este inciso contiene una regla de organización y funcionamiento interno que sólo de modo indirecto afecta a la actividad externa de la Administración y a sus relaciones con los ciudadanos. En este ámbito, los recurrentes sostuvieron que la competencia básica del Estado no podía alcanzar aspectos tan concretos como el que era objeto del inciso controvertido y por ello el Tribunal Constitucional acogió la pretensión de los recurrentes en este extremo; sin embargo la sentencia considera que la previsión contenida en el artículo 17.2 de que la suplencia no implicará alteración de la competencia sí afecta al ejercicio de la competencia de los órganos administrativos y, por ello mismo, tienen incidencia directa sobre la relación de las Administraciones públicas y los ciudadanos, y en consecuencia, dado el mayor alcance que puede adquirir lo básico en estos casos, así como el carácter genérico de la regulación, nada se opone a que el legislador estatal pueda atribuir la condición de básico a ese apartado segundo. De todos modos es posible que no se habrían suscitado estas dudas de haberse incluido una redacción más amplia y respetuosa con las competencias ajenas a la estatal, pues lo positivo de la fórmula propuesta radicaba, precisamente, en su extraordinaria elasticidad y en el respeto y remisión expresa a la normativa de organización de cada Administración Pública, a fin de evitar los conflictos.

La Ley 50/1997, de 27 de noviembre, del Gobierno, regula la suplencia del Presidente del Gobierno, de los ministros y secretarios de Estado en los términos siguientes: las funciones del Presidente del Gobierno serán asumidas, en los casos de vacante, ausencia o enfermedad, por los vicepresidentes, de acuerdo con el correspondiente orden de prelación, y, en defecto de ellos, por los ministros, según el orden de precedencia de los departamentos. La suplencia de los ministros, para el despacho ordinario de los asuntos de su competencia, será determinada por Real Decreto del Presidente del Gobierno, debiendo recaer, en todo caso, en otro miembro del Gobierno, expresándose la causa y el carácter de la suplencia. La suplencia de los secretarios de Estado del mismo departamento se determinará según el orden de precedencia que se derive del Real Decreto de estructura orgánica del ministerio y los que dependan directamente de la Presidencia del Gobierno serán suplidos por quien designe el Presidente.

La regulación de la suplencia en la Administración periférica estatal se encuentra regulada de manera muy concreta y detallada, así el artículo 22.4 LOFAGE dispone que, en caso de ausencia, vacancia o enfermedad, el delegado del Gobierno será suplido, temporalmente, por el subdelegado del Gobierno de la provincia donde aquél tenga su sede, salvo que el delegado designe a otro subdelegado. En las Comunidades Autónomas uniprovinciales, la suplencia corresponderá al titular del órgano responsable de los servicios comunes de la delegación del Gobierno.

El Delegado del Gobierno será quien designe al suplente de los directores de área funcional de las delegaciones del Gobierno. El Secretario de Estado de Administraciones Públicas podrá atribuir la suplencia temporal a un director de la misma área de otra delegación del Gobierno. En todo caso, será necesario el acuerdo del ministerio competente por razón de la materia. También le corresponderá al Delegado del Gobierno, de acuerdo con el ministerio competente por razón de la materia, decidir sobre la suplencia de los jefes de dependencias y oficinas. En los mismos supuestos de ausencia, vacancia y enfermedad, los subdelegados del Gobierno serán suplidos por el secretario general de la subdelegación o, en su defecto, por quien designe el Delegado del Gobierno, suplente que en todo caso deberá reunir idénticos requisitos que los exigidos para ser nombrado Subdelegado del Gobierno. Los directores insulares serán suplidos por el secretario general de la dirección insular o, en su defecto, por quien designe el Delegado del Gobierno, y también deberá reunir idénticos requisitos que los exigidos para ser nombrado director insular. En los casos de vacancia, ausencia o enfermedad de un director de área funcional, el Delegado del Gobierno designará a quien lo supla temporalmente. En todo caso, será necesario el acuerdo del ministerio competente por razón de la materia. En el ámbito de cada delegación del Gobierno, los delegados del Gobierno resolverán, de acuerdo con el ministerio competente por razón de la materia, sobre la suplencia de los jefes de dependencias y oficinas.

En el uso y ejercicio del nuevo ámbito de operatividad sancionado por el Tribunal Constitucional en la sentencia citada hay Comunidades Autónomas que han regulado su propio régimen jurídico de la suplencia, así en Castilla y León, los titulares de los órganos directivos centrales serán sustituidos en caso de ausencia, vacante o enfermedad por el titular del órgano de la consejería de igual rango o, en su defecto, del inmediatamente inferior, con mayor antigüedad, salvo que el consejero disponga otra cosa. Los titulares de los órganos directivos periféricos serán suplidos por el secretario territorial y, en su defecto, por el jefe de departamento territorial que tenga mayor antigüedad, salvo que el consejero de Presidencia y Administración Territorial disponga otra cosa. Los titulares de los demás órganos serán suplidos, siempre que el contenido de la función lo permita, por el titular del órgano del mismo rango con mayor antigüedad del centro directivo, salvo que el titular de éste disponga otra, por su parte en Aragón, el titular del departamento será quien, en los casos de vacante, ausencia, enfermedad o impedimento personal, designará a quien deba sustituir al secretario general técnico, en su caso, y a los directores generales (en el mismo ocurre en la Comunidad Autónoma de Extremadura, y en la Comunidad Autónoma de las Islas Baleares cuando no haya designación expresa, se aplica el régimen previsto en la Ley. La designación para la sustitución de los jefes de servicio competerá a su superior jerárquico directo. Por su parte en Cataluña los titulares de los órganos inferiores a director general son suplidos en caso de vacante, ausencia o enfermedad por el titular del órgano inmediatamente inferior y, en caso de que existan varios, por el más antiguo, excepto que el superior al sustituido haga designación expresa a favor de otro titular Como puede observarse en estas dos últimas comunidades autónomas, la regla de la antigüedad, casi apartada por completo en el ámbito estatal, recupera su existencia como valor añadido que tiene en cuenta la experiencia y profesionalización de los empleados públicos.

En el ámbito de la Administración Local la suplencia tiene su regulación concreta en la Ley 7/1985, de 2 de abril Reguladora de las Bases del Régimen Local (LBRL) que dispone, en referencia a municipios y diputaciones provinciales, que los Tenientes de Alcalde sustituyen, por el Orden de su nombramiento y en los casos de vacante, ausencia o enfermedad al alcalde; por otra parte también dispone que los Vicepresidentes sustituyen, por el orden de su nombramiento y en los casos de vacante, ausencia o enfermedad, al Presidente.

En relación con la administración municipal el texto refundido de las disposiciones legales vigentes en materia de Régimen Local (TRRL) dispone que cuando el alcalde se ausente del término municipal por más de veinticuatro horas sin haber conferido la delegación, o cuando por una causa imprevista le hubiese resultado imposible otorgarla, le sustituirá el teniente de Alcalde a quien corresponda, quien deberá dar cuenta de ello al resto de la Corporación.

Dentro del ámbito reglamentario, el Reglamento de Organización, Funcionamiento y Régimen Jurídico de las Entidades Locales (ROF) dispone en sus artículos 47 y 48 que corresponde a los tenientes de Alcalde, en cuanto tales, sustituir en la totalidad de sus funciones y por el orden de su nombramiento, al Alcalde, en los casos de ausencia, enfermedad o impedimento que imposibilite el ejercicio de sus funciones; corresponde a los tenientes de Alcalde sustituir al Alcalde en los supuestos de vacante de alcaldía hasta la toma de posesión del nuevo Alcalde; las funciones del Alcalde no pueden ser asumidas por el teniente de Alcalde sin que medie expresa delegación del alcalde, excepto si esa delegación no hubiera sido posible efectuarla; corresponde a los tenientes de alcalde sustituir al Alcalde cuando durante la celebración de una sesión hubiese de abstenerse de intervenir éste, por tener interés en el asunto a debatir, finalmente en los supuestos de sustitución del Alcalde, por razones de ausencia o enfermedad, el teniente de Alcalde no podrá revocar las delegaciones que hubiera otorgado el primero.

Por lo que hace a los Presidentes de las Diputaciones Provinciales, el régimen de suplencia es el mismo que el señalado para los Tenientes de Alcalde y así se regula en los artículos 67 y 68 ROF.

Por lo que hace a la suplencia de los órganos administrativos servidos por empleados públicos en la administración Local, corresponde a los Presidentes de las entidades locales, sobre la base que éstos tiene como jefes directos de personal y de organización de los servicios; por lo que hace a funcionario locales de habilitación nacional esta figura se encuentra regulada por el Real Decreto 1732/1994 sobre provisión de puestos de trabajo, reservados a funcionarios con habilitación de carácter nacional cuyo artículo 36 dispone que en los casos de ausencia, enfermedad o abstención legal o reglamentaria de funcionario con habilitación de carácter nacional, a petición de la Corporación interesada, la Administración o corporación local que atienda los servicios de asistencia, podrá comisionar a un funcionario con esta habilitación para realizar cometidos especiales de carácter circunstancial por el tiempo imprescindible.

3. CLASIFICACIONES DE LA SUPLENCIA ADMINISTRATIVA

La figura de la suplencia puede clasificarse en función de diversos criterios: por el modo de designación del suplente, por el contenido o alcance de la misma y por la causa que la origina.

3.1. Por la designación del suplente

Por la designación del suplente la suplencia se clasifica en suplencia automática o no automática. Lo habitual es que la persona del titular suplente esté designada de un modo directo o indirecto por la norma reguladora del órgano administrativo, en cuyo caso se habla de una suplencia automática. Como casos de suplencia automática suelen mencionarse las de los Secretarios de estado dependientes del Ministro del Departamento, la suplencia resulta del orden de prelación que resulte del Real Decreto que regule la estructura orgánica del ministerio de acuerdo con lo que dispone la Ley del Gobierno; pero este tipo de suplencia también se produce en caso de los Delegados del Gobierno en las Comunidades Autónomas uniprovinciales en que, de acuerdo con lo que previene la LOFAGE, la misma corresponde al titular del órgano responsable de los servicios comunes

En otras ocasiones en que no se ha previsto esa suplencia automática se deja al titular del órgano administrativo cierto grado de discrecionalidad para designar al suplente en caso de que resulte necesario. En estos casos de suplencia no automática también puede haberse previsto otro tipo de soluciones para el caso de que el designado como suplente no pudiera asumir la suplencia de este modo se facilita el funcionamiento de la administración. La suplencia no automática puede ser sin alternativa prevista es el caso de la suplencia de ministros que se determina por Real Decreto y debe recaer en otro miembro del Gobierno; también es el caso de los Secretarios de Estado dependientes del Presidente del Gobierno que deben ser suplidos por quien éste designe. Si la suplencia tiene soluciones alternativas éstas pueden consistir una designación por el titular al que hay que suplir: es el caso de los delegados del Gobierno en las Comunidades Autónomas pluriprovinciales, los cuales son reemplazados por el subdelegado del Gobierno de la provincia donde el Delegado tenga su sede, salvo que éste designe otro subdelegado. También puede consistir en la designación del suplente por un tercero, es el caso del Subdelegado del Gobierno, que es reemplazado por el Secretario General de la subdelegación o, en su defecto, por quien designe el Delegado del gobierno, a condición de que el designado reúna los requisitos exigidos para ser Subdelegado del Gobierno.

3.2. Por el contenido o alcance de la suplencia

En estos casos la suplencia puede ser total o parcial. Hay que tener en cuenta que, salvo que la norma de organización disponga explícitamente otra cosa hay que entender que la figura de la suplencia se extiende al ejercicio de la totalidad de competencias, pues precisamente lo que trata de evitarse con ella es la paralización de la administración.

No obstante lo habitual en la práctica profesional de la Administración es que el titular interino se limite a despachar los asuntos de puro trámite o los que debido a motivos de urgencia no sea posible demorar. Por ello la propias normas de organización suelen prever el ámbito de competencias que deberán ejercerse de forma interina por el suplente, así el la Ley del gobierno se dispone que el ministro que se encargue interinamente de los asuntos de otro departamento ministerial debe limitar su actuación al despacho de asuntos ordinarios en dicho ámbito competencial lo cual tiene su explicación en el carácter accidental y transitorio de la suplencia que trata de salvaguardar que la gestión ordinaria de asuntos no quede interrumpida por ausencia o imposibilidad del titular.

3.3. Por el motivo que hace surgir la suplencia

Las causas que motivan la suplencia son la inexistencia del titular o su imposibilidad para actuar como tal; ahora bien la imposibilidad de actuar puede derivarse a su vez, tanto de la ausencia como de la enfermedad del titular, mientras que la inexistencia de titular puede provenir, bien del fallecimiento o bien de su destitución, cabiendo en éste supuesto la presencia de una figura especial de suplencia consistente en la prórroga de la titularidad consistente en el que titular continúe en ejercicio de funciones hasta que se produzca un nuevo nombramiento interino o definitivo de titular.

4. EL SUPLENTE Y SU DESIGNACIÓN

Por lo general el titular del Centro Directivo, Unidad u Órgano Administrativo es una persona física; pero en algunas ocasiones, titularidad colegiada, es un conjunto de personas, que actúan colectivamente de modo que la LRJ regula la sustitución temporal del presidente y secretario de estos órganos y en gran parte de la normativa reguladora sobre estos órganos y en la práctica de su funcionamiento pueden encontrarse tanto disposiciones como actos en los que se haya previsto la suplencia individualizada de los miembros de dichos órganos colegiados; por ejemplo en la designación de tribunales para seleccionar el ingreso de empleados públicos en las administraciones públicas se prevé la suplencia de los miembros titulares que funciona de manera automática.

Además del titular también aparecen otras personas físicas que sirven los puestos de trabajo que se encuentran bajo la jefatura del titular. Las tareas que desempeñan pueden ser diversas y en cualquier caso la actuación de estos empleados públicos no se imputa al órgano al que están adscritos, lo cual no impide que los daños producidos a terceros actuando en ejercicio de funciones públicas puedan ser directamente exigibles a la organización a la que pertenecen. La adscripción al órgano administrativo del titular y del resto de personal tiene lugar mediante actos administrativos de nombramiento y toma de posesión.

Según la LRJ será suplente quien sea designado por el órgano competente para el nombramiento de aquéllos. Si no se designa suplente, la competencia del órgano administrativo se ejercerá por quien designe el órgano administrativo inmediato de quien dependa (2).Aunque lo mejor es que la norma de organización prevea en cada caso la suplencia, lo cierto es que muchas veces las normas olvidan prever el adecuado mecanismo de suplencia, por ello desde el punto de vista jurídico pueden plantearse dudas serias en cuento al funcionamiento de la organización en estos casos y en cuanto a la validez de los actos administrativos del suplente designado; por ello es conveniente insistir en la conveniencia de establecer los criterios generales y objetivos que permitan operar un mecanismo automático de la suplencia.

---

(2)   Ejemplo de atribución alternativa de competencia.

En cuanto al rango de la norma, debe quedar claro que no es preciso que la suplencia tenga rango de ley y puede establecerse por normativa de tipo reglamentario por ejemplo en el caso de las agencias estatales por lo estatutos de regulación de cada agencia siempre que la suplencia del titular de que se trate no esté prevista en la Ley de Agencias Estatales.

Por otra parte los mismos argumentos de la sentencia del Tribunal Constitucional que antes hemos mencionado ayudan también a distinguir la forma de designación de las suplencias en el ámbito de la administración pública por norma o disposición (automática) o por decisión del titular del órgano al que competa dicha facultad.

En cuanto a la primera de las modalidades, la suplencia puede venir establecida en la propia norma que regula y desarrolla la estructura orgánica de ministerio, departamento o consejería, y en este caso la designación de suplentes adquiere rango normativo y actúa *ex lege* cuando se produce presupuesto fáctico de la ausencia, vacancia o enfermedad. También puede darse el caso de que ésta se establezca con carácter permanente mediante la posición del órgano de gobierno de la Comunidad Autónoma, de alguno de sus miembros, o del reglamento orgánico o de funcionamiento que apruebe cada órgano colegiado, tal como prevén los artículos. 23 a 25 LRJ. La norma reglamentaria puede, pues, cumplir válidamente esta labor sin necesidad de que se lleve a efecto por ley. Cuanto más genérica sea la determinación del órgano suplente en la norma, como ocurre, por ejemplo, con las referencias genéricas al superior o inferior jerárquico sin concretar la denominación órgano, mayor será la posibilidad de que aquélla pueda sobrevivir a las modificaciones orgánicas que se produzcan en el futuro.

Cuando la designación no sea automática se realizará por parte de que ostente normativamente esta facultad, mediante un acto que revestirá igualmente forma propia que los demás actos que emanen de ese titular, sin que sea precisa la publicación para que surta efecto, aunque ésta empiece a convertirse en una práctica administrativa. La designación no debe efectuarse nominativamente, sino que debe referirse genéricamente al titular del órgano suplente, con mayor razón todavía para el caso de que la suplencia aparezca con una vigencia indefinida en el tiempo. No obstante en muchos ámbito de administración también se opina que las facultades del suplente no deberían ser idénticas en los casos de vacante y en aquéllos en que el titular del órgano existe pero está impedido, ni cuando la suplencia se produce en virtud de acto expreso o cuando es automática. También es posible encontrar en algunas normas la designación de un suplente del suplente, lo que podría merecer una valoración positiva desde la perspectiva de la seguridad jurídica salvo que derivase en una cadena infinita de suplencias.

No tiene porqué haber una relación jerárquica entre suplente y suplido (sí que es habitual que uno y otro dependan de aquél a quien corresponde designar al suplente), pero suele ser bastante común. No se respeta, por ejemplo, esta regla en alguno Orden Ministerial que designa como suplente del Director General, al Secretario General Técnico del mismo Departamento ministerial cuando entre ambos titulares de órganos del antiguo Ministerio de Ciencia y Tecnología no existía relación de jerarquía alguna. Otro supuesto en el que se designa suplente a un órgano con responsabilidades sectoriales para desempeño de competencias horizontales que conciernen a todo el ámbito de la Administración afectada, por ejemplo la designación del suplente del Interventor General en alguna Comunidad Autónoma, elección, que recae con carácter rotatorio en los distintos titulares, las Intervenciones Delegadas de las diferentes Consejerías, teniendo en cuenta que dichas intervenciones delegadas son por definición órganos que originariamente limitan su ámbito de actuación funcional al departamento en el que prestan sus servicios y por ello no parece muy correcta esta práctica en lo que hace a la suplencia.

5. CONTENIDO Y LÍMITES

El titular suplente actuará todas las competencias, tanto propias como delegadas, las avocadas o en las que sólo se ostente la firma por delegación, y los mismos términos que el suplido. No estará limitada por el objeto salvo que se disponga lo contrario, aunque lo habitual será que se circunscriba despachar los asuntos de puro trámite o aquellos que por razones de urgencia o necesidad no admitan demora, a modo de lo que ocurre comúnmente a los titulares en funciones o cesantes *(porrogatio)*. El art. 32 de la Ley 3/2003, de 26 de marzo, de régimen jurídico de la Administración de la Comunidad Autónoma de las Islas Baleares, lo dice así expresamente.

Se pueden regular con carácter indefinido en el tiempo y ser generales en cuanto a la globalidad de competencias que tiene atribuidas el órgano suplido; pero también puede afectar únicamente a alguna de las competencias que ostente el órgano suplido y por un periodo de tiempo limitado, así una Orden de medio ambiente designó suplente del titular de la Secretaría General de Medio Ambiente con rango de subsecretario sólo para la formulación de determinadas declaraciones de impacto ambiental de competencia estatal y solo durante un periodo de cinco días, al Director General de Calidad y Evaluación Ambiental. Otro ejemplo de suplencia de carácter específico pueden encontrarse en diferentes ámbitos de la competencia estatal o autonómica por ejemplo, en el ámbito sanitario cuando se designa a un director de un Centro Base como suplente del director del Instituto Autonómico de Asuntos Sociales para el reconocimiento de minusvalías, en este sentido hay Leyes autonómicas que no regulan claramente la clasificación completa de las suplencias que son susceptibles de articularse por ejemplo cuando se dice que éstas pueden ser para ámbito general o de ámbito específico, y también para supuestos concretos. Pueden coexistir simultáneamente distintas suplencias de un mismo titular, y en este caso se entenderá que la de ámbito específico prevalece sobre la de ámbito general, y que ambas pueden quedar en suspenso si se establece una para un supuesto concreto.

La extinción de la suplencia tiene lugar cuando cesa la causa que la motivó, esto es, cuando sea nombrado titular que cubra la vacancia existente, o se incorpore el suplido a su cargo o puesto de trabajo. Además la suplencia, por lo general, se extingue automáticamente sin necesidad de acto revocatorio cuando cesa la causa que la motiva, esto es, la incorporación del titular del órgano después de la ausencia o enfermedad, o la cobertura de la vacante.

6. OTROS REQUISITOS FORMALES DE LA SUPLENCIA

La LRJ no impone el requisito de publicidad a las suplencias; no obstante en algunos casos la publicidad es muy conveniente. Por ello cuando la publicación no resulte preceptiva porque no lo impone la normativa de regulación, el trámite de publicación puede justificarse en la salvaguarda de los derechos de los interesados al planteamiento de una posible recusación en el caso de que concurriera, en el suplente, algún motivo de tacha legal de los recogidos en el artículo 28 LRJ. A dicha finalidad responde por ejemplo la notificación por edictos de un acuerdo de suplencia de instructor de procedimiento administrativote desahucio y propuesta de resolución por infracción del régimen legal correspondiente.

Respecto a otros requisitos del acto de suplencia propiamente dicho, la práctica que se ha venido imponiendo es que los actos y resoluciones adoptados por suplencia deben indicar esta circunstancia mediante expresiones o iniciales adoptados por la práctica profesional administrativa como, por ejemplo, «por suplencia», «p.s», *ad interinum,* «a.i»., «titular accidental», «en funciones», «interino», etcétera también reconocidos y consagrados en el ámbito judicial.

Por todo ello y dada la proliferación de abreviaturas y fórmulas empleadas desde aquí emplazamos al buen hacer del Ministerio de Administraciones Públicas al objeto que pudiera plantearse la oportunidad de puesta al día o actualización de directrices para las Administraciones Públicas en que se homologue y armonice el uso de este tipo de fórmulas y los requisitos de aclaración que deben contener en los documentos oficiales de la administración pública.

Capítulo 16

La delegación de firma en las Administraciones Públicas

La práctica profesional en la Administración Pública muestra la necesidad de figuras como la delegación de firma o de funciones. La delegación de firma en derecho administrativo español no constituye una delegación de funciones en sentido estricto, pues, en aquella, no hay transferencia del ejercicio de la competencia, sino que lo único que se transfiere es la materialidad de la firma y la resolución se adopta en la práctica habitual de la Administración Pública de forma verbal por el titular de la competencia. En este apartado examinamos la delegación de firma como figura instrumental que facilita el ejercicio de función en el ámbito de las Administraciones Públicas.

1. CONCEPTO Y FINALIDAD

La normativa administrativa tradicional exigía que los actos administrativos se produzcan y consignen por escrito cuando su naturaleza o circunstancias no exijan o permitan otra forma más adecuada de expresión y constancia; en los casos en que los órganos administrativos ejerzan su competencia en forma verbal y no se trate de resoluciones, la constancia escrita del acto cuando sea precisa, se efectuará y firmará por el órgano inferior que lo reciba oralmente expresando en la comunicación del mismo la autoridad de que procede, mediante la formula «de orden de ...» si se tratara de resoluciones el titular de la competencia deberá autorizar con su forma una relación de las que hubiera dictado en formas verbal con expresión de su contenido, esta previsión no era de aplicación en el caso de resoluciones de carácter sancionador.

Hay que tener en cuenta que la delegación de firma solo es procedente cuando sea posible delegar competencias entre órganos o unidades administrativas dependientes entre sí, por ello no es posible esta figura en los casos que enumera la LRJ y señalamos más adelante. Por otra parte los titulares de los órganos administrativos podrán, en materia de su propia competencia, delegar la firma de sus resoluciones y actos administrativos en los titulares de los órganos o unidades administrativas que de ellos dependan, dentro de los límites señalados en la LRJ (1). La delegación

---

(1)   Artículo 13 LRJ.

de firma o autorización de firma, tal como se denomina en la normativa catalana, no altera la competencia del órgano delegante (2), al que le sigue, perteneciendo la resolución y decisión sobre el fondo del asunto. Utilizando palabras de una resolución judicial que examinó el concepto y las aplicaciones prácticas de esta figura administrativa, la delegación de firma la decisión núcleo del acuerdo administrativo se adopta por el órgano titular de la competencia y el órgano delegado de firma, se limita a instrumentarla (3).

Lo único que se transfiere, pues, es la plasmación o materialización de la firma, siendo su finalidad en exclusiva liberar al superior de la tarea de rubricar numerosos documentos, sobre todo en aquellos asuntos repetitivos.

Sin embargo, hay ocasiones en que la firma, aun siendo un elemento del acto o resolución, adquiere tal entidad y autonomía que llega a considerarse una competencia en sí misma. En estos casos, especialmente cuando se trata de la firma de convenios y acuerdos, se utiliza la delegación de competencias, regulada en el art. 13 LRJ y no la delegación de firma. Otras veces se utiliza incorrectamente y por exceso aquella técnica, cuando en realidad se trata meramente de una delegación de firma.

Muchas veces se ha identificado esta figura con la materialización por escrito de las resoluciones dictadas en forma verbal, regulada en el art. 55.2 LRJ.

La delegación de firma no altera pues la competencia del órgano delegante y no es preciso requisitos formal alguno para publicar la delegación solo hay que hacerlo constar en las resoluciones que se firmen, que se hace por delegación del órgano que procede, sin embargo en relación con la Administración General del Estado hay obligación de comunicar al superior pues la LOFAGE dispone que la Delegación de firma de resolución y actos administrativos habrá de ser comunicada al superior jerárquico del delegante (4), pero no es posible sin más saber si la comunicación debe versar sobre un propósito, en cuyo caso estaríamos ante un supuesto de solicitud de autorización, o sobre el hecho de haber efectuado ya la delegación de firma; finalmente en su momento pudo plantear dudas la diferencia que parece hacer la LOFAGE a estos efectos entre resolución y actos administrativos que se refiere sin duda tanto a actos definitivos como actos de trámite cualificados o no cualificados.

En este precepto se dice que en aquellos casos en que los órganos administrativos ejerzan su competencia de forma verbal, la constancia escrita del acto, cuando sea necesaria, se efectuará y firmará por el titular del órgano inferior o funcionario que la reciba oralmente, expresando en la comunicación del mismo la autoridad

---

(2)   Artículo 16.2 LRJ.
(3)   STSJ Valencia 2.1.2001.
(4)   Disposición adicional 13.ª núm. 3.

de la que procede. Cuando se trate de resoluciones, el titular de la competencia deberá autorizar una relación de las que haya dictado de forma verbal, con expresión de su contenido.

La diferencia entre estas dos técnicas, en principio mínima, estribaría en que la delegación de firma opera en aquellos actos y resoluciones que constan ya por escrito y han sido dictadas por el órgano competente, faltando tan sólo su firma, elemento este que es el que se delega. En ámbitos concretos, como ocurre con todo el derecho sancionador de tráfico, se ha venido admitiendo, en la práctica administrativa, la posibilidad de que las resoluciones se dicten en forma verbal mediante la aprobación de las propuestas emitidas por las diferentes Jefaturas territoriales de Tráfico y firma posterior de la relación de las resoluciones de este modo dictadas, para cumplir con lo dispuesto en el art. 55.2 LRJ, al establecer que los delegados o subdelegados del Gobierno, en su caso, y los alcaldes, dictarán resolución sancionadora o resolución que declare la inexistencia de responsabilidad por la infracción. Dicha resolución se dictará por escrito conforme previene el art. 55.1 LRJ, salvo que los órganos administrativos ejerzan su competencia de forma verbal, en cuyo caso el titular de la competencia deberá autorizar una relación de las que haya dictado de forma verbal con expresión de su contenido conforme previene el art. 55.2 ya visto.

El Consejo de Estado (5) ha criticado con dureza esta práctica administrativa, que estaba justificada, según la Dirección General de Tráfico, a facilitar el trabajo físico de resolución de expedientes pues al dictarse la resolución verbal por la autoridad administrativa no será preciso el traslado físico del expediente ante dicha autoridad. Para el alto órgano consultivo la Resolución del expediente, sea escrita, u oral cuando la Ley lo permite, requiere que la autoridad que dicta la resolución lo examine, y lo tenga a su vista de modo cierto. Será oral la resolución, en su caso, pero no puede haber una transmisión también oral del contenido del expediente para facilitar el examen y reflexión que corresponde a la autoridad que resuelve porque no lo facilita.

Por otro lado, tal como se puso de relieve en observaciones formuladas (6) al texto inicial del proyecto de Reglamento sometido a dictamen la práctica de resolver el procedimiento de manera verbal no es la forma general predispuesta por la ley en nuestro derecho administrativo. No obstante hay que reconocer que en ocasiones es la más adecuada que se encuentra o incluso la más adecuada; pero por lo general se trata de situaciones o circunstancias de emergencia o manifiesta necesidad cuya utilización ni debe ni puede generalizarse en la práctica de la administración sancionadora y si así se hace la practica debiera ser removida por los correspondientes órganos de control o inspección. Por otra parte el

---

(5)   Dictamen 2977/1999.
(6)   Por la SGT del antiguo Ministerio de Administraciones Públicas.

alto cuerpo consultivo ha señalado, con acierto, que se recuerde por parte de la autoridad competente la necesidad estricta y rigurosa de tener a la vista el expediente cuando se dicta resolución. Si ello ocasiona problemas físicos o materiales, podrá resolverse de otro modo, posiblemente utilizando medios electrónicos para la transmisión del expediente, pero, desde luego, no es correcto resolver sin el expediente administrativo.

Otra cuestión que hay que tener en cuenta es la diferencia entre la delegación de firma y la notificación de actos y resoluciones administrativas. A este respecto, hay alguna que otra sentencia judicial que ha declarado que una comunicación en la que se transcribe o testimonia la resolución dictada por el titular de un órgano no puede confundirse con un caso de delegación de funciones o de delegación de firma, constituyendo un simple acto de documentación enderezado a la comunicación o notificación de la resolución dictada por la autoridad de que se trata, comunicación que está investida de presunción de legitimidad o autenticidad (7).

Del mismo modo que se produce con otras figuras administrativas como la delegación de competencias y la avocación, esta técnica se confunde frecuentemente con la designación de las suplencias. El uso de la delegación de firma ante la previsión de la vacancia o ausencia del titular del órgano, en vez de permitir que opere el orden de suplencias que exista en cada caso o el que venga en aplicación conforme a las normas generales del régimen jurídico estatal o autonómicas que procedan, es del todo censurable. Lo más llamativo es que en este tipo de resoluciones sólo se hace referencia a la firma que se delega, sin precisar a que órgano corresponderá el resto de los elementos del ejercicio de la competencia. Es obvio que no será el titular de la competencia quien la ejerza ya que el presupuesto fáctico de estas delegaciones mal practicadas es, precisamente, su ausencia o vacancia. En ese caso habría que acudir a la aplicación de las normas reguladoras de la suplencia para conocer quién ejercerá la competencia con la salvedad de su firma, cuya delegación sería expresa.

Sin embargo, esta práctica de la administración constituye, realmente, casi siempre una corruptela que no puede justificarse por la repetición y habitualidad, según la cual quien recibe la delegación recibe no solo la autorización de firma sino la autorización para ejercer, materialmente, la competencia administrativa, sin que esta circunstancia pueda casi nunca ser apreciada desde ámbitos externos a la administración pública. En cualquier caso, lo más correcto sería que el suplente, y no el titular, fuera quien decidiera si delega la firma o no de las resoluciones que le corresponden durante el período en que el titular estuviera ausente o su puesto de trabajo vacante, teniendo en cuenta a la acumulación de actividades y tareas que se produzca en el Centro Directivo o Unidad Administrativa.

---

(7)   STSJ Castilla-La Mancha 24.9.1999.

El Tribunal Supremo ha señalado en una reciente sentencia que en cuanto a esta figura administrativa que en el único documento del expediente en el que aparece la actuación del jefe de servicio es el correspondiente al inicio del procedimiento y en el mismo se indica con toda claridad que la resolución la dicta el comisario jefe provincial que es el órgano a quien se le atribuye la competencia., mientras que aquel s ele delega no la competencia sino la firma como en dicho documento se indica con toda claridad (8), es cierto que la LRJ dispone que no cabe delegación de firma en resoluciones sancionadoras (9); pero a la delegación de firma en relación con ola 8incoación del procedimiento no puede aplicarse a esta prohibición toda vez que a través de este acuerdo no se ejerce la potestad sancionadora puesto que limita su acción al inicio procedimental que culmina con el acto sancionador al que si afecta la prohibición.

En algunas ocasiones, como ocurre en los casos de delegación de competencias, en la resolución de delegación de firma se designa al suplente para el caso de que el titular del órgano en quien se delega estuviera ausente o bien se produzca la vacante del puesto.

Si bien el art. 16 de la LRJ no requiere que la delegación de firma sea razonada, el ejercicio de cualquier potestad, también las discrecionales debe ser motivada, a la vista de lo dispuesto en el art. 54. Por ello es relativamente frecuente incluir en las resoluciones por las que se delega la firma los motivos que inducen a tomar esta decisión, razones que suelen ser similares, en gran medida, a las que justifican la delegación del ejercicio de competencias: mayor celeridad y agilidad, eficacia, racionalización de la organización administrativa, etc.

En algunos ordenamientos como el francés se distingue entre delegación de firma y delegación de poderes, entendiendo que loa primera es una figura de carácter personalizado (10) que se realiza a determinado funcionario, no por razón de su calidad formal, sino nominalmente y que finaliza cuando el delegante o el delegado cesan en sus funciones; además esta figura permite que el delegante pueda confiar al delegado el ejercicio concreto de ciertas atribuciones, sin privarle de la posibilidad de avocar para sí mismo determinados asuntos de los comprendidos en el listado de atribuciones delegadas, por ello deberá procederse a delegaciones adicionales cada vez que cambien las personas; por otra parte la llamada delegación de poderes en el mencionado ordenamiento presenta un carácter netamente impersonal, mediante la cual se produce una nueva distribución de competencias despojando al delegante de la potestad que delega en el delegado siendo éste último el único que puede legalmente ejercer la potestad delegada; de modo que el delegante no podrá decidir la materia delegada; sin embargo si podrá

---

(8)   STS 25.1.2008.
(9)   LRJ arts. 16.4.
(10)   *Intuitupersonae.*

solicitar que se le tenga informado y hasta revocar, si fuera preciso, la delegación. Contrariamente a lo que sucede con la delegación de firma, en derecho francés, solo se otorga la delegación de poderes o de calidades, en razón de la calidad formal, que subsiste a pesar de que cambien las personas de delegante y delegado.

Por ello la delegación de firma en nuestro derecho no tiene nada que ver con la que regula en derecho administrativo francés; si coincide sin embargo con la fórmula adoptada en algunos ámbitos concretos de Derecho administrativo portugués que señala que la delegación de firma es siempre posible en todos los niveles de jefatura sin que sea exigible autorización superior (11).

2. SUJETOS INTERVINIENTES EN LA DELEGACIÓN DE FIRMA

La delegación de firma opera entre órganos jerárquicamente dependientes tal como se deduce del art. 16.1 cuando alude a la relación de dependencia que deberá existir entre el titular del órgano o unidad administrativa delegante y delegada. El legislador opta por la prudencia, y decide quedarse un paso por detrás respecto de la delegación no jerárquica a que se refiere la LRJ en su artículo 13.

Aunque es poco corriente puede darse la posibilidad de que la firma se delegue en varios órganos indistintamente, y en este caso, aunque tiene menor trascendencia que en el supuesto de la delegación de competencias, sería oportuna la existencia de alguna instrucción que evitase solapamientos y fricciones en la materialización de la firma.

Como requisito adicional en el ámbito de la Administración estatal la delegación de firma habrá de ser comunicada al superior jerárquico del delegante (12), lo que recuerda esta puesta en conocimiento que se exige en la avocación. La distinta terminología (comunicación y puesta en conocimiento) parece no tener más importancia que la meramente estilística y no debería suponer una autorización del superior jerárquico.

Una previsión similar aparece en algunas normativas autonómicas así la Ley de Régimen Jurídico de la Administración de Baleares, ordena (13) la comunicación cuando se trate de delegaciones que tengan carácter permanente y la normativa aragonesa eleva de grado la exigencia al disponer que, salvo los consejeros, que son los únicos que tienen la competencia *ex lege* para delegar su firma, los titulares de los restantes órganos necesitarán autorización de su superior jerárquico y con los límites legales que corresponden a esta figura.

---

(11)   Aunque el Código de procedimiento administrativo portugués no recoge, con carácter general, la figura de la delegación de firma, este instrumento administrativo si se regula en normativa espacial.
(12)   Disposición Adicional decimotercera aparatado 3 de la LOFAGE.
(13)   En su art. 31.3.

3. OBJETO DE LA DELEGACIÓN DE FIRMA Y PROHIBICIONES LEGALES

Se podrá delegar la firma tanto de actos o resoluciones definitivas como de trámite. Dos son las grandes áreas en las que la delegación de firma se utiliza con mayor frecuencia: la contabilidad, intervención y autorización de gastos (documentos contables y administrativos de autorización y disposición de gastos, reconocimiento de obligaciones, etc.) y la gestión de la política de personal y recursos humanos (concesión de vacaciones, permisos y licencias al personal, cursos de formación, reconocimientos de servicios previos, tomas de posesión, etc.).

La firma no puede ser delegada cuando las resoluciones o actos se dicten en el ejercicio de competencias cuya delegación no sea posible al amparo de lo dispuesto en el art. 13. El apartado 2.º de este precepto enuncia una serie de supuestos en los que no se podrá delegar la competencia en ningún órgano. Debemos entender que se trata de una relación abierta, no tasada, y así lo pone de manifiesto la letra d) de este apartado cuando permite la posibilidad de que se establezcan por norma de rango de ley nuevas materias en las que la delegación quedará prohibida.

Los supuestos que la LRJ recoge, lo recordamos brevemente son:

a) Los asuntos que se refieran a relaciones con la Jefatura del Estado, Presidencia del Gobierno de la Nación, Cortes Generales, Presidencias de los Consejos de Gobierno de las Comunidades Autónomas y Asambleas Legislativas de las Comunidades Autónomas.

b) La adopción de disposiciones de carácter general.

c) La resolución de recursos en los órganos administrativos que hayan dictado los actos objeto de recurso.

d) La competencia para resolver un asunto concreto una vez que en el correspondiente procedimiento se haya emitido un dictamen o informe preceptivo acerca del mismo. No obstante, no constituye impedimento para que pueda delegarse la competencia para resolver un procedimiento la circunstancia de que la norma reguladora del mismo prevea, como trámite preceptivo, la emisión de un dictamen o informe.

Por lo que respecta a la prohibición de delegar la firma de las disposiciones de carácter general, merece la pena traer a colación la doctrina del TS, a raíz de la impugnación de una Orden del antiguo Ministerio de Economía y Hacienda, firmada por el Secretario de Estado de Economía, según la cual se reconoce que, si bien es indeclinable la potestad reglamentaria *ad intra* que se reconocía al ministro en el art. 14.3 LRJ, no compromete tal competencia y es por tanto admisible que en situaciones transitorias como el interregno vacacional del mes de agosto, se halle habilitado el Secretario de Estado, para la materialidad de suscribir una disposición general de ese rango emanada del titular del departamento, sin tener que interrumpir ni dilatar el curso conducente a su más rápida publicación. El Tribunal Supremo no estima infringido el actual art. 13.2.b) LRJ (y por tanto, el art. 16.1), porque el objeto de la delegación no ha sido la competencia para dictar la Orden Ministerial de la que en ningún momento cabe inferir que abdicara su natural titular, sino solamente la facultad de firmarla, menester para el que el Secretario de Estado gozaba de habilitación suficiente como figura intermedia entre el Ministro y el Subsecretario (14).

La interdicción de que se pueda delegar la firma de la resolución de recursos en los órganos administrativos que hayan dictado los actos objeto de recurso, tiene sentido si lo que quiere conseguir es no privar al recurso de la garantía para el ciudadano en que consiste. Este apartado sólo afecta a la resolución de recursos de alzada, pero no a la resolución del recurso potestativo de reposición (15).

En cuanto a los asuntos en los que se deba emitir un dictamen o informe preceptivo, la Ley 4/1999 de reforma de la LRJ introdujo aclaraciones oportunas para explicar que lo que no está prohibido es la delegación de la firma para resolver un procedimiento por el hecho de que la norma reguladora del mismo prevea, como trámite preceptivo, la emisión de un dictamen o informe. Podría decirse que esta prohibición se pone en marcha cuando el informe respecto de un procedimiento concreto ha sido ya emitido, actuando éste en forma de condición resolutoria de la facultad de delegar. El interés de este precepto radica no sólo en lo comentado, sino en despejar la duda de si cabe o no la delegación de un asunto concreto.

La ley no se pronuncia expresamente sobre la posibilidad de delegar la firma de actos dictados en el ejercicio de una competencia que ya se ejerza por delegación. Un cierto sector de la doctrina cree que no habría ningún problema porque en aquella delegación lo único que se está permitiendo es la materialización de la firma o suscripción del acto, correspondiendo al órgano delegado la expedición del último elemento del ejercicio de la competencia. Esto significa que los actos que se firmen por delegación se entenderán dictados no por el delegante de la firma, sino por el que delega la competencia, tal como dispone el artículo 13.4 LRJ.

El Consejo de Estado criticó duramente esta hipótesis por entender que su justificación no estaba nada clara y existían evidentes riesgos de que a través de ella se soslayasen las prescripciones legales acerca de la admisibilidad y forma de la delegación de competencias. Esta afirmación se entiende a la perfección si se examina el contenido de una decisión judicial que pone al descubierto un intento de vestir una subdelegación prohibida con los ropajes de una delegación de firma (16).

(14)   STS 14.9.1990.
(15)   STS de 2 de junio de 2003.
(16)   STSJ Baleares 4.5.1994.

Las normas autonómicas no son nada explícitas en este punto. La legislación balear permite la delegación de firma en las competencias atribuidas por cualquier título, entre las que podría entenderse comprendidas aquellas que se ejerzan por delegación. En el extremo opuesto se halla Cantabria, que alude únicamente a materias de su propia competencia. Por último, Extremadura y Asturias se refieren genéricamente a las materias de competencia del órgano.

La misma LRJ, antes de su reforma, contenía un par de preceptos al margen del art. 13 donde se arbitraban sendas prohibiciones de delegar el ejercicio de la competencia: la emisión del certificado de actos presuntos y la potestad sancionadora. Ambas han desaparecido de la redacción actual, pero esta última se sigue manteniendo inexplicablemente en el art. 16.4 LRJ para la delegación de firma. Que no haya más argumentos para justificarla que un lamentable olvido del legislador, puesto que si ha desaparecido la prohibición de mayor calado no tiene sentido que se mantenga la de menor trascendencia.

En otros supuestos se ha declarado que no cabe la delegación de firma en la imposición de multas coercitivas reiteradas para impeler el cumplimiento de un acto administrativo, dado su carácter sancionador y, por esta razón, debe declararse la invalidez de los actos administrativos adoptados de esta forma; no obstante es difícil estar de acuerdo con esta opinión por cuanto la multa coercitiva es una medida de auto tutela ejecutiva fuera del ámbito sancionador (17).

Por lo que atañe a la posibilidad de delegar la firma para resolver los recursos contra resoluciones sancionadoras, recordemos que el Tribunal Supremo, ya había declarado en que en ningún precepto de la LRJ existía la particular limitación de delegar la facultad de resolver recursos administrativos en el ámbito sancionador sin que fuera posible extender la prohibición del art. 127.2, ya inexistente, a los recursos que cabe interponer frente a tal resolución originaria (18). Si esto era así en cuanto a la facultad de resolver, cuánto más si se trata de la firma.

Por último, no hay que olvidar los supuestos prohibidos que se adicionan puntualmente por las leyes sectoriales. La Ley 50/1997, de 27 de noviembre del Gobierno, aprovecha la cláusula general del art. 13.2.d) LRJ para introducir algunos: las atribuidas directamente por la Constitución, las relativas al nombramiento y separación de los altos cargos atribuidas al Consejo de Ministros y las atribuidas a los órganos colegiados del Gobierno, con la excepción de las funciones administrativas del Consejo de Ministros en las Comisiones Delegadas del Gobierno. Por otra parte las legislación autonómica también incorporan sus propios supuestos: las facultades que correspondan a los consejeros en cuanto miembros del Gobierno, las que procedan de una atribución expresa del Estatuto de Autonomía, los asuntos

---

(17)   Ver Sentencias TSJ C. Valenciana 22/2001 y SSTS de 14.12.1988 y 14.5.1997.
(18)   STS 9.2.1999.

que deban ser objeto de resolución por medio de decreto y aquellos que deban someterse al acuerdo o conocimiento del Gobierno, las comparecencias ante la asamblea, la creación, modificación o supresión de consejerías y viceconsejerías, e incluso la revisión de oficio de los actos nulos, la declaración de lesividad de los actos anulables y la revocación de los actos de gravamen o desfavorables.

4. ELEMENTO TEMPORAL: EL PLAZO DE DURACIÓN

Es cierto que la LRJ no es claramente expresa en lo que se refiere a la vigencia de la delegación de firma, parece consustancial a la naturaleza de esta figura su eficacia limitada en el tiempo. Sin embargo algunas declaraciones normativas introducen algún elemento de ambigüedad sobre este aspecto, como ocurre con alguna ley autonómica (19), cuando sugiere la existencia de delegaciones de carácter permanente.

En relación estrecha con la vertiente temporal de esta técnica, buen número de resoluciones de delegación prevén la revocación y avocación de la delegación de firma, algo llamativo por cuanto la delegación de firma afecta únicamente a un elemento del ejercicio de la competencia.

También es relativamente frecuente avocar asuntos para proceder acto seguido a la delegación de su firma, lo que no estaría motivado por la descarga de trabajo de los órganos superiores en los inferiores si verdaderamente aquélla opera sobre un asunto concreto. Nadie delega la firma de un acto o resolución concreta justificándolo en la disminución de trabajo que ello conlleva. Esto ocurre, sin embargo, en aquellos supuestos en los que la avocación, mal adoptada, recae sobre una competencia en abstracto o sobre un número indeterminado de expedientes. Como siempre, para ilustrar nuestra afirmación, dos ejemplos: la Orden de 5 de junio de 2000, por la que se avocan por el, entonces, Ministro de Hacienda determinadas competencias de los Secretarios de Estado y se delega la firma en el Director General de Fondos Comunitarios y Financiación Territorial, y la Resolución de 14 de diciembre de 2000, de la Secretaría de Estado de Telecomunicaciones y para la Sociedad de la Información, por la que se avoca, en determinadas circunstancias y con carácter temporal, la delegación de competencias indicadas en el apartado 10.e) del punto vigésimo de la Orden de 30 de noviembre de 2000 (20).

5. ELEMENTO FORMAL: REQUISITOS DE LA DELEGACIÓN DE FIRMA

En cuanto a la forma y estructura del acto por el que se acuerda la delegación de firma, sólo cabe reiterar las mismas observaciones que se han venido realizan-

---

(19)   Por ejemplo Ley 3/2003 de Administración de las Islas Baleares.
(20)   Boletines Oficiales del Estado 8.6.2000 y 4.1.2001.

do respecto del uso inadecuado de los términos disposición y sus derivaciones, así como a la entrada en vigor. Nos remitimos en este punto a lo ya analizado al hablar de la delegación de la competencia en el capítulo III. Para la validez de la delegación de firma no será necesaria su publicación, aunque en muchos casos se estima conveniente cuando sea indefinida en el tiempo, por seguridad y claridad en el ejercicio de las competencias. En muchas ocasiones la publicación se produce porque en el mismo acto, se acuerda al mismo tiempo, la delegación del ejercicio de competencias, en la que sí es preceptiva la publicación. La delegación de firma despliega efectos desde la fecha en que ésta se acuerda salvo que la eficacia se condicione a cualquier otra circunstancia como puede ser su publicación oficial o la notificación a los interesados, trámites que no son preceptivos para la delegación de firma de acuerdo con la normativa vigente (21).

En las resoluciones y actos que se firmen por delegación se hará constar la autoridad de procedencia. Este es el único requisito formal que exige la LRJ para la validez de la delegación de firma (22). La misma mención la encontramos contenida en el art. 14.2.b) del RD 1.465/1999, de 17 de septiembre, por el que se establecen criterios de imagen institucional y se regula la producción documental y el material impreso de la Administración General del Estado, que dispone que en los casos en que, por aplicación del art. 16 LRJ, el documento se haya formalizado por delegación de firma se hará constar tal circunstancia, expresando la disposición de delegación y la denominación del cargo o puesto de trabajo de quien lo formaliza.

La normativa autonómica analizada coincide en exigir que en la firma aparezca la expresión por autorización, o su forma usual de abreviatura, con indicación del cargo que autoriza y del órgano autorizado. En unos casos se utilizan las siglas P.A., en otros, P.D. de firma, etc. El Tribunal Supremo admite como válida la expresión «de orden de...», que era la que aparecía prevista en el art. 41.2 de la antigua Ley de Procedimiento Administrativo. Merece la pena llamar la atención sobre el uso (y abuso) indiscriminado de abreviaturas de este tipo cuyo empleo ni está legalizado ni normalizado, pues el interesado puede desconocer por completo su significado, la técnica empleada en el dictado de la resolución y, en última instancia, la persona que la ha suscrito (23).

6. IRREGULARIDADES DE LA DELEGACIÓN DE FIRMA

Acerca de si es convalidable o no la delegación para la firma de actos dictados en el ejercicio de una competencia cuya delegación está prohibida, el Tribunal Supremo parece admitirla a teniendo en cuenta lo dispuesto por el art. 67.3 LRJ,

---

(21) Art. 13 y 57 LRJ.
(22) STSJ de Andalucía de 2 de marzo de 2002.
(23) STS 2.6.2003.

calificándola de incompetencia no determinante de nulidad. En concreto la sentencia manifiesta que la firma por delegación de una resolución sancionadora es un vicio subsanable mediante la convalidación oportuna por parte del superior jerárquico (24). En contra de este criterio, una parte significativa de decisiones de tribunales superiores de justicia aboga por otra sanción más grave, postura que no compartimos siempre que quepa con validación y ésta se otorgue por el competente, y bastantes decisiones judiciales se inclinan por considerar que estamos ante un supuesto de nulidad plena del acto, de conformidad con el art. 62.1.b) de la ley, al haber sido dictado por órgano incompetente, ejercitando unas facultades delegadas en materia en la que la ley prohíbe terminantemente la delegación.

---

(24)   STS 3.5.2001.

Capítulo 17

La avocación como figura instrumental de la Administración

En este apartado examinamos la figura administrativa de la avocación, consiste en la transferencia del ejercicio de la competencia decisoria en un asunto concreto, hecha mediante un acto de la Administración de contenido no normativo, a favor de un órgano superior a aquél que la tiene atribuida como propia o delegada, con carácter general por razón de la materia, la jerarquía o el territorio.

1. SIGNIFICADO DE AVOCACIÓN

Según el diccionario de la Real Academia la primera acepción del término avocar está indicada como término técnico del foro y se define como Atraer o llamar a sí un juez o tribunal superior, sin que mede apelación, la causa que se estaba litigando o debía litigarse ante otro inferior. Hoy se encuentra absolutamente prohibido sobre la base del principio general de la independencia de los órganos judiciales. Pero el diccionario histórico de la Real Academia incluye otras acepciones para el término avocar, la segunda es hacer que una causa de un tribunal inferior pase a otro superior; la tercera acepción se define como atraer o llamar a sí cualquier otro superior un negocio que se halle sometido a examen y decisión de un inferior. La cuarta acepción se refiere a reveler que es un término médico que dicho diccionario define como separa lo que la causa mantiene o agrava una enfermedad en cualquier órgano importante del cuerpo, llamándola hacia otro órgano menos importante; la quinta es sinónima de aplicar o atribuir y la sexta se define como predestinar llamar, las cinco últimas acepciones son extensiones de la primera y en todos los casos el verbo es transitivo.

La avocación, consiste en la transferencia del ejercicio de la competencia decisoria en un asunto concreto, hecha mediante un acto de la Administración de contenido no normativo, a favor de un órgano superior a aquél que la tiene atribuida como propia o delegada, con carácter general por razón de la materia, la jerarquía o el territorio.

Algunos venerables Diccionarios jurídicos y de administración española recogen el concepto de avocar como atraer o llamar a sí algún juez o tribunal superior sin provocación o apelación, la causa que se está litigando o debe litigarse ante otro inferior (1).También se ha definido la acción de avocar como atraer o llamar a sí un juez o tribunal superior, sin que medie apelación, la causa que se esté litigando en otro inferior. Por extensión se dice también atraer o llamar a si cualquier superior un asunto que está sometido a examen y decisión de un inferior (2).

2. CONCEPTO JURÍDICO

Puede definirse la avocación como la transferencia del ejercicio de la competencia decisoria en un asunto concreto, hecha mediante un acto de la Administración de contenido normativo, a favor de un órgano superior a aquel que la tiene atribuido o delegada con carácter general por razón de la materia, la jerarquía o el territorio.

La legalidad, seguridad jurídica y jerarquía como principios informadores de la actuación administrativa son el fundamento en que se apoya la naturaleza irrenunciable de la competencia administrativa de acuerdo con lo que dispone la LRJ en su artículo 12 acerca de que las competencias se ejercerán precisamente por los órganos administrativos que las tengan atribuidas como propias lo cual ha sido ratificado por la jurisprudencia en numerosas ocasiones (3) lo cual quiere decir que el órgano que tiene atribuida competencia por una norma debe ejercerla en cualquier caso sin que sea posible renunciar a su ejercicio, así la mencionada LRJ dispone, en su artículo 89.4, que en ningún caso puede la Administración abstenerse de resolver so pretexto de silencio, oscuridad o insuficiencia de los preceptos aplicables al caso. Lo cual significa que los órganos de las Administraciones públicas están obligados a ejercer sus competencias con objeto de perseguir el interés público para cuya satisfacción se otorgó la esfera específica de poder en que toda competencia se traduce; además y como faceta adicional o corolario de lo anterior ningún órgano administrativo puede ejercer, legalmente, competencias que estén atribuidas por una norma a otro órgano diferente; para lo cual la LRJ establece, en su artículo 20, un sistema procedimental que regula los conflictos de atribuciones.

El Tribunal Supremo ha confirmado el principio de indisponibilidad de la competencia administrativa declarando que ni aún en el caso de que la Administración acepte una competencia indebida, ni la actuación, ni el procedimiento administrativos derivados de la misma resultarían válidos resultado la nulidad de pleno

(1)	Joaquín Escriche *Diccionario razonado de Legislación y Jurisprudencia* Madrid 1874 pág. 948.
(2)	Gonzalo Fernández de León *Diccionario Jurídico* Buenos Aires 1961 pág. 246.
(3)	Entre otras en las SSTS de 20.2.1990, 11.5.1992 y 3.2.1997.

derecho por derivadas de órgano manifiestamente incompetente a causa de la incompetencia material o territorial (4).

La propia LRJ señala expresamente, en su artículo 12, que la normativa reguladora debe designar el órgano competente encada caso de lo cual se deduce que ningún órgano administrativo, salvo que exista una autorización expresa de la Ley, puede compartir sus competencias atribuidas por una norma con otros sujetos administrativos u órganos de la Administración pública. No obstante el mismo precepto señala como excepción los casos de delegación, de concentración o avocación cuando se lleven a cabo en los casos y de acuerdo con los previsto por la Ley, añadiendo que la suplencia, la delegación de firma y la encomienda de gestión no conllevan alteración de la titularidad de la competencia, aunque si de los elementos determinantes de su ejercicio que en cada caso se prevean.

También se ha diferenciado la figura de la avocación de la revocación de la delegación llegando a decirse que es una delegación de signo inverso pero hay que matizar a este respecto que la avocación propiamente dicha se refiere expresa y concretamente a la competencia decisoria en un asunto determinado por ello es una institución diferente que la revocación de delegación.

La avocación tampoco se asimila a la fiscalización en vía de recurso toda vez que aquella se realiza antes de que el órgano inferior competente resuelva, y precisamente para decidir en lugar de él. La fiscalización en vía de recurso, por el contrario, presupone una decisión previa por parte del órgano inferior.

También podemos diferenciar la avocación de la decisión por parte del superior de un conflicto de competencias entre dos órganos inferiores. En cuyo caso la decisión del superior se limita a resolver la duda sobre quien debe decidir el caso. Por el contrario en la avocación el caso mismo se decide por el superior.

3. NATURALEZA

Si se quiere sostener que la avocación es una auténtica potestad administrativa habrá que fundamentarlo en iguales argumentos que fundamentad la potestad delegante; ahora bien teniendo en cuenta que desde un mero punto de vista teórico pueden sostenerse diferentes opiniones ante la insuficiencia de las normas que regulan la figura. Sin embargo y desde un punto de vista más cercano a la práctica profesional de la Administración hay que tener en cuenta que en la figura de la avocación se transfiere solo el ejercicio de la competencia no la titularidad lo que no exonera de tener que realizar avocaciones en los casos sucesivos que se planteen no previsto en el acto de una avocación anterior. Además no parece que nada se oponga a que la facultad avocatoria se refiera lo mismo a competencias propias del órgano avo-

---

(4)   STS 5.2.1990.

cado que a competencias cuyo ejercicio le haya sido delegado al órgano avocado bien por el órgano avocante, o bien por un órgano diferente. En el caso de que las competencias hubieran sido delegadas por el avocante, la figura de la avocación tiene cierto parecido con la revocación de la delegación (5); pero no hay identidad porque la revocación iría referida a la competencia decisoria de carácter genérico, mientras que la avocación se refiere por definición a un asunto concreto y determinado. Por ello cuando se avoca la competencia decisoria en un asunto determinado dentro de un tema cuya competencia haya sido genéricamente delegada al avocado, resulta claro que se produce una transferencia del ejercicio de la competencia pues el mismo órgano, en tanto en cuanto actúa como avocante, recupera el ejercicio de la competencia en el asunto concreto a que la avocación se refiera.

4. FINALIDADES

La competencia es consecuencia de una disposición normativa no de una atribución de propio organismo por eso el Tribunal Supremo ha subrayado que cuando no haya una norma que respalde el ejercicio de una determinada actividad administrativa, su ejercicio no es legítimo (6). A esta idea se adapta la figura de la desconcentración administrativa, pero no la avocación. Ambas son excepciones a principio de la naturaleza irrenunciable de la competencia administrativa cuyo fundamento se encuentra en la necesidad de encontrar un punto de equilibrio entre los principios de eficacia administrativa y de irrenunciabilidad de las competencias normativamente atribuidas.

El grado de importancia de la desconcentración administrativa y la vocación en la distribución y atribución competencia es diferente en cada caso pues no todas conllevan una alteración de la titularidad competencial y por ello es preciso distinguir y deslindar dos aspectos de la competencia la titularidad competencias y el ejerció de las competencias administrativas

La LRJ lleva a cabo, por primera vez, una regulación más o menos exhaustiva de la figura de la avocación, ya que la legislación anterior se limitó a decir que consistía en una excepción al principio de irrenunciabilidad de las competencias y que sólo podía aplicarse en aquellos supuestos en que estuviera expresamente prevista en una ley (7).

La facultad de avocar puede ejercerse por el órgano superior sin necesidad de que exista una norma de rango legal o de cualquier otro tipo que así lo prevea o permita, con sujeción al régimen dispuesto en la ley. Cuando hay una norma que prevé el órgano, al que corresponde esa facultad, se evitan situaciones absurdas

(5)	Cierto parecido, no identidad.
(6)	STS 26.1.1981.
(7)	SSTS 28.10.1986 y 20.2.1997.

para el caso de que varios órganos superiores decidieran simultánea o sucesivamente, cada uno por su cuenta, avocar la decisión de un asunto para sí. Por lo general la doctrina teórica opina que la figura de la avocación es contraria a las directrices de organización descentralizada y desconcentrada de la Administración a que hace referencia la CE en su artículo 103 y que, por esa razón, los casos que se enuncian en el art. 14 de la LRJ deben ser de interpretación restrictiva, puesto que, de lo contrario, pudiera convertirse en una suerte de una habilitación general con respecto a supuestos genéricos cuya indeterminación daría lugar a efectos como desigualdad de trato entre ciudadanos o falta de garantía del principio de inderogabilidad de la competencia administrativa.

En cualquier caso la avocación siempre se refiere a la competencia decisoria en una materia o asunto concreto y determinado, por lo que no puede asemejarse a la figura de revocación de una delegación, figura esta que trasfiere genéricamente el ejercicio de una competencia y no el conocimiento de un expediente o asunto. Por ello, y a pesar de que en la avocación se imputa el acto al órgano avocante, no supone transferencia de titularidad, al revés de lo que ocurre en los casos de delegación inter-orgánica, donde no se atribuye, formalmente, el acto administrativo al órgano que ejercita materialmente, lo cual es una de las notas distintivas que configura de manera tan especial la figura de la avocación a la avocación, alterando la imputación del acto, el régimen de recursos y otros aspectos que rodean la dinámica de la actuación administrativa.

La avocación comporta como consecuencia principal la imposibilidad de que el órgano avocado pueda decidir el asunto cuyo conocimiento ha sido transferido al órgano avocante. Contra el acto administrativo dictado en virtud de la avocación, procede interponer los recursos que correspondan ordinariamente contra los actos o acuerdos dictados en el ejercicio de las competencias propias por parte del avocante, aunque en la ley no se mencione nada al respecto.

La avocación también se ha definido como un acto por el cual un órgano superior asume la decisión de una cuestión que corresponde a la competencia del inferior y constituye un proceso inverso de delegación. La avocación procede respecto de facultades que son propias del subordinado por desconcentración mientras que en los supuestos de delegación, las facultades son propias del órgano superior.

5. BASES JURÍDICAS DE LA AVOCACIÓN EN DERECHO ESPAÑOL

La LRJ dispone que los órganos superiores, podrán avocar para sí el conocimiento de un asunto cuya resolución corresponda ordinariamente o por delegación a sus órganos administrativos dependientes, cuando circunstancias de índole técnica, económica, social, jurídica o territorial lo hagan conveniente (8).

---

(8)   LRJ art. 14.

En supuestos de delegación de competencias en órganos no jerárquicamente dependientes, el conocimiento de un asunto podrá ser avocado únicamente por el órgano delegante.

En todo caso, la avocación se realizará mediante acuerdo motivado que deberá ser notificado a los interesados en el procedimiento, si los hubiere, con anterioridad a la resolución final que se dicte.

Contra el acuerdo de avocación no cabrá recurso, aunque podrá impugnarse en el recurso que, en su caso, se interponga contra la resolución que se dicte.

La Disposición adicional decimotercera dispone en su párrafo 2 que toda avocación habrá ser puesta en conocimiento del superior jerárquico ministerial del órgano avocante.

También se destaca la regulación sobre esta materia de diversas Comunidades autónomas.

La Comunidad Autónoma de La Rioja aunque cuenta con normativa de aplicación pues reproduce la normativa estatal en el artículo 23 de la L 4/2005 (9).

En la Comunidad Autónoma de Navarra también se reproduce la normativa estatal; pero sin condicionar la avocación a circunstancias que la aconsejen y asimilando la avocación propia con la impropia que más adelante examinamos en el apartado de tipología de la avocación. Ley Foral 15/2004 artículo 38.

El artículo 37 del Decreto Leg. 2/2001 de Aragón dispone que los consejeros pueden, en cualquier momento, avocar para sí el conocimiento de un asunto cuya resolución corresponda ordinariamente o por delegación a los órganos administrativos dependientes. Los demás órganos del departamento necesitan la autorización expresa del consejero para avocar o revocar la competencia delegada.

La Ley 2/1995 de Asturias restringe, en su artículo 17, la posibilidad de avocar competencias a los consejeros con carácter general y a los órganos delegantes inferiores, respecto de las competencias delegadas.

La Ley 3/2003 de Baleares, en su artículo 28, asume el régimen regulado por la LRJ, sin embargo la facultad de avocar queda restringida a los órganos superiores y directivos de la comunidad Autónoma y comprende el conocimiento y resolución de un procedimiento determinado. La avocación ejercida por los órganos directivos debe ser autorizada, con carácter previo por el consejero del que dependen. No implica titularidad de la competencia y nunca tiene carácter general. Solo tiene efectos para uno o diversos procedimientos concretos, determinados o

---

(9)   Previamente en la Ley 37/1995 con la única diferencia de que la circunstancia habilitante de la decisión es el interés público en general.

determinables. Debe tener carácter motivado y es necesaria la notificación a los interesados con carácter previo a la resolución final del procedimiento. Y debe adoptar la misma forma jurídica que la expuesta para la delegación.

La Ley 14/1990 de Canarias dispone, en su artículo 31, que las delegaciones pueden ser avocadas por el órgano delegante, con carácter general o para la resolución de un determinado expediente (10). Para que puedan surtir efectos, las avocaciones de carácter general que se efectúen deben ser objeto de publicación en el Diario oficial.

La Ley 6/2002 de Cantabria dispone en su artículo 45 que el régimen de avocación de dicha comunidad es igual al establecido en la norma estatal, reservando la posibilidad de avocar a los órganos superiores de la administración autonómica (presidente, vicepresidente y consejeros, en su caso).

La Ley 13/1989 de Cataluña regula, en sus artículos 43 y 44, que cada consejero puede avocar la competencia de los órganos de su departamento para conocer un expediente o conjunto de expedientes específicamente concretados. La avocación debe adoptarse mediante acuerdo en que se den a conocer las razones de excepcionalidad o de interés general que motiven la decisión. Para la eficacia de la avocación es precisa la comunicación a los órganos administrativos afectados y además la notificación en forma a los interesados dejando constancia en el expediente o bien la publicación en el Diario oficial cuando hubiera pluralidad indeterminada de interesados.

La Ley 1/2002 de Extremadura dispone, en su artículo 74, que de conformidad con otras normas de la Comunidad autónoma los consejeros pueden avocar para sí el conocimiento de un asunto cuya resolución corresponda ordinariamente a órganos jerárquicamente dependientes de los mismos, aunque se precisa que la concurrencia de circunstancias de índole técnica, económica, social, jurídica o territorial lo hagan conveniente. La misma facultad tiene los órganos delegantes respecto del ejercicio de las competencias en órganos no dependientes respecto del ejercicio de las competencias delegadas, cuando concurran iguales circunstancias. En los casos de delegación de competencias en órganos no dependientes jerárquicamente, el conocimiento de un asunto puede ser avocado únicamente por el órgano delegante. Con todo, la avocación debe realizarse mediante una resolución motivada del órgano competente que debe ser notificada a los interesados en el procedimiento, con anterioridad a la resolución final que se dicte y contra dicha resolución de avocación no cabe recurso, aunque si que puede impugnarse en el recurso que, en su caso, se interponga contra la resolución del procedimiento.

---

(10)   Debiera decir procedimiento.

En relación con la Administración Local el artículo 60 de la LRBRL regula una potestad de sustitución que nuestro juicio no coincide totalmente con la figura de la avocación disponiendo que cuando una entidad local incumpliera las obligaciones impuestas directamente por la Ley de forma tal que el incumplimiento afectara al ejercicio de competencias de la Administración del Estado o de la Comunidad Autónoma, y cuya cobertura económica estuviere garantizada por la ley o el presupuesto correspondiente, una u otra, según su respectivo ámbito competencial, deberá recordar su cumplimiento concediendo al efecto el plazo que fuere necesario. Si transcurrido dicho plazo, nunca inferior a un mes, el cumplimiento persistiera, se procederá a adoptar las medidas necesarias para el cumplimiento de la obligación a costa y en sustitución de la entidad local.

6. FUNDAMENTO DE LA AVOCACIÓN

En este apartado hay que hacer alguna referencia a los antecedentes históricos de esta institución en el Ordenamiento español así la Novísima Recopilación (11) recogiendo un Real Decreto de uno de enero de 1747 suscrito por Fernando VI que regulaba esta figura en la Administración española de Antiguo Régimen correspondiente a los Reales Consejos que no diferenciaba entre la actividad de juzgar y la actividad de administrar. Dicho Real Decreto disponía que el Consejo de Castilla se abstenga de avocar y retener pleitos de los juzgados ordinarios; chancillerías y audiencias. Mando que en el avocar y retener con facilidad dichos pleitos se abstenga el Consejo, porque solo debe hacerlo cuando le parezca convenir a mi real servicio y bien de las partes; a lo que es consiguiente que no saquen de las referidas chancillerías y audiencias autos y procesos originales, no siendo en virtud de Real Cédula. Por su parte en la inauguración del periodo constitucional la Constitución de Cádiz regulaba en su artículo 243 que ni las Cortes ni el Rey podrán ejercer en ningún caso las funciones judiciales avocar causas pendientes, ni mandar abrir los juicios fenecidos (12).

Con carácter general se establece que los órganos superiores pueden avocar para sí el conocimiento de un asunto cuya resolución corresponda ordinariamente o por delegación a sus órganos administrativos dependientes, cuando circunstancias de índole técnica, económica, social, jurídica o territorial lo hagan conveniente. Necesariamente y a diferencia de la figura de la delegación, el traslado de la competencia se produce entre órganos jerárquicamente dependientes de inferior a superior (13). En los casos de delegación de competencias en ór-

---

(11)   Libro IV título VI, Ley IV.
(12)   El eco de esta prohibición ha llegado hasta el vigente Diccionario de la Real Academia
        española.
(13)   STS 18.3.1996 STSJ Andalucía 23.3.1997.

ganos jerárquicamente dependientes, el conocimiento de un asunto puede ser avocado únicamente por el órgano delegante; no obstante, en cualquier caso, la avocación se debe realizar mediante acuerdo motivado que debe ser notificado a los interesados en el procedimiento, con anterioridad a la resolución final que se dicte (14).

El acto dictado por avocación es jurídicamente imputable al órgano superior, avocante, no al subordinado avocado puesto que aquel es titular de la competencia.

La LRJ dispone en su artículo 14.2 que la avocación se realizará mediante acuerdo motivado, en base a las circunstancias de índole técnica, económica, social, jurídica o territorial que la hagan conveniente. Una vez desaparecido este conjunto de competencias de la formulación de la figura de la delegación de competencias que regula el artículo 13 LRJ en su redacción actual, carece de sentido mantenerlo para la figura de la avocación. Así se ha entendido en algunas regulaciones de las Comunidades Autónomas que prevén que la avocación opera únicamente cuando existan razones suficientes que la justifiquen o razones de excepcionalidad o de interés general que le motiven (15).

Del análisis de distintas resoluciones de avocación podemos extraer razones diferentes:

a) Necesidad de coordinar procedimientos.

b) Cooperar con otros órganos administrativos.

c) Número considerable de interesados que resultan afectados.

d) Trascendencia social o económica del asunto.

e) Razones coyunturales de organización administrativa.

f) Eficacia en la gestión.

Sorprendentemente esta figura puede resultar útil, incluso, para solventar supuestos de abstención, como demuestra la Resolución de la Secretaría de Estado de Justicia de 26 de junio de 2002, citada en numerosas ocasiones, por la que se aceptó la abstención formulada por la Directora General de los Registros y del Notariado y se avoca la competencia para resolver el concurso de provisión de vacantes de notarías previamente convocado (16). En esta ocasión la intención de la titular del Centro Directivo era la de participar en el concurso de referencia

---

(14)   Dictamen de la Dirección General del Servicio Jurídico del Estado de 4.12.2001.
(15)   Comunidades Autónomas de Cataluña y de La Rioja.
(16)   BOE núm. 164 de 10.7.2002.

cuya resolución también le correspondía, escollo que se logró superar gracias a la avocación por parte del superior jerárquico de la competencia para resolver dicho proceso.

Otro supuesto que merece mencionar es el de la avocación de un asunto perteneciente a una competencia previamente delegada en un órgano colegiado, cuando se da la circunstancia de que no se reúna el quórum suficiente para la adopción de acuerdos debido a la abstención de alguno de sus miembros.

Con este tipo de ejemplos, y más allá de la desconfianza que el empleo de esta técnica pueda suscitar respecto de la presumible y exigida neutralidad de la Administración pública, la avocación constituye una herramienta administrativa que, con carácter general, tiene como garantizar la imparcialidad y el mayor acierto en las decisiones con rechazo del favoritismo y la arbitrariedad.

La avocación como figura administrativas tiene tres tipos de elementos:

a) Elemento subjetivo: los órganos que intervienen en la avocación: avocante y avocado.

b) Elemento objetivo: los asuntos que pueden ser avocados.

c) Elemento formal: los requisitos legales necesarios para que la avocación se lleve a cabo correctamente.

7. TIPOLOGÍA DE LA AVOCACIÓN ADMINISTRATIVA

La avocación es una figura de modulación competencial de la que existen diferentes clases:

7.1. Avocación propia y avocación impropia

La avocación propia, que consiste en enervar la competencia ordinaria del órgano inferior, que cede ante la competencia del órgano superior en un supuesto concreto; la avocación impropia, no es sino una revocación puntual de una delegación anterior en el órgano avocado.

Como quiera que la avocación viene definida el la ley como la posibilidad de recabar el conocimiento de un asunto cuya resolución corresponda, ordinariamente o por delegación, a sus órganos administrativos dependientes. También se ha definido por su fundamento la avocación como la transferencia del ejercicio de la competencia decisoria en un asunto concreto a un órgano superior a aquel que la tiene atribuida o delegada con carácter general por razón de la materia, la jerarquía o el territorio y que tiene lugar mediante acto administrativo dictado en virtud de una previa autorización legal.

7.2. Avocación intersubjetiva y avocación inter-orgánica

También puede hablarse de la avocación entre dos personas de carácter jurídico-publico frente a la avocación que se lleva a cabo entres dos órganos de la administración, pues en la doctrina teórica se ha distinguido entre estos términos y cuando se habla de avocación se configura como una transferencia inter-orgánica de competencias administrativas.

De todos modos alguna doctrina de derecho administrativo entiende por avocación subjetiva al desapoderamiento que realiza un ente administrativo superior del ejercicio de la competencia sobre un asunto determinado y cuya titularidad corresponde a un ente administrativo subordinado, configurándolo como un fenómeno inverso al de la delegación y gestión forzosa (17). La práctica de la avocación entre diferente entes de poder distinto fue habitual en la administración de Antiguo Régimen en que el tejido administrativo estaba compuesto de Reales consejos y tribunales de distinta índole; no obstante la puesta en práctica del principio de separación de poderes derivado del movimiento constitucional prohibió todo tipo de avocaciones que vetaba expresamente la Constitución española de 1.812 en su artículo 243.

Una vez que entró en vigor la Constitución española actual de 1.978 la avocación de los entes públicos independientes o avocación intersubjetiva (18) resulto poco coherente con la autonomía de las Comunidades Autónomas y Administraciones Locales; sin embargo supuestos comparables a la avocación entre Entidades públicas, por causas justificadas y con las debidas garantías legales ya las contempla nuestro ordenamiento jurídico. La Constitución española regula, en su artículo 155, la posibilidad de que el Estado avoque competencias de las Comunidades Autónomas y convierta a sus autoridades en órganos que cumplen tarea se instrucciones de la Administración General del Estado avoque competencias de las Comunidades autónomas y convierta a sus autoridades en órganos que cumplen instrucciones estatales, así como las medidas que aseguren el cumplimiento de los deberes legales y constitucionales o bien para impedir que éstas atenten contra el interés general; medida que solo puede ser acordada por el gobierno, previo requerimiento al Presidente de la Comunidad Autónoma y con la aprobación de la mayoría absoluta del Senado.

La avocación o sustitución en el ejercicio de competencias de las Corporaciones locales por el estado o las comunidades Autónomas puede producirse cuando aquellas incumplan deberes legales de manera que dicho incumplimiento afecte

---

(17)   Se aplica la expresión gestión forzosa o gestión forzada a los supuestos en que una entidad administrativa territorial gestiona forzosamente las competencias de otra superior que, sin embargo mantiene la titularidad de dicha competencia.

(18)   Equivalente a lo que también se llama sustitución o subrogación que está previsto en la Legislación de Régimen local.

al ejercicio de competencias estatales o autonómicas y cuya cobertura económica estuviera legal o presupuestariamente garantizada.

7.3. Avocación inter-orgánica estatal, regional y local

Dentro del concepto de avocación inter-orgánica, puede distinguirse de acuerdo con el ámbito funcional o territorial en que se lleva a cabo:

a) Avocación entre órganos de la Administración General del Estado.

b) Avocación entre órganos de una Comunidad Autónoma.

c) Avocación entre órganos de una Administración Local.

A este respecto la LOFAGE dispone que toda avocación debe ser puesta en conocimiento del superior jerárquico ministerial del órgano avocante.

7.4. Avocación espontánea o provocada

La avocación que tiene lugar *motu proprio*, es decir, por decisión espontánea del órgano superior se distingue de aquella otra que tiene lugar como consocia de una solicitud del interesado o de otro órgano de la administración. Hay ordenamientos jurídicos como el Código de Derecho Canónico en los que se reconoce la avocación a instancia de parte y por parte de la doctrina teórica más autorizada no se estima que hubiera obstáculo para que en el ámbito del derecho administrativo la avocación fuera efectivamente provocada por un ciudadano interesado en un procedimiento administrativo o un órgano de la administración de manera que pudieran incluirse en este concepto paraguas los supuestos de que la traslación de la decisión en línea vertical se lleve a cabo a iniciativa del propio órgano subordinado, al menos cuando alguna norma reglamentaria lo prevea. Así y ya en el ámbito de la practica profesional de la administración nos hemos encontrado con la necesidad de utilizar la figura de la avocación cuando en un organismo de la Administración General del Estado se trata de llevar a cabo convenios de colaboración cuya firma se encuentra atribuida por un Real Decreto al Director del Organismo; pero que por razones de necesidad de acomodación de rango y otras cuestiones, el propio órgano subordinado pone en marcha la figura de la avocación para que la firma se lleve a cabo por el Presidente del organismo con rango superior (19). Esto mismo ocurre en el ámbito de los recursos especiales de la vía económico-administrativa cuando reglamentaria mente se establece que el Ministro de Economía y hacienda resuelva en esta vía las reclamaciones que por

(19)   Mediante Real Decreto se había previsto como funciones del presidente la celebración, en el ámbito de su competencia y previa avocación, los contratos y convenios de especial relevancia institucional.

su índole, cuantía o trascendencia, la resolución que haya de dictarse el Tribunal Económico-administrativo considere que deban ser resueltas por el Ministro.

7.5. Avocación ordinaria o común y específica

A la vista de lo que dispone el artículo 14 de la LRJ distinguimos entre avocación común u ordinaria que es la que puede darse entre órgano superior y subordinado cuando la competencia que se avoca viene atribuida por una norma reguladora y avocación específica entre órgano delegado y delegante cuando la competencia que se avoca tiene lugar entre estos dos tipos de órganos administrativos. En el primer tipo la avocación se configura como una facultad inherente a la posición de rango superior en la estructura administrativa de ciertos órganos que se proyecta sobre las competencias de todos los que directa o indirectamente encuentren en situación de inferioridad. Por el contrario, cuando la avocación se lleva a cabo entre delegante y delegado la situación es diferente ya que la delegación no supone atribución de competencias, sino un mero mandato de ejercicio de las mismas cuya titularidad retiene el delegante. En este sentido se ha dicho que la ley confunde aquí la avocación con supuestos de revocación de una delegación previa y establece sin necesidad que la avocación de competencias delegadas en órganos que no sean jerárquicamente dependientes del órgano delegante, solo podrán ser realizadas por éste; pero en realidad en estos casos no se avoca nada, sino que se revoca puntualmente una delegación anterior de una competencias cuya titularidad nunca perdió el órgano delegante.

En estos supuestos pueden apreciarse los caracteres que definen la figura de la avocación que son los siguientes:

a) Transferencia de la competencia decisoria a un órgano superior.

b) Determinación del asunto que haya de ser objeto de la decisión.

c) Acto administrativo de transferencia que dicta en virtud de una previa autorización normativa requisito, este último, que no obstante no ya es exigible.

8. ÓRGANOS QUE INTERVIENEN EN LA AVOCACIÓN

La LRJ en su artículo 14 alude, solamente, a los órganos superiores, lo cual parece que no exige que sea el órgano inmediatamente superior en rango, ni que sea el órgano delegante cuando, avocante y avocado, sean órganos jerárquicamente dependientes. La excepción en esta regla se produce cuando existe una delegación previa de competencias en órganos que no sean jerárquicamente dependientes, en estos casos de habla de una suspensión parcial de la delegación y de este modo encontramos las dos clases de avocación que antes hemos mencionado (20)

Parece que la referencia legal a órganos superiores resulta algo confusa por cuanto la LOFAGE (21) y algunas leyes de las Comunidades Autónomas reservan esta denominación para un tipo de órganos, Ministros y Secretarios de Estado frente a los órganos directivos. No obstante hay que reconocer que la práctica profesional cotidiana, desborda habitualmente esta hipótesis sin que se plantee duda alguna de que la facultad de avocación puede ser ejercida por cualquier órgano respecto de aquéllos que son jerárquicamente inferiores.

Teniendo en cuenta que la facultad de avocar reside en cualquier órgano superior a aquél a quien corresponde el conocimiento del asunto cuya decisión se recaba, cabría plantearse qué ocurriría en el caso de que se pretendiera ejercitarla simultáneamente por varios órganos, posibilidad esta que ha sido calificada como pintoresca y aberrante, pero posible en cualquier caso. Igual opinión merecería la avocación en cadena, hipótesis sobre la que no se pronuncia la ley a diferencia de lo que ocurre con la subdelegación, proscrita salvo que la ley la autorice expresamente.

La determinación del órgano avocante sigue un criterio más o menos uniforme, en la normativa que regula esta materia en las Comunidades Autónomas, recogiendo esta facultad para los titulares de las Consejerías cuando se trata de avocar el conocimiento de un asunto que corresponda ordinariamente a los órganos inferiores de los que citamos las siguientes:

a) Ley 1/2002, de 28 de febrero, del Gobierno y de la Administración de la Comunidad Autónoma de Extremadura artículo 74.1.

b) Ley 2/1995, de 13 de marzo, sobre régimen jurídico de la Administración del Principado de Asturias, artículo 17.1.

c) Ley 13/1989, de 14 de diciembre, de organización, procedimiento y régimen jurídico de la administración de la Generalidad de Cataluña, artículo 43.

d) Texto Refundido de la Ley de la Administración de la Comunidad Autónoma de Aragón, artículo 37.1.

No obstante, hay algunos casos en que la atribución se extiende genéricamente a los órganos delegantes cuando se trata de asuntos relativos a competencias que ejercidas por delegación. En la normativa aragonesa, cualquier otro órgano del departamento necesitará la autorización expresa del consejero para poder avocar.

---

(20)   Ver STSJ Andalucía de 23.6.1997.
(21)   Artículo 6.2 Ley 6/1997 LOFAGE.

9. OBJETO DE LA AVOCACIÓN: COMPETENCIAS SUSCEPTIBLES DE SER AVOCADAS

Ya hemos señalado anteriormente que, dentro de la estructura jerarquizada de un ente, la avocación consiste en la asunción por el órgano superior de competencias del órgano inferior, tal era el concepto de se desprendía de la anterior Ley de Procedimiento Administrativo que se refería a la delegación y avocación de competencias y `por ello consideraba a ésta última como una técnica de signo y dirección contraria a la delegación; al margen de este criterio la antigua Ley del Suelo partía de otro concepto diferente de avocación que no suponía asunción de competencias del subordinado sino más bien la posibilidad de resolver por sí mismo y sustraer al subordinado el conocimiento de determinados asuntos (22); este concepto de la avocación como herramienta de asunción de competencias caso por caso es la que ha terminado por prevalecer en el LRJ cuando regula esta materia en su artículo 14 reforzando, de este modo, los poderes del escalón más política frente al técnico dentro de la Administración pública, dada la extensión de la cláusula habilitante para acordar la avocación de un asunto determinado, que es la misma que permite la delegación. El riesgo que comporta este modo de concebir la avocación es evidente: la desigualdad de trato entre los ciudadanos interesados, porque determinados asuntos, que serán los que decida el órgano superior por lo general de nombramiento político, serán resueltos por su titular frente a otros para los que no se determinó la avocación que permanecen en el mismo ámbito de resolución del órgano normalmente competente por razón de jerarquía.

Los asuntos que pueden ser objeto de avocación administrativa son aquéllos cuya resolución corresponde ordinariamente o por delegación a los órganos administrativos dependientes del avocante. Sin embargo esta afirmación no es del todo absoluta, pues la LRJ permite la avocación extra-jerárquica siempre que se trate de trate de un asunto relativo a una competencia previamente delegada por el órgano avocante modalidad que no cabe con respecto a las competencias conjuntas, ni respecto a las competencias alternativas porque, en este caso, si son competencias solidarias basta con que sean ejercidas por cualquiera de los órganos titulares, lo que excluye su ejercicio por otros órganos, incluso si se trata de competencias condicionadas tampoco es necesario el acto expreso de avocación, pues basta con que se den las condiciones previstas por la norma reguladora para que puedan ejercerse (23).

La LRJ no establece ningún tipo de limitación respecto de las competencias resolutorias que podrán avocarse por esa razón, se excluyen las competencias normativas y también cabe entender excluidos aquellos asuntos referidos a rela-

---

(22)   El artículo 56 de la antigua Ley del Suelo de 1956 decía que cualquier organismo superior podrá recabar el conocimiento de asunto que competa a los inferiores jerárquicos y revisar la actuación de éstos.

(23)   Caso diferente es que la propia norma reguladora prevea la avocación previa.

ciones con la Jefatura del Estado, Presidencia del Gobierno de la Nación, Cortes Generales, Presidencias de los Consejos de Gobierno de las Comunidades Autónomas y Asambleas Legislativas de las Comunidades Autónomas cuya delegación está prohibida por la LRJ (art. 13.2.°.a), así como aquellos otros que se determinen por ley. A esta relación podríamos añadir la avocación de la competencia para la resolución de recursos, salvo que ésta hubiera sido previamente delegada (por ejemplo, en un recurso potestativo de reposición), ya que de otra modo se estarían desvirtuando las reglas de competencia establecidas en el Título VII de la Ley que se refiere a la revisión de los actos en vía administrativa.

10. CARÁCTER DETERMINADO DE LA AVOCACIÓN

Aunque alguna vez pueda verse alguna declaración administrativa en que se diga lo contrario como una Resolución de la Dirección General de Trabajo y Seguridad Laboral de la Comunidad Valenciana, por la que se acordó avocar en dicha Dirección el conocimiento y resolución de los expedientes de regulación de empleo de suspensiones de contrataciones de trabajo, vinculadas al Plan de Ayudas en el Sector Textil, en que se citó de modo erróneo el art. 14.1 LRJ del que se dijo prevé que la avocación pueda realizarse con carácter general o puntual. Lo cierto es que la avocación no tiene por definición carácter general, de manera que sólo surte efectos para uno o diversos procedimientos o caso concretos ya determinados o a determinar (24).

No obstante, pueden encontrarse casos como una Orden, de la Consejería de Medio Ambiente de la Junta de Andalucía que, ante el cese del titular y Secretario General de una de las Delegaciones Provinciales de esa Consejería, se avoca el conjunto de las competencias del órgano para acto seguido delegarlas en otro órgano diferente, desconociendo la existencia de otras figuras administrativas como la suplencia y revocación de la delegación más adecuadas para esa finalidad. Mediante el correspondiente Acuerdo el Consejo de Gobierno de Andalucía se avocaba una competencia propia de diferentes Consejerías, para posteriormente delegarla en una de ellas, lo cual plantea la cuestión de cómo encajar cada figura administrativa planteada, puesto que la primera opera para un asunto concreto como es la avocación, y la segunda referida a la delegación en una sola Consejería, se plantea, respecto de la competencia en sentido general y abstracto.

La doctrina no critica el empleo viciado de la avocación porque no es una figura muy estudiada desde el ámbito teórico. La Resolución del Tribunal Económico-Administrativo Central de 28 de noviembre de 2001, al enjuiciar si se encontraba ante una avocación u otra figura administrativa diferente, rechazó la figura de la

---

(24) Ver Ley de Régimen jurídico de la Administración de la Comunidad Autónoma de las Islas Baleares y Ley de Régimen Jurídico de la Administración de la Generalidad de Cataluña.

avocación dado su carácter de permanencia y alcance general, al afectar a todos los expedientes que pudiera tramitar la Inspección de los Tributos mientras no se cubriera el puesto de Inspector-Jefe, todo ello con el fin razonable de evitar los perjuicios que dicha situación pudiera ocasionar al correcto funcionamiento del servicio. Por ello declaró el tribunal, que más que un acuerdo de avocación se trataría de una asunción interina de competencias.

Esta incorrecta aplicación de la avocación adquiere aún mayor intensidad cuando se emplea la técnica para fines diferentes de aquéllos para los que se creó en su origen. Al igual que ocurre con la delegación, es bastante frecuente detectar el uso incorrecto de la avocación como sustituta de la suplencia, por ejemplo, una Resolución de la Secretaría de Estado de Presupuestos y Gastos, avoca competencias de la Dirección General de Fondos Comunitarios y Financiación Territorial ante una situación de vacancia de su titular y el carácter ineludible de una serie de gastos a realizar. Como curiosidad hay que decir que esta avocación apenas tuvo una semana de vigencia, puesto que en pocos días se dictó nueva Resolución por la que se dejaba sin efecto la anterior. En este caso como hemos indicado sería de aplicación la figura de la suplencia administrativa.

Una Resolución, de la Dirección General de Administración Local e Interior de la Junta de Extremadura, avocó determinadas competencias delegadas en la Directora Territorial de la Junta en Badajoz en materia de Espectáculos Públicos, durante una quincena, y una Resolución, de la Secretaría de Estado de Telecomunicaciones y para la Sociedad de la Información, avocó, en determinadas circunstancias y con carácter temporal, la liquidación de unas tasas que se devenguen durante un determinado periodo de tiempo.

11. PROCEDIMIENTO DE AVOCACIÓN

La avocación se lleva a cabo, al igual que la delegación, a través de un acto administrativo de acuerdo o resolución. Sin embargo a diferencia de la delegación, en la avocación se requiere expresamente que el acto sea motivado con expresión sucinta de los hechos y fundamentos de derecho que permita constatar la efectiva existencia de circunstancias que la justifican. La avocación recae sobre un asunto determinado y, por tanto, no puede sostenerse que estemos ante una delegación de signo inverso o una figura semejante.

La avocación consiste en la asunción de competencias, que un órgano tiene atribuidas por una norma o mediante delegación, por otro órgano superior jerárquico. En caso de competencia atribuida por delegación solo puede avocar la competencia delegada el órgano delegante cuando la delegación se hubiese efectuado entre órganos de distinta jerarquía.

Aunque lo propio es que la avocación sea acordada unilateralmente por el órgano avocante, la doctrina no ve mayor problema en aceptar que la avocación pueda ser rogada por los interesados o algún órgano administrativo, sin que esta petición vincule en manera alguna al competente para avocar. Un ejemplo de esta segunda posibilidad se deduce del Reglamento de Procedimiento en las Reclamaciones Económico-Administrativas (25), cuyo artículo 8.1.b) dispone que el Ministro de Economía y Hacienda resolverá, en vía económico-administrativa, las reclamaciones que por su índole, cuantía o trascendencia de la resolución que haya de dictarse, considere el Tribunal Económico-Administrativo Central que deban ser resueltas por aquel. Una Resolución de la Secretaría de Estado de Presupuestos y Gastos, por la que se deja sin efecto otra anterior de avocación de competencias, y se delegan determinadas competencias a favor del Director General de Fondos Comunitarios y Financiación Territorial, al prever que el órgano delegado pueda, en el ámbito de las competencias que se delegan, someter al Secretario de Estado los expedientes que por su trascendencia considere oportunos.

Con la entrada en vigor de la LRJ no es precisa una norma específica que habilite en cada caso para que un órgano superior pueda avocar la competencia decisoria en un asunto determinado

La avocación no es, pues, una técnica de modificación del órgano competente para resolver sobre un asunto de forma arbitraria, por ello la LRJ señala cuando procede circunstancias que así lo haga conveniente; en su virtud la avocación debe llevarse a cabo mediante acto motivado, con ello se pone un límite a la arbitrariedad hay que tener en cuenta que entre las posibles motivaciones se encuentran las circunstancias de índole técnica, económica, social, jurídica o territorial que lo hagan conveniente.

El acto de avocación debe ser notificado a los interesados en el procedimiento; por eso si se configura la avocación como una delegación de signo inverso se entenderá que lo mismo que al acto de delegación, también al de avocación se le debe exigir, como requisito formal la publicación en el Diario Oficial que corresponda. Si se parte en cambio de la configuración de la avocación como un acto de transferencia competencial decisoria en un asunto concreto y determinado, es evidente que dicho requisito de publicidad puede resultar entorpecedor y no necesariamente de utilidad para el servicio y la transparencia de la actuación administrativa; bastando por ello con que se notifique el acto de avocación al interesado en el asunto de que se trate. De este modo solo en el caso de procedimientos en que esté prevista la publicación como modo normal de comunicación a los interesados, podrá prescindirse de la notificación.

---

(25)   Aprobado por RD 391/1996.

La notificación que tiene su razón de ser en la necesidad de dar oportunidad al interesado para que pueda recursar al avocante si concurre causa legal para ello.

En el ámbito de la Administración General del Estado también se exige que la avocación se ponga en conocimiento del superior jerárquico ministerial al avocante (26) si bien la Ley no aclara si la puesta en conocimiento ha de tener lugar antes, simultáneamente o con posterioridad al acto de avocación; por lo general en la práctica profesional de la administración la solución más práctica y habitual será que el documento donde consta el acto motivado que acuerda la avocación se incorpora al expediente con la firma del avocante y de este original se da traslado seguidamente al superior jerárquico del avocante, por lo general a través de la Secretaría General Técnica del Departamento notificándolo al interesado.

El efecto principal del acuerdo de avocación es la transferencia del ejercicio de la competencia decisoria en un determinado asunto que discurre por su propio procedimiento Administrativo que denominamos procedimiento de fondo.

En cuanto a efectos de la avocación se entiende que el órgano superior actúa con competencia asumida como propia, por lo que contra la decisión en el asunto objeto de avocación proceden únicamente los recursos que normalmente se admitan contra actos del órgano superior avocante (27). Además los afectos de la avocación s extinguen cuando el órgano superior adopta la resolución correspondiente en el procedimiento en que aquella se hubiera producido.

En conclusión: aunque contra el acuerdo de avocación propiamente dicho no cabe recurso; pero sí que puede impugnarse aquel en el recurso que se interponga contra la resolución del procedimiento de fondo; por ello el acto dictado por el órgano avocante, en este procedimiento de fondo, se entiende dictado a todos los efectos por él mismo y sobre todo a efectos de los recursos admisibles a que de lugar dicho procedimiento, por ello si órgano avocante no tiene superior jerárquico agotará la vía administrativa no siendo posible los recurso de alzada contra dichos acuerdos del procedimiento de fondo.

12. INTERVENCIÓN DE OTROS ÓRGANOS

Aunque nada se diga sobre la comunicación de la avocación al órgano del que se avoca la competencia, será necesario efectuarla al objeto de que suspenda de inmediato sus actuaciones (28) (en la Ley 13/1989, de 14 de diciembre, de organización, procedimiento y régimen jurídico de la administración de la Generalidad

---

(26)   Disposición Adicional 13ª.

(27)   Por ejemplo si es órgano que por razón de rango cierra la vía administrativa habrá que tenerlo en cuenta a efectos que cabe recurso judicial o previo potestativo de reposición.

(28)   En la Ley 13/1989 de organización, procedimiento y régimen jurídico de la Administración de la Generalidad de Cataluña se previó, expresamente, esta comunicación.

de Cataluña se prevé expresamente esta comunicación). El apartado segundo de la Dad. Decimotercera de la LOFAGE, mientras tanto, ordena que las avocaciones sean puestas en conocimiento del superior jerárquico ministerial del órgano avocante sin concretar el momento preciso en que debe efectuarse dicha comunicación. Por su parte el art. 28.4 de la Ley 3/2003, de 26 de marzo, de Régimen Jurídico de la Administración de la Comunidad Autónoma de las Islas Baleares condiciona las avocaciones que efectúen los órganos directivos a que sean autorizadas, con carácter previo, por el Consejero del que dependan.

13. REQUISITOS DE PUBLICIDAD DE LA AVOCACIÓN

El acuerdo de avocación deberá ser notificado a los interesados en el procedimiento, si los hubiere, con anterioridad a la resolución final que se dicte (29), con el fin de que los propios ciudadanos puedan conocer a las autoridades y funcionarios bajo cuya responsabilidad se tramitan los procedimiento en los que ostentan la condición de interesados (30). Con esta cautela se garantiza que los interesados puedan promover, en su caso, el incidente de recusación, de acuerdo con lo que dispone la LRJ en su artículo 29, dando lugar a la suspensión de la tramitación del procedimiento, según la regulación que la propia ley hace de las cuestiones incidentales, y a la apertura de una pieza separada (31).

La publicación del acuerdo de avocación sólo será precisa cuando se derive de las exigencias de notificación a los interesados. La Ley regula tres supuestos concretos:

a) Cuando los interesados en el procedimiento sean desconocidos, se ignore el lugar de la notificación o el medio a que se refiere el artículo 59.1 LRJ, o bien, intentada la notificación, no se hubiere podido practicar.

b) Cuando el acto tenga por destinatario a una pluralidad indeterminada de personas o cuando la Administración estime que la notificación efectuada a un solo interesado es insuficiente para garantizar la notificación a todos, siendo, en este último caso, adicional a la notificación efectuada.

c) Cuando se trate de actos integrantes de un procedimiento selectivo o de concurrencia competitiva de cualquier tipo.

Fuera de estos supuestos no será precisa la publicación ya que, al limitarse la avocación únicamente a la resolución o decisión de un asunto concreto, y no a la competencia en abstracto, no habrá más interesados que los existentes en ese procedimiento.

---

(29)   Art. 14.2 LRJ.
(30)   Art. 35 LRJ.
(31)   Art. 77 LRJ.

No obstante, alguna legislación autonómica obliga a publicarla en el correspondiente Boletín Oficial (32), si bien se refiere concretamente a las avocaciones generales, noción esta nada ortodoxa a la luz del concepto que hemos analizado de esta técnica.

14. ASPECTOS FORMALES DE LA AVOCACIÓN

14.1. Resolución de avocación

Es preciso diferenciar los aspectos relativos a la Resolución por la que se acuerda aplicar la avocación administrativa, de la Resolución que se dicta posteriormente en virtud de la propia avocación por el órgano avocante.

Por lo que se refiere a la primera Resolución, y dada su naturaleza como acto singular, debe cumplir los requisitos que se derivan de dicha categoría de actos administrativos y no los que corresponden a las disposiciones de carácter general es decir a las normas, porque se trata de un acto administrativo y el poner aviso sobre esto no resulta irrelevante ni baladí porque en la práctica cotidiana de la Administración es precisamente éste uno de los defectos que se aprecian fácilmente en lo relativo a la aplicación de esta figura tanto en lo relativo a la Administración General del Estado como en otras administraciones públicas en que hemos verificado esta cuestión.

Por lo tanto deben evitarse los aspectos que resultan de la estructura de una normas general como preámbulos, estructura articulada es preferible ordenar la resolución de avocación en cláusulas o apartados); también evitar el uso de términos como disposición, dispongo, dispone o similares y el empleo de términos como entrada en vigor y otros que resultan más adecuados cuando se refieren a normas de carácter general; pero no para los actos o resoluciones administrativas, en los que la expresión adecuada es Resuelvo, resolver, surtirá, producirá o desplegará efectos como acto administrativo que es.

La necesidad del carácter motivado de la avocación nos remite a lo dispuesto en la LRJ sobre esta materia (33) que impone para este tipo de actos un contenido o estructura mínima compuesta por una sucinta referencia de hechos y fundamentos de derecho. El modelo de avocación que reproducimos al final de esta práctica profesional referido a una administración local puede servir como un buen ejemplo de motivación sencilla sin perjuicio de que puedan realizarse motivaciones más complejas, cuando resulte necesario.

---

(32)   La Ley 14/1990 de Régimen Jurídico de las Administraciones Públicas de la Comunida Autónoma de canarias en su artículo 31.5.

(33)   Art 54 LRJ actos motivados.

14.2. Estructura formal de la avocación

En cuanto a la forma de hacer constar que la resolución se adopta por avocación, no existe ninguna previsión concreta en la LRJ. Lo más correcto es que en los fundamentos de derecho de aquellas resoluciones que deban adoptarse por avocación se haga expresa mención a ella, sin que sea precisa su constancia en el pie de firma. No obstante, en ocasiones se opta por esta solución mucho más escueta y menos expresiva. Lo que no parece oportuno es que se haga a semejanza de las resoluciones adoptadas en virtud de delegación, en las que se hace constar tanto delegante como delegado, que es quien firma sin perjuicio de la imputación al delegante. Aquí sólo debería aparecer el órgano avocante ya que es el único firmante y responsable del acto adoptado. Al interesado le resulta irrelevante quién fuera el competente originario si en su día se le comunicó la decisión de avocación, tal como resulta preceptivo por ordenarlo así la LRJ, garantizándosele su derecho de defensa o a formular la eventual recusación del avocante. La ley tampoco exige que se expliciten los datos identificativos de la resolución por la que se acordó la avocación (y en su caso los de la publicación), pero no es mala práctica por cuanto mayor información al ciudadano y transparencia.

15. IMPUGNABILIDAD DE LA AVOCACIÓN

En principio el acuerdo de avocación no es un acto de trámite cualificado que pueda decidir directa o indirectamente el fondo del asunto, determinar la imposibilidad de continuar el procedimiento, o producir indefensión o perjuicio irreparable a derechos legítimos de los interesados como se definen en la LRJ (34). Por esa razón, contra dicho acuerdo no cabe interponer recurso administrativo ni judicial, aunque si que puede impugnarse en el recurso que, en su caso, se interponga contra la Resolución del procedimiento, lo que no es sino reproducción del segundo párrafo del art. 107.1 LRJ ya y por ello cabría interponer recurso administrativo en el supuesto de que la resolución produjera alguno de los efectos descritos al inicio del párrafo que convierten a un acto de trámite en acto de trámite cualificado es decir con efectos prácticos como si fuera un acto definitivo y por ello resulta impugnable en vía administrativa y en vía judicial.

16. LA AVOCACIÓN EN LA NORMATIVA SECTORIAL

El Reglamento de Organización, Funcionamiento y Régimen Jurídico de las Corporaciones Locales (35) regula el régimen general de las delegaciones entre los órganos necesarios disponiendo que la delegación de atribuciones requiere, para ser eficaz, su aceptación por parte del delegado y se entiende tácitamente

(34)	Art. 107.1 LRJ.
(35)	Aprobado por Real Decreto 2568/1986 de 28 de noviembre.

aceptada si en el plazo de tres días hábiles contados desde la notificación del acuerdo el miembro u órgano destinatario de la delegación no hace manifestación expresa ante el órgano delegante de que no acepta la delegación. El mismo reglamento diferencia entre la avocación de competencias delegadas y revocación de la delegación, disponiendo que, el órgano delegante podrá avocar, en cualquier momento la competencia delegada con arreglo a la legislación vigente sobre procedimiento administrativo común. En el caso de revocar la delegación, el órgano que ostente la competencia originaria podrá revisar las resoluciones tomadas por el órgano o autoridad delegada en los mismos casos y condiciones establecidas para la revisión de oficio de los actos administrativos.

Las leyes sectoriales recogen diferentes supuestos de avocación, algunos de los cuales pasamos a referir. En los apartados 4.º y 5.º del art. 94 del hoy derogado RDLeg. 1091/1988, por el que se aprobaba el Texto Refundido de la Ley General Presupuestaria, se disponía que el Interventor General del Estado y los Interventores de las Delegaciones de Hacienda podrían avocar para sí cualquier acto o expediente que considerasen oportuno, facultad que fue duramente criticada por alguna doctrina, por considerar que relativizaba total y absolutamente el sistema competencial señalando que este tipo de previsiones contradice los principios más elementales de la organización administrativa en nuestro sistema jurídico y sería más correcto hablar de competencias compartidas, atribuidas de forma alternativa a favor de los órganos inferiores y de sus superiores, condicionadas a que no sean ejercidas por los otros órganos y con el derecho de los superiores a impedir su ejercicio a los inferiores, sin perjuicio del control ordinario que les corresponde a aquéllos. El art. 63.2 y 3 de la Ley 47/2003 General Presupuestaria, norma que deroga aquel texto refundido, recoge también otros supuestos de avocación.

La Ley 33/2003, de 3 de noviembre, del Patrimonio de las Administraciones Públicas, prevé (36) que el Consejo de Ministros pueda avocar discrecionalmente el conocimiento y autorización de cualquier acto de adquisición, gestión, administración y enajenación de bienes y derechos del Patrimonio del Estado.

El Reglamento del servicio Jurídico del Estado, aprobado por Real Decreto 997/2003, recoge (37) otro supuesto relacionado con las funciones inspectoras que puede ejercer por avocación el Abogado General del Estado-Director del Servicio Jurídico del Estado con respecto a la Abogacía del Estado en el Ministerio de Justicia.

La Dirección General de Ordenación de las Migraciones, cuando lo estime pertinente, también podrá avocar el conocimiento y resolución de las solicitudes de los permisos de trabajo regulados en el Real Decreto 864/2001, de 20 de julio, por

---

(36)   En su artículo 11.2.
(37)   En su artículo 61.4.

el que se aprueba el Reglamento de ejecución de la Ley Orgánica 4/2000, de 11 de enero, sobre derechos y libertades de los extranjeros en España y su integración social. El Director de la Oficina Española de Patentes y Marcas podrá avocar el conocimiento de cuantos asuntos estime oportuno, cuya resolución corresponda, ordinariamente o por delegación, a los Subdirectores Generales y demás órganos de aquél dependientes (38).

El Secretario de los Tribunales Regionales Económico-Administrativos podrá avocar para sí, mediante acuerdo motivado que deberá notificarse a los interesados, el conocimiento de los asuntos de la competencia de los Secretarios Delegados, en los que concurran circunstancias que lo hagan conveniente a su juicio (39).y, para concluir, los Jefes de Delegación diplomática serán nombrados por el Ministro de Asuntos Exteriores, a propuesta, en su caso, del Departamento directamente afectado. No obstante, el Consejo de Ministros podrá avocar esta facultad y nombrar directamente a los Jefes de Delegación que considere oportunos, a propuesta del Ministro de Asuntos Exteriores (40).

Finalmente decir algo acerca de la llamada avocación judicial mediante la cual un tribunal superior toma para sui el conocimiento de una proceso de que está conociendo un órgano judicial inferior que en nuestro derecho no está permitido por la Constitución española que dispone en su artículo 117 que dispone que el ejercicio de la potestad jurisdiccional en todo tipo de procesos, juzgando y haciendo ejecutar lo juzgado, corresponde exclusivamente a los Juzgados y Tribunales determinados por las leyes, según las normas de competencia y procedimiento que las mismas establezcan. Así la jurisprudencia del Tribunal Supremo recoge en un voto particular de una Sentencia (41) que la figura de la avocación que es instituto tradicional dentro de la organización administrativa, en la cual se explica y tiene su finalidad por la misma forma de la estructura de dependencia jerárquica de los diferentes órganos no se adecua a la estructura del poder judicial que se encuentra presidida por el principio de independencia de sus componentes, por ello mal se aviene con esta institución el que los magistrados, constitucionalmente independientes pudieran verse forzados por exigencia superior a ceder el conocimiento de un asunto cuando ya estaban conociendo de él con exclusividad, para que lo conozca una Sala de composición diferente, constituida con posterioridad, aunque se integren en ella.

---

(38) Art 12.4 del real Decreto 1270/1997 por el que se regula la Oficina de Patentes y Marcas.

(39) Art 17.2 del reglamento de Procedimiento en la Reclamaciones económico-administrativas.

(40) Real Decreto 632/1987, de 8 de mayo, sobre Organización de la Administración del Estado en el Exterior, art. 19.2.

(41) STS 5.10.1995.

17.   CONCEPTO DE AVOCACIÓN EN OTROS ORDENAMIENTOS

En algunos ordenamientos jurídico-administrativos la figura de la avocación se regula como una institución con finalidades y matices diferentes así en Argentina el Reglamento de Procedimientos administrativos dispone que los ministros, secretarios de presidencia y órganos directivos de entes descentralizados podrán dirigir o impulsar la acción de sus inferiores jerárquicos mediante órdenes, instrucciones, circulares y reglamentos internos, a fin de asegurar la celeridad, economía y eficacia de los trámites; delegarles facultades, intervenirlos y avocarse conocimiento y decisión de un asunto a menos que una norma hubiere atribuido competencia exclusiva al inferior.

En varios informes consultivos de esta Administración se define la figura de la avocación, junto a la delegación y la sustitución, uno de los supuestos de prorrogabilidad de la competencia, basándose en esta última la esencia de la institución ya que señalan que la cuestión que vaya a ser objeto de avocación debe encontrarse implícita en la competencia de quien pretenda avocarse. Competencia que ha sido definida como un complejo de funciones atribuido a cada órgano, es decir un conjunto de facultades, poderes y atribuciones que corresponden a un determinado órgano en relación con los demás, también se ha señalado muchas veces que la competencia constituye el principio que predetermina, articula y delimita la función administrativa que desarrollan los órganos y las entidades públicas. Las diferentes opiniones mantenidas en lo relativo a los alcances de la competencia partiendo de la postura extrema denominada postura de permiso expreso que sostiene que, a diferencia de lo que ocurre con los derechos de las personas físicas (los ciudadanos) la competencia de las entidades públicas tiene carácter cerrado y excepcional por lo que solo pueden llevar acabo las actuaciones que expresamente autoriza una norma jurídica; una opinión menos extrema defiende que las entidades públicas pueden llevara cabo no solo las actuaciones expresamente señaladas en la norma sino también aquellas otras actuaciones que se consideren razonablemente implícitas en la disposición expresa que regule las competencias del ente público en cuestión; finalmente otra postura defiende que las entidades públicas tiene competencia para realizar las actuaciones que estén expresamente atribuidas y las que estén razonablemente implícitas entendiendo este concepto de una manera extensa a la luz del principio de la especialidad que asimila esta capacidad a la de las personas físicas en lo que específicamente pudiera corresponderles en función de la finalidad y objetivos de la entidad pública (42). No obstante debe-

---

(42)   Aunque en este volumen sobre práctica profesional en las administraciones públicas, dado su carácter eminentemente práctico, no se incluyen referencias de origen teórico-académico, en esta ocasión dejamos constancia de alguna referencia a estas teorías sobre competencia administrativa en otros ordenamientos en relación con la avocación administrativa: CASSAGNE J.C *Derecho Administrativo* Vol. I Buenos Aires 1996; GORDILLO A. *Tratado de Derechos Administrativo* T. I 1994, REVIDATTI G. A. *Derecho Administrativo* T. II 1985 y, COMADIRA J. *Acto administrativo Municipal* Buenos Aires 1992.

mos tener en cuenta que la competencia administrativa es improrrogable lo cual se fundamente en que es establecida en interés público por una norma jurídica en cuanto expresa que su ejercicio constituye un deber de la autoridad o del órgano administrativo correspondiente; no obstante en todos los ordenamientos la ley admite excepciones a dicho principio de indisponibilidad a través de instrumentos a los que nos hemos referido en otras ocasiones como la delegación, la sustitución y la avocación de competencias que es objeto de nuestro examen, exigiendo para la efectividad de las dos primeras que exista una autorización expresa que habilite la delegación o sustitución, requisito que no es extensible a la avocación que procede siempre que una norma no disponga expresamente lo contrario; en nuestro ordenamiento siempre que circunstancias de índole técnica, económica, social, jurídica o territorial lo hagan conveniente.

En lo que aquí interesa la avocación funciona como una técnica que se refiere a la dinámica de cualquier administración pública, con carácter transitorio y para actuaciones concretas que consiste en la facultad del órgano superior de ejercer una competencia que corresponde al órgano inferior.

También se ha definido como la institución jurídica en cuya virtud y por razones de oportunidad, conveniencia o por mora en el cumplimiento de sus responsabilidades por parte del inferior, un órgano o funcionario público de rango superior se hace cargo del conocimiento de cuestiones que están sometidos al de rango inferior por razón del grado, y siempre que sea dentro de la misma línea jerárquica; toda vez que si se tratase de línea jerárquica diferente la figura que procedería aplicar sería la sustitución administrativa.

En este concepto se incluye un elemento de importancia capital al señalarse que es una institución que tiene lugar cuando un órgano determinado, por un acto administrativo propio, y sobre la base de razones de orden jerárquico o de oportunidad, adquiere una competencia que materialmente coincide con la que un órgano inferior y sobre la base de que dicha competencia del órgano inferior se encuentra contenida en la competencia más amplia (competencia paraguas) del órgano superior. De este modo la avocación presupone que la competencia administrativa de órgano inferior se encuentra *de iure* comprendida en la del órgano superior avocante.

El fundamento jurídico de esta figura se encuentra en la potestad jerárquica, por ello en otros ordenamientos, como en el argentino que en este apartado examinamos como ordenamiento de contraste, se descarta la aplicación de este instituto en las relaciones entre las entidades descentralizadas y el órgano delegante porque entienden que técnicamente en ese supuesto no existe una auténtica jerarquía sino solamente una actividad de control administrativo de tutela; de hecho la más alta jurisprudencia contencioso-administrativa de aquel país se ha pronunciado declarando la nulidad de una orden ministerial por la que se había dado de baja a un funcionario de una Universidad nacional, por adolecer dicho acto del vicio de incompetencia en la materia, toda vez que de acuerdo con la normativa aplicable al caso la autoridad competente para decretar la baja era el rector de la universidad no el titular del ministerio, señalando que tampoco podía el Ministerio decretar la baja del funcionario universitario por medio de la avocación, pues esta es una técnica de transferencia de competencia válida entre órganos de la misma persona jurídica estatal, que hace a la relación de jerarquía, mientras que el control que se ejerce por el Ministerio es el de tutela en aquel ordenamiento; sometida esta cuestión al Tribunal Supremo de Justicia argentino, éste confirmó la sentencia del tribunal a quo de lo contenciosos administrativo destacando un voto particular que señalaba que si bien en la organización administrativa la avocación es procedente casi siempre, amenos que una norma expresa disponga lo contrario; sin embargo para su funcionamiento y aplicación efectiva es precisa la existencia de una situación de subordinación jerárquica respecto del órgano que pretende ejercer la competencia atribuida a otro y en consecuencia el Ministro no tiene poder jerárquico sobre las universidades dado el carácter de personas de derecho público dotadas de autonomía administrativa y económico-financiera y por ello no es posible que pueda configurarse una relación de subordinación de esa clase cuando no se trata de órganos de un mismo ente público.

Por ello concluye que la avocación siempre procede a menos que esté expresamente prohibida, razón por la cual se exige que la disposición prohibitiva conste, expresamente, en una norma jurídica. Además la avocación supone una relación de jerarquía en razón del rango entre el órgano avocante y el órgano avocado y finalmente la competencia del órgano avocante debe comprender *de iure* a la del órgano avocado.

Entre las limitaciones al ejercicio de la avocación se encuentran los supuestos en que la competencia haya sido atribuida al órgano inferior en virtud de una idoneidad específica o que la competencia hubiera sido atribuida al inferior de forma exclusiva. En efecto cuando la competencia del inferior sea exclusiva debe ser entendida como tal (43) así como cuando la competencia consista en un dictamen o informe previo que debe requerirse preceptivamente. En varios dictámenes de la Procuración del Tesoro se ha declarado que la avocación no solo será improcedente cuando una norma lo prohíba sino también cuando la competencia del órgano inferior haya sido atribuida en virtud de una idoneidad específica y vinculado con esto se declaró asimismo que no procede el conocimiento de recursos contra actos administrativos dictados por los entes reguladores, en ejercicio de competencias que les hubieran sido encomendadas exclusivamente en función de su idoneidad técnica, cuyo objeto sea técnico y cuando el recurso solo impugne ese objeto, salvo que se tratara de un supuesto de arbitrariedad.

---

(43)   En Argentina se excluye en este caso la posibilidad de avocación por el Presidente de la República.

Finalmente señalar como en este ámbito se entiende la relación jerárquico-administrativa como comprensiva de las facultades del órgano superior para vigilar y controlar la actividad de los órganos inferiores, rendición de cuentas, inventarios, investigaciones y avocarse la competencia para dictar los actos que corresponden al órgano inferior y designación. A modo de resumen procede concluir que el citado órgano consultivo ha descartado la posibilidad de avocación por parte del jefe del Gabinete de Ministros respecto a la competencia propia de la Secretaría de ingresos públicos debido a la falta de jerarquía propia entre ambos órganos.

En otros ordenamientos americanos se sigue un criterio parecido respecto a la avocación administrativa en otros ordenamientos (44) se define la avocación como el Acto por el cual el órgano superior puede ejercer una competencia atribuida al inferior, regulando este instituto al señalar que los órganos administrativos jerárquicamente superiores podrán avocar para sí el conocimiento de un asunto cuya resolución corresponda por atribución propia o por delegación a los órganos dependientes cunado lo estimen pertinente. El acto de avocación no será susceptible de recurso; pero podrá impugnarse cuando se recurra la resolución administrativa de que se trate. En este ámbito de ordenamientos administrativos se ha definido la figura de la avocación como derecho atribuido a una jurisdicción superior para sacar un procedimiento tramitado o que debe tramitarse en un tribunal superior al de su competencia (45). Históricamente designa un acto por intermedio del cual la corona (46) se reservaba el conocimiento en exclusiva de un litigio concreto.

Hay que tener en cuenta que en el antiguo Derecho indiano de administración la jurisdicción se consideraba delegada desde el monarca hasta los tribunales de manera que correspondía originariamente al titular de la corona ejerciendo los jueces por delegación de modo que en los casos de concesión de un recurso de apelación se entendía que se producía una devolución de la jurisdicción por lo cual se veía lógico que el titular originario pudiera avocarse competencia para juzgar asuntos de competencia de tribunales inferiores. De esta manera el Derecho a recabar el conocimiento y decisión de las causas, prescindía al tiempo de la voluntad de los órganos interesados si bien era ejercida por lo común en casos de injusticia notoria, omisiones, injurias o negligencia de los jueces ordinarios como aparecía en la vieja legislación española (47). Señalan que la institución de la avocación tiene origen remoto en el Derecho Canónico y que fue introducida por primera vez en 1.213 durante el Concilio de Letrán y de allí pasó al derecho

---

(44) Por ejemplo Estatuto del Régimen Jurídico Administrativo de la función Ejecutiva de Ecuador 536/2002 modificado por R 33/2007.
(45) Enciclopedia Jurídica Omeba.
(46) Hay que recordar el carácter de vinculación directa que tenían los territorios de Ultramar con la corona española.
(47) Nov. Recopilación Ley 4 tit. 6 Lib. 4.

administrativo francés que perfeccionó la institución, normalmente cuando había alguna necesidad de intervención designado comisiones especiales que conocieran del asunto o remitiéndolo a un Consejo Supremo. En la legislación actual se considera una figura de carácter excepcional que tiene solo aplicación en el ámbito administrativo siendo una institución ajena a la justicia.

18. MODELOS PRÁCTICOS DE AVOCACIÓN

18.1. Avocación de un acuerdo de adjudicación de contrato en el ámbito municipal

ASUNTO: Avocación Relativa al acuerdo de adjudicación definitiva de la contratación privada tramitada mediante procedimiento negociado sin publicidad para la contratación del espectáculo denominado «La familia sigue bien» con motivo de las fiestas de Nuestra Señora del Carmen correspondientes al año 2009.

DECRETO: Ilmo. Sr. Alcalde-Presidente

Don Gervasio Menéndez Amigo

Tapia de Casariego (Asturias) 1 de junio de 2009

Visto el acuerdo de adjudicación provisional de la junta de Gobierno Local de fecha 20 de mayor de 2009 por el que se adjudica provisionalmente la contratación mediante procedimiento negociado, del espectáculo titulado «La familia sigue bien» para las fiestas de Nuestra Señora del Carmen del año 2009.

Visto el Decreto del Alcalde-Presidente de fecha 29 de mayo de 2009, de delegación de atribuciones y aclaraciones y modificaciones posteriores según Decretos de 20 de junio de 2007, de 27 de noviembre de 2008, y de 30 de marzo de 2009.

Visto que la Junta de Gobierno Local tiene delegadas entre otras, las competencias en materia de contratación y que, la periodicidad para celebrar su sesión es semanal, siendo preciso acelerar la tramitación del expediente con el fin de que se lleve a cabo el inicio de este contrato a la mayor brevedad posible, dado que dicho estudio debe ajustarse a los plazos establecidos.

En uso de las facultades que el ordenamiento jurídico vigente me confiere y de conformidad con lo dispuesto en el artículo 14 de la Ley 30/1992 LRJPAC en su redacción actual y el artículo 116 del reglamento de Organización, Funcionamiento y Régimen Jurídico de las Entidades Locales, aprobado por Real Decreto 2868/1986.

He Resuelto:

1.— Avocar la competencia que tiene delegada la junta de Gobierno local en materia de contratación para la adjudicación definitiva de la contratación tramitada mediante procedimiento negociado, del espectáculo titulado «La familia sigue bien» para las fiestas de Nuestra Señora del carmen del año 2009.

2.— Notificar a todos los licitadores.

Cúmplase,

EL ALCALDE

Así lo manda el Alcalde, en lugar y fecha indicados en el encabezamiento, de todo lo cual, como secretario DOY FE.

EL SECRETARIO

18.2. Modelo de resolución adoptada por avocación en el ámbito autonómico

CONSEJERÍA DE MEDIO AMBIENTE

Dirección General de Medio Ambiente

Información pública de proyecto de fabricación de equipos de frenado para la industria de automoción.

De conformidad con lo establecido en el artículo 16 de la Ley 16/2002, de 1 de julio, de Prevención y Control Integrados de la Contaminación, se somete a información pública el Proyecto de Fabricación de [.../...] presentado por la empresa [.../...], para la obtención de la autorización ambiental integrada.

Lo que se hace público para que pueda ser examinado en la Dirección General de Medio Ambiente, calle [.../...], de Valladolid, y formular al mismo tiempo las alegaciones y observaciones, por duplicado, que se estimen oportunas, en el plazo de treinta días hábiles, contados a partir del siguiente de la publicación de este anuncio.

Valladolid, 1 de agosto de 2008

EL DIRECTOR GENERAL DE MEDIO AMBIENTE,

POR AVOCACIÓN, EL CONSEJERO DE MEDIO AMBIENTE.

Don Luis Peláez Simón

Capítulo 18

La encomienda de gestión

Uno de los instrumentos para la colaboración entre diferentes órganos y entidades de las Administraciones públicas es la encomienda de gestión. Una mirada a los diversos Diarios oficiales muestra la diversidad de encomiendas de gestión que se llevan a cabo tanto entre unidades y organismos pertenecientes a la misma administración como entre diferentes Administraciones Públicas.

En este capítulo examinamos los diferentes aspectos que plantea la regulación y la práctica administrativa de la encomienda de gestión incluyendo el aspecto dinámico de esta figura tanto en lo que respecta a su aplicación práctica entre Centros Directivos, Unidades y Organismos pertenecientes a la misma Administración pública como en lo que respecta a la aplicación entre departamentos y organismos pertenecientes a Administraciones Públicas diferentes finalizando con un examen de la regulación de esta figura en el ámbito de la Administración local.

1. CONCEPTO DE ESTA FIGURA

La LRJ dispone, en su artículo 15, que realización de actividades de carácter material, técnico o de servicios de la competencia de los órganos administrativos o de las Entidades de derecho público podrá ser encomendada a otros órganos o entidades de la misma o de distinta Administración, por razones de eficacia o cuando no se posean los medios técnicos idóneos para su desempeño. La formulación de esta técnica de cooperación administrativa, que no supone cesión de titularidad de la competencia ni de los elementos sustantivos de su ejercicio, constituye un ejemplo de relación jurídico pública de carácter bilateral que, por su carácter económico es, además, contractual.

Esta figura puede definirse como un mecanismo que permite compatibilizar la irrenunciabilidad de las competencias con la carencia de los medios materiales para desempeño o con el logro de la mayor eficacia en la gestión, una forma de ejercer las propias competencias sin necesidad de transferir ni la titularidad ni el ejercicio de las mismas.

Esta institución administrativa se parece, por su forma y contenido, a los exhortos judiciales, que son instrumentos en los que se materializa y toma forma la cooperación judicial, una especie de concesión de servicios entre entidades públicas, y también una respuesta al deber de auxilio entre instituciones en aplicación de lo dispuesto en la propia LRJ (1) o bien un arrendamiento de obra o servicios. Sin embargo, todas estas categorías de contraste para definir la institución de la encomienda de gestión presentan algún aspecto que, en mayor o menor medida, las aleja del propio estatuto jurídico de la encomienda, es decir, la no intervención de sujetos privados, la gestión directa del servicio que entraña la encomienda sin que exista ningún tipo de de licitación pública, ni otra institución de colaboración con sujetos particulares etc.

La inclusión de esta técnica en la LRJ ha estado acompañada de cierta polémica durante los debates parlamentarios de la Ley, sobre todo por las dudas que se plantearon en la tramitación parlamentaria acerca de la constitucionalidad de la figura a la vista de su difícil encaje en lo preceptuado por la Constitución española (2). Habiendo sido tachada de puerta falsa para una pretendida mayor eficacia o disposición de medios técnicos de unas Comunidades sobre otras, sin necesidad de pactos autonómicos globales ni reformas de Estatutos de Autonomía

En cuanto al fundamento práctico de esta figura hay que reconocer que lo que más caracteriza a la encomienda es su trascendencia *ad intra* y la inexistencia de efectos adicionales que excedan del ámbito propio de la Administración pública. Es una figura de práctica logística, cuya finalidad general es la satisfacción y cobertura de las necesidades perentorias que demandan un funcionamiento racional y eficaz de la organización administrativa en una circunstancia concreta por ello puede definirse como una herramienta auxiliar y coyuntural en la práctica de la administración.

Los motivos que deben conducir al empleo de esta técnica, serán por ello, en primer lugar y ante todo de eficacia o cuando, por la razón que sea se dé la circunstancia de que el órgano administrativo o entidad de derecho público competente para llevar a cabo esa actividad, no posea, coyunturalmente, los medios técnicos idóneos para el desempeño de sus competencias, razones ambas que serán de difícil discernimiento en la práctica (3). La máxima cercanía al ciudadano, la racionalidad gerencial, la reducción de costes y la optimización de los recursos

---

(1)   Art 4 d) LRJ.

(2)   Art. 150.2 CE.

(3)   El autor ha tenido una experiencia personal respecto a la utilidad de esta figura con ocasión de la creación de un organismo nuevo en la Administración General del Estado con la figura de la Agencia Estatal Antidopaje adscrita al Ministerio de Educación a través del Consejo Superior de Deportes, planteándose una encomienda de gestión, en los primeros tiempos, para llevar a cabo diversas actividades materiales de realización de pagos a ingresos así como el abono de nómina de los empleados públicos en tanto el nuevo organismo no tuviera a su disposición los medios personales, materiales y funcionales necesarios para llevar a cabo correctamente estas tareas.

públicos, sobre todo teniendo en cuenta el gasto que en la actualidad comporta la implantación de la tecnología informática y de las telecomunicaciones, son otras de las argumentaciones que subyacen en el empleo de esta técnica y que suelen explicitarse en el texto de los acuerdos y convenios de encomienda.

La propia LRJ dispone que la encomienda de gestión entre órganos administrativos o entidades de derecho público, pertenecientes a la misma Administración debe formalizarse en los términos que establezca su propia normativa y, en su defecto, por acuerdo expreso de los órganos o entidades que intervengan en la misma, además la misma disposición exige, como garantía, que tanto el acuerdo de encomienda como su resolución sean publicados, para su eficacia en el Diario oficial que corresponda.

La LRJ regula esta figura jurídico-administrativa de encomienda de gestión como relación jurídica bilateral con un contenido funcional y que entre los caracteres que la definen de manera especial se encuentran los siguientes:

a) Supone el establecimiento de una relación jurídico pública entre organismos, departamentos, centros directivos o unidades de Derecho público pertenecientes a la misma o diferentes Administración pública.

b) Esta relación jurídica se constituye para realizar alguna tarea o actividad material que la administración encomendante no puede hacer por sí misma en ese momento.

c) La encomienda de gestión no supone transferencia de titularidad de las funciones en que se integran las actividades o tareas materiales encomendadas ni de su ejercicio.

d) L encomienda tampoco supone transferencia de titularidad ni su ejercicio que sigue conservando la administración encomendante.

e) El instrumento de formalización de la encomienda debe publicarse para su eficacia en el diario oficial que corresponda tanto en el caso de entre órgano o entidades dependientes de la misma administración pública como en el de encomienda entre administraciones públicas diferentes (4).

Hay que tener en cuenta que la figura de la encomienda de gestión puede tener un antecedente en lo que venía denominándose auxilio pues consiste en un modo de ejercer competencias propias, sin necesidad de transferir ni titularidad ni ejercicio de las mismas, en aquellos casos en que el órgano o entidad de que se trate no disponga de de los medios adecuados para ello.

---

(4)   Artículos 8 y 15 de la LRJ.

Esta técnica obedece al problema de encontrar el ámbito funcional propio para la prestación de servicios por las Administraciones Públicas lo cual a menudo suele dar lugar a situaciones de interpretación competencial al margen de la distribución establecida por la normativa de regulación que muchas veces es poco concreta se encuentra insuficientemente detallada.

En este sentido la LRJ ha dispuesto la posibilidad de encomendar la realización de determinadas actividades entre órganos de Derecho público. Ya se ha dicho que esta figura se limita a aspectos meramente materiales, técnicos o de servicios siempre que su ejecución sea competencia de la Administración que encomienda las tareas y en ningún caso cuando la ejecución de dichas actividades o servicios corresponda a personas físicas o jurídicas sujetas que se rijan por el derecho privado, en cuyo caso habrá que acudir a las figuras jurídico administrativas que regula la Ley de Contratos del Sector Público, a fin de adjudicar la ejecución de tareas públicas por dichas personas o entidades particulares.

La encomienda de gestión también es posible entre órganos administrativos o entidades que pertenezcan a una mis a administración, de manera que la utilización de esta figura supone la aceptación de la encomienda entre órganos no subordinados, sino de la misma categoría, pues cuando un órgano encomendante lo hace sobre un órgano inferior el título que legitima la encomienda es la orden del órgano superior de acuerdo con el principio general de jerarquía que rige en las Administraciones Públicas.

La encomienda de gestión tiene la misma naturaleza que la figura del arrendamiento de servicios que regula la Legislación local; pero que, mientras en esta normativa pueden ser arrendatarios los particulares con toda normalidad, en la encomienda los particulares no están legitimados para figurar como encomenderos.

La encomienda debe plasmarse en un convenio, teniendo en cuenta que como no existe cesión de titularidad, los actos administrativos deberán dictarse por la entidad encomendante, teniendo en cuenta que además que la encomienda de gestión tampoco supone la creación de órganos nuevos.

Lo que deja bien claro a este respecto la LRJ es que en estos casos no hay transferencia de funciones, pero no puede negarse que si la organización pública encomendera se ha hecho cargo de una actividad en virtud de un convenio de encomienda tendría que asumir los eventuales supuestos de responsabilidad extracontractual, que pudieran deducirse del desempeño de la actividad encomendada, como la que declaró la correspondiente Sala de lo Contencioso-Administrativo del Tribunal Supremo en sentencia bautizada coloquialmente como la de «los novios de Granada» en la que estimó el derecho a indemnización por daños morales de los padres de una novia que falleció cuando un demente eludió la vigilancia del hospital psiquiátrico y se arrojó desde el tejado sobre una pareja de novios. Desde entonces infinidad de demandas han sido estimadas cuando se ha probado el anormal funcionamiento del servicio público en su vertiente sanitaria, en cuanto a diagnóstico, tratamiento o intervención errónea sobre los pacientes.

De todos modos cuando se detiene en el análisis de las innumerables encomiendas formalizadas en el ámbito interno de cada Administración se pregunta por que no el empleo de la delegación, cuando ambas técnicas siguen la misma regla de imputación. Sí es cierto y no puede ocultarse la distinta necesidad de ambas figuras. Ninguna de las dos supone alteración de la titularidad de la competencia, pero la encomienda, además, tampoco afecta a los elementos determinantes del ejercicio de la competencia. La redacción de ambos preceptos parece contradictoria, por no alcanzarse a distinguir los elementos determinantes de los sustantivos, o cuáles son unos y otros.

2. SUJETOS DE LA ENCOMIENDA DE GESTIÓN

Los sujetos intervinientes en la encomienda de gestión son órganos administrativos o Entidades de Derecho público pertenecientes a la misma o diferente Administración pública, carácter que diferencia a la encomienda de otras figuras administrativas instrumentales de ámbito interno como la delegación de funciones o firma. En ambos casos se trata siempre de sujetos públicos. Sin embargo el régimen jurídico de la encomienda de gestión no será de aplicación, por lo tanto, cuando la realización de las actividades enumeradas en el apartado primero del art. 15 LRJ haya de recaer sobre personas físicas o jurídicas sujetas a derecho privado, ajustándose entonces, en lo que proceda, a la legislación correspondiente de contrato de las Administraciones públicas, sin que puedan encomendarse a personas o Entidades de esta naturaleza actividades que, según la legislación vigente, hayan de realizarse con sujeción al Derecho administrativo (5).

No obstante y teniendo en cuenta las diversas y variadas experiencias prácticas que se han presentado hasta la fecha en el ámbito de la Administración General del Estado, de las Comunidades Autónomas y de la Administración Local, la Ley no ha querido excluir con estas previsiones la encomienda para la realización de actividades de carácter material y técnico a favor de sociedades mercantiles de capital público sometidas al Derecho privado en su funcionamiento, sujetos cuya naturaleza es claramente instrumental.

Hay que tener en cuenta que la práctica más reciente, que puede comprobarse en el propio Boletín Oficial del Estado en el caso de la Administración estatal, recoge múltiples casos de este tipo de encomiendas a favor de entidades o sociedades públicas sometidas al régimen jurídico privado, pero no solo en el Estado sino también en los ámbitos autonómico y local, sin que se haya cuestionado su procedencia y, sobre todo, utilidad práctica.

---

(5)   Art. 15.5 LRJ.

Entre ellos se hallan las encomiendas estatales en favor de la Universidad Internacional Menéndez Pelayo, del Consejo General de Colegios de Farmacéuticos, del antiguo entre público Gestor de Infraestructuras Ferroviarias (GIF) (6) o la sociedad pública empresarial «Redes.es»; en el ámbito autonómico hallamos las efectuadas a diversas sociedades públicas como la sociedad de puertos deportivos del País vasco que se encarga de gestionar el servicio público de explotación de dársenas deportivas en dicha comunidad autónoma, la Empresa de Residuos de Cantabria, S.A, las empresas públicas Viviendas Sociales e Infraestructuras de Canarias, S.A., Gestión recaudatoria de Canarias, S.A. y la Sociedad Canaria para el Fomento Económico, S.A., la Sociedad Regional de Turismo, S.A. del Principado de Asturias, etc.: y en la esfera municipal destacamos las realizadas a favor de la empresa municipal del Ayuntamiento de Santander, etc.

Los tribunales, sin embargo, ha negado en un supuesto similar a los anteriores y otros que no citamos en la presenta practica profesional que pueda calificarse a esta figura como una encomienda de gestión, al considerar la Sala que no es obstáculo para esta conclusión el que la sociedad en cuestión hubiera sido constituida con capital municipal del ayuntamiento y dependiera, a todos los efectos, de dicha corporación; porque, si esas características tienen validez para el ejercicio de sus competencias en dicho término municipal, en cambio dejan de tener sentido si lo que se pretende es ejercer las competencias en el ámbito de otro municipio diferente, pues entonces primaría el sometimiento de esta figura al régimen jurídico de derecho privado, que en cualquier caso tendrá aplicación debido a su forma de sociedad mercantil anónima con el que ha sido constituida. En dicho supuesto, concluye una sentencia, debería acudirse a la legislación de contratos de las administraciones públicas para buscar un instrumento que se acomode a esta necesidad (7).

Este dilema se traslada en algunas ocasiones al texto de las propias encomiendas de gestión. Un Convenio de colaboración entre una Secretaría de Estado y una Entidad Pública Empresarial para la encomienda de gestión a esta última de diversas actuaciones que invocaba expresamente para su celebración el art. 15 LRJ, ostenta, según se decía textualmente en el texto del acuerdo de encomienda, la naturaleza de los previstos en el art. 3.1.d) del texto refundido de la Ley de Contratos de las Administraciones Públicas, entonces vigente (8). Este precepto excluía la aplicación a estos supuestos de la normativa de contratos a los convenios de colaboración que, con arreglo a las normas específicas que los regulan, celebre la Administración con personas físicas o jurídicas sujetas al derecho privado, siempre que su objeto no esté comprendido en los contratos regulados

---

(6)   Actualmente ADIF.
(7)   STSJCM de 30.10.2000.
(8)   Aprobado por Real Decreto Legislativo 2/200 de 16 de junio.

en esta ley o en normas administrativas especiales. La Ley 30/2007, de 30 de octubre, de Contratos del Sector Público excluye de su ámbito de aplicación, entre otros, a los convenios de colaboración que celebre la administración General del estado con las entidades gestoras y servicios comunes de la Seguridad Social, las Universidades públicas, las Comunidades autónomas, las Entidades locales, los organismos autónomos y restantes entidades públicas o los que celebren estos organismos y entidades entre sí, salvo que, por su naturaleza, tengan la consideración de contratos sujetos a dicha Ley (9).

Otro Convenio de colaboración celebrado, posteriormente, entre los mismos sujetos (Secretaría de Estado y Entidad Pública Empresarial, celebrado con el mismo objeto que el anterior, sustituye la letra d) del precepto citado de la legislación de contrato por la c). esta letra, en cambio, excluye de la normativa contractual a los convenios de colaboración que celebre la Administración General del Estado con la Seguridad Social, las Comunidades Autónomas, las entidades locales, sus respectivos organismos autónomos y las restantes entidades públicas o cualquiera de ellos entre sí.

Con todo ello para bastante justificada la exigencia de que, las encomiendas de gestión a favor de sociedades públicas se sometan a la normativa de contratos administrativos cuando su objeto sea alguno de los regulados en la Ley de Contratos del Sector Público, salvo que aquellas tuvieran capital exclusivamente público. De esta forma se evita el fraude de ley que se seguiría de la inaplicación de los principios de publicidad y concurrencia, por ejemplo, si se celebrara una encomienda de gestión «a dedo» con una empresa privada sólo con la intención de ocultar un auténtico contrato público y nos encontraríamos ante un caso de huida del Derecho Administrativo.

Cualquiera que sea la solución que se dé, en ocasiones se observa en algunas encomiendas la remisión supletoria a la normativa sobre contratación administrativa a fin de resolver dudas e integrar las lagunas que puedan surgir.

Por otra parte, la encomienda puede actuarse a iniciativa de la futura entidad u órgano «encomendado», mediante la correspondiente oferta de colaboración técnica, que se traduce en un ofrecimiento de puesta a disposición de medios de actividad, datos o informaciones. El último de los autores ofrece un buen ejemplo con la gestión efectuada por una Diputación con algunos ayuntamientos de esa provincia para la asunción de la gestión informatizada de sus padrones de habitantes.

Será, asimismo, responsabilidad del órgano o entidad encomendante dictar cuantos actos o resoluciones de carácter jurídico den soporte o en los que se in-

---

(9)   Artículo 4 LCSP.

tegre la concreta actividad material objeto de encomienda (10). Esto no impide que el órgano «encomendado» pueda resolver cuantas cuestiones se planteen durante la gestión, lo que en cierta manera y ocasiones trasciende la mera actividad material.

Una reciente Resolución de la Subsecretaría del Ministerio de Vivienda, por la que se publica el acuerdo de encomienda de gestión entre los Ministerios de Vivienda y de Defensa se refiere a la «gestión material del proceso selectivo derivado del proceso de acceso en el turno de plazas afectadas por el artículo 15 de la Ley 30/1984, de 2 de agosto, de Medidas Urgentes para la reforma de la Función Pública en un cuerpo de funcionarios superiores. Ha suscitado comentarios en prensa escrita por personal afectado de la administración como que dicho acuerdo plantea curiosísimos interrogantes al estudioso del derecho público: por ejemplo si cabe una encomienda de gestión material cuando nada menos que un Ministerio confía a otro que designe el Tribunal de una oposición que a su vez ha de pilotar el procedimiento selectivo hasta el final. Teniendo en cuenta que la figura de la encomienda sólo se autoriza para labores o servicios materiales o técnicos ya que si se encomiendan labores públicas o decisorias, sobraría el órgano encomendante. Pues bien, a juicio de los afectados por dicha Resolución tal encomienda material parece razonable para que el órgano ayudante admita solicitudes, elabore el papel de los cuestionarios, reserve las aulas, etc.; pero de ahí a que los actos administrativos que jalonan una oposición y que comportan actos declarativos de derechos y de gravamen (11) sean realizados por otro órgano, parece algo así como si un párroco encomendase la confesión de sus feligreses al sacerdote de otra parroquia. Por ello se preguntan las organizaciones representativas de los afectados que cual puede ser la razón de la idoneidad del Ministerio de Defensa para seleccionar arquitectos en mejores condiciones que el Ministerio de Vivienda. Lo acordado es algo tan peregrino como si el Ministerio de Sanidad encomendase la selección de médicos al Ministerio de Industria.

En fin, al margen de que resultan lógicos y necesarios los procedimientos de funcionarización para evitar que unas mismas labores sean servidas por personal con distinto régimen (12), la única ocurrencia que procede para dicha actuación administrativa es que el Ministerio de Vivienda, organismo que dispone de arquitectos suficientes, no era instancia segura para mostrar imparcialidad en el procedimiento selectivo y por eso se ha distanciado el problema situándolo en un Ministerio mas distante y bajo ese blindaje que da ostentar nada menos que las competencias sobre defensa.

---

(10)   Art. 15 LRJ.
(11)   Lista de admitidos, fijación de criterios, pruebas, lista de aprobados y eliminados, etcétera.
(12)   Funcionarios y contratados.

3. OBJETO DE LA ENCOMIENDA DE GESTIÓN

Desde el punto de vista del objeto la encomienda de gestión puede referirse a actividades materiales, actividades de servicios de competencia de la Administración, no el mero ejercicio de potestades públicas (13).

La LRJ describe el objeto como se ha descrito (14) fórmula bastante amplia en la que el término servicios debe considerarse como equivalente de fines públicos a desempeñar por el organismo o entidad de que se trate. No obstante hay que repetir que respecto al objeto lo que realmente interesa es lo dispuesto en el párrafo segundo del artículo 15 que dispone que la encomienda no supone cesión de titularidad de competencia, ni de elementos sustantivos de su ejercicio, siendo responsabilidad del órgano o entidad encomendante dictar cuantos actos y resoluciones jurídicas den soporte o en los que se integra la actividad materia objeto de la encomienda.

Por otra parte hay que decir que la encomienda de gestión, cuyo empleo desmedido constituye un fenómeno claramente imprevisto por el legislador, resulta particularmente útil para la gestión de actividades con un contenido altamente técnico relacionadas con actividades de control, como inspecciones en materia de medioambiente o relacionadas con productos alimentarios, en materias de recogida de datos, realización de estudios estadísticos, desarrollo de procesos selectivos de personal, recaudación de tributos y actividades instrumentales preparatorias del procedimientos administrativos donde lo relevante sea la idoneidad técnica o de formación de los órganos y personas físicas que los integran y que pueden concurrir a la realización de las mismas y, en general, actuaciones administrativas de propuesta o tramitación sin eficacia decisoria trascendente o cualquier otra que se refiera al carácter irrenunciable de la competencia del órgano que la tiene atribuida (15). Lo cual encaja perfectamente con lo que disponen algunas regulaciones de las Comunidades autónomas sobre esta figura administrativa cuando establecen que la encomienda de gestión no podrá implicar facultades de resolución sobre las materias que hayan sido encomendadas. No obstante se podrán dictar los actos de instrucción que sean necesarios para ejecutar las resoluciones derivadas de la encomienda, siempre que no se trate de actos de trámite susceptibles de recurso (16).

---

(13)   Hay que tener e cuenta que en los propios convenios de encomienda de gestión se deja a salvo la competencia del órgano correspondiente toda vez que el objeto de la encomienda es la realización de actividades materiales.

(14)   Realización de actividades de carácter material, técnico o de servicios de la competencia de los órganos administrativos o de las entidades de Derecho público (art 15 LRJ).

(15)   Art. 12.1 LRJ.

(16)   Ley 3/2003 de 26 de marzo de Régimen Jurídico de la Administración de la Comunidad Autónoma de las Islas Baleares.

No obstante hay que señalar que también hay opiniones que consideran que este tipo de encomiendas, aun cuando no alcancen al dictado de los actos finalizados de los procedimientos a que afecten, desborda el margen de actuación del encomendado convirtiéndolo en prácticamente ilimitado, y, por ello, podrían ser susceptibles de declaración de ilegalidad. Lo que si está claro es que si este tipo de convenios de encomienda, son declarados nulos de pleno derecho, esta nulidad afectaría de lleno a las resoluciones y demás actos administrativos que hubieran sido dictados por el órgano «encomendado» y el fundamento sería una clara incompetencia material para dictarlos

4. ASPECTOS FORMALES DE LA ENCOMIENDA DE GESTIÓN

La LRJ no hace referencia a la necesidad de que se publiquen los convenios de encomienda, celebrados entre administraciones públicas diferentes, a diferencia de lo que ocurre con los acuerdos entre órganos administrativos o entidades de derecho público pertenecientes a la misma Administración. Es más, el Tribunal Superior de Justicia de Navarra declaró que a la luz de lo establecido en el artículo 15 de la LRJ el requisito de la publicación sólo es preceptivo con respecto a los acuerdos entre órganos administrativos o entidades de derecho público pertenecientes a la misma Administración, por lo que su omisión para el supuesto de los convenios a los que se refiere el art. 15.4 LRJ hay que reconocer no sería un motivo de nulidad, sino un mero requisito para la eficacia. Sin embargo, los Convenios de encomienda, por aplicación de lo dispuesto en el art. 8.2 LRJ, obligan a las Administraciones intervinientes desde el momento de su firma, salvo que en ellos se establezca otra cosa (17).

No obstante hay que tener en cuenta que, también debe procederse a la publicación de los convenios de encomienda en los diarios oficiales de cada una de las administraciones intervinientes por cuanto vincula a ambas. Así en las Comunidades Autónomas cuya normativa regula la figura de los convenios de encomienda de gestión entre diferentes Administraciones así lo han previsto expresamente, supeditando sus efectos a la publicación efectiva. Entre otras comunidades autónomas: Aragón, Asturias, Extremadura y La Rioja siendo de destacar que la normativa reguladora riojana condiciona la de la encomienda eficacia, además, a la última publicación que resulte obligatoria. Otro de los motivos que cabe argumentar es la disposición contenida en el art. 8.2 LRJ, según el cual los convenios de colaboración deben publicarse en el Boletín Oficial del Estado y en el Diario Oficial de la Comunidad Autónoma respectiva.

La publicación, por pura lógica, debe contener el texto íntegro del convenio, por lo que resulta singular la Resolución de la Secretaría General Técnica una

---

(17)   STSJ Navarra de 20.5.2003.

Consejería de Desarrollo Autonómico, publicada hace casi una década, por la que se dispuso la publicación del resumen del Convenio por el que el Ministerio de Agricultura, Pesca y Alimentación encomienda a la Comunidad Autónoma la gestión de actuaciones de intervención y regulación de mercados (18). A la vista de lo cual no sobran referencias como la contenida en el art. 30.3 de la Ley 3/2003, de 20 de marzo, de régimen jurídico de la Administración de la Comunidad Autónoma de las Islas Baleares, que condiciona los efectos de la encomienda de gestión a la publicación íntegra en el correspondiente boletín oficial de la Comunidad Autónoma.

Del examen de los acuerdos y convenios analizados se deduce que es práctica común que su publicación aparezca precedida de una resolución acordando la misma e, incluso, la previsión de su inscripción en el Registro de Convenios que exista creado en cada una de las Administraciones intervinientes. En el caso de Aragón, esta «resolución» será el decreto o la orden mediante lo que se autorice la encomienda de gestión o el convenio en el que ésta se formalice.

De todos modos como se ha señalado por la doctrina la exigencia de publicación del convenio de encomienda, aunque soplo se exija expresamente para los casos de encomienda entre órganos o entidades dependientes de la misma Administración pública, el hecho de que se exija forma de convenio para la encomienda entre administraciones públicas conlleva la exigencia de este tipo de publicidad que constituye un requisitos de eficacia de la propia encomienda de gestión.

Con respecto a la extinción, hay que señalar que la LRJ no regula este asunto y por ello hay que estar a lo que se haya pactado en cada convenio de encomienda o a su concreta regulación y en el caso de inexistencia de directrices de referencia habrá que estar alo que dispone la normativa sobre contratos del sector público.

En la siguiente práctica profesional concluiremos el examen de los diferentes aspectos de la encomienda de gestión.

5. ENCOMIENDAS ENTRE ÓRGANOS O ENTIDADES PERTENECIENTES A LA MISMA ADMINISTRACIÓN PÚBLICA

La encomienda de gestión entre órganos administrativos o entidades de derecho público pertenecientes a la misma Administración deberá formalizarse en los términos que establezca su normativa propia y, en su defecto, por acuerdo expreso de los órganos intervinientes (art. 15.3). En ocasiones se aprecia en este tipo de

---

(18)   Boletín Oficial de La Rioja de 1.7.1999.

encomiendas la utilización incorrecta de la denominación «convenio» cuando según lo dispuesto por la LRJ debería hablarse de «acuerdo», aspecto este que carece de mayor trascendencia por cuanto el contenido y requisitos de eficacia para unos y otros son similares.

5.1. La encomienda como técnica de jerarquía o instrumento negocial

Existe un sector doctrinal minoritario que defiende el empleo de la encomienda únicamente en el ámbito de las relaciones interadministrativas, ya que consideran que entre órganos pertenecientes a la misma Administración el principio esencial que debe regir sus relaciones es el de jerarquía. Esta postura parte de postulados clásicos y, en cierta forma, superados hasta el punto de que la delegación interorgánica, que ha venido siendo tradicionalmente una de las manifestaciones más evidentes de este principio, ha rebasado el condicionamiento secular de la subordinación jerárquica según esta tesis. Aplicar la encomienda en el ámbito de las relaciones entre órganos de la misma Administración, supone admitir que el órgano superior negocie con el inferior la realización de determinadas actividades. La hipotética declaración de voluntad del órgano inferior contraria a la asunción de tales actividades colocaría al órgano superior en la tesitura de ejercer su más alta jerarquía con el máximo rigor y disciplina.

Para otros, la técnica negocial sólo resulta razonable cuando la encomienda se articula entre órganos o entes no subordinados entre sí, del mismo nivel, dado que, en otro caso, la orden del superior es título suficiente para imponer las consecuencias que conlleva la encomienda de gestión.

Aunque no compartimos en toda su integridad el espíritu de este discurso, no podemos negarle cierta razón. Esta filosofía nos permite explicar en parte, por ejemplo, los no pocos raros ejemplos de encomiendas de gestión acordadas unilateralmente sin el consentimiento, al menos explícito, del órgano que recibe la encomienda, una práctica que no encuentra mucha justificación a la vista del régimen establecido en la LRJ, dado el carácter voluntario y convencional de esta técnica. Un caso peculiar sería el de aquellas encomiendas que siguen un curso progresivo de perfeccionamiento, culminando el proceso con la aceptación expresa de la encomienda por parte del órgano que la recibe. Esta modalidad, de legalidad algo dudosa, se ha utilizado por el Ministerio de Fomento para encomiendas a favor del antiguo Ente Publico Gestor de Infraestructuras Ferroviarias (GIF) (19). Sin embargo hay que reconocer que el empleo de esta fórmula se ajusta, al requisito de bilateralidad que exige la LRJ, ya que se articula

_____

(19) En la actualidad, Administrador de Infraestructiras Ferroviarias (ADIF).

con la decisión unilateral del encomendante y con la subsiguiente aceptación por parte del «encomendado.»

5.2. Contenido y requisitos adicionales

La Ley lleva a cabo una deslegalización al dejar deja en manos de cada Administración Pública la regulación de los requisitos precisos para la validez de tales acuerdos que incluirán, al menos, expresa mención de la actividad o actividades a las que afecten, el plazo de vigencia y la naturaleza y alcance de la gestión encomendada. En cualquier caso, el acuerdo expreso de los órganos que intervengan en la encomienda deberá ser publicado para su eficacia en el diario oficial correspondiente.

En la normativa autonómica existen requisitos adicionales para la aprobación de este tipo de encomiendas. Cuando se efectúa a favor de órganos pertenecientes a la misma consejería o entes públicos dependientes de ella, se suele requerir la autorización del titular de la consejería competente y, para la encomienda a órganos o a entes públicos pertenecientes o dependientes de diferente consejería, llega a ser precisa la autorización del Consejo de Gobierno.

6. CONVENIOS DE ENCOMIENDA ENTRE DISTINTAS ADMINISTRACIONES

Cuando la encomienda de gestión se realice entre órganos y entidades de distintas administraciones se formalizará mediante la firma del correspondiente convenio entre ellas, salvo en el supuesto de la gestión ordinaria de los servicios de las Comunidad Autónomas por las Diputaciones Provincial o en su caso cabildos o consejos insulares, que se regirá por la legislación de régimen local, en cuyo estudio rehusamos entrar por poseer un régimen singular.

La vía convencional incardina esta técnica, también considerada negocio jurídico bilateral de carácter organizativo, en el ámbito de la colaboración y cooperación entre los entes públicos territoriales y da garantías de respeto a los respectivos ámbitos competenciales.

En aplicación de esta previsión, la establece que la Administración General y los organismos públicos vinculados o dependientes de la misma podrán celebrar convenios de colaboración con los órganos correspondientes de las administraciones de las Comunidades Autónomas en el ámbito de sus respectivas competencias, que deberán ser comunicados al Senado. Por su parte, la cooperación económica, técnica y administrativa entre la Administración local y las del Estado y de las Comunidades Autónomas, tanto en servicios locales como en asuntos de interés común, se desarrollará con carácter voluntario, bajo las formas y en los términos previstos en las leyes, pudiendo tener lugar, en todo caso, mediante los consorcios o convenios administrativos que suscriban.

6.1. Contenido de este tipo de encomienda

Los instrumentos de formalización de los convenios deberán especificar cuando así proceda.

6. Los órganos que celebran el convenio y la capacidad jurídica con la que actúa cada una de las partes, ya sea por venir así atribuida por la norma o por autorización expresa del órgano que así se prevea.

7. La competencia que ejerce cada Administración.

8. La financiación. No hay una regla uniforme a la hora de decidir quién debe sufragar los gastos que comporte la realización de las actividades materiales objeto de la encomienda. Un criterio de mínimo sentido común lleva a defender que la entidad encomendante sea la que soporte el esfuerzo económico de la encomienda, puesto que la actividad encomendada cae dentro de las competencias cuya titularidad ostenta. Sin embargo, éste es uno de los aspectos que debe dejarse al esfuerzo negocial de las partes.

Lo que sí es cierto es que resulta extravagante justificar que cualquier órgano pueda despreocuparse de las actividades materiales necesarias para el ejercicio de las competencias de titularidad suya aprovechándose de la encomienda de su gestión a otros órganos, con la consiguiente menos carga de preocupación y responsabilidad, y que, además, éstos tengan que correr con su financiación. Por esta razón parece mucho más lógico que el coste corra a cargo de las partidas presupuestarias del órgano encomendante o, a lo sumo, sea compartida. No obstante encontramos casos de todo lo contrario, mucho más frecuentes cuando se trata de acuerdos entre órganos de la misma Administración que en convenios interadministrativos.

También es habitual la inclusión en este apartado de ciertas prescripciones sobre la forma de pago y abono de cantidades, justificación, certificaciones, emisión de facturas, etc.

a) Las actuaciones que se acuerden desarrollar para su cumplimiento. Aquí se deberá concretar con el mayor grado de detalle posible la actividad material, técnica o de servicios que se encomienda, así como los deberes de información, comunicación, elaboración de memorias, estadísticas, etc. Que deba suministrar el órgano «encomendado» al encomendante.

b) La necesidad o no de establecer una organización para la gestión de la encomienda. También podrá preverse una comisión mixta o paritaria de seguimiento, coordinación, vigilancia y/o control para resolver las dudas que surjan en cuanto a la interpretación y cumplimiento de los convenios.

c) El plazo de vigencia, lo que no impedirá su prórroga si así lo acuerdan las partes firmantes del convenio.

d) La extinción por causa distinta a la prevista en el apartado anterior (mutuo acuerdo, imposibilidad sobrevenida de cumplir los fines previstos en la encomienda, inexistencia de consignación presupuestaria adecuada y suficiente, incumplimiento de obligaciones por cualquiera de las partes, acuerdo motivado de una de ellas comunicado con determinado plazo de antelación, etc.), así como la forma de terminación de las actuaciones en curso y la liquidación.

En el supuesto de terminación sobrevenida o anticipada, puede pactarse incluso la restitución de la parte de crédito transferido correspondiente al periodo comprendido desde que se declare el incumplimiento hasta la fecha de finalización del plazo de vigencia inicialmente marcado. También pueden incluirse menciones sobre la impugnabilidad del convenio y de los actos que se dicten en el desarrollo de la encomienda.

Aunque no parece lo más conveniente, cuando la gestión del convenio haga necesario crear una organización común, ésta podrá adoptar la forma de consorcio dotado de personalidad jurídica o sociedad mercantil. No parece muy ponderada, pensamos, la creación de toda una organización consorcial dotada de personalidad jurídica, medios materiales y personales propios para la mera gestión material de un proceso limitado en el tiempo, con carácter instrumental y sin mayor trascendencia jurídica. Si así se crea, los estatutos del consorcio determinarán los fines del mismo, así como las particularidades del régimen orgánico, funcional y financiero. Los órganos de decisión del consorcio que se cree en su caso estarán integrados por representantes de todas las entidades consorciadas, en la proporción que se fije en los estatutos respectivos.

Asimismo en algunas normativas autonómicas se exige que este tipo de Convenios cuenten con la previa y preceptiva autorización del órgano de gobierno de la Comunidad

6.2. Los convenios de encomienda en la normativa estatal

La normativa sectorial del Estado recoge un número importante de posibilidades de encomienda de gestión de ciertas actividades. Así, la tramitación del otorgamiento de autorizaciones referentes al dominio público hidráulico y la tutela de éste en las cuencas hidrográficas que excedan del ámbito territorial de una sola Comunidad Autónoma podrá ser encomendada a las Comunidades Autónomas. La gestión y recaudación en las cuencas de las exacciones previstas en la Ley de Aguas podrá también serlo a favor de la Administración Tributaria del Estado. El

Consejo de Seguridad Nuclear puede encomendar a las Comunidades autónomas el ejercicio de las funciones que le estén atribuidas con arreglo a los criterios generales que apruebe el propio Consejo para su ejercicio, en este sentido también puede citarse al Director del Instituto Cervantes podrá acordar la encomienda de gestión de actividades de carácter material, técnico o de servicios propios del Instituto a otros entes y órganos de las Administraciones públicas, mediante convenio.

7. RECURSOS CONTRA LA ENCOMIENDA DE GESTIÓN

La LRJ no se pronuncia concretamente sobre la procedencia de recurso administrativo contra este tipo de acuerdos o convenios. Al no existir una alteración de la titularidad de la competencia, ni siquiera de sus elementos sustantivos, dada la naturaleza convencional de las encomiendas y la previsible falta de efectos ad extra, al menos gravoso, parece que no es asunto de gran importancia. Por otra parte surge la duda de ante quién debe plantearse el recurso cuando el objeto de impugnación sea consecuencia del acuerdo entre dos administraciones públicas. Con todo, debemos recordar que sólo en algunas ocasiones aparece pie de recurso en el acto de publicación de los acuerdos y convenios, referido más a la resolución instrumental que acuerda la publicación de la encomienda que a su contenido negocial, propiamente dicho.

Cosa distinta es el recurso contra las actuaciones realizadas en el desarrollo y cumplimiento de la encomienda, aspecto que debe tener una respuesta acorde con la intensidad de la alteración competencial que con la encomienda se produce. Puesto que la titularidad y los elementos determinantes de la competencia siguen residiendo en el órgano competente que propone encomienda de gestión, lo que resulta más lógico es que se dirija contra éste teniendo en cuenta que a él le compete dictar cuantos actos o resoluciones den soporte a la concreta actividad material objeto de la encomienda. De todos modos lo que se produce con la encomienda de gestión es realmente una sustitución de los agentes o del titular del órgano competente, sin embargo no se modifica el propio órgano que ejerce las competencia, de modo que no se traslada la imputación de la actividad y responsabilidad al órgano que recibe la encomienda, sino que ésta se considera como una actividad corriente del órgano encomendante. En el caso de los contratos de gestión de servicios públicos el concesionario resulta obligado a indemnizar los daños y perjuicios causados a terceros como consecuencia de las operaciones que exija el desarrollo de la actividad de servicio público concedido, salvo en el caso de que el daño se produjera por causas imputables a la propia Administración pública concedente, teniendo en cuenta las diferencias entre la encomienda de gestión y la concesión administrativa podría plantearse la permanencia de una acción o recurso dirigido contra el encomendado por daños y perjuicios derivados de las acciones realizadas al amparo de la gestión encomendada que no se derivasen directamente del acuerdo o convenio de encomienda pero en cualquier caso llevadas a cabo para su necesario desarrollo.

Teniendo en cuenta el carácter de los acuerdos de encomienda de gestión la resolución de controversias judiciales planteadas corresponde a la jurisdicción contencioso-administrativa teniendo en cuenta que la propia Ley 29/1998, de 13 de julio, reguladora de la Jurisdicción Contencioso-administrativa (LJCA) atribuye a la competencia de la Salas de este orden de los Tribunales Superiores de Justicia el conocimiento en primera o única instancia de los recursos deducidos en relación a convenios entre administraciones públicas cuyas competencias sean ejercidas en el ámbito territorial de la correspondiente Comunidad Autónoma. El resto de convenios cuya competencia no corresponda a dichos tribunales, corresponderá en primera o única instancia a la Sala de lo Contencioso-administrativo de la Audiencia Nacional.

8. LA ENCOMIENDA DE GESTIÓN EN LA LEGISLACIÓN DE RÉGIMEN LOCAL

El apartado 4 del artículo 15 LRJ dispone que cuando la encomienda de gestión se lleve a cabo entre órganos y Entidades de distintas administraciones se formalizará mediante la firma del correspondiente convenio entre ellas, salvo en el supuesto de la gestión ordinaria del Estatuto de Autonomía de os servicios de las comunidades autónomas, por las Diputaciones provinciales o en su caso Cabildos o Consejos insulares, que se regirá por la legislación de régimen local. Este apartado deja fuera de su propio ámbito de aplicación las encomiendas de gestión que se refieran a la gestión ordinaria de los servicios de las comunidades autónomas por las Diputaciones provinciales y cabildos y consejos insulares teniendo en cuenta el interés practico que puede suscitar este aspecto puede señalarse que la normativa autonómica que hace referencia a este aspecto se encuentra regulada principalmente en las disposiciones siguientes:

a) Andalucía: Estatuto de Autonomía artículos 4 y 45. Ley 11/1987 Reguladora de las Relaciones entre la Comunidad Autónoma de Andalucía y las Diputaciones Provinciales de su territorio.

b) Aragón: Estatuto de Autonomía artículo 45. Ley 8/1985 reguladora de las Relaciones entre la comunidad Autónoma de Aragón y las Diputaciones Provinciales de su territorio.

c) Castilla-La Mancha: Estatuto de Autonomía artículo 30. Ley 2/1991 de Coordinación de Diputaciones de Castilla-La Mancha

d) Castilla León: Estatuto de Autonomía artículo 20. Ley 6/1986 reguladora de las relaciones de la comunidad autónoma de Castilla y León y las Entidades locales.

e) Extremadura: Estatuto de Autonomía artículo 16. Ley 5/1990 de Relaciones con las Diputaciones Provinciales y la Comunidad Autónoma de Extremadura.

f) Galicia Estatuto de Autonomía artículo 47. Ley 8/1989 de Delimitación y Coordinación de las competencias de las Diputaciones Provinciales de Galicia.

g) Comunidad Valenciana: Estatuto de Autonomía artículo 41. Ley 2/1983 por la que se declaran de interés general por la Comunidad Valenciana determinadas funciones propia de las Diputaciones provinciales.

h) Canarias: Estatuto de Autonomía artículo 22. Ley 14/1990 de Régimen Jurídico de las Administraciones Públicas de Canarias.

i) Islas Baleares: Estatuto de Autonomía artículo 40. Ley 5/1989 de los Consells insulares de Baleares.

j) País Vasco: Ley 27/1983 de Relaciones entre las Instituciones comunes de la comunidad autónoma y los órganos forales de sus territorios históricos del País Vasco.

En este sentido hay que recordar que la Ley 7/1985, de 2 de abril, reguladora de las Bases del Régimen Local (LBRL) dispone en su artículo 37 que Las Comunidades Autónomas podrán delegar competencias en las diputaciones, así como encomendar a éstas la gestión ordinaria de servicios propios en los términos previstos en los correspondientes Estatutos de Autonomía; en cuyo caso las Diputaciones deberán actuar con plena sujeción a las instrucciones generales y específicas de las Comunidades Autónomas. También hay que recordar que la encomienda de gestión ordinaria de los servicios de las Comunidades autónomas a favor de las Diputaciones Provinciales está también regulada en el artículo 8 del mismo texto legal. Como quiera que se trata de una trasferencia circunstancial intersubjetiva de competencias en la que un Organismo público ejecuta competencias o servicios de otro, actuando como si fuera un órgano de éste, puede decirse que constituye una especie de «delegación» en el que la libertad del delegado es menor, al disponer del órgano delegante de mayores y facultades de dirección y control sobre las actividades o tareas «delegadas». La competencia que ejerce la Diputación Provincial no es propia de la finalidad y funciones que tiene atribuida este tipo de Entidad Local en nuestro Derecho Público, pues la competencia corresponde a la Comunidad autónoma correspondiente y la Entidad local ejercerá dos tipos de competencias: por un lado, la propia que le corresponde por derecho propio como una entidad local y, por otro las competencias asumidas de la comunidad Autónoma.

De este modo se descentralizan las competencias de una Administración Pública distinta de la Administración titular de aquellas lo cual conlleva su sustitución a través de la desconcentración competencial que llevarían a cabo los mismos órganos periféricos de la Comunidad Autónoma, de ámbito territorial en la provincia correspondiente.

Esta técnica fue utilizada en un periodo inicial de creación de las Comunidades Autónomas debido a que no disponían de una estructura mínima de recursos materiales y humanos.

Lo que más caracteriza a esta figura es la utilización de estructuras administrativas de escalón inferior como un modo de administración indirecta, colocándolas en posición de órgano sometidos a potestades de jerarquía, sin que, por ello, cambie el centro de imputación competencial. Por todo ello y, teniendo en cuenta que la Entidad Local en estos casos actúa como simple mandataria, por cuenta y en provecho de la administración comitente, no habría nada que objetar a las correspondientes competencias de control. Con todo no se puede pasar por alto que, como en otros ámbitos y con respecto a otras figuras de nuestro Derecho Público se ha puesto en entre dicho la compatibilidad de esta figura con la existencia de una autonomía efectiva en el ámbito local debido a que no es sencillo armonizar este principio de autonomía local con la posibilidad de apropiación forzosa del aparato administrativo de las administraciones provinciales por parte de las Comunidades Autónomas con la finalidad de utilizarlos como instrumentos al servicio de los fines y competencias de éstas últimas.

Por otra parte la propia LBRL establece en el párrafo segundo del artículo 37 que el Estado podrá, previa consulta e informe de laz Comunidad Autónoma, delegar en las Diputaciones competencias de nueva ejecución cuando el ámbito provincial sea el más idóneo para la prestación de los correspondientes servicios. En este caso al admitirse la posibilidad de que el Estado delegue ciertas competencias en las Diputaciones Provinciales se apunta una limitación que el propio estado se hace quizá debido a cierta falta de confianza en las Comunidades autónomas, que a través de este sistema de atribución de competencias del estado pudieran ser ignoradas, teniendo en cuenta, que esta limitación no viene impuesta por ningún mandato constitucional.

A la vista de los preceptos de la Constitución y de los correspondientes Estatutos de Autonomía se deduce que los municipios y provincias tienen autonomía, constitucionalmente garantizada, para la gestión de sus propios intereses, ahora bien la determinación de cuales sean éstos corresponde a las leyes que les atribuyan competencias concretas; pero que en cualquier caso debe respetar su autonomía local y su personalidad jurídica.

Por otra parte el párrafo 3 del mismo artículo 37 de la LBRL establece que el ejercicio por las Diputaciones de las facultades delegadas deberá acomodarse a lo dispuesto en el artículo 27 de la misma Ley que dispone que la Administración del Estado, de las Comunidades autónomas y de otras entidades locales podrán delegar en los municipios el ejercicio de competencias en materias que afecten a sus propios intereses, siempre que con ello se mejore la eficacia de la gestión pública y se alcance una mayor participación ciudadana. La disposición o acuerdo de delegación debe determinar el alcance, contenido, condiciones, y duración de ésta, así como el control que se reserve la administración delegante y los medios, personales, materiales y económicos que se transfieran. En cualquier caso la administración delegante podrá, para dirigir y controlar el ejercicio de los servicios delegados, emitir instrucciones de carácter general y recabar información acerca de la gestión municipal, así como enviar comisionados y formular los requerimientos oportunos para la subsanación de las deficiencias observadas. En caso de incumplimiento de las directrices, o de denegación de las informaciones solicitadas o bien de inobservancia de los requerimientos formulados, la Administración delegante podrá revocar la delegación o ejecutar por sí misma la competencia delegada en sustitución del municipio; además los actos de éste podrán ser recurridos ante los órganos competentes de la Administración delegante. De todos modos la efectividad de esta delegación exige su efectiva aceptación por el municipio interesado y, cuando corresponda, la previa autorización de la Comunidad Autónoma, salvo que por Ley se imponga obligatoriamente en cuyo caso deberá ir acompañada de los medios económicos precisos para poder desempeñarla. Finalmente también señala que las competencias delegadas se ejercen con arreglo bien de la legislación del Estado o la de las Comunidades Autónomas, salvo que por Ley se imponga obligatoriamente en cuyo caso deberá ir acompañada necesariamente de la dotación o el incremento de medios económicos para desempeñarlos.

Por su parte el artículo 38 de la LBRL dispone que las previsiones establecidas para la Diputación serán de aplicación a aquellas otras corporaciones de carácter representativo a las que corresponde el gobierno y la Administración de la provincia, aunque hay que tener en cuenta que no todas las provincias españolas tiene como representación a la Diputación provincial correspondiente, por ejemplo ésta no existe en las Comunidades Autónomas uniprovinciales cuyas competencias son asumidas por la propia Comunidad Autónoma. Con anterioridad a la LBRL ya la Ley 12/1983 de Proceso Autonómico reguló la posibilidad de encomienda entre Diputaciones provinciales y Comunidades Autónomas.

Por su parte el Real Decreto Legislativo 781/1986 que aprobó el Texto Refundido de las Disposiciones Legales vigentes en materia de Régimen Local (TRRL) regula en varias disposiciones la encomienda de gestión entre Entidades Locales y otras Administraciones Públicas. Así dispone que el Estado y las comunidades autónomas pueden delegar en las Entidades locales, la realización de obras, ejecución de servicios y, en general, el ejercicio de actividades propias de su competencia. Por su parte dispone que los municipios podrán recibir delegaciones de otras entidades Locales.

La Delegación debe referirse a funciones en cuya gestión convenga la participación de los representantes de intereses locales, por razón de su importancia y trascendencia provincial o municipal. Además al acordarse la delegación deben determinarse las facultades de dirección y fiscalización que la Administración delegante se reserve.

La delegación puede acordarse a favor de una o varias entidades locales vinculadas entre sí, siempre que éstas cuenten con las medidas técnicas y de gestión convenientes y que les sean cedidas las medidas financieras precisas. La aceptación expresa de la entidad delegada es indispensable para que pueda producirse válidamente la delegación, salvo que sea impuesta por Ley de forma obligatoria. Por otra parte, el ejercicio de las facultades delegadas deberá realizarse conforme a lo dispuesto en el ordenamiento estatal o autonómico, según de quien proceda la delegación y sin perjuicio de que las entidades locales se atengan al ordenamiento local para su ejecución.

El Gobierno o Consejo de gobierno de las Comunidades autónomas podrá delegar en las Entidades locales, a petición de éstas, la realización de funciones, obras o servicios. El acuerdo en que esto se formalice debe prever la dotación económica con cargo a los presupuestos del Estado o de las Comunidades autónomas. Por otra parte, además de las facultades de dirección y fiscalización la Administración del Estado o de la comunidad Autónoma delegante, puede reservarse potestades decisorias, en mayor o menor grado, una vez apreciadas las circunstancias de cada caso, de manera especial la trascendencia municipal o provincial de sus funciones, la conveniencia de participación en su ejercicio de las propias Entidades locales, los medios técnicos y de gestión con que éstas cuentes y los recursos financieros que tengan o les sean cedidos.

Las Entidades Locales pueden también asumir o colaborar en la realización de obras o gestión de servicios del estado y seguridad social, mediante el correspondiente acuerdo, a través de las formas de gestión previstas por las leyes y en todo caso mediante consocio o convenio pero en esta disposición se incluye por supuesto la encomienda de gestión.

Capítulo 19

El convenio de colaboración como instrumento de eficacia y eficiencia de la Administración Pública

En esta ocasión examinamos una materia de gran utilidad en la práctica cotidiana de las Administraciones públicas, pues teniendo en cuenta el ámbito de competencias administrativas que regula nuestra Constitución diseñado en varios escalones de administración: Administración General del Estado, Administraciones de las Comunidades Autónomas y Entidades Locales, sin olvidar otros entes que forman parte del sector público en sentido amplio, se ha constatado en numerosas ocasiones, principalmente entre la Administración periférica estatal y otras Administraciones públicas el solapamiento de medios personales y materiales a la hora de gestionar y administrar diversos ámbitos de actividad pública; por otra parte y dado nuestro sistema de reparto competencial, no parece muy adecuada la tendencia a crear espacios adicionales de Administración estatal cada vez que surge una cuestión en que se plantea la necesidad de una coordinación y armonización de una actividad administrativa en todo el ámbito nacional pues ello puede implicar la vulneración de competencias exclusivas o el incremento injustificado del gasto público sobre todo en épocas en que la coyuntura económica no lo permite. Es ahí donde debiera fijarse la vista en diversos instrumentos de colaboración administrativa que diseña nuestro sistema de derecho público que pueden servir para la mejora en la eficacia y eficiencia de las administraciones públicas. Entre estos instrumentos a que se hace referencia, destacan los convenios de colaboración cuya figura y operatividad en nuestro Derecho público examinamos en este capítulo.

1. ÁMBITO JURÍDICO E INSTITUCIONAL DE LOS CONVENIOS DE COLABORACIÓN ENTRE ADMINISTRACIONES PÚBLICAS

Marco institucional de los convenios de colaboración está delimitado tanto por la Administración General del Estado y las administraciones de las Comunidades Autónomas como por otras administraciones públicas o entidades privadas que asumen compromisos sobre diversas materias de interés común que se incluyen el los convenios de colaboración, así Administraciones Locales, Universidades, asociaciones de empresarios, Cámaras de Comercio, etc. Todas confluyen en un espacio de cooperación delimitado por el ejercicio de las competencias de cada parte que participa en el convenio y que se define para el conjunto de las actuaciones que van a realizarse y para alcanzar los objetivos previstos en cada convenio de colaboración, en este espacio de cooperación también se participa con aportación de recursos económicos que se detallan dentro de cada convenio.

Aunque no es propio de los convenios su permanencia en el tiempo si que es cierto que este sistema de cooperación entre administraciones tienen una vocación de continuidad y desarrollo a lo largo del tiempo, no solo por el hecho de las nuevas iniciativas que surgen en el ámbito de la colaboración sino también por las diferentes posibilidades que ofrecen estas líneas de colaboración.

La Constitución no atribuye expresamente la capacidad de las administraciones y entes públicos para celebrar convenios, sino que, simplemente establece, su artículo 145.2, algunos límites a los convenios que puedan celebrar las Comunidades Autónomas entre sí por ello y como quiere que no hay una fundamentación constitucional expresa se hace preciso buscar otro tipo de fundamento legal.

Por lo que se refiere a los convenios que se celebren entre el estado y las Comunidades autónomas, encuentra su fundamento en el principio de colaboración como principio ordenador de las relaciones entre ambos ámbitos de administración. El convenio aparece como una técnica al servicio de la colaboración entre administraciones de acuerdo con lo que expresamente tiene declarado el Tribunal Constitucional que considera los convenios como una aplicación concreta del principio de colaboración que debe regir las relaciones entre ambos poderes. Por ello la suscripción de convenios entre el Estado y las comunidades autónomas tiene una regulación más bien escasa y solo indicativa de las limitaciones que establecidas con carácter general. Esta regulación está formada por la Ley 30/1992, de 26 de noviembre, de Régimen Jurídico de las Administraciones Públicas y del Procedimiento Administrativo Común que atribuye competencia para la formalización de los convenios a los diferentes titulares de los Ministerios así como a los Presidentes y Directores de los diferentes Organismos Públicos vinculados o dependientes, en coherencia con las funciones que les atribuyen la LOFAGE y Ley del Gobierno.

En el ámbito de la Administración General del Estado, en la tramitación de proyectos de convenios de colaboración también debe aplicarse el Acuerdo de Consejo de Ministros de 2 de marzo de 1990, modificado por el Acuerdo de 3 de julio de 1998 que exige órganos competentes que, con carácter previo a la celebración de estos convenios, deben recabar la autorización de la Comisión Delegada del Gobierno para la Política Autonómica; dicha autorización tiene como finalidad, valorar si se en la actividad objeto del convenio correspondiente se respeta el ámbito competencial de la Administración General del Estado, además de valorar la oportunidad de celebración del mismo, en el marco establecido por la propia Comisión Delegada. Además de todo ello no debe olvidarse que los convenios bilaterales de colaboración presentan una extensa variedad de modalidades, entre los que cabe destacar los acuerdos que tienen un papel concreto en el ámbito de la cooperación toda vez que una vez suscrito un convenio pueden firmarse al tiempo, documentos adjuntos *(addendas)* y posteriormente protocolos de desarrollo que concreten, modifiquen las cláusulas del convenio o incluso prorroguen el propio convenio. En consecuencia, debe tener en cuenta que cada vez que se formaliza un convenio de colaboración entre un órgano o unidad de la Administración del Estado y el de una Comunidad Autónoma se pone en marcha una cooperación interadministrativa que puede prolongarse durante un largo periodo de tiempo, a través de diferentes sistemas de prórroga, desarrollo y en algunos casos modificación de estos convenios.

2. VISIÓN GENERAL SOBRE LA ACTIVIDAD CONVENCIONAL ENTRE ADMINISTRACIONES PÚBLICAS

El convenio entre Administraciones públicas parece haberse convertido en la técnica de colaboración por excelencia. En nuestro sistema descentralizado de organización del poder público, con diversas instancias territoriales que gestionan sus tareas con independencia, convenir para dar solución a asuntos que interesan a dos (o más) sujetos públicos parece mostrarse como el expediente que mejor se ajusta a la relativa igualdad en la que se sitúan dichos sujetos unos frente a otros. El número de los convenios que se celebran anualmente entre el Estado y las Comunidades Autónomas (por citar un ejemplo sobre el que existen datos precisos), que se cuentan por centenas, y la cuantía de los recursos económicos, procedentes de los respectivos presupuestos, comprometidos a través de ellos, hablan ya de una técnica consolidada, de una forma de administrar asuntos de interés común.

La práctica del convenio entre organizaciones jurídico-públicas parece estar concebida sobre el modelo característico del contrato, figura especialmente idónea para dar cauce a la composición de intereses entre partes iguales, y se ha recurrido a él para articular un buen número de relacione entre Administraciones, singularmente las de naturaleza territorial —Estado, Comunidades, Autónomas y Corporaciones locales—. El reconocimiento constitucional de la autonomía de dichas organizaciones, cada una en el ámbito de sus competencias, y la implantación efectiva y el funcionamiento real de ese sistema de distribución territorial del poder público han sentado la base formal adecuada al desarrollo de un esposo tejido de relaciones convencionales: la existencia de diversos sujetos jurídico-públicos que se sitúan unos frente a otros en *un plano de igualdad* fundamental —a lo que no es obstáculo el reconocimiento de competencias de tutela jurídica a favor de algunos sobre el resto— en lo que se refiere a la independencia con la que cuentan para gestionar sus ámbitos respectivos de tareas.

La patente necesidad, por otra parte, de evitar las disfunciones que pudiera derivarse de que sea asignación de funciones para ser ejercidas con independencia supusiera un menoscabo de la unidad del sistema, ha hecho surgir una «euforia colaboracionista», de la cual la figura del convenio entre Administraciones ha sido una de las más beneficiadas. Nos ha llegado también a nosotros la hora del entusiasmo por el federalismo cooperativo —por lo que de entre sus técnicas pudieran aplicarse a nuestro sistema, no federal pero sí fuertemente descentralizado—, expresión, poco concreta, de moda hace décadas, especialmente en los sistemas federales de los Estados Unidos y de Alemania.

La flexibilidad a la que se presta la figura del convenio, capaz de responder y de adaptarse a las necesidades de las partes suscribientes con más facilidad que cualquier otro acto jurídico, explica también el rotundo éxito de la técnica. Podría dar la impresión, en ocasiones, de que los órganos dotados de la competencia de representación par suscribir los instrumentos convencionales se sienten dotados, a la hora de su firma, de un ámbito de libertad semejante al que disponen los particulares en la contratación privada al amparo del dogma de la autonomía de la voluntad, lo que, obviamente, no es correcto.

En efecto, al convenio se ha recurrido para dar cauce a necesidades de lo más diverso. Por convenio entre el Estado y las Comunidades Autónomas, por ejemplo, se ha regulado la concesión por aquél de *ayudas financieras* para atender a tareas autonómicas que no pueden sufragar los menos nutridos presupuestos de las Comunidades Autónomas. Éste es el caso de los convenios reguladores de las ayudas económicas en materia de vivienda, suscritos periódicamente y buen exponente del deficiente funcionamiento de los cauces de financiación incondicionada de las comunidades Autónomas, que es a lo que en último término, como se verá, pretende muchas veces ponerse remedio con la celebración de convenios de esta clase.

A la fórmula convencional se ha acudido, también, para regular la prestación recíproca de asistencia entre Administraciones (intercambio de información, acomodación de procedimientos informáticos de actuación, organización en común de cursos de formación para funcionarios de las partes intervinientes, etc.); para coordinar voluntariamente el ejercicio de competencias, atribuidas a sujetos públicos distintos, pero que se interfieren en la realidad unas con otras (realización de obras en un núcleo viario en el que se sitúan vías de comunicación correspondientes a diversas Administraciones, por ejemplo); o para ceder inmuebles afectados por la actividad urbanística de Municipios y Comunidades Autónomas.

Por convenio, también, parece que se ha pretendido, otras veces, incidir de forma más o menos intensa en el sistema de distribución de competencias entre organizaciones públicas, bien poniendo fin a un posible conflicto competencial a través de un pacto sobre una interpretación determinada de un concreto título competencial problemático, bien acordado la delegación o la encomienda de funciones de una parte a favor de la otra (a veces para evitar las disfunciones que, en ausencia de acuerdo, se derivarían de una duplicidad de órganos administrativos en un mismo ámbito material, como puede ser la sanidad).

En otras ocasiones ha constituido el objeto del convenio la creación órganos u organizaciones comunes, compuestos por representantes de todas las partes suscribientes, pero no integrados en la estructura organizativa de ninguna de ellas, a los que se han atribuido funciones diversas que van desde la consulta, la deliberación y el intercambio de opiniones (comisiones de coordinación de los servicios sociales o de la asistencia sanitaria) hasta las funciones decisorias, con un pretendido carácter vinculante para las partes, o con efectos directos para los ciudadanos.

Salta a la vista, por lo pronto, tras la simple lectura de una enumeración como la anterior, que no puede hablarse con propiedad de un único régimen jurídico de los convenios como tales: la admisibilidad y los límites de una determinada regulación convencional dependerán de lo que las partes se propongan a través del acuerdo de voluntades, de los límites generales que cabe predicar de cualquier convenio, pero, también, de la ordenación jurídica del ámbito material en el que el convenio se celebra. También parece evidente, por lo demás, que la importancia numérica y práctica de los convenios, su utilidad para la prevención o superación de conflictos o, incluso, el mismo hecho de que den lugar a formas eficaces de Administración no son argumentos válidos, por sí solos, que justifiquen suficientemente cualquier regulación convencional.

3. EL CONVENIO COMO TÉCNICA DE COOPERACIÓN INTERADMINISTRATIVA

Es habitual situar la figura de los convenios entre Administraciones públicas en el contexto del principio de cooperación, que debe regir las relaciones interadministrativas, como técnica concreta al servicio del mismo. Parece conveniente, por ello, examinar aquí brevemente el contenido de dicho principio, pues la doctrina elaborada en torno a la cooperación —fundamento constitucional, manifestaciones características y límites— será la doctrina aplicable, en primer término, al convenio interadministrativo.

La legislación positiva ha concretado el contenido del principio de cooperación desglosándolo en una serie de manifestaciones características. Según el Derecho positivo, el deber genérico de colaboración que ha de presidir las relaciones entre Administraciones públicas incluye manifestaciones como: el intercambio de información que éstas precisen sobre la actividad que desarrollen en el ejercicio de sus competencias; la prestación de asistencia financiera (mediante el otorgamiento de créditos o subvenciones) y de auxilio técnico (asesoramiento jurídico, redacción de estudios y proyectos, etc.); y una actitud de respeto al ejercicio de competencias atribuidas a otras Administraciones, que impone a cada una de ellas la ponderación, al gestionar sus tareas, de las intereses públicos situados en el ámbito competencial de las demás, y que aconseja la consulta, la deliberación y la audiencia recíprocas.

En común tienen todas estas manifestaciones lo que constituye la esencia de cualquier técnica de cooperación: la realización de funciones que contribuyen a facilitar el ejercicio de tareas ajenas (sin alterar el régimen de distribución de competencias de las organizaciones en relación), y que ello se produce situándose ambas partes en un plano de igualdad fundamental —dato este que diferencia, como se verá inmediatamente, las técnicas de cooperación de las de coordinación—.

No hay, por otra parte, uniformidad terminológica, sino una serie de conceptos que, en principio, hay que considerar sinónimos o por lo menos, como conceptos estrechamente emparentados, para evitar una inflación terminológica que termina conduciendo a una jurisprudencia de conceptos poco útil; porque, precisamente, todos ellos señalan la misma idea de respeto a las competencias ajenas y de facilitar el ejercicio de las mismas: cooperación, colaboración, lealtad institucional, auxilio, asistencia e, incluso, solidaridad. Del mencionado deber general de colaboración ha afirmado el Tribunal Constitucional, por su parte, que no es preciso justificarlo en preceptos concretos, porque el principio de cooperación pertenece a la esencia del modelo de organización territorial del Estado implantado por la Constitución. En un intento de diferenciar las técnicas de cooperación de las de coordinación, el Tribunal Constitucional ha llamado, además, la atención, sobre el dato de la voluntariedad que caracteriza a las primeras, como un elemento diferenciador de primer orden, pues es propio de la coordinación el elemento de imposición que deriva de la posición de superioridad en que se encuentra el que coordina con respecto a los coordinados. No creo, sin embargo, que la voluntariedad haya de ser un elemento definidor de todas las técnicas al servicio del principio de cooperación, entre las cuales se encuentran deberes de cuyo cumplimiento no puede decirse que sea en absoluto voluntario. De hecho, en la legislación positiva que acaba de citarse las manifestaciones propias del principio de cooperación o colaboración están enunciadas como deberes de las Administraciones públicas, lo que de por sí es suficiente, por lo menos, para poner en duda que el carácter voluntario sea esencial a las técnicas de cooperación. Sí es cierto, no obstante, que algunas de esas técnicas-muy señaladamente, los convenios que nos de la cooperación. Aquí no hay colaboración para el ejercicio de tareas ajenas, sino que el convenio se utiliza como vía para llevar a cabo una delimitación competencial. Como también vas más allá de la simple colaboración entre sujetos jurídico-públicos la creación por convenio entre ellos de un órgano cuyas decisiones vinculan a las Administraciones intervinientes en el ejercicio de sus competencias propias. Acuerdos interadministrativos semejantes ya no cabe ponerlos, sin más, bajo el amparo de la doctrina elaborada sobre las relaciones de cooperación entre entidades públicas, por lo que la justificación de su admisibilidad, en su caso, y sus límites habrán de buscarse, fuera de aquella doctrina, en preceptos específicos.

4. EL CONVENIO COMO TÉCNICA DE COORDINACIÓN VOLUNTARIA

Conviene hacer referencia, por otra parte, a la relación que pueda existir entre la técnica de los convenios y otro principio que, como el de colaboración, también debe regir las relaciones interadministrativos: el de coordinación. Como es sabido, lo propio de las técnicas de coordinación entre Administraciones públicas es la imposición por quien ocupa el lugar de «coordinador», frente a los «coordinados», de las medidas necesarias y suficientes para lograr la integración de las partes o subsistemas en el conjunto o sistema. Frente a la cooperación, en la que las organizaciones en relación se sitúan en pie de igualdad, la coordinación se singulariza por el poder de dirección atribuido a la organización que coordina, que tiene su fundamento en la situación de superioridad que en el sistema ocupa dicho sujeto. En cuanto que el ejercicio de competencias de coordinación supone necesariamente un límite al ejercicio de las competencias propias, parte de las Administraciones coordinadas se ha dicho que la entidad coordinadora necesita apoyarse en un precepto expreso que, además delimite el alcance de la posible intervención en los ámbitos de decisión autónoma que se pretende integrar para hacer efectiva la unidad del sistema.

Basta con lo dicho para caer en la cuenta de que el convenio, que es, en principio, un acuerdo de voluntades entre partes iguales, no responde a lo que constituye lo característico de las técnicas de coordinación: la función directiva del sujeto superior. No obstante, tampoco cabe afirmar que la figura de los convenios sea por completo extraña a la función coordinadora. Es patente, por lo pronto, que cuando dos partes se ponen de acuerdo para ejercer armónicamente, cada una de ellas, competencias propias entre las que existe alguna conexión, se produce como resultado una actuación, voluntariamente, coordinada. Aquí el término «coordinación» no alude a un título competencial que autorice a una entidad a decidir imperativamente para conseguir una coherencia de actuaciones diversas (que es el sentido de este principio que se acaba de exponer) sino que hace referencia al resultado de un correcto ejercicio de competencias por dos o más organizaciones públicas. Frente a la coordinación en sentido estricto (1) aparece aquí la coordinación como principio de funcionamiento dentro de una Administración y, también, en las relaciones interadministrativos, con un sentido más amplio, que es al que parece referirse el art. 103.1 CE. Hay un tipo de acuerdos interadministrativos agrupados bajo el epígrafe convenios para el ejercicio coordinado por cada una de las partes de sus propias competencias, como puede ser aquel por el que las Administraciones titulares de diversas vías de tráfico, que confluyen en un determinado punto geográfico, se ponen de acuerdo para realizar cada una las obras de su competencia conforme a un programa que se pacta en el clausulado. El

---

(1)   Título competencial al que se refieren, por ejemplo, diversos apartados del artículo 149.1 CE.

resultado será una actuación «coordinada» de las Administraciones intervinientes, sin que ninguna de ellas haya tenido que hacer uso de un título competencial que le atribuya la coordinación, para imponer una medida que reduzca a la unidad la diversidad de actuaciones administrativas. Aquí se llega a la coordinación a través de la cooperación. Convenios de esta clase, pues, pueden hacer innecesaria una intervención genuinamente coordinadora de la entidad superior, y el resultado de actuaciones semejantes a la descrita podría poner de manifiesto el carácter de subsidiariedad que habría que conceder a las técnicas de coordinación con respecto a las de cooperación. Cuando sea posible garantizar suficientemente la coherencia de la actuación de las diversas Administraciones públicas a través de las técnicas de colaboración, habrá que excluir el ejercicio de competencias de coordinación atribuida a la organización superior, que, con carácter general, actúan como límite de la plenitud competencial de las entidades que se trata de coordinar. Es cuestión, como se comprende fácilmente, de aplicar para la consecución de un fin determinado los medios que menos incisivamente interfieran en los ámbitos de decisión descentralizados de las diferentes Administraciones territoriales. Al convenio entre Administraciones públicas, figura paradigmática de la colaboración entre ellas, le corresponde también un importante papel a estos efectos.

5. ASPECTOS EN RELACIÓN CON LA REGULACIÓN DE LOS CONVENIOS DE COLABORACIÓN EN LA ADMINISTRACIÓN GENERAL DEL ESTADO

Las disposiciones de la instrucción reguladora en materia de convenios de colaboración de colaboración debe hacer referencia al ámbito de aplicación administrativa de los acuerdos o convenios que suscriba el Departamento con:

A) las Comunidades Autónomas.

B) La Seguridad Social, las Entidades Locales, las restantes Entidades Públicas, así como con los Organismos Públicos a ellas adscritos.

C) Los demás Departamentos Ministeriales y Organismos Públicos a ellos adscritos.

D) Las personas físicas o jurídicas sujetas al derecho privado, siempre que el objeto del convenio o acuerdo esté excluido de la aplicación de la Ley de Contratos del Sector Público.

Para ello habrá un Programa anual de previsiones de convenios a suscribir por el Departamento; de este modo sea la Subsecretaría del Ministerio, las Secretarías Generales sectoriales o las correspondientes Direcciones Generales remitirán a la Secretaría General Técnica, en el último trimestre de cada año, sus previsiones de convenios y acuerdos a suscribir para el siguiente año. Estas previsiones deben precisar el tipo de convenio de colaboración o de acuerdo a suscribir, la fecha prevista para que surta efectos y una sucinta justificación de la necesidad del mismo.

A la vista de estas previsiones de los Centros Directivos, la Secretaría General Técnica deberá elaborar, un Programa anual conteniendo las previsiones de elaboración de convenios del año siguiente.

Este Programa anual será elevado por el Subsecretario al titular del Departamento para su aprobación, en su caso. La preparación, seguimiento y control de la ejecución de este Programa se llevará a cabo por la Subsecretaría en la forma que se disponga, sin perjuicio de las facultades del Consejo de dirección del Ministerio correspondiente

6. PROCEDIMIENTO DE ELABORACIÓN DE CONVENIOS DE COLABORACIÓN

Presentamos en este último apartado de la presente práctica la descripción del procedimiento de aprobación de convenios de colaboración en el ámbito de la Administración General del Estado que se examina con mayor detalle y desarrollo el la próxima practica profesional.

El procedimiento de elaboración de convenios comienza con la redacción del texto por el Centro Directivo del Departamento competente por razón de la materia. El texto del convenio se denominará proyecto. Cuando el texto esté formulado de manera incipiente se denominará borrador.

Las diferentes y sucesivas versiones de los borradores y proyectos se numerarán añadiendo el ordinal correspondiente a cada «versión» y haciendo constar la fecha del mismo.

Los dictámenes, consultas e informes evacuados, las observaciones y enmiendas que se formulen y cuantos datos y documentos ofrezcan interés par conocer el proceso de elaboración del convenio se conservarán en el expediente, junto con el texto propuesto, por el Centro Directivo que ha iniciado su tramitación.

En la tramitación de los expedientes de los convenios se distinguirán tres fases: la fase interna que se desarrolla en el ámbito ministerial, la fase externa que contienen los trámites necesarios que se llevan a cabo fuera del ámbito departamental y finalmente la fase de aprobación y publicación del convenio de colaboración.

6.1. Fase interna

El Ministerio donde se plantee la regulación del procedimiento de aprobación de convenios de colaboración procede a la elaboración de un proyecto de convenio a partir del texto presentado por el Centro Directivo competente y de las observaciones contenidas en los informes preceptivos o solicitados.

En principio los acuerdos o convenios deberán contener, al menos, los siguientes elementos:

a. Partes concertantes, con indicación expresa de los datos identificativos de la entidad, así como el nombre, la responsabilidad, el cargo y la capacidad suficiente que ostenta el que firma como representante de la misma.

b. Razones o circunstancias que motivan la colaboración.

c. Descripción del objeto del acuerdo o convenio incluyendo los objetivos y ámbitos materiales del régimen de colaboración.

d. Actuaciones previstas y compromisos de las partes.

e. Obligaciones que asume la Unidad que suscribe. En el caso de obligaciones de contenido económico deberá expresarse el concepto presupuestario con cargo al cual se van a financiar.

f. Mecanismos de seguimiento de la ejecución del contenido del convenio, bien mediante el intercambio de información o la elaboración de documentos de evaluación, bien mediante la creación de comisiones mixtas de coordinación y seguimiento.

g. Plazo de vigencia, entrada en vigor, posibilidad de prórrogas, forma y plazos de denuncia y solución de controversias.

h. Efectos de la extinción del convenio sobre las actividades o actuaciones en curso.

i. Carácter administrativo y sometimiento a la jurisdicción contencioso-administrativa de las posibles cuestiones litigiosas.

6.2. Fase externa

El proyecto se somete a informe o autorización, según proceda, de otros Departamentos u Organismos cuando resulte perceptivo conforme a la normativa vigente.

6.3. Fase de aprobación y publicación del convenio

Los órganos competentes realizarán las actuaciones precisas para facilitar la firma del convenio y su publicación en el Boletín Oficial del Estado cuando ésta sea preceptiva.

7. TRAMITACIÓN INTERNA

7.1. Iniciación y preparación

La iniciación del procedimiento y la preparación del proyecto de convenio corresponde al Centro o Centros Directivos competentes por razón de la materia, que elaboran un primer texto del mismo. Esta fase comprende la realización de estudios y evacuación de informes previos que garanticen la oportunidad o la necesidad del convenio, así como su legalidad.

Asimismo, se llevan a cabo los contratos previos con la Comunidad Autónoma u órgano administrativo con el que se pretenda suscribir el convenio. En todo momento puede mantenerse dicho contacto a fin de consensuar tanto el borrador inicial como posibles modificaciones que se deban introducir como consecuencia de los informes por los órganos competentes.

Las Unidades técnico-jurídicas competentes de los diferentes centros de dirección del Ministerio correspondiente deberán participar en la elaboración y redacción del proyecto de convenio. Con anterioridad a su remisión a la Secretaría General Técnica, el borrador deberá contar con el «visto bueno» del titular del centro directivo competente por razón de la materia (Secretaría General, Subsecretaría, Dirección General etc.).

7.2. Documentos necesarios para iniciar el procedimiento (texto del proyecto de convenio)

El Centro Directivo completará el expediente procediendo a la confección o recopilación de los documentos siguientes:

El proyecto se estructura en los siguientes apartados:

a) Título, en el que se reflejan las partes firmantes y una sucinta referencia al objeto.

b) Referencia al lugar y fecha de firma, que se figurará en la cabeza del Convenio.

c) Un apartado titulado Reunidos, en el que se indican las partes firmantes con una mención relativa a las normas de nombramiento y representación de cada una de ellas, así como otra relativa a las normas que les atribuyen la competencia para la firma del convenio de que se trate.

d) Un apartado expositivo dividido en párrafos numerados y que se inician con la conjugación «Que.»., en la que se refleje la finalidad, los fundamentos jurídicos relativos al reparto constitucional de competencias en la materia, con expresa referencia a los preceptos constitucionales y legales, en su caso, en los que se ampara la actuación de cada parte para el caso de convenios de colaboración con

Comunidades Autónomas; la mención de las normas tanto internas como comunitarias que justifiquen su suscrición, y de forma sucinta, cualquier otro aspecto que fundamente su celebración. Asimismo, se mencionarán los antecedentes de hecho que motivan la suscripción y los convenios que se hubieran suscrito sobre la misma cuestión con anterioridad o, en su caso, el convenio marco al que corresponda y cuantos informes o estudios se hubiesen realizado con carácter previo a la redacción del texto del proyecto de convenio.

e) Un apartado que recoja las cláusulas numeradas y epigrafiadas con una breve reseña de su contenido. Las cláusulas mínimas que deben contener el convenio son las relativas al Objeto, al alcance de ámbito de aplicación (2), a las obligaciones de las partes, a la financiación, si derivan gastos de la ejecución del convenio. En caso de que resulte necesario para su amplitud, la forma de financiación podrá detallarse en un anejo a la forma de pago, si las partes han de efectuarlos en ejecución del convenio. A la constitución de alguna comisión de seguimiento, si procede, para el control de la aplicación del convenio, con referencia a su composición por cada parte, sus funciones y periodicidad de sus reuniones, a la interpretación y resolución del convenio, a la duración del convenio, con inclusión, en su caso, de la posibilidad de prórrogas, a la extinción del convenio, con detalle de las causas o supuestos previstos, a los pies de firma de forma personalizada y finalmente a los anexos numerados, en su caso, en los que deberán figurar, si procede, el presupuesto detallado de las actuaciones que se pretenden realizar y financiar con el mismo.

Para el caso de convenios de colaboración con Comunidades Autónomas, el borrador debe contener cuando proceda, los aspectos que se recogen en el artículo 6 de la LRJ, y en concreto:

a. Los órganos que celebran el convenio y habilitación jurídica con la que actúa cada una de las partes.

b. La competencia que ejerce cada Administración.

c. Su financiación

d. Las actuaciones que se acuerden desarrollar para su cumplimiento.

e. La necesidad o no de establecer una organización para su gestión.

f. El plazo de vigencia, lo que no impedirá su prórroga si así se acuerda.

g. La extinción por causa distinta a la prevista en el apartado anterior, así como la forma de terminar las actuaciones en curso para el supuesto de extinción.

---

(2)   Cuando la situación lo exija.

h. Cuando se cree un órgano mixto de vigilancia y control, éste resolverá los problemas de interpretación y cumplimiento que puedan plantearse respecto de los convenios de colaboración.

7.3. Memoria del convenio de colaboración

El proyecto de convenio o de acuerdo deberá ir acompañado de una memoria en la que se describan:

a) Sus antecedentes y objetivos.

b) Los compromisos de colaboración contemplados.

c) Las razones que justifican su suscrición.

d) El cumplimiento de los trámites previos de carácter preceptivo, en su caso.

e) En relación con los gastos que se deriven de la ejecución del convenio, en su caso, la Memoria incluirá, cuando proceda, referencia a cuantos datos resulten precisos para conocer las posibles repercusiones presupuestarias de ejecución y, en particular, los gastos presupuestarios ocasionados a partir de su suscrición o del momento en que surta efectos, con distinción, cuando proceda entre los siguientes; los gastos de personal; los gastos de primer establecimiento y de funcionamiento, especialmente cuando se deriven de la entrada en servicio de nuevas inversiones, las subvenciones y demás gastos corrientes, los gastos de inversión, transferencia de capital y operaciones financieras, y otros gastos fiscales; los gastos por cursos de formación, así como la descripción del programa presupuestario en el que se inserten, así como de las modificaciones que implique en función de los objetivos perseguidos y de la evaluación económica y social de su aplicación.

7.4. Trámites preceptivos

En esta fase del procedimiento deben cumplimentarse la solicitud de Informe de la Secretaría General Técnica del Departamento, el informe de la Abogacía del Estado en el Departamento y la fiscalización por la Intervención Delegada de la Administración del Estado cuando la suscripción del convenio comporte gasto que examinamos a continuación.

7.4.1. Informe de la Secretaría General Técnica del Departamento

Todo proyecto de convenio a suscribir con Comunidades Autónomas o con otras entidades públicas o privadas deberá ser informado por la Secretaría General Técnica del Departamento, de acuerdo con lo previsto en el Real Decreto por el que se establece la estructura orgánica del Ministerio que corresponda.

Corresponde al Centro directivo redactor del proyecto solicitar a la Secretaría General Técnica la evacuación de dicho informe, para adjuntar a su petición toda la documentación que obre en el expediente hasta el momento, y en todo caso:

— Texto del proyecto del convenio, incluyendo los anejos si existieran.

— Memoria.

Cuando se aprecien deficiencias manifiesta en el texto del convenio o en la documentación remitida por el Centro directivo proponente, que impidan la emisión del informe preceptivo, la Secretaría General Técnica recabará la subsanación de las mismas.

El informe de Secretaría General Técnica es preceptivo y no vinculante, correspondiendo a los Centros directivos autores del texto aceptar o rechazar las observaciones y sugerencias que en ellos se contuvieran.

No obstante, cuando las observaciones se refieren a la legalidad del convenio, los Centros directivos deberán comunicar a la Secretaría las razones que justifiquen su no aceptación.

Para el caso de que se prevea la suscripción de un mismo o análogo convenio con varias Comunidades Autónomas, deberá remitirse a la Secretaría General Técnica, a efectos de su informe, tanto el modelo general de convenio como cada uno de los Convenios que se pretendan suscribir con aquéllas con indicación de las diferencias que contengan.

Asimismo, deben cumplirse este trámite en relación con los proyectos de addenda o de modificaciones a convenios ya suscritos, así como para las prórrogas de los mismos.

7.4.2. Informe de la Abogacía del Estado en el Departamento

La Unidad proponente remitirá a la Abogacía del Estado en el Ministerio para su informe preceptivo, el convenio de que se trate, de conformidad con lo dispuesto en los siguientes preceptos:

a) El apartado segundo del Acuerdo de Consejo de Ministros de 2 de marzo de 1990, sobre convenios de colaboración entre Administración del Estado y las Comunidades Autónomas, en el caso de los convenios de colaboración con Comunidades Autónomas.

b) El Acuerdo de Consejo de Ministros de 4 de julio de 1997, por el que se da aplicación a la previsión del artículo 95 del Texto Refundido de la Ley General Presupuestaria respecto al ejercicio de la Función interventora, en el caso de los convenios suscritos con entidades de Derecho Público.

c) El Acuerdo del Consejo de Ministros de 13 de mayo de 1988, en el caso de los convenios a suscribir con personas físicas o jurídicas sujetas al Derecho privado.

Con la solicitud de informe deberá adjuntarse el texto del proyecto de convenio, incluidos los anejos que procedan y la memoria.

El informe de la Abogacía del Estado es preceptivo y no vinculante y corresponde a los Centros Directivos redactores del proyecto aceptar o no las observaciones que contenga.

No obstante, cuando las observaciones se refieran a la legalidad del convenio, los Centros directivos deben comunicar a la Subsecretaría del Ministerio las razones que justifiquen su no aceptación, además para el caso de que se prevea la suscripción de un mismo o análogo convenio con varias Comunidades deberá remitirse a la Abogacía del Estado, a efectos de su informe, tanto el modelo general de convenio como cada uno de los Convenios que se pretendan suscribir con aquéllas con indicaciones de las diferencia que contengan.

7.4.3. *Fiscalización por la Intervención Delegada de la Administración del Estado*

La Unidad proponente remite, el convenio a la Intervención Delegada del Departamento para su preceptivo trámite de fiscalización, siempre que de aquel, se deriven obligaciones de contenido económico, de acuerdo con lo dispuesto en el artículo 92 del Texto Refundido de la Ley General Presupuestaria y en el artículo 17 del Real Decreto 2188/1995, de 28 de diciembre, que desarrolla el régimen de control interno ejercido por la Intervención General del Estado.

La solicitud de fiscalización previa debe ir acompañada del expediente original completo, que incluya el Texto de convenio, la Memoria, el Informe de la Abogacía del Estado en el Departamento, el Informe de la Secretaría General Técnica y la Autorización de la Comisión Delegada del gobierno para la Política Autonómica, o si precede constatación de que se dan las condiciones para eximir el convenio de la autorización, así como los documentos contables precisos, con inclusión de la regencia a la oportuna aplicación presupuestaria y a la certificación relativa a la existencia de crédito adecuado y suficiente expedida por la Oficina Presupuestaria, en cumplimiento De la Orden de 1 de febrero de 1996, del Ministerio de Economía y Hacienda y finalmente, los demás informes emitidos al efecto.

Cuando se trate de Organismos Autónomos que realicen actividades industriales, comerciales, financieras o análogas la función interventora se sustituye por el control financiero que se ejercerá con carácter permanente con respecto de la totalidad de las operaciones efectuadas por los citados Organismos, de conformidad con el artículo 100 del Texto Refundido de la Ley General Presupuestaria y con el artículo 41 del Real Decreto 2188/1995.

Por otra parte, este trámite, debe cumplirse en relación con los proyectos de addenda o de modificaciones o convenios ya suscritos, así como para las prórrogas que se planteen.

La fiscalización efectuada por la Intervención Delegada podrá tener carácter suspensivo, de acuerdo con lo establecido en el artículo 96 del Texto Refundido de la Ley General Presupuestaria y en los artículos 15, 19 y 20.1 Real Decreto 2188/1995, de 28 de diciembre.

Cuando el proyecto de convenio no se ajuste a las observaciones formuladas por la Intervención en su informe de fiscalización, siempre que estás no tengan carácter suspensivo, los Centros directivos deberán comunicar a la Subsecretaría las razones que justifiquen su no aceptación.

8. TRAMITACIÓN EXTERNA

8.1. Trámites preceptivos

En esta fase de tramitación deben llevarse a cabo los trámites siguientes trámites:

— Envío a la Comisión Delegada del Gobierno para la Política Autonómica en el caso de Convenios de Colaboración con Comunidades Autónomas, a efectos de su autorización o de la constatación de que se dan las condiciones para que el convenio se considere exento de tal autorización.

— Fiscalización por la Intervención General de la Administración del Estado sobre gastos que se deriven del convenio, cuando corresponda.

— Autorización del Consejo de Ministros, en cumplimiento del artículo 74.4 de la Ley General Presupuestaria.

— Informe de otros Departamentos afectados por el convenio.

8.1.1. Envío a la Comisión Delegada del gobierno para la Política Autonómica

De conformidad con el Acuerdo de Consejo de Ministros de 2 de marzo de 1990, y teniendo en cuenta las modificaciones operadas en el mismo, en virtud del Acuerdo de Consejo de Ministros de 3 de julio de 1998, deberá remitirse el convenio a la citada Comisión tanto para la autorización, con carácter general, como para la constatación, por el Secretario de la Comisión, de que concurre las circunstancias previstas en el Acuerdo que eximen al convenio de la citada autorización en los casos siguientes:

• Convenios que se ajustan a un modelo informado favorablemente por la Comisión o a un programa previamente aprobado por ella.

• Convenios o acuerdos de prórroga de convenios autorizados por la Comisión cuya vigencia hubiese finalizado.

• Convenios que incluyan modificaciones no esenciales de convenios en vigor.

Para dar cumplimiento a este trámite, el Secretario General Técnico remitirá a la Directora General de Cooperación Autonómica del Ministerio de Administraciones Públicas la solicitud de autorización o de constatación de que se dan las condiciones para eximir de la necesidad de autorización al convenio, junto con los documentos siguientes:

a. Texto del proyecto de convenio, una vez recogidas, en su caso, las observaciones contenidas en los informes de la Abogacía del Estado y de la Secretaría General Técnica del Departamento.

b. Memoria.

c. Informe de la Secretaría General Técnica.

d. Informe de la Abogacía del Estado en el Departamento.

Por otra parte también debe solicitarse la correspondiente autorización cuando se proponga alguna addenda o modificación al texto del convenio inicialmente suscrito que suponga una modificación sustancial del mismo, de conformidad con lo previsto en el apartado cuarto del Acuerdo de Consejo de Ministros de 2 de marzo de 1990. A estos efectos, se consideran modificaciones sustanciales las relativas al objeto y a los sujetos del convenio; la sustitución de las técnicas de colaboración y la alteración de los compromisos de financiación.

Recibida la contestación de la Comisión Delegada del Gobierno para la Política Autonómica en la Secretaría General Técnica, ésta la remite a la Unidad proponente para que continúe con la tramitación. En el supuesto de que se hubiesen realizado observaciones, la Secretaría General Técnica lo pondrá en conocimiento de la Unidad proponente para su discusión e incorporación, si procede, al texto del convenio.

8.1.2. *Fiscalización por la Intervención General de la Administración del Estado*

La unidad proponente del convenio debe elabora el correspondiente documento contable RC y lo remitirá a la Intervención Delegada en el Departamento, para su contabilización. También debe remitir la propuesta de convenio a la Intervención General de la Administración del Estado, para que se lleve a cabo el preceptivo trámite de fiscalización. A estos efectos, y de acuerdo con el artículo 8.1.º del Real Decreto 2188/1995, de 28 de diciembre, por el que se desarrolla el régimen de control interno ejercicio por la Intervención General de la Administración del Estado, el Interventor General de la Administración del Estado ejerce la fiscalización previa de los actos de aprobación de los gastos siguientes:

• Los que haya de ser aprobados por el Consejo de Ministros o por las Comisiones Delegadas del Gobierno.

• Los que supongan la modificación de otros que hubiere fiscalizado la Intervención General Administración del Estado.

Con relación a la competencia establecida en el apartado a), se tendrá en cuenta que la Resolución de 25 de febrero de 1998 de la Intervención General de la Administración del Estado, por la que se delegan determinadas competencias en materia de fiscalización previa de convenios de colaboración, determina que el Interventor General ha delegado en sus Interventores Delegados las siguientes competencias:

a) La fiscalización previa de los gastos que hayan de ser aprobados por el Consejo de Ministros o por las Comisiones Delegadas del Gobierno, cuando dichos gastos vayan referidos a convenios de colaboración con Comunidades Autónomas y no supongan un compromiso de gastos que haya de extenderse a ejercicios posteriores ni sean de cuantía indeterminada.

b) La fiscalización previa de los gastos que hayan de ser aprobados por el Consejo de Ministros o por la Comisiones Delegadas del Gobierno, cuando dichos gastos vayan referidos a convenios de colaboración de cuantía indeterminada o que supongan un compromiso de gastos que haya de extenderse a ejercicios posteriores, siempre que la cuantía del gasto global que se derive del convenio no supere los 2.000 millones de pesetas.

La solicitud de fiscalización previa debe ir acompañada del expediente original completo, comprensivo de los siguientes documentos:

a) Texto del convenio.

b) Memoria.

c) Informe de la Abogacía del Estado en el Departamento.

d) Informe de la Secretaría General Técnica.

e) Autorización de la Comisión Delegada del Gobierno para la Política Autonómica, o constatación de que se dan las condiciones para eximir de la necesidad de autorización al convenio, cuando corresponda.

f) Borrador de Acuerdo de Consejo de Ministros por el que se autoriza la suscripción del convenio, cuando proceda.

g) Los documentos contables precisos, con inclusión de la referencia a la oportuna aplicación presupuestaria y la certificación relativa a la existencia de crédito adecuado y suficiente, expedida por la Oficina Presupuestaria, en cumplimiento de la Orden de 1 de febrero de 1996, del Ministerio de Economía y Hacienda.

h) Los demás informes emitidos al efecto.

En el caso de los Organismos Autónomos que realicen actividades industriales, comerciales, financieras o análogas, la función interventora se sustituye por el control financiero, que se ejercerá con carácter permanente respecto de la totalidad de las operaciones efectuadas por los citados Organismos, de conformidad con el artículo 41 del Real Decreto 2188/1995.

Asimismo, debe cumplirse este trámite en relación con los proyectos de addenda o de modificaciones a convenios ya suscritos, así como las prórrogas de los mismos. La fiscalización efectuada por la Intervención General puede tener carácter suspensivo, de acuerdo con lo establecido en el artículo 96 del Texto Refundido de la Ley General Presupuestaria y en los artículos 15,19 20 del Real Decreto 2188/1995, de 28 de diciembre.

La disposición Adicional Cuadragésimo primera de la Ley 39/2010, de 22 de diciembre de Presupuestos Generales del Estado para 2011 (3) dispuso que la suscripción de convenios de colaboración con la Administración de una Comunidad Autónoma o los entes vinculados a ella que hayan incumplido su objetivo de estabilidad presupuestaria, si los convenios conllevan transferencia de recursos a la Comunidad Autónoma, impliquen compromiso de realización de gastos o se den ambas circunstancias, precisan con carácter previo informe favorable, preceptivo y vinculante del ministerio de Hacienda y Administraciones Públicas, emitido por la Secretaría de Estado de Presupuestos y Gastos una vez consultada la Secretaría de Estado de Administraciones Públicas, informe que debe pedirse en el momento de iniciarse la tramitación del convenio de colaboración.

8.1.3. Autorización del Consejo de Ministros

El órgano componente para la firma de los convenios de colaboración o contratos-programa con otras Administraciones Públicas o con entidades públicas o privadas necesitará autorización del Consejo de Ministros, cuando el gasto que de ellos se derive sea de cuantía indeterminada o haya de extenderse a ejercicios posteriores, de conformidad con el artículo 74.4 del Texto Refundido de la Ley

---

(3)   Se ha mantenido por Leyes de Presupuestos Generales del Estado posteriores.

General Presupuestaria, en su redacción dada por la Ley 11/1996, de 27 de diciembre, de Medidas de Disciplina Presupuestaria.

Con carácter previo a su suscripción se tramitará el oportuno expediente de gastos, en el cual figurará el importe máximo de las obligaciones a adquirir y, en caso de gastos de carácter plurianual, la correspondiente distribución de anualidades.

La Unidad proponente del convenio elaborará la propuesta del Acuerdo de Consejo de Ministros correspondiente y la enviará a la Secretaría General Técnica para su inclusión en el orden del día de la Comisión de Secretarios de Estado y Subsecretarios. A dicha propuesta se acompañará la relación de documentos antes mencionada.

En el caso de que en la fase de Comisión de Secretarios de Estado y de Subsecretarios se realizasen observaciones a la propuesta de acuerdo, la Secretaría General Técnica las remitirá a la Unidad proponente para su discusión e incorporación, si procede, en el Proyecto de Acuerdo y en el texto del convenio correspondiente.

8.1.4. Informe de otros Ministerios

Cuando los proyectos de convenio se refieran a materias que afecten también a las competencias de otros Departamentos, de modo que su suscripción deban realizarla conjuntamente varios Ministros, y el Ministerio proponente sea el Departamento responsable de la tramitación, el Subsecretario solicitará el informe pertinente de los Órganos competentes de dichos Departamentos.

Para ello, la petición del informe deberá acompañarse de documentación necesaria para su correcta emisión y, en todo caso, del Texto del proyecto de convenio, la Memoria, el Informe de la Abogacía del Estado en el Ministerio y el Informe de la Secretaría Técnica.

9. SUSCRIPCIÓN Y PUBLICACIÓN DEL CONVENIO DE COLABORACIÓN

9.1. Preparación para la suscripción

Cumplimentados los trámites anteriores, la Unidad proponente del convenio elaborará un texto definido y lo remitirá para la firma para la firma a la autoridad competente, de conformidad con el artículo 13.3 de la Ley 6/1997, de 14 de abril, de Organización y funcionamiento de la Administración General del Estado; con el Acuerdo de Consejo de Ministros de 3 de julio de 1998, sobre competencia para celebrar convenios de colaboración con las Comunidades Autónomas y con la Orden de 28 de julio de 1998, sobre delegación de atribuciones en el Ministerio.

9.2. Suscripción por el Titular o por el Subsecretario del Departamento

En el caso de que los convenios sean sometidos a la firma por el Titular del Departamento o por el Subsecretario, la unidad proponente remite a la Secretaría General Técnica el texto definitivo del convenio en papel adecuado, acompañado de soporte informático para mayor agilidad de la tramitación.

El Secretario General Técnico solicita del correspondiente Gabinete la información necesaria relativa al lugar y fecha para la firma del convenio.

Si la firma se va a realizar en un solo acto, remite tres originales del convenio al Gabinete del Titular del Departamento o del Subsecretario para proceder a su suscripción.

En caso de que la firma se produzca en único acto, el Secretario General Técnico remite a la Comunidad Autónoma afectada o a la persona o entidad firmante en los demás caso, tres originales del convenio para su suscripción.

Los ejemplares una vez firmados son devueltos por la parte suscriptora a la Secretaría General Técnica, que los remitirá al Gabinete del Titular del Departamento o del Subsecretario para su suscripción.

Los convenios firmados conforme a lo previsto en el punto anterior, son devueltos a la Secretaría General Técnica, que procede a enviar un original a la Comunidad Autónoma o entidad firmante de que se trate, a archivar un original junto con el correspondiente expediente en la Secretaría General Técnica y a enviar el tercer original al órgano gestor o promotor del convenio para que por éste se una al documento contable junto con el resto de la documentación del expediente, a efectos de su contabilización y posterior remisión al Tribunal de Cuentas a través de la Intervención Delegada. Finalmente también debe enviar una fotocopia compulsada al Ministerio de Administraciones Públicas, par su conocimiento y a efectos de registro, cuando se trate de convenios de colaboración con Comunidades Autónomas.

9.3. Suscripción por los Secretarios Generales o por los Directores Generales del Departamento

En estos casos, la unidad proponente del convenio de colaboración, remite al Secretario General o Director General componente, el texto definitivo del convenio en papel adecuado acompañado de disquete, a efectos de su suscripción.

Si la firma se va a realizar en un solo acto, remitirá tres originales del convenio al citado Órgano para proceder a su firma. En el caso de que la firma no se produzca en único acto, el Secretario General o Director General correspondiente remitirá a la persona o entidad firmante tres originales del convenio para su suscripción.

Los ejemplares una vez firmados serán devueltos por la parte suscriptora a la Secretaría General o Dirección General correspondiente para su firma por ésta.

9.4. Remisión y archivo

La Secretaría General o Dirección General suscriptora de los convenios referidos en el punto anterior, procederá a llevar a cabo las siguientes operaciones:

A) Enviar un original a la persona o entidad firmante.

B) Enviar un original a la Secretaria General Técnica, a efectos de su archivo y constancia en el expediente.

C) Enviar el tercer original junto con el documento contable a la Intervención Delegada para que por está se una al documento contable junto con el resto de la documentación del expediente, a efectos de su contabilización y posterior remisión al Tribunal de Cuentas.

9.5. Publicación

En el caso de convenios de colaboración con Comunidades Autónomas deberá procederse a su publicación en el Boletín Oficial del Estado, en cumplimiento del artículo 8 de la Ley 30/1992, de 26 de noviembre, de Régimen Jurídico de las Administraciones Públicas y del Procedimiento Administrativo Común.

Corresponde al órgano gestor la preparación del convenio firmado para su publicación. A tales efectos, se dictará la correspondiente Resolución para la publicación del convenio (por el Director General, Secretario General o Presidente o Director del Organismo Autónomo afectado) por la que se dé publicidad al mismo. Esta resolución deberá contener como anejo el texto íntegro del convenio.

A tales efectos deberá darle, tanto a la Resolución como al convenio, el formato del papel utilizado para la publicación en el Boletín Oficial del Estado.

Remitir todo ello, junto con el disquete, a la Secretaria General Técnica que procede a interesar del Ministerio de Presidencia su publicación oficial.

La publicación oficial de los demás convenios o acuerdos no es preceptiva. No obstante, cuando lo aconsejen razones de interés público apreciadas por el órgano competente se podrá solicitar su publicación, siendo aplicable lo indicado anteriormente.

10. COMUNICACIÓN AL SENADO

Los convenios suscritos con Comunidades Autónomas deberán ser comunicados al Senado, en cumplimiento del artículo 8 de la Ley 30/1992, del 26 de noviembre, de Régimen Jurídico de las Administraciones Públicas y Procedimiento Administrativo Común. Correspondiendo el cumplimiento de este trámite al Ministro de Administraciones Públicas.

A estos efectos, la Secretaría General Técnica deberá remitir, a dicho departamento, fotocopia compulsada del convenio firmado.

Capítulo 20

La notificación administrativa y sus modalidades

Una de las cuestiones de mayor interés práctico en la actividad cotidiana de las administraciones públicas con los ciudadanos y de éstos con aquéllas es todo aquello que se relaciona con las comunicaciones efectivas y la acreditación de su remisión y correspondiente recepción a través de los diferentes medios que pueden emplearse. El presente capítulo se dedica al examen de las características y grado de validez respectiva de los diversos medios de notificación oficial teniendo en cuenta tanto el criterio de la praxis administrativa y judicial como el interés de los ciudadanos y eficacia de cada medio de notificación.

1. INTRODUCCIÓN

El artículo 59.1 de la LRJ dispone que las notificaciones se practicarán por cualquier medio que permita tener constancia de la recepción por el interesado o su representante, así como de la fecha la identidad y el contenido del acto notificado.

El apartado 2 del citado artículo añade que la notificación se practicará en el lugar que el interesado haya señalado a dicho efecto en el escrito de solicitud y se refiere a la práctica de la notificación del modo más tradicional.

No obstante podemos dividir los medios de notificación en medios tradicionales y modernos.

Entre los tradicionales se encuentra el agente notificador, el servicio postal, la vía notarial, la comparecencia del interesado, la empresa de mensajería y el agente de la autoridad.

La notificación más tradicional es la practicada en el domicilio del interesado y que sigue siendo el medio habitual utilizado entre las administraciones públicas y los ciudadanos.

2. FUNCIONES DE LA NOTIFICACIÓN OFICIAL

La notificación es un ineludible trámite procedimental mediante el cual el órgano administrativo competente practica una comunicación fehaciente al interesado o interesados en un acto administrativo. Esta comunicación constituye un requisito esencial para que el acto que se notifica tenga un efecto u otro, pues hay que recordar que, por ejemplo los plazos establecidos por la ley en los recurso administrativos son plazos para resolver y notificar y la Ley atribuye consecuencias diferentes según una resolución se haya notificado o no por ejemplo el plazo de interposición de recursos administrativos o judiciales es diferente, variando en este último caso entre dos meses cuando haya habido notificación y seis meses cuando la notificación se haya producido.

La notificación es una actuación administrativa compleja en que pueden intervenir diferentes sujetos, por ello pueden distinguirse dos fases: la primera en que se ordena la práctica de la notificación y la segunda que consiste en la propia práctica de aquella cuyos pormenores examinamos a continuación.

El documento que contiene la notificación, denominado diligencia de notificación, tiene como finalidad servir de constancia y medio probatorio de la práctica de la notificación y sus circunstancias o, en su caso, de los intentos fallidos de llevarla a cabo en el domicilio expresado por el interesado para notificaciones o en el que le corresponda de acuerdo a la ley o bien del rechazo de la misma por el propio interesado o por su representante, supuesto en que la Administración se encuentra habilitada para tener por legalmente notificado al interesado.

La diligencia de notificación no dispone siempre por sí misma de una eficacia de acreditación; de manera que en los casos en que aquella se haya practicado por medios que no permitan que figure, en la propia diligencia, la prueba de la recepción documental, deberá acompañarse testimonio escrito de que la notificación se ha producido. Como ejemplos de estos casos pueden citarse la notificación a través del fax, cuyas características examinamos posteriormente en la que, junto a la correspondiente diligencia debe figurar una copia del documento que se envía con los sistemas de acuse de recepción que garantizan que se produjo la transmisión y la recepción del documento por el destinatario.

La diligencia de notificación tiene, al igual que otros documentos de la Administración, tres partes Encabezamiento, cuerpo y pie.

En el encabezamiento deben consignarse los siguientes datos:

A. La expresión «Diligencia de notificación» que no deje lugar a dudas del título y finalidad del documento.

B. La identificación completa del acto administrativo o circunstancia que se notifica, es decir título del acuerdo o resolución, con expresión del tema o asunto al que se refiera y la fecha en hubiera sido adoptado.

C. El nombre y apellidos del interesado al que debe notificarse en acto o circunstancia.

D. Referencia a la disposición normativa que regule la notificación y sus consecuencias.

El cuerpo de la notificación se Articula en cuatro partes que se refieren al lugar, al medio y a las circunstancias, tanto de la notificación practicada como de la no practicada, separados entre sí.

Cada apartado contiene la posibilidad de varias alternativas y el documento debe señalar las que tengan lugar en cada práctica de notificación.

El modo de rellenar la diligencia es casi automático y consiste en marcar con una equis las circunstancias que se produzcan en el momento en que se practica la notificación, de manera que únicamente en los casos expresamente indicados haya que añadir observaciones por escrito.

La diligencia de notificación debe ser cumplimentada por aquella persona que lleve a cabo este acto en nombre de la Administración, con independencia de cual se a el medio utilizado.

La estructura formal del documento utilizado debe estar diseñada para facilitar el cumplimiento de manera clara y con rapidez.

Por último el pie de la diligencia de notificación está formado por la firma y cualquier otra forma de constancia de la persona que practica esta diligencia además de la fecha: día, mes y año y en algunos casos la hora

En cuando a las fases del proceso notificador hay que recordar que muchas veces siguiendo una práctica extendida en la Administración las notificaciones se han ordenado mediante un acto recogido en diferente documento de aquel en que se recoge el acuerdo o resolución, sin embargo hay que tener en cuenta que la normativa que regula esta materia en el ámbito de la Administración General del Estado (1) dispone que las notificaciones deben ser cursadas en el plazo de diez días, a partir de la fecha en que se haya dictado el acto que se notifica y debe tener, al menos, el siguiente contenido:

a) Texto íntegro de la Resolución.

b) Indicación expresa de si es o no definitiva en vía administrativa.

c) Los recursos que caben contra ella incluyendo el órgano ante el que debieran presentarse y el plazo de interposición.

A la vista de ello puede concluirse que la ley considera que la Resolución y la notificación son actuaciones administrativas distintas con objeto y finalidad di-

---

(1)   LRJ art. 58.2.

ferente y autónoma, lo cual no significa que ambas puedan figurar en un mismo soporte documental. La inclusión de la notificación como parte del documento que contiene el acuerdo o la resolución, tiene la ventaja de conocer los efectos de aquella misma las actuaciones de la administración.

Los requisitos legales del contenido de toda notificación oficial de la administración pública pueden garantizarse en un solo acto documental evitándose la repetición de nuevo en el documento de notificación la reproducción del texto completo de la Resolución o Acuerdo, lo cual supone no solo un paso importante hacia la tendencia general de la administración a racionalizar y simplificar trámites procedimentales; pero además también asegura una serie de garantías adicionales para los interesados en lo que hace a la autenticidad de la notificación en los siguientes aspectos:

A. Respecto a la firma o acreditación de la notificación por el titular del mismo órgano autor del acto objeto de aquella.

B. Respecto al cumplimiento del plazo legal de diez días, al poder cursarse la notificación en el momento en que el titular del órgano competente firma el documento de Acuerdo o resolución.

C. La eliminación de ejemplares defectuosos de notificación debidos a errores en la transcripción pues se evitan copias del Acuerdo o Resolución en el documento de notificación.

La práctica de la notificación puede llevarse a cabo de diversos modos:

a) Mediante una persona que a estos efectos tienen la consideración de agente de la administración en esta diligencia, en diversas modalidades que examinaremos posteriormente.

b) A través del sistema de correos y telégrafos y otras mensajerías.

c) Por vía de fedatario público.

d) A través de un medio electrónico, informático o telemático como el fax o el correo electrónico.

La LRJ, como veremos, permite la utilización de cualquier medio que permita la constancia de la recepción de la notificación además de la fecha en que se notifica, la identidad del interesado y el contenido del acto o circunstancia notificados.

Cuando la notificación se lleva a cabo utilizando medios telemáticos, el interesado debe señalar dicho medio como preferente consintiendo expresamente su utilización, identificando además la dirección electrónica correspondiente. En estos casos la notificación se entiende practicada a todos los efectos en el momento en que tenga lugar el acceso consentido en la dirección electrónica. Por otro lado hay que entender que la notificación ha sido rechazada, cuando, a pesar de existir constancia de la recepción en la dirección electrónica, transcurran diez días naturales sin acceder a su contenido todo ello salvo que se compruebe efectivamente la imposibilidad técnica o material de llevara acabo el citado acceso.

Las notificación deben practicarse preferentemente en el domicilio que haya señalado el propio interesado; por otra parte las notificaciones no tienen que ser practicadas necesariamente en su domicilio habitual sino que tienen validez aunque se practiquen en cualquier otro lugar adecuado donde se tenga conocimiento que se encuentra el destinatario de la notificación y además pueda quedar constancia de la misma. También es posible practicar la notificación a personas distintas del interesado o a su representante, en concreto en la notificación practicada en el domicilio del interesado, si éste no se encuentra presente, podrá hacerse cargo de la notificación cualquier persona que se encuentre en el domicilio en cuestión y haga constar su identidad. Si nadie puede hacerse cargo de la notificación en el primer intento, la administración debe repetirlo en una hora distinta dentro de los tres días siguientes.

Por otra parte hay que tener en cuenta que el rechazo de la notificación por parte del interesado o su representante tiene como consecuencia que se tiene por efectuada la notificación y puede continuar el procedimiento correspondiente.

La LRJ exige que la acreditación de la notificación efectuada se incorpore al expediente administrativo donde deben constar entre otras circunstancias las siguientes:

a) Que nadie ha podido hacerse cargo de la notificación practicada en el domicilio del interesado, así como el día y la hora en que fue intentada la notificación.

b) Las circunstancias en las que se hubiera producido el rechazo de la notificación por el interesado o sus representantes.

El documento que contiene la notificación es la diligencia de notificación y tiene como finalidad servir de constancia y medio probatorio de la práctica de la notificación o, en su caso de los intentos fallidos de llevarla a cabo en el domicilio que corresponda o bien del rechazo de la misma. La diligencia de notificación no siempre tiene por sí misma eficacia acreditativa de manera que en los casos en que la notificación se haya practicado sin que figure la prueba de la recepción documental, deberá acompañarse el correspondiente testimonio escrito de que la notificación se ha efectuado, por ejemplo la notificación a través de burofax, en la que, junto a la correspondiente diligencia debe figurar una copia del documento que se envía con los sistemas de acuse de recepción que garantizan que se produjo la transmisión y la recepción del documento por el destinatario. La diligencia de notificación tiene, al igual que otros documentos de la Administración, tres partes Encabezamiento, cuerpo y pie. El cuerpo se articula en cuatro partes que se refieren al lugar, al medio y a las circunstancias, tanto de la notificación practicada como de la no practicada, separados entre sí. Por otra parte la diligencia de notificación debe ser cumplimentada por aquella persona que lleve a cabo este acto en nombre de la Administración, con independencia de cual se a el medio utilizado. La estructura formal del documento debe facilitar el cumplimiento de manera clara y con rapidez. Además, el pie de la diligencia de notificación está formado por la firma y cualquier otra forma de constancia de la persona que practica esta diligencia además de la fecha: día, mes y año y en algunos casos la hora

La LRJ dispone que las notificaciones deben ser cursadas en el plazo de diez días, a partir de la fecha en que se haya dictado el acto que se notifica y debe tener, al menos, el texto íntegro de la Resolución, una indicación expresa de si es o no definitiva en vía administrativa y los recursos que caben contra ella incluyendo el órgano ante el que debieran presentarse y el plazo de interposición.

3. NOTIFICACIONES MEDIANTE AGENTE NOTIFICADOR

La función de notificar corresponde en principio al funcionario de la administración encargado de hacer llegar al destinatario del acto la notificación del mismo. La práctica de las diligencias de notificación por este agente se llevará a cabo mediante entrega de la copia literal autorizada del acto correspondiente consignando en el duplicado que se acompañe la firma del agente notificador y la de la persona con quien se entienda la diligencia, así como la fecha y el lugar donde se practique la notificación además de la identidad de aquella y su relación con el interesado. Esta notificación, diferente a la que se lleva a cabo por el servicio de correos está regulada por el reglamento de procedimiento de reclamaciones económico-administrativas. Por otra parte el Tribunal Supremo también ha diferenciado la notificación practicada por agente notificador y por el servicio de correos cuando recordando su doctrina de que en el supuesto en el que no se halle el interesado en el domicilio, tanto si se lleva a cabo por agente o por correo, la correspondiente cédula puede ser entregada a cualquier persona que se encuentre en el mismo. No obstante tanto en la práctica administrativa como en otra normativa se identifica, habitualmente, a la persona que practica la notificación, que en la mayor parte de los casos es un empleado postal, con el agente notificador así lo regula el reglamento general de recaudación que, tras autorizar, para la práctica de notificaciones, la utilización de cualquier medio que permita dejar constancia de su recepción, fecha y acto,, impone al agente notificador el deber de firmar el justificante de la notificación cuando las personas con las que puede entenderse su práctica, no saben o se niegan a firmar.

La entrega debe hacerse al interesado, si este no se encuentra podrá hacerse cargo de la notificación cualquier pariente, persona que conviva con él, empleado o portero que se encuentre en la finca, siempre que sean mayores de edad y se haga constar su identidad y la relación que guardan con el interesado.

El receptor debe firmar el justificante de la notificación y en el caso de que no sepa o no quiera deberá dentarse constancia en el justificante no obstante la firma del agente notificador no se ha considerado suficiente para tener por practicada la notificación y la jurisprudencia ha venido exigiendo el cumplimiento riguroso de todos los requisitos que aseguren que la notificación verificada reúne las garantías precisas para llegar al conocimiento de su legítimo destinatario. En relación con este concepto de agente notificador debe recordarse que en el marco de la LRJ y de acuerdo con lo que establece el artículo 4 la administración puede solicitar la colaboración de otras administraciones, para llevar a buen puerto la práctica efectiva de la notificación.

4. NOTIFICACIONES MEDIANTE SERVICIO CORREOS: REGULACIÓN ESPECIAL

La notificación a través del Servicio postal puede llevarse a cabo a través del servicio postal certificado o a través de telegrama.

El envío certificado con aviso de recibo sigue siendo el medio por excelencia para realizar notificaciones oficiales administrativas y judiciales de este modo mal Resolución de la dirección General del Organismo Autónomo Correos y Telégrafos por la que se establecen los procedimientos de control específicos para las notificaciones administrativas y judiciales cursadas por vía postal señala, entre otras cosas, que las notificaciones administrativas y judiciales constituyen un producto de gran interés para el organismo autónomo, habida cuenta del volumen de envíos que representan, la especial trascendencia de los mismos y el potencial de desarrollo de este mercado.

En las notificaciones realizadas mediante aviso certificado, la fecha consignada en dicho aviso de recibo determina la producción de efectos del acto notificado.

Sin embrago la validez y eficacia de la notificación administrativa realizada por oficio o carta, depende de que su envío se haya realizado por certificado administrativo, dado que el certificado ordinario no ofrece garantías sobre la identidad del acto notificado, ni de las demás circunstancias legales exigidas, como tiene declarado al respecto la jurisprudencia la recepción de certificado ordinario, aún cuando sea cierta, no deja constancia ni identificación de lo que el destinatario ha recibido.

Respecto a las condiciones del certificado administrativo hay que estar alo que señala la normativa que regula esta materia.

La ley 24/1998 del servicio Postal Universal y de Liberalización de los Servicios Postales regula el derecho especial del operador al que se encomienda la prestación del servicio postal a entregar notificaciones de órganos administrativos y judiciales, con constancia fehaciente en su recepción, sin perjuicio de la aplicación a los distintos supuestos de notificación de la dispuesto en la LRJ. Se regula como servicio no exclusivo del operador al que se encomienda la prestación dotándole del régimen de libre competencia de acuerdo con lo establecido en la propia Ley que dispone que las notificaciones realizadas por otros operadores en el ámbito no reservado, deben regirse por normas de derecho privado. En su virtud, a estos efectos, pude distinguirse entre servicios incluidos en el ámbito del servicio postal universal y servicios no incluidos en dicho ámbito y dentro de los primeros existen servicios reservados al operador al que se encomienda la prestación del servicio postal y servicios no reservados al mismo.

Con respecto a la regulación normativa de las entregas, así como la obligación de llevarlas a cabo se establece en el Reglamento regulador de la prestación de servicios postales, aprobado por Real Decreto 1829/1999 y cuyo artículo 39 reitera el carácter fehaciente de la notificación reproduciendo la posibilidad de participación de otros operadores en ámbitos no reservados y cuyos efectos se rigen por normas de derecho privado; los artículos siguientes desarrollan las disposiciones generales sobre admisión y entrega de notificaciones y sus vicisitudes en el domicilio del interesado incluyendo los requisitos para la admisión de notificaciones de órganos administrativos y judiciales.

En el envío debe constar la expresión «notificación» y debajo de ella en caracteres de menor tamaño el acto al que se refiera (2). Debemos recordar que la jurisprudencia ha mantenido un criterio amplio en lo que se refiere a la identificación del acto notificado rechazando el criterio que exigía la constancia del número de expediente cuando se trataba de actos notificados por ayuntamientos y se trataba de un Acuerdo de la comisión de gobierno

Por otra parte debe consignarse con claridad y sin enmiendas ni raspaduras la dirección postal completa tanto del remitente como del destinatario, en todos los envíos, siendo obligatorio hacerlo en los que tienen garantías de certificado o valor declarado, por otra parte por resoluciones de la Dirección general del Organismo correos y telégrafos se establecen las instrucciones para la admisión, tratamiento y entrega de las notificaciones, disponiendo que la entrega de estas notificaciones tiene carácter de carta certificada, con dos intentos de entrega en el domicilio, pudiendo acompañarse aviso de recibo, como justificante de la entrega.

4.1. Nadie puede hacerse cargo de la notificación

Cuando intentada la notificación en el domicilio del interesado nadie pueda hacerse cargo de la misma, se hará constar este extremo en la documentación del empleado responsable y en el aviso de recibo que se acompañe a la notificación

---

(2)   Citación, requerimiento, resolución etcétera.

junto con el día y la hora en que se intentó la notificación, intento que debe repetirse una vez más en una hora diferente dentro de los tres días siguientes.

Si practicado el segundo intento resulta infructuoso, debe consignarse la causa en la documentación del empleado y en el aviso de recibo de la notificación junto con el día y la hora en que se llevó a cabo el segundo intento.

Una vez realizados los dos intentos sin éxito, el operador de servicio postal debe depositar en lista las notificaciones durante el plazo de un mes, para lo cual se procede a dejar aviso de llegada al destinatario, de carácter ordinario, donde debe constar además de la dependencia y el plazo de permanencia en lista de la notificación, las circunstancias expresadas relativas al segundo intento de entrega.

4.2. Notificación rechazada

Si estando en el domicilio la persona que puede recibir la notificación, se niega a recibirla y a manifestar por escrito dicha circunstancia con su firma, identificación y fecha en la documentación del empelado postal, se entiende legalmente que no quiere hacerse cargo de la misma, haciendo constar este extremo en la documentación y en el aviso de recibo que acompaña a la notificación junto con el día y la hora en que se intentó la misma; intento que debe repetirse, también en este caso una vez más a una hora diferentes dentro de los tres días siguientes.

Si practicado un segundo intento éste resulta infructuoso se consignará dicho extremo en la documentación al igual que en el supuesto anterior.

En cualquier caso el empleado postal debe hacer constar su firma y número de identificación en el aviso de recibo que acompañe a la notificación, así como, en su caso, en el aviso de llegada.

Solo procede realizar un intento de entrega en los siguientes supuestos:

1.º) Cuando la notificación sea rehusada o rechazada por el interesado o su representante, debiendo hacer constar esta circunstancia por escrito con su firma, identificación y fecha, en la documentación del empleado postal.

2.º) Cuando la notificación tenga una dirección incorrecta.

3.º) Cuando el destinatario de la notificación sea desconocido.

4.º) Cuando el destinatario de la notificación haya fallecido.

5.º) Cuando se produzca cualquier causa de naturaleza similar a las anteriores que haga objetivamente improcedente el segundo intento de entrega.

En estos supuestos el empleado debe hacer constar, en su documentación y en el aviso de recibo, la causa de la no entrega, la fecha y la hora de la misma.

4.3. Notificaciones a personas jurídicas y organismos públicos

Se siguen las normas establecidas para la admisión y entrega de notificaciones con varias especialidades.

La entrega de notificaciones a personas jurídicas debe realizarse al su representante o a un empleado, haciendo constar, en la documentación y en el aviso de recibo, su identidad, firma y fecha de la notificación, estampando el sello de la empresa.

La entrega de notificaciones a organismos públicos debe realizarse a un empleado haciendo constar en la documentación y en el aviso de recibo su identidad, firma y fecha de notificación estampando el sello del organismo. También pueden entregarse en el registro general del organismo público para lo cual basta con estampar el correspondiente sello de entrada.

5. NOTIFICACIÓN MEDIANTE TELEGRAMA

La Ley de Procedimiento Administrativo de 1958 contemplaba la utilización del telegrama como medio de notificación y aunque la LRJ no reproduce dicho vocablo, la amplitud de su expresión da cabida perfecta a esta posibilidad que debe practicarse conforme a la regulación reglamentaria que regula esta materia; además tanto la Ley de Enjuiciamiento Civil como la Ley de Procedimiento Laboral contemplan el telegrama como medio de notificación.

La aptitud de del telegrama como medio idóneo para llevar a cabo notificaciones de actos administrativos y judiciales está determinada por la constancia fehaciente de todos los datos relativos a su recepción de modo que la jurisprudencia exige para este tipo de notificaciones los mismos requisitos que para las notificaciones practicadas medio de carta certificada; de este modo el Tribunal Supremo ha señalado que para que una notificación sea perfecta no basta con transcribir el acto administrativo dictad, sino que también se precisa consignar si es o no definitivo en vía administrativa con expresión de los recursos pertinentes y el plazo para interponerlos y en el caso de que sea por telegrama debe hacerse constancia de la recepción dirigiéndose al domicilio del interesado y si no se encuentra en él podrá hacerse cargo cualquier persona que haga constar su parentesco o razón de permanencia en el domicilio del interesado; por otra parte ha declarado que la notificación practicada por telegrama es válida en nuestro ordenamiento jurídico.

6. NOTIFICACIÓN POR VÍA NOTARIAL

La vía notarial también es aceptada como medio para la práctica de notificaciones oficiales, a este efecto el Reglamento Notarial regula las actas de notificación definiendo las actuaciones a seguir por el notario en estos casos que debe personarse en el lugar en el domicilio o lugar en que la notificación o requerimiento deba practicarse dando a conocer su condición y el objeto de su presencia; en caso de no hallar al destinatario, la diligencia debe entenderse con cualquiera que se encuentre allí y en su defecto podrá practicarla con el portero o conserje del inmueble o con un vecino del mismo. Esta diligencia debe cumplimentarse mediante la entrega del documento suscrito por el notario que contenga el texto literal de la notificación o requerimiento, expresando el derecho de contestación del destinatario y el plazo para llevarlo a efecto. Cuando la diligencia se entienda con persona diferente del destinatario el documento puede entregarse bajo sobre cerrado con advertencia del notario al receptor de su obligación de hacer llegar al destinatario el documento de la entrega, debiendo quedar constancia escrita de la diligencia, la advertencia y la respuesta recibida.

El Reglamento Notarial también contempla otras posibilidades:

a) La practicar la diligencia de notificación en cualquier lugar distinto del designado, siempre que el destinatario esté de acuerdo y sea identificado por el notario.

b) La de efectuar las notificaciones enviando las destinatario el documento (carta, copia o cédula) por correo certificado con aviso de recibo.

c) Además, como medio excepcional, el Reglamento notarial regula el supuesto en que la diligencia solo se haya podido practicar mediante lectura al destinatario del contenido íntegro del acta, en cuyo caso el documento deberá ser remitido a éste por correo.

En cualquier caso deberá que dar constancia el acta de notificación de todas las incidencias que hayan rodeado la notificación o requerimiento practicado.

Por otra parte hay que tener en cuenta que el notario no puede practicar las posibilidades que autoriza el Reglamento Notarial cuando se trate de notificaciones administrativas salvo que se acredite imposibilidad materia de llevarlas acabo por los medios previstos en la LRJ.

Cuando se produzca resistencia a recibir la notificación procedente del propio destinatario, se tendrá por efectuado el trámite siguiéndose el procedimiento. Además, cuando se trate de requerimientos o notificaciones urgentes, por que se refieran a plazos próximos a finalizar, revocación de poderes u otros de carácter perentorio, el notario podrá prestar su intervención cuando sea requerido por carta con firma legitimada o que le sea conocida.

Hay que señalar que aunque no es habitual el uso de la vía notarial para practicar notificaciones administrativas, nada impide su utilización, dada la seguridad que garantiza esta vía que sin embargo ve aminoradas sus posibilidades de uso por el coste que su empleo supone. El Tribunal Supremo, por su parte, ha declarado en varias ocasiones la admisibilidad de la vía notarial para llevar a cabo válidamente las notificaciones administrativas, dado que la legislación reguladora del procedimiento administrativo permite efectuar notificaciones a personas diferentes del interesado y en su domicilio, siempre que se hagan constan sus circunstancias por escrito, añadiendo que es irrelevante para la validez de la notificación efectuada por vía notarial el que en el requerimiento conste que el instructor y el secretario actúen en nombre de la administración correspondiente.

Por lo que hace a los requisitos precisos para llevara cavo una correcta notificación administrativa por vía notarial el alto Tribunal declara que debe haber constancia de que la notificación haya sido dirigida al mismo domicilio del interesado de manera que no haya ninguna duda al respecto, en segundo lugar que el notario haya dado fe de que el aviso de recibo se devolvió debidamente cumplimentado lo cual puede ser acreditado mediante exhibición del recibo correspondiente o por examen del expediente administrativo. También ha declarado que la vía notarial no se encuentra excluida de los medios para practicar las notificaciones administrativas, toda vez que la normativa reguladora del procedimiento cuando se refiere a otros medios que permitan tener constancia de la recepción admite dicha forma notarial garantizadora; acerca de la cual el alto Tribunal ha señalado que ante la circunstancia de no querer identificarse ni recoger la cédula notarial, la única persona que se comunica con el notario por medio de un interfono o portero automático, constando indubitablemente que aquel es el domicilio del destinatario.

7. NOTIFICACIÓN POR COMPARECENCIA DEL INTERESADO

Otro de los medios tradicionales es la notificación por comparecencia del interesado o su representante en la oficina correspondiente o lo que es lo mismo la notificación en la sede u oficina del órgano administrativo que haya dictado el acto lo cual es muy frecuente en las notificaciones judiciales.

En la práctica administrativa, la notificación por comparecencia, ha caído en desuso, toda vez que de acuerdo con lo que establece la LRJ (3) los ciudadanos solo están obligados a comparecer ante las oficinas públicas cuando así lo exija una norma con rango de ley y cuando esté obligado a la comparecencia el interesado deberá recibir la correspondiente citación, con expresión del lugar, fecha, hora y objeto de la comparecencia, así como los efectos que se deriven de no atenderla; por otra parte la LRJ dispone que cuando el órgano compete aprecie que la notificación por medio de anuncios o la publicación de un acto lesiona derechos o intereses legítimos, debe limitarse a publicar, en el diario oficial que corresponda, una somera indicación del contenido del acto y del lugar donde los interesados podrán comparecer, en el plazo que se establezca para conocimiento del contenido íntegro del mencionado acto y constancia de dicho conocimiento.

---

(3)   Artículo 40 de la LRJ.

En materia de créditos de la administración la Ley General Tributaria contempla expresamente la notificación por comparecencia señalando que cuando no sea posible realizar la notificación al interesado o su representante por causas no imputables a la administración y una vez intentado por dos veces, se hará constar esta circunstancia en el expediente con expresión de las circunstancias de los intentos de notificación y en estos casos deberá citarse al interesado o a su representante para ser notificados por comparecencia, por medio de anuncios que se publique una vez por cada interesado en el Boletín Oficial del Estado o en otros boletines oficiales según la administración de donde proceda el acto a notificar y el ámbito territorial de competencia del órgano que lo dicte. En todo caso la comparecencia debe producirse en el plazo de diez días, desde el siguiente a la publicación del anuncio y cuando transcurrido dicho plazo no hubiese comparecido, la notificación se entiende producida a todos los efectos legales desde el día siguiente al del vencimiento del plazo señalado para comparecer.

Aunque la mayor parte de la normativa administrativa hace mención expresa a este medio de notificación, el interesado puede escoger voluntariamente la notificación por comparecencia, sin que haya precepto legal alguno que limite esta posibilidad de elección; por otra parte el interesado puede señalar como lugar de notificación la propia oficina pública mediante comparecencia., debiendo quedar constancia en cualquier caso de que la notificación se efectuó por la comparecencia del interesado en las dependencias de la administración.

8. NOTIFICACIÓN POR MENSAJERÍA

La LRJ autoriza la utilización de cualquier medio de notificación que permita tener constancia de la recepción por el interesado o su representante, así como de la fecha, la identidad y el contenido del acto notificado. Por ello las administraciones públicas pueden acudir a la contratación con una empresa privada el servicio de entrega material de notificaciones para lo cual el procedimiento más adecuado es la utilización de la figura de algún tipo de contrato de servicios que sean auxiliares y complementarios del funcionamiento de la administración teniendo en cuenta que los servicios de mensajería se encuentran legalmente clasificados dentro de los grupos y subgrupos de clasificación de los contratos de servicios bajo la denominación de Servicios de mensajería, correspondencia y distribución que incluye el servicio de recadería, de reparto y manipulación de correspondencia, así como los de distribución de paquetería, publicaciones y material de artes gráficas. Además la propia normativa reguladora del servicio postal contempla, como se ha indicado en el apartado anterior, la participación de otros operadores que no tengan encomendada la prestación del servicio postal universal, en el ámbito no reservado y cuyos efectos se rigen por normativa de derecho privado.

No obstante y desde un punto de vista práctico no podemos ignorar que, aunque no pueda negarse la calificación de este medio como adecuado para la práctica de notificaciones administrativas, hay que tener en cuenta que la acreditación de su constancia fehaciente resulta menos sólida y garantizada que lo que pueda afectar a medios que utilicen instrumentos públicos. Recordemos que de conformidad con lo dispuesto en el artículo 46.4 de la LRJ tiene la consideración de documento público administrativo los documentos válidamente emitidos por los órganos de las administraciones públicas; por su parte la Ley de enjuiciamiento civil señala que, a efectos de prueba en el proceso, se consideran documentos públicos los expedidos por funcionarios públicos legalmente facultados para dar fe en lo que se refiere al ejercicio de sus funciones.

La jurisprudencia se ha pronunciado sobre los efectos de este tipo de notificación señalando que si bien la normativa sobre procedimiento administrativo establece que las notificaciones se realicen mediante oficio, carta, telegrama o cualquier otro medio que permita tener constancia de la recepción, de la fecha y de la identidad del acto notificado, si se trata de oficio o carta deberá unirse al expediente el resguardo del certificado y por ello es evidente que por si solo el resguardo de la empresa de mensajería no puede `producir con el grado de fehaciencia pertinente y necesario los efectos pretendidos; por otra parte tampoco puede imputarse con la garantía precisa de certeza que se precisa en un ámbito oficial al interesado el resguardo de la factura expedida por la empresa de mensajería sin que en la misma se consigne la expresión duplicado de notificación para el transmitente, además de no haberse trasmitido el texto íntegro del acto. En cualquier caso el tribunal otorga a estos documentos la categoría de documentos privados.

Otra sentencia del Tribunal Supremo declaró que ante la práctica de notificación a través de una empresa de mensajería que si bien la ley dispone que las notificaciones administrativas se realizarán mediante oficio, carta, telegrama o cualquier otro medio que permita tener constancia de su recepción, de la fecha y de la identidad del acto notificado no hay que olvidar que cuando se trata de oficio o carta deberá procederse uniendo al expediente el resguardo del certificado, presentando el oficio en la oficina de correos en sobre abierto para ser fechados y sellados por el agente antes de ser certificados y por ello cuando no se cumple este requisito es evidente que el resguardo de la empresa de mensajería, por sí solo, no puede producir los efectos pretendidos con el grado suficiente de garantía fehaciente, además como en el caso de autos no se hizo constar la identidad del acto notificado no hay certeza alguna del contenido del acto que se notificó, ni de la identidad del notificador, ni de la relación con el interesado de la persona que se hizo cargo de la notificación y aún más, ni siquiera puede afirmarse con seguridad la realidad de la existencia del resguardo del envío, toda vez que lo que obra en el expediente es una simple fotocopia. Por todo lo cual el Tribunal Supremo declara que al no hacerse constar los elementos antedichos en el expediente no se cumplieron los más elementales requisitos legales para poder entender como válidamente practicada la notificación lo que implica una falta de garantía de que la notificación llegase a manos de la persona destinataria de la misma, no pudiendo, en consecuencia declararse la legalidad de la notificación en las referidas condiciones.

Ambas sentencias coinciden en el débil valor probatorio de la documentación que queda en el expediente administrativo cuando la misma ha sido causada o emitida por una entidad privada, frete a las garantías que ofrecen los documentos públicos.

No obstante aunque la legislación actual no impide la práctica de notificaciones administrativas a través de empresas privadas de mensajería, hay que reconocer que su empleo puede atrae importantes complicaciones que afectan a la seguridad jurídica, pues una empresa de mensajería suele ofrecer, al margen de su coste económico, una mayor rapidez que la que suelen emplear los servicios de correos y si `para la entrega de la notificación se acudió al sistema de mensajería, no se planteará problema alguno si el interesado firmó su recepción y asumió los efectos correspondientes interponiendo el recurso correspondiente en plazo y forma; sin embargo ante una negativa del interesado a recibir la entrega o ante posteriores problemas adicionales, la prueba documental generada por la entrega de la empresa no tendrá el valor que la ley otorga a los documentos públicos. Por ello y siendo la administración pública la interesada en la eficacia del acto a ella le incumbe la práctica de la prueba de manera que el propio Tribunal Supremo tiene declarado que cuando el interesado declara que las notificaciones no se llevaron a corresponde a la administración probar que fueron legalmente practicadas, toda vez que se trata de «diligencias administrativas» que deben constar en algún expediente.

Por todo ello puede concluirse que la aportación de un documento firmado por un empleado público incorpora un grado de certeza y veracidad muy superior al que puede aportar un documento privado y en consecuencia la eficacia en la práctica administrativa habitual que ofrecen los demás medios tradicionales para la práctica de notificaciones no tiene parangón al valor probatorio del documento aportado por una empresa de mensajería y mucho más aún cuando se haya producido ausencia del destinatario o rechazo de la notificación, pues ante estas situaciones la solución más adecuada de cara a un futuro procedimiento probatorio es la firma de dos testigos presenciales, plenamente identificados que avalen con su testimonio los intentos frustrados de la empresa a la entrega de la notificación que no haya podido ser practicada debido al comportamiento del destinatario; por otra parte parece más compleja la aplicación a esta vía de los dos intentos de entrega que ordena la LRJ ante la ausencia de cualquier persona que pueda hacerse cargo de la notificación.

Por todo lo anterior es conveniente tener en cuanta para la práctica profesional de las administraciones públicas en materia de un diseño eficaz y adecuado de un sistema de notificaciones a través de empresas de mensajería que cuando vaya a contratarse este servicio se especifique en los pliegos de cláusulas administrativas particulares de los contratos correspondientes el detalle de todos los datos que la empresa adjudicataria responsable de este servicio deberá cumplimentar en cada caso, con el fin de preservar la fuerza probatoria de los intentos desplegados en los casos de notificación frustrada. Dichos datos pueden resumirse en los siguientes:

a) Identidad y firma de la persona receptora de la notificación, junto con la fecha y hora en que se llevó a cabo la entrega.

b) Si nadie se hace cargo de la notificación, sea por ausencia o porque la persona presente decline su responsabilidad, deberán indicarse las circunstancias que rodearon el intento junto a la fecha y la hora junto a la firma del empleado de la empresa de mensajería.

c) El segundo intento, realizado de acuerdo con los requisitos que exige la LRJ, si alguien recoge la notificación debe estampar su firma y declarar su identificación, datos que deberán quedar consignados en la documentación del agente notificador. En el caso de que nadie pueda o quiera hacerse cargo será conveniente hacer constar este extremo con las firmas de dos testigos que lo avalen.

d) Envío de toda la documentación debidamente cumplimentada a la administración correspondiente, para su incorporación al expediente.

A pesar de que se cumplimente todos estos requisitos los tribunales, en muchas ocasiones, acusan la falta de identificación del acto notificado, dado que aunque pudiera acreditarse que la administración envió algo al ciudadano a través de una empresa de mensajería, la utilización de este medio impide identificar suficientemente y con valor fehaciente que es lo que se remitió al interesado.

9. AGENTE DE LA AUTORIDAD

Aunque la LRJ establece la forma de los actos administrativos que se producirán por escrito a menos que su naturaleza exija o permita otra forma más adecuada de constancia y expresión, ello no impide la existencia de otros actos cuya naturaleza resulta incompatible con la forma escrita, como puede ser el acto de advertencia conminatoria de las fuerzas de orden público a quienes se manifiestan de manera ilegal, la orden de detención inmediata de un vehículo realizada por un agente de al autoridad o los actos que se llevan a cabo en el ámbito de las relaciones administrativas, supuestos todos en los que la forma oral es la más adecuada a la práctica y a su naturaleza.

Fuera de dichos casos excepcionales en el derecho administrativo rige el principio general de escritura de los actos, lo que significa que únicamente cuando la naturaleza del acto exija o permita la forma verbal podrá emplearse esta forma de producción.

En algunas ocasiones esta cuestión se ha dirigido hacia la materia de las notificaciones por actos concluyentes asimilando su presencia ala actuación, propia, de la autoridad gubernativa o de sus agentes, en la exteriorización de medidas de policía, donde la urgencia impuesta por las circunstancias se sobrepone a la presencia de las notificaciones escritas.

La notificación por actos concluyentes se deriva de la exteriorización de las medidas de policía y actuaciones gubernativas en donde la urgencia impuesta por las circunstancias relega la presencia de las notificaciones escritas a un papel secundario. En ciertos casos un agente de la autoridad puede producir una voluntad administrativa eficaz y ejecutarla de manera inmediata por sí mismo sin más trámites de manera que la ejecución misma viene a ser la única exteriorización de la voluntad adoptada que tiene la función de una notificación por actos concluyentes que puede no estar sujeta a formalidades previamente establecidas y además puede inferirse de las circunstancias que el destinatario es susceptible de percibir. Este tipo de notificación por actos concluyentes debe suponerse cuando la actuación administrativa sea de tal claridad y determinación, que de la misma se concluya la voluntad indiscutible de la administración, teniendo en cuenta que el conocimiento de dicha voluntad no puede deducirse de expresiones dudosas o actos de significación equívoca que producen situaciones de inseguridad jurídica o de indefensión para el ciudadano. El tribunal supremo ha reconocido este tipo de notificaciones declarando que el acto administrativo debe resultar probado por actos concluyentes que pongan de manifiesto, de modo claro y rotundo, que se ha producido el mismo.

Un ejemplo de las competencias reconocidas en la intervención administrativa de policía se encuentra en el Reglamento General de Policía de Espectáculos y Actividades Recreativas donde se ordena a la Autoridad gubernativa competente, la notificación inmediata a los organizadores de los espectáculos públicos, actos deportivos o actividades recreativas, de las causas taxativamente determinadas por las que hayan de suspenderse aquellos.

Por otra parte la LRJ dispone, en sus artículos 56 y 57, que los actos de las administraciones públicas son ejecutivos y producen efectos desde la fecha en que se dicten, eficacia que únicamente queda demorada cuando esté supeditada a la notificación; por su parte la Ley Orgánica 17/1992 de Seguridad Ciudadana también responde a este concepto de actos inmediatamente ejecutivos, sin necesidad de mediar notificación que demore su eficacia, así iniciado el expediente sancionador podrán adoptarse medidas cautelares imprescindibles para el normal desarrollo del procedimiento, evitar la comisión de nuevas infracciones o asegurar el cumplimiento de la sanción que pudiera imponerse. Excepcionalmente en supuestos de posible desaparición de las armas o explosivos, de grave riesgo o de peligro inminente para personas o bienes, las medidas podrán ser ordenadas directamente por los agentes de la autoridad, debiendo ser ratificadas o revocadas por ésta en el plazo máximo de cuarenta y ocho horas.

10. LOS MEDIOS MODERNOS DE NOTIFICACIÓN

El desarrollo de nuevas tecnologías ha obligado a las administraciones públicas a asumir nuevas pautas de trabajo reconocimiento que se recoge de manera indubitada en la LRJ cuya exposición de motivos señala que la notificación de los actos administrativos regulada en dicha ley abre la posibilidad de medios de notificación diferentes a los tradicionales que, sin merma de las necesarias garantías de autenticidad, permitan su agilización mediante el empleo de nuevas tecnologías de trasmisión de la información superando la limitación de la exclusividad del domicilio del interesado como lugar de notificaciones y que la propia jurisprudencia del Tribunal Supremo ha respaldado declarando hace dos décadas que las innovaciones tecnológicas pueden y deben incorporarse al acervo procesal en la medida en que son expresión de una realidad social que el Derecho no puede desconocer. De este modo la LRJ introdujo un reconocimiento formal de la validez de documentos y comunicaciones emitidos por vía informática señalando su apertura decidida a la tecnificación y modernización de las actuaciones administrativas y adaptación permanente al ritmo de las innovaciones tecnológicas lo cual supone una apuesta a favor de reconocer valor legal y probatorio la las técnicas modernas abrió la posibilidad real a medios de notificación diferentes de los tradicionales superando la tradicional exclusividad del domicilio del interesado como lugar de notificaciones.

La LRJ dispone en su artículo 45 que las Administraciones públicas impulsarán el empleo y aplicación de las técnicas y medios electrónicos, informáticos y telemáticos para el desarrollo de su actividad y el ejercicio de sus competencias, con las limitaciones que a la utilización de estos medios establecen la Constitución y las leyes.

A efectos de práctica administrativa y, aunque la LRJ unifica en el mismo precepto medios tan dispares para darles el mismo reconocimiento, conviene delimitar el contenido de cada uno de estos medios:

a) Medios electrónicos son aquellos que utilizan estos sistemas para desarrollo de una actividad; entre ellos se incluye el fax, cuyo soporte es el papel en escritura tradicional, pero su producción es tratada de manera informática.

b) Medios informáticos son aquellos que simplemente se manifiestan en un soporte diferente al papel por ejemplo ordenadores personales.

c) Medios telemáticos son aquellos que permiten el diálogo o intercambio de mensajes entre diferentes equipos informáticos como por ejemplo Internet.

Este mandato legal pone de manifiesto la apuesta de la citada Ley por todos los medios que incluyen nuevas tecnologías para intervenir en la vida de la administración, lo cual no es exclusivo de la administración pública sino que además los propios ciudadanos están facultados por esta ley para relacionarse con las administraciones públicas por estos medios y mucho más desde la entrada en vigor de la Ley 11/2007 de Acceso electrónico de los ciudadanos a las administraciones públicas que examinamos más adelante. A este efecto hay que recordar la Orden del Ministerio de Administraciones Públicas de 14 de abril de 1999 por la que se establecieron criterios para la emisión de la comunicación a los interesados, prevista en el artículo 42.4 de la LRJ señalando que dicha comunicación deberá remitirse al lugar que el interesado haya indicado en su solicitud a los efectos de recibir notificaciones y preferentemente por el medio señalado en la misma; en la misma línea el contenido del Real Decreto por el que se regula la presentación de solicitudes, escritos y comunicaciones ante la Administración General del Estado; esta posibilidad vino a traducirse en la práctica administrativa en el reconocimiento de la validez e incorporación del Electronic Data Interchange— Intercambio Electrónico de Datos (EDI) que puede definirse como el intercambio o transferencia de datos preparados o formateados de manera estándar entre las diferentes aplicaciones que funcionan en los ordenadores de asociados con un mínimo de intervención manual su utilidad se debe al alto grado de seguridad, rapidez y eficacia que se consigue a través de la codificación de documentos, además su eficiencia y economía hacen de él un instrumento adecuado para optimizar las comunicaciones en las administraciones públicas dado el gran volumen de trabajo procedimental existente en las mismas, además de la necesidad de agilizar las actuaciones administrativas y los principios rectores de colaboración e interrelación que deben regir la actividad de todas las Administraciones públicas, se trata de un instrumento imprescindible para sectores estratégicos de la administración como por ejemplo la contratación administrativa desarrollada a través de sistemas avanzados.

Apoyando la utilización de estos procedimientos y posibilidades de comunicación pueden encontrarse ejemplos como la Orden del Ministerio de Administraciones Públicas citada anteriormente en cuyo punto tercero decide que la comunicación dirigida al interesado debe señalar los medios (4) a los que acudir para obtener información sobre el estado de tramitación del procedimiento y al referirse a los procedimientos iniciados de oficio hace igual precisión debiéndose comunicar a los interesados esos medios a los que puede acudir a pedir información; es también de reseñar la instrucción reguladora de la tramitación del procedimiento administrativo en el ámbito del Ministerio de Defensa (5) que señala la obligación que tiene el órgano competente para la instrucción del procedimiento de que se trate, de dirigir una comunicación al interesado que deberá contener, entre otros datos, número de teléfono o fax, dirección postal o de correo electrónico u otro medio al que acudir para obtener información sobre

---

(4)   Dirección postal, correo electrónico, teléfono, fax, etcétera.
(5)   Instrucción 167/1999 de la Subsecretaría de Defensa.

el estado de tramitación del procedimiento. Sin embargo la utilización de estos medios por parte de los administrados ha ido más allá de la simple comunicación pues la citada instrucción autorizó, expresamente, la presentación de solicitudes de inicio formuladas por el personal en soporte papel o por medios informáticos, electrónicos o telemáticos., en cuyo caso el recibo será expedido de acuerdo con las características del soporte, medio o aplicación y reunir los requisitos exigidos para el soporte papel.

A este respecto hay que recordar que el artículo 45 de la LRJ dispone que los documentos emitidos, cualquiera que sea el soporte, por medios electrónicos, informáticos o telemáticos por las Administraciones públicas o los que éstas emitan como copias de originales almacenados por estos mismos gozarán de de la validez y eficacia del documento original siempre que quede garantizada su autenticidad, integridad y conservación así como la recepción por el interesado, además del cumplimiento de las garantías y requisitos por las leyes.

En primer lugar debe garantizar la identificación y autenticidad documental impidiendo su posible falsificación, suplantación o manipulación; pero además debe quedar garantizada la autenticidad e identidad de los comunicantes de manera que quede verificado que cada uno de ellos es quien dice ser en la comunicación (6).

En lo que respecta a la integridad el soporte debe garantizar que el documento está completo y mantiene su unidad, sin que pueda faltar ninguna de sus partes n i modificarse de manera que el mensaje emitido coincida con el recibido.

En lo que hace a la conservación, el soporte debe asegurar ésta evitando el deterioro o pérdida total o parcial del documento así como su destrucción; de este modo el medio utilizado debe garantizar la perdurabilidad o constante disponibilidad de la prueba o demostración de la transmisión realizada, de manera que sea posible acreditar su existencia en cualquier momento.

Una cuestión importante cuando hablamos de los medios electrónicos, informáticos y telemáticos es el aspecto de la seguridad pues el uso de estos medio solo es aceptado en la medida en que se garantice la recepción del mensaje por parte del interesado dejando constancia de la fecha a lo cual se han buscado soluciones en diferentes ordenamiento jurídicos, así el Derecho norteamericano ha sido pionero en esta materia creando la figura del «No repudiation» o no repudio mediante la cual se protege a ambas partes de la negativa de cualquiera de ellas de que dicha comunicación haya ocurrido teniendo en cuenta que los mecanismos más efectivos para obtener el no repudio son los certificados y las firmas de los interesados con la participación de fedatarios; con esta intención la Ley 66/1997, de 30

---

(6)   Que coincidan el autor aparente y el autor real.

de diciembre de Medidas fiscales, administrativas y del orden social encomendó a la Fábrica Nacional de Moneda y Timbre la producción de bienes y prestación de servicios relacionados con el ámbito oficial, comenzándose a aplicar nuevas tecnologías de la información en el sistema de relación de los ciudadanos con las administraciones públicas sobre todo en lo que se refiere a la seguridad, validez y eficacia de la emisión y recepción de comunicaciones y documentos. El Real Decreto 1290/1999 desarrolló la citada Ley en este aspecto, de manera que su artículo 3 garantiza la seguridad de las comunicaciones electrónicas, informáticas y telemáticas de los servicios técnicos y administrativos de la Administración General del Estado y su apartado 1 hace referencia expresa, en la letra c), a la práctica de las notificaciones a través de medios modernos señalando que los servicios técnicos y administrativos son los que permiten acreditar la prestación, o en su caso, la recepción por el destinatario de notificaciones, comunicaciones so documentación., y continúa, en el artículo siguiente, disponiendo que las notificaciones, comunicaciones so documentación, o las copias de éstos, emitidos o recibidos a través de técnicas electrónicas, informáticas o telemáticas en relación con los que la citada fábrica nacional haya prestado gozan de presunción de validez y eficacia en los términos previstos por la LRJ cuyo artículo 45, desarrollado por numerosa normativa reglamentaria, impone a las administraciones públicas una modernización en todas sus actuaciones lo cual incluye de manera prioritaria lo que se refiere a las notificaciones administrativas, no obstante en este ámbito todavía encontramos obstáculos en el riguroso formalismo que rodea esta materia, formalismo necesario para garantizar la seguridad jurídica de los ciudadanos y de la propia administración, de manera que la necesidad de una red integrada que permitiera el flujo de información facilitando el curso de las comunicaciones la mayor parte de las notificaciones oficiales sigue practicándose a través del sistema de correo tradicional y es que en la comunicación o informática y telemática no resulta posible plasmar la firma manuscrita que deje constancia indubitada de la identidad de su autor, toda vez que la firma electrónica todavía no ha generado el grado de confianza y aceptación necesarios por parte de los usuarios que muchas veces estiman su fácil colocación al pie de un documento sin que el titular de la misma tenga conocimiento de ello.

11. NOTIFICACIONES Y ACCESO ELECTRÓNICO A LOS SERVICIOS PÚBLICOS

La Ley 11/2007, de 22 de junio, de acceso electrónico de los ciudadanos a los servicios públicos dispone que los ciudadanos pueden elegir la manera de comunicarse con las administraciones públicas, sea o no por medios electrónicos, excepto en aquellos casos en los que se establezca por una norma con rango de Ley, o se deduzca de la misma, la utilización de un medio no electrónico. De todos modos la opción de comunicarse por un medio u otro no supone vinculación para el ciudadano, que puede optar en cualquier momento por un medio diferente de que haya escogido al inicio del procedimiento. Por su parte las administraciones públicas deben utilizar medios electrónicos en sus comunicaciones con los ciudadanos siempre que así lo hayan solicitado o consentido expresamente, las comunicaciones por medios electrónicos son válidas siempre que exista constancia de la transmisión y recepción de sus fechas, del contenido íntegro de las comunicaciones y se identifique de manera fidedigna al remitente y destinatario de las mismas.

La citada Ley 11/2007, establece en su artículo 28 que para que la notificación se practique utilizando algún medio electrónico se requiere que el interesado haya señalado dicho medio como preferente o haya consentido su utilización, sin perjuicio de lo dispuesto en la propia Ley; tanto la indicación de preferencia como el uso de medios electrónicos y el consentimiento podrán emitirse y recabarse por medios electrónicos. Además el sistema de notificación permitirá acreditar la fecha y hora en que se produzca la puesta a disposición del interesado del acto objeto de notificación, así como la de acceso a su contenido, momento a partir del cual la notificación se entenderá practicada. No obstante si hay constancia de la puesta a disposición y transcurren diez días sin que se acceda a su contenido se entenderá que la notificación ha sido rechazada con las consecuencias legales que correspondan, salvo que, de oficio o a instancia del destinatario se compruebe la imposibilidad de acceso. Con todo durante la tramitación del procedimiento el interesado puede requerir al órgano correspondiente que las notificaciones sucesivas no se practiquen por medios electrónicos usándose los demás medios admitidos por la LRJ. Con todo el acceso electrónico por los interesados al contenido de las actuaciones administrativas correspondientes, producirá los efectos propios de la notificación por comparecencia siempre que hubiera quedado constancia de dicho acceso.

A la vista de todo ello puede concluirse que la ley considera que la Resolución y la notificación son actuaciones administrativas distintas con objeto y finalidad diferente y autónoma, tanto en el procedimiento administrativo normal como en el procedimiento electrónico, lo cual no significa que ambas puedan figurar en un mismo soporte documental. La inclusión de la notificación como parte del documento que contiene el acuerdo o la resolución, tiene la ventaja de conocer los efectos de aquella misma las actuaciones de la administración.

Los requisitos legales del contenido de toda notificación oficial de la administración pública pueden garantizarse en un solo acto documental evitándose la repetición de nuevo en el documento de notificación la reproducción del texto completo de la Resolución o Acuerdo, lo cual supone no solo un paso importante hacia la tendencia general de la administración a racionalizar y simplificar trámites procedimentales; pero además también asegura una serie de garantías adicionales para los interesados en lo que hace a la autenticidad de la notificación en los siguientes aspectos:

a) En relación con la firma o acreditación de la notificación por parte del titular del órgano emisor del acto objeto de notificación.

b) Sobre el cumplimiento del plazo legal, toda vez que puede cursarse notificación en el momento en que el titular del órgano competente firme la resolución.

c) La eliminación de notificaciones defectuosas por errores de trascripción.

Cuando la notificación se lleva a cabo utilizando medios telemáticos, el interesado debe señalar dicho medio como preferente consintiendo expresamente su utilización, identificando además la dirección electrónica correspondiente. En estos casos la notificación se entiende practicada a todos los efectos en el momento en que tenga lugar el acceso consentido en la dirección electrónica. Por otro lado hay que entender que la notificación ha sido rechazada, cuando, a pesar de existir constancia de la recepción en la dirección electrónica, transcurran diez días naturales sin acceder a su contenido todo ello salvo que se compruebe efectivamente la imposibilidad técnica o material de llevara acabo el citado acceso.

La Ley 11/2007 de acceso electrónico regula el cómputo de plazos que es tan importante en materia de notificaciones señalando que los registros electrónicos deben regirse a estos efectos por la fecha y hora de la sede electrónica de acceso que debe contra con medidas de seguridad que garanticen su integridad y que además estén visibles, además estos registros deben permitir la presentación de solicitudes, escritos y comunicaciones durante las veinticuatro horas de todos los días del año. A los efectos del cómputo fijado en días hábiles o naturales, y en lo que se refiere a cumplimiento de plazos por los interesados, la presentación en un día inhábil se entiende realizada en la primera hora del primer día hábil siguiente, salvo que una norma permita, expresamente, la recepción en día inhábil. El inicio del cómputo de los plazos que deban cumplir los órganos administrativos y entidades de derecho público viene determinado por la fecha y hora de presentación en el registro o por la fecha y hora de entrada en el registro destinatario. En cualquier caso la fecha efectiva del inicio del cómputo de plazos debe ser comunicada a quien haya presentado el escrito, solicitud o comunicación.

Por otra parte las notificaciones administrativas electrónicas, la concesión de periodos de alegaciones o requerimientos de presentación de documentos por medios electrónicos en procedimiento administrativos por medios electrónicos iniciados de oficio no tendrán eficacia si no consta la aceptación del interesado.

12. NORMATIVA AUTONÓMICA SOBRE NOTIFICACIONES ELECTRÓNICAS

Las notificaciones electrónicas se han regulado por leyes de las Comunidades autónomas y aquí haremos referencia, por los avances y garantías ciudadanas que incluye, a una de las más recientes que es la Ley 11/2007, de 4 de abril, de la Comunidad Autónoma de Navarra para la implantación de la Administración electrónica en dicha comunidad autónoma regula la práctica de las notificaciones electrónicas en varias disposiciones exigiendo expresamente que la notificación de resoluciones administrativas que pongan fin a un procedimiento administrativo deben explicitar en su contenido los siguientes elementos:

a) Identidad del órgano que la haya adoptado y además la del órgano que la traslada.

b) Competencia del órgano emisor de la Resolución.

c) Contenido íntegro de la Resolución.

d) Fecha de emisión.

e) Siempre que se considere necesario, una identificación correlativa, compuesta por el número de orden de la resolución, el número de expediente, año y código del procedimiento de que se trate.

f) Indicación de si es o no definitiva en la vía administrativa, con expresión de los recursos que procedan contra ella, el plazo para su interposición y el órgano ante el que deban formularse. Cuando se trate de recursos administrativos, deben especificar la dirección electrónica en la que pueden presentarse.

Con respecto a las notificaciones en la dirección electrónica la ley señala que estas notificaciones administrativas electrónicas solo pueden practicarse cuando así se haya manifestado expresamente al destinatario o lo haya aceptado a propuesta del correspondiente órgano u organismo público; por otra parte la notificaciones de actos administrativos deben practicarse en la dirección de correo electrónico que haya señalado el interesado.

La Ley exige que el sistema de notificación electrónica empleado por la Administración debe acreditar las fechas y horas en que se produzca la recepción de la notificación en la dirección electrónica del interesado y el acceso de éste al contenido del mensaje de notificación, así como cualquier causa técnica que imposibilite alguna de estas circunstancias.

A efectos de mantener un grado adecuado de coherencia y seguridad jurídica la ley dispone que la dirección electrónica del interesado es única para todas las notificaciones que deban practicarse en el procedimiento administrativo electrónico y en los procedimientos que puedan relacionarse con él como recursos, reclamaciones u otros; esta dirección debe garantizar las siguientes circunstancias:

a) Exclusividad de su uso.

b) Contar con sistemas de autenticación que garanticen la identidad del usuario.

c) Disponer de mecanismos de cifrado para proteger la confidencialidad.

d) Cualquier otro requisito que se fije normativamente.

La dirección única del interesado tendrá vigencia indefinida excepto en el supuesto en que el titular solicite expresamente su revocación, en caso de fallecimiento de la persona o extinción de la entidad titular, cunado una resolución administrativa o judicial así lo establezca o por el transcurso del plazo de tres años sin que se haya utilizado para la práctica de notificaciones, supuesto en que se inhabilitará la dirección electrónica única poniéndolo en conocimiento del interesado. Por otra parte la ley autoriza a que la administración pueda hacer uso de esta dirección electrónica única en otros procedimientos diferentes siempre que este uso tenga como finalidad la localización del interesado o hacerle llegar un acto administrativo concreto para su conocimiento efectivo sin que esta notificación pueda sustituir a la que proceda de acuerdo con la ley.

Por otra parte el interesado también podrá facilitar a la Administración otras direcciones o uno o varios números de teléfono móvil a las que ésta pueda hacer llegar avisos auxiliares de que se ha realizado o intentado la notificación electrónica o de que ésta se encuentra pendiente, en estos casos y desde un punto de vista de la práctica administrativa es aconsejable dejar constancia de ello en el expediente mediante diligencia que incorpore los datos del número de teléfono móvil hora y fecha del mensaje telefónico, etcétera. Por otra parte la Ley navarra también reconoce, tanto a la administración como al interesado, el derecho a modificar sus direcciones de correo electrónico inicialmente indicadas siempre que se aleguen para ello causas justificadas.

En lo que se refiere a la práctica administrativa de las notificaciones electrónicas la Ley de la Comunidad Autónoma de Navarra dispone que la notificación administrativa electrónica se entenderá practicada personalmente al interesado, a todos los efectos legales, en el momento en el que se acceda al mensaje electrónico remitido a la dirección de correo electrónico que el interesado hubiera facilitado. Para ello, la administración establecerá la aplicación correspondiente que permita conocer la hora y fecha de acceso al mensaje electrónico y guardará dicho dato en el procedimiento administrativo electrónico. El acceso al mensaje electrónico presume que se accede al contenido del acto administrativo notificado y que quien accede a dicho contenido es el interesado.

Cuando, haya constancia de la recepción de la notificación en la dirección de correo electrónico indicada y, transcurran diez días naturales sin que se acceda a su contenido, se entenderá que la notificación ha sido rechazada, salvo que, de oficio o a instancia del destinatario se compruebe la imposibilidad técnica o material del acceso.

Si la notificación electrónica no fuera posible por problemas técnicos, la administración autonómica competente debe practicar la notificación de forma convencional.

Por otra parte en los procedimientos iniciados de oficio la citada Ley navarra dispone que las notificaciones administrativas electrónicas no tendrán eficacia cuando no conste la aceptación del interesado y se entenderá que dicha aceptación existe cuando el propio interesado la otorgue, expresamente, o, sin haberla otorgado, realice actos que conlleven a la misma.

La Ley navarra también regula como notificaciones electrónicas especiales cuando se entienda necesario proteger el derecho fundamental a la intimidad personal o familiar de la persona interesada o concurran otras circunstancias especiales de seguridad, secreto o discreción, la administración podrá informar a la parte interesada que la resolución o documento se encuentra disponible en un servidor, base de datos u otro enlace o vínculo designado al efecto, para que la parte interesada o su representante autorizado lo localice y recupere. Estos deberá identificarse en el momento de recuperar la resolución o documento, además para la identificación deberá utilizarse un método de identificación seguro y fiable; con todo la notificación se considerará realizada cuando el documento haya sido recuperado del enlace o vínculo designado por la Administración, además si la notificación no ha sido recuperada en el plazo de diez días hábiles desde que se haya informado de su disponibilidad, podrá acudirse a los demás sistema s de notificación.

La ley autonómica a que nos estamos refiriendo regula el Tablón de anuncios electrónico insertado en el Portal web de Internet del Gobierno de Navarra y sus organismos públicos, en el que la Administración de la Comunidad Foral de Navarra y sus organismos públicos podrán incluir la notificación de actos administrativos cuando los interesados en un procedimiento sean desconocidos, se ignore el lugar de la notificación o, intentada la misma, no se hubiese podido practicar.

Este tablón de anuncios electrónico tiene validez previa habilitación normativa del Gobierno autonómico y la notificación en dicho tablón sustituye a la obligación de la administración de practicar la notificación personal al interesado en el tablón de edictos de su ayuntamiento, sin embargo no excluye la obligación de hacerlo en el Boletín Oficial de la Comunidad Autónoma.

La ley establece que la publicación en el tablón de anuncios electrónico sustituye a la notificación y surte sus mismos efectos en los casos siguientes:

a) Cuando el acto tenga por destinatarios a una pluralidad indeterminada de personas.

b) Cuando la Administración estime que la notificación legal efectuada a un solo interesado no sea suficiente para garantizar el conocimiento del acto por parte de todos los demás posibles interesados, siendo en este caso, adicional a la notificación efectuada.

c) Cuando la Administración estime que la notificación legal efectuada a un solo interesado no sea suficiente para garantizar el conocimiento del acto por todos los demás posibles interesados, siendo el anuncia en este último caso, adicional a la notificación realizada.

d) Cuando se trate de actos integrantes de un procedimiento selectivo o de concurrencia competitiva de cualquier tipo, en cuyo caso se efectuarán en este tablón las sucesivas publicaciones, careciendo de validez las que se lleven a cabo en lugares diferentes, indicándose esta circunstancia en la convocatoria del procedimiento.

De todos modos el tablón de anuncios electrónicos tiene la consideración legal de sede electrónica, por lo que la publicación de actos y disposiciones en el mismo tiene el mismo valor que el que se atribuye a la publicación en el Boletín oficial de la Comunidad Autónoma.

13. NOTIFICACIONES POR FAX Y BUROFAX

Aunque suele considerarse al fax como medio válido para realizar este tipo de comunicaciones administrativas como se ha declarado expresamente por resolución judicial (7) hay que reconocer que resulta difícil acreditar su recepción por el interesado, con lo cual en la práctica profesional de notificaciones administrativas su validez queda en entredicho; a pesar de ello hay que recordar que el informe de su actividad deja siempre constancia suficiente de los requisitos mínimos que debe contener una notificación dado que estas transmisiones imprimen en el encabezamiento de las páginas remitidas los datos sobre la fecha y hora de la recepción dejando, además constancia de los números de teléfono del remitente y del receptor, documentación que, unida a las incidencias que sucedan en su envío y que por lo general quedan reflejadas en la remisión, debe conservarse en el expediente junto con el mensaje de confirmación de envío.

La jurisprudencia sobre la validez de comunicaciones oficiales mediante fax es variada desde las que la han rechazado (8) hasta las que la han aceptado plena-

---

(7)   La Audiencia Provincial de Guipúzcoa (Sección 1.ª Penal) por ejemplo declaró expresamente en un auto de 21 de enero de 1997 que la remisión de escritos vía fax causa muchos menos problemas organizativos a los órganos judiciales que la presentación de ellos en los juzgados de guardia ya que la presentación vía fax es conocida inmediatamente por el juzgado mientras que entre la presentación del escrito en el juzgado de guardia y la recepción por el juzgado destinatario pasa un lapso de tiempo más o menos largo.

(8)   STSJ Cataluña de 17.2.1997 negó todo reconocimiento al fax como medio adecuado para llevar a cabo determinadas comunicaciones con la Administración, en el mismo

mente (9) y concretamente referido a notificaciones administrativas alguna sentencia declaró que la LRJ establece en su artículo 59 que notificaciones se practiquen por cualquier medio que permita tener constancia de la recepción por el interesado o su representante, así como de la fecha, la identidad y el contenido del acto notificado (10); por su parte el Tribunal Supremo también ha dado en diversas sentencias plena validez a la práctica de notificaciones mediante fax declarando que las notificaciones pueden practicarse por cualquier medio que permita tener constancia de la recepción por el interesado o su representante, así como de la fecha, la identidad y el contenido del acto notificado, de acuerdo con lo que establece la Ley 30/1992 LRJ en su artículo 59.1 (11) y finalmente el Tribunal Constitucional que ha favorecido la utilización del fax que hace compatible la buena marcha del procedimiento y la flexibilidad adecuada para facilitar al interesado la defensa en juicio de sus derechos, entendiendo que la utilización de medio actuales como el fax constituyen un instrumento adecuado para facilitar al ciudadano la defensa en juicio de sus derechos aun cuando no se encuentre recogido expresamente en las normas procesales correspondientes, toda vez que la pronta ejecución con que pueden efectuarse estos medios de comunicación, tiene mucho que ver con la garantía de los derechos de los ciudadanos con la tutela judicial efectiva.

No obstante hay que reconocer que puede suscitar justas dudas la fecha que, a efectos de cómputo de plazos, haya de darse a una notificación remitida por fax en un día inhábil en el municipio de residencia del interesado, en cuyo caso y haciendo una interpretación flexible y extensiva del artículo 48 de la LRJ lo más adecuado en la practica profesional actual de la administración sería tener por notificado al destinatario en el siguiente día hábil. Cuando el interesado sea una persona jurídica pública, la notificación así practicada debe tener su entrada en el registro también en el primer día hábil a partir del recibo del fax en consonancia con lo que dispone la propia LRJ en su redacción actual (12).

---

sentido la STS de 12.12.1997 de la Audiencia provincial de Baleares donde se destaca la falta de acreditación de entrega al interesado que ofrece el fax lo cual califica como «carencia probatoria». La Audiencia provincial de Albacete rechazó la validez del fax declarando que un fax carece absolutamente de fuerza probatoria ya que no es más que una fotocopia remitida por teléfono, sin garantía ni de autenticidad del documento ni de la persona que lo remite (S: 31.3.1999).

(9)   STSJ de Madrid de 13.10.1998 declaró con respecto al fax que el auxiliarse de medio telemáticos permitidos en el artículo 45.2 de la LRJ es de «absoluta operancia».

(10)   STSJ Navarra 16.4.1999. En el mismo sentido la Audiencia provincial de Vizcaya declaró que el modo de practicar notificaciones se extiende a cualquier medio técnico que permita la constancia de su práctica. Sin duda que el fax es uno de los medios técnicos, aunque es dudoso que de todos los que se envían quede constancia de la fecha. Auto de 10.2.1999.

(11)   STS 12.11.1999.

(12)   Art. 38.9 dela LRJ.

De todos modos no hay que olvidar que aceptabilidad del empleo del fax para la práctica de notificaciones administrativas ha rebasado la esfera judicial para consolidarse en el ámbito normativo del derecho administrativo especial y como ejemplo de ello puede citarse la Ley de Marcas cuyo artículo 29, que parte de la obligación de ajustar la práctica de notificaciones que debe llevar a cabo la Oficina Española de Patentes y Marcas a las disposiciones de la LRJ, dispone que cuando el interesado así lo solicite, las notificaciones deben realizarse mediante telefax o por cualquier otro medio técnico del que disponga la citada oficina (13) quedando su utilización sometida, en cualquier caso, a la solicitud que haya realizado el destinatario.

El Burofax introduce algo más de seguridad en el envío aunque solo sea por la mediación que ejerce la Sociedad de Correos y Telégrafos toda vez que el burofax, o fax público, consiste en el envío a distancia de un texto o imagen, del que queda constancia fehaciente tanto de su contenido como de su recepción; siendo trascendental el valor de la prueba del envío ante terceros. La información facilitada por burofax es superior al ofrecido por la carta certificada o el telegrama, pues aquel certifica no solo que se ha enviado determinada información a un tercero y que ese tercero la ha recibido, sino que además certifica el contenido de lo enviado (14). Por ello y por la mayor seguridad que aporta el acuse de recibo que acompaña al burofax, debe considerarse éste como medio idóneo para la práctica de notificaciones oficiales siempre y cuando se incorporen al expediente todos los datos relativos a su práctica y se observen las normas generales que establece la LRJ (15).

14. CORREO ELECTRÓNICO

El correo electrónico se está convirtiendo en uno de los medios de comunicación más utilizado en las poblaciones desarrolladas debido a la comunicación

---

(13)   Artículo 29 de la Ley 17/2001, de 7 de diciembre de Marcas.

(14)   Ver Resolución de 1 de agosto de 1989 de la Dirección General de Correos y Telégrafos que establece instrucciones para la expedición de copias certificadas de mensajes burofax; completada por la Circular General 6/2001, de 17 de abril, dictada por la Dirección de Logística y Distribución de la Entidad Pública Empresarial Correos y Telégrafos para regular la admisión del servicio de burofax internacional. En el ámbito de la práctica judicial acerca del criterio sobre notificaciones cursadas a través de burofax cabe destacar, en el ámbito de la jurisdicción civil, la Sentencia de la Audiencia provincial de Barcelona de 24.1.2001 dictada en un juicio ejecutivo y en que declara al burofax como medio fehaciente, la SAP de Madrid de 5.1.2001 acredita la validez de la certificación de la Jefatura provincial de Correos y telégrafos de Madrid que acompaña a los burofaxes con acuse de recibo y que, por ello, acredita su curso por la oficina principal de dicho servicio.

(15)   De todos modos si el interesado ha escogido este medio, hay que suponer que asume, bajo su exclusiva responsabilidad, las consecuencias que puedan derivarse de su ejercicio, salvo que quede demostrada la actuación de la administración actuante.

casi automática que ofrece ajena a las complicaciones y retrasos burocráticos de manera que en la práctica judicial se ha reconocido el uso y validez de este medio en diversos ámbitos jurídicos, reconociendo, por ejemplo, la validez de la dimisión de un trabajador enviada a la empresa a través del correo electrónico, entendiendo el Tribunal que la conducta fue clara y terminante, toda vez que el correo electrónico es cada día más habitual entre la población gracias al avance de las nuevas tecnologías y sobre todo por resultar de suma utilidad y eficacia a los efectos de comunicar una voluntad con efectos jurídicos como la extinción de un contrato (16).

Lo cierto es que este medio de comunicación no deja de ganar terreno en el ámbito de las comunicaciones gozando de las ventajas de la comunicación postal y la telefónica pues a la inmediatez de la recepción, sea cual sea la distancia que medie ente las partes, se une la constancia escrita del contenido del mensaje que puede ser reproducido o trasferido a otros archivos informáticos manteniendo el carácter de documento original. El sistema de mensajería electrónica elaborado en el marco de las normas X.400, serie de directrices que regulan el funcionamiento del correo electrónico en lo que se refiere a protocolos (17), dispone de mecanismo de alta fiabilidad para la actividad que hayan de desarrollar las administraciones públicas en sus relaciones con los ciudadanos. La adopción de estas normas no solo permite la constancia automática de que el mensaje ha sido depositado en el buzón de destino, sino también del momento en que dicho mensaje haya sido abierto, para lo cual remite a los interesados las correspondientes notificaciones de entrega y acuses de recibo, que serán incorporadas al expediente administrativo como prueba válida de que la notificación ha sido practicada.

La LRJ establece que para que la notificación se practique utilizando medios telemáticos se requiere que el interesado haya señalado dicho medio como preferente o haya consentido expresamente su utilización, identificando, además la dirección electrónica correspondiente, que deberá cumplir con los requisitos reglamentariamente establecidos. En estos casos, la notificación se entiende practicada con todos los efectos legales en el momento en que se produzca el acceso de su contenido en la dirección electrónica. Cuando existiendo constancia de la recepción de la notificación en la dirección electrónica, transcurran diez días naturales sin que se haya accedido a su contenido, se entiende que la notificación

---

(16)   STSJ de Madrid de 13.4.2001.
(17)   Se conoce como protocolo en el ámbito de las comunicaciones al cuerpo de directrices dirigido a fijar unas reglas de funcionamiento a todos los niveles a las cuales deben ajustarse los diferentes sistemas informáticos para poder comprenderse mutuamente. Se denomina *File Transfer Protocol*— Protocolo para la Transferencia de Ficheros (FTP) a los servidores públicos o particulares en los que queda en depósito lo que haya de transmitirse, a diferencia del envío mediante correo electrónico en el que la información se dirige directamente al receptor.

ha sido rechazada con los efectos legales correspondientes salvo que de oficio o a instancia del destinatario se compruebe la imposibilidad técnica o material del acceso (18).

Por ello una vez remitido el escrito a la dirección electrónica señalada por el interesado a efectos de comunicaciones, si esta es correcta y se halla en vigor, el órgano de la Administración actuante recibe un mensaje de confirmación de su depósito en el buzón del destinatario, por lo que no es preciso realizar un segundo intento toda vez que no es concebible una «ausencia de interesado» en el domicilio virtual, razón por la cual, una vez trascurridos diez días sin que se haya producido el acceso al mensaje, deberá tenerse la notificación por rechazada, salvo que se compruebe expresamente que ha sido imposible acceder a ella. La notificación practicada de este modo ofrece las ventajas de la rapidez, eficacia y menor coste y además facilita al interesado el acceso a su contenido desde cualquier terminal informático, sin necesidad de esperar la llamada del cartero a su casa, teniendo en cuanta, además, la disponibilidad, cada vez más generalizada, de ordenadores portátiles que facilitan al usuario una revisión sencilla y continuada de mensajes. Por otra parte el correo electrónico permite el envío de un mismo mensaje a diversos receptores sin la necesidad de emplear tiempo y material adicional en redactar documentos de contenido idéntico, lo cual abre posibilidades suplementarias a las notificaciones dirigidas a más de un destinatario, en concreto es el denominado sistema de listas de distribución donde el correo electrónico encuentra un campo abonado para la notificación en supuestos que deba practicarse a varios interesados (19), ventajas similares pueden añadirse en lo que hace a los efectos del cómputo de plazos, recepción de una notificación practicada por este medio y remitida en día inhábil al lugar de residencia del destinatario. Por lo que hace a este medio de notificación debemos recordar el artículo 29 de la Ley 17/2001 de 7 de diciembre, de Marcas que dispone que cuando el interesado así lo solicite, las notificaciones se realizarán mediante correo electrónico y finalmente señalar que como quiere que en lo que se refiere a este medio todavía existen muchas posibilidades y facetas sin explorar hay que tener en cuenta que pueden ir descubriéndose y diseñándose mediante la renovación del derecho positivo y también a través de la práctica judicial en los términos que nuestro Código civil tiene establecido al disponer que la jurisprudencia complemente el ordenamiento jurídico con la doctrina que, de modo reiterado, establezca el Tribunal Supremo al interpretar y aplicar la ley, la costumbre y los principios generales del derecho (20).

---

(18) Artículo 59-3 de la LRJ; el artículo 105.8 la Ley General Tributaria contiene igual redacción.

(19) Las listas de distribución son sistemas por los cuales los mensajes enviados a una dirección de correo electrónico se reenvían automáticamente a todos los que estén suscritos, de manera que un grupo de personas comparten toda la comunicación enviada por ese medio.

(20) Artículo 1.6 del Código Civil.

Capítulo 21

Régimen práctico de las comunicaciones y notificaciones en la Administración Pública

Una de las funciones más importantes que están llamadas a cumplir los documentos en las administraciones públicas, además de la de constancia, es la de comunicación.

En este capítulo abordamos el examen de los documentos administrativos que se utilizan para transmitir o comunicar la existencia de hechos o la realización de actos administrativos a los ciudadanos, entidades o a otros órganos de la Administración.

1. DOCUMENTOS OFICIALES DE COMUNICACIÓN

Los documentos administrativos o documentos oficiales de comunicación pueden clasificarse de varios modos: en función de la relación entre el emisor y receptor del documento; en función del contenido documental y en función de su apariencia formal que en el ámbito de la documentación oficial reviste una importancia fundamental.

A) Relación entre emisor y receptor documental

Los documentos oficiales se clasifican en documentos internos o externos en función de la relación existente entre el órgano emisor del documento y el personal o entidad que recibe el contenido o información del documento. De este modo reciben el nombre de documentos internos de la Administración aquellos en que tanto el emisor como el receptor del documento son unidades o dependencias de la misma organización administrativa; por su parte se denominan documentos externos aquellos documentos administrativos en que el receptor es un ciudadano, entidad u órgano perteneciente a la Administración Pública diferente de aquella que emitió la documentación.

B) Contenido documental

Teniendo en cuenta el contenido que los documentos transmiten, pueden clasificarse en comunicaciones, notificaciones y publicaciones. Las primeras lo pueden ser de dehechos o actuaciones y las siguientes pueden ser lo de resoluciones o acuerdos o bien de meros actos de tramitación.

C) Configuración formal

De acuerdo a la apariencia formal y teniendo en cuenta la práctica y regulaciones habituales que llevan a cabo las diferente administraciones públicas los documentos que trasmiten contenido pueden clasificarse como oficios notas interiores o simples cartas; los primeros tienen como destinatarios los ciudadanos u otros Departamentos administrativos, las segundas se dirigen a unidades dentro del mismo centro directivo u organismo y las cartas son documentos que en la Administración se utilizan para llevara acabo comunicaciones de carácter personal o protocolario por titulares de unidades u órganos de naturaleza directiva o carácter superior.

2. CONCEPTO Y FUNCIONES DE LA NOTIFICACIÓN OFICIAL

2.1. Concepto

La notificación es el trámite procedimental mediante el cual el órgano administrativo competente practica una comunicación oficial y fehaciente al interesado o interesados en una Resolución o acuerdo administrativos. Esta comunicación constituye un requisito esencial para que el acto que se notifica tenga un efecto u otro, pues hay que recordar que, por ejemplo los plazos establecidos por la ley en los recurso administrativos son plazos para resolver y notificar y la Ley atribuye consecuencias diferentes según una resolución se haya notificado o no por ejemplo el plazo de interposición de recursos administrativos o judiciales es diferente, variando en este último caso entre dos meses cuando haya habido notificación y seis meses cuando la notificación se haya producido.

La notificación es una actuación administrativa compleja en que pueden intervenir diferentes sujetos, por ello pueden distinguirse dos fases: la primera en que se ordena la práctica de la notificación y la segunda que consiste en la propia práctica de aquella cuyos pormenores examinamos a continuación.

2.2. Estructura documental de la notificación

El documento que contiene la notificación se denomina oficialmente diligencia de notificación y su finalidad es servir de constancia y medio documental probatorio de las circunstancias de la práctica de la notificación o, en su caso de los intentos fallidos de llevarla a cabo en el domicilio expresado por el interesado para notificaciones o en el que le corresponda de acuerdo a la ley o bien del rechazo de la misma por el propio interesado o por su representante, supuesto en que la Administración se encuentra habilitada para tener por legalmente notificado al interesado.

694

La diligencia de notificación no dispone siempre por sí misma de una eficacia de acreditación; así en los casos en que la notificación se haya practicado por medios que no permitan que en la propia diligencia figure la prueba de la recepción documental, deberá acompañarse el correspondiente testimonio escrito de que la notificación se ha producido. Como ejemplos de estos caso pueden ponerse la notificación a través del telefax, en la que, junto a la correspondiente diligencia debe figurar una copia del documento que se envía con los sistemas de acuse de recepción que garantizan que se produjo la transmisión y la recepción del documento por el destinatario.

La diligencia de notificación tiene, al igual que otros documentos de la Administración, tres partes Encabezamiento, cuerpo y pie.

En el encabezamiento deben consignarse los siguientes datos:

— La expresión «Diligencia de notificación» que no deje lugar a dudas del título y finalidad del documento.

— La identificación completa del acto administrativo o circunstancia que se notifica, es decir título del acuerdo o resolución, con expresión del tema o asunto al que se refiera y la fecha en hubiera sido adoptado.

— El nombre y apellidos del interesado al que debe notificarse en acto o circunstancia.

— Referencia a la disposición normativa que regule la notificación y sus consecuencias.

El cuerpo de la notificación se articula en cuatro partes que se refieren al lugar, al medio y a las circunstancias, tanto de la notificación practicada como de la no practicada, separados entre sí.

Cada apartado contiene la posibilidad de varias alternativas y el documento debe señalar las que tengan lugar en cada práctica de notificación.

El modo de rellenar la diligencia es casi automática y consiste en marcar con una equis las circunstancias que se produzcan en el momento en que se practica la notificación, de manera que únicamente en los casos expresamente indicados haya que añadir observaciones por escrito.

La diligencia de notificación debe ser cumplimentada por aquella persona que lleve a cabo este acto en nombre de la Administración, con independencia de cual se a el medio utilizado.

La estructura formal del documento utilizado debe estar diseñada para facilitar el cumplimiento de manera clara y con rapidez.

Por último el pie de la diligencia de notificación está formado por la firma y cualquier otra forma de constancia de la persona que practica esta diligencia además de la fecha: día, mes y año y en algunos casos la hora

2.3. Fases de proceso notificador

Muchas veces siguiendo una práctica extendida en la Administración las notificaciones se han ordenado mediante un acto recogido en diferente documento de aquel en que se recoge el acuerdo o resolución, sin embrago hay que tener en cuenta que la normativa que regula esta materia en el ámbito de la Administración General del Estado (LRJ art. 58.2) dispone que las notificaciones deben ser cursadas en el plazo de diez días, a partir de la fecha en que se haya dictado el acto que se notifica y debe tener, al menos, el siguiente contenido:

— Texto íntegro de la Resolución.

— Indicación expresa de si es o no definitiva en vía administrativa.

— Los recursos que caben contra ella incluyendo el órgano ante el que debieran presentarse y el plazo de interposición.

A la vista de ello puede concluirse que la ley considera que la Resolución y la notificación son actuaciones administrativas distintas con objeto y finalidad diferente y autónoma, lo cual no significa que ambas puedan figurar en un mismo soporte documental. La inclusión de la notificación como parte del documento que contiene el acuerdo o la resolución, tiene la ventaja de conocer los efectos de aquella misma las actuaciones de la administración.

Los requisitos legales del contenido de toda notificación oficial de la administración pública pueden garantizarse en un solo acto documental evitándose la repetición de nuevo en el documento de notificación la reproducción del texto completo de la Resolución o Acuerdo, lo cual supone no solo un paso importante hacia la tendencia general de la administración a racionalizar y simplificar trámites procedimentales; pero además también asegura una serie de garantías adicionales para los interesados en lo que hace a la autenticidad de la notificación en los siguientes aspectos:

— Respecto a la firma o acreditación de la notificación por el titular del mismo órgano autor del acto objeto de aquella.

— Respecto al cumplimiento del plazo legal de diez días, al poder cursarse la notificación en el momento en que el titular del órgano competente firma el documento de Acuerdo o resolución.

— La eliminación de ejemplares defectuosos de notificación debidos a errores en la transcripción pues se evitan copias del Acuerdo o Resolución en el documento de notificación.

La práctica de la notificación puede llevarse a cabo de dos modos:

a) Mediante una persona que a estos efectos tienen la consideración de agente de la administración en esta diligencia.

b) A través de un medio automático como el correo electrónico o el telefax.

La LRJ permite la utilización de cualquier medio que permita la constancia de la recepción de la notificación además de la fecha en que se notifica, la identidad del interesado y el contenido del acto o circunstancia notificados.

Cuando la notificación se lleva a cabo utilizando medios telemáticos, el interesado debe señalar dicho medio como preferente consintiendo expresamente su utilización, identificando además la dirección electrónica correspondiente. En estos casos la notificación se entiende practicada a todos los efectos en el momento en que tenga lugar el acceso consentido en la dirección electrónica. Por otro lado hay que entender que la notificación ha sido rechazada, cuando, a pesar de existir constancia de la recepción en la dirección electrónica, transcurran diez días naturales sin acceder a su contenido todo ello salvo que se compruebe efectivamente la imposibilidad técnica o material de llevara acabo el citado acceso.

Las notificación deben practicarse preferentemente en el domicilio que haya señalado el propio interesado; por otra parte las notificaciones no tienen que ser practicadas necesariamente en su domicilio habitual sino que tienen validez aunque se practiquen en cualquier otro lugar adecuado donde se tenga conocimiento que se encuentra el destinatario de la notificación y además pueda quedar constancia de la misma. También es posible practicar la notificación a personas distintas del interesado o a su representante, en concreto en la notificación practicada en el domicilio del interesado, si éste no se encuentra presente, podrá hacerse cargo de la notificación cualquier persona que se encuentre en el domicilio en cuestión y haga constar su identidad. Si nadie puede hacerse cargo de la notificación en el primer intento, la administración debe repetirlo en una hora distinta dentro de los tres días siguientes.

Por otra parte hay que tener en cuenta que el rechazo de la notificación por parte del interesado o su representante tiene como consecuencia que se tiene por efectuada la notificación y puede continuar el procedimiento correspondiente.

La LRJ exige que la acreditación de la notificación efectuada se incorpore al expediente administrativo donde deben constar entre otras circunstancias las siguientes:

— Que nadie ha podido hacerse cargo de la notificación practicada en el domicilio del interesado, así como el día y la hora en que fue intentada la notificación.

— Las circunstancias en las que se hubiera producido el rechazo de la notificación por el interesado o sus representantes.

3. LA PUBLICACIÓN DE ACTOS Y ACUERDOS

Se denomina publicación de actos en teoría de la actuación y documentación administrativa a toda actuación material consistente en la inserción de un acto administrativo o circunstancia en una publicación oficial (que puede ser un Diario), en un tablón de anuncios o un medio determinado de información con el fin de comunicarlo a sus destinatarios.

Según lo establecido en la LRJ los actos administrativos deben ser objeto de publicación en varios supuestos que pueden clasificarse en dos grupos:

3.1. Publicación de carácter sustitutivo de la notificación

Se practica en lo casos siguientes:

a) Cuando los interesados sean desconocidos.

b) Cuando se ignore el lugar de domicilio del interesado.

c) Cuando se ignore el medio de notificación escogido. Cuando haya imposibilidad de practicar la notificación (1).

En estos casos, el acto de publicación tiene por destinatarios a una pluralidad indeterminada de personas.

Se trata de notificar actos integrantes de un procedimiento selectivo o de concurrencia competitiva.

La publicación sustitutiva de la notificación por medio de anuncios se lleva a cabo cuando aquella no puede practicarse por resultar desconocidos los interesados, por ignorarse su domicilio o el medio por el que deba practicarse la notificación y cuando habiéndose intentado haya sido imposible llevarla a cabo.

A diferencia de la notificación, la publicación no tiene un reflejo singular en un documento concreto puesto que se trata más bien de una actividad de inserción de documentos que ya han sido objeto de análisis y decisión.

La especialidad de la publicación sustitutiva de notificaciones no practicadas consiste en la colocación en el cuerpo del documento objeto de publicación

---

(1)   Notificación a través de anuncios.

(Acuerdo o Resolución) de un apartado inicial en el que se indiquen las tres circunstancias siguientes:

— La finalidad del documento es decir el hecho de notificar a través de la publicación del correspondiente anuncio.

— Explicación de las circunstancias que provocan la imposibilidad de llevar a cabo la notificación ordinaria por que se trate de un interesado desconocido, se ignore el lugar o el medio de notificación, expresando en cualquier caso los intentos fallidos de notificación.

— La expresión de los medios en que se produce la publicación; es decir la indicación expresa del Diario oficial, el tablón de anuncios oficial y en su caso el medio de comunicación empleado.

Seguidamente debe incluirse el texto íntegro del acuerdo o Resolución haciendo referencia expresa a las disposiciones referidas a la práctica de la notificación (art. 59 LRJ).

3.2. Publicación de carácter adicional a la notificación

Está regulada por la LRJ y es aconsejable por razones de interés público. En muchos casos la notificación a un solo interesado resulta insuficiente para garantizar la notificación a todos los demás.

La indicación de notificaciones y publicaciones es una figura regulada asimismo por la LRJ (2) que regula la publicación de una breve indicación del contenido del acto administrativo y del lugar en que los interesados pueden comparecer, en el plazo en que se establezca, para su conocimiento, cuando la notificación por medio de anuncios o la publicación fuera susceptible de lesionar derechos o intereses legítimos a juicio de la Administración.

Del mismo modo que la notificación, la publicación debe contener el texto íntegro de la resolución, así como la indicación de si se trata o no de un acto que haya agotado la vía administrativa y además los recursos que proceden contra el mismo, el órgano ante el que deben presentarse y el plazo de interposición.

El contenido de la den ominada indicación de notificaciones y publicaciones se estructura en aquellos apartados que, de conformidad con lo establecido en el art. 61 LRJ recogen la información que debe proporcionarse y que son los siguientes:

a) Justificación de la utilización de la figura de la indicación (expresando los derechos o intereses (por ejemplo derecho a la intimidad, o al honor, etc.) que

---

(2)   LRJ art. 61.

pudieran ser lesionados por la notificación íntegra del acto a través de anuncios publicados.

b) Indicación resumida del contenido del acto administrativo que recoja sus elementos fundamentales, sin necesidad de incluir aquellos que puedan afectar al interés o derecho tutelado.

c) Indicación del lugar donde pueden acudir los interesados para conocer el contenido íntegro del acto y del plazo que se conceda a dicho efecto.

d) Diario oficial en que procede la publicación.

4. COMUNICACIÓN ADMINISTRATIVA: SUPUESTOS LEGALES Y CONTENIDO

Hemos visto que las notificaciones y publicaciones tienen la finalidad de transmitir a los interesados decisiones administrativas (Resoluciones o Acuerdos).

Las comunicaciones son documentos destinados a poner en conocimiento de los interesados hechos o circunstancias de un procedimiento de la Administración.

4.1. Supuestos de obligación legal de comunicación

El contenido de las comunicaciones puede ser muy variado pero de todos modos la LRJ establece expresamente en su artículo 42 la obligación legal que tienen las Administraciones públicas de cursar a los ciudadanos determinadas comunicaciones en tres supuestos:

a) Comunicación del plazo máximo de duración del procedimiento y efectos del silencio.

La Administración está legalmente obligada a informar del modo concreto a cada interesado sobre el plazo máximo normativamente establecido de duración de los procedimientos, así como de los efectos que pueda tener, en los mismos, el silencio administrativo.

En procedimiento iniciados de oficio debe hacerse mención expresa en la notificación o publicación del propio acuerdo de inicio; pero además, en notificaciones o publicaciones de acuerdos emitidos por la Administración General del Estado debe incluirse la indicación de la fecha a partir de la cual se inicia el cómputo del plazo, además de los datos identificativos del procedimiento así como los medios a los que puede acudirse para obtener información acerca de su estado de tramitación.

En procedimientos iniciados a solicitud de interesado, es preciso dirigir al interesado una comunicación que contenga el plazo máximo de duración del procedimiento y los efectos que produzca, además de la fecha en que la solicitud haya sido recibida por el órgano competente para su tramitación. La razón es porque la solicitud puede encontrarse en lugares diferentes del registro oficial del órgano de tramitación de manera que el momento inicial del cómputo puede ser desconocido para los interesados en el procedimiento.

No obstante el Ministerio de Administraciones Públicas ha establecido, mediante Orden Ministerial de 14 de abril de 1999 (3), determinados criterios a tener en cuenta para la emisión de la comunicación entre ellos los siguientes:

— La emisión de la comunicación no será necesaria cuando los interesados formulen solicitudes cuya única petición sea la suspensión de la ejecución de un acto impugnado en vía de recurso; o bien cuando se dicte y notifique, dentro del plazo de diez días, la resolución expresa que ponga fin a la vía administrativa.

— Cuando la solicitud sea presentada en una oficina de registro de la administración competente parta la tramitación pero que se halle alejada de la unidad o dependencia que deba emitir la comunicación o concurran otro tipo de circunstancias de naturaleza similar que dificulten el cumplimiento en plazo de dicha obligación, la oficina de registro deberá adelantar el contenido de la solicitud y su fecha de entrada por medios electrónicos, informáticos o telemáticos.

— La comunicación debe contener las menciones legalmente exigidas y también los datos que permitan identificar el procedimiento y medios a los que deba acudirse para obtener información sobre el estado de tramitación del procedimiento.

b) Comunicación de la suspensión del plazo máximo de duración de los procedimientos.

La LRJ establece en su artículo 42.5 que dichos plazos podrá suspenderse en los supuestos siguientes:

— Cuando deba requerirse a cualquier interesado para la subsanación de deficiencias y la aportación de documentos y otros elementos necesarios, por el tiempo que medie entre la notificación del requerimiento y su efectivo cumplimiento por el destinatario, o, en su defecto, el transcurso del plazo concedido.

— Cuando deba obtenerse un pronunciamiento previo y preceptivo de un órgano de las comunidades europeas, por el tiempo que medie entre la petición, que habrá de comunicarse a los interesados y la notificación del pronunciamiento a la Administración instructora, que también deberá serles comunicada.

---

(3)   BOE de 23.4 .1999.

— Cuando deban solicitarse informes quesean preceptivos y determinantes del contenido de la resolución a órgano de igual o diferente administración, por el tiempo que mede entre la petición, que deberá comunicarse a los interesados, y la recepción del informe, que igualmente deberá ser comunicada a los mismos. Este plazo de suspensión no podrá exceder en ningún caso de tres meses.

— Cuando deban realizarse pruebas técnicas o análisis contradictorios o dirimentes propuestos por los interesados, durante el tiempo necesario para la incorporación de los resultados al expediente.

— Cuando se inicien negociaciones con vistas a la conclusión de un pacto o convenio en los términos previstos en la LRJ desde la declaración formal al respecto hasta la conclusión sin efecto, en su caso, de las referidas negociaciones que se constatará mediante declaración formulada por la Administración o los interesados.

c) Comunicación de la reanudación del plazo máximo de duración de los procedimientos.

En iguales supuestos indicados en el caso anterior la Administración debe dirigir a los interesados una nueva comunicación en la que se les informe acerca del momento en que se reanuda el cómputo del plazo máximo establecido para dictar y notificar la Resolución correspondiente.

Cuando el plazo hubiera sido suspendido a consecuencia de la petición de pronunciamiento de un órgano de las Comunidades Europeas, la Administración instructora deberá indicar en esta nueva comunicación el momento en que haya recibido la notificación del pronunciamiento solicitado.

Por otra parte cuando se hayan solicitado informes preceptivos y determinantes, esta segunda comunicación debe informar a los interesados acerca del momento en que se haya recibido el informe.

4.2. Estructura de la comunicación administrativa

Los documentos destinados a comunicación administrativa tienen como finalidad poner en conocimiento de los administrados aspectos relacionados con los siguientes extremos:

— Extensión del plazo máximo para resolver el procedimiento.

— El momento inicial del cómputo del plazo establecido.

— Los efectos del silencio administrativo en dicho procedimiento.

— La suspensión del transcurso del plazo.

— La reanudación del plazo, en su caso.

En cualquier caso la estructura documental de estas comunicaciones es similar y constan de las siguientes partes:

a) El Título expresa un resumen del contenido de la comunicación de que se trate.

b) Identificación del emisor: es el órgano responsable de la tramitación del procedimiento, obligado a emitir la comunicación correspondiente.

c) Identificación del procedimiento que debe indicarse en los espacios que el documento tienen para indicar este extremo y el asu7nto concreto a que se refiere y el número de expediente.

d) Contenido en lo que respecta a este apartado hay que recordar que en cada caso se informa en el propio documento figurando las referencias normativas y reservando espacios a consignar los datos sobre los que obligatoriamente deba informarse al destinatario, incluyendo las menciones requeridas por la normativa, citada, que regula los criterios establecidos para la emisión de comunicaciones.

e) Pie es la parte final del documento donde deberá constar el lugar y la fecha en que haya sido emitido, la antefirma y firma de la persona que lo formaliza y la identificación del interesado destinatario de la comunicación.

5. DOCUMENTOS ADMINISTRATIVOS FORMALIZADOS POR LA ADMINISTRACIÓN: OFICIO, CARTA Y NOTA INTERIOR

Los documentos formalizados e impresos que habitualmente se utilizan en el ámbito de las Administraciones Públicas pueden ser de varias clases, entre ellas hay tres tipos de documentos de transmisión que se caracterizan tanto por la finalidad como por el ámbito administrativo en que son utilizados.

5.1. El oficio

Es uno de los documentos administrativos con mayor tradición en los ámbitos de la administración, ya el Diccionario de la Real Academia Española recoge como uno del los significados de la palabra oficio como comunicación escrita, referente a los asuntos del servicio público en la dependencias del estado y por extensión la que media entre individuos de varias corporaciones particulares concernientes a ellas.

El oficio es el documento que se utiliza para la comunicación externa entre órganos o unidades de diferentes ámbito de la Administración y además es el medio normal de comunicación oficial con el ciudadano.

Partes principales de oficio administrativo que acredita una notificación:

1. Documentos o documentos que se notifican.

2. Nombre y apellidos del notificado.

3. Indicación si la notificación se realizó y el lugar.

4. Indicación del medio utilizado, especificando el número de fax, tipo de servicio postal o mensajería, etc.

5. Lugar y fecha.

6. cargo o profesión del responsable de la notificación.

5.2. La nota interior

Es el documento que se utiliza para la comunicación entre órganos o unidades pertenecientes a un mismo departamento, organismos o entidad administrativa.

Partes principales de la nota interior:

1. Especificación del lugar y fecha en que se expide la nota interior.

2. Referencia de procedencia y destino, en su caso.

3. Nombre y apellidos de la persona que envía la nota.

4. Cargo que ocupa.

5. Nombre del destinatario.

6. Cargo del destinatario.

7. Objeto de la nota resumido.

8. Texto redactado en forma clara y breve.

9. Firma o acreditación.

Tanto el oficio como la nota interior son documentos de la Administración que se utilizan en las comunicaciones entre unidades y órgano administrativos. Ambos se caracterizan por tener un contenido y una forma netamente administrativos y oficiales además ambos documentos presentan un aspecto muy formal cargado de neutralidad y objetividad como corresponde cualquier producto institucional procedente de un organismo oficial. Por otra parte ambos documentos se centran fundamentalmente en la actuación administrativa.

El título debe contener la indicación del documento de que se trata (oficio o nota interior); por otra parte ambos documentos deben incluir los códigos alfanuméricos que permitan conocer las referencias de destino o procedencia. Cuando el documento se envíen por vez primera, la unidad emisora debe consignar la referencia y cuando se contesta la unidad receptora debe incluir la referencia del documento que se contesta y la del documento de respuesta.

La fecha del documento se incluye a continuación de la fecha de emisión.

El asunto debe expresarse de modo sintético.

En el encabezamiento debe recogerse el nombre, apellidos y cargo del destinatario de los documentos, en cuanto a la identificación funcional y nominativa del emisor, debe aparecer en la parte final del documento.

Por lo que respecta al texto de estos documentos hay que señalar que los principios que debe regir la redacción de oficios y notas internas son los siguientes:

— Concesión y cuidado en la forma en cuanto a la redacción.

— Texto claro y breve.

— Terminología con rigor y propiedad.

— Exposición de ideas lógica y coherente.

— Estructura del escrito en párrafos breves y separados.

— Que aparezca un texto coherente.

Ya sea en el texto de uno u otro documento, la referencia a las personas o cargos debe hacerse sin utilizar tratamientos honoríficos y cuando se trate de cargos se consignará la denominación orgánica que corresponda.

5.3. La carta

Es el documento que se utiliza para las comunicaciones de carácter personal, protocolario o de contenido general. No directamente relacionado con la gestión habitual que llevan a cabo las unidades en la tramitación procedimental.

La carta se diferencia del oficio y de la nota interna en varios aspectos como las fórmulas de saludo y despedida, el tono cordial y personal con que se exponen los asuntos y la flexibilidad general del contenido aunque en ocasiones en que fuera preciso también se utilizaría un todo más estricto si bien en dichos casos es preferible acudir al oficio.

Partes principales de una carta emitida por la Administración:

1. Lugar y fecha.

2. Destinatario: nombre y cargo.

3. Fórmula de saludo.

4. Texto de la carta.

5. Fórmula de cortesía.

6. Firma.

Capítulo 22

La ejecución forzosa en el procedimiento administrativo

Uno de los aspectos fundamentales y eminentemente prácticos de las actuaciones de la Administración Pública con los ciudadanos es todo lo relativo a los aspectos de la ejecución del procedimiento pues es donde lo que se ha decidido en el ámbito interno, sobre el papel y notificado a los interesados, sale a la luz a través de actuaciones materiales que tienen incidencia directa en la esfera de los particulares.

1. CONCEPTO DE LA EJECUCIÓN FORZOSA

La ejecución forzosa es una manifestación de la potestad de autotutela ejecutiva, derivada de la prerrogativa que ostenta la Administración Pública para emitir declaraciones de voluntad dotadas de presunción de certeza y legalidad y que resultan inmediatamente ejecutivas (1).

Tanto la autotutela declarativa o ejecutividad como la autotutela ejecutiva o ejecutoriedad, la primera en cuanto eficacia jurídica inmediata y la segunda como capacidad para actuar de oficio permiten a la Administración ejecutar por sí misma sus actos ejecutivos, sin necesidad de que medie una declaración judicial (2). Cuando hay diferencias entre particulares sobre una cuestión jurídica la solución exige acudir al órgano judicial correspondiente en primer lugar para que emita una declaración de voluntad (mediante un procedimiento declarativo que termina en la sentencia declarativa) y posteriormente para que esa declaración judicial se lleve a efecto (mediante un procedimiento de ejecución). Sin embargo cunado una de las partes en la controversia es la Administración Pública hay que tener en cuenta que ésta dispone de ambas prerrogativas de autotutela: la declarativa y la ejecutiva (3), para hacer cumplir los actos administrativos que ella misma emite.

---

(1)   Artículos 56 y 57 LRJ.
(2)   Artículo 93 LRJ.
(3)   También denominadas ejecutividad y ejecutoriedad como características de los actos administrativos.

Víctor Manteca Valdelande

En este sentido la LRJ (4) dispone que los actos de las Administraciones Públicas sujetos a Derecho Administrativo serán inmediatamente ejecutivos, salvo que su ejecutoriedad quede suspendida o aplazada o que una disposición establezca lo contrario o exija aprobación o autorización superior (5). En consecuencia, las Administraciones Públicas, pueden proceder, previo apercibimiento, a la ejecución forzosa de los actos administrativos, a través de los órganos correspondientes, salvo cuando la ejecución hubiera sido legalmente suspendida, o en los casos en que la ley exija la intervención judicial.

El Tribunal Constitucional ha declarado que esta potestad de autotutela ejecutiva es plenamente compatible con la Constitución (6) que, aunque en su artículo 117.3 considera como propio de la potestad jurisdiccional la ejecución de lo juzgado y de los dispuesto en la ley; hay que tener en cuenta que, en su artículo 103 reconoce el principio de eficacia como uno de los principios los que la Administración Pública debe ajustarse atenerse además de con sometimiento pleno a la Ley y al Derecho, lo cual supone una remisión al legislador ordinario respecto de aquellas normas, medios e instrumentos en que se haya de materializar esa eficacia. Entre los cuales se encuentra la potestad de autotutela que asiste a las Administraciones Públicas.

2. SUPUESTOS EN QUE CABE SU EJERCICIO

La potestad de autotutela ejecutiva es una facultad que debe ser ejercitada por la Administración de acuerdo con ciertos límites o requisitos, de manera que, únicamente, procede dictar ejecución forzosa ante la falta de cumplimiento voluntario por parte de los obligados a ello cuando concurra una serie de circunstancias que examinamos seguidamente.

a) Que el acto administrativo sea ejecutable: Para que pueda procederse a la ejecución, es necesario que se trate de un acto de gravamen y que imponga una obligación al interesado. Además el acto administrativo debe haber sido notificado de acuerdo con lo dispuesto por la ley (7).

b) Que el acto sea ejecutivo. El acto administrativo que se ejecuta no debe estar afectado por ninguna circunstancia que limite su ejecutoriedad. En consecuencia, no pueden ser objeto de ejecución los actos suspendidos o aquellos que todavía no sea ejecutivos por ejemplo una resolución sancionadora que no agote la vía administrativa, o aquel que requiera para su ejecución de la intervención de los Tribunales, por ejemplo entrada en domicilio (8).

(4)   Arts. 94 y 95.
(5)   Ver artículos 94, 95, 11 y 138 LRJ.
(6)   SSTC 22/1984, 33/1993 Y 199/1998.
(7)   Artículo 58 LRJ.
(8)   Artículos 96, 111, 138 LRJ.

c) Que se trate de una ejecución idónea: En principio todos los actos administrativos deberían poderse ejecutar forzosamente. Excepto en el caso de actos favorables al interesado o los que no le impongan una obligación o gravamen; de actos meramente declarativos que se limitan a constatar una determinada realidad fáctica sin alterarla; de actos denegatorios de una previa solicitud del interesado —actos de contenido negativo, o de actos presuntos, derivados de la técnica del silencio administrativo negativo (9).

d) Que se trate de un Título ejecutivo puesto que no procede iniciar actuaciones materiales de ejecución de resoluciones que limiten derechos sin que, previamente, haya resolución que les sirva de fundamento (10). Diferenciando entre el acto incumplido que debe ejecutarse y el acto administrativo que ordena la ejecución.

e) Previa notificación, al particular afectado, del acuerdo o resolución que ordena la actuación administrativa de ejecución (11).

f) Para que pueda iniciarse la actividad ejecutiva debe haber previo apercibimiento. La ejecución sin apercibimiento es susceptible de anulación (12).

g) El medio de ejecución debe ser idóneo y proporcional, llevándose a efecto mediante apremio sobre el patrimonio, ejecución subsidiaria, multa coercitiva o compulsión sobre las personas, según proceda en cada caso. Además, si fueran varios los medios de ejecución admisibles debe utilizarse al menos restrictivo de la libertad individual (13).

G) Competencia del órgano administrativo para la ejecución que, en principio recae en el mismo órgano que dictó el acto, si bien hay excepciones reguladas por normativa específica.

h) Inexistencia de ejecución judicial preferente. La normativa tributaria establece reglas de preferencia procedimental (14).

3. PROCEDIMIENTO DE EJECUCIÓN

En primer lugar hay que tener en cuenta que la ejecución se desarrolla siguiendo los trámites de un verdadero procedimiento administrativo. Aunque la ley no lo regula concretamente y de forma completa; pero si que enumera determinados requisitos, que deben ser completados con aquellos principios y

---

(9)   El Tribunal Supremo ha tenido ocasión de pronunciarse en numerosas ocasiones; ver SSTS 28.11.1989, 13.12.1989, 23.3.1990 y 27.1.1992.
(10)   Artículo 93 LRJ.
(11)   Artículo 93.2 LRJ.
(12)   Artículo 95 LRJ.
(13)   Ver artículo 96 LRJ.
(14)   Artículo 164 Ley General Tributaria.

concilios que se desprenden de las normas generales de regulación del procedimiento administrativo.

De este modo en el procedimiento ejecutivo pueden adoptarse medidas cautelares a fin de asegurar la eficacia de las medidas que pretendan aplicarse; por ello y como quiere que la LRJ no contempla previsiones específicas sobre el particular, por lo que resultará de aplicación lo previsto en la ley en relación con las medidas provisionales (15).

En consecuencia las medidas cautelares pueden adoptarse antes de la iniciación o durante la tramitación del procedimiento de ejecución, siempre que sean adoptadas, de oficio o a instancia de parte, por el órgano competente. En principio, estas medidas deben acordarse previa audiencia de los interesados, aunque el Tribunal Supremo ha admitido, en algunos casos, su imposición sin que se cumpla este requisito (16).

Hay que tener en cuenta que no procede adoptar medidas provisionales que puedan causar perjuicio de difícil o imposible reparación a los interesados o que impliquen violación de derechos reconocidos por la ley.

Respecto al plazo, es diferente el plazo de que la Administración dispone para iniciar la tramitación del procedimiento ejecutivo; de aquel otro plazo máximo que debe observar para tramitar y resolver el procedimiento iniciado. El plazo para iniciar el procedimiento es el plazo de prescripción del Derecho material que la Administración está haciendo valer el ejecutar el acto administrativo, así cuando se ejecuta una sanción debe observarse el plazo de prescripción de las infracciones que comienza a contra desde el día en que ésta se hubiera cometido (17) o el fijado por norma especial. Si se trata de hacer cumplir una obligación pecuniaria, debe observarse el plazo de prescripción de cuatro años que fijado la Ley 47/2003 General Presupuestaria (LGP) (18). El problema reside en todos aquellos supuestos en los que no existe norma concreta sobre esto, lo que obligaría a aplicar el plazo general de quince años previsto en el Código Civil.

No hay plazo legal concreto para tramitar el procedimiento ejecutivo tras su iniciación, por lo cual, son de aplicación las normas generales del artículo 42 LRJ (19).

---

(15)   Artículo 72 LRJ.
(16)   SSTS 31.12.1988 y 18.9.1990.
(17)   Artículo 132.2 LRJ.
(18)   Ver artículo 15 LGP.
(19)   El que establezca la norma reguladora del procedimiento en cuestión, que no podrá exceder de seis meses salvo que una Ley o norma comunitaria europea establezcan uno mayor. Además cuando las normas reguladoras de los procedimientos no fijen el plazo máximo, éste será de tres meses.

4. RECURSO CONTRA LOS ACTOS DE EJECUCIÓN

Cualquier acto administrativo dictado en fase o vía de ejecución puede ser objeto de impugnación, por tanto, como quiera que son de aplicación las normas generales del procedimiento administrativo, los actos de trámite cualificados y la resolución final son susceptibles de recurso administrativo o jurisdiccional, según proceda (20).

Ante todo hay que tener en cuenta que, la impugnación del acto ejecutivo sólo puede fundarse en vicios legales que le afecten concreta y exclusivamente; pues la impugnación del acto de ejecución no puede convertirse en un medio para cuestionar la legalidad del acto ejecutado, así en el procedimiento de ejecución de una sanción administrativa podría impugnarse el embargo acordado por recaer sobre bienes inembargables pero el Tribunal Supremo tiene declarado que no podría cuestionarse la propia legalidad de la sanción impuesta por una supuesta prescripción de la infracción o por cualquiera otro vicio de legalidad de la misma (21). Por ello, cuando el acto de ejecución no adolezca de vicios propios y sea una simple aplicación del acto administrativo que se ejecuta, concurrirá una causa de inadmisión por tratarse de un acto confirmatorio de otro anterior definitivo (22).

5. ÁMBITOS DE ACTUACIÓN EN EL PROCEDIMIENTO DE EJECUCIÓN

La competencia de los órganos administrativos se determina con arreglo a criterios objetivos o materiales, jerárquicos y territoriales. Por tanto, el ámbito territorial constituye un límite esencial al ejercicio de las competencias, así, un Municipio o una Comunidad Autónoma no pueden ejecutar sus actos fuera de su ámbito territorial respectivo. Por lo mismo, la Administración General del Estado no puede ejecutar sus actos en el extranjero. La ley modula el alcance de este principio de competencia territorial con fundamento en técnicas de cooperación, disponiendo que la Administración General del Estado, las de las Comunidades Autónomas y las Entidades que integran la Administración Local deberán colaborar y auxiliarse para aquellas ejecuciones de sus actos que hayan de realizarse fuera de sus respectivos ámbitos territoriales de competencias (23). En el ámbito internacional, los Tratados Internacionales suelen incluir previsiones sobre esto basadas en lo acordado y en el principio de reciprocidad.

La legislación española contiene previsiones concretas, así, la Ley 1/2008, de 4 de diciembre, para la ejecución en la Unión Europea de resoluciones que impongan sanciones pecuniarias, si bien tiene por objeto regular el procedimiento que

---

(20)   Artículos 107 y ss. LRJ.
(21)   STS 14.7.1986.
(22)   STS 15.6.1993.
(23)   Artículo 4 LRJ.

deben seguir las autoridades judiciales españolas para transmitir, a las autoridades correspondientes de los demás estados miembros de la Unión Europea, una resolución firme por la que se exija el pago de una sanción pecuniaria a una persona física o jurídica como consecuencia de la comisión de una infracción penal y la actuación que han de desarrollar las autoridades judiciales españolas cuando reciban una resolución firme emitida por la autoridad judicial competente de otro Estado miembro de la Unión Europea por la que se exija el pago de una sanción pecuniaria a una persona física o jurídica como consecuencia de la comisión de una infracción penal, para su reconocimiento y ejecución, resulta igualmente de aplicación a la ejecución en España de las sanciones pecuniarias impuestas por autoridades de otro Estado miembro de la Unión Europea distintas de órganos judiciales por contravención de la respectiva legislación.

El Real Decreto 704/2002, por su parte, fija normas y procedimiento que debe seguirse para recaudar en territorio nacional, a petición de un Estado miembro de la Unión Europea, determinados derechos de crédito nacidos en ese Estado así como para pedir la recaudación en cualquier Estado miembro de los créditos nacidos en el territorio nacional. Se trata de derechos de crédito relacionados con devoluciones, intervenciones y otras medidas que formen parte del sistema de financiación total o parcial del Fondo de la Política Agraria Comunitaria,

6. EJECUCIÓN CONTRA UNA ADMINISTRACIÓN PÚBLICA

La ejecución de un acto administrativo contra una Administración Pública cabe plantearse de tres modos diferentes.

6.1. Órgano diferente de la misma Administración Pública

En primer lugar puede tratarse de la ejecución de actos dictados por un órgano administrativo que tienen incidencia desfavorable en la esfera jurídica de otro órgano administrativo integrado en la misma Administración. En estos casos la ejecución forzosa no es posible al venir vedado por el principio de personalidad jurídica única de la Administración (24). La cuestión habrá de resolverse en aplicación del principio de jerarquía orgánica o mediante decisión del superior común de ambos órganos.

6.2. Administración Pública diferente

Ejecución de actos que afectan a otra Administración distinta, que no actúa en relación de sujeción o subordinación a la primera. La doctrina ha negado la posi-

---

(24)   Artículo 3 LRJ.

bilidad de ejecución en estos casos, al ser ésta una prerrogativa que solo opera en relaciones de subordinación o de sujeción administrativa.

6.3. Administración Pública que actúa con sujeción a otra

Ejecución de actos que afectan a otra Administración que actúa en relación de sujeción a la primera por ser sujeto pasivo de un tributo o responsable de una sanción. En estos supuestos, el Tribunal Supremo ha admitido la posibilidad de ejecución ya que la Administración interviene como lo haría cualquier particular (25).

De todos modos, aunque se admita la posibilidad de ejecutar frente a la Administración, hay que tener en cuenta que ciertos medios de ejecución que requieren tener en cuenta normas especiales, así por ejemplo en el en el apremio sobre el patrimonio no cabe trabar embargo sobre diversos tipos de bienes:

a) bienes de dominio público (26).

b) bienes patrimoniales afectos a un servicio público o a una función pública. Ningún tribunal ni autoridad administrativa podrá dictar providencia de embargo ni despachar mandamiento de ejecución contra los bienes y derechos patrimoniales cuando se encuentren materialmente afectados a un servicio público o a una función pública, cuando sus rendimientos o el producto de su enajenación estén legalmente afectados a fines diversos, o cuando se trate de valores o títulos representativos del capital de sociedades estatales que ejecuten políticas públicas o presten servicios de interés económico general (27).

c) Bienes y derechos patrimoniales pertenecientes, poseídos o gestionados por el Banco de España, cuando se encuentren materialmente afectos al ejercicio de funciones públicas o al desenvolvimiento de potestades administrativas (28). (DA 7.ª Ley 13/1994).

---

(25)   STS 267.2002.

(26)   Constitución española artículo 132, LGP art. 23 y Ley 33/2003 sobre Patrimonio de las Administraciones Públicas (LPAP) art. 6.

(27)   Art. 23 LGP, art. 8 LPAP y art. 73 Ley de Haciendas Locales (LHL) aprobado por Real Decreto Legislativo 2/2004.

(28)   Ley 13/1994 de Autonomía del Banco de España., Disposición Adicional Séptima que dispone que Ningún tribunal ni autoridad administrativa podrá dictar providencia de embargo ni despachar mandamiento de ejecución contra los bienes y derechos patrimoniales pertenecientes, poseídos o gestionados por el Banco de España, cuando se encuentren materialmente afectos al ejercicio de funciones públicas o al desenvolvimiento de potestades administrativas. Idéntico régimen será de aplicación a aquellos bienes y derechos patrimoniales pertenecientes, poseídos o gestionados por los Estados o los Bancos Centrales extranjeros en los que se materialice la inversión de sus reservas exteriores, así como a los que pertenezcan o sean poseídos o gestionados por el Banco Internacional de Pagos. Será válida la renuncia expresa a la prerrogativa contenida en

Bienes y derechos patrimoniales pertenecientes, poseídos o gestionados por los Estados o los Bancos Centrales extranjeros en los que se materialice la inversión de sus reservas exteriores, así como a los que pertenezcan o sean poseídos o gestionados por el Banco Internacional de Pagos.

7. MEDIOS DE EJECUCIÓN FORZOSA

La ley regula cuatro medios de ejecución forzosa que puede utilizar la Administración Pública para hacer efectiva la ejecutividad de sus resoluciones (29):

1) **APREMIO SOBRE EL PATRIMONIO**, regulado en el artículo 97 LRJ este medio es de aplicación aplicable a los casos en los que el cumplimiento del acto que se ejecuta consista en satisfacer una cantidad líquida. En estos supuestos debe seguirse el procedimiento previsto en las normas reguladoras del procedimiento recaudatorio en vía ejecutiva (30).

2) **EJECUCIÓN SUBSIDIARIA** regulado por el artículo 98 LRJ, es el medio que debe seguirse cuando se trate de la ejecución de actos que, por no ser personalísimos, puedan ser realizados por sujeto distinto del obligado, supuesto en el que las Administraciones Públicas realizan el acto, por sí o a través de las personas que determinen, a costa del obligado y el importe de los gastos, daños y perjuicios se exige mediante apremio sobre el patrimonio.

3) **MULTA COERCITIVA** medio regulado por el artículo 99 LRJ y es de aplicación cuando así lo autoricen las leyes, y en la forma y cuantía que éstas determinen, y consisten en la imposición de multas reiteradas por lapsos de tiempo que sean suficientes para cumplir lo ordenado, en los supuestos de actos personalísimos en que no proceda la compulsión directa sobre la persona del obligado, actos en que, procediendo la compulsión, la Administración no la estimara conveniente y actos cuya ejecución pueda el obligado encargar a otra persona.

4) **COMPULSIÓN SOBRE LAS PERSONAS** medio regulado en el artículo 100 LRJ, para la ejecución de los actos administrativos que impongan una obligación personalísima de no hacer o soportar, pero, tratándose de obligaciones personalísimas de hacer, si no se realizase la prestación, el obligado deberá resarcir los daños y perjuicios, a cuya liquidación y cobro se procederá en vía administrativa.

---

el apartado anterior, ya se formule previa o posteriormente al inicio del procedimiento judicial o administrativo correspondiente. El régimen anterior se aplicará en defecto de Tratados o Acuerdos Internacionales suscritos por España que se refieran a los sujetos y las materias contenidas en la presente Disposición.

(29)   Artículo 96 LRJ.
(30)   Este procedimiento está regulado por la Ley 58/2003 General Tributaria y por el reglamento General del Recaudación aprobado por Real Decreto 939/2005.

Todos estos medios de ejecución son, en opinión de la doctrina mayoritaria, tasados, en la medida en que no admiten otras formas diversas de ejecución. También pueden mencionarse medios de ejecución como la ocupación de bienes muebles o inmuebles, si bien este medio puede canalizarse a través de la compulsión sobre las personas (31).

8. LÍMITES DE LA EJECUCIÓN FORZOSA

La ejecución forzosa debe ajustarse a los siguientes principios que por sí mismos constituyen importantes limitación a esta potestad de la Administración:

8.1. Principio de proporcionalidad

Incluido en el artículo 96 LRJ, que, como ha declarado el tribunal Supremo, exige la elección del medio más adecuado y menos perjudicial para el interesado, en atención a las circunstancias del caso concreto (32). De esta forma, por ejemplo, no podrá embargarse mayor cantidad que la debida, o embargar bienes existiendo garantías de pago suficientes, o ejecutar subsidiariamente imponiendo un coste económico excesivo al obligado. Tampoco es posible simultanear varios medios ejecutivos.

8.2. Respeto a la libertad individual

Que se manifiesta, en caso de existir diversos medios de ejecución admisibles, en la necesidad de elegir el menos restrictivo de la libertad individual. El propio artículo 96 LRJ dispone en su párrafo 2 que si fueran varios los medios de ejecución admisibles, se elegirá el menos restrictivo de la libertad individual.

8.3. Inviolabilidad de domicilio

De forma que, si fuese necesario entrar en el domicilio del afectado, las Administraciones Públicas deberán obtener el consentimiento del mismo o, en su defecto, la oportuna autorización judicial todo ello de conformidad con lo establecido en el párrafo 3 del artículo 96 LRJ y garantizado por el artículo 18.2 de la Constitución. Se trata de un medio de colaboración de la autoridad judicial con el órgano administrativo encargado de la ejecución.

---

(31)   A pesar de que se haya utilizado y mencionado por alguna doctrina en el ámbito académico, no somos partidarios de utilizar el concepto de requisa fuera de los ámbitos de ocupación por razones de interés militar y así lo hemos verificado con las denominaciones, criterios y categorías utilizados en actuaciones seguidas en ámbitos de administración militar.

(32)   16.5.1990, 3.12.1991.

9. CONCEPTO ADMINISTRATIVO DE DOMICILIO

El concepto de domicilio admite dos dimensiones fundamentales: una constitucional y otra de derecho civil. Por otra parte, las leyes procesales, también, se refieren a otro concepto de domicilio como el de lugar cuyo acceso dependa del consentimiento de su titular.

En su faceta constitucional (33), el domicilio es el espacio de intimidad del sujeto, sin embargo, la inviolabilidad domiciliaria guarda una indudable conexión con el derecho a la intimidad (34). El Tribunal Constitucional ha definido la protección constitucional del domicilio como una protección de carácter instrumental, que defiende los ámbitos en que se desarrolla la vida privada de la persona (35). Por ello el objeto de dicha protección no es sólo un espacio físico, en sí mismo considerado, sino lo que hay en él de emanación de una persona y de su esfera privada, ha reconocido también su titularidad a las personas jurídicas, de las que no cabe afirmar que posean intimidad personal y familiar. Por otra parte también ha declarado que a protección constitucional del domicilio en la Constitución se concreta en dos reglas distintas: la primera define su inviolabilidad, que constituye un derecho fundamental de la persona, como garantía de que el ámbito de privacidad escogido por ella resulte exento o inmune a cualquier tipo de invasión o agresión exterior de otras personas o autoridad pública, incluidas las que puedan realizarse sin penetración física en el mismo. La segunda, que supone una aplicación concreta de la primera, establece la interdicción de la entrada y el registro domiciliar, estableciéndose que, fuera de los casos de flagrante delito, sólo son legítimos la entrada o el registro efectuados con consentimiento de su titular o al amparo de una resolución judicial (36).

En consecuencia, el contenido del derecho es fundamentalmente negativo: lo que se garantiza, ante todo, es la facultad del titular de excluir a otros de ese ámbito espacial reservado, de impedir o prohibir la entrada o la permanencia en él de cualquier persona y, específicamente, de la autoridad pública para la práctica de un registro. Los límites que la constitución establece al ámbito de la inviolabilidad domiciliaria tienen un carácter netamente taxativo. En el caso de la Constitución, fuera de casos de consentimiento del titular, y delito flagrante sólo se posibilita la entrada o registro domiciliario cuando haya una resolución judicial. La garantía judicial se inserta como un requisito preventivo, destinado a proteger el derecho antes de su vulneración. En consecuencia, la resolución judicial aparece como elemento de contraste para decidir en que casos debe prevalecer la garantía cons-

(33)   Artículo 18.2. CE.
(34)   Ver respectivamente Auto del Tribunal Constitucional 171/1989 y STS 22/2003.
(35)   STC 22/1984.
(36)   SSTC 22/1984, 119/2001 y 10/2002.

titucional de inviolabilidad domiciliaria o los demás valores e intereses constitucionalmente protegidos (37).

En su aspecto jurídico privado (38), el domicilio es la sede jurídica de la persona. Para el ejercicio de los derechos y el cumplimiento de las obligaciones civiles, el domicilio de las personas naturales es el lugar de su residencia habitual, y, en su caso, el que determine la Ley de Enjuiciamiento Civil. Cuando ni la ley que las haya creado o reconocido, ni los estatutos o las reblas de fundación fijaren el domicilio de las personas jurídicas, se entenderá que lo tienen en el lugar en que se halle establecida su representación legal, o donde ejerzan las principales funciones de su instituto.

La Ley Orgánica 6/1985 del Poder Judicial (39) y la Ley 29/1998 reguladora de la Jurisdicción Contencioso-Administrativa (LJCA) (40) se refieren a los lugares cuyo acceso depende del consentimiento de su titular. En la misma línea, la Ley de Expropiación Forzosa (41) dispone que a los efectos de lo dispuesto en los artículos citados de la LOPJ y LJCA, únicamente tendrán la consideración de lugares cuyo acceso depende del consentimiento del titular, en relación con la ocupación de los bienes inmuebles expropiados, además del domicilio de las personas físicas y jurídicas en los términos del artículo 18.2 de la CE, los locales cerrados sin acceso al público. Respecto de los demás inmuebles o partes de los mismos en los que no concurran las condiciones expresadas en el párrafo anterior, la Administración expropiante podrá entrar y tomar posesión directamente de ellos, una vez cumplidas las formalidades establecidas en esta Ley, recabando del Delegado del Gobierno, si fuera preciso, el auxilio de las Fuerzas y Cuerpos de Seguridad del Estado para proceder a su ocupación.

La jurisprudencia ha tenido ocasión de pronunciarse sobre el concepto de domicilio y de lugares de acceso restringido en situaciones particulares. Declarando que sí son domicilio las habitaciones de hoteles y análogas y las autocaravanas o roullotes, o incluso un automóvil que cumpla esta función, incluso la rebotica de una farmacia, en determinados casos, tiene carácter domiciliario. En los buques, salvo las embarcaciones de recreo, la parte de los mismos destinada a habitación o descanso tiene carácter domiciliario. Sin embargo no son domicilios ni lugares de acceso restringido los trasteros y garajes ni los reservados o habitaciones de un club de alterne (42).

---

(37)   Ver SSTC 22/1984, 160/1991, 126/1995 y 136/2000.
(38)   Artículos 40 y 41 del Código Civil y 59 LGT.
(39)   Artículo 91.2 LOPJ.
(40)   Artículo 8.6 LJCA.
(41)   Artículo 51 LEF.
(42)   Ver STC 10/2002 y SSTS 29.1.2001, 3.9.2022, 28.2.2003, 16.4.2004, 19.1.2005, 31.10.2007.

10. REQUISITOS PARA ENTRAR EN EL DOMICILIO DEL EJECUTADO

Para entrar en el domicilio por razón de una ejecución forzosa son necesarios dos requisitos alternativos:

— Consentimiento de su titular o bien,

— Autorización judicial, salvo en caso de flagrante delito o estado de necesidad, como la extinción de incendios.

El consentimiento debe prestarlo el titular del inmueble si bien pueden advertirse determinadas modulaciones. Así, como ha declarado el Tribunal Constitucional, la convivencia presupone una relación de confianza recíproca, que implica la aceptación de que aquél con quien se convive pueda llevar a cabo actuaciones respecto del domicilio común, del que es cotitular, que deben asumir todos cuantos habitan en él y que en modo alguno determinan la lesión del derecho a la inviolabilidad del domicilio (43). Esa convivencia determina ciertas modulaciones o limitaciones respecto de las posibilidades de actuación frente a terceros en el domicilio que se comparte, derivadas precisamente de la existencia de una pluralidad de derechos sobre él. Tales limitaciones son recíprocas y podrán dar lugar a situaciones de conflicto entre los derechos de los cónyuges. Como regla general puede afirmarse, pues, que en una situación de convivencia normal, en la cual se actúa conforme a las premisas en que se basa la relación, y en ausencia de conflicto, cada uno de los cónyuges o miembros de una pareja de hecho está legitimado para prestar el consentimiento respecto de la entrada de un tercero en el domicilio, sin que sea necesario recabar el del otro, pues la convivencia implica la aceptación de entradas consentidas por otros convivientes. De modo que, aunque la inviolabilidad domiciliaria, como derecho, corresponde individualmente a cada uno de los que moran en el domicilio, la titularidad para autorizar la entrada o registro se atribuye, en principio, a cualquiera de los titulares del domicilio.

Sin embargo, el consentimiento del titular del domicilio no puede prestarse válidamente por quien se halla, respecto al titular de la inviolabilidad domiciliaria, en determinadas situaciones de contraposición de intereses que enerven la garantía que dicha inviolabilidad representa.

Respecto de la autorización judicial, ésta sólo será exigible en caso de ejecución de resoluciones administrativas, no de las judiciales. En este caso, es el órgano judicial que conoce del procedimiento principal el que autorizaría la entrada.

---

(43)   STC 22/2003.

11. AUTORIZACIÓN ENTRADA EN DOMICILIO Y PROCEDIMIENTO

La autorización corresponde al Juez de lo Contencioso-Administrativo autorizar, mediante auto, la entrada en los domicilios y en los restantes edificios o lugares cuyo acceso requiera el consentimiento del titular, cuando ello proceda para la ejecución forzosa de actos de la Administración (44). Sin embargo, en los casos de ejecución de resoluciones judiciales, es el órgano judicial el que conoce del procedimiento principal el que autorizaría la entrada (45).

Por lo que hace al procedimiento, la Ley no regula una tramitación concreta, por lo que es de aplicación la normativa general de las normas procesales, teniendo en cuenta que la resolución debe revestir forma de auto y que es recurrible en apelación (46).

El Tribunal Constitucional ha declarado que la resolución judicial sólo puede cumplir su función en la medida en que esté motivada, constituyendo la motivación, entonces, parte esencial de la resolución judicial misma. Esta exigencia de motivación constituye la vía de verificación de que la actuación judicial ha operado como garantía de la excepcionalidad de la injerencia permitida por el art. 18.2 CE y, en todo caso, como garantía de la proporcionalidad de la restricción de todo derecho fundamental. (47).

Volviendo sobre la cuestión del procedimiento, debe señalarse que la doctrina no acaba de ponerse de acuerdo sobre el cauce procesal a seguir. Así, hay quien entiende que podría seguirse el cauce de las medidas cautelares, el del procedimiento abreviado o el protección de los derechos fundamentales, que es el que por lo general se sigue en la práctica cotidiana de la Administración.

---

(44)   LJCA art. 8.6 y LOPJ art. 91.2.
(45)   SSTC 160/1991 y 199/1998.
(46)   Art. 80 LJCA.
(47)   SSTC 126/1995, 139/1999, 8/2000 y 22/2003.

Capítulo 23

El apremio sobre el patrimonio en la práctica de la Administracion Pública

Una de las modalidades de ejecución forzosa en el ámbito administrativo es el apremio sobre el patrimonio que constituye el medio principal y más utilizado para ejecutar resoluciones y acuerdos administrativos de contenido directamente económico, así como los importes de los costes derivados de ejecuciones subsidiarias y multas coercitivas cuando no se abonen de manera voluntaria.

1. APREMIO ADMINISTRATIVO

Se trata de uno de los medios de ejecución forzosa, acaso el más importante o, al menos, el de aplicación más frecuente.

Procede cuando para la ejecución del acto administrativo hubiera de satisfacerse cantidad líquida, bien sea en origen, bien como consecuencia de la liquidación de los costes y gastos derivados de la ejecución subsidiaria. Es el medio que procede emplear cuando se trata de cobrar una deuda monetaria líquida.

Frente a la ejecución judicial regulada en la Ley de Enjuiciamiento Civil, el procedimiento de apremio es exclusivamente administrativo, lo que implica que:

La competencia para entender del mismo y resolver todas sus incidencias corresponda únicamente a la Administración.

El procedimiento administrativo de apremio no es acumulable a los judiciales ni a otros procedimientos de ejecución. Su iniciación o tramitación no se suspenderá por la iniciación de aquéllos, salvo cuando proceda de acuerdo con la establecido en la legislación de conflictos jurisdiccionales, o con las normas que regulan la concurrencia de procedimientos.

Las Administraciones públicas están obligadas velar por el ámbito de potestades que en esta materia le atribuye la ley de conformidad con lo previsto en la legislación de conflictos jurisdiccionales (1).

El apremio sobre el patrimonio constituye el medio primario de ejecución forzosa tanto en lo relativo a los actos administrativos de contenido económico como a los costes derivados de la ejecución subsidiaria y al importe de las multas coercitivas, siempre y cuando todos ellos no se abonen voluntariamente por el deudor particular.

Ya se a adelantado que es necesario que se ejecute un crédito público que sea liquidable y emane de un acto administrativo y además que dicho importe que se reclame tenga fundamento en una norma de rango legal.

El apremio sobre el patrimonio es un procedimiento que no procede utilizar para el cobro de créditos, cuya titularidad corresponda a una Administración Pública; pero que se hubieran producido por causa de actuaciones privadas de la misma. En estos casos la Administración acreedora debe acudir a procedimientos ordinarios de ejecución. Por todo ello hay que tener en cuenta que, para que proceda llevar a cabo el apremio sobre el patrimonio, la titularidad subjetiva del crédito debe pertenecer a una Administración Pública siempre que el derecho sobre el importe económico esté vinculado a la potestad pública de dicha Administración en cuestión, no a la actividad privada.

El procedimiento de premio es el previsto en las normas que regulan el procedimiento recaudatorio en vía ejecutiva también denominado procedimiento de apremio. Hay que tener en cuenta que aunque la regulación que mencionamos es de aplicación general por todas las Administraciones Públicas, en cuenta la normativa estatal, en caso de que exista normativa autonómica específica será aplicable cuando se trate de ejecutar por vía de apremio actos de las Administración autonómica y locales existentes en el ámbito de dicha Comunidad Autónoma.

2. COMPETENCIA Y REGULACIÓN

El apremio es un procedimiento exclusivamente administrativo y la competencia para entender del mismo, así como para resolver los incidentes es exclusiva de la Administración para llevar a cabo la ejecución líquida que proceda con las excepciones establecidas en la normativa vigente.

Dentro de cada Administración pública la competencia para tramitar el apremio corresponde a la administración con competencias de recaudación de conformidad con los criterios siguientes:

---

(1)   Ley Orgánica 2/1987.

a) Con respecto a los ingresos tributarios, si son de la Administración General del Estado y sus Administraciones dependientes, la competencia corresponde a la Agencia Estatal de la Administración Tributaria (AEAT) y dentro de ella a la concreta dependencia de recaudación que corresponda. No obstante la AEAT también puede asumir la gestión recaudatoria de recursos tributarios cuya gestión no le corresponda originariamente; pero para ello deberá mediar un convenio de colaboración con la Administración o entidad interesada, que, una vez legalmente tramitado y firmado por ambas partes, debe ser publicado en el Boletín Oficial del Estado. Cuando se trate de ingresos tributarios estatales, la competencia para recaudar sigue a la de liquidar el tributo. Cuando se trate de ingresos tributarios de otras Administraciones públicas, la liquidación debe realizarse por las mismas y su recaudación por la AEAT si existe convenio de colaboración al respecto.

b) Cuando se trate de recursos no tributarios la determinación del importe inicial del crédito y la gestión recaudatoria debe llevarse a cabo por los órganos administrativos competentes para ello; la gestión recaudatoria por los órganos de recaudación de la AEAT que, siempre que medie el correspondiente convenio de colaboración, puede asumir competencia para recaudar ingresos de esa naturaleza que sean titularidad de otras Administraciones o entidades Públicas. Las comunidades autónomas y entidades locales actúan a través de sus propias estructuras orgánicas, teniendo la posibilidad de «externalizar» esta función material mediante la suscripción del correspondiente convenio de colaboración.

La utilización de la vía de apremio puede resultar problemática en aquellos casos de Administraciones simples sin estructura recaudatoria propia que no hayan suscrito el correspondiente convenio de colaboración con otra Administración Pública, en dichos casos la administración podrá actuar a través de sus propios órganos competentes que en defecto de atribución concreta serán aquellos donde se ubique la competencia residual que deben reproducir y llevar a efecto los trámites del procedimiento. Mucho más recomendable es la suscripción de un convenio de colaboración extensivo a créditos devengados en el futuro y a los ya vencidos en la fecha de celebración. Finalmente, dicha Administración, siempre podrá proceder mediante demanda en el orden jurisdiccional civil.

En tanto en cuenta que se trata de un instrumento para el ejercicio y aplicación de potestades administrativas, el apremio sobre el patrimonio debe llevarse a cabo como norma general por órganos o unidades oficiales; sin embargo hay algunos casos en que la Administración puede recurrir, al auxilio de particulares por ejemplo en alguna comunidad autónoma se establece la posibilidad de que la recaudación de los costes de la urbanización llevada a cabo mediante el sistema de gestión indirecta, sea llevada a cabo por un agente urbanizador teniendo en estos casos los agentes la consideración de instrumentos indirectos de la administración Pública.

El procedimiento de apremio se inicia e impulsa de oficio en todos sus trámites y, una vez iniciado, sólo se suspenderá en los casos y en la forma prevista en la normativa de aplicación. En particular, los procedimientos administrativos de apremio podrán ser suspendidos en el caso de recursos o reclamaciones interpuestos por los interesados, en la forma y con los requisitos, legal o reglamentariamente, establecidos. Se suspenderá inmediatamente el procedimiento, sin necesidad de prestar garantía, cuando el interesado demuestre que se ha producido en su perjuicio error material, aritmético o de hecho en la determinación de la deuda, o bien que dicha deuda ha prescrito o ha sido ingresada, condonada, compensada, aplazada o suspendida. En los casos de tercerías también podrá suspenderse el procedimiento.

La LRJ no contiene regulación de la tramitación de este medio de ejecución, remitiéndose al procedimiento previsto en las normas reguladoras del procedimiento recaudatorio en vía ejecutiva. Ello hace de aplicación lo dispuesto Ley 58/2003 General Tributaria (LGT) y los concordantes del Reglamento General de Recaudación (2), así como el art. 12 Ley 47/2003 General Presupuestaria (LGP).

3. EMBARGO EN VÍA ADMINISTRATIVA

El embargo es la traba impuesta a la disponibilidad de los bienes del deudor ejecutado con el fin de realizar y aplicar su importe a la satisfacción de la cantidad debida.

La normativa de recaudación regula su práctica, que tiene lugar una vez transcurrido el plazo de pago sin haberse realizado el ingreso requerido, siempre que no se hubiese pagado la deuda por la ejecución de garantías o fuese previsible de forma motivada que de dicha ejecución no resultará líquido suficiente para cubrir la deuda.

Hay que distinguir entre la documentación del embargo, que tiene lugar a través de la diligencia de embargo, y la práctica material del mismo, mediante su aprehensión física o jurídica.

Una vez realizado el embargo de los bienes y derechos, la diligencia se notificará al obligado al pago y, en su caso, al tercero titular, poseedor o depositario de los bienes si no se hubiesen realizado con ellos las actuaciones, así como al cónyuge del obligado al pago cuando los bienes embargados sean gananciales o se trate de la vivienda habitual, y a los condueños o cotitulares.

El embargo debe cubrir el importe de la deuda no ingresada, los intereses que se hayan devengado o se devenguen hasta la fecha del ingreso en el Tesoro, los recargos del período ejecutivo y las costas del procedimiento de apremio.

---

(2)   Aprobado por Real Decreto 939/2005.

En principio todos los bienes del deudor quedan afectos al pago de sus obligaciones (3), pero tradicionalmente las leyes procesales civiles han excluido del embargo determinados bienes con base a los tres fundamentos siguientes, que en la actualidad regula la Ley de Enjuiciamiento Civil (LEC):

1.— Que se trate de bienes fuera de comercio, es decir bienes que no pueden ser objeto de venta forzosa, bien por propia naturaleza —por carecer de valor patrimonial— o por disposición de la Ley.

En esta categoría de bienes se incluyen los bienes absolutamente inembargables, los inembargables que pertenecen al ejecutado.

A) Son bienes absolutamente inembargables, cualquiera que sea la persona a quien pertenezcan (4) los siguientes:

a) Aquellos que carezcan por sí solos de contenido patrimonial.

b) Los declarados inalienables.

c) Los derechos accesorios que no sean alienables con independencia del principal.

d) Los expresamente declarados inembargables por alguna disposición legal.

En conexión con esta enumeración debe recordarse la inalienabilidad e inembargabilidad de los bienes de dominio público de acuerdo con el art. 132 de la Constitución Española y concordantes.

B) Son bienes inembargables en tanto en cuanto pertenecen al ejecutado los siguientes:

a) Los bienes declarados inembargables por Tratados Internacionales ratificados por España, y las cantidades declaradas inembargables por Ley o Tratado Internacional.

En algunos casos se trata de bienes que atienden al mínimo vital de subsistencia del deudor y su familia y por ello se declaran bienes de pertenencia del ejecutado inembargables:

a) Aquellos bienes que a juicio del Tribunal resulten imprescindibles para que el ejecutado y las personas de él dependientes puedan atender con razonable dignidad a su subsistencia (p. e.: el mobiliario, menaje de la casa, ropas, alimentos y combustible).

---

(3)   Artículo 1911 del Código Civil.
(4)   Artículo 605 LEC.

b) Los bienes sacros y los dedicados al culto de las religiones legalmente registradas.

c) Los sueldos, pensiones, retribuciones o su equivalente que no excedan de la cuantía del salario mínimo interprofesional (5), o los porcentajes que legalmente se señalan para la cuantía en que excedan dicho importe. El embargo de estas rentas podrá ser excepcionalmente superior para atender el pago de una obligación alimenticia legal o las medidas cautelares en procesos que versen sobre alimentos, nulidad, separación o divorcio (6).

En algunos otros casos se trata de bienes que permiten al ejecutado generar rentas con que atender al pago de la deuda. Son inembargables por esta causa los libros e instrumentos del ejecutado necesarios para el ejercicio de su profesión, arte u oficio cuando su valor no guarde proporción con la cuantía de la deuda reclamada.

En cuanto al orden del embargo, si la Administración y el obligado no hubieran acordado otro orden diferente, se embargarán los bienes del obligado teniendo en cuenta la mayor facilidad de su enajenación y la menor onerosidad de ésta para el obligado.

En su defecto, se aplicará el siguiente orden:

a) Dinero efectivo o en cuentas abiertas en entidades de crédito.

b) Créditos, efectos, valores y derechos realizables en el acto o a corto plazo.

c) Sueldos, salarios y pensiones.

d) Bienes inmuebles.

e) Intereses, rentas y frutos de toda especie.

f) Establecimientos mercantiles o industriales.

g) Metales preciosos, piedras finas, joyería, orfebrería y antigüedades.

h) Bienes muebles y semovientes.

i) Créditos, efectos, valores y derechos realizables a largo plazo.

Por último, debe señalarse que el embargo sólo puede hacerse al titular del bien o derecho. De ahí que la normativa de recaudación regule la posibilidad de formular tercería de dominio sobre los bienes embargados. La excepción de terce-

---

(5)   Artículo 607 LEC.
(6)   Artículo 608 LEC.

ría, en estos casos, sólo puede fundarse en el dominio de los bienes embargados al obligado al pago.

Siguiendo este orden deben embargarse sucesivamente los bienes o derechos conocidos en ese momento por la Administración hasta que la deuda se presuma cubierta, deben dejarse para el último lugar los bienes o derechos para cuya traba sea necesaria la entrada en el domicilio del deudor; además puede alterarse el orden del embargo, previa solicitud del deudor, si los bienes que señale garantizan con la misma eficacia y prontitud el cobro de la deuda que los que preferentemente deban ser trabados y no se cause con ello perjuicio a tercero, lo que supone aplicar el principio de buena fe y el de menor perjuicio a los intereses del interesado.

La LGT establece la responsabilidad solidaria para pago de las deudas tributarias pendientes hasta el importe del valor de los bienes o derechos que se hayan podido embargar a los que sean causantes o colaboren en el ocultamiento de bienes o derechos del obligado al pago con el fin de impedir su traba; a los que por culpa o negligencia incumplan las órdenes de embargo y a los que con conocimiento del embargo colaboren o consienta en el levantamiento de bienes.

4. ACTUACIONES DE COMPROBACIÓN

Los órganos competentes en materia de recaudación deben comprobar e investigar la existencia de bienes y derechos de los obligados al pago y su situación, a fin de garantizar y asegurar el cobro; para ello disponen de facultades legalmente reconocidas al afecto. Los titulares de los organismos competentes para llevar a cabo la ejecución pueden autorizar que las investigaciones realizadas afecten al origen y destino de los movimientos o de los cheques y otras órdenes de pago sin que pueda exceder de la identificación de las personas o cuentas en las que se encuentre el origen o destino a que nos estamos refiriendo. Hay que tener en cuenta que todo obligado al pago de una deuda debe manifestar, cuando así se lo requiera la Administración, cuales son los bienes y derechos que integran su patrimonio, en cuantía suficiente para cubrir el importe de la deuda.

Por otra parte, los órganos administrativos competentes para la recaudación deben desarrollar las actuaciones materiales necesarias para la ejecución de los actos que se dicten en el curso del procedimiento de apremio. Si el obligado incumple las resoluciones o requerimientos de la administración, ésta debe proceder, previo apercibimiento, a la ejecución subsidiaria de dichas resoluciones o requerimientos mediante acuerdo, específico, al efecto.

Cuando sea necesario entrar, o llevar a cabo registros en el domicilio del administrado afectado, la Administración ejecutante debe contar con el consentimiento expreso de dicho administrado afectado o, en su defecto la autorización judicial correspondiente.

5. TRÁMITES DEL PROCEDIMIENTO

En primer lugar debemos referirnos al plazo previo de pago voluntario, al vencimiento de la deuda sin que haya tenido lugar el ingreso, así como a la apertura automática del procedimiento ejecutivo.

En esencia, los trámites del procedimiento son los siguientes:

Inicio: providencia de Apremio.

En primer lugar tiene lugar la emisión y notificación al deudor de la providencia de apremio en la que queda constancia de la identificación de la deuda, así como de la liquidación de los correspondientes recargos y el requerimiento de pago al deudor. Esta providencia es título suficiente para la ejecución de la deuda equivalente a una sentencia judicial. También es necesario que o haya certificación de descubierto. Las providencias de apremio acreditativas del descubierto de las deudas correspondientes a los derechos de naturaleza pública, expedidas por los órganos competentes, son título suficiente para iniciar el procedimiento de apremio y tendrán la misma fuerza ejecutiva que la sentencia judicial para proceder contra los bienes y derechos de los obligados al pago. En definitiva, la providencia de apremio es el acto de la Administración que ordena la ejecución contra el patrimonio del obligado al pago. La providencia de apremio debe ser notificada al deudor con expresión del lugar de ingreso de la deuda y del recargo, la repercusión de costas del procedimiento, la posibilidad de solicitar aplazamiento o fraccionamiento de pago, indicación expresa de que la suspensión del procedimiento se producirá en los casos y condiciones previstos en la normativa vigente y recursos que procedan contra la providencia de apremio, órganos ante los que puedan interponerse y plazo para su interposición. Las diligencias que s extiendan en el ejercicio de estas funciones a lo largo del procedimiento de apremio por funcionarios adecuadamente habilitados al efecto tienen la naturaleza de documentos públicos administrativos haciendo prueba de los hechos que los motiven salvo que en ellos se acredite lo contrario; además los funcionarios encargados de llevar a cabo actuaciones en el procedimiento de apremio tienen la consideración de agentes de la autoridad teniendo derecho a recibir, cuando sea necesario, el auxilio de las autoridades y agentes en el ejercicio de sus funciones.

Una vez iniciado el procedimiento, y sin perjuicio de los supuestos en los que procede su suspensión, las tramitaciones de ejecución son las siguientes:

La Ejecución de garantías que tiene lugar una vez iniciado el procedimiento de apremio,

En el caso de que éste no lleve a cabo el ingreso, deberá procederse contra sus bienes en virtud de la providencia de apremio dictada en relación con el obligado al pago, sin que sea necesario practicar una nueva notificación. Si la garantía consiste en hipoteca, prenda u otra de carácter real constituida por o sobre bienes o derechos del obligado al pago susceptibles de enajenación forzosa, se procederá a enajenarlos por el procedimiento establecido en este reglamento para la enajenación de bienes embargados de naturaleza igual o similar.

Cuando la garantía esté constituida por o sobre bienes o derechos de persona o entidad distinta del obligado al pago, debe comunicarse a dicha persona o entidad el impago del importe garantizado, requiriéndole para el pago efectivo. La ejecución de las hipotecas y otros derechos reales constituidos en garantía de los créditos de la Hacienda pública se lleva a cabo por los órganos de recaudación competentes a través del procedimiento de apremio.

La Práctica del embargo tiene lugar mediante los trámites siguientes:

Depósito de los bienes embargados que tiene lugar una vez que los órganos de recaudación competentes designen, en su caso, el lugar en que los bienes embargados deban ser depositados hasta su realización, según su respectiva naturaleza mueble o inmueble, etc.

La Realización o enajenación de los bienes embargados tiene lugar previa valoración, los bienes embargados mediante subasta, concurso o adjudicación directa con eventual adjudicación a la Hacienda Pública de los bienes embargados cuando no lleguen a enajenarse.

El procedimiento ordinario de adjudicación de bienes embargados es el de subasta pública, que procede siempre que no sea expresamente aplicable otro modo de adjudicación de los bienes. La enajenación de bienes embargados sólo puede celebrarse por concurso cuando la venta de lo embargado, por sus cualidades o magnitud, pudiera producir perturbaciones nocivas en el mercado o cuando existan otras razones de interés público debidamente justificadas.

Finalmente procede el sistema de adjudicación directa de los bienes o derechos embargados cuando, después de realizados la subasta o el concurso, queden bienes o derechos sin adjudicar, cuando se trate de productos perecederos o cuando existan otras razones de urgencia, justificadas en el expediente o en otros casos en que no sea posible o no convenga promover concurrencia, por razones justificadas en el expediente.

Adjudicación de bienes y derechos a la Hacienda pública. Cuando en el procedimiento de enajenación no se hubieran adjudicado alguno o algunos de los bienes embargados, el órgano de recaudación competente podrá proponer de forma motivada al órgano competente su adjudicación a la Hacienda pública en pago de las deudas no cubiertas.

El importe por el que se deben adjudicar los bienes es el de la deuda no pagada si que exceda del setenta y cinco por ciento de la valoración que haya servido de tipo inicial en el procedimiento de enajenación. Además hay que tener en cuenta que en cualquier momento anterior al de la adjudicación pueden liberarse los bienes embargados, mediante el pago de la deuda, así como los intereses y gastos correspondientes.

Las actuaciones posteriores a la enajenación que consisten en las siguientes:

El Otorgamiento de escritura pública de venta y cancelación de cargas.

El Levantamiento de embargo. Una vez cubiertos el débito, intereses y costas del procedimiento, el órgano de recaudación levantará el embargo sobre los bienes no enajenados y acordará su entrega al obligado al pago. Si finalizados los procedimientos de enajenación y, en su caso, adjudicación a la Hacienda pública, quedaran bienes muebles sin adjudicar, quedarán a disposición del obligado al pago.

Finalización: el procedimiento de apremio termina:

Con el pago de la cantidad debida.

Con el acuerdo que declare el crédito total o parcialmente incobrable, una vez declarados fallidos todos los obligados al pago, en cuyo caso el procedimiento de apremio se reanudará, dentro del plazo de prescripción, cuando se tenga conocimiento de la solvencia de algún obligado al pago.

Con el acuerdo de haber quedado extinguida la deuda por cualquier otra causa por ejemplo declaración de fallido total o parcial o extinción del crédito, en su caso.

6. ACUMULACIÓN DE PROCEDIMIENTOS

Este epígrafe responde a la cuestión del si los procedimientos de apremio sobre el patrimonio pueden tramitarse conjuntamente o acumularse a otros procedimientos de ejecución. Como norma general hay que decir que no' (7), pues el procedimiento administrativo de apremio no puede simultanearse ni es acumulable a los judiciales ni a otros procedimientos de ejecución. Su iniciación o tramitación no se suspende por la iniciación de aquéllos, salvo cuando proceda de acuerdo con lo establecido en la Ley Orgánica 2/1987, de 18 de mayo, de Conflictos Jurisdiccionales, o con las normas sobre concurrencia de procedimientos. En consecuencia la norma que rige en cuanto a acumulación es que el procedimiento no es acumulable a los procesos judiciales ni a otros procedimientos de ejecución, su inicio o continuación sin embargo hay algunas excepciones en

---

(7)   Artículo 163 LGT.

que el procedimiento de apremio sobre el patrimonio se suspende por el inicio de procesos judiciales. Son los casos siguientes:

a) Cuando proceda, de acuerdo con lo establecido por la Ley de Conflictos jurisdiccionales.

b) Cuando el procedimiento de apremio concurra con otros procesos singulares de ejecución, en cuyo caso tienen preferencia el procedimiento de apremio siempre que el embargo realizado en el curso de dicho procedimiento sea de fecha anterior, atendiendo a la de la diligencia de embargo.

c) En supuestos de concurrencia de este procedimiento con procedimientos concursales de ejecución universal, en cuyo caso el procedimiento de apremio tiene preferencia para la ejecución de bienes o derechos que hayan sido objeto de embargo en el curso del mismo, siempre que la providencia d e apremio se haya dictado con anterioridad a la fecha de declaración del concurso y siempre que los bienes objeto del embargo resulten necesarios para la continuidad de la actividad profesional o empresarial del deudor.

Todo ello sin prejuicio del respeto al orden de prelación establecido para el cobro de los créditos en atención a su naturaleza

El problema de la concurrencia de procedimientos ejecutivos surge cuando, reconocida la competencia de la jurisdicción ordinaria para conocer de los procesos de ejecución, se atribuye a la Administración el privilegio de hacer efectivos sus créditos mediante la utilización de un procedimiento administrativo, el procedimiento de apremio, en el que resulta privativa la competencia de la Administración para entender de todas las cuestiones que puedan surgir dentro del mismo.

La Ley General Tributaria (8), el Reglamento General de Recaudación (9) y la Ley Concursal (10) regulan esta cuestión estableciendo normas concretas:

a) Cuando concurra con otros procesos o procedimientos singulares de ejecución, el procedimiento de apremio será preferente si el embargo efectuado en el curso del procedimiento de apremio sea el más antiguo. A estos efectos se estará a la fecha de la diligencia de embargo del bien o derecho.

b) Cuando los bienes embargados sean objeto de un procedimiento de expropiación forzosa, se paralizarán las actuaciones de ejecución de los bienes afectados y se deberá comunicar a la Administración expropiante el embargo de los pagos a realizar al expropiado. A efectos de continuar o no el procedimiento ejecutivo respecto de otros bienes del obligado al pago, se considerará realizado el

---

(8)   Artículo 164.
(9)   Artículo 77.
(10)   Ley 22/2003 artículo 55.

embargo por el precio firme del bien expropiado. Cuando el precio no sea firme, se considerará realizado el embargo por la parte en que exista acuerdo y, de no haberlo, por el precio ofrecido por la Administración expropiante.

c) Cuando concurra con otros procesos concursales o universales de ejecución, el procedimiento de apremio será preferente para la ejecución de los bienes o derechos embargados en el mismo, siempre que la providencia de apremio se hubiera dictado con anterioridad a la fecha de declaración del concurso. Incluso cuando fuere preferente el concurso, ello no impide que se dicte la correspondiente providencia de apremio y se devenguen los recargos del período ejecutivo si se dieran las condiciones para ello con anterioridad a la fecha de declaración del concurso. Además declarado el concurso, no pueden iniciarse ejecuciones singulares, judiciales o extrajudiciales, ni seguirse apremios administrativos o tributarios con el patrimonio del deudor, si bien podrán continuarse aquellos procedimientos administrativos de ejecución en los que se hubiera dictado providencia de apremio y las ejecuciones laborales en las que se hubieran embargado bienes de concursado, todo ello con anterioridad a la fecha de declaración del concurso, siempre que los bienes objeto de embargo no resulten necesarios para la continuidad de la actividad profesional o empresarial del deudor. Las actuaciones que se hallaran en tramitación quedarán en suspenso desde la fecha de declaración de concurso, sin perjuicio del tratamiento concursal que corresponda dar a los respectivos créditos.

Capítulo 24

La compulsión sobre las personas como instrumento ejecutivo de la Administración Pública

La compulsión sobre las personas supone la aplicación directa de la fuerza sobre la persona del obligado a soportar el cumplimiento de un acto administrativo y únicamente procede en relación con obligaciones personalísimas de no hacer o de soportar. Al igual que otros que hemos examinado en otras ocasiones, la compulsión sobre las personas es un medio de ejecución forzosa que la ley atribuye a la administración para garantizar el cumplimiento de resoluciones o acuerdos administrativos y, en definitiva, la prevalencia del interés general. Se trata de un instrumento de eficacia en manos de la Administración que, solo, puede ser válidamente aplicado cuando se cumplen las condiciones y requisitos que exige la ley.

Finalizamos el examen jurídico administrativo de esta figura analizando los principios generales de aplicación que suponen el marco en que debe moverse la Administración en este ámbito incluyendo las situaciones especiales, así como las medidas de control. También se analiza la entrada en el domicilio como uno de los supuestos de compulsión material muchas veces necesario para ejecutar resoluciones administrativas, la regulación del domicilio y las garantías constitucionales de la intimidad así como la jurisprudencia producida en torno a los supuestos especiales.

1. INTRODUCCIÓN

La compulsión sobre las personas se aplica para la ejecución de actos administrativos que impongan una obligación personalísima de no hacer o soportar ya que para las obligaciones personalísimas de hacer, en caso de incumplimiento, el obligado deberá resarcir los daños y perjuicios, a cuya liquidación y cobro se procederá en vía administrativa de apremio (apremio sobre el patrimonio) (1).

Hay que tener en cuenta que los actos administrativos que impongan una obligación personalísima de no hacer o soportar pueden ser ejecutados por compul-

---

(1)   El artículo 97 LRJ dispone que si en virtud de acto administrativo hubiera de satisfacerse cantidad líquida, se seguirá el procedimiento previsto en las normas reguladoras del procedimiento recaudatorio en vía ejecutiva.

sión directa sobre las personas en los casos en que la Ley expresamente lo autorice, y dentro siempre del respeto debido a su dignidad (2) y a los derechos reconocidos en la Constitución, así como al resto de derechos subjetivos del interesado.

Cunando se trate de obligaciones personalísimas de hacer, y la prestación no se haya realizado, el obligado estará obligado a resarcir los daños y perjuicios resultantes, a cuya liquidación y cobro deberá procederse en vía administrativa.

La compulsión sobre las personas es una figura administrativa de ejecución que procede sobre personas físicas, en la mayoría de supuestos, aunque también hay supuestos en que es posible llevarla a cabo sobre personas jurídicas, instrumentada en la compulsión sobre las personas físicas responsables o dependientes de aquellas. En el desarrollo de estas prácticas profesionales examinaremos la compulsión sobre las personas como una modalidad de ejecución de las decisiones de la administración; modalidad o figura administrativa de ejecución que a su vez puede instrumentarse en diversas medidas concretas como es la fuerza materia que se lleva a cabo sobre una persona concreta, el acto de lanzamiento de un inmueble de dominio público ocupado sin título, la entrada en local o recinto privado con los requisitos y garantías legales correspondientes para llevar a cabo este objetivo, etcétera.

Dadas sus características, puede decirse que la compulsión sobre las personas es un medio de ejecución de último grado, es decir que sólo es de aplicación en defecto de los restantes.

Se trata del último medio de ejecución; no sólo porque tradicionalmente haya sido regulado en último lugar de entre los diferentes medios de ejecución administrativa, sino que realmente constituye la última posibilidad de garantizar el cumplimiento forzoso por parte del obligado en estos casos, sea éste una persona física o una persona jurídica, hasta el punto que la compulsión sobre la s personas ha sido calificada como un instrumento subsidiario de último grado, aplicable, únicamente, en defecto de los restantes.

La compulsión sobre las personas supone el empleo de la fuerza, de la compulsión, sobre las personas para vencer su resistencia. No obstante la compulsión sobre las personas, no debe confundirse con la coacción directa sobre éstas, entendida como actuación material tendente a restablecer una situación viciada por alguna conducta antijurídica del particular, incluyendo entre estos supuestos en interdicto propiamente dicho o recuperación de oficio, que tiene lugar cuando las Administraciones públicas recuperan por sí mismas la posesión indebidamente perdida sobre los bienes y derechos de su patrimonio (3). También son supues-

---

(2)   Artículo 10 de la Constitución española.
(3)   Artículo 56 b) de la Ley 33/2003 de 3 de noviembre de Patrimonio de las Administraciones Públicas En caso de resistencia al desalojo, se adoptarán cuantas medidas sean

tos coactivos según este autor el uso de la fuerza para restaurar el orden público y la actuación excepcional en supuestos de estados de alarma, excepción y sitio (4).

2. RÉGIMEN NORMATIVO

La LRJ incluye la compulsión sobre las personas entre los medios de ejecución forzosa de las Administración públicas (5)

De acuerdo con lo dispuesto en la LRJ (6) sólo procede aplicar la compulsión sobre las personas en los casos en que la Ley expresamente lo autorice, y dentro siempre del respeto debido a la dignidad y a los derechos constitucionales de los ejecutados. De este modo los actos administrativos que impongan una obligación personalísima de no hacer o soportar podrán ser ejecutados por compulsión directa sobre las personas en los casos en que la Ley expresamente lo autorice, y dentro siempre del respeto debido a su dignidad y a los derechos reconocidos en la Constitución. Cuando, tratándose de obligaciones personalísimas de hacer, no se realizase la prestación, el obligado deberá resarcir los daños y perjuicios, a cuya liquidación y cobro se procederá en vía administrativa.

La Ley autoriza la compulsión sobre las personas, en diversos supuestos, así en el ejercicio de la fuerza pública de este modo las Fuerzas y Cuerpos de Seguridad del Estado tienen como misión proteger el libere ejercicio de los derechos y libertades y garantizar la seguridad ciudadana mediante el desempeño de diversas funciones entre ellas: velar por el cumplimiento de las leyes y disposiciones generales, ejecutando las órdenes que reciban de las autoridades en el ámbito de sus respectivas competencias; auxiliar y proteger a las personas y asegurar la conservación y custodia de los bienes que se encuentren en situación de peligro por cualquier causa; vigilar y proteger los edificios e instalaciones públicos que lo requieran; velar por la protección y seguridad de altas personalidades; mantener y restablecer, el orden y la seguridad ciudadana, prevenir la comisión de actos delictivos, investigar los delitos para descubrir y detener a los presuntos culpables; colaborar con los servicios de protección civil en los casos de grave riesgo, catástrofe o calamidad y captar o recibir cuantos datos sean de interés para el orden y

---

conducentes a la recuperación de la posesión del bien o derecho de conformidad con lo dispuestos en el capítulo V del título VI de la Ley 30/1992. Para lanzamiento podrá solicitarse el auxilio de las Fuerzas y Cuerpos de Seguridad o imponerse multas coercitivas de hasta un cinco por ciento del valor de los bienes ocupados, reiteradas por periodos de ocho días hasta que se produzca el desalojo.

(4)   Ver artículo 116 de la Constitución Española y 4 y siguientes de la Ley Orgánica 4/1981 de 1 de junio de los estados de Alarma, Excepción y Sitio.

(5)   Artículo 96.1 d) LRJ.

(6)   Artículo 100 LRJ.

seguridad pública así como estudiar, planificar y ejecutar los métodos y técnicas de prevención de la delincuencia (7).

Los supuestos regulados en la Ley de Bases de la Sanidad Nacional, sobre vacunaciones obligatorias impuestas y recomendadas (8). Por otra parte las autoridades sanitarias competentes podrán adoptar medidas de reconocimiento, tratamiento, hospitalización o control cuando se aprecien indicios racionales que permitan suponer la existencia de peligro para la salud de la población debido a la situación sanitaria concreta de una persona o grupo de personas o por las condiciones sanitarias en que se desarrolle una actividad. Además, con el fin de controlar las enfermedades transmisibles, la autoridad sanitaria, además de realizar las acciones preventivas generales, podrá adoptar las medidas oportunas para el control de los enfermos, de las personas que estén o hayan estado en contacto con los mismos y del medio ambiente inmediato, así como las que se consideren necesarias en caso de riesgo de carácter transmisible (9).

Los casos de desahucio administrativo que regula la legislación sobre patrimonio de las Administraciones públicas, en cuya virtud éstas pueden recuperar en vía administrativa la posesión de sus bienes demaniales cuando decaigan o desaparezcan el título, las condiciones o las circunstancias que legitimaban su ocupación por terceros. Para el ejercicio de la potestad de desahucio será necesaria la previa declaración de extinción o caducidad del título que otorgaba el derecho de utilización de los bienes de dominio público. Esta declaración, así como los pronunciamientos que sean pertinentes en relación con la liquidación de la correspondiente situación posesoria y la determinación de la indemnización que, en su caso, sea procedente, se efectuarán en vía administrativa, previa instrucción del pertinente procedimiento, en el que deberá darse audiencia al interesado. La resolución que recaiga, que será ejecutiva sin perjuicio de los recursos que procedan, se notificará al detentador, y se le requerirá para que desocupe el bien, a cuyo fin se le concederá un plano no superior a 8 días para que proceda a ello. Si el tenedor no atendiera el requerimiento, se procederá a la ejecución forzosa. A tal efecto, se podrá solicitar para el lanzamiento el auxilio de las Fuerzas y Cuerpos de Seguridad, o imponer multas coercitivas de hasta un cinco por ciento del valor de los bienes ocupados, reiteradas por períodos de ocho días hasta que se produzca el desalojo. Los gastos que ocasione el desalojo serán a cargo del detentador, pudiendo hacerse efectivo su importe por vía de apremio (10).

---

(7)   Artículos 11 y siguientes de la Ley Orgánica 2/1986 de 13 de marzo, de Fuerzas y Cuerpos de Seguridad del Estado.

(8)   En redacción dada por la Ley 22/1980 de 24 de abril.

(9)   Artículos segundo y tercero de la Ley Orgánica 3/1986, de 14 de abril, de medidas especiales en materia de salud pública.

(10)   Artículos 58 y siguientes de la Ley 33/2003 de 3 de noviembre de Patrimonio de las Administraciones públicas.

Los supuestos de expulsión del territorio nacional de los extranjeros que contempla el reglamento de la Ley Orgánica 4/2000 de 11 de enero, sobre derechos y libertades de los extranjeros en España y su integración social (11).

Determinadas actuaciones que regula el Reglamento Penitenciario (12) sobre los internos en instituciones penitenciarias.

3. SITUACIONES DE COMPULSIÓN

Entre las diversas situaciones que, nuestro Ordenamiento jurídico contempla en que procede el empleo de alguna modalidad de compulsión sobre las personas se encuentran las siguientes:

a) La autotutela de conservación que se ejerce mediante la recuperación posesoria de bienes de dominio público o bienes patrimoniales, en cuya aplicación procede la utilización de todos los medios compulsorios legalmente admitidos (13).

b) El desahucio administrativo a que se refiere la Ley de Bases de Régimen Local (14) cuando establece que las prelaciones y preferencias y demás prerrogativas reconocidas a la Hacienda Pública para los créditos de la misma; así como las potestades de ejecución forzosa; además de la prerrogativa de recuperar por sí mismas su posesión en cualquier momento cuando se trate de bienes de dominio público y en el plazo de una año los patrimoniales (15); además el Reglamento de Bienes de las entidades Locales (16) regula las prerrogativas de las entidades locales respecto a sus bienes disponiendo que este privilegio habilita alas Corporaciones locales para que utilicen todos los medios compulsorios legalmente admitidos, sin perjuicio de que, si los hechos usurpatorios tuvieran apariencia de delito se pongan en conocimiento de la autoridad judicial (17).

c) El mantenimiento del orden público y la seguridad ciudadana para lo cual la ley atribuye potestades a las autoridades y agentes para acordar y adoptar las medidas necesarias que garanticen el orden público y seguridad ciudadana incluso sin previo aviso, realizando las comprobaciones que consideren necesarias, limitando

---

(11)   Aprobado por Real Decreto 2393/2004 de 30 de diciembre.
(12)   Aprobado por Real Decreto 190/1996 de 9 de febrero. Ver artículo 252 y siguientes.
(13)   Ver STS 2.12.1999.
(14)   Ley 7/1985, de 2 de abril reguladora de las Bases de Régimen Local (LBRL).
(15)   Ver artículos 4 y 82 de la LBRL, también los artículos 55 a 57 de la Ley 53/2003 de Patrimonio de las Administraciones Públicas y el artículo 20 de la Ley de Montes que atribuye a la administración responsable potestades de recuperación de los montes poseídos indebidamente.
(16)   Aprobado por Real Decreto 1372/1986 de 13 de junio.
(17)   Ver artículo 71 del citado Reglamento de Bienes de la Entidades Locales.

o restringiendo la circulación, ocupando los efectos o instrumentos susceptibles de ser utilizados para actuaciones ilegales y registros correspondientes (18).

d) La compulsión sobre las personas resulta también especialmente frecuente en caso de ejecución de actos sobre administrados cualificados, sujetos a relación de sujeción especial carcelaria, es decir, sobre reclusos, con aplicación del Reglamento Penitenciario a que nos hemos referido anteriormente.

e) Otro caso que merece citarse en este mismo sentido es la ejecución de resoluciones de expulsión del territorio nacional que regula el Reglamento de ejecución de la Ley Orgánica 4/2000, de 11 de enero sobre derechos y libertades de los extranjeros en España y su integración social modificada por la LO 8/2000. (19) cuando regula la ejecución de resoluciones de expulsión disponiendo que Las resoluciones de expulsión del territorio nacional que se dicten en procedimientos de tramitación preferente deben ejecutarse de forma inmediata de acuerdo con las normas específicas previstas en el presente Reglamento y en la Ley; las resoluciones de expulsión del territorio nacional que se dicten en procedimientos que no sean de tramitación preferente contendrán el plazo en que el extranjero vendrá obligado a abandonar el territorio nacional. Plazo que, en ningún caso podrá ser inferior a setenta y dos horas. Si transcurre dicho plazo sin haber abandonado el extranjero el territorio nacional, los funcionarios policiales competentes en materia de extranjería deben proceder a su detención y conducción hasta el puesto de salida por el que haya de hacerse efectiva la expulsión. Si la expulsión no se pudiera ejecutar en el plazo de setenta y dos horas desde el momento de la detención, la autoridad gubernativa podrá solicitar de la autoridad judicial el ingreso del extranjero en los centros de internamiento establecidos al efecto, situación que no podrá prolongarse más de cuarenta días. La ejecución de la resolución de expulsión se efectuará a costa del extranjero si éste dispusiera de medios económicos. En caso contrario se comunicará dicha circunstancia al representante diplomático o consular de su país, a los efectos oportunos. Si el extranjero formulase petición de asilo se suspenderá la ejecución de la resolución de expulsión hasta que se haya inadmitido a trámite o resuelto, de conformidad con lo establecido en la normativa de asilo. Respecto de los Extranjeros inculpados en procedimientos por delitos. Si el extranjero contra el que se hubiese adoptado resolución que acuerde su expulsión del territorio nacional se encontrase inculpado en proceso penal, por un delito castigado con penas privativas de libertad inferiores a seis años, una vez que haya sido oído en declaración como tal, el Ministerio Fiscal interesará con carácter general, ponderando todas las circunstancias concurrentes, y en especial la satisfacción de los intereses generales, la autorización de la expulsión

---

(18) Ver artículos 14 y siguientes, en el Capítulo III Actuaciones para mantenimiento y restablecimiento de la seguridad ciudadana, dentro de la Ley 1/1992 de 321 de febrero, sobre Protección de la Seguridad Ciudadana.

(19) Aprobado por Real Decreto 864/2001.

del territorio español de dicho extranjero. La autoridad judicial podrá autorizar su expulsión la que se ejecutará conforme el procedimiento administrativo que se hubiese seguido.

f) El desahucio administrativo de las viviendas de protección oficial se justifica en la circunstancia de que tales viviendas están normativamente destinadas a un determinado fin, de modo que se hallan directa e inmediatamente preordenadas a satisfacer el interés público y a paliar un problema social, contemplado incluso en la propia Constitución (20). Por ello se justifica su sujeción a un régimen específico de intervención administrativa (21).La satisfacción de los intereses generales y la propia normativa de vivienda imponen el desahucio administrativo de quien ocupa una vivienda de este tipo sin título para ello (22) impidiendo, además, que la posesión del ocupante con el inmueble se regule en exclusiva por normas de Derecho privado que responden a fines diversos, dado que en modo alguno pueden impedir la recuperación de la vivienda y su destino posterior a la finalidad social que es propia de las mismas; por otra parte hay que tener en cuenta que, como la jurisprudencia declarado, el procedimiento de desahucio no tiene sancionador (23).

4. EL DESAHUCIO ADMINISTRATIVO

Una forma específica de compulsión sobre las personas la constituye el llamado desahucio administrativo, consistente en el desalojo o lanzamiento por los agentes de la Administración de quienes ocupan sin título bastante, por no haber existido nunca o por haberse extinguido bienes de dominio público, bienes comunales, bienes que han sido adquiridos por la Administración mediante expropiación forzosa, bienes patrimoniales que van a destinarse a fines relacionados con obras o servicios públicos, fincas de las Corporaciones locales con ocasión de la extinción de los contratos de arrendamientos u otros derechos personales constituidos a favor de su personal por relación de los servicios que presten, y viviendas de protección oficial.

Constituye una especialidad dentro de la figura genérica de compulsión sobre las personas consistente en el lanzamiento por los propios agentes de la

---

(20)   El artículo 47 de la CE proclama que Todos los españoles tienen derecho a disfrutar de una vivienda digna y adecuada. Los poderes públicos promoverán las condiciones necesarias y establecerán las normas pertinentes para hacer efectivo este derecho.

(21)   Ver entre otros el artículo 30 del Texto Refundido de viviendas de protección oficial aprobado por Real Decreto 2960/1976 de 12 de noviembre.

(22)   Entre otros los casos de invalidez del acto de adjudicación en viviendas de promoción pública.

(23)   STS 18.2.2002.

Administración que quien ocupe algún bien de dominio público sin acreditar título suficiente.

Cuando los ocupantes no proceden al desalojo voluntario, la Administración puede utilizar los medios que la ley autoriza como la multa coercitiva o medidas de coacción personal directa de aquellos que ocupan bienes de dominio público o comunales, bienes que hayan sido adquiridos por la administración o mediante expropiación forzosa o bienes patrimoniales que vayan a ser destinados a obras o servicios públicos, sin título bastante porque no haya existido nunca o porque se hubiera extinguido.

Mientras que en el ámbito de la Administración local existe una regulación general del desahucio administrativo, que recoge la figura de compulsión sobre las personas en el Reglamento de Bienes de las Corporaciones Locales del modo como examinamos en un apartado posterior; sin embargo, en la legislación del Estado no hay una regulación de ámbito genérico, sino sólo regulaciones específicas en determinados sectores, por ejemplo, el que regula dominio público marítimo-terrestre (24) que dispone que El desahucio administrativo de quienes ocupen de forma indebida y sin título bastante bienes del dominio público marítimo-terrestre se decretará por el órgano competente, previo requerimiento al usurpador para que cese en su actuación, con un plazo de ocho días para que pueda presentar alegaciones, y en caso de resistencia activa o pasiva a dicho requerimiento. Los gastos que se causen serán a cuenta de los desahuciados; además tanto el importe de las multas como el de las responsabilidades administrativas podrán ser exigidos por la vía administrativa de apremio. En el caso de que se acuerde la suspensión de la ejecución de la multa o de la reparación, el interesado estará obligado a garantizar su importe para que la suspensión sea efectiva. Los órganos sancionadores podrán imponer multas coercitivas cuando transcurran los plazos señalados en el requerimiento correspondiente, y conforme a lo previsto en la LRJ. La cuantía de cada una de ellas no superará el veinte por ciento de la multa fijada para la infracción cometida (25).

Esta ausencia de normativa general plantea la cuestión de saber qué medios de recuperación de los bienes tiene la Administración General del Estado en otros sectores de regulación en que el desahucio no haya sido específicamente previsto por la Ley, supuesto este que es, precisamente, el más extendido en nuestro Ordenamiento Jurídico.

Como primera respuesta, parece que es posible recurrir a la figura de la compulsión general sobre las personas siempre que se cuente con habilitación legal

---

(24)   Ley 22/1988 de 28 de julio de Costas.
(25)   Artículos 107 y 108 de la Ley 22/1988.

suficiente según lo exige la propia LRJ (26), lo cual ocurre, por ejemplo, en el caso que contempla la ley de expropiación forzosa, cuando dispone que hecho efectivo el justo precio, o consignado en la forma prevista en la propia Ley, podrá ocuparse la fina por vía administrativa o hacer ejercicio del derecho expropiado, siempre que no se hubiera hecho ya en virtud del procedimiento excepcional expresamente regulado (27) A efectos de lo de lo dispuesto en las Leyes Orgánica del Poder Judicial y de la Jurisdicción Contencioso-administrativa (28) únicamente tienen consideración de lugares cuyo acceso depende del consentimiento del titular, en relación con la ocupación de los bienes inmuebles expropiados, además del domicilio de las personas físicas y jurídicas en los términos que establece la propia Constitución (29) y los locales cerrados sin acceso al público. Respecto de los demás inmuebles o partes de los mismos en los que no concurran las condiciones expresadas en el párrafo anterior, la Administración expropiante podrá entrar y tomar posesión directamente de ellos, una vez cumplidas las formalidades establecidas en esta Ley, recabando del Delegado del Gobierno, si fuera preciso, el auxilio de las Fuerzas y Cuerpos de Seguridad del Estado para proceder a su ocupación (30).

La propia LEF dispone que en el caso de no ejecutarse la obra o no establecerse el servicio que motivó la expropiación, así como si hubiera alguna parte sobrante de los bienes expropiados, o desapareciese la afectación, el primitivo dueño o sus causahabientes podrán recobrar la totalidad o la parte sobrante de lo expropiado, mediante el abono a quien fuera su titular de la indemnización que se determina la propia LEF. Por otra parte la LEF deniega el derecho de reversión cuando simultáneamente a la desafectación del fin que, en su momento, justificó la expropiación se acuerde justificadamente una nueva afectación a otro fin que haya sido declarado de utilidad pública o interés social. En este supuesto la Administración dará publicidad a la sustitución, pudiendo el primitivo dueño o sus causahabientes alegar cuanto estimen oportuno en defensa de su derecho a la reversión, si consideran que no concurren los requisitos exigidos por la ley, así como solicitar la actualización del justiprecio si no se hubiera ejecutado la obra o establecido el servicio inicialmente previstos; cuando la afectación al fin que justificó la expropiación o a otro declarado de utilidad pública o interés social se prolongue durante diez años desde la terminación de la obra o el establecimiento del servicio y cuando de acuerdo con lo establecido en los apartados anteriores de este artículo proceda

---

(26)   El artículo 100 LRJ exige que se aplique en los casos en que la Ley, expresamente, lo autorice.

(27)   En el artículo 52 LEF.

(28)   Ley Orgánica 6/1985 del Poder Judicial artículo 91.2 y Ley 28/1998, de 13 de julio reguladora de la Jurisdicción Contencioso-Administrativa, artículo 8.5.

(29)   La CE dispone en su artículo 18.2 que el domicilio es inviolable. Ninguna entrada o registro podrá hacerse en él sin consentimiento del titular o resolución judicial, salvo en caso de flagrante delito.

(30)   Artículo 51 de la Ley de Expropiación Forzosa.

la reversión, el plazo para que el dueño primitivo o sus causahabientes puedan solicitarla será el de tres meses, a contar desde la fecha en que la Administración hubiera notificado el exceso de expropiación, la desafectación del bien o derecho expropiados o su propósito de no ejecutar la obra o de no implantar el servicio.

Otro medio de recuperación de los bienes es la llamada autodefensa posesoria, que, siguiendo al Consejo de Estado (31), algunos denominan interdicto propio, expresión que quiere subrayar que se trata de una vía interdictal, y como tal, permite recuperar la posesión que se haya perdido, nunca el derecho de propiedad, pero que es un herramienta procesal propia de la Administración que puede utilizarla directamente, sin necesidad de recurrir al empleo de interdictos judiciales que tendría que solicitar.

En cuanto a figura interdictal, permite recuperar el derecho de posesión; pero no el derecho de poseer que es inherente no a la simple posesión sino a la propiedad o título equivalente. En consecuencia el plazo para ejercicio de esta acción es de un año como regla general. Sin embargo hay dos supuestos en que el plazo se altera en beneficio de la Administración. Uno de ellos es el previsto en la LBRL (32) que examinamos a continuación, en cuya virtud ese plazo de un año no se aplica cuando se trata de la recuperación de bienes de dominio público. Sin embargo es criterio repetido que esto sería más razonable si se limitara el llamado dominio público natural, es decir, por sectores o medios completos: hidrológico, minero, marítimo, aéreo etcétera. De conformidad con el la legislación local, la recuperación de la posesión de los bienes de dominio público podrá hacerse en cualquier momento. Un supuesto diferente previsto en la Ley de Montes para los bienes incluidos en el catálogo de montes de utilidad pública, pues la inclusión de un monte en el catálogo otorga a la entidad pública que en él aparezca como titular la presunción de su posesión por la misma, y sólo quienes acrediten una posesión de más de treinta años podrán evitar la recuperación posesoria intentada. De todas formas la en la práctica se tiende a atenuar la rigidez de estas excepciones.

5. DESAHUCIO ADMINISTRATIVO EN LA ADMINISTRACIÓN LOCAL

En la Administración local existe una regulación general del desahucio administrativo (33) que dispone que la extinción de los derechos constituidos sobre bienes de dominio público o comunales de las Entidades locales, en virtud de autorización, concesión o cualquier otro título y de las ocupaciones a que hubieren dado lugar, se efectuará por las Corporaciones, en todo caso, por vía administrativa, mediante el ejercicio de sus facultades coercitivas, previa indemnización o sin

---

(31)   Dictamen del Consejo de Estado de 14.12.1949 en que empleo esta denominación.
(32)   Artículo 82.
(33)   Reglamento de Bienes de las Entidades Locales (RBEL) aprobado por Real Decreto 1372/1986 de 13 de junio artículos 120 y siguientes.

ella, según proceda, con arreglo a derecho. Por otra parte la expropiación forzosa de fincas rústicas o urbanas, terrenos o edificios produce la extinción de los arrendamientos y de cualesquiera otros derechos personales relativos a la ocupación de las mismas, de manera que se entienden comprendidas en dicho supuesto las expropiaciones de bienes que tengan por objeto la realización de obras o el establecimiento de servicios públicos de este modo los titulares de los derechos de ocupación extinguidos serán desahuciados conforme a las normas del Reglamento de Bienes de las Entidades Locales (RBEL).

La competencia y el procedimiento para disponer el desahucio, fijar la indemnización y llevar a cabo el lanzamiento tiene plena naturaleza administrativa y carácter sumario; además la competencia exclusiva de las Corporaciones Locales impide la intervención de organismos que no sean los previstos por el citado RBEL, así como la admisión de acciones o recursos por los Tribunales ordinarios (34). Desde el momento en que se acuerde la expropiación, la Corporación local debe abstenerse de establecer o continuar con los ocupantes cualquier relación arrendaticia en forma expresa y de iniciarla con quienes no ostentaren aquella condición; además tampoco podrán reconocerse o convalidarse situaciones de hecho creadas antes o después de comenzar la expropiación (35). La fijación del importe de la indemnización se tramitará simultáneamente con la expropiación del dominio del inmueble, y el desalojo, salvo consentimiento del propietario, no podrá efectuarse hasta que se haya abonado o depositado el valor del justiprecio. Las Corporaciones Locales pueden, en supuestos excepcionales, anticipar la fecha del desalojo de la finca, en cuyo caso, quedarán subrogadas en las obligaciones de los ocupantes respecto del propietario hasta que se efectúe la expropiación del derecho de éste. Para fijar la indemnización se intentará una avenencia con los interesados o sus representantes legales, a cuyo efecto se les requerirá para que, en el término de quince días contados a partir de la notificación, formulen proposición sobre la cuantía de aquella y el plazo necesario para desalojar. Si la Corporación local considerase atendible la proposición, se cumplirá en los términos que resultare aceptada. Sin embargo, la fijación del precio por mutuo acuerdo puede verificarse en cualquier momento del expediente hasta que el jurado de expropiación decida acerca del justo precio y producido el mutuo acuerdo quedarán sin efectos las actuaciones que se hubieran verificado relativas a la determinación del mismo. La indemnización que la Corporación y el titular del derecho a ocupación convinieren libremente por avenencia no podrá exceder del doble que resulte de aplicar las normas del propio RBEL. Al formular el requerimiento la Administración debe advertir al titular de la ocupación, y en su persona a todos los que les afecte, que deben desalojar la finca en el plazo de cinco meses, a contar desde la notificación.

---

(34)   Excepto los, específicamente, previstos por la Legislación de Expropiación Forzosa.
(35)   La calificación de vivienda o local de negocio de estos bienes se rige por lo dispuesto en la Legislación de Arrendamientos Urbanos, calificación que el interesado puede recurrir, sin que en este caso se suspenda la tramitación del procedimiento.

Cuando no se llegue a un acuerdo deberá fijarse el importe de la indemnización, con arreglo a lo previsto en la Legislación de expropiación forzosa.

Transcurrido dicho término sin que se hubiere fijado el importe de la indemnización, la Corporación podrá también ejecutar el desahucio, previa consignación en la caja de la entidad local o en la general de depósitos de la cantidad respectiva con arreglo a las siguientes normas: En las viviendas, la equivalencia de un año de alquiler, más una cantidad igual al importe de un mes de renta, según el promedio de los últimos tres años, por cada anualidad o fracción de vigencia del contrato, incrementado todo ello con el tres por ciento de afección. Si se tratare de local de negocio, se duplicarán los porcentajes anteriores, y, como resarcimiento de los daños y perjuicios que pudieran originarse, se depositará otra cantidad que no exceda del doble ni sea inferior a lo que resultare por el derecho arrendaticio.

Agotado el plazo para desocupar el predio, vivienda o local de negocio sin que se efectuare, la Corporación, si estuviera fijada la indemnización, la depositará en la caja de la entidad local o en la general de depósitos, y si no lo estuviere, deberá consignar las cantidades procedentes. Una vez verificado el depósito se requerirá al interesado para que en el plazo de diez días desaloje el predio, vivienda o local. En caso que la indemnización se hubiera fijado por avenencia, el incumplimiento del plazo de desalojo no impedirá a la Corporación el ejecutar el desahucio previo deposito de la cantidad convenida. Si a pesar del requerimiento que se dirigiere a quienes ocuparen el inmueble expropiado, con título o sin él, no lo desalojaren dentro de los respectivos plazos, la Corporación procederá, por sí, a ejecutar el desahucio por vía administrativa. Dentro de los ocho días siguientes a la expiración del plazo concedido sin que el interesado hubiere desalojado el predio, vivienda o local de negocio, la administración debe apercibirle de lanzamiento en el término de otros cinco días. El día fijado para el lanzamiento la Corporación lo ejecutará por sus propios medios a cuyo efecto bastará la orden escrita del Presidente, de la que se entregará copia al interesado. Los gastos a que dé lugar el lanzamiento o depósito de bienes serán de cuenta del desahuciado. La Administración retendrá los bienes que considere suficientes para atender al pago de los gastos de ejecución del desahucio y podrá enajenarlos por el procedimiento de apremio.

Por otra parte el RBEL dispone que Las Corporaciones Locales que, bajo cualquier título y en fincas de su pertenencia, tuvieran cedidas viviendas a su personal por razón de los servicios que preste, deben dar por terminada la ocupación cuando, previa instrucción de expediente, se acredite que está incurso en alguna de las siguientes causas:

a) Permanencia de dos años en la situación de excedencia voluntaria sin que una vez transcurrido dicho plazo se haya solicitado, de forma inmediata, el oportuno reingreso.

b) Todas las que según la normativa vigente impliquen la extinción de la relación de empleo.

c) Extinción del título bajo el cual tuviera cedida la vivienda a sus funcionarios la Corporación Local.

El mismo RBEL dispone, expresamente que corresponde a la propia Administración acordar y ejecutar por sí misma el desahucio

6. PRINCIPIOS GENERALES DE ACTUACIÓN

El aspecto que más caracteriza a las actuaciones administrativas de coacción directa o actuación inmediata es que no suelen venir precedidas de un procedimiento formal. En estos casos tanto la intimación previa, cuando hay lugar a ella, como la orden de ejecución y la ejecución de la misma actuación material, se entienden incluidos en una sola manifestación externa de la administración que se presenta como una conducta coactiva inmediata, proyectada, directamente, sobre los hechos que pretende modificar.

La extraordinaria concentración de poder que se produce en estos casos y su expresión externa en medidas de fuerza, que por lo general resultan irresistibles para el particular, no quiere decir que los límites legales efectivos de las mismas no sean susceptibles de una delimitación funcional, de imposición de límites que condicionan la legitimidad de la acción y que a la vez sean controlables por los Tribunales contencioso-administrativos; pues hay que recordar que es un imperativo constitucional el que toda actuación administrativa se encuentre limitada por la ley y sea susceptible de control por los tribunales de justicia.

En varios supuestos de coacción directa incluso en los más calificados supuestos de estado de necesidad —por ejemplo, en situaciones que afectan a la colectividad como son los casos en que se haya declarado el estado de excepción—, la propia Constitución (36) señala límites externos, que serán más o menos amplios, pero que en todo caso son efectivos (37). En último extremo, la regla de la

---

(36) Artículo 116.3. El estado de excepción será declarado por el Gobierno mediante decreto acordado en Consejo de ministros, previa autorización del Congreso de los diputados. La autorización y proclamación del estado de excepción deberá determinar expresamente los efectos del mismo, el ámbito territorial a que se extiende su duración, que no podrá exceder de treinta días, prorrogables por otro plazo igual, con los mismos requisitos.

(37) Ley Orgánica 4/1981 de 1 de junio, de los Estados de Alarma Excepción y Sitio (LOAES) regula en sus artículos 16 y siguientes los límites y requisitos de estas situaciones como, por ejemplo, la posibilidad de detener a cualquier persona si se considera necesario, siempre que, cuando menos, existan fundadas sospechas de que dicha persona va a provocar alteraciones de orden público, estableciendo límites temporales a la detención y obligación de comunicarla a juez; también registros domiciliarios estableciendo que la asistencia de los vecinos requeridos para presenciar el registro es obligatoria y coactivamente exigible.

proporcionalidad, que en términos generales formula La LRJ (38), siempre que se trate del uso de medios compulsorios sobre las personas, el respeto debido a su dignidad y a los derechos reconocidos en la Constitución, con las excepciones que sobre estos derechos las situaciones previstas por las leyes. La proporcionalidad se refiere en los casos más exentos de límites concretos, como los de estado de necesidad; así cuando la Ley de Régimen Local se refiere a medidas necesarias y adecuadas (39) el juicio no es discrecional en estos casos, sino que se trata de la aplicación de un concepto jurídico indeterminado. La propia Constitución Española (40) ratifica ahora al máximo nivel estos principios, afirmando que la utilización injustificada o abusiva de las facultades reconocidas a las autoridades gubernativas en estos casos producirá responsabilidad penal como violación de los derechos y libertades reconocidos por las leyes, a cuyo servicio se sitúan los procedimientos regulados LRJ (41).

7. CONTROL Y SITUACIONES DE COACCIÓN

De este modo los Tribunales contencioso-administrativos pueden controlar la legitimidad de la medida coactiva concreta, en sus límites legales explícitos, en su competencia, en sus circunstancias legitimadoras, en su fin, en la proporcionalidad de la reacción para el fin que justifica el uso de la fuerza. Eventualmente, cuando resulte notoria la inexistencia de circunstancias legitimadoras y se haga patente un simple abuso de la fuerza, o también cuando ésta se utilice, más que como un medio de restablecimiento del orden, como una medida sancionatoria o represiva, los mismos Tribunales civiles tiene capacidad para calificar como vía de hecho la actuación coactiva de la Administración y poner término a la misma (42).

Pero es quizá más importante notar que en todos los supuestos de coacción directa, salvo quizá el de la autodefensa administrativa y dentro de él, el de la defensa posesoria, que agota en la recuperación del statu quo ante todo su sentido, se justifican como medidas inmediatas en tanto que la situación de peligro está

---

(38)   Artículos 53.2 y 100.

(39)   Artículo 21.1

(40)   Constitución española en el artículo 55.2 señala que una ley orgánica podrá determinar la forma y los casos, en los que, de forma individual y con la necesaria intervención judicial y el adecuado control parlamentario, los derechos reconocidos en los artículos 17 y 18 pueden ser suspendidos para personas determinadas, en relación con las investigaciones correspondientes, a la actuación de bandas armadas o elementos terroristas. La utilización injustificada o abusiva de las facultades reconocidas en dicha ley orgánica producirá responsabilidad penal, como violación de los derechos reconocidos por las leyes.

(41)   Artículos 114 y siguientes de la LRJ.

(42)   Previo requerimiento a la propia administración para que cese la situación originada por la vía de hecho.

presente, pero que una vez la situación de peligro esté vencida o superada se restablece el curso normal de los procedimientos, incluso para revisar, modificar o reordenar la situación creada por las medidas coactivas que hubieron de dictarse sin esperar a ningún procedimiento previo ante el apremio de las circunstancias. Con la excepción indicada, las medidas de coacción directa actúan Normalmente a título provisional y cesan por ello una vez que las circunstancias que las legitiman desaparecen y puede entrar en juego el procedimiento normal de administrar y de resolver los conflictos o encuentros de valores. Por ejemplo, la actuación dirigida a impedir o eliminar los hechos delictivos o contrarios al orden en conocimiento de la autoridad judicial (43); de este modo entra en juego el procedimiento normal y ordinario de tratar los hechos punibles;

Análoga obligación de dar cuenta a las autoridades superiores para que éstas procedan a la ordenación definitiva de la situación se da en los supuestos de estados de excepción no formalmente declarados y así lo precisan los preceptos básicos (44); igualmente en los casos de situación de estado de excepción legalmente declarada, que exigen la inmediata comunicación al juez competente de las medidas adoptadas (45); teniendo en cuenta, además que la posibilidad de corrección de los efectos prácticos inmediatos producidos por la acción coactiva siempre es posible mediante la utilización de los instrumentos que ponen en marcha la figura de la responsabilidad civil dirigida a restablecer las alteraciones patrimoniales causadas por las actuación de la Administración pública. En estos casos queda establecido que aunque las medidas coactivas sean legítimas, sin embargo, generan, a favor de los particulares que resulten sacrificados o injustamente lesionados por las normas, acuerdos o actuaciones llevadas a cabo, un derecho de resarcimiento frente a dicha Administración que tiene su fundamento principio

---

(43)   Ley Orgánica 1/1992, de 21 de febrero, sobre Protección de la Seguridad Ciudadana dispone en su artículo 19.2 que para el descubrimiento y detención de los partícipes en un hecho delictivo causante de grave alarma social y para la recogida de los instrumentos, efectos o pruebas del mismo, se podrán establecer controles en las vías, lugares o establecimientos públicos, en la medida indispensable a los fines de este apartado, al objeto de proceder a la identificación de las personas que transiten o se encuentren en ellos, al registro de los vehículos y al control superficial de los efectos personales con el fin de comprobar que no se portan sustancias o instrumentos prohibidos o peligrosos. El resultado de la diligencia se pondrá de inmediato en conocimiento del Ministerio Fiscal; igualmente establece, en su artículo 20.4, que en los casos de resistencia o negativa infundada a identificarse o a realizar voluntariamente las comprobaciones o practicas de identificación, se estará a lo dispuesto en el Código Penal y en la Ley de Enjuiciamiento Criminal.

(44)   Así la Ley 7/1985, de 2 de abril, Reguladora de las Bases del Régimen Local atribuye el alcalde, en su artículo 21.1. m, entre otras, las siguientes que Adoptar personalmente, y bajo su responsabilidad, en caso de catástrofe o de infortunios públicos o grave riesgo de los mismos, las medidas necesarias y adecuadas dando cuenta inmediata al Pleno.

(45)   Ver artículos 16.2, 17.7 y 18.2 LOAES.

proclamado por la LRJ (46) y la Ley de Expropiación Forzosa (LEF) (47), que disponen que son resarcibles las lesiones patrimoniales que sean consecuencia tanto del funcionamiento normal como anormal de los servicios públicos (48). La LEF explicita (49) el derecho de todos los particulares dañados a ser indemnizados, aunque el principio general de responsabilidad hace innecesarias hoy las previsiones casuísticas, la Ley de 31 de diciembre de 1945 (complementada por la de 8 de junio de 1957), sobre reparación de los daños personales causados por el uso de armas de fuego por la policía.

Este régimen de la responsabilidad civil opera también en el caso concreto del estado de necesidad administrativa que proclama la Constitución en su artículo 116 La declaración de los estados de alarma, de excepción y de sitio no mo-

---

(46)   El artículo 139 relativo a los principios de la responsabilidad.1. Los particulares tendrán derecho a ser indemnizados por las Administraciones Públicas correspondientes, de toda lesión que sufran en cualquiera de sus bienes y derechos, salvo en los casos de fuerza mayor, siempre que la lesión sea consecuencia del funcionamiento normal o anormal de los servicios públicos.2. En todo caso, el daño alegado habrá de ser efectivo, evaluable económicamente e individualizado con relación a una persona o grupo de personas.3. Las Administraciones Públicas indemnizarán a los particulares por la aplicación de actos legislativos de naturaleza no expropiatoria de derechos y que éstos no tengan el deber jurídico de soportar, cuando así se establezcan en los propios actos legislativos y en los términos que especifiquen dichos actos.4. La responsabilidad patrimonial del Estado por el funcionamiento de la Administración de Justicia se regirá por la Ley Orgánica del Poder Judicial. 5. El Consejo de Ministros fijará el importe de las indemnizaciones que proceda abonar cuando el Tribunal Constitucional haya declarado, a instancia de parte interesada, la existencia de un funcionamiento anormal en la tramitación de los recursos de amparo o de las cuestiones de inconstitucionalidad. El procedimiento para fijar el importe de las indemnizaciones se tramitará por el Ministerio de Justicia, con audiencia al Consejo de Estado.

(47)   La Ley de Expropiación Forzosa dispone en su artículo 121 quedará también lugar a indemnización con arreglo al mismo procedimiento toda lesión que los particulares sufran en los bienes y derechos a que esta Ley se refiere, siempre que aquélla sea consecuencia del funcionamiento normal o anormal de los servicios públicos, o la adopción de medidas de carácter discrecional no fiscalizables en vía contenciosa, sin perjuicio de las responsabilidades que la Administración pueda exigir de sus funcionarios con tal motivo. En los servicios públicos concedidos correrá la indemnización a cargo del concesionario, salvo en el caso en que el daño tenga su origen en alguna cláusula impuesta por la Administración al concesionario y que sea de ineludible cumplimiento para éste.

(48)   En estos casos de actuaciones compulsivas estaremos por lo general en presencia de un funcionamiento normal, salvo que se trate de un supuesto de vía de hecho.

(49)   En su artículo 120: Cuando por consecuencias de graves razones de orden o seguridad públicos, epidemias, inundaciones u otras calamidades, hubiesen de adoptarse por las autoridades civiles medidas que implicasen destrucción, detrimento efectivo o requisas de bienes o derechos de particulares sin las formalidades que para los diversos tipos de expropiación exige esta Ley, el particular dañado tendrá derecho a indemnización de acuerdo con las normas que se señalan en los preceptos relativos a los daños de la ocupación temporal de inmuebles y al justiprecio de los muebles, debiendo iniciarse el expediente a instancia del perjudicado y de acuerdo con tales normas.

dificarán el principio de responsabilidad del Gobierno y de sus agentes reconocidos en la Constitución y en las leyes, y es desarrollado el artículo 3.2 por la LOAES que dispone que quienes como consecuencia de la aplicación de los artículos y disposiciones adoptadas durante la vigencia de estos estados sufran, de forma directa, o en su persona, derechos o bienes, daños o perjuicios por actos que no les sean imputables, tendrán derecho a ser indemnizados de acuerdo con lo dispuesto en las leyes (50). Si bien, actualmente, no existe una previsión legal explícita análoga a la que establece el artículo 118.1.3 Código Penal (51), es posible plantear la posibilidad de que la Administración, responsable inmediatamente ante los lesionados, pueda o no repetir sobre beneficiarios individualizados de las medidas de necesidad todo o parte del importe de la indemnización. La referencia del Código Penal a las leyes o Reglamentos especiales cuando la responsabilidad se extienda al Estado o a la mayor parte de una población o a la dificultad de establecer cuotas de beneficios debe entenderse en el sentido de que entra en juego la responsabilidad directa y exclusiva de la Administración.

8. ENTRADA EN DOMICILIO O EN LUGARES DE ACCESO RESTRINGIDO

La entrada en el domicilio es una de las posibles actuaciones que incluye la compulsión cuando es necesaria para ejecutar acuerdos de la administración de este modo la LRJ dispone que cuando sea necesaria la entrada en el domicilio del afectado las administraciones deberán obtener el consentimiento del mismo o en su defecto autorización judicial (52)

El concepto legal de domicilio, puede entenderse dentro de nuestro ordenamiento jurídico en dos sentidos diferentes.

Desde una óptica constitucional (53) el domicilio es el espacio en el cual el sujeto vive sin estar sujeto a los condicionantes sociales y en el que ejerce su libertad más íntima (54). Desde este punto de vista, presenta diferentes caracteres:

---

(50)   Artículo 3.2.
(51)   Estableces que en caso de estado de necesidad serán responsables civiles directos las personas en cuyo favor se haya precavido el mal, en proporción al perjuicio que s eles haya evitado, si fuera estimable o, en otro caso, en la que el juez o tribunal establezca según su prudente arbitrio. Cuando las cuotas de que deba responder el interesado no sean equitativamente asignables por el juez o tribunal, ni siquiera por aproximación, o cuando la responsabilidad se extienda a las Administraciones públicas o a la mayor parte de una población y, en todo caso, siempre que el daño se haya causado con asentimiento de la autoridad o de sus agentes, se acordará, en su caso, la indemnización en la forma que establezcan las leyes y reglamentos especiales.
(52)   Artículo 96 LRJ. Ver art. 113 Ley General Tributaria; 91.2 de la LOPJ y 8.6 de LJCA.
(53)   Artículo 18.2 CE. El domicilio es inviolable. Ninguna entrada o registro podrá hacerse en él sin consentimiento del titular o resolución judicial, salvo en caso de flagrante delito.
(54)   Definido por Auto del Tribunal Constitucional 171/1989.

a) Es inviolable y su protección alcanza dimensión constitucional como derecho fundamental.

b) No todos los recintos cerrados merecen la consideración legal de domicilio a efectos de las garantías proclamadas por la Constitución. De manera que no puede confundirse con otros lugares que también tienen acceso restringido, como almacenes, fábricas, fincas, oficinas, locales comerciales y otros similares que, por estar afectos a una función o situación concreta, tengan un destino o sirvan a cometidos incompatibles con la idea de privacidad (55), sin perjuicio de que sea precisa la autorización judicial de entrada, en defecto de consentimiento del titular (56).

c) El derecho a la inviolabilidad del mismo puede ser titularidad también de personas jurídicas (57).

Este concepto es diferente desde una perspectiva de Derecho privado (58), que define el domicilio como la sede jurídica de la persona física o jurídica, donde se residencian todas sus relaciones jurídicas o económicas. Desde esta perspectiva, el domicilio, no coincide necesariamente con el anterior.

En todo caso, la entrada en domicilio, sea para ejecución de resoluciones judiciales o de actos administrativos, requiere consentimiento del interesado o autoridad judicial, salvo en caso de flagrante delito y, excepcionalmente, en casos de estado de necesidad (59). En consecuencia puede decirse que la Constitución española impone una reserva para la entrada en domicilio sin autorización judicial y fuera de casos de flagrante delito, que consiste en una condición de que haya una resolución judicial previa que autorice la entrada; a diferencia de lo que sucede con otras actuaciones incidentes en la esfera de la intimidad de las personas o, en general, de sus derechos fundamentales, que pueden adoptarse por la autoridad competente por razón de la materia, siempre que exista una previa habilitación legal específica, en relación con la consulta e investigación de saldos y movimientos bancarios (60).

La autorización judicial específica de entrada sólo procede en caso de entradas administrativas (61). Ahora bien para la ejecución de resoluciones judiciales, no se precisa que recaiga una segunda resolución cuyo objeto específico sea la auto-

---

(55)   STC 228/1997 y ATC 171/1989.
(56)   Así lo tiene declarado la Dirección General del Servicio Jurídico del Estado en Resolución de 25.7.1992.
(57)   SSTC 137/1985 y 23/1989.
(58)   Ver artículos 40 y 41 del Código Civil; 5 y 6 de la Ley de Sociedades Anónimas; 59 de la LRJ; 48 de la Ley General Tributaria entre otras normas que utilizan criterios de derecho privado para definir y regular el domicilio.
(59)   STC 133/1995.
(60)   STC 233/2005.
(61)   STC 211/1992.

rización de entrada en domicilio, sino que basta con la resolución cuya ejecución efectiva exija la entrada en domicilio, siempre que del contenido concreto del fallo resulte directamente necesaria la actuación en el domicilio en cuestión (62).

Por otra parte, la autorización se refiere a la ejecución forzosa de actos administrativos; pero cuando éstos se hayan impugnado en un recurso contencioso-administrativo, debe ser el órgano judicial que conozca del recurso el que, una vez firme la sentencia, lo comunique al órgano competente de la administración para que lo lleve a puro y debido efecto (63), sin que sea precisa autorización específica adicional. Tampoco es precisa tal autorización para ejecutar resoluciones judiciales de otros órdenes jurisdiccionales.

Puede tener lugar tanto para ejecutar una resolución administrativa, como en el curso de un procedimiento, como actuación de instrucción, casos de procedimientos de inspecciones tributarias; procedimientos sancionadores; procedimientos de inspección en diferentes órdenes administrativos o laboral, etcétera.). En este caso, durante el lapso de tiempo empleado en la tramitación de la solicitud ante el juzgado, debe entenderse suspendido el transcurso del plazo máximo de resolución del procedimiento.

Las pruebas obtenidas violando o violentando la inviolabilidad de domicilio, no surten efecto, ni en sede procesal ni en sede administrativa (64). No así los otros lugares de acceso restringido, carentes de protección constitucional.

En contra de lo señalado sobre ejecución de resoluciones judiciales, la doctrina anterior del Tribunal Constitucional (65), si exigía una resolución específica.

Cuando la solicitud de ejecución se plantea pendiente un recurso contencioso-administrativo en el que se ventila la legalidad del acto judicial que conoce del proceso principal, aunque no sea el juzgado que sería objetivamente competente en otro caso. Incluso puede sostenerse que, en supuestos en los que haya recaído resolución de inadmisión del recurso judicial principal, el órgano que ha conocido del proceso retiene la competencia para autorizar la entrada.

Las celdas de los establecimientos penitenciarios, en las que ha de entrarse en ocasiones para la ejecución de actos administrativos (66) no constituyen sede de domicilio de los internos, a los efectos de la garantía que regula la Constitución; tampoco son lugar de acceso restringido, sino una parte de dependencias adminis-

---

(62)   STC 160/1991.
(63)   STC 50/1995 y 1999/1998.
(64)   Artículo 11.3 Ley Orgánica del Poder Judicial.
(65)   STC 22/1984.
(66)   En este caso la ejecución de resoluciones sancionadoras en el ámbito penitenciario.

trativas o edificios públicos, de manera que no es necesario obtener autorización judicial para entrar en ellas (67).

Las habitaciones de hoteles y otros establecimientos similares sí que tienen consideración de domicilio a efectos constitucionales (68) y de acuerdo con su función y finalidad a la que estén destinados también aquellos vehículos en cuyo interior se desarrolle la vida privada de personas, como el caso de caravanas (69) o cualquier automóvil que de hecho cumpla esa función (70); las edificaciones ruinosas o semiderruidas que sirvan de alojamiento a una familia (71) o de cobijo a personas sin residencia fija (72) y el jardín o terraza de un bar en el que existe una vivienda como unidad estructural, siempre que el negocio se encuentre cerrado al público en el momento de practicarse el registro (73); la rebotica de una farmacia, que se encuentra protegida por dedicarse al descanso del encargado del negocio (74) y de una habitación cerrada con llave incluida dentro de una edificación más amplia dedicada a domicilio familiar.

En los buques y otras embarcaciones (75), las partes de los mismos donde pueda desarrollarse la vida privada de la persona han de considerarse domicilio a efectos constitucionales, aunque tal naturaleza no alcance a la totalidad de la embarcación (76) y sin que los derechos de visita y de abordaje regulados por diversos instrumentos internacionales impliquen por si mismos vulneración alguna de citado precepto constitucional (77).

Tampoco gozan de consideración domiciliar, aunque pueda exigir su acceso la autorización judicial o del titular, los garajes y trasteros sin comunicación directa con una vivienda (78), los automóviles utilizados exclusivamente como medio de transporte (79), las instalaciones de cría de ganado porcino (80) y los reservados o habitaciones que en un club de alterne se dedican a relaciones sexuales (81); los dormitorios comunes existentes dentro de acuartelamientos militares y a las taquillas o armarios donde quienes allí se alojan guardan pertenencias personales, pues

---

(67)   STS 24.11.1995.
(68)   STC 10/2002.
(69)   STS 29.1.2001.
(70)   STS 19.1.2005.
(71)   STS 23.10.1997.
(72)   STS 15.12.1994.
(73)   STS 4.11.2002.
(74)   STS 3.9.2002.
(75)   Ley de Enjuiciamiento Criminal arts. 554-3º y 561.
(76)   SSTS 9.10.1998, 10.4.2002 y 12.7.2004.
(77)   SSTS 26.3.2001, 10.12.2001 y 28.2.2003.
(78)   SSTS 1.3.2004, 19.1.2005 y 12.5.2005.
(79)   SSTS 4.7.2002, 17.10.2003 y 18.2.2005.
(80)   STS 9.12.1998.
(81)   SRS 16.4.2004.

la realización de revistas y registros está legalmente autorizada para garantizar el buen orden y la seguridad de los respectivos centros (82).

La autorización de entrada puede estar motivada por la ejecución de cualquier acto administrativo que, por su contenido, sea susceptible de ejecución forzosa. No es preciso que se trate de actos resolutorios o definitivos, sino que, frecuentemente, se tratará de actos de trámite (de instrucción del procedimiento). En estos casos es de aplicación el criterio de la proporcionalidad entre la finalidad perseguida y el sacrificio que se propone (83), tanto en la concesión de la autorización de entrada, como en su ejecución. De esta forma, se exigen los siguientes requisitos:

Sólo se debe autorizar en caso de que la entrada sea precisa a los efectos de ejecución de la resolución o acto. Es esencial para la concesión de la entrada que, en caso de negativa, se frustre la actuación administrativa.

De todos modos, la administración pública debe aportar, con su solicitud, prueba bastante de la necesidad de la entrada en domicilio.

Como medida restrictiva en ejercicio de un derecho fundamental, ha de reducirse al mínimo indispensable, adoptándose en su ejecución las cautelas imprescindibles al efecto, bajo la salvaguarda judicial. Puede solicitarse y otorgarse autorización con anterioridad a una posible denegación por parte del titular para permitir el acceso, aunque su eficacia en estos casos resultará condicionada a la efectividad de dicha negativa potencial (84). Por otra parte, el titular del domicilio o lugar de acceso restringido equiparable será normalmente el interesado en el procedimiento administrativo dentro del que se dicta el acto de cuya ejecución se trata, siendo a su vez destinatario del mismo. Pero puede suceder que ambos no coincidan. Por ejemplo, expediente de apremio fiscal seguido contra una sociedad mercantil en el que se dicta una orden de embargo con diligencia de embargo subsiguiente sobre vehículos a nombre de la sociedad deudora que se hallan físicamente en el domicilio de la persona física en la que concurre la condición de administrador de la mercantil. En estos supuestos esta circunstancia puede conducir a la denegación de la autorización de entrada al domicilio del administrador, aunque se conceda para el acceso a la sede social de la empresa. No obstante, acreditada inicial o posteriormente la imposibilidad de acceder al bien en otro lugar distinto del domicilio del administrador y probada la vinculación inmediata de éste con la empresa, la falta de coincidencia expuesta no debe ser óbice para otorgar la autorización pedida.

---

(82)   SSTS 29.1.1995, 8.1.1999 y 9.6.2000.
(83)   STC 50/1995.
(84)   Auto TC 23.6.2000.

El auto judicial no tiene, necesariamente, que fijar plazo de entrada (85), horas en las que haya de accederse al inmueble y designar personas concretas que puedan franquear el acceso de que se trate. También puede pedirse autorización para verificar si el objeto social de una entidad es efectivamente el declarado.

La jurisprudencia del Tribunal Europeo de Derechos Humanos (TEDH) exige la imposición de garantías y cautelas que eviten comportamientos arbitrarios en la ejecución de dichos actos cuando están en juego derechos fundamentales, limitándose el período de duración y el tiempo de entrada, el número de personas que han de acceder. El propio Tribunal Europeo ha insistido en que toda entrada debe otorgarse con las garantías suficientes, haciendo posible el equilibrio entre los intereses generales y particulares (86).

La concesión de la autorización de entrada no puede ser automática, sin cierto control por parte del órgano judicial que se ceñirá generalmente a la regularidad formal de la competencia, procedimiento y actuación, sin entrar en legalidad del acto administrativo. Por otro lado, las exigencias impuestas dependen de las circunstancias concurrentes.

Es preciso evitar cualquier menoscabo añadido en los derechos del interesado.

Sobre el juego de la autorización de entrada y la potestad recaudatoria, es competente para autorizar la entrada domiciliar o en lugares cuyo acceso exija consentimiento del titular, en ejecución de actos administrativos, el juzgado de lo contencioso-administrativo del lugar donde tenga su radicación la administración pública autora del acto ejecutado. No obstante, en caso de que éste haya de ejecutarse fuera de la jurisdicción del juzgado autorizante, y del territorio donde el órgano administrativo ejerce sus atribuciones, la competencia territorial de éste es discutible (87).

Sin embargo, esta atribución no sustrae al órgano jurisdiccional competente del orden contencioso-administrativo el control de legalidad de los actos de la administración pública cuya ejecución exige la entrada en un domicilio para atribuirlo al juez de lo contencioso. Tanto la fiscalización de la legalidad del acto como su suspensión son ajenos al cometido de éste (88).

En consecuencia, la función del juzgado que concede o deniega la autorización de entrada, se limita a contratar el concurso de las circunstancias estrictamente relativas a la misma: constatación de que no se está ante la producción de una vía de hecho, de que se ha seguido el procedimiento adecuado en vía

(85)   Aunque sí que puede fijarlo.
(86)   SSTEDH 30.3.1989 Chapel, 16.12.1992 Niemietz y 25.2.1993 Funke.
(87)   Artículo 8.5 LJCA.
(88)   SSTC 144/1987, 160/1991 y 171/1997.

administrativa y de que la resolución a ejecutar ha sido debidamente notificada al interesado o ejecutado.

El órgano judicial, competente para conocer de la petición de entrada puede y debe formar juicio sobre la procedencia y necesidad de la medida, con el límite indicado (89). En ningún caso, puede considerarse que su intervención, con autorización, es una especie de acto debido, que deba atender necesariamente a la petición administrativa (90).

Si la autorización judicial concedida se declara nula posteriormente en vía de recurso, se considera vulnerada la inviolabilidad de domicilio y producida, en su caso, vía de hecho, debiendo reponerse la situación precedente, con devolución, por ejemplo, de la documentación intervenida (91).

9. REGULACIONES ESPECÍFICAS

En sectores concretos regulados por normativa administrativa especial pueden mencionarse diversos supuestos, así el ámbito del dominio público hidráulico (92), se establece que los organismos de cuenta pueden utilizar el acceso a través de propiedades privadas, siempre que no constituyan domicilio de las personas, para inspeccionar las obras e instalaciones de aprovechamientos de aguas o bienes de dominio público sitas en aquellas propiedades, así como para hacer efectivas las resoluciones que puedan recaer en procedimiento sancionador. No obstante, en defecto de consentimiento, salvo quizás en situaciones de emergencia inaplazable, no cabe dar prevalencia a esta disposición sobre el régimen general expuesto.

Cuando en los procedimientos de aplicación de los tributos es preciso entrar en el domicilio constitucionalmente protegido de un obligado tributario o efectuar registros en el mismo, la Administración tributaria debe obtener el consentimiento de aquél o la oportuna autorización judicial (93). Así en el procedimiento de la inspección de los tributos se dispone lo siguiente:

1) Ésta podrá entrar en las fincas, locales de negocio y demás establecimientos o lugares en que se desarrollen actividades o explotaciones sometidas a gravamen, existan bienes sujetos a tributación o bien se produzcan hechos imponibles o exista alguna prueba de los mismos, siempre que lo juzgue conveniente para la práctica de cualesquiera actuaciones y, en particular, para reconocer los bienes,

---

(89) STC 137/1985.
(90) STC 76/1992.
(91) STS 25.4.2003.
(92) Real Decreto 849/1986 artículo 333.
(93) Artículo 113 Ley General Tributaria.

despachos, instalaciones o explotaciones del interesado, practicando cuantas actuaciones probatorias conexas sean necesarias.

2) Se precisa autorización escrita, firmada por el delegado o administrador de Hacienda territorialmente competente o por el director general correspondiente, cuando la entrada y reconocimiento se intenten fuera del horario usual de funcionamiento o desarrollo de la actividad o respecto de fincas o lugares donde no se desarrollen actividades de la administración pública o bien de naturaleza empresarial o profesional.

3) La misma autorización es precisa cuando el interesado o la persona bajo cuya custodia se encuentren las fincas se opongan a la entrada de la inspección, sin perjuicio, en todo caso, de la adopción de las medidas cautelares que procedan.

Los interesados deben siempre, sin más trámite, permitir el acceso de la inspección a sus oficinas, donde han de tener a disposición de aquélla durante la jornada laboral aprobada para cada empresa, su contabilidad y demás documentos y justificantes concernientes a su negocio.

Del mismo modo, los jefes de las unidades administrativas correspondientes deben permitir el acceso de la inspección a los registros, despachos, dependencia u oficinas de entes integrados en cualesquiera administraciones públicas.

4) Se considera que el interesado o el custodio de las fincas prestan su conformidad a la entrada o reconocimiento cuando ejecuten los actos normalmente necesarios que de ellos dependan para que aquellas operaciones puedan llevarse a cabo. No obstante, cuando la entrada y reconocimiento se refieran a un domicilio particular se requerirá expresamente del interesado si consiente el acceso, advirtiéndole de sus derechos (94).

El Tribunal Supremo declaró nulo el Reglamento general de las actuaciones y procedimientos de Gestión e Inspección tributaria (95) en lo relativo al artículo 39.3, donde se disponía que, si la misma finca se destina a casa-habitación y al ejercicio de una actividad profesional o económica con accesos diferentes y clara separación entre las partes destinadas a cada fin, se entiende que la entrada a las habitaciones donde se desarrolle una actividad profesional o económica no lo es al domicilio particular. A estos efectos se considera domicilio particular no sólo la vivienda que sirva de residencia habitual a una persona física, sino, asimismo, cualquiera vivienda o lugar que sirva efectivamente de morada (96).

---

(94)   Ley 58/2003 General Tributaria artículo 142.2.
(95)   Aprobado por Real Decreto 1065/2007.
(96)   STS 22.1.1993.

Dentro del sector vitivinícola se reconoce a los inspectores de las Administraciones públicas capacidad para acceder directamente a los viñedos, explotaciones, locales e instalaciones (y también a la documentación industrial, mercantil y contable) de las empresas que inspeccionen cuando lo consideren necesario en el curso de sus actuaciones (97). Esta regla debe atemperarse al régimen general expuesto y tiene un alcance fundamentalmente aclaratorio. Es decir, el adverbio «directamente» faculta para acceder a fincas y explotaciones sin oposición del titular o incluso contra ella si son espacios que por sus circunstancias no puedan entenderse de acceso restringido. Pero en el resto de los supuestos, no supone excepción alguna al régimen general.

10. EJECUCIÓN MATERIAL DE LA COMPULSIÓN

Se trata de los casos de ejecución material de las decisiones administrativas: el puro ejercicio de la fuerza física frente al obligado renuente al cumplimiento de aquélla.

Su ámbito de aplicación es el orden público y sus aledaños conceptuales (sanidad, por ejemplo), y ni siquiera todas las decisiones que se produzcan en estos sectores, ni tampoco, en todo caso, pueden ser ejecutadas utilizando este medio.

Del artículo 100, LRJ, resulta que este medio coactivo se encuentra sometido a dos tipos de límites, objetivo el uno, formal el otro (98).

Límite objetivo: sólo pueden ejecutarse mediante compulsión sobre las personas los actos administrativos que impongan una obligación personalísima de no hacer o soportar. Como límite legalmente exigido, el medio de ejecución de que se trata ha de ajustarse a un doble condicionamiento formal:

A) Su empleo ha de estar autorizado expresamente por la ley (art. 100 LRJ.

B) Su utilización ha de tener lugar siempre con el respeto debido a la dignidad de la persona y a los derechos que la Constitución reconoce.

En el caso de que no se cumplan estos límites el particular puede reclamar la declaración de nulidad y además la indemnización que corresponda por el daño y perjuicio que se hubiera seguido de dicha actuación materia de la Administración.

---

(97)   Artículo 34 de la Ley 24/2003.

(98)   LRJ art. 100 Compulsión sobre las personas: 1. Los actos administrativos que impongan una obligación personalísima de no hacer o soportar podrán ser ejecutados por compulsión directa sobre las personas en los casos en que la Ley expresamente lo autorice, y dentro siempre del respeto debido a su dignidad y a los derechos reconocidos en la Constitución. 2. Si, tratándose de obligaciones personalísimas de hacer, no se realizase la prestación, el obligado deberá resarcir los daños y perjuicios, a cuya liquidación y cobro se procederá en vía administrativa.

Capítulo 25

La ejecución subsidiaria en la práctica de la Administración Pública

La ejecución subsidiaria como procedimiento de ejecución forzosa consiste en la realización efectiva y material de la actividad, obra o trabajo a que esté obligado el interesado y que es llevada a cabo por la propia Administración pública ejecutante ya sea directamente o a través de algún medio instrumental legalmente autorizado. Hay que tener en cuenta que cuando se lleva a cabo este sistema de ejecución forzosa pueden vulnerarse derechos y libertades de los ciudadanos y por ello la ley establece numerosas cautelas. En este capítulo examinamos el concepto fundamental y los principios generales del sistema de ejecución subsidiaria, así como los requisitos generales y la idea de ejecución subsidiaria como deber y responsabilidad de la Administración Pública en el cumplimiento efectivo de los actos administrativos. También se analizan varios aspectos procesales de interés sobre esta materia que regula la Ley de la Jurisdicción Contencioso-administrativa, en el caso de que se plantee recurso judicial por incumplimiento del deber de ejecución que incumbe al obligado al acto administrativo; también examinamos las modalidades de control judicial de la ejecución subsidiaria, la legitimación y dentro de ella la acción pública para reclamar el cumplimiento así como las consecuencias de la inejecución de estos casos.

1. CONCEPTO DE EJECUCIÓN SUBSIDIARIA

Consiste en la realización efectiva y material del contenido resolutorio del acto administrativo en los casos en que no se lleve a efecto de manera voluntaria por parte del interesado que esté obligado a ello. La LRJ regula (1) este modo de ejecución forzosa que tiene lugar cuando se trate de actos que por no ser personalísimos puedan ser realizados por sujeto distinto del obligado, en cuyo caso las Administraciones Públicas realizarán el acto, por sí o a través de las personas que determinen, a costa del obligado y el importe de los gastos, daños y perjuicios se exigirá a través del procedimiento administrativo de apremio. Dicho importe pue-

---

(1)   Artículo 98 LRJ.

de liquidarse de forma provisional y realizarse antes de la ejecución, a reserva de la liquidación definitiva.

El uso de la ejecución subsidiaria no incorpora ningún elemento o gravamen adicional al propio acto que trata de ejecutarse, por eso la ejecución subsidiaria como medio de ejecución forzosa de los actos administrativos se admite con carácter general a diferencia de otros medios a los que solo puede acudirse cuando esté expresamente previsto en una disposición legal.

En definitiva, se trata de una ejecución por sustitución del obligado y a costa de éste cuyas notas definidoras y requisitos esenciales pueden exponerse de la siguiente manera siguiendo criterios de la jurisprudencia:

a) La ejecución subsidiaria sólo debe ser aplicada en los casos de resistencia efectiva del obligado al cumplimiento voluntario de la obligación, por lo si no está suficientemente constatada esta resistencia deberá requerirse de nuevo el cumplimiento voluntario debiendo quedar constancia de este requerimiento.

b) La resistencia parcial al cumplimento (2) puede permitir, si ello es posible, la ejecución subsidiaria parcial.

c) El plazo de cumplimiento voluntario debe ser razonable en atención a su concreta dificultad (3).

d) La ejecución puede llevarse a cabo directamente por la Administración pública concernida o bien mediante la colaboración de otras personas o entidades. En caso de que se cuente con la colaboración de terceros hay que tener en cuenta que, la intervención de terceros no determina que la relación con el ejecutado pierda su carácter jurídico-público y se convierta en una relación de derecho privado. La relación de la Administración con el tercero colaborador puede ser una relación de derecho privado de carácter contractual; pero en cambio la relación de la Administración pública ejecutante con el interesado por cuya cuenta se lleva a cabo la ejecución subsidiaria es siempre una relación de naturaleza pública en la que se desenvuelve la potestad administrativa y que está regida por derecho público.

La relación de la Administración con el tercero debe trabarse a través de alguna de las figuras contractuales que regula la Ley 30/2007 de Contratos del Sector Público (LCSP), entre las que se incluye la de la encomienda de gestión (4) cuando el tercero colaborador tenga la consideración de medio propio o de servicio instrumental de la Administración. El objeto de dicha figura contractual, deben

---

(2)   Cuando hay resistencia a cumplir una parte o una consecuencia del acto administrativo.
(3)   SSTS 29.9.1983, 28.11.1977, 30.1.1985.
(4)   Artículos 4.1.1 y 24.6 LCSP.

de ser actos personalísimos que puedan ser realizados por sujeto distinto del obligado, lo que permite situar el ámbito de aplicación más frecuente de la ejecución subsidiaria en las denominadas órdenes de ejecución, en casos de declaraciones de ruina u órdenes de demolición de construcciones.

2. PRINCIPIOS DE LA EJECUCIÓN SUBSIDIARIA

La jurisprudencia ha insistido en el respeto a una serie de principios como presupuesto para la validez de los actos administrativos que se dicten en procedimientos de ejecución forzosa. Estas potestades sólo pueden ejercerse previa instrucción de un expediente tramitado con las debidas garantías, en el que se compruebe la necesidad de las obras, teniendo en cuenta los principios de proporcionalidad y *favor libertatis* y se requiera formalmente al interesado su realización, detallando y concretando adecuadamente cuáles son las obras a realizar (5).

Los principios que rigen la ejecución subsidiaria se puede hablar de los siguientes:

2.1. Principio *favor libertatis*

Este principio es de aplicación en los casos de ejecución subsidiaria por la Administración de actos y en cuya virtud entre los diversos medios deberá escogerse el menos restrictivo para la libertad individual, la propia LRJ (6) establece si fueran varios los medios de ejecución admisibles, se elegirá el menos restrictivo de la libertad individual; en el mismo sentido se pronuncian el Reglamento de Servicios de las Corporaciones Locales (7) y la Ley 7/1985 de 2 de abril Reguladora de las Bases del Régimen Local (8).

Íntimamente relacionado con el principio del *favor libertatis,* pues en la aplicación de este principio en caso de ejecución subsidiaria está involucrada la defensa del derecho fundamental a la inviolabilidad del domicilio consagrado en la Constitución (9), se plantea la cuestión de la entrada en el domicilio del obligado al cumplimiento; la LRJ establece expresamente que si tal entrada fuera precisa, la Administración Pública competente deberá contar con el consentimiento del obligado o, en su defecto, la oportuna autorización judicial (10).

---

(5)   Reglamento de Servicios de las Corporaciones Locales aprobado por Decreto de 17.6.1955 Artículo 6.2.

(6)   Artículo 96.2.

(7)   Artículo 6.2.

(8)   Artículo 84.2.

(9)   Artículo 18.2.

(10)   Artículo 96.3 LRJ.

2.2. Principio de interdicción de la arbitrariedad

La potestad de ejecución subsidiaria por sustitución tiene como limitación legal el principio de interdicción de la arbitrariedad consagrado en el art. 9.3 de la Constitución, a cuyo tenor ésta garantiza el principio de legalidad, la jerarquía normativa, la publicidad de las normas, la irretroactividad de las disposiciones sancionadoras no favorables o restrictivas de los derechos individuales, la seguridad jurídica, la responsabilidad y la interdicción de la arbitrariedad de los poderes públicos.

La regulación de los medios de ejecución forzosa contenida en la LRJ (11), no deja la elección del medio que debe utilizarse (apremio sobre el patrimonio, ejecución subsidiaria, multa coercitiva o compulsión sobre las personas) al libre arbitrio de la Administración; no se refiere a casos de facultad discrecional, sino que regula un modo de ejecución para cada clase de obligación; por ejemplo:

a) El apremio sobre el patrimonio se regula para la recaudación de importes líquidos.

b) La compulsión sobre las personas, para actos personalísimos de no hacer o de soportar.

c) Las multas coercitivas, para actos personalísimos en que no proceda o no se estime conveniente llevar a cabo la compulsión sobre las personas o en casos en que su ejecución pueda encargarse a otra persona diferente del obligado es decir que no sean actos personalísimos.

Estos actos no personalísimos son objeto del procedimiento de ejecución subsidiaria que regula la LRJ (12) y a dicho procedimiento debe acudirse cuando haya que conseguir el cumplimiento, lo cual significa que no es posible el uso de medios diferentes a los estipulados, como la compulsión sobre las personas para lograr el cumplimiento de actos no personalísimos. En consecuencia en estos casos no hay margen de discrecionalidad, porque la potestad administrativa de ejecución forzosa, está regulada de modo estricto.

Por otra parte tampoco pueden aplicarse de manera simultánea varios medios de ejecución forzosa contra un obligado y por la misma obligación; no obstante si que alguno de dichos medios puede abocar en otro medio, como, por ejemplo, en supuestos de reembolso de los costes de la ejecución subsidiaria, que puede llevarse a cabo por vía de apremio, como establece la LRJ disponiendo que el importe de los gastos, daños y perjuicios se exigirá conforme a lo dispuesto en el

(11)   Artículos 95 y siguientes.
(12)   Artículo 98 LRJ.

apartado artículo anterior (13). La LRJ reserva dos clases de ejecución forzosa para actos personalísimos: la ejecución subsidiaria y las multas coercitivas; en la segunda, siempre y cuando su imposición haya sido legalmente autorizada por una ley. En consecuencia hay que admitir que cabe la posibilidad de imposición de multas coercitivas como medida primera y, únicamente en caso en que persista la negativa del obligado al cumplimiento, procederá la ejecución subsidiaria por la Administración pública. De acuerdo con el principio del *favor libertatis,* no parece haber obstáculo para establecer este tipo de sucesión, teniendo en cuenta que la sucesión de medidas más correcta sería la indicada dado que la multa coercitiva resulta menos restrictiva y menos gravosa para la libertad individual que la ejecución forzosa de unas obras o actuaciones que, por su propia naturaleza, tienen que llevarse a cabo sin contar con la opinión, preferencias o conveniencias del propio obligado, esto referido, en cuanto al momento de la ejecución, al empleo de materiales o elementos determinados, o bien la calidad y otras características. Por otra parte, cuando sea precisa la entrada en el domicilio del obligado, con lo supone de intrusión en la privacidad y trastorno de la vida cotidiana. A la vista de todo ello parece adecuado y razonable considerar que la multa coercitiva debería utilizarse como procedimiento previo y preferente de ejecución forzosa antes que la aplicación de la ejecución subsidiaria, por que aquella conlleva menor restricción de la libertad individual que ésta, a pesar de todo esta aplicación sucesiva utilización no es posible en muchas ocasiones por razones y circunstancias de eficacia y agilidad necesarios y exigibles en la práctica profesional cotidiana de la Administración.

2.3. Principio de proporcionalidad

La LRJ establece que la ejecución forzosa por las Administraciones Públicas se efectuará respetando siempre el principio de proporcionalidad (14). Igualmente se pronuncia cuando establece que el contenido de los actos administrativos se ajustará a lo dispuesto por el ordenamiento jurídico y será determinado y adecuado a los fines de aquéllos (15). En el mismo sentido, la Ley 7/1985, de 2 de abril, reguladora de las Bases del Régimen Local LBRL dispone que La actividad de intervención se ajustará, en todo caso, a los principios de igualdad de trato, congruencia con los motivos y fines justificativos y respeto a la libertad individual (16). Por su parte, el Reglamento de Servicios de las Corporaciones Locales dispone que la competencia atribuida a las Corporaciones Locales, para intervenir en la actividad de sus administrados se ejercerá mediante la concurrencia de los motivos que la fundamentan y precisamente para los fines que la determinen (17)

---

(13)   Artículo 98.3 LRJ regulando el apremio sobre el patrimonio.
(14)   Artículo 96.
(15)   Artículo 53.2 LRJ.
(16)   Artículo 84.2 LBRL.
(17)   Artículo 4 y 6.1 RSCL.

el contenido de los actos de intervención será congruente con los motivos y fines que lo justifiquen.

En este sentido, no puede llevarse acabo una ejecución subsidiaria que exceda de lo hubiera sido ordenado previamente o que resulte excesivamente gravosa para el interesado por que exceda notoriamente, por ejemplo del deber de conservación en sentido estricto, en el caso de obras; por ello es preciso que la ejecución subsidiaria se contraiga de modo estricto al contenido del acuerdo, sin variaciones o ampliaciones del mismo. Como consecuencia de este principio de proporcionalidad, y relacionado con el de igualdad, debe tenerse en cuenta que las medidas que se adoptes en aplicación de la ejecución subsidiaria deberán ser del mismo tipo e intensidad para casos iguales. Lo contrario constituiría un caso evidente de arbitrariedad y vulneración del principio constitucional de igualdad.

2.4. Principio de mínima intervención

Este principio consiste en una manifestación especial de la ejecución en vía subsidiaria, consistente en una combinación entre el principio *favor libertatis* o de menor restricción de la libertad individual y del principio de proporcionalidad dando lugar al principio de mínima intervención, que se concreta en la obligación de que la obra o actuación que debe llevarse a cabo a costa del obligado deben ser las estrictamente imprescindibles, sin incurrir en excesos o gastos suntuarios, así el l Tribunal Supremo, ha señalado que cuando ocurre como en el caso que examinaba que las obras que al principio debían realizarse, según la propia Administración, eran simplemente las de consolidación de muros de una planta, reparación de la red de saneamiento y reparación de cubierta pero luego se realizaron no sólo esas obras, sino una rehabilitación general del edificio, resulta una evidente desconexión entre las obras que la Administración actuante debió realizar, por sustitución y las que en efecto llevó a cabo; motivo por el cual estima el recurso contencioso-administrativo de reclamación, anulando el acto recurrido y la declaración de que el reclamante sólo debe pagar a la administración infractora una cantidad menor (18).

También debe respetarse el principio de mínima intervención en supuestos en que el sujeto obligado asume la continuación de las obras que se iniciaron subsidiariamente por la Administración, estando obligada ésta a cesar en las mismas y a permitir tal relevo, siempre que no concurran circunstancias de riesgo o de urgencia que hagan desaconsejable incluso el retraso que pudiera suponer el relevo en la realización de las obras o actividades y sin perjuicio de que, en caso de nuevo incumplimiento, la Administración retome su realización por vía subsidiaria, cuestión de la que nos ocuparemos más adelante.

(18)   STS 16.1.2003.

3. GARANTÍAS PREVIAS AL PROCEDIMIENTO

La garantía de la legalidad de las actuaciones que se lleven a cabo en uso de la potestad de ejecución subsidiaria tiene su fundamento en la existencia de una resolución o acto administrativo previos de mandato.

Esta exigencia de un acto administrativo previo viene determinada por la propia LRJ (19) que asume plenamente el principio que exige título adecuado para cualquier ejecución forzosa, al establecer que las administraciones públicas no inicien ninguna actuación material de ejecución de sus resoluciones, que limite derechos de los particulares, sin que, previamente, haya sido adoptada la resolución que le sirva de fundamento jurídico. En segundo lugar, tal resolución administrativa debe formular al interesado un apercibimiento de ejecución forzosa, con la concesión de un plazo para la realización voluntaria de lo ordenado.

En un asunto concreto en materia de urbanismo, planteado en ámbito municipal, el Tribunal Supremo declaró que el acuerdo del Ayuntamiento para la derrama y pago de gastos entre los apelantes no se ha hecho, pues, en función de un título jurídico administrativo que lleve como efecto propio el resarcimiento pretendido por la Administración municipal, ya que con observancia posible de más o menos requisitos según las circunstancias del caso, la Administración debe fundar su actuación en el principio de legalidad cierta; en este caso, sin definición alguna inicial del título, la Administración municipal basa a posteriori su pretensión de resarcimiento de una responsabilidad de los apelados por causa de una gestión de negocios más bien alusiva a un cierre institucional en relación a la gestión de negocios ajenos por la vía del enriquecimiento sin causa, lo cual no puede, atendido el principio de legalidad referido, fundar un acuerdo administrativo de reintegro, por lo que éste y los señalamientos consiguientes contenidos en los actos administrativos impugnados devienen anulables infringir la Ley de Procedimiento (20). En consecuencia el incumplimiento de estos requisitos básicos determina la nulidad del empleo de la ejecución subsidiaria y la actuación administrativa podrá ser calificada como realizada por una vía de hecho.

4. REQUISITOS DE APLICACIÓN

La ejecución subsidiaria se rige por una serie de normas que deben ser tenidas en cuenta siempre que se lleve a efecto la práctica de este medio de ejecución.

La aplicación de este mecanismo exige que haya una resistencia efectiva por parte del administrado a la ejecución por sí mismo del acto, así lo tiene declarado

---

(19)   Artículo 93 LRJ.
(20)   STS 9.6.1998.

el Tribunal Supremo (21). En caso de duda acerca de la oposición del mismo, deberá reintentarse, la ejecución voluntaria, mediante nuevo requerimiento. En principio contra ese nuevo requerimiento no cabe recurso, salvo por motivos adicionales.

Es necesario poner en conocimiento del interesado la manera exacta en que éste deberá proceder a la ejecución voluntaria del acto administrativo en cuestión, concediéndole un plazo razonable para cumplirla, solo trascurrido éste cabe acudir a la ejecución subsidiaria (22).

Si el obligado al cumplimiento acepta la voluntaria realización de una parte del contenido del acto, la ejecución subsidiaria solo podrá acordarse respecto al resto del contenido (23).

La ejecución subsidiaria tiene lugar cuando se trate de actos que, por no ser personalísimos puedan ser realizados por un sujeto diferente del obligado.

En este caso la administración pública concernida debe ejecutar el acto, por sí misma o a través de las personas que determinen, a costa del obligado. La ejecución material de la decisión administrativa puede ser llevada a cabo por terceros.

En el caso de que la ejecución se lleve a cabo a través de un tercero que sea una persona o entidad privada, el crédito que tiene la Administración ejecutante contra el obligado al cumplimiento sigue teniendo carácter de un crédito de naturaleza pública que está regulado por normativa de Derecho público porque la intervención de un sujeto privado no altera la naturaleza del crédito que se encuentra vinculado al cumplimiento de un acto administrativo a todos los efectos entre los que se encuentra el de de utilizar el procedimiento de apremio.

El importe de los daños y perjuicios debe exigirse de conformidad con los trámites del procedimiento de apremio administrativo y el importe puede liquidarse de forma provisional y realizarse antes de la ejecución a reserva de la liquidación definitiva. En caso de que el importe provisionalmente ejecutado hubiera superado la liquidación definitiva, se genera el correspondiente derecho de reintegro a favor del obligado al cumplimiento. Por otra parte, el Tribunal Supremo tiene declarado que la determinación de gastos debe llevarse a cabo, en estos casos, con las garantías que supone seguir un procedimiento contradictorio con audiencia del interesado (24).

---

(21)   STS 29.9.83.
(22)   SSTS 30.1.1985 y 22.3.1983.
(23)   STS 28.11.1977.
(24)   STS 6.4.1983.

En los casos en que se trate de la efectividad de una orden de ejecución que deban llevarse a cabo a costa del obligado al cumplimiento, sirven para evitar que el estado físico de la construcciones o edificaciones a que esté obligado el interesado pueda generar riesgos para las personas y las cosas, o bien peligros para la higiene o para el sostenimiento de la imagen urbana (25). La orden de ejecución ya sea de derribo, de construcción etc. comprende como norma general un aviso de que, en caso de que no sea ejecutada voluntariamente por el obligado, se llevará a efecto a través del sistema de ejecución subsidiaria por la Administración. Para ello la orden debe ser dictada con la finalidad que se pretenda y por ello deberá ser congruente con dicha finalidad pretendida y los motivos que la justifiquen, señalando expresamente el sistema de restricción de la libertad individual escogido (26); además como tiene declarado, expresamente, el Tribunal Supremo, la autoridad administrativa solo puede ordenar las obras estrictamente necesarias para la finalidad perseguida (27). La orden no puede ser dada en términos genéricos sino que para su validez y eficacia se requiere que en ella se concreten por ejemplo las obras o trabajos que haya que realizar el obligado de manera que si falta la concreción necesaria en dicha orden hay que entender, como ha indicado la jurisprudencia, que el requerimiento de la Administración no se ajusta a Derecho (28), en consecuencia no deben ser admitida como válida una intimación que no tenga la precisión necesaria exigida, puesto que sin ella sería imposible conocer si las obras ordenadas se subsumen dentro de los supuestos legalmente previstos.

5. OBLIGATORIEDAD DE LA EJECUCIÓN SUBSIDIARIA

En esta apartado partimos de un principio general que debe orientar la práctica de la Administración: la mayor parte de las potestades que ostenta la Administración en defensa y tutela de los intereses generales son a su vez un deber público y una responsabilidad, dado que la realización de estas tareas no dependen, salvo que así esté expresamente establece por la ley, no dependen de la discrecionalidad eventual sino que deben ser cumplidas, lo cual como se indica más adelante debe ser objeto de verificación por los organismos que tiene a su cargo el control del sector público

La ejecución forzosa de sus actos constituye una de las potestades de la Administración, que encuentra su justificación en la satisfacción adecuada de los

---

(25)   SSTS 10.6.1991,, 17.6.1991.
(26)   El Reglamento de Servicios de las Corporaciones Locales dispone en su artículo 6 que el contenido de los actos de intervención serás congruente con los motivos y fines que los justifiquen y si fueren varios los admisibles, se elegirá el menos restrictivo para la libertad individual.
(27)   SSTS 9.2.1998 y 23.6.1998.
(28)   SSTS 23.1.1987, 2.1.1992 y 12.9.1997.

intereses públicos que proclama la Constitución española (29), objetivo que debe considerarse irrenunciable; de este modo la LRJ dispone que la competencia es irrenunciable y se ejercerá precisamente por los órganos administrativos que la tengan atribuida como propia (30). En consecuencia la Administración no tiene capacidad de opción entre la ejecución de sus actos o la inejecución de los mismos, porque la ejecución es una obligación y responsabilidad de las Administraciones Públicas obligación y responsabilidad que debe ser verificada por los diferentes organismos de control existentes en el sector público. Todo ello en el entendido de que el interés público debe ser protegido por la Administración pública en cualquier caso porque es una de las finalidades que justifican la existencia de la misma no debe olvidarse como la Constitución proclama que la Administración Pública sirve, con objetividad los intereses generales (31).

Si bien se trata de una potestad irrenunciable, también es cierto que su ejercicio no puede llevarse a cabo sin la previa ponderación de las circunstancias que concurran en cada caso concreto, lo cual supone la atribución a la propia Administración de una cierto margen de decisión que en muchas situaciones se encuentra el empleado publico en la práctica profesional de la administración lo cual ha sido declarado, por el Tribunal Supremo por ejemplo cuando ha declarado que el momento y circunstancias de la ejecución de los actos administrativos no es materia absolutamente vinculada para el órgano autor de aquéllos, sino que, por incumbirle la más adecuada gestión del interés público, no puede menos de reconocérsele un cierto margen de discrecionalidad para la apreciación del cuándo y cómo de dicha ejecutividad (32); en este caso se trataba de una ejecución subsidiaria solicitada por el denunciantes de una infracción urbanística, que exigía que fuera realizada en ejecución de un acto administrativo que había denegado la licencia para la construcción realizada: es decir, sin previa obtención de una orden de demolición. Por otra parte también se había cometido una infracción relativa a la legislación de Propiedad horizontal, por ello el Tribunal consideró que la pretensión era más propia de la Jurisdicción Civil. Por otra parte, debe entenderse que el procedimiento administrativo previo que culmina con la posibilidad de ejecución subsidiaria, en la práctica suele ser temporalmente dilatado y durante su desarrollo pueden producirse modificaciones que hagan desaconsejable el ejercicio de una previa orden de ejecución. Son supuestos que, en la práctica, suelen presentarse con suma frecuencia y en los cuales una modificación normativa afecta directamente a la validez del acto administrativo principal, permitiendo, por ejemplo, el mantenimiento de una edificación a la luz de la normativa nueva. Por todo ello, le corresponde a la Administración valorar si el interés público exige la ejecución del acto administrativo.

---

(29) Artículo 103 CE.
(30) Artículo 12.1 LRJ.
(31) Artículo 103 CE ver también artículos 9.1 y 106 CE.
(32) STS 22.2.1980.

En el caso concreto de la sentencia citada planteaba la falta de medios económicos del sujeto pasivo de la ejecución y aconsejaba el aplazamiento de ésta, pues de otro modo se habría producido una extraña medida subvencionadota y no una ejecución económicamente resarcible. El empleo de este razonamiento resulta curioso si se tiene en cuenta que la Jurisprudencia ha valorado la falta de medios económicos como ineficaz para justificar el incumplimiento de órdenes de ejecución. Sin embargo, la resolución judicial no se refiere a una supuesta potestad de opción entre la ejecución o la inactividad, ni vincula ésta a las razones de falta de medios económicos sino que lo que el Tribunal Supremo quiere dar a entender es que el momento y la forma de exigir el cumplimiento sí puede ser valorado por la Administración Pública, pudiendo optar entre la ejecución subsidiaria o la imposición de multas coercitivas aunque, como veremos, la utilización de este segundo instrumento no siempre es posible.

En los casos en los que la Administración haya dictado un acto en que se ordena la realización de obras en ejecución subsidiaria y dicho acto no se ejecute materialmente es el caso concreto de un acto dictado y notificado tanto al obligado como al resto de los posibles interesados en su cumplimiento, que haya adquirido firmeza y que pueda ser ejecutado por no existir autorizaciones o permisos previos pendientes (33) y, sin embargo, transcurre el plazo razonable sin que, efectivamente, se realicen las obras o trabajos, con el consiguiente deterioro de la construcción o instalación y el aumento objetivo del riesgo para personas y bienes. La anterior Ley de la Jurisdicción Contencioso-administrativa no contempló posibilidad de reacción alguna frente a la inactividad de la Administración, puesto que se partía del carácter exclusivamente revisor de dicho orden jurisdiccional; ni siquiera lo hizo a raíz de la consagración del derecho constitucional a la tutela judicial efectiva contenido en el art. 24 de la Constitución, el cual difícilmente podía entenderse cumplido sin conceder a los ciudadanos la posibilidad de instar la ejecución de los actos administrativos ante los órganos jurisdiccionales (34). Ello no quiere decir que la posibilidad de acudir al orden jurisdiccional contencioso-administrativo para exigir el cumplimiento de los actos por los que se ordenaba la ejecución subsidiaria estuviera absolutamente vedada pues dichas pretensiones eran admitidas por lo general. El procedimiento que se empleaba partía de la figura del silencio administrativo; el ciudadano interesado en la ejecución del acto presentaba ante la Administración una solicitud en tal sentido y, ante el silencio administrativo, planteaba recurso contencioso-administrativo contra la desestimación presunta de su solicitud. Como declaró el Tribunal Supremo en más de una ocasión Tribunal Supremo de 29 de octubre de 1984 (35).

---

(33)   Por ejemplo autorizaciones judiciales legalmente exigibles.
(34)   Artículo 24 CE Todas las personas tienen derecho a obtener la tutela efectiva de los jueces y tribunales en el ejercicio de sus derechos e intereses legítimos, sin que, en ningún caso, pueda producirse indefensión.
(35)   STS 29.10.1984.

Sin embargo, la vigente Ley 29/1998, de 13 de julio, reguladora de la Jurisdicción contencioso-administrativa (LJCA) si que ha regulado esta materia (36) señalando que Cuando la Administración, en virtud de una disposición general que no precise de actos de aplicación o en virtud de un acto, contrato o convenio administrativo, esté obligada a realizar una prestación concreta a favor de una o varias personas determinadas, quienes tuvieran derecho a ella pueden reclamar de la Administración el cumplimiento de dicha obligación. Si en el plazo de tres meses desde la fecha de la reclamación, la Administración no hubiera dado cumplimiento a lo solicitado o no hubiera dado cumplimiento a lo solicitado o no hubiera llegado a un acuerdo con los interesados, éstos pueden deducir recurso contencioso-administrativo contra la inactividad de la Administración por otra parte añade que cuando la Administración no ejecute sus actos firmes podrán los afectados solicitar su ejecución, y si ésta no se produce en el plazo de un mes desde tal petición, podrán los solicitantes formular recurso contencioso-administrativo, que se tramitará por el procedimiento abreviado. Un desarrollo más detallado de este procedimiento se examina en otra práctica profesional.

6. RECURSO CONTENCIOSO-ADMINISTRATIVO

La LJCA ha tratado de superar la anterior concepción del recurso contencioso-administrativo más restringida y concebida como una revisión judicial de actos previos, en definitiva, como un recurso al acto, y ampliando posibilidades para obtener justicia frente a cualquier comportamiento ilícito de la Administración. En todo caso, la creación de medidas o instrumentos jurídicos a favor del ciudadano para combatir la pasividad de la Administración había sido cuestión también largamente reclamada por la doctrina, lo que constituyó, junto con la existencia de las mismas en las legislaciones europeas, la causa de que se creara un recurso cuya finalidad es obtener de la Administración, mediante la correspondiente sentencia de condena, una prestación material debida o la adopción de un acto expreso en procedimientos iniciados de oficio, allí donde no juega el mecanismo del silencio administrativo.

Objetivo al que responde la vigente LJCA, dispone (37) que cuando la Administración, en virtud de una disposición general que no precise de actos de aplicación o en virtud de un acto, contrato o convenio administrativo, esté obligada a realizar una prestación concreta a favor de una o varias personas determinadas, quienes tuvieran derecho a ella pueden reclamar de la Administración el cumplimiento de dicha obligación. Si en el plazo de tres meses desde la fecha de la reclamación, la Administración no hubiera dado cumplimiento a lo solicitado o no hubiera dado cumplimiento a lo solicitado o no hubiera llegado a un acuerdo

(36) Artículo 29 LJCA.
(37) LJCA art. 29.

con los interesados, éstos pueden deducir recurso contencioso-administrativo contra la inactividad de la Administración.

Cuando la Administración no ejecute sus actos firmes podrán los afectados solicitar su ejecución, y si ésta no se produce en el plazo de un mes desde tal petición, podrán los solicitantes formular recurso contencioso-administrativo, que se tramitará por el procedimiento abreviado (38).

Merece la pena señalar las dudas interpretativas que suscitan los dos párrafos del art. 29 LJCA: las dificultades que pueden plantearse al escoger entre la utilización de una u otra modalidad y la legitimación activa, aparentemente reservada en el caso del párrafo segundo de l citado artículo a los afectados y no a cualesquiera interesados.

Por otra parte, la posibilidad de solicitar la ejecución del acto por el que se acuerda la ejecución subsidiaria se contempla en el párrafo segundo del mismo artículo, puesto que lo que se trata de conseguir es la realización física, material, de unas obras y tal actividad no exige que se dicten nuevos actos ni se concrete ningún otro extremo.

El art. 29.2 de la LJCA establece que la solicitud de ejecución de actos firmes debe llevarse a cabo mediante el correspondiente escrito; en caso de que, transcurrido un mes desde la solicitud de ejecución, sin que ésta se haya producido, el solicitante podrá interponer recurso contencioso-administrativo. El proceso se sustanciará por los trámites establecidos por la LJCA para el procedimiento abreviado (39) con la especialidad que supone desde el inicio mediante presentación directa de la demanda (40), a la que se acompañarán los documentos en los que el actor funde su derecho; vista oral y práctica de la prueba en el transcurso de la misma. Probablemente, la razón de que se opte por la tramitación de estas peticiones a través del procedimiento abreviado radica en la consideración de que si la Administración ha dictado un acto administrativo, habrá tomado en consideración todas las circunstancias necesarias para formar su voluntad y ya no dispondrá de más argumentos válidos para oponerse a la ejecución de lo previamente acordado, por lo que no se precisa una tramitación más amplia.

En todo caso, lo fundamental es hacer hincapié en la posibilidad de exigir la ejecución material de un acto administrativo previamente dictado, a saber: la ejecución forzosa, que no exige a la Administración que dicte nuevos actos, sino que realice las operaciones puramente físicas que darían cumplimiento a lo inicialmente ordenado.

---

(38)   LJCA art. 78.
(39)   Artículo 78 LJCA.
(40)   Sin que medie, de antemano, escrito de interposición del propio recurso contencioso-administrativo.

No obstante hay que tener en cuenta que la LJCA incluye algunas limitaciones relativas a la posibilidad de exigir la ejecución de los actos administrativos, cuando en su propia Exposición de Motivos aclara que los procedimientos del artículo veintinueve no autorizan al orden jurisdiccional para que sustituya a la Administración en aspectos de su actividad no prefigurados por el Derecho, ni le faculta para exigir la creación de servicios o realización de actividades genéricamente establecidos por las leyes; ni, en cuanto interesa a nuestro asunto, a intervenir en el aspecto discrecional de la decisión, es decir, en apreciación del cuándo y cómo de dicha ejecutividad.

La LJCA puntualiza al respecto que está claro que este remedio no permite a los órganos jurisdiccionales sustituir a la Administración en aspectos de su actividad no prefigurados por el derecho, incluida la discrecionalidad en el cuando de una decisión o de una actuación material ni les faculta para traducir en mandatos precisos las genéricas e indeterminadas habilitaciones u obligaciones legales de creación de servicios o realización de actividades, pues en tal caso estarían invadiendo las funciones propias de aquélla. De ahí que la Ley se refiera siempre a prestaciones concretas y actos que tengan un plazo legal para su adopción y de ahí que la eventual sentencia de condena haya de ordenar estrictamente el cumplimiento de las obligaciones administrativas en los concretos términos en que estén establecidas.

Muchas veces las normas atribuyen a las Administraciones Públicas determinadas competencias cuya definición exige estimaciones subjetivas en cuanto a la delimitación del supuesto de hecho; en dichos supuestos, la aplicación de la ley no es automática; porque no se trata de constatar la existencia de un supuesto de hecho para contrastarlo con un tipo legal extensamente definido, sino que, al contrario, dicha conclusión incluye tener en cuenta una estimación subjetiva. En caso del procedimiento de ejecución subsidiaria, hay determinados elementos fácticos (41) no son susceptibles de apreciación objetiva y, por ende, la valoración de la urgencia de la actuación administrativa tampoco puede responder a más que a una estimación administrativa: en suma, se trata de un tipo de potestad en cuya esencia y ejercicio intervienen conceptos jurídicos indeterminados.

Con la técnica del concepto jurídico indeterminado la Ley se refiere a una esfera de realidad cuyos límites no aparecen correctamente determinados en su enunciado, sin embargo está claro que el hecho de que concurran otros elementos que deban tener sen cuenta (42) no supone que la Administración disponga exención alguna en cuento al control jurisdiccional establecido.

---

(41)   Como por ejemplo la situación de riesgo que produzca el estado de un inmueble urbano, el plazo necesario para llevar a cabo obras o la medida en que pudieran verse afectados los intereses públicos.
(42)   Como el interés público o la seguridad de las personas y los bienes.

En relación con la ejecución sustitutoria, la propia motivación de la LJCA incluye referencia expresa a la discrecionalidad en cuanto al momento temporal de una decisión o de una actuación material de la Administración. Ahora bien es preciso determinar si dicho elemento discrecional de la actividad administrativa, en tanto que elemento temporal, de la ejecución material de lo ordenado debiera considerarse exento de control jurisdiccional de un modo tan terminante, pues de ser así hay que concluir que la exigencia de cumplimiento de una ejecución sustitutoria quedaría, indefinidamente, a discreción de la Administración Pública que podría retrasarlo a su criterio, teniendo igual resultado en la práctica que negar directamente la ejecución (43).

7. MODALIDADES DE CONTROL JURISDICCIONAL

En consecuencia el reconocimiento de atribuciones discrecionales no conlleva una libertad absoluta para la Administración, debiendo interpretarse que siempre hay posibilidad de ejercer control jurisdiccional que puede ser llevado a efecto mediante tres posibles vías:

1. Control jurisdiccional de los elementos reglados del acto discrecional (44).

Técnica que parte del supuesto de que cualquier acto administrativo en que intervenga la discrecionalidad tiene elementos reglados suficientes (45) que son susceptibles y objeto de control jurisdiccional. Un elemento reglado es la finalidad que se atribuye al propio acto administrativo, lo cual significa que en caso de que la actuación administrativa se desvía de dicha finalidad, incurrirá en desviación de poder y perderá su legitimidad: de este modo habrá desviación de poder, por ejemplo, cuando se anticipe discrecionalmente el derribo de un inmueble urbano al amparo de una declaración de ruina si la verdadera finalidad de esta decisión fuera la utilización del terreno resultante para una obra pública o cuando no se lleve a cabo el derribo de de lo construido ilegalmente.

2. Control jurisdiccional de los hechos determinantes

En este caso hay que tener en cuenta que, cualquier potestad discrecional siempre se apoya en elementos de hecho que constituyen el presupuesto de la actuación administrativa. La valoración de dichos elementos fácticos puede ser subjetiva, pero nunca, quedar a la arbitrariedad de la Administración, por lo cual

---

(43) Teniendo en cuenta, además que en nuestro caso existiría una incertidumbre y por ello la consiguiente inseguridad jurídica para los interesados.

(44) En concreto la desviación de poder.

(45) Por ejemplo, competencia del órgano administrativo, procedimiento que debe seguirse, plazos de tiempo, etc.

como garantía es, en cualquier caso, susceptible de control jurisdiccional en la fase probatoria de cualquier recurso judicial (46).

3. Control por los Principios Generales del Derecho.

Los principios generales del derecho ofrecen un elemento más para el control de la discrecionalidad de la Administración Pública, dado que suponen el estrato superior de los valores que tutela el Ordenamiento jurídico; entre ellos podemos mencionar sin ánimo exhaustivo: el principio de proporcionalidad, el principio de igualdad, el medio menos restrictivo de la libertad individual como criterio de elección o el principio de de interdicción de la arbitrariedad; todos ellos vienen a ser verdaderos instrumentos de control de la discrecionalidad administrativa.

8. LEGITIMACIÓN PROCESAL

Uno de los aspectos que surgen en relación con precepto que examinamos (47) se refiere a la titularidad del derecho a exigir la ejecución material de un acuerdo de ejecución subsidiaria, que la legislación atribuye a los afectados, expresión ciertamente de límites no muy claros y probablemente utilizada con intención de identificar al conjunto de ciudadanos y con ello dejar abierta la puerta a la acción pública como se verá más adelante.

La legitimación se configura como una relación directa entre la pretensión (48) y aquel quien la ejerce, de manera que la producción o anulación del acto produzca un efecto positivo o negativo; pero, en cualquier caso cierto, para el solicitante de la ejecución. La LRJ contempla como interesados en el procedimiento administrativo, en primer lugar, a quienes lo promuevan como titulares de intereses legítimos; en segundo lugar, a los que, sin haber iniciado el procedimiento, sean titulares de derechos que puedan ser afectados por la resolución que se adopte y, por último, a aquellos cuyos intereses legítimos puedan resultar afectados por la resolución y se personen en el procedimiento antes de que se dicte resolución (49). Para intervenir en un procedimiento, además de tener capacidad de obrar se exige

---

(46)   A través de la aportación de elementos probatorios que se consideren oportunos, los cuales son de importancia fundamental para el procedimiento de ejecución subsidiaria.

(47)   Artículo 29 LJCA.

(48)   En este caso la ejecución de un acto administrativo.

(49)   LRJ artículo 31.1 Se consideran legitimados en el procedimiento administrativo:

a) Quienes lo promuevan como titulares de derechos o intereses legítimos individuales o colectivos.

b) Los que, sin haber iniciado el procedimiento, tengan derechos que puedan resultar afectados por la decisión que en el mismo se adopte.

c) Aquellos cuyos intereses legítimos, individuales o colectivos, puedan resultar afectados por la resolución y se personen en el procedimiento en tanto no haya recaído resolución definitiva.

un aptitud especial que se conoce con el nombre de legitimación la cual implica una relación del sujeto con lo que constituye el objeto del procedimiento, es decir una especial situación del sujeto con el acto que se dicta en el procedimiento.

Además también cabe una fórmula más extensa como es la acción pública o acción popular. El ciudadano que se ampara bajo esta fórmula de legitimación no está obligado a invocar una lesión de derechos o intereses legítimos personales, toda vez que su misma cualidad de ciudadano es suficiente para exigir la realización de las actuaciones necesarias, por parte de la Administración Pública, en defensa de la legalidad vigente.

La acción pública se ha venido recogiendo en normas administrativas en materia de urbanismo, desde la Ley del Suelo de 1956 hasta el Texto Refundido de la Ley del Suelo y Ordenación Urbana de 1992, que declara pública la acción para exigir ante los Órganos administrativos la observancia de la legislación urbanística y de los Planes, Programas, Proyectos, Normas y Ordenanzas (50).

La LJCA también contempla la legitimación ante el orden jurisdiccional contencioso-administrativo cuando dispone que cualquier ciudadano, en el ejercicio de la acción popular, en los casos expresamente previstos por las leyes (51).

El fundamento de la acción pública se encuentra en que la materia en que se regula esta legitimación especial se considera de interés general así como de gran trascendencia para los ciudadanos, individual y colectivamente considerados, puesto que afecta a aspectos esenciales como la calidad de vida o el entorno en el que se desenvuelven y por ello la posibilidad de intervenir no puede limitarse a un solo interesados sino a todos los miembros de la colectividad afectada.

La introducción del sistema de acción pública ha producido resultados contradictorios: por una parte, beneficios para los ciudadanos en general; por otra, pues salvo en casos muy concretos como el de los Colegios profesionales, nadie que no tenga un interés real, concreto y verdadero en un asunto se decide a afrontar los gastos, incomodidades y molestias que genera un proceso judicial por ello, son frecuentes los abusos cometidos bajo forma de recursos promovidos por motivos de dudosa integridad moral cuando no por razones puramente inconfesables, en casos en los que el propio Tribunal Supremo ha tenido ocasión de referirse como intereses bastardos y al ejercicio abusivo de la acción pública, en asuntos en que

---

2. Las asociaciones y organizaciones representativas de intereses económicos y sociales, serán titulares de intereses legítimos colectivos en los términos que la ley reconozca.

3. Cuando la condición de interesado derivase de alguna relación jurídica transmisible, el derecho habiente sucederá en tal condición cualquiera que sea el estado del procedimiento.

(50)   Artículo 304.
(51)   Artículo 19.1 LJCA.

se buscaba más el daño de un tercero que el beneficio propio o de la comunidad, infringiendo el principio de buena fe (52).

También es muy frecuente la uso del sistema organizativo de la administración local con objeto de poner fin a disputas iniciadas cuya solución debiera buscarse en vía judicial usando los instrumentos que regula la legislación civil, por ejemplo, los interdictos procesales, la protección de servidumbres de paso, de luces y vistas, medianerías, los derechos de los arrendatarios a la conservación de las edificaciones, etc.

En la práctica profesional de la administración local se conocen casos de ciudadanos que reciben órdenes de ejecución de obras de considerable entidad, permitiendo que se les tenga por propietarios de las edificaciones objeto del procedimiento cuando, en realidad, carecen de título alguno de propiedad o posesión que explique dicha actitud; este tipo de comportamientos suele estar relacionado con el posterior o simultáneo ejercicio de acciones civiles encaminadas a la adquisición fraudulenta de la propiedad de la finca afectada por medio de expedientes de dominio fundados en circunstancias poco claras, en los que en cualquier caso la buena fe brilla por su ausencia.

Otra de las peculiaridades conocidas, en la práctica profesional, en lo que hace al ejercicio abusivo del procedimiento administrativo en materia urbanística, es la autodenuncia, o la denuncia por persona interpuesta, que permite eludir la obligación de obtener la licencia obligatoria.

A pesar de todo ello lo cierto es que los tribunales han venido admitiendo este tipo de legitimación general en múltiples ocasiones, así el Tribunal Supremo, tiene declarado en un asunto surgido en el ámbito de un término municipal en que se estaba construyendo un edificio que infringía ordenanzas municipales pidiendo los interesados que adoptaran las medidas pertinentes para el mantenimiento de la legalidad y se paralizasen las obras, reponiendo los usos a su estado primitivo; producida la desestimación presunta de esta petición, el infractor basó su argumentación en la vulneración Ley de la Jurisdicción Contencioso-administrativa de 1956, alegando que el actor era un mero colindante que, por carecer de interés, no disponía de la necesaria legitimación procesal. El Tribunal Supremo rechazó este motivo, recordando el carácter público de la acción para exigir la observancia de la legislación urbanística y de los correspondientes planes (53).

Es evidente que la acción pública debe admitirse, por cuanto que la situación ruinosa o inadecuada de una finca es circunstancia que puede afectar no solo a sus propietarios, moradores o colindantes sino al resto de ciudadanos, potenciales

(52)   SSTS 22.1.1980 y 2.4.1982.
(53)   STS 23.6.1999.

víctimas de daños que en sus personas o bienes podría producir el derrumbamiento, o incluso, titulares de un derecho a un entorno adecuado.

El Tribunal Supremo ha manifestado un criterio favorable la legitimación pública para exigir de la Administración que adopte las medidas necesarias para el restablecimiento de la legalidad, no solo de la ejecución subsidiaria acordada y firme (54) sino también de los preceptivos actos previos que culminan en la misma, como podría ser el requerimiento al propietario del inmueble en orden a la legalización de las obras, la orden de ejecución, o el mismo acuerdo de ejecución subsidiaria.

La LJCA sólo ampara la exigencia de ejecución material de un acto firme y no la posibilidad de reclamar que tal acto se dicte, es decir, sólo ampara la posibilidad de exigir que se culmine el proceso, no que se inicie. Podría pensarse que esa pretensión de incoación del procedimiento encuentra amparo en el punto primero del artículo 29; sin embargo, su redacción suscita serias dudas de que así sea, por varias razones: por una parte, porque se refiere a los casos en los que la Administración esté obligada en virtud de una disposición de carácter general, lo que, en principio, nos remitiría a la legislación urbanística cumpliéndose el primer requisito, pero a renglón seguido exige que tal disposición no precise actos de aplicación, lo que obviamente, no es el caso ni de las normas que regulan la disciplina urbanística ni de los preceptos que imponen el deber de conservación de las edificaciones, puesto que tales disposiciones exigen que se dicten actos de aplicación, como hemos señalado anteriormente (requerimientos de legalización, órdenes de ejecución, etc.). El artículo 29 también hace referencia, en su apartado 2, a que la Administración esté obligada por un acto, contrato o convenio administrativo; en cuanto a nuestro asunto concierne nos quedaremos con la mención al acto, lo que significa que debe existir previamente una declaración de voluntad administrativa, que es precisamente lo que se pretendería obtener de la Administración. Por otra parte, el precepto se refiere a la obligación de la Administración de realizar una prestación concreta a favor de una o varias personas determinadas; esta expresión sin duda evoca la noción de actos favorables y ni remotamente permite identificarla con auténticos actos de gravamen para el propietario (o el infractor) como, de hecho, son los que se dictan en los procedimientos de restauración de la legalidad urbanística o de exigencia de cumplimiento del deber de conservación.

De lo expuesto cabe concluir que la posibilidad de exigir el cumplimiento material del acto administrativo en ejecución subsidiaria está asegurada por la LJCA, pero si lo que se pretende es la incoación del procedimiento correspondiente en el ámbito urbanístico (55) lo más práctico será provocar un acto presunto, que

---

(54)   Que solo exige la realización física y material de lo acordado.
(55)   Disciplina urbanística o cumplimiento del deber de conservación.

suponga la desestimación de la petición de incoación del correspondiente procedimiento a que nos referimos.

9. CONSECUENCIAS DE LA INEJECUCIÓN

Cabe la posibilidad de que, habiéndose dictado una orden de ejecución, el acto no se lleve a cabo subsidiariamente, incluso cabe que no llegue a dictarse por ello la responsabilidad por ejemplo del deber de conservación de los inmuebles, en el ámbito urbanístico, es una responsabilidad compartida entre la Administración y el propietario y, en consecuencia también comparten, ambos, la compensación de perjuicios que el defectuoso cumplimiento de dicho deber conlleve, por otra parte hay que mencionar la posible responsabilidad patrimonial de la Administración municipal en aquellos casos en que se produzcan daños por incumplimiento del deber de conservación, que, la jurisprudencia, considera un deber de responsabilidad compartida.

La idea de atribuir responsabilidad patrimonial a la Administración local en cualquier siniestro producido por incumplimiento del deber de conservación de edificios debe ser examinada con prudencia, por diversos motivos:

1. La intervención de la Administración pública no puede llevarse al extremo de sustituir a todos y cada uno de los propietarios de edificios, pues ello supondría el despliegue de tal cantidad de medios económicos y materiales que podría llevar a la suspensión de pagos de muchas administraciones locales.

2. La legislación urbanística establece deber de conservación en los propietarios de edificios, que deben ser los responsables de los daños causados; desde un punto de vista práctico, el derrumbe no suele producirse debido a la inactividad municipal sino debido a la intervención de los propietarios o inquilinos (56).

Hay resoluciones judiciales que no coinciden en la atribución de la responsabilidad de la Administración local; así, por ejemplo, a propósito de una acción de responsabilidad patrimonial ejercitada por una perjudicada por la falta de realización de obras en ejecución subsidiaria, previamente ordenadas e incumplidas por el dueño del inmueble—, se declara la improcedencia de la indemnización a costa de la Administración municipal; el mismo Tribunal Supremo, reconoce la responsabilidad patrimonial de la Administración municipal en el hundimiento de un edificio, porque actuó —o al menos así se deduce de los hechos consignados por la sentencia de instancia— con considerable desidia, a pesar de las reiteradas quejas formuladas incluso por los propietarios, que solicitaron el derribo de la finca o el permiso para la adopción de medida durante años (57).

---

(56)   Debido a la realización de obras de obras legales, intervenciones en la estructura etc.
(57)   STS 18.6.1986.

El casuismo de la responsabilidad patrimonial de la Administración pública también se manifiesta en otros casos de Derecho urbanístico que hemos mencionado como los relacionados con el deber de conservación de las edificaciones, ya de por sí muy determinado por hechos de tipo técnico y por la concurrencia de circunstancias y actitudes de difícil valoración desde el punto de vista estrictamente jurídico.

10. MATERIALIZACIÓN Y CONSECUENCIAS

La ejecución subsidiaria es la forma idónea de ejecutar un acto, cuando se trate de actos no personalísimos que puedan ser realizados por sujeto distinto al obligado debe referirse a obligaciones de hacer. En consecuencia la ejecución del acto administrativo podrá llevarse a cabo bien por la propia Administración o por un tercero que lo solicite. La característica esencial de este procedimiento consiste en que se lleva a cabo lo dispuesto por el acto administrativo, sin participación de la persona obligada. El coste económico que suponga la ejecución subsidiaria corre a cargo del obligado por el acto ejecutado. En consecuencia, en el supuesto de que también se negara a efectuar el ingreso correspondiente al coste de dicha ejecución, la Administración pública interesada debería iniciar otro procedimiento ejecutivo; se trata del procedimiento de apremio. El importe puede solicitarse antes de realizar la ejecución, a cuyo efecto deberá practicarse una liquidación provisional y posteriormente realizar la liquidación definitiva, a la vista de los gastos reales efectuados. La ejecución subsidiaria conlleva la conversión de la obligación en una deuda pecuniaria, susceptible de ser satisfecha por la vía de apremio, si, aún así, el obligado siguiera resistiéndose a esta nueva forma de cumplimiento. En cuanto a la liquidación del coste de la ejecución subsidiaria no puede hacerse unilateralmente, sino en procedimiento incoado al efecto, con todas las garantías para el obligado, incluso los de audiencia y vista y, en su caso, práctica de la prueba. De esta forma se evitarían los abusos por parte de la Administración, cuando se encomienda, sin más, a un contratista la realización de las obras, y ese contratista presenta factura de lo realizado cuyo importe la Administración repercute en el ejecutado. A este respecto el Tribunal Supremo ha declarado que el hecho de que el ordenamiento vigente atribuya a las Administraciones públicas una potestad de ejecución por vía de sustitución no implica que esta potestad pueda ejercerse a *legibus solutus*. Porque en todo caso, lo mismo cuando declara o reconoce derechos que cuando ejecuta las decisiones declarativas, y tanto si actúa por vía singular que general, con eficacia normativa o de distinto carácter, la Administración ha de obrar *secumdum legem*, que, en nuestro sistema jurídico vale tanto como sujeción a la ley y al derecho (58). Y ello implica también, en lo que aquí importa, inter-

---

(58)   Artículo 103 Constitución Española.

dicción de la arbitrariedad (59) y proporción de medios afines (60), además: si la Administración decide ejecutar por sí unas obras, y no lo hace por medio de los órganos que puedan tener encomendada este tipo de tareas, sino a través de una empresa privada debe contratar con ella cumpliendo los requisitos legales para la contratación de obra pública, y como esa contratación, además de exigir unas determinadas formalidades ha de respetar el principio de libre concurrencia (61) no pueden admitirse contrataciones administrativas que implícitamente tienden a eliminar o falsear las consecuencias rigurosas que derivan de la vigencia del principio de libre mercado (62).

El Tribunal Supremo ha puesto ha destacado el modo que ciertos ayuntamientos utilizan para adjudicar obras al contratista que debe realizar la obra en sustitución del ejecutado señalando los siguientes hechos del asunto que examinaba:

a) Se presentó declaración de ruina por el propietario de la finca, que era familiar del apelante, solicitud desestimada en vía administrativa, debido a que el valor del edificio era de algo más de siete millones, mientras que las obras de reparación ascendían sólo a dos millones. La resolución denegatoria ordenó la realización de las obras necesarias para dejar la finca en las debidas condiciones de habitabilidad.

b) Posteriormente se ordenó por el Ayuntamiento la realización de diversas obras por valor de casi ocho millones, en base a un presupuesto confeccionado unilateralmente. No se acreditó la legalidad de la adjudicación y del citado importe casi cinco millones eran obras de reparación y casi tres obras de conservación.

c) Posteriormente se requirió a la comunidad hereditaria de la propietaria fallecida para el ingreso de la expresada cantidad.

d) Tres años después se les notificó resolución por la que aprobaba un gasto de cuarenta y dos millones por mayor importe de las obras efectuadas, declarando repercutibles a la propiedad casi veintidós millones.

e) El Arquitecto municipal hizo constar en su informe —justificando este mayor importe— que al acometer las obras y realizar las primeras calle se fue descubriendo que los daños generales de la finca eran muy superiores a los anteriormente detectados y que aun conociendo la magnitud de las reparaciones se decidió continuar las obras.

---

(59)   Artículo 9.2 de la Constitución.
(60)   Artículo 5 del Reglamento de Servicios de las Corporaciones Locales aprobado por Decreto de 17.6.1955.
(61)   Ver artículo 38 de la Constitución.
(62)   STS 17.4.1989.

El Tribunal Supremo declara que el antecedente de hecho revela un proceder administrativo en una ejecución sustitutoria que es, no ya sólo anómalo sino ilegal y arbitrario, porque, al margen de que la propiedad no atendiera el requerimiento de realización de obras por un valor determinado hecho en 1981 y posteriormente, se le requiere el abono del mayor importe, pueden haberse incrementado los precios es lo cierto que en este caso se emprendieron obras imprevistas que si algo prueban es que la denegación de ruina, que tal vez pudo ser correcta, era ya improcedente en ese momento. Pero, insiste el Tribunal esas nuevas obras se acuerdan unilateralmente por quien carece, a todas luces de competencia para ello, el Arquitecto municipal, sin acto administrativo previo habilitante. Debiendo decirse, además que el importe inicial, también superior al asignado al edificio, demuestra asimismo, que la finca estaba ya también en ruina económica en esa fecha. Pero aunque esto no fuera así, lo cierto es que esa cifra se fijó, de forma unilateral, por un particular, siendo aceptada por el ayuntamiento, y todo ello sin que conste el origen de esa relación jurídica contractual en virtud de la que esa empresa trabaja para la administración municipal ni bajo qué condiciones, por tanto, ha contratado. Sin que baste a estos efectos la referencia que se hace en el escrito de alegaciones del ayuntamiento a un concurso, porque no sabe muy bien cómo se ha pactado el precio cierto de unas obras que son hipotéticas ya que abarcan al parecer todo el término municipal, ni se sabe en virtud de qué, un presupuesto hecho por un particular puede afectar a otro cuando no es éste el que lo encarga, ni se le da oportunidad alguna de discutirlo. Sin que baste para ello la potestad de ejecución forzosa por vía de sustitución que reconoce el art. 106 de la Ley de Procedimiento Administrativo. Y ello porque el principio de interdicción de la arbitrariedad, que tiene rango constitucional: art. 9.2, es también aplicable en estos casos, como integrador del citado 106 de la Ley de Procedimiento. Todo ello confiere a la actuación administrativa de ejecución unos perfiles claramente arbitrarios cuando no francamente ilegales que no son de recibo en un Estado de derecho y así debe declararlo esta Sala (63).

11. CONTENIDO DE LA ORDEN DE EJECUCIÓN

Como quiera que la LRJ, dispone que las Administraciones Públicas no iniciarán ninguna actuación material de ejecución de sus resoluciones que limite derechos de los particulares sin que previamente haya sido adoptada la resolución que le sirva de fundamento jurídico (64), la resolución exigida como presupuesto cumple el papel de título necesario para la validez de la ejecución subsidiaria. La regulación del procedimiento, es bastante parca y por ello se hace necesario acudir al criterio jurisprudencial que ha completado la interpretación de esta materia.

---

(63)   STS 18.4.1989.
(64)   Artículo 93.1 LRJ.

Una vez que se haya constatado el incumplimiento que será objeto de la ejecución subsidiaria (65), la Administración competente puede ejercer su potestad dictando órdenes individuales para la ejecución o prohibición de un acto; sentido en el que se expresa de modo muy claro la Ley de Bases de Régimen Local cuando dispone que las Corporaciones Locales podrán intervenir la actividad de los ciudadanos a través de órdenes individuales constitutivas de mandato para la ejecución de un acto o la prohibición del mismo (66); asimismo el Reglamento de Servicios de las Corporaciones Locales (67) regula en su título primero la intervención administrativa en la actividad privada. Esta Orden de ejecución; mediante la cual se requiere al destinatario para que realización de determinada actividad por ejemplo las obras necesarias para mantener una edificación en adecuado estado de conservación.

La falta de constancia de la existencia de orden de ejecución supone la nulidad de cualquier ejecución subsidiaria así como del resarcimiento de su coste, dando lugar a un supuesto de actuación administrativa por vía de hecho, con la consecuente posibilidad de intimar el cese de las obras y la interposición del correspondiente recurso contencioso-administrativo (68).

Como en todo procedimiento administrativo, Los presupuestos en cuya virtud debe dictarse la correspondiente resolución administrativa, ya sea la orden de ejecución o el acuerdo de ejecución subsidiaria, deben ser comprobados mediante el desarrollo de las correspondientes actuaciones de instrucción entre las cuales figuran los informes de servicios técnicos relativos a los daños del objeto del expediente y al cumplimiento o incumplimiento de lo ordenado.

La genérica presunción de veracidad que contiene la LRJ (69) debe completarse con la jurisprudencia que ha declarado que en caso de disconformidad sobre los hechos tendrán prevalencia lo recogido en los informes técnicos de la Administración, dado que se presume su imparcialidad, ponderación y objetividad, lo cual no debe entenderse de manera absoluta o indiscriminada, toda vez que dicha prevalencia no excluye la posibilidad de que puedan ser judicialmente valorados y ponderados los mismos, llegando a conclusiones diferentes a la vista de otros informes ajenos a los municipales con garantías de imparcialidad. Este tipo de informes previos deben contener los datos precisos que justifiquen la orden de ejecución, así como la determinación, clara y precisa de las actuaciones que se consideran necesarias a fin de que sean entendidas por el interesado obligado. De

---

(65)   Por ejemplo el estado deficiente de un inmueble urbano.
(66)   Artículo 84.1 de la Ley 7/1985, de 2 de abril, Reguladora de las Bases de Régimen Local (LRBRL)
(67)   Aprobado por Decreto de 17 de junio de 1955.
(68)   Artículos 25 y 30 de la Ley 29/1998, de 13 de julio, Reguladora de la Jurisdicción Contencioso-administrativa (LJCA).
(69)   Artículo 137 LRJ.

igual modo, la constatación del incumplimiento de lo ordenado debe ser acreditado mediante informes técnicos municipales, l gozan de la misma presunción de veracidad a la que nos hemos referido anteriormente (70).

La resolución debe expresar con claridad el contenido del mandato teniendo en cuenta que, las declaraciones genéricas de obligación (71) que contiene a veces la legislación especial constituyen más bien un presupuesto mediato de la actuación administrativa; sin embargo cuando se constata el incumplimiento genérico del deber, la Administración está obligada a precisar y detallar, detalladamente, en qué aspectos concretos afecta el incumplimiento, así como la forma de restablecer el orden perturbado por el mismo (72). Si la orden de la administración no tiene suficiente determinación no constituirá un mandato válido ni, en consecuencia, podrá estimarse su incumplimiento ni, por supuesto, ser susceptible de ejecución subsidiaria (73). Hay que entender que entenderá que tiene suficiente determinación si al menos detalla o precisa las deficiencias que deben subsanarse, así en materia urbanística el Tribunal Supremo tiene declarado que es válido ordenar la ejecución de obras de manera indeterminada siempre y cuando se detallen los desperfectos que deben subsanarse (74).

Por otra parte las resoluciones administrativas deben interpretarse de acuerdo con el sentido de sus términos y con su contexto además el destinatario del mandato administrativo no puede excusar su desobediencia alegando la imprecisión de la orden si teniendo conocimiento de ella, pudo solicitar aclaración sobre los aspectos dudosos y no lo hizo, a este respecto el Tribunal Supremo ha declarado que la consideración de invalidez de mandatos insuficientes o genéricos debe ser confrontada con la entidad de la obra (75). La alegación de imprecisión de la orden de ejecución suele ser utilizada con frecuencia para impugnar el acuerdo de ejecución subsidiaria.

12. PLAZO DE CUMPLIMIENTO

En la resolución debe concederse, al interesado. un plazo razonable (76) para cumplimiento de lo ordenado, pues éste no puede quedar indefinidamente al arbitrio de ninguna de las dos partes en el procedimiento, Administración ni ciudadano; e igualmente es evidente que el plazo que se establezca debe de ser

---

(70)   STSJ Madrid 13.7.2000.
(71)   Por ejemplo de mantener en buenas condiciones de conservación, higiene y salubridad un edificio.
(72)   SSTS. 12.9.1997, 9.2.1998, 3.3.1998 y 28.9.1998
(73)   STS. 31.7.1989, 21.11.1996 y 8.11.2001.
(74)   STS 20.7.1987.
(75)   STS 9.10.2002.
(76)   Plazo razonable en función de la ponderación de circunstancias: urgencia, peligro, demora, etc. ver SSTS 21.11.1996 y 27.12.1998.

razonable, con ponderación y valoración de las características concurrentes en el caso: tanto en lo que se ordena (77), como en las circunstancias de la orden (su trascendencia; la mayor o menor urgencia; el peligro en la demora; la posibilidad de causar daños a terceros, etc.) (78).

La apreciación de la razonabilidad del plazo constituye una cuestión a determinar a través de las pruebas correspondientes (informes periciales, etc.), y siempre estará sujeto a la libre apreciación del Tribunal. Así, por ejemplo, el Tribunal Supremo ha considerado bastante el plazo conferido por la Administración municipal para la ejecución de obras en un muro de contención entre unos edificios, que había sufrido una flexión, cuya corrección debía realizarse (79). La valoración de la razonabilidad del plazo queda condicionada a la aportación de informes periciales y es resuelta en última instancia por el órgano jurisdiccional.

13. NOTIFICACIÓN Y REQUERIMIENTO PERSONAL

La resolución dictada por el órgano administrativo en virtud de la cual se ordene la realización de un acto de ejecución material deberá ser notificada al particular interesado; es decir, se anuda la eficacia del acto material de mandato a la notificación del mismo, tal y como establece la propia ley procesal administrativa en su art. 57.2 lo cual es evidente toda vez que sólo una vez comunicada la orden cabe que el destinatario de la misma conozca su existencia y adopte la decisión: acatar su contenido y realizar lo ordenado o bien desobedecer el mandato (80). La Administración debe intimar o apercibir al destinatario de la orden, advirtiéndole de que en caso de incumplimiento tendrá lugar la ejecución forzosa (81). En caso de falta notificación del acto administrativo y en tanto dicha comunicación no se produzca, la resolución será eficaz, y la actuaciones para ejecutarla de forma subsidiaria serán nulas por situar al interesado en una posición de indefensión, sin perjuicio de su calificación como vía de hecho (82). La Jurisprudencia ha exigido reiteradamente en la necesidad de notificación personal, valorando incluso la necesidad de la actividad indagatoria que debe realizar la Administración Municipal (83).

---

(77)   Ante la invocación de la existencia de infracción del ordenamiento jurídico puesto que se había concedido un plazo de cuarenta y ocho horas, para iniciar las obras, pero no se indicaba el término o plazo final para la ejecución de las mismas STS 26.6.1991).
(78)   Entidad, dificultad o complicación
(79)   STS 9.10.2002.
(80)   Artículo 93 LRJ.
(81)   En caso de orden de ejecución consistente en la realización o paralización de obras, el medio de ejecución forzosa debe ser el que establece la LRJ en los artículos 96.b) y 98.1 de la LRJPAC por tratarse de actos que, al no tener carácter de personalísimos, pueden ser realizados por persona distinta al obligado.
(82)   Ver SSTS 14.11.1996 y 27.12.1998.
(83)   STS 17.12.1996.

En ocasiones la actividad investigadora resulta obstruida o perjudicada por actuaciones de terceros: en un caso en el que todas las notificaciones, hasta el requerimiento cautelar de ingreso fueron hechas al esposo de la propietaria de la finca objeto de la ejecución, se tuvo en consideración por el Tribual que aquél había venido actuando como casero y el mismo manifestó conocer la problemática del asunto, tanto como para intervenir en el procedimiento administrativo presentando alegaciones o utilizando la vía de recurso.

Es frecuente que quien actúa mediante representante no se de por aludido cuando se requiere el resarcimiento de los gastos causados; el Tribunal Supremo ha declarado que una alegación semejante es improcedente (84), La falta de conocimiento de la existencia del procedimiento administrativo, alegando indefensión y falta de audiencia del propietario, con objeto de para eludir el pago en contratos de compraventa en que el propietario incumplidor incluye cláusulas derivando la obligación de pago de las obras a la parte compradora, lo cual demuestra el conocimiento de la existencia de las obras y hace improcedente la alegación de indefensión o falta de notificación. El requerimiento para la realización de obras debe dirigirse a la Comunidad de Propietarios, sin distinguir entre propietarios ni la cuota de propiedad de los mismos en el total del edificio;

14. INTERESADOS DIFERENTES

Cuando existen otros intereses respecto de la edificación distintos de los del propietario como los de inquilinos, ocupantes, precaristas, etc., no supone la atribución a éstos de la condición de destinatarios de la orden de ejecución ni deudores de su notificación. Como tiene declarado Tribunal Supremo, la falta de citación de un inquilino de la finca en el procedimiento de ejecución de obras no predice indefensión al propietario del inmueble; y añade que a éste no corresponde —en todo caso— alegar la que se hubiera podido causar al inquilino de cuya citación se prescindió y para el cual, además, fueron favorables las decisiones administrativa y judicial. Por otra parte, se señala por el Tribunal que la citación a los inquilinos era obligación de la propietaria a tenor de lo establecido en el art. 19 del Reglamento de Disciplina Urbanística (85).

15. DOCTRINA DE LOS ACTOS PROPIOS

Sin despreciar la fundamental importancia del previo requerimiento al obligado y su notificación, debe hacerse mención a la práctica de una solicitud del interesado afectado ante la actuación administrativa, cuya personalidad suele coincidir, casi sin excepción, con la de una Comunidad de Propietarios. Es conoci-

---

(84)   STS 19.5.1986.
(85)   STS 24.6.1985.

da por todos lo dificultosa que puede llegar a ser la tarea de hacer coincidir las voluntades de los comuneros para la adopción de un acuerdo válido en el ámbito de la propiedad de casas por pisos; más aún cuando los acuerdos consisten en la realización de obras que suponen fuertes desembolsos económicos, además de considerables molestias. En estos casos, la experiencia demuestra que el incumplimiento de las órdenes de ejecución viene determinada por la resistencia de algunos comuneros o la falta de medios económicos para afrontar la contratación de los trabajos. En tales ocasiones es frecuente que por los órganos de gobierno de la Comunidad de Propietarios se consienta o incluso se solicite expresamente que las obras se acometan por la Administración Municipal, «siendo por su cuenta los gastos que ello origine». Pues bien; la Jurisprudencia viene desestimando las alegaciones de falta o vulneración del procedimiento cuando el particular ha conseguido la realización de obras, realizadas a su vista, o incluso solicitadas por el mismo, aplicando la doctrina de los actos propios e indicando que, si así se asumió, no se puede alegar posteriormente la vulneración del procedimiento (86).

16. AUDIENCIA AL INTERESADO

El trámite de audiencia al interesado se contempla específicamente en el art. 84 LRJ, además de la mención genérica a la posibilidad de la formulación de alegaciones que contiene el art. 79 del mismo cuerpo legal. El art. 84 LRJ prescribe la puesta de manifiesto del expediente al interesado o su representante una vez instruido el procedimiento e inmediatamente antes de la redacción de la propuesta de resolución. La sanción que prevé la LRJ para las resoluciones que se dicten prescindiendo del ofrecimiento de audiencia al interesado es la anulabilidad cuando produzca indefensión (87). No hay que olvidar que la propia Constitución, establece (88) que la ley reguladora del procedimiento a través del cual deben producirse los actos administrativos garantizará, cuando proceda, la audiencia del interesado. El trámite de audiencia tiene, pues, una importancia vital en el procedimiento administrativo reconocida constitucionalmente, aunque, como ha señalado el Tribunal Constitucional, la falta de audiencia del perjudicado no constituye una infracción susceptible de amparo, especificando que las faltas de audiencia en vía administrativa han de ser revisadas y corregidas por la jurisdicción sin que tengan en línea de principio, como tales, dimensión constitucional (89). No obstante, no todos los actos dictados prescindiendo del trámite de audiencia deben ser considerados, automáticamente nulos, puesto que el mismo precepto dispone (90) que la falta de audiencia haya producido la indefensión

(86)   STS 28.5.2001.
(87)   Artículo 63 LRJ
(88)   Artículo 105 CE.
(89)   SSTC 175/1987 y 42/1989.
(90)   Al igual que para todos los defectos de forma.

del interesado, de este modo lo ha declarado el Tribunal Supremo, que valora el incumplimiento de este trámite en función de que haya resultado, o no, indefensión; considerando que no existe indefensión cuando conste que el interesado ha tenido conocimiento del procedimiento, por ejemplo por su intervención en otros trámites relacionados, como, por ejemplo, la interposición de recursos

Tanto en el trámite de audiencia como en vía de recurso administrativo y jurisdiccional las alegaciones consistentes en la cita de preceptos legales relativos a procedimientos sancionadores, constituyen argumentación que carecen de aplicación en estos casos toda vez que el procedimiento administrativo que desemboca en una ejecución subsidiaria no tiene naturaleza sancionadora. A este respecto las alegaciones más frecuentes suelen consistir en la atribución de responsabilidad por daños a terceros ajenos a la propiedad del inmueble; falta de medios económicos; impedimentos físicos o legales para realizar las obras o bien oposición de los inquilinos.

Con respecto a los perjuicios ocasionados por terceros, el interesado obligado debe realizar las actuaciones ordenadas por la Administración. En el caso de obras el sujeto pasivo de la ejecución subsidiaria y de la obligación de satisfacer el coste de la misma es, por determinación legal, el propietario del inmueble objeto del expediente. A tal efecto, es absolutamente indiferente quién fuera el causante del deterioro o de los daños que determinan la incoación del correspondiente procedimiento; también es impertinente cualquier alegación sobre la buena o mala fe del causante de los daños o acerca de los hechos que provocaron el menoscabo. El Tribunal Supremo, en doctrina reiterada, viene manifestándose en el sentido de que la responsabilidad municipal queda satisfecha con la exigencia a los titulares dominicales de que mantengan su propiedad en un estado adecuado (91). La cuestión de los daños causados por terceros ha sido examinada por el Tribunal Supremo en varias ocasiones, en una de ellas en el que lo ordenado era eliminar los cultivos y la limpieza de un terreno baldío propiedad del recurrente que había sido ocupado sin título alguno, por un número indeterminado de personas, que lo fueron dedicando al cultivo de legumbres y hortalizas con sistemas de aprovechamiento de aguas fluviales y residuales para riego, procediendo, asimismo, a la edificación de casetas para la guarda de aperos de cultivo, y a la instalación de vallas delimitadoras de parcelas, lo cual era constitutivo de infracción de las normas urbanísticas (92).

Las alegaciones relativas a la falta de medios económicos para afrontar la realización de las obras constituyen con frecuencia una de las alegaciones con las que los interesados excusan su actitud reticente a la realización de las obras ordenadas ante la Administración Municipal en primer lugar y, posteriormente, ante los

---

(91)   STS 5.2.1992.
(92)   STS 9.12.1985.

Tribunales de la Jurisdicción Contencioso-administrativa, obviamente con escaso éxito; aunque en algunas ocasiones tal falta de medios económicos responde a la realidad, es evidente que la seguridad de las personas y los bienes no puede subordinarse a la disponibilidad económica de los propietarios de los inmuebles; las órdenes de ejecución de obras tienen como objeto la defensa de intereses públicos que deben considerarse en todo caso por encima de los privados (93).

Cuando este tipo de alegaciones sean formuladas por otras Administraciones o entidades del sector público, alegando falta de partida presupuestaria para afrontar los gastos, hay que señalar que esta excusa inadmisible dada la posibilidad de solucionarlo a través de modificaciones presupuestarias.

En otras ocasiones, los propietarios esconden su renuencia a la realización de las obras, o a la continuación de las ya iniciadas, tras la oposición o las dificultades de desalojo de inquilinos del inmueble que sea objeto del procedimiento. Estas alegaciones son improcedentes, por que en caso de oposición entre el interés público y las dificultades del propietario prevalece el primero. Por otra parte, y en los casos de obras, aunque la incomodidad del abandono de su residencia y la suspicacia de los arrendatario puede llevarles a obstinarse en la oposición al desalojo, también lo es que la aparente intensidad de la resistencia que, al parecer del propietario se presenta como un obstáculo insalvable para la realización de lo ordenado, desaparece cuando las obras se ejecutan subsidiariamente por la Administración (94).

Respecto a la vulneración del principio de igualdad fundada en el hecho de que existen otros inmuebles en idéntico estado, desconociendo la máxima que aclara que el derecho a la igualdad de trato sólo puede ser alegado dentro de la legalidad, como ha declarado el Tribunal Constitucional. El derecho a la igualdad consagrado en el artículo 14 de la Constitución lo es en la ley, pero no fuera de ella, por lo que no puede entenderse infringido, como tal derecho subjetivo susceptible de amparo, cuando la legalidad ordinaria no se deriva un derecho del recurrente a obtener determinado trato o unas determinadas prestaciones públicas (95).

Para disculpar la desatención a los requerimientos de la Administración o las demoras en su cumplimiento también suelen alegarse diferencias con los empleados públicos técnicos de las obras, la existencia de procedimientos judiciales con las empresas contratadas, las cuales —si bien en ocasiones no son meras excusas— tampoco son apreciadas por los Tribunales como obstáculos para el cumplimiento de las órdenes o requerimientos.

---

(93)   SSTS 21.2.1984 y 8.4.1987.
(94)   STS 16.6.1997.
(95)   STC 43/1982.

Las dificultades para encontrar una empresa constructora o las negativa realizar ciertas obras también se utilizan para justificar retrasos en el cumplimiento de los requerimientos de la Administración; La situación inestable del inmueble también puede ser alegada para justificar incumplimiento de requerimientos administrativos; así, por ejemplo, se ha alegado que la orden municipal consistente en la demolición de un edificio manteniendo su fachada era de extrema dificultad, por el riesgo que suponía de causar daños o destruir el inmueble colindante; sin embargo, realizadas las obras subsidiariamente por la Administración.

Si bien las cuestiones concernientes a los problemas de determinación de la propiedad del inmueble objeto del procedimiento han sido ya objeto de análisis, también constituyen una fuente inagotable de objeciones al cumplimiento de las órdenes de ejecución.

Los motivos de oposición que se emplean contra las resoluciones administrativas que ordenan la realización de obras, es decir, contra las órdenes de ejecución, son reproducidos o utilizados con mayor ahínco, si cabe, cuando llega el momento de satisfacer el importe de los gastos ocasionados por la ejecución subsidiaria, por lo que todo lo expuesto debe tenerse en cuenta a los efectos de la impugnación de las correspondientes liquidaciones. Valga como muestra de la importancia que tiene el procedimiento previo para asegurar el ingreso del coste de la ejecución subsidiaria, un asunto concreto en que la cuestión de la forma en que se realizó la ejecución subsidiaria fue planteado a raíz de la reclamación de gastos ocasionados: la recurrente había mostrado su intención de asumir la continuación de las obras en ejecución sustitutoria, incumpliendo posteriormente su compromiso que había expresado a la Administración, por lo cual aquellas se reanudaron en vía subsidiaria. Al requerirse de pago, la interesada alegó que las obras realizadas por la Administración también habían sufrido un retraso; pero esta alegación no se admitió por el Tribunal por cuanto que la finca había sido objeto de precinto por el Juzgado de Instrucción correspondiente por otras razones de salubridad pública (96).

Los acuerdos relativos al incumplimiento del deber de conservación de los inmuebles, sean órdenes de ejecución o acuerdos de ejecución subsidiaria, no pueden ser objeto de inscripción en el Registro de la Propiedad. Por su parte, el Real Decreto 1093/1997, de 4 de julio, por el que se establecieron las normas complementarias al Reglamento para la ejecución de la Ley Hipotecaria sobre inscripción en el Registro de la Propiedad de actos de naturaleza urbanística tampoco hace referencia esta materia, únicamente hace referencia a la anotación preventiva —en todo caso, potestativa— de incoación de expedientes de disciplina urbanística (97).

---

(96)   STSJ Madrid 28.2.2002.
(97)   En su artículo 56.

17. EL INCUMPLIMIENTO Y SU CONSTATACIÓN

La resolución previa viene constituida, generalmente, por la orden de ejecución, a través de la cual se requiere al destinatario para que lleve a cabo determinadas actuaciones o trabajos, sean éstos relativos a una conservación por razones de seguridad, salubridad y ornato o bien de demolición o reconstrucción, por que se trate de obras no amparadas por licencia urbanística.

Por ello las órdenes de ejecución constituyen el presupuesto previo y necesario para la incoación de un procedimiento que culmine en ejecución subsidiaria; ahora bien: el inicio del procedimiento queda pendiente de la voluntad del destinatario de la orden, de manera que su total cumplimiento de modo voluntario concluye con el archivo de actuaciones.

El cumplimiento de la orden de ejecución debe ser probado por la persona obligada a realizar la actividad objeto de aquella; para lo cual no es suficiente con la simple manifestación de haber efectuado dicha actividad. Por ejemplo cuando se trate de obras que requieran la existencia de una dirección facultativa, la prueba se realizará mediante la aportación de certificado técnico que demuestre su realización efectiva; en caso contrario, se puede acreditar mediante la presentación de las facturas o pagos realizados, fotografías o de cualquier otro medio por el que se pueda dejar constancia del cumplimiento, sin perjuicio de su comprobación por la Administración municipal.

Por su parte, el incumplimiento de la orden de ejecución debe ser acreditado en el expediente administrativo por medio de informes técnicos evacuados, en su caso, previa la correspondiente visita de inspección. No es procedente suponer que la orden va a incumplirse o presumir la resistencia del propietario, ni siquiera por razón de que se haya interpuesto recurso administrativo contra la misma (98).

Sin embargo, el incumplimiento, aún el parcial, da lugar al inicio de actuaciones por parte de la Administración, hasta completar la actividad exigida.

18. LA EJECUCIÓN SUBSIDIARIA NO ES MEDIDA DE SANCIÓN

Finalmente cabe hacer referencia al mismo, puesto que tradicionalmente han venido siendo íntimamente relacionados por la normativa, la doctrina y la jurisprudencia. En efecto, recordemos como el Reglamento de Disciplina Urbanística (99) establecía que transcurrido el plazo concedido sin que se hubiesen ejecutado las obras ordenadas, se procedería a la incoación del expediente sancionador, con imposición de multa, en cuya resolución, además, se requeriría de nuevo a los

---

(98)   STS 14.1998.
(99)   Aprobado por Real Decreto 2187/1978

propietarios a la ejecución de la orden, que, de no cumplirse, se llevaría a cabo en ejecución subsidiaria (100). Sobre la base de lo establecido en aquel precepto se ha venido manteniendo el criterio de la necesidad de la incoación de procedimiento sancionador y la imposición de la multa como requisitos para abordar la ejecución subsidiaria de las obras ordenadas (101). No obstante dicha previsión resulta incongruente con los objetivos que justifican la potestad de ejecución forzosa, vinculando artificialmente la protección de personas y bienes a la necesaria incoación y resolución de un expediente sancionador, que por su especial naturaleza requiere de una detallada e ineludible relación de trámites y, por tanto, de un tiempo que puede ser incompatible con la urgencia de la realización de las obras; lo cual en los casos en que no se conoce la identidad del propietario del inmueble o construcción objeto del procedimiento, lo cual no es un supuesto tan extraordinario.

La redacción de algunas normas autonómicas en materia urbanística, permite deducir que la previa tramitación del procedimiento sancionador no es un requisito necesario para proceder a la ejecución subsidiaria en caso de incumplimiento de lo ordenado, por ejemplo la Ley del Suelo de la Comunidad de Madrid establece que la imposición de sanciones no es más que una alternativa a la ejecución subsidiaria, compatible con la misma pero no imprescindible (102). De todos modos hay que insistir que la ejecución subsidiaria no constituye una medida sancionadora y por lo tanto no le es de aplicación el régimen de requisitos y garantías que exige en el procedimiento sancionador.

---

(100)   Artículo 10.
(101)   Ver STS 3.5.1989.
(102)   Artículo 170.2.

Capítulo 26

La multa coercitiva como instrumento de ejecución de las Administraciones Públicas

En este capítulo examinamos la multa coercitiva que es un medio de ejecución que consiste en la imposición de multas reiteradas en el tiempo hasta doblegar la voluntad del obligado para cumplir el mandato del acto administrativo de cuya ejecución se trata. Se utiliza en diversos ámbitos siempre que tenga suficiente garantía legal y que cumpla los principios y requisitos que establece el Ordenamiento jurídico. También se analizan y comparan las figuras de la multa coercitiva y de la multa sanción, para proseguir con un examen de puntos de vista adicionales sobre la normativa básica y la regulación de la normativa sectorial de las comunidades autónomas que regulan esta figura concluyendo con un formulario práctico de notificación.

1. DELIMITACIÓN CONCEPTUAL

La multa coercitiva es un medio de ejecución consiste en la imposición de multas reiteradas en el tiempo hasta doblegar la voluntad del obligado para cumplir el mandato del acto administrativo de cuya ejecución se trata. Es una técnica originaria del derecho germano que, con la denominación de multa ejecutiva era utilizada para compensar la falta de un delito de desobediencia a las órdenes oficiales y, en general, por la tradicional insuficiencia del sistema penal para servir de medio de coacción del Derecho administrativo, a pesar de la definición de algunas incriminaciones sobre ciertas contravenciones administrativas. Esta insuficiencia se palió de dos maneras:

a) Con la atribución a las autoridades administrativas de las contravenciones gubernativas y fiscales, si bien con clara conciencia de que se asignaban a la Administración funciones judiciales, y

b) Con la técnica de la pena ejecutiva o coactiva que, si no se hacía efectiva, se sustituía por un arresto temporal.

Las multas coercitivas son medios de ejecución que tratan de estimular el cumplimiento directo por parte del obligado a ello. Frente a la ejecución subsidiaria, que consiste precisamente en un cumplimiento o ejecución por sustitución, las multas coercitivas tratan de evitar el problema que surge cuando el obligado a hacer personalísimo se opone a ello. El fundamento de la multa coercitiva es la advertencia material que se efectúa por la administración para convencer al obligado incumplidor. Por ello, no tratan de castigar la comisión de una infracción, ni siquiera de resarcir un daño producido sino de vencer la resistencia del obligado al cumplimiento de su obligación. Esta técnica de ejecución consiste en la imposición de multas pecuniarias, reiteradas por lapsos de tiempo que sean suficientes para cumplir lo ordenado, en:

a) Actos personalísimos en que no proceda la compulsión directa sobre la persona del obligado.

b) Actos en que, aunque proceda llevar a cabo las actuaciones de compulsión; sin embargo la Administración no la estimara conveniente.

c) Actos cuya ejecución pueda el obligado encargar a otra persona.

También hay que señalar que estas multas han de ir precedidas de apercibimiento. Los lapsos de tiempo han de ser suficientes y proporcionados, debiendo evitarse reducirlos de forma que impidan el cumplimiento voluntario o penalicen injustificadamente al interesado (1). Salvo previsión normativa en contrario, no existe límite al número de multas que pueden imponerse sucesivamente. Ahora bien la multa coercitiva no es lo mismo que la sancionadora o la sanción contractual pues se trata de técnicas procedimentales que responden a diversas necesidades y requieren diferentes requisitos. También es diferente de las indemnizaciones o los recargos tributarios. La multa coercitiva es independiente de las sanciones que puedan imponerse con tal carácter y compatible con ellas. Y ello por cuanto la multa coercitiva no trata de castigar la comisión de una infracción, ni siquiera de resarcir un daño producido sino de vencer la resistencia del obligado al cumplimiento de su obligación (2). Se trata de una medida que carece de naturaleza sancionadora o represiva, en la que tampoco participa en modo alguno un carácter indemnizatorio de de compensación es decir las multas coercitivas tampoco constituyen un instrumento dirigido al resarcimiento por daños o perjuicios.

Así, el Tribunal Constitucional tiene declarado que en esta clase de multas no se impone una obligación de pago con un fin represivo o retributivo por la realización de una conducta que se considere administrativamente ilícita, cuya adecuada previsión normativa desde las exigencias constitucionales del derecho a la legalidad en materia sancionadora pueda cuestionarse, sino que consiste en una medida de constreñimiento económico, adoptada previo el oportuno apercibi-

---

(1)   STS 6.4.1982.
(2)   Artículo 99 LRJ.

miento, reiterada en lapsos de tiempo y tendente a obtener la acomodación de un comportamiento obstativo del destinatario del acto a lo dispuesto en la decisión administrativa previa (3). No se inscriben, por tanto, estas multas en el ejercicio de la potestad administrativa sancionadora, sino en el de la autotutela ejecutiva de la Administración, cuya constitucionalidad ha sido expresamente reconocida por la jurisprudencia, y respecto de la que no cabe predicar el doble fundamento de la legalidad sancionadora que contempla la Constitución (4) es decir la regla general de la licitud de lo no prohibido y de seguridad jurídica para saber a qué atenerse con un mínimo de certeza, dado que con la multa coercitiva no se castiga una conducta porque sea antijurídica, sino que se obliga a la realización de una prestación o al cumplimiento de una obligación concreta previamente fijada por un acto administrativo que se trata de ejecutar, y mediando la oportuna conminación o apercibimiento (5).

Por otra parte, como se ha indicado, las multas coercitivas tampoco revisten carácter resarcitorio o indemnizatorio. Así lo evidencia el mismo tenor literal la Ley reguladora de la Jurisdicción Contencioso-administrativa (6) que establece la imposición de multas coercitivas, sin perjuicio de otras responsabilidades patrimoniales a que hubiere lugar. Esta referencia, que con mayor corrección técnica debería eludir a las responsabilidades civiles, deja bien claro que una cosa es la multa coercitiva, que tiende a estimular el cumplimiento del fallo y otra bien distinta la responsabilidad civil o patrimonial, cuya finalidad es reparar el posible daño o perjuicio que la inejecución o la ejecución extemporánea pudiera haber ocasionado. Por iguales motivos, las penalizaciones contractuales o penalizaciones por demora en la ejecución de los contratos no participan del carácter de multas coercitivas. Por el contrario, los recargos tributarios se aproximan mucho a las multas coercitivas en cuanto a su naturaleza (7).

La imposición de las multas coercitivas procede únicamente en los supuestos siguientes (8):

a) Cuando así lo autoricen las leyes, y en la forma y cuantía que éstas determinen. Al contrario de lo que ocurre con otros medios de ejecución (9), no pueden aplicarse con generalidad sino que exigen que la Ley lo autorice y que fije la cuantía concreta o la forma de terminarla. Ello podría permitir afirmar la aproximación (salvando las innegables diferencias, tal y como se expone en la

---

(3)   STC 239/1988.
(4)   Art. 25 CE.
(5)   SSTC 144/1987, 22/12984, 137/1985, 144/1987 y 101/1988.
(6)   Ley 29/1988 artículo 112.
(7)   Ley 30/2007 de Contratos del Sector Público artículo 196; Ley General Tributaria artículos 27 y 28 y STS 16.9.1991.
(8)   Artículo 99 LRJ.
(9)   Por ejemplo ejecución subsidiaria.

pregunta anterior) de las multas coercitivas a las sancionadores en cuanto partici-parían ambas de la exigencia de la previa tipificación legal tanto de los supuestos como de su cuantía.

Sin embargo, lo cierto es que las multas coercitivas no han de observar los principios constitucionales propios de las sanciones (reserva de Ley, tipicidad, irre-troactividad, etc.). La exigencia de autorización en Ley no equivale a una reserva de Ley sino que implica una mera habilitación legal (10).

b) Cuando concurra uno de los supuestos expresamente previstos legalmente:

Actos personalísimos en que no proceda la compulsión directa sobre la per-sona del obligado. Actos en que, procediendo la compulsión, la Administración no la estimara conveniente. Actos cuya ejecución pueda el obligado encargar a otra persona. En nuestra opinión, este supuesto no se encuentra correctamente incardinado en este medio ejecutiva ya que si el obligado puede encomendar la ejecución a un tercero, lo lógico sería acudir a la ejecución subsidiaria.

2. TÉCNICA DE EJECUCIÓN

La multa coercitiva es un medio para lograr la ejecución de un previo acto ad-ministrativo (por lo que no puede ser confundida con un mecanismo de amenaza, presión o extorsión para que el ciudadano realice actuaciones que no son exigidas por un acto administrativo). En línea general de principio, la multa coercitiva es un medio de ejecución forzosa que sirve para imponer el cumplimiento de las obligaciones de hacer que resultan de un acto administrativo y tienen carácter personalísimo, es decir obligaciones personales en las que un tercero no puede sustituir al obligado principal.

La LRJ (11) ha extendido el ámbito de aplicación del privilegio más allá de las obligaciones personalísimas, ya que la Administración Pública puede imponer una multa coercitiva en cualquiera de las siguientes circunstancias:

a) Actos personalísimos en que no proceda la compulsión directa sobre la per-sona del obligado;

b) Actos en que, procediendo la compulsión, la Administración no la estimara conveniente; y,

c) Actos cuya ejecución pueda el obligado encargar a otra persona (12).

---

(10)   STS 14.5.1997.
(11)   LRJ art. 99.
(12)   Artículo 99 LRJ.

Hay supuestos en que la Administración Pública puede utilizar tanto la multa coercitiva, como cualesquiera otros medios de ejecución forzosa en que la Administración puede escoger uno u otro medio en virtud de simples criterios de conveniencia u oportunidad. Sin embargo la norma general que establece la LRJ es que Si fueran varios los medios de ejecución admisibles se elegirá el menos restrictivo de la libertad individual. Por tanto, desde la perspectiva de la proporcionalidad, la Administración puede imponer multas coercitivas cuando, a pesar de ser viable la ejecución subsidiaria o la compulsión sobre las personas, la multa sea un medio más adecuado y equilibrado para alcanzar el objetivo que se persigue (13). Para prevenir la introducción o la difusión en el territorio español de enfermedades de los animales, y para prevenir la extensión de tales enfermedades en caso de existencia de casos sospechosos o confirmados de grave riesgo sanitario, la Administración Pública puede imponer a los propietarios de los animales la obligación de sacrificarlos, o puede establecer un prohibición cautelar que impida el movimiento y transporte de animales o de productos de origen animal; así resulta, por ejemplo, de lo establecido en la Ley 8/2003, de 24 de abril de Sanidad Animal (14). En caso de que esas obligaciones no sean cumplidas voluntariamente, procede el ejercicio de las potestades de auto-tutela ejecutiva. Otro ejemplo de la posibilidad de elegir una u otra técnica de ejecución forzosa, lo encontramos en el artículo 93 de dicho precepto legal En el caso de que los afectados no ejecuten, en el debido tiempo y forma, las medidas o las obligaciones que les correspondan de acuerdo con lo dispuesto en esta ley, la autoridad competente procederá a ejecutarlas con sus propios medios o utilizando servicios ajemos, a costa del obligado, cuyo importe podrá exigírsele por vía de apremio, con independencia de las sanciones o multas coercitivas a que hubiera lugar.

Debe insistirse en la diferencia entre las multas coercitivas y las sanciones en sentido estricto que tiene carácter de sanción, toda vez que éstas últimas tienen que respetar el principio *non bis in idem;* además una de las características de las primeras es su carácter reiterado. Incumplida la obligación, y a pesar de que se haya impuesto una primera multa coercitiva, si resultara que el obligado continua sin cumplir la obligación que resulta de la resolución administrativa, la Administración puede volver a imponerle sucesivas multas coercitivas hasta que cumpla su obligación (15). El importe de la multa puede ser uniforme, pero la Administración también puede incrementar gradualmente el montante económico, para reforzar así la presión sobre el ciudadano incumplidor.

Mientras que el fundamento de la imposición de una sanción en sentido estricto es el reproche por haber vulnerado el ordenamiento jurídico, el fundamento de la multa coercitiva es forzar la voluntad de quien no cumple espontáneamente sus

---

(13)   Artículo 96.2 LRJ.

(14)   Artículo 8.

(15)   Siempre que se respete el principio de reciprocidad.

obligaciones. Es decir, mientras que el objetivo de la sanción se alcanza cuando se ejecuta la sanción función represiva, el objetivo de la multa coercitiva no se satisface cuando se paga la multa, sino cuando se ejecuta la Resolución incumplida.

Otra diferencia relevante afecta a la aplicación del principio de necesidad, el de oportunidad. En materia de sanciones rige el principio de necesidad, pues la Administración Pública no tiene margen de discrecionalidad para ejercer esa potestad, o no hacerlo por razones de conveniencia. En cambio en las multar coercitivas existe un cierto espacio para el principio de oportunidad, pues hay un margen de apreciación sobre la conveniencia de ejercer la potestad o emplear otros medios de coerción, hay cierta discrecionalidad al dosificar la frecuencia con la que se reiteran las multas, o sobre su importe.

Como la finalidad perseguida con la imposición de la multa coercitiva el cumplimiento a la fuerza de una obligación que no fue voluntariamente atendida, cuando la presión que resulta de la multa surte efectos, y el obligado reacciona, aunque sea tardío y extemporáneo el cumplimiento de la obligación, en determinadas circunstancias puede llegar a justificar que se revoque la multa coercitiva (condonación de una deuda que, en cambio, es jurídicamente admisible para las multas sancionadoras, salvo en los puestos excepcionales en que una ley así lo autoriza de forma expresa, y a los límites legalmente establecidos).

Ahora bien, esa diferencia no significa que exista una incompatibilidad entre las sanciones y las multas coercitivas, pues la misma omisión puede resultar merecedora tanto de un reproche como de una coerción. Por ejemplo se impone una sanción por haber realizado una construcción ilegal en suelo no urbanizable protegido, y además, al no procederse al cumplimiento de obligación de demoler la obra ilegal, cabe imponer multas coercitivas para forzar el cumplimiento de la obligación de demoler lo irregularmente construido.

Respecto a la diferencia entre la función resarcitoria y la función coercitiva, hay que recordar que el pago de una multa coercitiva no cumple una función indemnizatoria de un supuesto daño o perjuicio causado a la Administración Pública, sus bienes y derechos. En ese sentido, en un mismo caso, al interesado se le puede acumular una triple obligación de pago de una cantidad de dinero para pagar una sanción:

a) por haber cometido una infracción punible;

b) pagar una multa coercitiva por no cumplir voluntariamente una obligación

c) pagar una indemnización de daños y perjuicios, por los causados en los bienes derechos de la Administración. Así sucedería, por ejemplo, si la construcción ilegal se realiza en dominio público marítimo-terrestre, y se produce un menoscabo ecológico del suelo del litoral.

Al igual que otros privilegios de la Administración Pública el de la imposición de multas coercitivas está condicionado a una previa y expresa habilitación por una norma con rango de ley por lo cual esa potestad no puede estar atribuida por una norma de rango reglamentario. La ley de habilitación debe establecer los limites y la frecuencia con la que la Administración puede imponer la multa coercitiva (16).

La reiterada imposición de multas no puede alcanzar un montante económico superior al valor dinerario de la obligación o prestación incumplida, la multa coercitiva no puede llegar a tener un efecto confiscatorio por lo cual como máximo tiene el valor de la `prestación no realizada o defectuosamente cumplida; pero además el principio de proporcionalidad que debe seguirse en la en la imposición de multas coercitivas debe respetarse un equilibrio razonable en la dosificación de vigencia temporal en la que se impone de acuerdo con las circunstancias concretas, la reiteración en intervalos de tiempo razonables para que pueda darse cumplimiento efectivo.

3. FUNDAMENTOS DE REGULACIÓN

La regulación de la multa coactiva, desconocida en nuestra historia legislativa destaca su diferencia respecto de las multas de Derecho penal, prescribiendo la Ley que aquélla no tiene carácter de pena con la grave consecuencia de la inaplicación del principio *non bis in idem* en relación con las multas sucesivas que implica esta técnica. En un claro exceso de dureza y autoritarismo se acepta, incluso, la compatibilidad de la multa coercitiva con otras sanciones penales o administrativas, lo que no admitía siquiera la regulación alemana: la multa coercitiva —dice a este efecto (17) será independiente de las que puedan imponerse en concepto de sanción y compatible con ellas—.

Menos mal que la multa coercitiva se sujeta a un estricto principio de legalidad. No basta con que la ley autorice su establecimiento al poder reglamentario, sino que es necesario que la ley determine su forma y cuantía.

Los supuestos en que procede la imposición de multas coercitivas son muy amplios, pues comprenden desde los actos personalísimos en que no proceda la compulsión directa sobre las personas o cuando la Administración no la estimara conveniente, hasta aquellos otros cuya ejecución pueda el obligado encargar a otra persona. Este último supuesto carece, sin embargo, de justificación, pues si la prestación es fungible, no personalísima, lo lógico es acudir al sistema de eje-

---

(16)   Cada semana, cada diez días, cada mes etc. Ver Ley 33/2003 de 3 de noviembre de Patrimonio de las Administraciones Públicas artículo 59 y Ley 8/2003 de 24 de abril de Sanidad Animal artículo 92.

(17)   LRJ artículo 99.

cución subsidiaria, que garantiza una ejecución más rápida y responde mejor al principio de proporcionalidad que debe presidir la elección y utilización de todos los medios de ejecución forzosa, en la medida en que no echa sobre el obligado nuevas cargas, perfectamente innecesarias para conseguir el fin perseguido.

La multa coercitiva sólo es aplicable en la fase de ejecución de un acto administrativo. no es lícita, pues, su utilización en actuaciones inspectoras para doblegar la voluntad del inspeccionado y obligarle a declarar en su contra o a facilitar documentos o pruebas que le comprometan, como ocurre en materia fiscal (18). Y es que dicho precepto no sólo desnaturaliza el carácter de medio ejecutorio de la multa coercitiva, sino que al propio tiempo infringe el derecho constitucional del administrado a no declarar contra sí mismo y a no confesarse culpable, que consagra el artículo 24 de la Constitución. En otras palabras, la multa coercitiva actuada en un expediente sancionador equivale a una suerte de coacción, de amenaza económica, para forzar a determinadas declaraciones. La misma inconstitucionalidad cabría predicar, obviamente, de cualquier ley por la que se atribuyese al juez penal el poder de imponer multas coercitivas para obligar a declarar o exhibir documentos comprometedores a los inculpados en el proceso.

Se entiende por multa coercitiva las actuaciones de compulsión económica de carácter periódico que tienen por finalidad favorecer el cumplimiento de determinada conducta por parte del administrado. Mediante la multa coercitiva no se impone una obligación de pago con un fin represivo, por la realización de una conducta administrativamente ilícita, sino que es una medida de constreñimiento económico, adoptada previo el oportuno apercibimiento, reiterada en lapsos de tiempo y tendente a obtener la acomodación de un comportamiento obstativo del destinatario del acto a lo dispuesto en la decisión administrativa previa. En consecuencia no se inscriben, estas multas en el ejercicio de la potestad administrativa sancionadora, sino en el de la auto-tutela ejecutiva de la administración. Tampoco tienen finalidad indemnizatoria o resarcitoria de los eventuales daños generados por la conducta del sujeto. Por ello, son compatibles con las reparaciones que procedan (19).

4. ÁMBITOS DIVERSOS DE REGULACIÓN

En el ámbito procesal la figura en estudio se configura como medio de ejecución de sentencia (20). No se trata aquí de un medio de ejecución de los actos administrativos, sino de resoluciones judiciales de —por lo general— anulan o declaran nulos, en todo o en parte, actos administrativos. A grandes rasgos, la regulación al respecto es la siguiente:

---

(18)   Ley General Tributaria artículo 86.
(19)   STC 239/1988.
(20)   Artículos 48 y 112 LJCA.

En caso de que hayan transcurrido los plazos fijados para la ejecución por la administración pública condenada del fallo de que se trate, el órgano jurisdiccional puede imponer multas coercitivas a los funcionarios, autoridades o agentes —no a la administración pública— que incumplan lo establecido en la resolución, pudiendo reiterarse hasta el total cumplimiento del contenido de aquél.

Las multas oscila entre importes de muy diversa cuantía (cuantía actualizable quinquenalmente por el Gobierno, previos informes del Consejo General del Poder Judicial y del Consejo de Estado) (21). Una vez reiterada la multa por tres veces sin cumplimiento, se podrán los hechos en conocimiento del Ministerio Fiscal, de lo que se apercibirá en la notificación de la tercera multa; sin perjuicio de seguir imponiendo más multas.

2) En el ámbito del Derecho comunitario europeo, las multas coercitivas pueden imponerse a los Estados miembros de las Comunidades Europeas por incumplimiento de las obligaciones derivadas de los Tratados en la aplicación, fundamentalmente, del Derecho Comunitario (22). En caso de que se impongan al Estado por incumplimientos derivados de la actuación de las comunidades autónomas, aquél puede repetir contra éstas el importe de las multas de referencia, amén de los daños y perjuicios, en su caso.

3) Cabe igualmente la aplicación de este instrumento por parte de la Comisión Europea en supuestos de inejecución de sentencias del Tribunal de Justicia de la Unión Europea por parte de un Estado. El cálculo de la multa se efectúa de acuerdo con las comunicaciones de la Comisión sobre la aplicación de ese precepto del Tratado, sobre el método de cálculo de estas multas (23).

Las reglas fundamentales son:

Aplicación de una base de cálculo de 500 euros/día;

Coeficiente A relativo a la gravedad de la conducta o incumplimiento (1-20);

Coeficiente B por prolongación de la situación irregular (1-3);

Coeficiente C de capacidad del pago del Estado de que se trate, basado en el PIB de éste y en la ponderación de sus votos en el Consejo de la UE. De acuerdo con la jurisprudencia del TJCE (24).

La multa ha de responder a los siguientes requisitos:

---

(21)   Disposición adicional 2.ª de la LJCA.
(22)   TUE art. 171.
(23)   96/C 247/07, 97/C 63/02.
(24)   STJCE 25.11.03.

Adecuación a las circunstancias del caso. Lo que supone que la periodicidad será coherente con los plazos de control del cumplimiento. De esta forma, no cabe imponer una multa diaria cuando los periodos de referencia del grado de satisfacción de una obligación impuesta por sentencia son anuales. La multa es anual.

Proporcionalidad con el incumplimiento declarado. En casos que la ejecución de la obligación sea progresiva, de forma que el grado de transgresión se reduzca paulatinamente, el cálculo de la multa debe hacerse de forma que su importe se reduzca con igual progresividad. Es decir, debe tenerse en cuenta el progreso realizado por el Estado miembro en el cumplimiento de la sentencia:

Adecuación a la capacidad del pago del Estado obligado, por ejemplo por la inejecución por el Reino de España de la sentencia (25), sobre adecuación de la calidad de aguas interiores de baño a las normas comunitarias.

Por otra parte el Derecho comunitario europeo prevé la imposición de multas coercitivas por medio de reglamento o directiva, aprobados por el Consejo —por mayoría cualificada, a propuesta de la Comisión y previa audiencia del Parlamento Europeo— para garantizar el cumplimiento de las prohibiciones del Tratado en materia de prácticas colusorias y abuso de posición dominante en el mercado (26).

4) No obstante el indudable carácter no sancionador de estas multas, las califica expresamente de sanciones (27).

5. REQUISITOS DE APLICACIÓN

La aplicación de este procedimiento ejecutivo requiere de una serie de requisitos:

a) Autorización legal, con indicación de la forma y cuantía de las multas. Desde el ámbito judicial se ha declarado que la genérica previsión de LRJ no es suficiente y por ello se exige una previsión legal específica (28).

b) Pueden imponerse en los supuestos de ejecución: actos personalísimos en que no proceda la compulsión directa sobre la persona del obligado; actos en que, procediendo la compulsión, la administración no la estime conveniente y actos cuya ejecución pueda el obligado encargar a otra persona.

c) Los lapsos de tiempo intermedios han de ser suficientes o proporcionados para cumplir lo ordenado por el órgano administrativo (29), lo cual es manifes-

---

(25)   STJCE 12.2.1998.
(26)   TUE art. 83.2.a.
(27)   STJUE 25.11.03 Comisión-España.
(28)   SSTSJ Castilla León 20.5.1999, Cataluña 23.2.1999.
(29)   STS 6.4.1982.

tación del principio de buena fe en las relaciones administración pública-administrado.

d) Como es un medio de ejecución que no tiene carácter sancionador, la multa coercitiva es independiente de las sanciones que puedan imponerse con tal carácter y compatibles con ellas;

e) Sin embargo las multas coercitivas deben ir precedidas de apercibimiento.

f) Se ha dicho que es dudosa la procedencia imponer tales multas en ejecución de actos sancionadores, aunque se admite frecuentemente por diversas disposiciones legislativas y en la practica se aconseja fundamentar la necesidad con argumentación suficiente.

g) Es preciso el requerimiento previo con otorgamiento de plazo para cumplimiento voluntario (30).

h) Debe respetarse la proporcionalidad en la cuantía.

i) En principio, no se limita el número de multas que pueden imponerse sucesivamente. Si no hay limitación legal, pueden imponerse tantas como sean precisas. No obstante, en caso de que se establezca un número máximo, una vez alcanzado, es posible acudir a otros medios de ejecución forzosa.

j) El importe de la multa no puede superar el de la sanción pecuniaria a la que acompaña y de cuya ejecución es estímulo. También cabe que las multas vayan incrementando su cuantía según se van sucediendo, hasta un importe máximo.

k) El acto de imposición de multa coercitiva es un acto de ejecución; sin embargo, en la medida en que incorpora una decisión adicional y autónoma respecto de la mera ejecución del acto previo, es susceptible de recurso autónomo, administrativo y/o judicial (31).

6. NORMATIVA SECTORIAL

a) En la normativa reguladora del procedimiento económico-administrativo se regulaba, anteriormente, de forma específica la imposición de multas coercitivas en la ejecución de resoluciones recaídas en reclamaciones sobre repercusiones o retenciones tributarias (32), en los términos siguientes.

---

(30)   STSJ La Rioja 1.9.1997.
(31)   STS 10.7.1984.
(32)   Se regulaba en el Real Decreto 391/1996, que se cita como mero ejemplo de normativa sectorial.

La ejecución de la resolución debe solicitarse por el interesado, cuando sea firme, ante el tribunal que haya conocido de la reclamación en primera o única instancia. El tribunal debe ordenar al sujeto correspondiente el cumplimiento de los mandatos contenidos en la resolución, en el plazo de quince días. Este mandato ha de ser comunicado también a los restantes interesados que hayan comparecido en el procedimiento.

Transcurrido el plazo señalado sin justificarse la ejecución del fallo, se pueden imponer por el presidente del tribunal, a propuesta del secretario, multas coercitivas, reiteradas por períodos de quince días, al sujeto obligado a dicha ejecución, en tanto ésta no sea concluida.

La cuantía de las multas no puede exceder de la cuarta parte de la prestación incumplida, ni ser inferior a una cantidad concreta, debiendo ser ingresadas en el Tesoro dentro del plazo de cinco días, a contar desde la notificación de su imposición.

La regulación vigente desde el año dos mi cinco (33), no contiene ninguna regulación similar.

b) La Ley sobre firma electrónica (34), prevé la imposición de estas multas por importe que no exceda de seis mil euros por cada día que transcurra sin cumplir las medidas provisionales que hubieran sido acordadas en el procedimiento sancionador.

c) En materia de aguas, se fija el importe máximo de la multa en el diez por ciento de la sanción impuesta (35).

d) En el sector de defensa de la competencia (36), el Tribunal de Defensa de la Competencia, independientemente de las multas sancionadoras, puede imponer a las empresas, asociaciones, uniones o agrupaciones de éstas, y agentes económicos en general, multas coercitivas, con el fin de obligarlas:

A la cesación de una acción que haya sido declarada prohibida conforme a lo dispuesto en la Ley;

A la remoción de efectos distorsionadores de las condiciones de competencia provocados por una infracción;

(33)   Real Decreto 520/2005.
(34)   Ley 29/2003 de 19 de diciembre de firma electrónica, en su artículo 35
(35)   Real Decreto Legislativo 1/2001 artículo 119.
(36)   Ley 16/1989 de Defensa de la Competencia en la redacción dada por Ley 52/1999.
        artículo 46.5.

Cumplimiento de los compromisos adoptados por dichos sujetos en el marco de un acuerdo de terminación convencional del procedimiento;

Al pago del coste de la publicación de las resoluciones (37).

e) En materia de residuos, se prevé la imposición de multas de esta especie hasta el límite de un tercio del importe de la sanción impuesta (38).

f) En lo que se refiere a envases y residuos de envases (39), hasta el veinte por ciento de la sanción a la que acompañen.

g) En el ámbito de las vías pecuarias la Ley de Vías Pecuarias (40), así como en el de carreteras (41), hasta el veinte por ciento de la sanción a la que acompañen.

h) La normativa de viviendas de protección oficial (42) prevé multas coercitivas de hasta el cincuenta por ciento de la sanción impuesta y de hasta el veinte por ciento del importe de las obras no ejecutadas por el obligado a ello.

7. ADECUACIÓN DE LA MULTA COERCITIVA

La multa coercitiva es un medio para lograr la ejecución de un previo acto administrativo (por lo que no puede ser confundida con un mecanismo de amenaza, presión o extorsión para que el ciudadano realice actuaciones que no son exigidas por un acto administrativo. En líneas generales, puede decirse la multa coercitiva es un medio de ejecución forzosa que sirve para imponer el cumplimiento de las obligaciones de hacer, que resultan de un acto administrativo y, además, tienen carácter personalísimo.

La LRJ ha extendido el ámbito de aplicación del privilegio más allá de las obligaciones personalísimas, ya que la Administración Pública puede imponer una multa coercitiva en caso de actos personalísimos en que no proceda la compulsión directa sobre la persona del obligado; de actos en que, procediendo la compulsión, la Administración no la estimara conveniente; y, de actos cuya ejecución pueda el obligado encargar a otra persona. Es decir, existen circunstancias en las que la Administración Pública puede utilizar tanto la multa coercitiva, como alguno de los otros medios de ejecución forzosa (la compulsión sobre las personas

---

(37)   Ley 16/1989 de Defensa de la Competencia en la redacción dada por Ley 52/1999. artículo 46.5.
(38)   Ley 10/1998 de 21 de abril de Residuos, artículo 36.
(39)   Ley 11/1997 de 24 de abril de Envases y residuos de envases. artículo 20.
(40)   Ley 3/1995 de 23 de marzo de Vías Pecuarias, en su artículo 20.3
(41)   Ley 25/2998 de Carreteras artículo 33. y Reglamento General de Carreteras aprobado por Real Decreto 1832/1994, artículo 112.
(42)   Real Decreto Ley 31/1978 artículo 8.

o la ejecución subsidiaria), y la ley permite que la Administración elija uno u otro medio en virtud de simples criterios de conveniencia u oportunidad. No obstante, debe recordarse la regla general que la LRJ dispone cuando establece que si fueran varios los medios de ejecución admisibles se elegirá el menos restrictivo de la libertad individual (43). En consecuencia, tomando un criterio de proporcionalidad, la Administración puede imponer multas coercitivas cuando, a pesar de ser viable la ejecución subsidiaria o la compulsión sobre las personas, la multa resulte un medio más adecuado y equilibrado para alcanzar el objetivo que se persigue.

Es el caso que contempla la Ley de Sanidad Animal establece que para prevenir la introducción o la difusión en el territorio español de enfermedades de los animales, y para prevenir la extensión de tales enfermedades en caso de existencia de casos sospechosos o confirmados de grave riesgo sanitario, la Administración Pública puede imponer a los propietarios de los animales la obligación de sacrificarlos, o puede establecer un prohibición cautelar que impida el movimiento y transporte de animales o de productos de origen animal (44). En caso de que estas obligaciones no sean cumplidas voluntariamente, procederá el ejercicio de las potestades de autotutela ejecutiva. Un ejemplo de la posibilidad de elegir una u otra técnica de ejecución forzosa, lo encontramos en otro precepto de esta ley cuando dispone que en el caso de que los afectados no ejecuten, en el debido tiempo y forma, las medidas o las obligaciones que les correspondan de acuerdo con lo dispuesto en esta ley, la autoridad competente procederá a ejecutarlas con sus propios medios o utilizando servicios ajemos, a costa del obligado, cuyo importe podrá exigírsele por vía de apremio, con independencia de las sanciones o multas coercitivas a que hubiera lugar (45).

8. MULTA-COERCITIVA Y MULTA-SANCIÓN

Es de gran interés destacar, correctamente, la diferencia entre las multas coercitivas y las sanciones en sentido estricto que tiene carácter de sanción, toda vez que éstas últimas tienen que respetar el principio *non bis in idem*; además una de las características de las primeras es su carácter reiterado. Incumplida la obligación, y a pesar de que se haya impuesto una primera multa coercitiva, si resultara que el obligado continua sin cumplir la obligación que resulta de la resolución administrativa, la Administración puede volver a imponerle sucesivas multas coercitivas hasta que cumpla su obligación (46). El importe de la multa puede ser uniforme, pero la Administración también puede incrementar gradualmente el montante económico, para reforzar así la presión sobre el ciudadano incumplidor.

---

(43)   Artículo 96.2 LRJ.
(44)   Artículo 8.
(45)   Artículo 93.
(46)   Siempre que se respete el principio de reciprocidad.

Mientras que el fundamento de la imposición de una sanción en sentido estricto es el reproche por haber vulnerado el ordenamiento jurídico, el fundamento de la multa coercitiva es forzar la voluntad de quien no cumple espontáneamente sus obligaciones. Es decir, mientras que el objetivo de la sanción se alcanza cuando se ejecuta la sanción (47), el objetivo de la multa coercitiva no se satisface cuando se paga la multa, sino cuando se ejecuta la Resolución incumplida.

Otra diferencia esencial se refiere a la aplicación del principio de necesidad, el de oportunidad. En materia de sanciones rige el principio de necesidad, pues la Administración Pública no tiene margen de discrecionalidad para ejercer esa potestad, o no hacerlo por razones de conveniencia. En cambio en las multar coercitivas existe un cierto espacio para el principio de oportunidad, pues hay un margen de apreciación sobre la conveniencia de ejercer la potestad o emplear otros medios de coerción, hay cierta discrecionalidad al dosificar la frecuencia con la que se reiteran las multas, o sobre su importe.

Como la finalidad perseguida con la imposición de la multa coercitiva el cumplimiento a la fuerza de una obligación que no fue voluntariamente atendida, cuando la presión que resulta de la multa surte efectos, y el obligado reacciona, aunque sea tardío y extemporáneo el cumplimiento de la obligación, en determinadas circunstancias puede llegar a justificar que se revoque la multa coercitiva (condonación de una deuda que, en cambio, es jurídicamente admisible para las multas sancionadoras, salvo en los puestos excepcionales en que una ley así lo autoriza de forma expresa, y a los límites legalmente establecidos).

Hay que tener en cuenta que esta diferencia no significa que haya incompatibilidad entre sanciones y multas coercitivas, pues la misma omisión puede resultar merecedora tanto de un reproche como de una coerción. Así cunado se impone sanción por haber realizado una construcción ilegal en suelo no urbanizable protegido, y además, incumplimiento de la obligación de demoler la obra ilegal, cabe imponer multas coercitivas para forzar el cumplimiento de la obligación de demoler lo construido ilegalmente.

También interesa distinguir otras funciones diferentes que puede cumplir la multa como la función resarcitoria y la función coercitiva, pues el pago de la multa coercitiva no cumple una función indemnizatoria de un supuesto daño o perjuicio causado a la Administración Pública, en sus bienes y derechos. De este modo al interesado se le puede acumular, en un mismo procedimiento, una triple obligación de pago de una cantidad de dinero para abonar una sanción por haber cometido una infracción punible; pagar una multa coercitiva por incumplimiento de una obligación; y, pagar una indemnización por los daños y perjuicios causados en los bienes derechos de la Administración. Lo cual sucedería, por ejemplo,

---

(47)   Que cumple una función represiva.

si la construcción ilegal se realiza con menoscabo ecológico del suelo del litoral en una zona de demanio marítimo-terrestre. La imposición de multas coercitivas, es uno de los privilegios de la Administración Pública que está condicionado a una habilitación previa y expresa en virtud de una norma con rango de ley formal que debe establecer los límites y la frecuencia con la que la Administración puede imponer la multa coercitiva (48).

La imposición reiterada de multas no puede alcanzar un montante económico superior al valor dinerario de la obligación o prestación incumplida, la multa coercitiva no puede llegar a tener un efecto confiscatorio por lo cual como máximo tiene el valor de la `prestación no realizada o defectuosamente cumplida; pero además el principio de proporcionalidad que debe seguirse en la en la imposición de multas coercitivas debe respetarse un equilibrio razonable en la dosificación de vigencia temporal en la que se impone de acuerdo con las circunstancias concretas, la reiteración en intervalos de tiempo razonables para que pueda darse cumplimiento efectivo.

9. NORMATIVA BÁSICA ESTATAL

La multa coercitiva tiene como finalidad forzar al obligado por un acto administrativo que cumpla lo ordenado en el mismo. De aquí que este tipo de multas se aplique periódicamente sobre el mismo sujeto por el incumplimiento reiterado del mismo acto. Hay que tener en cuenta que la multa coercitiva es un medio de ejecución que consiste en la imposición de sanciones económicas reiteradas en el tiempo hasta doblegar la voluntad del obligado para cumplir el mandato del acto administrativo de cuya ejecución se trata. Es necesario para poder ejercer esta coacción que una Ley la contemple de forma expresa. El precepto de la LRJ emplea la expresión leyes, lo cual plantea la cuestión de si se refiere a las leyes formales o, en general, a cualquier norma jurídica; pero, dado el carácter excepcional que tiene este medio de ejecución forzosa y el hecho de que su empleo tenga como consecuencia la imposición de cargas adicionales para el particular afectado, es argumento suficiente para considerar que, únicamente, por ley formal deberá autorizarse el empleo de este procedimiento.

Los supuestos en que puede aplicarse la multa coercitiva son los siguientes:

a) Actos personalísimos en que no proceda la compulsión directa sobre la persona del obligado.

---

(48)   Cada semana cada diez días cada mes etc. Ver Ley 33/2003 de 3 de noviembre de Patrimonio de las Administraciones Públicas artículo 59 y Ley 8/2003 de 24 de abril de Sanidad animal artículo 92.

b) Actos que, procediendo la compulsión, la Administración no lo estimara conveniente.

c) Actos cuya ejecución pueda el obligado encargar a otra persona. Supuesto que no tiene mucho sentido ya que si la ejecución del acto puede ser llevada a cabo por cualquier persona, lo más fácil será emplear el sistema de ejecución subsidiaria, que garantiza una ejecución más rápida incluso, y responde mejor al principio de proporcionalidad.

La multa coercitiva es compatible e independiente con las sanciones que puedan imponerse con tal carácter. No son sanciones propiamente dichas y, por tanto, son compatibles con ellas, sin que por esa razón pueda entrar en juego el principio *non bis in idem*. En este sentido, el Tribunal Supremo ha diferenciado, conceptualmente, las figuras de la multa coercitiva y la multa sancionadora señalando que la diferencia esencial entre ambas radica en que la primera tiene causa del hecho de la existencia de defectos en la construcción de que se trate, mientras la segunda se basa en no haberlos superado en el plazo fijado por la Administración en el pertinente apercibimiento de la obligación reparadora, por lo que para que se produzca con validez la coercitiva no basta con el dato exigido para la justificación de la multa como sanción, sino que será preciso demostrar que transcurrió el plazo desde el requerimiento de ejecución sin haberse reparado la obra; reiterados como dice la Ley de procedimiento por lapsos de tiempo suficientes a cumplir lo ordenado, y por tanto no impuestas como en este caso por días indefinidamente y sin necesidad de más requerimientos (49).

En caso de no ingresarse, voluntariamente, el importe de la multa coercitiva, derivará a otro procedimiento de ejecución que es el procedimiento de apremio.

Como quiera que la multa coercitiva, no constituye una medida sancionadora, tampoco disfruta de las garantías de éstas, de este modo el Tribunal Constitucional tiene declarado que dichas infracciones que tiene su fundamento en la Constitución (50), están referidas a la potestad sancionadora de la Administración por lo cual considera innecesario su análisis, por faltar el presupuesto sancionador que sirve de base a las exigencias constitucionales del citado precepto. Además los postulados de este precepto constitucional no pueden extenderse a ámbitos que no sean los específicos del ilícito penal o administrativo, siendo improcedente su aplicación extensiva o analógica a supuestos distintos o a actos, por su mera condición de ser restrictivos de derechos, si no representan el efectivo ejercicio del *ius puniendi* estatal o no tienen un verdadero sentido sancionador, como es el caso de las multas coercitivas (51).

---

(49)   STS 3.7.1986.
(50)   Artículo 25.1 CE.
(51)   STC 239/1988.

Con objeto de que los obligados por una resolución que ponga fin a un procedimiento ejecuten por sí mismos la obligación impuesta en el mismo, la LRJ (52) ha previsto la posibilidad de imponer multas contra el incumplimiento de la obligación en el plazo y términos previstos. De este modo, para que la Administración pueda imponer multas de esta naturaleza que se superponen a la obligación derivada de un acto administrativo desfavorable sin sustituirla, resulta preceptiva la autorización de su procedencia, forma y cuantía mediante ley. En particular, la ley deberá prever si procede o no imponer sucesivas multas coercitivas, la frecuencia de las mismas y demás extremos de su régimen jurídico.

La multa coercitiva es en todo caso compatible con el cumplimiento de la sanción (pecuniaria o no) que, además, pueda derivar del incumplimiento de la obligación que la Administración pretende se cumpla por el obligado.

La multa procederá en los siguientes supuestos:

a) Actos personalísimos en que no proceda la compulsión directa sobre la persona del obligado.

b) Actos en que, procediendo la compulsión, la Administración no la estimara conveniente.

c) Actos cuya ejecución pueda el obligado encargar a otra persona.

10. REGULACIÓN DE LAS COMUNIDADES AUTÓNOMAS

En primer lugar examinamos brevemente un ejemplo de regulación autonómica general de esta figura para, seguidamente, enumerar las normativas sectoriales que regulan esta materia en las Comunidades autónomas.

Tomamos como modelo de exposición el sistema de la Comunidad Autónoma de La Rioja que cuenta con regulación general en la materia cuyas líneas principales de regulación se exponen seguidamente. Esta norma (53) supone una previsión específica a los efectos de LRJ (54) Se establecen las reglas siguientes:

a) La administración de la comunidad autónoma, sin perjuicio de acudir a cualesquiera otros medios de ejecución forzosa de los actos administrativos, previstos en la legislación vigente, puede imponer multas coercitivas para estimular al cumplimiento de actos administrativos.

---

(52)   Artículo 99 LRJ.
(53)   Ley 3/1995 de La Rioja.
(54)   Artículo 99 LRJ.

b) Las multas coercitivas no pueden imponerse para la ejecución de actos de carácter sancionador.

c) La periodicidad de tales multas es mensual, y las mismas son exigibles por vía de apremio, en caso de impago voluntario por el obligado, una vez transcurridos treinta días hábiles desde su notificación en forma.

d) En caso de pluralidad de obligados son responsables del pago de las multas todos ellos con carácter solidario.

e) Cuando el obligado sea una persona jurídica, una colectividad de personas carente de personalidad o un patrimonio separado susceptible de relaciones jurídicas, y la entidad correspondiente no efectúe voluntariamente el pago de la multa en el plazo antes señalado, la administración puede exigirlo con carácter solidario de los administradores, gestores, responsables, promotores, miembros, socios o liquidadores cuyas circunstancias luzcan en el expediente.

f) Cuando el obligado sea una administración pública puede efectuarse la exacción forzosa de la multa por compensación, en la forma señalada por la normativa vigente en materia de recaudación.

Por su parte, la cuantía de las multas coercitivas imponibles y la competencia para su imposición es la siguiente: Consejeros, hasta seis mil diez euros, Gobierno, hasta treinta mil cincuenta euros.

Ahora bien no toda la normativa autonómica sectorial recoge la figura de la multa coercitiva como modo de ejercicio de las órdenes de ejecución, por ello es preciso examinar brevemente las que determinan este medio de ejecución.

En la Comunidad Autónoma de Andalucía la Ley de Ordenación Urbanística (55) determina que el incumplimiento injustificado de las órdenes de ejecución habilitará a la Administración actuante para imponer hasta diez multas coercitivas con periodicidad mínima mensual, por valor máximo, cada una de ellas, del diez por ciento del coste estimado de las obras ordenadas. El importe de las multas coercitivas impuestas quedará afectado a la cobertura de los gastos que genere efectivamente la ejecución subsidiaria de la orden incumplida, a los que habrá que sumar los intereses y gastos de gestión de las obras.

La normativa de la Comunidad Autónoma de Aragón (56) dispone que incumplido el plazo establecido en la orden de ejecución, el Ayuntamiento podrá imponer multas coercitivas, sin perjuicio de la aplicación de las sanciones que pudieran corresponder. También se determina que la periodicidad de las multas

---

(55)   Ley 7/2002 de 17 de diciembre de Andalucía en su artículo 158.
(56)   Ley 5/1999 de Aragón en sus artículos 188 y 189.

coercitivas para lograr el cumplimiento de las órdenes de ejecución no podrá ser inferior a tres meses, sin que el importe de cada una de ellas pueda exceder del cinco por ciento del presupuesto de las obras, hasta un máximo de cinco multas. Por último se indica que en cualquier momento podrá el Municipio optar por el procedimiento de ejecución subsidiaria de las órdenes de ejecución, sin perjuicio de seguir el correspondiente procedimiento de apremio sobre el patrimonio para el cobro de las multas coercitivas que no se hubiera satisfecho.

La normativa reguladora asturiana (57) dispone que el incumplimiento injustificado de una orden de ejecución faculta, al Ayuntamiento, para imponer multas coercitivas, hasta un máximo de diez veces sucesivas, con periodicidad mínima mensual, hasta el límite del deber legal citado.

En la normativa de la Comunidad Autónoma de las Islas Canarias (58) se dispone que el incumplimiento injustificado de las órdenes de ejecución habilitará a la Administración para imponer hasta diez multas coercitivas con periodicidad mínima mensual, por valor máximo, cada una de ellas, del diez por ciento del coste estimado de las obras ordenadas. El importe de las multas coercitivas impuestas quedará afectado a la cobertura de los gastos que genere efectivamente la ejecución subsidiaria de la orden incumplida, sin perjuicio de la repercusión del coste de las obras en el incumplidor.

La legislación de la Comunidad Autónoma de Cantabria (59) determina que el incumplimiento de las órdenes de ejecución podrá conllevar la imposición de multas coercitivas entre trescientos y tres mil euros, reiterables en intervalos de tres meses y hasta el límite del deber legal de conservación para lograr la ejecución de las obras ordenadas.

La normativa de Castilla y León (60) establece que el incumplimiento de las órdenes de ejecución faculta al Ayuntamiento para la imposición de multas coercitivas, hasta el límite del deber legal de conservación y previo apercibimiento al interesado. Establece también que las multas coercitivas pueden imponerse hasta lograr la total ejecución de lo dispuesto en las órdenes de ejecución, con un máximo de diez multas sucesivas impuestas con periodicidad mínima mensual, por un importe máximo equivalente, para cada multa, al diez por ciento del valor de las

---

(57)   Artículo 233 del Texto Refundido de las Disposiciones legales vigentes en materia de ordenación del territorio y urbanismo Aprobado por Decreto Legislativo 1/2004 de 22 de abril.

(58)   Artículo 157 del Texto Refundido de las leyes de Ordenación del territorio y de Espacios naturales de de Canarias aprobado por Decreto Legislativo 1/2000 de 8 de mayo.

(59)   Artículo 201 de la Ley 2/2001 de 25 de junio de Ordenación Territorial y Régimen Jurídico del suelo de Cantabria.

(60)   Artículo 322 del Reglamento de Urbanismo de Cantabria aprobado por Decreto 22/2004 de 29 de enero.

obras ordenadas. El importe acumulado de las multas no debe rebasar el límite del deber de conservación normativamente definido (61). Las multas coercitivas son independientes de las sanciones que se impongan por las infracciones urbanísticas derivadas del incumplimiento de las órdenes de ejecución, y compatibles con las mismas.

La normativa catalana (62) obliga a que el incumplimiento injustificado de las órdenes de ejecución habilite a la Administración para adoptar la imposición de multas coercitivas, de acuerdo con lo establecido por el Texto Refundido (63), que se puede reiterar hasta que se cumpla la obligación de conservación.

La Ley de Ordenación Urbanística y Protección del Medio Rural de Galicia (64) precisa que en caso de incumplimiento de la orden de ejecución de obras, la Administración municipal procederá a la imposición de multas coercitivas de trescientos a seis mil euros, reiterables hasta lograr la ejecución de las obras ordenadas.

La Ley del Suelo de la Comunidad de Madrid (65) impone que el incumplimiento injustificado de las órdenes de ejecución habilitará a la Administración actuante para la imposición de las sanciones previstas en dicha Ley.

La Ley de Ordenación del Territorio de Navarra (66) determina que el incumplimiento de una orden de ejecución, faculta al Ayuntamiento para proceder a imponer multas coercitivas, hasta doce sucesivas por períodos de 1 mes y en cuantía de seiscientos a seis mil euros, hasta el límite del deber legal de conservación. En todo caso, transcurrido el plazo de cumplimiento voluntario derivado de la última multa coercitiva impuesta, la Administración actuante estará obligada a ejecutar subsidiariamente las obras ordenadas, con cargo al obligado.

La normativa sectorial del País Vasco (67) fija que el incumplimiento injustificado de las órdenes de ejecución habilitará a la Administración actuante para la imposición de hasta diez multas coercitivas con periodicidad mínima mensual, por valor máximo, cada una de ellas, del diez por ciento del coste estimado de las obras ordenadas. En todo caso, transcurrido el plazo para el cumplimiento voluntario derivado de la última multa coercitiva impuesta, la Administración actuante

(61)   En el artículo 19 del propio Reglamento citado.
(62)   Artículo 217 del Texto Refundido de la Ley de Urbanismo de Cataluña aprobado por Decreto Legislativo 1/2005 de 26 de julio y los artículos 5 y 189 del Reglamento de la Ley aprobado por Decreto 305/2006 de 18 de julio.
(63)   Artículo 217.
(64)   Ley 9/2002 de 30 de diciembre de Galicia en su artículo 199.
(65)   Ley 9/2011 de 17 de julio de Madrid en su artículo 170.
(66)   Ley foral 35/2002, de 20 de diciembre en su artículo 195.
(67)   Artículo 203 de la Ley 2/2006, de 30 de junio de Suelo y Urbanismo del País Vasco.

estará obligada a ejecutar subsidiariamente la reposición de la realidad física alterada, con cargo al infractor.

La legislación de la Comunidad Valenciana (68) dispone que el incumplimiento injustificado de la orden faculta, a la Administración, para la imposición de hasta diez multas coercitivas con periodicidad mínima mensual, por valor máximo de una décima parte del coste estimado de las obras ordenadas. El importe de las multas coercitivas se destinará preferentemente a cubrir los gastos que genere la ejecución subsidiaria de la orden incumplida, y se impondrán con independencia de las sanciones que corresponda por la infracción o infracciones cometidas.

La Ley 22/2006 de 24 de julio de Capitalidad y Régimen Especial de Madrid contiene una habilitación normativa para aplicación de esta medida ejecutiva, por medio de ordenanza (69). El alcalde y la junta de gobierno pueden imponer multas coercitivas de hasta tres mil euros como medio de ejecución forzosa de sus actos, reiteradas por cuantos períodos de quince días sean suficientes para cumplir lo ordenado, en los supuestos establecidos en la LRJ (70).

Dentro de tales supuestos, mediante ordenanza municipal se establecerán los casos concretos en los que pueda imponerse la multa coercitiva, la graduación de su cuantía en función de la gravedad del incumplimiento realizado, sin que en ningún caso pueda superarse el límite máximo de tres mil euros y sus actualizaciones anuales conforme a la evolución anual del Índice de Precios al Consumo.

11. FORMULARIO: NOTIFICACIÓN DE IMPOSICIÓN DE MULTA COERCITIVA

Referencia: [.../...]

AL INTERESADO

Esta (Administración de que se trate), con fecha [.../...], adoptó la resolución que se transcribe a continuación:

«Visto el expediente de la referencia, y de acuerdo con los siguientes,

ANTECEDENTES

PRIMERO.— En fecha [.../...] el órgano competente de esta Administración acordó ordenar a [.../...], que en plazo de dos meses procediera a realizar las obras necesarias para restaurar el [.../...] alterado con la demolición de los edificios y a

---

(68)   Ley 16/2005, de 30 de diciembre Urbanística de la Comunidad Valenciana, en su artículo 212.
(69)   Artículo 52.
(70)   En el artículo 99 de LRJ.

la clausura de los usos y actividades que tuviera lugar en ellas. En dicha resolución se apercibió al interesado, de que transcurrido el plazo de dos meses a contar desde la notificación de la resolución ejecutiva, sin que se cumpliera lo ordenado, la Administración actuante procedería, a imponerle multas coercitivas, hasta un máximo de diez sucesivas, con la periodicidad mínima mensual y por un importe, cada vez, del diez por ciento del valor de las obras de demolición ordenadas, con un mínimo de [.../...] euros, hasta que cumpla el obligado por sí mismo lo ordenado; todo ello, sin perjuicio de la ejecución subsidiaria a su costa en caso necesario, Resolución ésta que fue notificada en forma al interesado.

SEGUNDO.—Con fecha [.../...], el Servicio de Inspección de esta Administración emitió informe por el que se comprueba que las obras y trabajos ordenados no han sido realizados, voluntariamente, por el obligado y que, trascurrido el plazo otorgado, continúa la actividad objeto del expediente, por lo que ha resultado incumplido lo ordenado. En dicho informe técnico que calcula en coste de los trabajos y obras de demolición a realizar en la cantidad de [.../...] euros.

FUNDAMENTOS JURÍDICOS

PRIMERO.— De acuerdo con lo dispuesto en la Ley [.../...], en el supuesto de incumplimiento de los acuerdos y resoluciones ordenando la realización de las obras y los trabajos precisos para la restauración de la realidad alterada o transformada la Administración actuante podrá proceder, sin perjuicio del recurso en último término a la ejecución subsidiaria a costa del infractor, a la imposición al mismo de multas coercitivas hasta un máximo de diez sucesivas, con periodicidad mínima mensual y por un importe, cada vez, del diez por ciento del coste previsto de las obras o de los trabajos ordenados cuando éstos consistan en la reposición de la realidad transformada a su estado originario con un mínimo de [.../...] euros. Dichas multas se impondrán con independencia de las retributivas de la infracción o infracciones producidas.

SEGUNDO.— Ante el acreditado incumplimiento de lo ordenado en los términos y en el plazo fijado en la resolución dictada, procede la imposición de multas coercitivas con tiempo suficiente para cumplir con la obligación impuesta, que son independientes con las sanciones que pueden imponerse con carácter y compatibles con ellas, conforme determina el artículo 99 de la LRJ.

TERCERO.— Este órgano administrativo es competente para la imposición de multas coercitivas, en virtud de lo establecido en [.../...]

Vistos los preceptos legales citados y demás de general y pertinente aplicación,

RESUELVO

IMPONER UNA MULTA COERCITIVA a [.../...] por importe de [.../...] euros, sin perjuicio de que puedan imponerse otras tantas sucesivas hasta diez, con periodicidad mínima mensual, como medio de ejecución forzosa, ante el incumplimiento de la resolución de [.../...], por la que se le ordenó la realización de las obras necesarias para la restauración de la realidad física alterada hasta que cumpla con la obligación impuesta y sin perjuicio, además de la posterior ejecución subsidiaria a su costa. La citada multa se impone con independencia de la correspondiente a la infracción producida, conforme preceptúa la legislación aplicable.

Dicha multa coercitiva deberá ser abonada en el plazo que a continuación se indica, contado a partir del día siguiente a la recepción de la notificación de la presente resolución, con apercibimiento de que, en el supuesto de que no lo abonase en el período voluntario, se le exigirá por vía ejecutiva de apremio sobre el patrimonio conforme al procedimiento recaudatorio con un recargo del 20 por ciento.

De acuerdo con lo dispuesto en el Reglamento General de Recaudación, el pago de la deuda se hará efectivo en los plazos siguientes:

a) Las notificaciones entre los días 1 y 15 de cada mes, desde la fecha de notificación hasta el día 5 del mes siguiente o el inmediato hábil posterior.

b) Las notificaciones entre los días 16 y último de cada mes siguiente, desde la fecha de notificación hasta el día 20 del mes siguiente o el inmediato hábil posterior.

Para el ingreso de la citada cantidad debe presentar el impreso que por triplicado ejemplar se acompaña ante cualquiera de las entidades bancarias colaboradoras expresadas al margen izquierdo del mismo, y remitirlo a este Centro Directivo, copia para la Administración para su incorporación al expediente justificando el pago de la deuda.

Contra la presente resolución, que pone fin a la vía administrativa, se podrá interponer recurso potestativo de reposición ante este mismo órgano administrativo en el plazo de UN MES, contado desde el día siguiente al de la recepción de su notificación, de acuerdo con lo establecido en los artículos 116.1 y 117.1 de la Ley 30/1992; o bien, recurso contencioso-administrativo ante [.../...], en el plazo de DOS MESES, contados

(La presente notificación es trascripción exacta de la Resolución original que consta en el expediente).

Lugar y fecha.

El titular órgano administrativo competente para notificar

Firma.

Nombre y apellidos.

Capítulo 27

Práctica profesional sobre reclamación de responsabilidad a las Administraciones Públicas

La actividad de las Administraciones públicas se expande cada vez más tanto por la propia exigencia de los ciudadanos que exigen esta garantía en ámbitos en que antes no se veía esta necesidad (seguridad alimentaria, medio ambiente, consumidores y usuarios, información a los ciudadanos, protección de los menores etc.) como por la dinámica incrementalista de los poderes públicos (Ley de Wagner) lo cual ha aumentado el ámbito y posibilidades de que el ciudadano pueda reclamar responsabilidad a estos poderes por los daños y prejuicios producidos por su actividad. En este capítulo se examinan los requisitos de las solicitudes de reclamación cuando se realizan por iniciativa del propio interesado, la constancia de datos de identificación del reclamante y las diversas modalidades de representación, también la descripción detallada de los hechos y la relación de causalidad entre los hechos y el daño o perjuicio acreditado, la valoración económica de daños personales y materiales así como la constancia de medios de prueba de que quiera valerse el reclamante y finalmente las actuaciones que debe llevar a cabo la administración cuando recibe un escrito de reclamación.

También se examinan, entre otros aspectos, las diversas fases del procedimiento de reclamación de responsabilidad patrimonial a las Administraciones Públicas en concreto la fase de instrucción y principios de ordenación procedimental. En consecuencia analizamos las peculiaridades que se dan en los procedimientos de responsabilidad patrimonial respecto de los trámites principales de la fase de instrucción, en cuanto que, junto a las reglas generales de procedimiento, son las que configuran el conjunto de reglas aplicables a estos procedimientos y, por tanto, las especialidades de los mismos. Para completar todo ello se examinan las normas especiales de la responsabilidad de los poderes públicos en razón del tipo de actuación que provoca la responsabilidad patrimonial: la responsabilidad de la Administración por actos derivados de la aplicación de actos legislativos en los ámbitos estatal y autonómico, así como los requisitos legales que se exigen para hacer efectiva este tipo de responsabilidad y junto a ella la responsabilidad civil de la Administración derivada de actividades judiciales que pueden derivar como veremos del error judicial de mal funcionamiento de la Administración de justicia y de la prisión provisional.

Finalmente se analizan responsabilidades concurrentes, por daños y perjuicios producidos a otras administraciones, la responsabilidad patrimonial de autoridades y empleados públicos, la responsabilidad patrimonial derivada de la infracción penal de funcionarios, la responsabilidad por perjuicio irrogado en los particulares derivados de responsabilidad contable y la responsabilidad por funcionamiento del Tribunal Constitucional. En última parte se examina la responsabilidad de los contratistas del sector público, incluyendo el procedimiento de reclamación, la determinación del sujeto y los supuestos concretos de responsabilidad.

1. INTRODUCCIÓN

Los preceptos constitucionales en que se fundamenta el derecho a la petición de responsabilidad de las Administraciones Públicas las siguientes:

a) El artículo 106.2 de la Constitución.

«Los particulares, en los términos establecidos por la ley, tendrán derecho a ser indemnizados por toda lesión que sufran en cualquiera de sus bienes y derechos, salvo en los casos de fuerza mayor, siempre que la lesión sea consecuencia del funcionamiento de los servicios públicos.»

b) El artículo 149.1.18 de la Constitución

«El Estado tiene competencia exclusiva sobre las siguientes materias: ......el sistema de responsabilidad de todas las Administraciones Públicas.»

c) Los artículos 139 a 146 de la Ley 30/1992 de Régimen Jurídico de las Administraciones Públicas y del procedimiento administrativo Común (LRJ).

d) El Reglamento de los procedimientos de las Administraciones Públicas en materia de responsabilidad patrimonial aprobado por Real Decreto 429/1993 de 26 de marzo.

e) El artículo 54 de la Ley de bases de régimen Local

La competencia para resolver los procedimientos de responsabilidad patrimonial. Se establece con carácter general en la LRJ que dispone que los procedimientos de responsabilidad patrimonial, se resolverán por el Ministro respectivo, el Consejo de Ministros si una Ley así lo dispone o por los órganos correspondientes de las Comunidades Autónomas o de las Entidades que integran la Administración Local (1). En la Administración Local debe ser el alcalde quien resuelva estos procedimientos, al atribuirse a este órgano en el artículo 21 de la Ley reguladora de Bases de Régimen Local las atribuciones que no se atribuyan a otros órganos municipales. Esta atribución al órgano unipersonal de la entidad le ofrece agilidad

---

(1)   Artículo 142 LRJ.

a la resolución; así como cierta coherencia ya que pudiendo ser cada caso tan dispar será más fácil mantener una línea coherente de decisión. Por otra parte la LRJ dispone que, cuando su norma de creación así lo determine, la reclamación se resolverá por los órganos a los que corresponda de las Entidades de Derecho público a que se refiere el artículo 2.2 de la LRJ de manera que se entiende que son aquellas entidades con personalidad jurídica propia vinculadas o dependientes de cualquiera de las Administraciones Públicas que a estos efectos tienen la consideración de Administración Pública y cuando ejercen potestades administrativas sujetan su actividad a la LRJ, sometiéndose en el resto de su actividad a lo que dispongan sus normas de creación.

La Ley ha pretendido centralizar el sistema de responsabilidad en las Administraciones territoriales y que sean éstos los que establezcan, cuando proceda, la atribución de esta competencia a los entes que aquellas crean, dentro de la potestad de auto organización que la Ley les atribuye. Sobre esta cuestión, puede encontrarse una justificación financiera de esta medida ya que los presupuestos de esas entidades de Derecho público se integran en el consolidado de toda la entidad local y el reconocimiento de responsabilidad por parte de estas entidades afecta a su ejecución. Sin embargo, esto no parece, cohonestarse muy bien con el carácter autónomo de estos entes y por ello sería aconsejable que cuando no esté previsto en la norma de creación, que, al menos, los encargados de tramitar el procedimiento y proponer su resolución fuesen personas vinculadas con esa entidad. Las entidades que tienen que acomodarse al sistema de responsabilidad patrimonial son los organismos autónomos locales. Estos entes que son creados por las propias entidades locales territoriales van adquiriendo en grado de desconcentración (funcional) competencias de la entidad, dotándose de potestades administrativas.

Puede aplicarse también a las Entidades Públicas Empresariales locales (EPE), ya que a pesar de que el artículo 53.2 de la LOFAGE establece que se rigen por el Derecho Privado, admite expresamente determinados casos en que se rige por el Derecho administrativo; como son la formación de la voluntad de sus órganos, el ejercicio de potestades administrativas que tengan atribuidas y los aspectos que la Ley, los estatutos de la EPE y la legislación presupuestaria regule específicamente. En estos actos, son procedentes los recursos administrativos previstos en la LRJ y, en consecuencia, el régimen de responsabilidad patrimonial. En el caso de que el servicio sea gestionado de forma directa a través de una sociedad mercantil local, la Administración ha creado una entidad que se rige por el Derecho privado y en este ámbito se deben solventar los procedimientos de responsabilidad.

2. PERSONAS O ENTIDADES RESPONSABLES

El objeto de examen al que nos referimos está determinado, en lo relativo a los sujetos de aplicación, en el examen de las reglas de procedimiento administrativo para la exigencia de la responsabilidad patrimonial de los poderes públicos concepto genérico en el que se encuentran incluidos los diversos poderes públicos del Estado en sentido estricto, es decir, Cortes Generales, en cuanto administración del Poder legislativo estatal, la Administración General del Estado, en cuanto organización del poder público administrativo y al Gobierno de la Nación en cuanto organización o sujeto titular del poder ejecutivo, sin olvidar al Poder Judicial, Jueces y Tribunales, en cuanto sujeto de la potestad o poder jurisdiccional. En segundo lugar, se han de incluir como sujetos a los que les es aplicable esta responsabilidad patrimonial y, con ello, las reglas de procedimiento administrativo para su exigencia, entrando va en el sentido amplio del contenido del término Estado, a los poderes públicos de las Comunidades Autónomas, es decir, a las Asambleas Legislativas de las Comunidades Autónomas, en cuanto sujetos de la potestad legislativa que éstas tengan atribuida estatutariamente, y a sus respectivos Gobiernos y Administraciones Públicas autonómicas en el sentido más amplio. En tercer lugar, forman parte del conjunto de los sujetos a los que resulta aplicable esta responsabilidad y el procedimiento administrativo para su exigencia, el conjunto de los entes que integran la Administración Local, en especial y significativamente los Ayuntamientos y Diputaciones provinciales, en cuanto que son organismos responsables del poder de gobierno y administración de Municipios, Provincias (2).

Por todo ello puede decirse que los sujetos responsables patrimoniales a los que alcanza el procedimiento administrativo de exigencia de esta responsabilidad, son en todo caso los titulares de los distintos poderes públicos en los diferentes ámbitos territoriales en los que viene organizado el Estado de las autonomías que configura la Constitución Española, y que son los entes territoriales clásicos en la doctrina administrativa.

Junto a estos sujetos que constituyen el entramado de administraciones sobre el que se estructura el Estado en sentido amplio y se distribuye el poder público, es necesario añadir otros, que, por diferentes vías, también ejercen directa o indirectamente poder público o vienen vinculados a éste por relaciones de especial sujeción, y que al fin y a la postre también acaban siendo sujetos responsables patrimonialmente, si bien en estos casos por la vía del poder público administrativo; es éste el caso de los distintos entes que integran la tradicionalmente llamada administración institucional, incluyendo entre ellos tanto las Administraciones instrumentales cuanto las autónomas, e incluso los concesionarios de servicios públicos y los contratistas de obras públicas, atendida la titularidad pública de unos y otros, en todo caso por causa o en función de su vinculación o dependencia de unos u otros de dichos entes territoriales.

---

(2)   En las comunidades de Islas Baleares y Canarias Cabildos Insulares e Islas.

3. EL PROCEDIMIENTO Y SUS FASES

El examen de esta materia que llevamos a cabo en esta práctica profesional tiene como atención preferente el contenido del procedimiento administrativo de exigencia de la responsabilidad patrimonial del Estado, teniendo presente que el concepto de Estado está tomado aquí en el sentido amplio antes descrito (3), fundamentalmente en los aspectos administrativos de la fijación de esta responsabilidad patrimonial, lo que se traduce tanto en la forma de fijar esta responsabilidad en vía administrativa, bien por sí misma, procedimiento de oficio, bien a instancia del interesado, configurando así la acción de responsabilidad patrimonial.

Este procedimiento administrativo de exigencia de la responsabilidad patrimonial del Estado en sus diversos aspectos y poderes públicos se configura así como el medio o forma de fijar y establecer esta responsabilidad. Como regla general este procedimiento se configura además con carácter administrativo, es decir, se sustancia y desarrolla en vía administrativa, ante y con intervención de las distintas administraciones públicas, aunque la causa determinante de esta responsabilidad no responda a actuaciones de la Administración ante la que se ejerza la acción de responsabilidad o por la que se establezca esta responsabilidad, aunque el sujeto que realice la actividad determinante de la responsabilidad no sea la propia Administración, esto es aunque ésta derive de actuaciones de un poder público no administrativo, como es el caso de la responsabilidad del poder legislativo y del poder judicial, o, incluso en ocasiones, no se trate de sujetos de naturaleza pública, aunque vengan especialmente vinculados a la actividad y los sujetos de esta naturaleza, como es el caso de la responsabilidad patrimonial de contratistas y concesionarios de servicios públicos.

Partiendo de lo anteriormente expuesto nos hemos de centrar en la responsabilidad patrimonial del Estado entendido en su sentido amplio y en el procedimiento administrativo, como medio o forma de su fijación o del ejercicio de la acción de responsabilidad. La configuración de este procedimiento viene determinada por una serie de reglas de procedimiento cuyo juego aplicativo, naturaleza y regulación en el Derecho positivo exponemos seguidamente. El ámbito objetivo del procedimiento de exigencia de la responsabilidad patrimonial se extiende a todos los procedimientos administrativos referidos a las resoluciones administrativas acerca de la reclamación y fijación de esta responsabilidad. Ello significa, que atendido el carácter administrativo de la resolución acerca de la responsabilidad, ésta se ha de preparar a través de un procedimiento de la misma naturaleza y por tanto configurado a través de una serie de reglas de procedimiento.

---

(3)   Como conjunto de entidades pertenecientes a las Administraciones públicas que ejercen potestades públicas originarias o delegadas.

Las reglas o exigencias que hay que tener en cuenta en este procedimiento, se integran en tres grandes grupos de reglas:

A) Ante todo, deben tenerse en cuenta las reglas generales propias del procedimiento administrativo común, o reglas comunes de procedimiento, en todo caso, aplicables tanto a este procedimiento concreto, como a la generalidad de los procedimientos, en tanto en cuanto que, se tramitan, legalmente, por las Administraciones públicas.

B) Como reglas especiales de procedimiento establecidas precisamente para conformar la forma o modo de exigir y fijar administrativamente esta responsabilidad, y que en suma constituyen el comúnmente llamado procedimiento administrativo de responsabilidad, pero que no excluyen más allá de su propia especialidad las reglas comunes antes reseñadas, ni tampoco las que componen el último de los grupos de reglas de procedimiento que después se señalan.

C) Finalmente también resultan de aplicación las reglas de procedimiento subjetivo que resulten de cual sea la Administración pública a la que corresponda la declaración de la responsabilidad en cuestión, en especial las resultantes de las atribuciones competenciales orgánicas que en esta materia resulten y los distintos modos de formar la voluntad que tienen los órganos de las mismas.

El juego de estos grupos de reglas se residencia subjetivamente en el ámbito de la Administración General del Estado en cuanto que se trate de responsabilidad de la propia Administración, la del legislador estatal y la de órganos judiciales, en las Administraciones autonómicas en el caso de la responsabilidad del legislador autonómico y las propias Administraciones de las Comunidades Autónomas, y, en todo caso, en las Administraciones locales.

La responsabilidad correspondiente a las Administraciones institucionales se deduce y regula de las normas estatutarias de su personalidad, que, en general, regulan las reglas subjetivas de procedimiento y las establecidas en sus entidades matrices de los que puedan depender o a los que se encuentren vinculadas incluidas en alguno de los ámbitos territoriales estatal, autonómico o local.

Las reglas generales que configuran el procedimiento de exigencia de esta responsabilidad patrimonial, es decir las pertenecientes al primero de los grupos antes reseñados, tienen naturaleza de legislación básica y de directa aplicación, tanto por lo que se refiere a su carácter de reglas del procedimiento administrativo común, cuanto por el propio título competencial constitucional sobre la responsabilidad patrimonial, en cuyo ejercicio se desarrollan y establecen legalmente.

Las reglas especiales establecidas para regular el procedimiento de exigencia y fijación de esta responsabilidad y aplicables al mismo también tienen naturaleza básica y de aplicación directa; en consecuencia al título competencial concreto regulado por la Constitución que se extiende al «sistema de responsabilidad de todas las Administraciones públicas». Estas normas está reguladas con carácter legal y reglamentario, teniendo en cuenta que el carácter básico de esta normativa prevalece con independencia del rango jerárquico de la misma.

Por último las reglas de procedimiento de carácter subjetivo a las que nos hemos referido antes —fundamentalmente las aplicables a la formación de la voluntad de los distintos órganos de las Administraciones públicas actuantes en cada caso— pueden tener tanto naturaleza básica como no tenerla y ello en función de que se deriven del título competencial estatal sobre el régimen general de las administraciones públicas, o bien de la potestad de autoorganización de cada administración o en su caso grupo de administraciones públicas.

4. REGULACIÓN LEGAL

Las normas legales en las que se establecen y de las que se derivan estas reglas de procedimiento en materia de responsabilidad de las Administraciones Públicas, que en definitiva son las que determinan el llamado procedimiento de exigencia de responsabilidad patrimonial y configuran cada procedimiento administrativo concreto a través del cual se instrumenta la exigencia y fijación de la responsabilidad patrimonial de los poderes públicos.

Ya hemos hecho referencia al comienzo de esta práctica profesional de las declaraciones constitucionales acerca de esta responsabilidad patrimonial, su extensión y competencia para su regulación en punto al propio instituto de la responsabilidad y especialmente al procedimiento para su exigencia y fijación. Consecuente con la mencionada regulación constitucional, la regulación legislativa se concreta con carácter general en la LRJ que antes hemos citado y que tiene un desarrollo reglamentario, sobre esta materia concreta, en el Real Decreto 429/1993, de 26 de marzo, por el que se aprueba el Reglamento de los procedimientos de las Administraciones Públicas en materia de responsabilidad patrimonial (4).

Con carácter peculiar se han de referir preceptos contenidos en otros textos normativos en cuanto que introducen regulaciones específicas a tener en cuenta en todo caso y que se concretan: en la Ley Orgánica 6/1985, de 1 de julio, del Poder Judicial (5) lo referente a la exigencia de responsabilidad derivada de las actuaciones jurisdiccionales; los diferentes precepto de la Ley 30/2007 de Contratos del

---

(4)   Esta regulación sustituyó a la regulación reglamentaria anterior contenida en Decreto de 26 de abril de 1957, en su capítulo II del Título IV, Indemnización por otros daños, por el que se aprueba el Reglamento de la Ley de 16 de diciembre de 1954, de Expropiación Forzosa.

(5)   Artículos 292 a 297.

Sector Público en lo referente a la responsabilidad por daños derivados de la actividad contractual de las Administraciones públicas; la Ley 7/1985, de 2 de abril, reguladora de las Bases del Régimen Local (6) más los concordantes del Real Decreto Legislativo 781/1986, de 18 de abril, por el que se aprueba el texto refundido de las Disposiciones Legales Vigentes en materia de Régimen Local y del Real Decreto 2568/1986, de 28 de noviembre, por el que se aprueba el Reglamento de Organización, Funcionamiento y Régimen Jurídico de las Entidades Locales, en cuanto que contenga reglas de procedimiento de formación de la voluntad de las Administraciones locales; y por último el propio Código Penal que dispone que el Estado, la Comunidad Autónoma, la provincia, la isla, el municipio y demás entes públicos, según los casos, responden subsidiariamente de los daños causados por los penalmente responsables de los delitos dolosos o culposos, cuando éstos sean autoridad, agentes y contratados de la misma o funcionarios públicos en el ejercicio de sus cargos o funciones siempre que la lesión sea consecuencia directa del funcionamiento de los servicios públicos que les estuvieren confiados, sin perjuicio de la responsabilidad patrimonial derivada del funcionamiento normal o anormal de dichos servicios exigible conforme a las normas de procedimiento administrativo, y sin que, en ningún caso, pueda darse una duplicidad indemnizatoria. Si, en el proceso penal, se exigiera responsabilidad civil A la autoridad, agentes y empleados públicos, la pretensión deberá dirigirse simultáneamente contra la Administración o ente público presuntamente responsable civil subsidiario (7).

5. FORMAS Y PRESUPUESTOS DE LA RECLAMACIÓN

El procedimiento administrativo de responsabilidad debe encuadrarse como forma administrativa para el ejercicio de la reclamación de responsabilidad (8), pues es éste el medio que ha establecido el legislador para ejercer, en todo caso y en un primer estadio, la acción que corresponde a los sujetos cuyos derechos hayan sido lesionados por las actuaciones determinantes de esta responsabilidad para obtener la correspondiente indemnización patrimonial, sin perjuicio de que tal responsabilidad pueda establecerse y determinarse de oficio por la propia Administración que ha de indemnizar.

La norma general para la exigencia de la responsabilidad patrimonial se resume en que ésta se exigirá mediante el correspondiente procedimiento, administrativo y según las reglas específicas aplicables al mismo, que se desarrollan precisamente con tal objeto y que establecen que la dicha responsabilidad se reclamará, con carácter general, mediante su petición en vía administrativa.

---

(6)   Artículos 54 a 78.
(7)   Artículo 121.
(8)   Forma del ejercicio de una acción.

Estas exigencias se contienen específicamente en las reglas generales aplicables a los procedimientos de responsabilidad patrimonial en lo referente a la iniciación de los mismos, tanto sea la determinación de la responsabilidad instada por los interesados cuanto que sea examinada de oficio. La necesidad de un procedimiento de responsabilidad de naturaleza administrativa, es evidente cuando el daño o lesión del que trae causa sea imputable directamente a la Administración pública ante la que se pretenda su exigencia, como se deriva de las normas generales antes referidas, es decir que en el caso de responsabilidad del Estado administrador la exigencia de la misma requiere que su reclamación se plantee mediante el correspondiente procedimiento administrativo de responsabilidad ante el sujeto administración pública al que se impute el daño o lesión.

En casos en que el daño o perjuicio del que se pretenda la responsabilidad patrimonial derive de actos judiciales o legislativos, también nos encontramos ante un procedimiento administrativo de responsabilidad, pues, de una forma u otra y con las especialidades que después señalaremos, la exigencia de esta responsabilidad acaba formalizándose ante una Administración y a través de un procedimiento administrativo; es decir en el caso de la responsabilidad del Estado juez y del Estado legislador, con las peculiaridades que tales actividades requieren, también se ha de sustanciar y fijar esta responsabilidad ante la Administración que en cada caso corresponda —normalmente la estatal y en su caso la autonómica— mediante los correspondientes procedimientos administrativos de responsabilidad, pues aunque el daño o lesión no se produzca por estos sujetos administrativos, legalmente en el caso de la responsabilidad por actos judiciales y jurisprudencialmente en el caso de responsabilidad por actos legislativos, quien ha de hacer frente a las indemnizaciones es la Administración pública y ello a través del correspondiente procedimiento administrativo.

Junto a la regla general antes referida de que el ejercicio de la acción de responsabilidad se instrumenta en la petición de la misma en vía administrativa, caben reseñar algunas excepciones a la misma, no tanto en lo referente a la existencia de un procedimiento administrativo de responsabilidad, cuanto en lo referente a los requisitos de su ejercicio o su directa fijación en algunos casos.

En casos en que la responsabilidad patrimonial se derive de errores judiciales, que no en el caso de que derive del anormal funcionamiento de la Administración de Justicia, aunque la responsabilidad patrimonial en ambos casos se establezca en el mismo precepto, el ejercicio de la acción de responsabilidad se ha de producir previa la declaración judicial de la existencia de tal error, normalmente a través de un recurso de revisión, con reglas específicas en lo que a la petición de declaración de tal error judicial se refiere, tanto en lo referente a la competencia para determinarla, cuanto al plazo y al tipo de proceso a seguir. En realidad lo que se viene a establecer con ello es un requisito de que «el procedimiento sea procedente» pues si la responsabilidad deriva de un error judicial, la constatación de la existencia de éste se atribuye al propio poder judicial que lo ha producido, y una vez reconocido y declarado el mismo con carácter previo, la acción de exigencia de la responsabilidad se reconduce a las reglas generales expresadas dirigiéndose la petición de responsabilidad al Ministerio de Justicia, es decir al Departamento del ramo de la Administración General del Estado.

En caso de responsabilidad patrimonial por daños o perjuicios derivados de actos administrativos impugnados judicialmente, ésta se puede exigir con arreglo a las reglas generales reseñadas, es decir, una vez constatada la ilegalidad del acto administrativo en cuestión, el interesado con base a la anulación judicial del acto puede pedir en vía administrativa la responsabilidad patrimonial correspondiente, siguiendo así un iter análogo al descrito respecto de la responsabilidad derivada del error judicial, siendo en este caso la ilegalidad del acto del que se deriva el daño y su consecuente anulación para el ejercicio de la acción de responsabilidad que se instrumente a través del correspondiente procedimiento administrativo siguiendo en lo demás las reglas generales del mismo.

Además de todo ello también es posible ejercer directamente la acción de responsabilidad ante los órganos judiciales del orden jurisdiccional contencioso-administrativo, siempre que esto se haga simultáneamente a la impugnación del acto administrativo del que el daño o perjuicio traiga causa. Es decir es posible pedir al órgano judicial la anulación de los actos impugnados, objeto principal del proceso, y además la indemnización de daños que resulte de la anulación del acto impugnado, en caso de que esta se produzca efectivamente y caso de que se den los requisitos necesarios generales para la existencia de la responsabilidad patrimonial.

Todo esto hace que sea innecesario un procedimiento administrativo previo de exigencia de responsabilidad patrimonial, tendiendo en cuenta además que la decisión final sobre la procedencia de la responsabilidad se residencia en estos mismos órganos jurisdiccionales y la extensión de las facultades judiciales respecto de la adopción de las medidas necesarias para el restablecimiento de las situaciones jurídicas individualizadas que reconozca.

6. INICIO DEL PROCEDIMIENTO DE RESPONSABILIDAD

El procedimiento administrativo que se tramita, en cada caso, para la exigencia y fijación de la responsabilidad patrimonial debe desarrollarse siguiendo el la estructura, dinámica y reglas generales propias de los procedimientos administrativos, si bien deben tenerse en cuenta determinadas reglas especiales peculiares de estos procedimientos de responsabilidad, derivadas de la naturaleza y características de los actos administrativos de determinación de la responsabilidad patrimonial, que, en definitiva, son los que preparan en estos procedimientos. Por otra parte y en el conjunto de normas que regulan los procedimientos administrativos que tienen por objeto la exigencia y fijación de la responsabilidad patrimonial de los poderes públicos, también existen reglas especiales para casos sencillos que suponen una excepción a la aplicación de la mayor parte de las normas generales para estos casos, simplificando, de este modo, la tramitación del procedimiento.

El procedimiento general de responsabilidad, viene referido al conjunto de reglas que regulan los procedimientos ordinarios de responsabilidad, y, justo al mismo, el legalmente denominado procedimiento abreviado, que no es otra cosa que un conjunto de reglas de excepción aplicables a determinados casos que pueden resolverse con una tramitación menos compleja y por tanto con un resultado de acortamiento o abreviación del procedimiento.

En una práctica posterior examinaremos dichos procedimientos y la normativa aplicable en ambos casos, tanto el procedimiento general de responsabilidad y siguiendo la secuencia temporal ordinaria y general de los procedimientos administrativos, concretado en las tres fases en que se desarrolla con carácter general el procedimiento administrativo, es decir, las fases de iniciación, instrucción y terminación.

La iniciación de los procedimientos de responsabilidad patrimonial determina la incoación del proceso de destinación y fijación de esta responsabilidad y puede producirse —como ocurre con carácter general respecto de los demás procedimientos administrativos— de oficio o a instancia o reclamación de los interesados.

La iniciación de oficio del procedimiento general de responsabilidad viene regulado, además de por las reglas generales del procedimiento común, por las específicas establecidas reglamentariamente, y se debe de producir en todo caso cuando el órgano competente estime que se ha producido un daño o lesión susceptible de generar responsabilidad patrimonial.

El acuerdo o resolución de iniciación se puede hacer por propia iniciativa del órgano competente para incoar, que normalmente lo será el competente para resolver, o bien a consecuencia de denuncia, orden de órgano superior o petición razonada de otros órganos, en suma siguiendo las mismas reglas generales del procedimiento administrativo común.

Acerca de las reglas propias de la iniciación de oficio de este procedimiento de responsabilidad, es de precisar que la denuncia no genera por sí misma la condición de interesado para el particular que la formula, y que en el caso de petición razonada es necesario que se precise la individualización del daño, los sujetos a que afecte, la relación de causalidad, la estimación de la evaluación económica y el momento de su producción, en definitiva los datos que reflejen los requisitos necesarios para la determinación de la responsabilidad.

Asimismo se establece que el acuerdo de iniciación del procedimiento de responsabilidad debe notificarse a los particulares que resulten presuntamente lesionados, a los efectos de que formulen alegaciones y propongan la prueba que consideren necesaria, pasando en todo caso a la fase de instrucción, hayan o no comparecido y alegado los posibles afectados.

La iniciación de oficio, no obstante su naturaleza de actuación obligatoria para la Administración competente cuando estime que puede haber responsabilidad, viene en definitiva vinculada al plazo de la acción de responsabilidad, de tal modo que tan solo se puede y debe iniciar el procedimiento de oficio en tanto no haya prescrito la acción de responsabilidad y por tanto el procedimiento sólo se puede inicial de oficio, durante el mismo periodo de tiempo establecido y aplicable para la reclamación y correspondiente iniciación a instancia del interesado.

El procedimiento general de responsabilidad se inicia a instancia del interesado cuanto sea el afectado por el daño o lesión el que pida la correspondiente indemnización, es decir cuando la acción de responsabilidad se ejerza por el sujeto titular de la misma.

En este caso la regulación reglamentaria remite expresamente a las reglas generales de iniciación a instancia del interesado del procedimiento administrativo común, cuando no las reiteran en sus mismos términos si bien exige que el escrito de iniciación especifique la lesión, el nexo causal, la evaluación económica del daño y el momento en que se produjo, a más de las alegaciones y pruebas que estime convenientes, en definitiva especificando los elementos que se requieren para la determinación de la responsabilidad, de modo análogo a como ocurre en el caso, antes referido, de la iniciación de oficio.

Pese a que la norma reglamentaria parece establecer que se requiere la admisión de la reclamación para la iniciación del procedimiento de este modo, se ha de notar que el procedimiento de responsabilidad se ha de entender iniciado por la formulación de la reclamación, sin perjuicio de que se requiera de subsanación, si no cumple los requisitos establecidos, o de que se haya de resolver su denegación, bien por razones de plazo —extemporaneidad de la reclamación—, bien por cuestiones de fondo —la no concurrencia de los requisitos para su reconocimiento—, y, aún en el caso de que requerido de subsanación el interesado no compareciese, sería necesario aplicar la presunción de desistimiento y resolver la terminación de procedimiento por esta causa, pero sin que ello comporte un trámite de admisión determinante de la verdadera incoación del procedimiento, que en todo caso queda iniciado desde la presentación de la reclamación.

7. INICIO A SOLICTUD DE INTERESADO

La LRJ, establece que la otra forma de iniciar los procedimientos de responsabilidad patrimonial es por reclamación de los interesados (9).

(9) Artículo 142.

Elemento esencial y diferenciador del procedimiento, es exigir una cantidad. Debe apreciarse de forma clara una voluntad manifestada por escrito de obtener una indemnización, es decir de reclamar.

La utilización del término reclamación, que se repite en el Reglamento (10), confirma que en el escrito de solicitud debe haber un ánimo por parte de la o del interesado de reclamar; esto implica, en acepción del Diccionario de la Lengua española, que el interesado debe pedir o exigir algo con derecho o con instancia y esa petición debe concretarse en una cantidad de dinero en concepto de indemnización como consecuencia de un hecho del que ha surgido responsabilidad. No se consideran reclamaciones aquellos escritos en los que un usuario pueda informar o quejarse de que se ha producido un accidente como consecuencia del servicio público, sino que el concepto de reclamación de responsabilidad es un derecho que corresponde a una persona interesada, que emite una declaración de voluntad por medio de la cual exige una indemnización por un hecho lesivo o perjudicial, como se ha señalado en alguna sentencia judicial a este respecto que los artículos cinco y seis del Reglamento exigen que la noticia de la que tenga conocimiento la administración contenga de alguna forma una solicitud de reparación del daño causado y una indicación de la posible responsabilidad de la Administración.... y tal exigencia no se ve colmada por la simple referencia a que el suelo estaba mojado y resbaladizo, lo que, por otro lado puede obedecer a distintas causas y no necesariamente son debidas al funcionamiento del servicio (11). En consecuencia carecen de la consideración jurídica de reclamaciones los escritos en los que, simplemente, se da conocimiento de un daño o perjuicio producido, lo cual no significa que el escrito de inicio deba contener todos los requisitos necesarios para proceder a su tramitación. Por ello, cuando el empleado público, competente en esta materia, se encuentra con un escrito dirigido a la Administración en que se incluye una expresión de la cual se deduzca, claramente, la voluntad de reclamar indemnización por responsabilidad de la Administración Pública, deberá iniciar el procedimiento y solicitar, al interesado reclamante, que proceda a subsanar el escrito de reclamación en lo que pudiera tener de insuficiente o deficiente. De este modo, los escritos que carezcan de esta voluntad de reclamar no interrumpen la prescripción ni obligan a la Administración a iniciar un procedimiento de oficio de responsabilidad patrimonial. Este escrito carece de alguna expresión como por ejemplo «reclamo una indemnización», «exijo que me paguen por los daños», etc. que demuestre claramente que el interesado quiere iniciar un procedimiento de responsabilidad patrimonial y que exige una cantidad monetaria como indemnización.

---

(10)   Artículos 4 y 6.
(11)   STSJ País Vasco 26.12.2006.

Para poder proceder a la tramitación de la solicitud en que se reclama la indemnización por daños o perjuicios, deben concurrir, necesariamente, en el escrito ciertos requisitos mínimos que se incluyen en la LRJ (12); que establece los contenidos generales de estos procedimientos administrativos; figurando igualmente en el Reglamento de desarrollo de la Ley (13).De conformidad con estas disposiciones de la LRJ, las solicitudes de inicio que se formulen deben contener:

A) El nombre y apellidos del interesado y, en su caso, de la persona que lo represente, así como la identificación del medio preferente o del lugar que se señale a efectos de notificaciones.

B) Los hechos, razones y petición en que se concrete, con toda claridad, la solicitud.

C) Lugar y fecha.

D) La firma del solicitante o acreditación de la autenticidad de su voluntad expresada por cualquier medio.

E) El órgano, centro o unidad administrativa a la que se dirige.

Por su parte el citado Reglamento de desarrollo dispone que cuando el procedimiento se inicie a instancia del interesado, la reclamación dirigida al órgano competente debe ajustarse a lo previsto en el artículo setenta de la Ley de régimen jurídico de las Administraciones públicas y del procedimiento administrativo común. En el escrito de reclamación deben especificarse los siguientes extremos:

— Las lesiones producidas.

— La presunta relación de causalidad entre éstas y el funcionamiento del servicio público.

— La evaluación económica de la responsabilidad patrimonial.

— Si fuera posible, el momento en que la lesión efectivamente se produjo.

— Cuantas alegaciones, documentos e informaciones se estimen oportunos.

— La proposición de prueba, concretando los medios de que pretenda valerse el reclamante.

Elementos que se examinan a continuación:

---

(12)   Artículo 70.
(13)   Artículo 6. El Reglamento de los procedimientos de las Administraciones Públicas en materia de responsabilidad patrimonial aprobado por Real Decreto 429/1993.

8. IDENTIFICACIÓN DEL INTERESADO Y CASOS DE REPRESENTACIÓN

La novedad de la LRJ radica, en este aspecto, en que el interesado puede escoger el medio por el que habrá de efectuarle las notificaciones, de manera que el medio escogido debe permitir que quede constancia de los siguientes extremos:

— De su recepción bien sea personalmente o por medio del representante.

— De la fecha.

— De la identidad y el contenido del acto notificado.

No existe ninguna especialidad en materia de responsabilidad patrimonial en este caso respecto al resto de procedimientos administrativos.

La regla general de representación de las y los interesados se encuentra en el artículo 32 de la LRJ De esta forma se hace necesaria la acreditación para formular solicitudes, entablar recursos, desistir de acciones y renunciar a derechos en nombre de otras personas. En tales supuestos se deberá acreditar la representación por cualquier medio válido en derecho que deje constancia fidedigna, o mediante declaración en comparecencia personal del interesado (14). No son válidos los escritos de reclamación suscritos por un cónyuge o un abogado si no queda suficientemente acreditada la representación, sin embargo la representación se presume para los actos y gestiones de mero trámite. Es frecuente que para el caso de audiencia a la o al interesado se presente en el procedimiento alguna persona a quien le haya encargado esta representación la persona interesada. La falta de acreditación deberá subsanarse dentro del plazo de diez días.

Los padres/madres que ostenten la patria potestad tienen, en virtud de lo establecido en el Código Civil (15), la representación legal de sus hijos menores no emancipados. En estos supuestos, debe exigirse, al menos, la exhibición del documento oficial en donde conste la circunstancia de que el reclamante es padre/madre del menor de edad; dejando copia de las hojas correspondientes en el expediente.

Por otra parte y acuerdo con la Ley 50/1980 del Contrato de Seguro (16), el asegurador, una vez pagada la indemnización, podrá ejercitar los derechos y las acciones que por razón del siniestro correspondieran al asegurado frente a las personas responsables del mismo, hasta el límite de la indemnización. Dado un supuesto en el que, por responsabilidad administrativa, se hubiera causado un da-

---

(14)   Artículo 32.
(15)   Artículo 162.
(16)   Artículo 43.

ño a un coche cuyo dueño o dueña, por tener una póliza a todo riesgo, le encarga a su compañía de seguros la reparación; la compañía aseguradora investigará el origen del daño y si entiende que ha sido como consecuencia de la actividad de la Administración procederá a repetir el daño contra ésta. En estos casos, la compañía reclamante debe acreditar, por un lado, la cobertura del daño causado mediante la exhibición de la oportuna póliza y, por otra parte, haber pagado la indemnización al titular efectivo del coche presuntamente dañado a través de la presentación del finiquito correspondiente; al efecto de que resulte aplicable la previsión de subrogación prevista en el artículo 43 de la Ley del contrato de Seguro.

9. HECHOS Y RELACIÓN DE CAUSALIDAD

En el apartado de hechos el Reglamento exige que se determinen unos concretos elementos que son las lesiones producidas, la presunta relación de causalidad entre éstas y el funcionamiento del servicio público, la evaluación económica de la responsabilidad patrimonial, si fuera posible, y el momento en que la lesión efectivamente se produjo.

La relación de causalidad es el título de imputación del daño a la Administración, la razón por la que la o el interesado entiende que es la Administración quien debe responder por el daño que se le ha causado. En su reclamación, la persona interesada deberá señalar los hechos a consecuencia de los cuales se le han causado esas lesiones y tales hechos deben conectar el funcionamiento del servicio público con las mismas.

Es muy numerosa la cantidad de supuestos producidos por lo cual no es fácil establecer un concepto teórico sobre una u otra conducta y por ello se hace necesario acudir a un análisis caso a caso para lo cual deberá echarse mano de la jurisprudencia especializada.

La importancia de la prueba, a efectos de dotar de una adecuada consistencia al nexo causal en que pretende fundamentase la obligación de resarcir, los testimonios, los informes técnicos y periciales, la prueba documental en la que pueden incluirse incluso partes meteorológicos oficiales, cobran en estos casos relevancia singular; pero además puede añadirse a esos datos fotos, planos, muestras y comprobaciones por parte de las o los empleados de la entidad.

Por todo ello hay que tener presente que son dos los elementos de la actividad administrativa que deben acreditarse para que pueda reconocerse la responsabilidad de una Administración pública: la antijuricidad y la ilicitud de la actuación (17). De esta forma la LRJ dispone que sólo serán indemnizables las lesiones

---

(17)   Hay que tener en cuenta que dentro del concepto actuación se incluyen los supuestos de inactividad indebida de la Administración Pública y la vía de hecho.

producidas al particular provenientes de daños que éste no tenga el deber jurídico de soportar de acuerdo con la Ley (18).

10. TÍTULO DE IMPUTACIÓN A LA ADMINISTRACIÓN

El título de imputación fundamental es que el daño o perjuicio se hubiera producido en el ámbito de responsabilidad de la organización administrativa y en dicho título entran todos los daños que se ocasionan por los agentes de la Administración en ejercicio de sus funciones, bien sea causados por una acción o por una omisión.

En ciertos ámbitos son imputables a la Administración los daños y perjuicios causados por personas o agentes no dependientes de ella, siempre que se encuentren bajo su autoridad (19). Esto puede plantear la duda si las y los usuarios de la instalación están en una situación similar, de forma que los daños producidos entre éstos pueden ser imputables a la Administración titular de la instalación deportiva.

Yo entiendo que la regla general debe ser negativa. La conducta de una o un usuario causando un daño, a salvo de concretos supuestos, rompe el nexo causal con el servicio público. Puede verse a continuación, cómo en supuestos similares, la Jurisprudencia nos ofrece un resultado distinto. El caso es de un usuario que se lanza a la piscina y cae encima de otro que se encontraba en el agua. Así los tribunales han desestimado reclamaciones, fundamentando que la relación directa de causa a efecto entre el daño padecido ha de establecerse con la acción de un tercero independiente del funcionamiento del servicio público, ya que efectúa una zambullida desde un podium fijo sin advertir que el menor nadaba en sus proximidades, hasta el punto de caerle encima y desencadenar las lesiones (20). Un diferente enfoque se planteó en el caso de un por accidente producido en una piscina pública municipal cuando una persona menor de edad se encontraba sumergida en el agua y dispuesto para emerger a la superficie cuando otro joven procedió a lanzarse al agua sin percatarse de la presencia de Enrique, golpeando a este en la zona del cuello y quedando instantáneamente paralizado siendo sacado del agua por otros usuarios y por el mismo socorrista que a tal efecto había sido avisado por uno de ellos y recibiendo una asistencia de la ATS. Dado el carácter objetivo de la responsabilidad patrimonial, lo importante es que la titularidad del servicio es municipal y el daño ha sido sufrido mientras hacía uso de ese servicio, existiendo nexo causal entre la prestación del servicio y el daño sufrido sin concurrencia de fuerza mayor, pues el choque aún fortuito entre los dos bañistas entra dentro del campo y del ámbito de lo que es el uso de una piscina por una

---

(18)   Artículo 141.1.
(19)   Por ejemplo escolares en un colegio, personas en un centro penitenciario, enfermos en un hospital de gestión pública.
(20)   STSJ País Vasco de 8.4.1998.

colectividad como un riesgo inherente. En consecuencia puede decirse que aún si se considerase que se produjo un funcionamiento normal de la actividad administrativa no por ello el Ayuntamiento se vería exento de indemnizar el daño causado (21). El funcionamiento del servicio público municipal es calificado como anormal, incorrecto, irregular o negligente debido a que en las instalaciones se encontraba solamente un socorrista cuando atendiendo a su aforo eran necesarios dos por lo menos como determinaba la normativa de aplicación vigente en aquel momento. Lo esencial en estos casos es que exista nexo causal entre el funcionamiento del servicio y el perjuicio o daño producido y ello depende no tanto del número de socorristas como de que las funciones de vigilancia y prevención se presten por el socorrista de manera adecuada y diligente. En el caso examinado quedó acreditado que era habitual que los usuarios se lanzasen al agua de modo peligroso sin que el socorrista hiciera advertencia del riesgo y al menos debiera haber tenido una especial vigilancia y presencia continuada, toda vez que cuando ocurrió el accidente el socorrista no se encontraba en la zona de baño o a pie de la piscina donde en última instancia hubiera podido apreciar en el momento en el que el joven se lanzaba al agua.

Hay sentencias llegan a soluciones aparentemente diferentes pues un supuesto similar, la explicación tal vez se halle en la utilización por el Tribunal de un recurso de justicia material; adoptando el criterio de responsabilidad objetiva o un ensanchamiento del principio de culpa para no dejar desvalida o en su caso desvalido al interesado que ha sufrido una enorme lesión.

Abundando en este criterio otra sentencia resolvió el caso de un niño de apenas 3 años recién cumplidos que había caído desde de una grada al suelo de una instalación pública municipal, con más de tres metros de desnivel, señalando que «el hecho que origina la caída por la grada del estadio es el estar jugando el niño accidentado con otros niños y al ir a coger un coche tropezó y cayó rodando por el graderío, actividad ésta completamente ajena al lugar donde se encontraban que la finalidad del graderío es el contemplar el juego de pelota que se desarrolla en el estadio y no los juegos infantiles para los que hay otros lugares exclusivamente dedicados, por lo que mal se puede exigir una responsabilidad a la Administración.....el hecho generador del accidente fue una actividad de riesgo permitida por los padres del niño como es el jugar en un sitio inadecuado». Claro, que en este caso, el niño únicamente se rompió los dientes incisivos. Tal vez si la caída hubiese sido fatal, causándole una lesión mayor o el fallecimiento, el Tribunal; por los mismos hechos, hubiese emitido una sentencia condenatoria por los mismos hechos lo cual nos situaría en decisión por resultado (22).

(21)   STSJ Andalucía 27.11.2003.
(22)   STSJ País Vasco 28.5.2001.

A la hora de determinar la relación de causalidad la persona interesada debe actuar con precisión. De esta forma, se le requerirá subsanar la reclamación cuando haga mención a lugares no concretos. También se le exige coherencia; es lo que se desprende del contenido de otra sentencia que estudia un caso en el que el interesado cambia la versión de los hechos. En la reclamación formulada en vía administrativa se atribuía el título de imputación a haber descuidado las más básicas medidas de seguridad de una estación de ferrocarril como puede ser la instalación de unos recubrimientos del pavimento antideslizantes, en tanto que en el escrito de demanda el nexo causal entre la lesión y el deficiente estado en que se encontraba el suelo de la estación su función antideslizante queda prácticamente anulada por otros argumentos y manifestaciones. Así las cosas, la desestimación del recurso se impone al ser carga de la parte reclamante el acreditar cómo se producen los hechos, lo que en este supuesto no quedó acreditado, dada la disparidad de las versiones ofrecidas.

Finalmente conviene resaltar que en la reforma de la LRJ se incluyó otro punto adicional: No son indemnizables los daños y perjuicios derivados de hechos o circunstancias que no se hubiesen podido prever o evitar según el estado de los conocimientos de la ciencia o de la técnica existentes en el momento de producción de aquéllos, todo ello sin perjuicio de las prestaciones asistenciales o económicas que las leyes puedan establecer para estos casos (23). Inciso que fue incluido con el fin de parar las reclamaciones por las transfusiones de sangre antes de que se conociera la existencia del virus y sus formas de contagio.

11. LESIONES PRODUCIDAS

La LRJ establece una cláusula general al señalar que las ciudadanas y los ciudadanos tienen derecho a ser resarcidos por las Administraciones Públicas de toda lesión que sufran en sus bienes y derechos (24), lo cual implica que se responde por todo tipo de daños, incluso los morales.

En consecuencia el daño o perjuicio alegado debe reunir las siguientes características:

a) Debe ser efectivo, es decir, cierto, ya producido. Puede ser lucro cesante o daño emergente; pero en ningún caso daño o perjuicio potencial o futuro.

b) Debe ser evaluable, produciéndose un quebranto patrimonial

---

(23)   Artículo 141.
(24)   Artículo 139.

c) Debe ser individualizado con relación a una persona o grupo de personas. Es decir, las cargas e incomodidades que pueden recaer en ocasiones sobre la colectividad no son indemnizables.

12. EVALUACIÓN ECONÓMICA: DAÑOS PERSONALES Y MATERIALES

La LRJ que la indemnización se calculará con arreglo a los criterios de valoración establecidos en la legislación de expropiación forzosa, legislación fiscal y demás normas aplicables, ponderándose, en su caso, las valoraciones predominantes en el mercado (25). Se trata, por tanto, de un precepto que remite a otras normativas y que pretende que entre en juego el valor en el mercado.

En consecuencia procede diferenciar, como más importantes, dos clases de daños o perjuicios:

— Daños o perjuicios personales

— Daños o perjuicios materiales.

Para los daños Personales sean físicos o psíquicos, la práctica más frecuente es aplicar el sistema previsto en la Ley sobre responsabilidad civil y seguro en la circulación de vehículos a motor que enumera una gran cantidad de resultados lesivos y les atribuye una determinada cuantía para su indemnización. Estas cuantías se van actualizando cada año. La utilización de estas tablas es de suma utilidad práctica y constituye un elemento que garantiza una gran seguridad jurídica la utilización de estas tablas, especialmente cuando se trata de indemnizar daños morales, porque su valoración viene incluida. Los daños morales que excedan de los ya incluidos en las tablas deberán ser alegados, valorados y acreditados por la o el interesado.

Cierto es que no está, legalmente, prevista la concreta y expresa aplicación de estas tablas para los casos de responsabilidad patrimonial dado que esta materia no entra en el supuesto de hecho previsto para las mencionadas listas; sin embargo nada impide que dichos baremos objetivos puedan ser utilizados en supuestos diferentes a los daños a personas; porque no parece muy sensato atribuir una cantidad diferente por indemnización cuando un mismo resultado dañoso es producido como consecuencia de un accidente de tráfico o por un accidente en una cancha deportiva municipal. Aun así, hay resoluciones judiciales señalando el mero carácter orientativo y no vinculante de las tablas.

(25)   Artículo 141.

El baremo actualmente vigente está aprobado por Resolución de 31 de enero de 2010, de la Dirección General de Segurosdel Ministerio de Economía y Hacienda (26).

Para la indemnización por días de baja, las tablas distinguían una diferente indemnización por día de baja durante estancia hospitalaria y sin estancia hospitalaria. Posteriormente, deslindó en los días sin estancia hospitalaria los días impeditivos y los no impeditivos entendiendo por día de baja impeditivo aquel en que la víctima está incapacitada para desarrollar su ocupación o actividad habitual.

De tal forma, los días de baja que supongan una incapacidad temporal para el trabajo se consideran impeditivos y el resto de los días en que continúen los efectos lesivos, aún no impidiéndole a la persona interesada ocuparse de su trabajo, serán objeto de indemnización como días no impeditivos.

En consecuencia, es habitual que tras la baja y antes de que se aprecie una definitiva estabilización de las secuelas se produzca un procedimiento de rehabilitación, por ejemplo con el fin de que los músculos que hayan estado inmovilizados o atrofiados hasta entonces vuelvan a recobrar vigor, etc.

Con todo, podría afirmarse que puede existir cierta subjetividad sobre lo que se entiende por día no impeditivo. La realización de determinadas sesiones de rehabilitación no significa de manera inequívoca ni que la lesión no haya curado, ni que se desconozca su verdadero alcance. Al contrario, la rehabilitación suele tener lugar tras el tratamiento que para la sanidad de una lesión se ha seguido y puede tener por finalidad exclusivamente paliar las secuelas que quedado tras el tratamiento. Estas dudas debieron ser despejadas por la propia actora mediante la oportuna prueba pericial o, al menos mediante la ratificación de la documentación médica que obra en el expediente (27).

La consideración de unos días de rehabilitación como días de baja no impeditivos, no sólo tienen relevancia a efectos de determinar la cuantía de la indemnización sino también para tener en cuenta el momento de la prescripción de la acción.

Los daños materiales deben referirse, necesariamente, al valor predominante del mercado y a la legislación fiscal. La persona interesada deberá acreditar esos valores predominantes. Aunque existe en la propia legislación fiscal del impuesto

---

(26)   Resolución de 31 de enero de 2010 de la Dirección General de Seguros y Fondos de Pensiones, por la que se da publicidad a las cuantías de las indemnizaciones por muerte, lesiones permanentes e incapacidad temporal que resultarán de aplicar durante 2010, el sistema para valoración de los daños y perjuicios causados a las personas en accidentes de circulación *(BOE* 5.2.2010).

(27)   STSJ Castilla León 19.12.2006.

de sociedades un concepto de valor de mercado y unos criterios para la concreción de ese valor de mercado; considero que su complejidad desborda un procedimiento administrativo de estas características. Los medios para acreditar el valor predominante del mercado pueden ser tan sencillos como el de presentar la factura de compra del bien dañado o de alguno de características similares; con la actualización que proceda como consecuencia del aumento del índice de precios al consumo.

Pero también es importante tener en cuenta el momento de adquisición. En el caso de elementos amortizables se debería detraer la correspondiente amortización, aplicando las tablas previstas en el reglamento del impuesto de sociedades. Si fuesen cosas fungibles, deberían ser valoradas a la baja y transcurrido un año valorarlas de un modo residual.

Sin perjuicio de lo anterior, el momento al que se referirá la valoración será el de la producción de la lesión pero puede ocurrir que el objeto haya quedado anticuado (no por el paso del tiempo o su uso, sino por obsolescencia técnica) y pueda tener más relevancia el valor de adquisición.

En el caso del lucro cesante. Debe acreditarse que ha existido esa cesación; no debe referirse a meras hipótesis. Como ejemplo se puede citar la sentencia por caída en una instalación de titularidad pública por la existencia de una arqueta descubierta aquí el tribunal tuvo presente que el perjudicado desarrollaba una actividad profesional liberal de arquitecto, cuyas percepciones no son fijas ni periódicas, ni tampoco existe una prueba solvente sobre los rendimientos obtenidos en otros años. Las resoluciones judiciales han venido exigiendo, que la reclamación basada en datos concretos y ciertos, no hipotéticos, así como que realmente existe una contraprueba de que el recurrente siguió recibiendo encargos, no constando ninguna renuncia. No existe la prueba del lucro cesante que exige la jurisprudencia y en sana crítica, poco valor tendrían las alegaciones de empresas privadas, cuando no se tiene constancia por el Colegio de arquitectos en una profesión tan reglada de tales encargos o trabajos (28). La doctrina jurisprudencial señala que la responsabilidad patrimonial de la Administración comporta la reparación integral de los perjuicios sufridos con el fin de conseguir una completa indemnidad, restituyendo en la integridad patrimonial menoscabada por la actuación administrativa dañosa. Si se produce sentencia condenatoria para la Administración, tal indemnidad produce el devengo de intereses desde el momento en que se ha efectuado la reclamación a un tipo del interés legal del dinero más dos puntos. El tipo de interés legal se aprueba a finales de cada año en Ley de Presupuestos Generales del Estado. El pronunciamiento sobre intereses tiene sentido sobre todo en el procedimiento judicial. Si la resolución administrativa es estimatoria (parcial o totalmente) y se ha producido en el plazo de seis meses que para su emisión establece la Ley

(28) STSJ Extremadura 27.6.2003.

© EL CONSULTOR DE LOS AYUNTAMIENTOS

no cabe reclamar el devengo de intereses por la cantidad efectivamente concedida ya que la Administración ha actuado correctamente. Evidentemente, sí procederían ante una resolución administrativa estimatoria parcialmente a la que sigue una sentencia que eleva la cuantía de la indemnización, por esa cantidad superior.

Conviene remarcar que el Reglamento (29) exige la especificación de la evaluación económica siempre que sea posible. Puede ocurrir que por no conocer aún la extensión de los daños, no sea posible conocer aún la cuantía de la indemnización. El ejemplo que nos será más frecuente es la de una reclamación en la que se hayan producido daños personales con baja y que ésta no haya aún concluido y aún no se sepan las secuelas que puedan quedar. No obstante, esto no exime a la persona interesada de especificar la evaluación económica por el resto de los daños cuya valoración sí pueda ser determinada. Además, toda vez que la reclamación persigue la declaración de una obligación por parte de la Administración, por propio concepto deberá contener tal obligación un objeto que al menos sea determinable; por lo tanto, en estos supuestos, si no se acompaña ningún módulo, parámetro o cualquier otra circunstancia para la determinación de la indemnización es recomendable exigir la subsanación de este requisito; requiriendo a la o al interesado que concrete la forma, método o módulo en cómo evaluar económicamente la responsabilidad cuando ésta pueda ya ser determinada. Por último, cuando se producen lesiones de diferente naturaleza no es de recibo una evaluación conjunta; sino que la persona interesada deberá especificar la cuantía que a cada uno de los daños corresponda. De esta forma, la Administración se pronunciará en su resolución sobre la evaluación concreta de cada una de las lesiones alegadas. Si la o el interesado solicitara una cantidad única sin desglosarla por esos daños variados; debería solicitársele que subsanase su reclamación.

13. MOMENTO EFECTIVO DE LA LESIÓN

En virtud de este requisito y dependiendo de las circunstancias de cada caso, puede exigirse que la persona interesada especifique el momento en que se produjo el accidente; dentro del segmento máximo de una hora. Lo cual se debe a la peculiaridad del servicio del polideportivo. En primer lugar cuando quede registrada la entrada al mismo a través de los medios de acceso informáticos. De esta forma se comprueba si a la hora en que afirma haber sufrido la lesión la persona interesada y sus acompañantes a quienes haya citado para testificar estaban dentro de la instalación deportiva. También y aún más importante, si a esa hora tenía realizada la reserva de la instalación en donde desarrollaba la práctica deportiva; en definitiva, si tenía título suficiente que le habilitaba para usar la correspondiente instalación deportiva. Por último, en los casos en que se alegue la existencia de goteras, puede comprobarse si a la hora en que se dañó la persona interesada había

---

(29)   Artículo 6.

llovido mediante el examen de los informes de los servicios de meteorología. En estos casos, y en otros en que se pueda justificar; debería requerirse a la persona interesada que no haya especificado en su reclamación ese momento para que subsane el defecto.

14. MEDIOS DE PRUEBA DE QUE EL RECLAMANTE INTENTA VALERSE

De conformidad con lo establecido en el artículo seis del Reglamento se deduce que la persona interesada debe concretar en su reclamación de qué medios se va a valer para acreditar los hechos en que se basa. De esta forma, en los diferentes informes que se acompañan a continuación es la prueba uno de los elementos de los que más veces se requiere su subsanación. Toda vez que la práctica de la prueba entra dentro de la ordenación del procedimiento y por la relevancia que adquiere, es preferible tratarlo en este apartado.

15. ACTUACIONES ADMINISTRATIVAS AL RECIBIR LA RECLAMACIÓN

Cuando se recibe una reclamación de responsabilidad patrimonial, una vez estudiada, elaboramos un informe en donde se recogen los diferentes elementos que debe especificar la persona interesada.

Seguido de cada uno se señala qué es lo que se manifiesta al efecto en la reclamación y, en su caso, qué defectos se advierten.

A continuación se elabora una propuesta de resolución que consistiría en:

a) Admitir a trámite la reclamación, si se cumplen todos los requisitos

b) Requerir la subsanación de los defectos advertidos en el plazo de 10 días, con la advertencia de que si así no lo hace se le tendrá por desistido de su petición. Este requerimiento se haría mediante la comunicación a la persona interesada de esa resolución.

Si se va a admitir a trámite, como consecuencia de que la reclamación cumple con los requisitos, debería de existir esa resolución y ser firmada por el órgano unipersonal que tiene la potestad de resolver el procedimiento (o, en su caso, en quien delegue). Entiendo que es necesario que se pronuncie una persona con autoridad de implicar a la Administración, ya que se trata de un acto en el que se reconoce que una o un administrado ha realizado una actividad correcta al efecto de crear una obligación en la Administración. Es más, el artículo 6 del Reglamento, en su apartado 2 señala textualmente si se admite la reclamación; es decir, debe acordarse la admisión por parte de alguien que tenga potestad. No sería correcto que la funcionaria o el funcionario u otra persona al servicio de la entidad fuese la que decidiese que procede la tramitación de la reclamación.

En el otro supuesto, si faltara alguno de los elementos; no parece que se desprendan inconvenientes para que el propio instructor o instructora (el personal encargado de tramitar la reclamación) requiera la subsanación de los defectos advertidos, por propia iniciativa.

16. ALEGACIONES DEL INTERESADO

Los interesados pueden plantear alegaciones a lo largo de todo el procedimiento, antes del trámite de audiencia, de conformidad con lo establecido en las reglas generales sobre alegaciones y aportación de documentos, y durante el propio trámite de audiencia, como parte del mismo. Las reglas peculiares de este procedimiento de responsabilidad patrimonial disponen que en el momento de iniciar el procedimiento deberá alegarse las lesiones, el nexo causal, la evaluación económica y el momento de producción de las lesiones, en los procedimientos iniciados a instancia de parte, y, en los iniciados de oficio, se abrirá un plazo —siete días—, al tiempo de notificar la iniciación de oficio para que los interesados comparezcan y formulen alegaciones. De igual modo se establece un nuevo trámite de alegaciones al final de la instrucción del procedimiento, embebido en el propio trámite de audiencia que se regula con algunas especialidades que luego se dirán al tratar del mismo.

17. ORDENACIÓN

Una vez admitida la reclamación, el impulso se hará de oficio; por lo que, los actos de instrucción necesarios para la determinación, conocimiento y comprobación de los datos en virtud de los cuales deba pronunciarse la resolución, se realizarán de oficio por el órgano que tramite el procedimiento, sin perjuicio del derecho de los interesados a proponer aquellas actuaciones que requieran su intervención o constituyan trámites legal o reglamentariamente establecidos (30).

También el Reglamento establece el principio de impulso de oficio, por ello, si se admite la reclamación por el órgano competente, el procedimiento se impulsará de oficio en todos sus trámites y se podrá acordar la acumulación de la reclamación a otro procedimiento con el que guarde identidad sustancial o íntima conexión. Contra el acuerdo de acumulación no procede recurso alguno (31). La instrucción de los procedimientos administrativos de responsabilidad patrimonial se rige, al igual que ocurre con las demás fases de estos procedimientos, por las reglas generales de procedimiento común, lo que se reitera asimismo reglamentariamente de forma expresa, en lo que a esta fase del procedimiento se refiere.

---

(30)   Art. 78 LRJ.
(31)   Artículos 6 y 7.

La instrucción del procedimiento comprende efectuar las actuaciones necesarias y obligatorias para conseguir una resolución acertada. No cabe la impugnación contra estas actuaciones, porque son de trámite, salvo que esa actuación de trámite impida continuar el procedimiento. No obstante, las personas interesadas pueden denunciar los defectos de tramitación, sobre todo los que supongan la paralización, infracción de plazos u omisión de trámites; lo que podrá lugar a la exigencia de responsabilidad disciplinaria, teniendo en cuenta que esta posibilidad podría ser calificada más como una denuncia que como un recurso propiamente dicho y quizá debería de plantearse ante el superior jerárquico.

Uno de los trámites que necesariamente debe llevarse a cabo es el de dar comunicación a las y los interesados (32), para que puedan personarse en el procedimiento. La presentación de la aseguradora en el procedimiento es importante, no sólo por la obligación contractual que nos une a ella sino para que se le pueda citar como codemandada en un posterior proceso judicial. Además, es de gran utilidad a la hora de contactar con la persona interesada y llegar a acuerdos con ella.

El plazo de resolución es de seis meses, salvo que se acuerde que se siga por los trámites del procedimiento abreviado, que es de treinta días. A los seis meses se les debe restar el tiempo que ha tardado en subsanar los defectos desde que se le hubiesen advertido.

El sentido de la resolución presunta es negativo; de forma que si concluido el plazo no se ha dictado resolución expresa debe entenderse que la reclamación ha sido desestimada. El órgano instructor debe comunicar a la persona interesada el día en que se produce ese silencio negativo y que debe entender que se ha producido la desestimación.

Como ejemplo de determinación del término par dictar resolución expresa:

— Fecha de reclamación 5 de junio de 2010

— Requerimiento para subsanación 28 de junio de 2010

— Escrito de subsanación 12 de junio de 2010

— Fecha en que se entenderá denegado si no hay resolución expresa 20 de diciembre de 2010

Si alguno de los elementos de la reclamación no hubieran podido determinarse,, debería entenderse que el plazo comienza en el momento en que se puedan determinar; sin perjuicio de que entre tanto se tramite la reclamación. De este modo, es conveniente, aunque aún no se disponga de todos los datos, proceder a realizar actos como la práctica de la prueba o, incluso, reconocimiento médico pericial.

---

(32)   Entre los que puede encontrarse la compañía aseguradora de entidad.

18. PRESCRIPCIÓN

La LRJ dispone que el derecho a reclamar prescribe al año de producido el hecho o el acto que motive la indemnización o de manifestarse su efecto lesivo (33). Puede considerarse difícil que en el ámbito de este servicio se manifieste el efecto lesivo con posterioridad al hecho que motiva la reclamación, ya que un accidente en la instalación deportiva produce inmediatamente ese efecto lesivo.

Añade el citado precepto que en caso de daños de carácter físico o psíquico a las personas, el plazo empezará a computarse desde la curación o determinación del alcance de las secuelas. Se recogía, de esta forma, en el texto legal una doctrina instaurada por la jurisprudencia, de forma que en las lesiones en que hubiera una baja, el plazo de prescripción no correría hasta la curación.

A este efecto los tribunales de justicia han declarado que la existencia de esos días de baja no impeditivos debe ser acreditada por el interesado. De esta forma, si la reclamación se extiende a días no impeditivos, una vez concluida la baja por enfermedad (días impeditivos), como consecuencia de un periodo de rehabilitación; puede ocurrir que no se considere que las secuelas se hayan estabilizado con tanta posterioridad y, de esta forma, se iniciaría antes el periodo de prescripción (34).

Por otra parte, la resolución administrativa de estos procedimientos pone fin a la vía administrativa, sólo cabe recurso contencioso-administrativo o, en su caso, recurso de reposición. Concluido el procedimiento con una resolución desestimatoria, aún sin haber transcurrido el plazo de un año desde que se pudo ejercitar la acción; no procede ejercer una nueva reclamación ante la Administración. En todo caso, puede interponerse recurso de reposición con carácter potestativo.

De esta forma, la jurisprudencia ha entendido que una segunda reclamación no interrumpe el plazo de interposición del recurso contencioso-administrativo (o, en su caso, el de reposición) y la persona interesada puede, por su actuar indebido, dejar caducar la acción judicial.

Hay que entender acertada esta doctrina, ya que esta reiteración no esconde sino un negligente actuar de la o el administrado que ha dejado transcurrir los plazos para ejercer los recursos que le brinda la Ley. Se parte del supuesto de que la Administración se ha pronunciado sobre un determinado asunto y aún no ha transcurrido el plazo de prescripción. Para combatir esta manifestación de voluntad se deben de utilizar los procedimientos de revisión o recurso previstos en la Ley. No cabe reiterar que la Administración se vuelva a pronunciar sobre el mismo

---

(33)   Artículo 142.
(34)   STSJ País Vasco 19.12.2006.

asunto y por el mismo procedimiento, aprovechando que aún no habría prescrito la acción de reclamación.

La figura de la prescripción resulta, en apariencia, de suma claridad, ya que sólo consiste en dejar de transcurrir un año desde que la curación. Pero muchas veces no resulta tan sencillo determinar la fecha en que empieza a contar. Me gustaría recomendar que, a salvo de supuestos que pudieran resultar evidentes, se tramitara la reclamación como una más; con todos sus trámites, su periodo de prueba y audiencia. Posteriormente, en la resolución podremos desestimar la reclamación como consecuencia de haber prescrito la acción y, a mayor abundamiento, podremos pronunciarnos sobre el resto de las circunstancias.

También hay que tener en cuenta que la prescripción de la acción no altera los requisitos que se exigen para la admisión a trámite de la reclamación (relación de causalidad, lesiones, evaluación económica y momento en que se produjo la lesión) por lo que una reclamación ya prescrita debería ser admitida y tras su tramitación ser desestimada.

Pero además, si la reclamación es desestimada sin tramitarla; es decir, sin dar oportunidad para la determinación, conocimiento y comprobación de los datos en virtud de los cuales deba pronunciarse la resolución; puede ocurrir que en vía contenciosa no se aprecie la prescripción y no pueda disponerse, en consecuencia, de esa oportunidad que brinda la Ley para averiguar los hechos en el procedimiento administrativo. De esta forma, se llegaría al proceso judicial en desventaja frente al interesado o a la interesada.

19. LA PRUEBA EN LOS PROCEDIMIENTOS DE RESPONSABILIDAD PATRIMONIAL

El elemento de la prueba es uno de los que caracteriza al procedimiento de responsabilidad. La LRJ establece en el artículo 80.2 que se acordará la apertura de un período de prueba en los supuestos siguientes: Cuando la Administración no tenga por ciertos los hechos alegados por los interesados. Cuando la naturaleza del procedimiento lo exija (35).

Hay que dejar claro que la propia naturaleza del procedimiento de responsabilidad patrimonial exige la existencia de una prueba, toda vez que esa responsabilidad nace de un hecho no reglado, es decir, no previsto expresamente en la normativa, cuyas causas y consecuencias no están descritas previamente; en consecuencia es fundamental la necesidad de que lo que se alega quede acreditado y documentado.

---

(35)   Artículo 80.

Al justificar la necesidad de prueba de los hechos que motivan la responsabilidad patrimonial de la Administración, suele hacerse referencia al principio de legalidad, al que se encuentra sometida la actuación de la Administración pública, ya que consecuencia del mismo cabría extraer el que toda resolución administrativa debe encontrar adecuado sustento en el presupuesto de hecho contemplado expresamente por la norma; de forma que si ese hecho presupuesto no queda acreditado la Administración carece de legitimación para actuar.

Pero además, el propio Reglamento de los procedimientos de responsabilidad patrimonial convierte a la prueba como uno de los elementos que debe acompañar a la reclamación. Señala este precepto que «La reclamación irá acompañada de cuantas alegaciones, documentos e informaciones se estimen oportunas y de la proposición de prueba, concretando los medios de que pretenda valerse el reclamante» (36).

Del Reglamento se desprende, por tanto, la obligación de la o del reclamante de desvelar ante la Administración reclamada mediante qué forma va a acreditar ante ella los hechos en los que se basa su solicitud. Si no señala esos medios o lo hace de forma incorrecta o insuficiente, se le debe de requerir para que subsane este defecto; ello en la misma forma y plazo que en los otros elementos de la reclamación.

Por supuesto, la jurisprudencia también contempla la obligación de realizar una actividad probatoria para la plena acreditación del presupuesto fáctico que se invoque, a fin de que se declare la responsabilidad de la Administración.

20. HECHOS A LOS QUE DEBE REFERIRSE LA PRUEBA

La LRJ dispone que los hechos relevantes para la decisión de un procedimiento podrán acreditarse por cualquier medio de prueba admisible en Derecho (37). Los hechos que deben ser objeto de prueba son los que van a fundar la resolución del procedimiento, con el fin de que estos hechos estén desprovistos de incertidumbre. Esto le diferencia en parte del proceso judicial, ya que en éste son los hechos controvertidos. Según a quien corresponda acreditar los hechos relevantes para la decisión, puede hacerse la siguiente distinción:

A) Interesado que debe aportar las pruebas para justificar lo siguiente la efectividad del daño, es decir las lesiones alegadas, su realidad y concreción, la relación de causalidad, que el daño se produjo por funcionamiento de los servicios; para lo cual la persona interesada deberá acreditar los hechos en los que ha basado su reclamación y la debida relación causa efecto; por otra parte puede ser necesario

---

(36)   Artículo 6.
(37)   Artículo 80.

que la necesidad de prueba se extienda a ciertos elementos de la valoración de la indemnización o del momento en que se produjo la lesión. De la misma forma deben acreditarse las ganancias dejadas de obtener (38).

No debe olvidarse que la o el interesado debe acreditar para poder ser admitida su reclamación otros elementos como el de su representación.

Si se considerase necesario acreditar estos hechos alegados por la persona interesada y del escrito de reclamación no se desprenden los medios de prueba de que intenta valerse, deberá requerírsele al interesado para que subsane ese defecto.

B) A la Administración le corresponderá acreditar, en su caso, la existencia de fuerza mayor; la intervención o culpa del perjudicado o perjudicada y la intervención o culpa de tercera persona

21. EXCEPCIONES A LA OBLIGACIÓN DE ACREDITAR

21.1. Hechos admitidos por el interesado

Los hechos admitidos por el propio interesado tienen virtualidad, principalmente, en procedimientos sancionadores. En los procedimientos de responsabilidad patrimonial podrían ser admisibles los hechos que eximieran o atemperaran la responsabilidad de la Administración.

Son varios los sistemas y métodos mediante los que puede producirse la admisión por la persona interesada de hechos relevantes para la resolución. Puede derivar del propio contenido de la reclamación, o en algún otro escrito en el que se haya dirigido a la Administración. De esta forma, en una solicitud en la que al reclamar relata que le han sustraído sus pertenencias de la taquilla, como consecuencia de que al ir a nadar a la piscina había dejado la llave del armario junto a la toalla ya que la goma con la que se sujeta esa llave a la muñeca le molesta, con lo que posteriormente, al volver, la llave había desaparecido; está admitiendo, en este caso, su negligente proceder al no llevar atada la llave a la muñeca.

Podemos pensar en una búsqueda de la admisión de los hechos por parte del o de la interesada no espontánea sino pretendida por la propia Administración.

Antes del procedimiento, en previsión de una posible reclamación. Puede plantearse el supuesto en el que tras sufrir un accidente se le realiza una cura en la propia instalación, en un botiquín o recinto adecuado para ello y por personas vinculadas a la propia instalación, y que al redactar el parte o informe de asistencia, dejan a la persona accidentada que rellene ella el apartado de cómo se produjo el accidente.

(38)   No solo a supuestos meramente posibles sino también de resultados inseguros.

Durante el procedimiento. Declaración de la persona interesada antes de la sucesiva declaración de las o los testigos por ella propuestos.

El primer supuesto, real por otra parte, evidencia desde mi punto de vista el deseo de quienes gestionan de la instalación de conseguir una declaración por parte de la persona accidentada sobre los hechos y, en consecuencia, utilizarlos si se considerasen exculpatorios. No parece que la declaración de alguien que se ha accidentado en ese momento pueda considerarse espontánea o reflexiva. La o el accidentado, en ese momento y tras ser curado, no está para pensar en ninguna reclamación y puede que no haya analizado de forma adecuada qué ha ocurrido. Por tanto, no debería aceptarse, sin más, que se produzca una admisión de los hechos, si una posterior reclamación difiere de lo declarado por entonces.

En el segundo caso sí debe considerarse una admisión de los hechos. Efectuada la reclamación, la persona interesada se encuentra en un procedimiento administrativo, conoce sus efectos y que la actuación de la administración está orientada a investigar sobre lo que ha sucedido y le pide que se lo cuente. En algún supuesto se ha negado a declarar e incluso ha invocado la incorrección de esta actuación; porque lo ha entendido como un intento de preconstituir prueba para el contencioso. Ello no es así, porque la Administración está obligada a determinar, conocer y comprobar los datos para pronunciar la resolución mediante cualquier medio de prueba (39), y entre esos medios se encuentra, indefectiblemente, la declaración de la o del interesado sobre las preguntas o aclaraciones que le formule la Administración, con relación los hechos.

Por último, en algún informe, la comisión asesora de Euskadi ha señalado que pueden ser entendidos como admitidos por la Administración determinados hechos; como es en el caso de que no se haya realizado el informe que exige el artículo 10 del reglamento de los procedimientos de responsabilidad. Entiendo que no; los hechos deben ser acreditados por la persona interesada y la falta de ese informe puede constituir un incumplimiento de la Administración en el procedimiento. Evidentemente, en el proceso contencioso posterior la Administración deberá pronunciarse, porque en caso contrario el Juzgado sí puede tener por acreditados esos hechos ante ese silencio.

21.2. Hechos notorios

Son hechos notorios aquellos en los que por ser de público conocimiento, no es necesaria la prueba para tenerlos por admitidos. La Administración deberá explicar en su resolución de donde proviene la notoriedad y el general conocimiento de un hecho.

---

(39)   Artículos 78 y 80.

Un hecho que muchas veces se intenta dar por notorio es el estado resbaladizo del suelo en instalaciones municipales deportivas o de recreo, que es causa de resbalones por parte de los usuarios y las usuarias. Así de los medios recogidos a continuación, se desprende esa opinión:

No obstante, en primer lugar, puede entenderse que esa notoriedad traslada al usuario o usuaria la responsabilidad de poner cuidado en esas zonas. Así los tribunales han declarado que en todo caso existe un deber de cuidado por parte de los usuarios de la instalación para evitar posibles resbalones ala salida de la ducha, lo que sugiere una posible negligencia para evitar posibles resbalones a la salida de la ducha, lo que sugiere una posible negligencia de la víctima que rompe el posible nexo causal de la Administración. A tal conclusión se llega con independencia de quien efectuara la limpieza de las instalaciones, Sociedad Deportiva o Administración Municipal, aunque la prueba practicada permite deducir que tal limpieza se realizaba por el Ayuntamiento (40).

Los Programas oficiales de: detección de accidentes domésticos y de ocio (41) del Instituto Nacional de consumo del Ministerio de Sanidad y consumo, que realiza informes anuales disponibles en internet. De esos informes se deduce que las caídas en el mismo nivel (tropezón y resbalón) es el caso de accidentes domésticos más importante. También se repite en varios años los mismo resultados; así, es el domicilio en donde se producen más accidentes, también que son las mujeres quienes sufren más accidentes y que el porcentaje de accidentes dentro del segmento de edad de cuarenta y cinco a sesenta y seis años que sufren las mujeres; es casi el doble que el correspondiente al de los hombres en ese mismo segmento. Bien es cierto que una tendencia ha sido la elevación de la siniestralidad en los hombres de veinticinco a cuarenta y cuatro años.

Es decir, en los accidentes motivados por resbalones intervienen determinadas características que pueden catalogarlo como estadísticamente probable. Por otra parte también está estadísticamente demostrada la mayor probabilidad de que ocurran accidentes domésticos y de ocio en esas circunstancias; independientemente de la existencia de factores externos Por ello, si cupiera pensar que estamos ante un hecho notorio, cuando la Administración ha puesto todas las medidas necesarias para que el pavimento resulte adecuado, u otras medidas necesarias como barandillas en el caso de escaleras; parece altamente injusto socializar un daño sufrido por una persona por un accidente a quien es probable que le pueda ocurrir en su domicilio o en la calle. Se daría la paradoja de que si ocurriera el mismo percance en la casa de un amigo, no nacería esa responsabilidad, pero si le ocurre en el vestuario de una piscina municipal sí.

---

(40)   STSJ Navarra 15.10.2003.
(41)   D.A.D.O.

En segundo lugar, no puede entenderse pacífico considerar como notorio que un suelo mojado tenga que ser resbaladizo y la mayoría de las sentencias al respecto atribuyen la prueba de tal hecho a la persona interesada, exculpando a la Administración gestora del polideportivo en el caso de que la o el interesado no logre acreditar que la lesión se ha producido como consecuencia del estado resbaladizo.

Los tribunales se han manifestado en relación a esta notoriedad relativa a los suelos en mal estado del siguiente modo «...considera la parte actora en su demanda que cualquier suelo encharcado, del material que sea, se convierte en altamente deslizante, lo que para dicha parte es una cuestión de mero sentido común, sin que parezca necesario que la afirmación sea refrendada por ningún experto. Frente a ello, sin embargo, nosotros consideramos, en general, que la indicada afirmación no es un hecho notorio por lo que está necesitado de prueba; y, en particular, pensamos que deben de tenerse en cuenta las circunstancias concurrentes, siendo lo cierto que las que han resultado probadas acreditan, por un lado que el suelo del lugar está en perfectas condiciones de mantenimiento y, por otro lado, que las baldosas empleadas son antideslizantes, de donde debemos de concluir que ninguna prueba hay de que un suelo encharcado tenga que ser resbaladizo y que nada hay que nos permita suponer siquiera de manera indiciaria que el día de autos el tramo que comunica las duchas con los vestuarios del polideportivo estuviese resbaladizo» (42).

Como ejemplo adicional de hecho notorio podemos incluir el supuesto en que se alegue que un día concreto llovía lo que añadido a la existencia de grietas en cubiertas hacía resbaladizo el suelo. Pero el hecho de que un día concreto haya llovido deja de ser notorio al día siguiente; por lo que debe acreditarse mediante algún medio de prueba. En estos casos lo más conveniente es pedir los correspondientes informes al servicio de meteorología. No se suelen aportar por la o el interesado, pero es siempre interesante que dispongamos de ellos, por lo que es conveniente que quien instruye el expediente lo pida directamente.

No sólo de las precipitaciones, ya que puede ser interesante solicitar información de la dirección y fuerza del viento; como en los casos de accidentes en frontones que teniendo bien la cubierta su suelo se hallaba mojado como consecuencia de la lluvia arrastrada por el viento, por la parte abierta de la cancha.

21.3. Hechos que constan en la administración

No es necesario para el interesado o interesada acreditar los hechos que consten en la Administración; así la LRJ señala el derecho de los ciudadanos a no presentar documentos no exigidos por las normas aplicables al procedimiento de

---

(42)   STSJ País Vasco de 23.7.2006.

que se trate, o que ya se encuentren en poder de la Administración actuante, por ejemplo si se estuvieran llevando a cabo determinadas obras por la Administración concernida, ésta, una vez realizado el requerimiento por parte de la persona interesada, deberá aportar los documentos solicitados (43).

21.4. Presunciones

Las presunciones no utilizan una persona o una cosa, sino un acontecimiento. La Jurisprudencia ha reconocido la posibilidad de que un hecho pueda ser deducido a partir de otro previamente demostrado dentro del procedimiento administrativo; se requiere que entre el hecho demostrado, el hecho base, y aquel que se trata de deducir a partir de aquel, exista un enlace preciso y directo no basado en meras conjeturas y apoyado en reglas de criterio humano.

En el caso de resbalones, se ha producido alguna sentencia de jurisprudencia civil menor por la que en reclamaciones de responsabilidad como consecuencia de resbalones en interior de vestuarios y lavabos de instalaciones deportivas en donde se han producido posteriores obras de cambio de pavimento; tales obras le han servido al juez para presumir el estado deficiente previo del pavimento y, en consecuencia, condenar a la Administración en una sentencia el tribunal estimó la reclamación porque la caída al suelo de la menor a la entrada de los vestuarios de la piscina se debe al material empleado en el pavimento, resbaladizo con suelo mojado y, por ello, no idóneo en una piscina", añadiendo que "prueba contundente, de ello, es su sustitución poco tiempo después del evento dañoso" (44).

Suele ser frecuente que en las reclamaciones, las personas interesadas aleguen que han sufrido un accidente y que posteriormente la Administración ha procedido a realizar unas obras en el lugar; por lo que entienden que se produce un reconocimiento de una deficiencia previa que ha procedido a subsanar con esa obra. Si no es cierto que se han producido las obras habrá que hacerlo constar en la resolución y negar ese hecho alegado.

En el caso de que sí se hubieran realizado obras posteriores a la producción del accidente, lo procedente es analizar las causas de las obras para ver si éstas han obedecido a un deficiente estado de los vestuarios o de la cancha deportiva. Si no guardan relación deberá hacerse constar y acreditar expresamente mediante informe del personal técnico. En otro caso, lo recomendable sería una terminación convencional, que estaría fundada en esa presunción del estado deficiente que las obras posteriores nos ofrecen.

---

(43)   Artículo 35 f).
(44)   STSJ Galicia de 25.3.2004.

Otra cuestión a tener en cuenta es cómo actuar una vez conocido un accidente o efectuada una reclamación, si hubiéramos planeado una obra de reparación o el cierre de una instalación En estos casos resulta difícil decidir; ya que por un lado hay que contar con la posibilidad de que se presuma el mal estado o al menos la creación de un riesgo superior al que se debe exponer a las personas. Por otro lado, se deberá valorar el riesgo que existe verdaderamente y si se puede repetir. Lo que es importante es que quien vaya a decidir tenga a su disposición todos los estudios técnicos previos de esa obra para conocer verdaderamente las causas que motivaron esas obras.

Otro supuesto en el que las y los interesados suelen apoyarse es el de la repetición de los mismos hechos. Alegando que ha sufrido un accidente en un sitio determinado y que ha habido antes varios accidentes por la misma causa y quejas por parte de los usuarios y usuarias; pretende de esta forma dar por acreditado que el lugar tenía defectos que han sido la causa del accidente que ha sufrido. En varios procedimientos, incluso, han solicitado que se incorporen testimonio de esos accidentes, procedimientos o quejas anteriores.

En este caso, creo que es la propia persona interesada quien deberá indicar a qué accidentes, procedimientos y quejas se refiere; es decir, no puede pretender que la Administración vaya buscando entre sus papeles tales antecedentes, de acuerdo con la establecido en la propia LRJ que impide a los particulares ejercer el derecho al acceso a archivos y registros mediante una solicitud genérica o conjunto de materias (45). Aún así, cuando se solicite por parte de la persona interesada la incorporación al expediente de los documentos de procedimientos individualizados que entienda repetidos, se tendrá en cuenta que se refieren a otros supuestos y que no supone presumir la existencia del hecho alegado.

22. FORMULARIO PRÁCTICO

Informe en caso de accidente producido en dependencia de una Administración Pública

Con fecha diez de marzo de 2010 ha tenido entrada en el Registro de [.../...] un escrito de doña [.../...], en reclamación de responsabilidad patrimonial.

Señala la Sra. [.../...] que el 18 de marzo de 2010 sufrió un accidente en la piscina cubierta del Polideportivo Municipal [.../...], al sufrir un episodio diagnosticado de cuasi ahogamiento por el servicio de urgencias del Hospital [.../...] a donde fue trasladada desde el servicio de reanimación del mismo centro, debido a que cuando se encontraba en la piscina sintió una sensación de frío y debilidad

---

(45) Artículo 37.

general, con posterior pérdida de conocimiento, siendo rescatada por un bañista D. [.../...], ante la inactividad del servicio de salvamento de la piscina, sin poder determinar el tiempo que estuvo inconsciente bajo el agua.

Que tal accidente le ha causado baja hospitalaria desde el 18/03/2010 al 28/03/2010, encontrándose en la actualidad de baja médica y pendiente de que se le realicen diversas exploraciones por parte del servicio de cardiología del Hospital [.../...], añadiendo que en el momento del accidente tenía 62 años de edad y no había presentado hasta entonces episodio o síntoma de enfermedad o baja a consecuencia de problemas cardiacos.

Realiza determinados argumentos y propone determinados medios probatorios.

Concluye con la Solicitud de que se dicte resolución o acuerdo indemnizatorio por el que se reconozca el derecho de ser indemnizada en la cuantía de 15.000 euros, a consecuencia de baja y secuelas permanentes ocasionados a su salud física.

Por lo tanto, dentro de los requisitos que el artículo 6 del Real Decreto 429/1993 y concordantes disponen para poder ser admitida la reclamación, en opinión de quien suscribe faltaría que la persona interesada especificara las siguientes circunstancias:

Proposición de prueba: toda vez que dentro de los medios de que pretende valerse la persona reclamante para acreditar los hechos causantes del daño y de la presunta relación de causalidad; carece de la relación de preguntas que pretenda realizar al testigo propuesto. Ello en virtud del artículo 638 de la Ley de Enjuiciamiento Civil, que ordena acompañar al escrito solicitando la admisión del medio de prueba testifical el interrogatorio que contenga las preguntas a realizar a los testigos.

Por lo expuesto, procede en virtud de los artículos 70 y 71 de la Ley 30/1992 de Régimen Jurídico de las Administraciones Públicas y del Procedimiento Administrativo Común, requerir a la persona interesada para que en un plazo de diez días señale tal circunstancia, con indicación de que, si así no lo hiciere, se le tendrá por desistida su petición, archivándose sin más trámite

Por ello se propone la adopción de la siguiente Resolución:

«Vista la reclamación de la Sra. [.../...], de 18 de marzo de 2010, que ha tenido entrada en la Institución [.../...] con fecha de 20 de marzo de 2010, en virtud de lo dispuesto en los artículos 70 y 71 de la Ley 30/1992 de Régimen Jurídico de las Administraciones Públicas y el Procedimiento Administrativo Común y el artículo 6 del Real Decreto 429/1993, que aprueba el Reglamento de los procedimiento de las Administraciones públicas en materia de responsabilidad patrimonial, vengo en requerir a la persona interesada para que en un plazo de diez días especifique lo siguiente:

Proposición de prueba; toda vez que dentro de los medios de que pretende valerse la persona reclamante para acreditar los hechos causantes del daño y de la presunta relación de causalidad; carece de la relación de preguntas que pretenda realizar al testigo propuesto para ello. Ello en virtud del artículo 638 de la Ley de Enjuiciamiento Civil, que ordena acompañar al escrito solicitando la admisión del medio de prueba testifical el interrogatorio que contenga las preguntas a realizar a los testigos.

Con advertencia de que, si así no lo hiciere, se le tendrá por desistido de su petición, archivándose sin más trámite.»

No obstante, [.../...] adoptará la resolución que más justa y oportuna considere. Fecha firma.

23. PERÍODO DE PRUEBA

La LRJ regula la fase de prueba en dos artículos (46) sobre medios y periodo de prueba y la práctica de la prueba.

Las peculiaridades del trámite de prueba en el procedimiento de reclamación de responsabilidad civil a las administraciones públicas se concretan en el establecimiento de un periodo ordinario para la práctica de las mismas, que se cifra en treinta días, durante el que se practicarán las pruebas declaradas pertinentes. Cabe asimismo un periodo extraordinario para la práctica de prueba, que se abrirá potestativamente por el órgano instructor a petición de los interesados.

El objeto de la prueba en el procedimiento de reclamación de responsabilidad son los hechos que resulten relevantes para la resolución; algunos de ellos aunque sean importantes para la decisión pueden estar exentos de prueba, como, por ejemplo, los denominados hechos notorios, los hechos admitidos por todas las partes del procedimiento (47) o bien los hechos declarados probados por sentencia firme que sea vinculante en un procedimiento concreto.

La norma reglamentaria precisa que se practicarán necesariamente las pruebas propuestas por los interesados salvo que éstas resulten manifiestamente improcedentes o innecesarias lo que se resolverá motivadamente, precisión ésta innecesaria por reiterativa, ya que tales extremos vienen específicamente establecidos por las reglas generales de procedimiento.

La cuestión fundamental del trámite de prueba es dejar acreditada la exactitud o inexactitud de los hechos que sirven de fundamento a la decisión final del procedimiento. La prueba debe referirse exclusivamente a los hechos, en consecuencia

---

(46)   Artículos 80 y 81 LRJ.
(47)   Hechos no controvertidos.

no es necesario probar la vigencia de las normas jurídicas en que deba fundarse la resolución; no obstante si que sería objeto de prueba la aplicación de normas consuetudinarias o derecho especial no publicado en diarios oficiales (48).

La práctica de la prueba se abre a instancia del instructor del procedimiento, siempre que la administración no tenga por ciertos los hechos alegados por los interesados o cuando la naturaleza del procedimiento lo exija, ahora bien las pruebas que deban practicarse en el procedimiento de reclamación de responsabilidad puede acordarlas la administración de oficio o a solicitud del interesado, por ello el instructor del procedimiento solo puede rechazar las pruebas que proponga el interesado, en tiempo y forma, cuando resulten manifiestamente improcedentes o innecesarias (49), teniendo en cuenta que una prueba debe considerarse pertinente siempre que su finalidad sea acreditar un hecho relevante, útil o necesaria para la resolución final y es muy reiterada la jurisprudencia que tiene declarado que es preferible incurrir en exceso en cuanto a la admisión de pruebas por el interesado a su denegación por causas indebidas o insuficientes, por otra parte hay que tener en cuenta que la diligencia de inadmisión debe quedar suficientemente motivada en el expediente.

Como quiera que la LRJ contiene normas concretas sobre reparto de la carga probatoria, en esta materia se viene utilizando la derivada de la práctica judicial en el proceso civil que regula la Ley de Enjuiciamiento Civil y que se concretan en que incumbe probar cada hecho a la parte que lo alegue en su beneficio y no a quien lo niega, en relación con el momento de la práctica de la prueba la LRJ prevé la apertura de un periodo formal de prueba ahora bien como se ha señalado al principio en el procedimiento de reclamación de responsabilidad civil se establece un periodo ordinario para la práctica de la prueba de treinta días, durante el que se practican las pruebas declaradas pertinentes; sin embargo también cabe un periodo extraordinario para la práctica de prueba, que puede ser potestativamente abierto por el órgano instructor a petición de los interesados. Lo habitual es que el trámite de prueba tenga lugar después del acuerdo de incoación y de las primeras alegaciones del interesado y una vez emitida la diligencia del instructor sobre la pertinencia de las pruebas, en este trámite pueden practicarse todas las pruebas que no sean documentales (50), dado que los documentos puede aportarlos el interesado en cualquier momento procedimental en virtud del derecho de acceso permanente al procedimiento que tiene todos los interesados en el mismo.

---

(48) Suelen encontrarse supuestos de este tipo en procedimientos de reclamación responsabilidad a las administraciones públicas, entre otros, en el ámbito de las actividades deportivas.
(49) Artículo 80.1 LRJ.
(50) Es decir el interrogatorio a las partes, las declaraciones de testigos, las pruebas de peritos, los careos y exámenes contradictorios, las inspecciones oculares, auditivas, olfativas, etc.

La LRJ dispone la necesidad de que el instructor notifique, con antelación suficiente, al interesado el lugar, fecha y hora donde se procederá a la práctica de prueba en el procedimiento, señalando expresamente la posibilidad de que los interesados concurran con técnicos para que les asistan en la práctica de la prueba, que financiarán a su costa.

Los importes de los gastos que se causen por la práctica de las pruebas que no deba soportar la Administración pueden exigirse por anticipado a quien haya solicitado la practica de la prueba, practicándose una liquidación provisional de gastos y una vez concluido el trámite probatorio se practicará una liquidación definitiva que acredite la realidad y cuantía de los gastos.

24. MEDIOS DE PRUEBA

La LRJ dispone, en su artículo 80, que los hechos relevantes para la decisión de un procedimiento podrán acreditarse por cualquier medio de prueba admisible en Derecho, que por lo general pueden ser los siguientes:

— Interrogatorio de las partes.

— Testimonio o prueba testifical.

— Prueba pericial. En que pueden intervenir peritos de la propia Administración actuante o peritos particulares.

— Prueba documental tanto basada en documentos públicos como privados.

— Prueba mediante soportes físicos de la imagen o el sonido o mediante soportes informáticos.

— Prueba de inspección ocular.

— Prueba de presunciones

Continuación se examinan los medios de prueba más utilizados en la práctica habitual de la Administración, cuando se tramitan procedimientos de reclamación de responsabilidad.

25. PRUEBA TESTIFICAL

Es un medio que puede resultar muy útil para acreditar la relación de causalidad en este tipo de reclamaciones y, posiblemente, el único posible en una multitud de casos. Como es evidente, no queda constancia documental de los accidentes deportivos que se producen y sólo pueden ser acreditados mediante la prueba testifical.

Por lo general en la práctica habitual los órganos de la Administración suelen ser reacios a admitir la prueba testifical en los procedimientos formulados ante ellos salvo en los casos de iniciación de oficio (51) y los que estime que esta prueba es verdaderamente necesaria para dictar Resolución. En cualquier caso el instructor puede formular las preguntas que estime oportunas a las que el interesado podrá repreguntar. Esta comparecencia puede hacerla el interesado personalmente, mediante representante o técnico sin que sea precisa expresa designación.

Cuando un interesado considere necesaria la prueba testimonial de determinadas personas, conviene que si es posible, aporte la declaración en un acta notarial de presencia, unida al escrito de presentación o mediante un escrito específica para este fin.

En casos de practica de prueba a instancia de una de las partes tampoco es precisa la previa presentación de pliego de posiciones o repreguntas (52) que los interesados deben indicar al instructor las que estiman oportuno que deban hacerse, no obstante si el interesado quiere presentar voluntariamente el pliego de preguntas debe admitirse.

En el acta que se levante por el instructor pueden hacerse constar las propuestas sobre la inconveniencia de las preguntas y repreguntas o su formulación si se considera oportuno.

En la práctica judicial tradicionalmente se ha exigido que la práctica de prueba testifical viniera acompañada por un escrito de preguntas (53); de forma que éstas venían definidas antes de la práctica, pudiendo plantear previamente sus repreguntas la parte contraria. Esta disposición no se encuentra en la nueva Ley de Enjuiciamiento Civil, de forma que la formulación de esas preguntas en el proceso judicial se realiza en el mismo acto de práctica de la prueba.

A pesar de alguna práctica contraria a exigir esa formulación previa en el procedimiento administrativo la opinión mayoritaria para admitir esta prueba es exigir la formulación por parte del o de la interesada de una relación escrita de preguntas que el instructor vaya a realizar a las y los testigos propuestos.

Como fundamento legal puede alegarse la propia LRJ (54) que dispone que el procedimiento administrativo debe impulsarse de oficio en todos sus trámites. Aplicado este principio al trámite de prueba, cuando ésta sea testifical, implica que es la Administración quien debe realizar las preguntas a las y los testigos propuestos por el interesado o interesada, sin que quepa por lo tanto la realización

(51)   Procedimiento sancionador.
(52)   Que el instructor no puede exigir.
(53)   Pliego de posiciones.
(54)   Artículo 74.1.

inmediata en el momento de la práctica de dicha prueba, por la persona interesada y sin conocimiento de la Administración.

Además, la posibilidad de que en el momento de la práctica probatoria sea el interesado quien realice las preguntas, produciría un desconocimiento de los extremos sobre los que pretende hacer declarar a quien testifica y perturbar la investigación de los hechos que debe realizar la Administración para una correcta resolución conforme a todos los hechos que verdaderamente han ocurrido. Hay que tener en cuenta que el procedimiento de reclamación de responsabilidad no es un proceso judicial en que cada parte vela por sus intereses, se trata de un procedimiento administrativo que tiene todas las garantías del impulso de oficio a favor de los interesados. En los supuestos en que no se aporte esa relación, es aconsejable no admitir el medio de prueba testifical y como consecuencia, en muchas ocasiones, procede archivar el expediente porque no haya más pruebas.

Una vez obtenidas las preguntas para su formulación se transcriben en un modelo documental, junto a las preguntas que vayan a ser formuladas por quien instruye del procedimiento, a un archivo de ordenador, de forma que cuando se tenga en frente a la o al testigo se pueda ir preguntando y transcribiendo así las respuestas inmediatamente en el documento informático.

Además de hacer preguntas, es conveniente usar planos y fotos, y tanto a la persona interesada como a quienes testifican se les requerirá que señalen con flechas, borrones o signos determinadas circunstancias que la o el interesado alegue; por ejemplo, cómo transcurría el juego, qué dirección llevaba en el momento del accidente, dónde se encuentra el sitio donde el pavimento es inadecuado; etc.

Se producen verdaderamente hechos curiosos. Una vez, en una reclamación de una persona que había chocado contra la red metálica que delimita la cancha del frontón y evita que se vayan las pelotas hacia fuera, indicaba que había metido el pie en un agujero de la parte inferior de la valla y aportaba unas fotos en donde se veía efectivamente que varios engarces de la red con su apoyo inferior estaban rotos y se había producido un agujero en donde perfectamente cabe un pie; lo que otorgaba cierta verosimilitud a su reclamación. Pero este agujero se encontraba a la altura del número 8 del frontón y todas las respuestas a las preguntas como los dibujos que hicieron, tanto de quienes estaban prestando testimonio de los hechos como de la persona interesada coincidían en que el accidente se produjo a la altura de entre el número 2 y 3 en una jugada de dos paredes.

Una vez citadas, personadas e identificadas las personas que actúan como testigos, junto a la interesada, se les acompaña a un sitio aparte (55) para llamarlas sucesivamente. A la primera que se le llama es evidentemente a la interesada porque

---

(55)   Habitación o sala.

puede estar en el resto de las declaraciones y en otro caso contaría entonces con la ventaja de conocer por dónde van a ir las preguntas que formula la Administración.

Si la persona interesada o quien le asista o le representa quiere hacer otra pregunta, puede permitírsele pero debe obligársele a que lo redacte por escrito en ese mismo acto y lo presente a la o al instructor, a fin de que conste en el expediente y es este quien hace la pregunta. Sólo cabrían nuevas preguntas que tuvieran que ver con las ya formuladas, a fin de aclarar o precisar lo que se ha comentado. No podrán referirse a hechos nuevos no alegados en el expediente hasta entonces y que modifiquen la relación de causalidad. Conviene tener alguna persona de la entidad pública que acompañe al instructor en este acto. Hay que tener en cuenta que quienes testifican, son normalmente personas relacionadas con la persona interesada y en algunos casos en el momento de firmar pueden desdecirse de lo que han dicho durante el interrogatorio. Si ocurre esto, el instructor y su acompañante deberán hacerlo constar en el expediente. A diferencia de la postura procesal del juez civil, la Administración Pública está obligada a comprobar e investigar. este deber implica que la administración está vinculada a incorporar al expediente la realidad de los hechos, tanto si perjudican como si benefician al interesado; actitud ésta que sería inusitada en un procedimiento judicial, en donde las partes acreditan lo que les conviene y procuran difuminar lo que les perjudica, todo ello ante la postura más pasiva del juzgador.

Esta persona de la Administración puede, si fuera preciso, ayudar a la hora de mantener el orden en la celebración del acto y para hacer constar cualquier circunstancia que haya ocurrido (por ejemplo caso de negativa a firmar, que haya cambiado la declaración, que la conducta de la persona interesada o alguien que le acompañe no haya sido la adecuada).

El modo de actuación práctica en la celebración de la prueba testifical se acomoda a los puntos siguientes:

a) Se cita con acuse de recibo a las y los testigos a la misma hora y día. En caso que se considere oportuno cabe citar también a la persona interesada, se le citará a la misma hora y día.

b) Se preparan las preguntas propuestas por el interesado incluyendo además las que sean necesarias, con objeto de ver si su declaración y la de quienes testifican coinciden y puede entenderse acreditada la relación de causalidad

c) Es preciso habilitar un espacio de espera mientras los primeros testigos van declarando.

d) Sucesivamente se llama a los testigos.

e) Se explica al testigo que ha sido citado como consecuencia de que se ha interpuesto una reclamación por responsabilidad patrimonial contra la Administración por el motivo que sea y que para demostrar los hechos le ha propuesto como testigo con el fin de realizar las preguntas propuestas.

f) Se le advierte que no tiene obligación de contestar, pero que está participando en un procedimiento de la Administración Pública.

g) También se le instruye para que además de las preguntas, indique las circunstancias relativas a planos, fotos, etc. que se le mostrarán.

h) Concluida la declaración, se le indica que abandone la dependencia administrativa; con objeto de que no pueda ponerse en contacto con quienes aún no han prestado declaración. Es conveniente tener preparado un modelo de justificante de asistencia para no perder tiempo, en caso que se necesite.

i) El interesado puede asistir a la testifical pero no se puede poner en contacto con la o el testigo y si quiere realizar alguna pregunta más, debe hacerlo por escrito para que lo formule quien está instruyendo el procedimiento.

j) Es importante colocar al testigo de forma que no tenga posibilidad de comunicarse ni visualizar a al interesado.

26. DECLARACIÓN DEL INTERESADO

Se cita a la o al interesado, a efecto de comprobar la relación de causalidad alegada de acuerdo con lo dispuesto en el artículo al artículo 85 de la LRJ que dispone que los actos de instrucción que requieran la intervención de las personas interesadas habrán de practicarse en la forma que resulte más cómoda para ellas y sea compatible, en la medida de lo posible, con sus obligaciones laborales o profesionales.

En un momento inmediatamente anterior a la declaración de los testigos, se toma declaración a la persona interesada sobre los mismos extremos por los que se va a interrogar a aquellos y aquellas.

En este acto, las y los interesados pueden actuar asistidos de asesor o asesora. La cita a la parte interesada, puede realizarse en la misma notificación de la resolución de admisión a trámite.

En esta resolución hay que consignar los extremos siguientes:

a. Quién es la persona que instruye del procedimiento.

b. Fecha en la que se debe entender por denegada la solicitud si no ha recibido resolución expresa. El plazo general es de seis meses desde la interposición de la reclamación, a lo que se deberá de sumarse el tiempo transcurrido desde el día en que se requirió la subsanación y el escrito de subsanación.

27. PRUEBA DOCUMENTAL

El Reglamento señala que la reclamación irá acompañada de cuantos documentos e informaciones se estimen oportunos (56). No obstante, la documentación podrá ser acompañada en cualquier momento del procedimiento hasta el trámite de audiencia inclusive.

También la Administración, en virtud de su obligación de determinar, conocer y comprobar los datos en virtud de los cuales deba emitirse la resolución podrá introducir documentos en el procedimiento a lo largo de su tramitación.

Así como los documentos aportados por la Administración se consideran auténticos; las y los particulares, deben aportar los originales o, en su caso, autenticar las copias que presentan con la exhibición del original. No obstante, será la persona que instruye el procedimiento quien con su sana crítica y criterio pondere la necesidad de esta actuación a la hora de valorar si la copia aportada de un documento debe tenerse en cuenta. Este tipo de prueba puede referirse a todos los documentos aportados en el procedimiento, cuyo contenido o veracidad hubiese sido negado, puesto en duda o cuando siendo falsos se haya guardado silencio sobre dicho extremo, o bien los documentos sobre los que se hubiera pedido certificación y no se hubiera librado, pues el trámite de la prueba documental no precisa de requisito alguno de solicitud ni autorización especial.

El procedimiento depende del tipo de documento teniendo en cuenta que si se trata de un documento público y obre en archivos de cualquier organismos de la Administración, debe solicitarse que se dirija oficio a éste a fin de que remita certificación, debe solicitarse así tanto en casos de que no se hubiese presentado copia o fotocopia y siempre que se hubiera negado o puesto en duda la autenticidad del documento presentado. Si el documento fuese privado, la prueba tienen más dificultad y el medio idóneo para demostrar su autenticidad sería que compareciera personalmente aquel de quien proceda a fin de reconocer su firma y exactitud, ante la resistencia de los órganos administrativos a la práctica de la prueba testifical, conviene aportar acta notarial de presencia que reconozca al documento como auténtico.

La prueba documental puede referirse a todos los documentos aportados en el procedimiento, cuyo contenido o veracidad hubiese sido negado, puesto en duda o cuando siendo falsos se haya guardado silencio sobre dicho extremo, o bien los documentos sobre los que se hubiera pedido certificación y no se hubiera librado, pues el trámite de la prueba documental no precisa de requisito alguno de solicitud ni autorización especial.

---

(56)   Artículo 6.º del Reglamento de los Procedimientos de las Administraciones Públicas en materia de responsabilidad patrimonial aprobado por Real Decreto 429/1993 de 26 de marzo.

El procedimiento depende del tipo de documento teniendo en cuenta que si se trata de un documento público y obre en archivos de cualquier organismos de la Administración, debe solicitarse que se dirija oficio a éste a fin de que remita certificación, debe solicitarse así tanto en casos de que no se hubiese presentado copia o fotocopia y siempre que se hubiera negado o puesto en duda la autenticidad del documento presentado. Si el documento fuese privado, la prueba tienen más dificultad y el medio idóneo para demostrar su autenticidad sería que compareciera personalmente aquel de quien proceda a fin de reconocer su firma y exactitud, ante la resistencia de los órganos administrativos a la práctica de la prueba testifical, conviene aportar acta notarial de presencia que reconozca al documento como auténtico. En lo que se refiere a la validez probatoria del documento electrónico recordemos que la LRJ establece que los documentos emitidos, cualquiera que sea su soporte, por medios electrónicos, informáticos o telemáticos por las Administraciones públicas, o los que éstas emitan como copias de originales almacenados por estos mismos medios, gozarán de validez y eficacia de documento original siempre que quede garantizada su autenticidad, integridad y conservación y, en su caso, la recepción por el interesado, así como el cumplimiento de las garantías y requisitos exigidos por las leyes (57).

28. PRUEBA PERICIAL

La prueba pericial no está sujeta a muchas reglas y es la que presenta menos rigidez procedimental, sin embargo es aconsejable, si fuera posible, que el interesado aporte dictamen o informe pericial, con firma legitimada, que evite la necesidad de reconocimiento posterior. Además puede solicitarse la práctica de esta prueba mediante comparecencia de perito de forma similar a como se desarrolla en el ámbito judicial. Si los interesados no la pueden aportar deben proponerla determinando con claridad y concreción el objeto sobre el que debe recaer el dictamen pericial, así como el número de peritos, título y especialidad así como otras condiciones que deban ostentar a cuyo efecto deberán tener en cuenta las disposiciones de la norma procesal (58).

Cuando sea preciso que el instructor examine por sí mismo un objeto que no admita la posibilidad de traslado sin que haya detrimento de su valor, podrá decidir, de oficio o a instancia de parte, la práctica de prueba de reconocimiento practicada de acuerdo con las disposiciones de la LRJ (59).

De este tipo de prueba pueden destacarse los siguientes puntos de utilidad en la práctica procedimental:

---

(57)   Artículo 45 de la LRJ.
(58)   Ley de Enjuiciamiento Civil arts. 339 a 348.
(59)   Art. 81.

a) Informe médico, en su caso, sobre lesiones del interesado, que utilizando los criterios que señala el sistema para la valoración de los daños y perjuicios causados a las personas en accidentes de circulación realiza una valoración de los daños personales causadas a la parte interesada.

b) Informe pericial sobre el espacio de la Administración (pasillo, instalación dependencia, etc.) donde se hubiera producido un accidente; analizando las dimensiones de largura, anchura, pendiente, rugosidad del pavimento y realización de pruebas de adherencia con diverso calzado, tanto en secado como en mojado, que posibiliten un tránsito de peatones.

c) Según la distribución de a quien le corresponde probar, estas pruebas deben corresponder a la o al interesado (60).

También, puede ser interesante, tanto para la Administración como para, en su caso, la compañía que la aseguradora, contar con un criterio para computar esa valoración y valorar la relación de causalidad. Otro motivo para realizar de oficio el 2.º informe sería contrarrestar las posibles afirmaciones subjetivas de las y los testigos que pudieren manifestar el incorrecto estado del suelo u otro elemento de la instalación.

29. INFORMES DE OTRAS ADMINISTRACIONES

Estos informes deben pedirse sobre la base del deber de colaborar entre las Administraciones. Los informes meteorológicos a los que se aludía anteriormente constituyen un medio de prueba de este tipo.

Las previsiones legales que amparan esta actuación son el Principio de coordinación (61); el artículo 3.2 LRJ, según el cual las Administraciones públicas, en sus relaciones se rigen por el principio de cooperación y colaboración; y el artículo 4.1. c) LRJ por el que las Administraciones deberán facilitar a las otras Administraciones la información que precisen sobre la actividad que desarrollen en el ejercicio de sus propias competencias.

Es preciso tener en cuenta lo dispuesto en la Ley Orgánica de Protección de Datos que establece que los datos de carácter personal objeto del tratamiento sólo podrán ser comunicados a un tercero para el cumplimiento de fines directamente relacionados con las funciones legítimas del cedente y del cesionario con el previo consentimiento del interesado (62); por lo que en numerosos casos la Administración requerida precisará ese consentimiento; con todo la misma Ley dispone que los datos de carácter personal recogidos o elaborados por las

---

(60)   Van destinadas a probar la valoración del daño o la relación de causalidad.
(61)   Artículo 103 de la Constitución y 3.1 de la LRJ.
(62)   Artículo 11.1.

Administraciones públicas para el desempeño de sus atribuciones no serán comunicados a otras Administraciones públicas para el ejercicio de competencias diferentes o de competencias que versen sobre materias distintas, salvo *cuando la comunicación hubiere sido prevista por las disposiciones de creación del fichero o por disposición de superior rango que regule su uso* (63).

30. MODELOS DE ACTA EN PRUEBA TESTIFICAL

Declaración testifical de doña J H M en relación con la reclamación de daños presentada por Doña P H M

En Madrid a.... comparece doña [.../...] DNI [.../...] para prestar declaración como testigo en relación con el expediente de reclamación de daños instruido a instancia de [.../...]

La testigo afirma que:

No existe relación de parentesco ni amistad con la reclamante

Que el día [.../...] iba paseando por el paseo público de de y en el cruce con se tropezó la reclamante. Iban andando cuando de repente cayó al suelo, de frente, tras tropezar con un anclaje metálico que había en el suelo que sobresalía y estaba torcida, lo que fue causa de la caída.

Que al caer recibió todo el impacto en la cara. Sangraba abundantemente de la cara, la nariz, de la boca y del pómulo, piensa que del derecho. La herida del pómulo fue ocasionada al rompérsele las gafas que llevaba.

Un señor que pasaba, así como más gente que en el momento se acercaron para ver lo sucedido se ofreció para llevarle al servicio de urgencias del hospital de [.../...]

Lo que declara y firma ante el instructor del expediente en lugar y fecha [.../...]

Madrid, a [.../...] de [.../...] de 2010

DILIGENCIA

Para hacer constar que:

El día de de 2010 tuvo lugar la práctica de la prueba testifical de don F.V.M. en el procedimiento de reclamación por responsabilidad patrimonial iniciado por el Letrado Señor I. X. B. en representación de la Sra. Ana M.L.

---

(63) Artículo 21.

Concluido el interrogatorio de preguntas planteadas por la parte interesada y por quien instruye el procedimiento, el don X. B. ha solicitado realizar una pregunta más.

Se le ha dejado dicho que debiera plantear la pregunta por escrito. don X. B. ha pedido papel y bolígrafo. Se le ha proporcionado el material solicitado. El señor X. B. ha escrito la pregunta que pretendía y que consta en el expediente.

Los señores F V M. y X B, la Sra. M.L. y el instructor han permanecido en el despacho de éste en todo momento y en el instante en que el instructor ha recogido la hoja, don G B ha manifestado que el testigo no ha señalado bien el sitio en donde estaba la señora Ana M.L. y añadiendo que se ha intentado confundir a la Sra. M.L. con los planos. Este comentario ha sido manifestado varias veces por don X.B., alzando la voz de modo excesivo.

El instructor le ha manifestado varias veces que aún no había terminado la práctica de la prueba testifical, que debía permanecer en silencio y que con su actitud estaba indicando al testigo qué es lo que debía de contestar. El instructor le ha advertido de que procedía dar por terminado la prueba testifical. Tras varias advertencias en ese último sentido. El instructor ha manifestado que daba por concluida la prueba testifical.

Don X.B. ha preguntado a la Sra. X.B. si había entendido los planos y ésta le ha manifestado que sí. El señor X.B. ha recobrado la calma y ha pedido disculpas, justificando su actitud en que él creía que la Sra. M.L. no había comprendido los planos.

El instructor no ha tomado en cuenta su decisión de dar por terminada la práctica de la prueba testifical y ha procedido a realizar la última pregunta al Sr. M.L.

Lo que hacen constar, el instructor del procedimiento, don XX y el administrativo del área D. YY.

31. INFORME DEL SERVICIO

El Reglamento de los procedimientos de las Administraciones Públicas en materia de Responsabilidad patrimonial (64) dispone en su artículo 10 que el órgano competente para la instrucción podrá solicitar cuantos informes estime necesarios para resolver, aunque añade como único trámite obligatorio que debe hacer quien instruye para la ordenación del procedimiento, puesto que en todo caso, se solicitará informe al servicio cuyo funcionamiento haya ocasionado la presunta lesión indemnizable.

---

(64)   Aprobado por Real Decreto 429/1993, de 26 de marzo.

Este informe debe considerarse como una especie de reconocimiento por parte de la Administración mediante el cuál se procede a hacer constar en el expediente todas las circunstancias en que se produjeron el accidente. Es de suma importancia práctica, ya que en vía judicial es impensable que la o el juez vaya a acudir a la instalación a realizar un reconocimiento judicial del sitio en que se produjo.

Se estampa así, en el expediente, documental y gráficamente, todas las circunstancias del sitio en donde se ha producido el accidente, las condiciones del momento en que se produjo y todos los datos que puedan ser relevantes para la resolución del expediente.

El trámite consiste, por un lado en dejar constancia por escrito, en un informe, de los datos o bien en fotografías, constatando la existencia de desperfectos mediante informes, aportación de planos, informaciones del personal que pueda aportar algo interesante y todos los medios que puedan considerarse útiles a los efectos de dicha constancia.

La solicitud del informe debe realizarse por la persona que instruye el procedimiento y lo mejor sería que en su escrito de petición constaran las cuestiones concretas sobre las que se debería informar, así como qué actividades o comprobaciones serían convenientes que se hicieran por el personal de ese servicio.

También es conveniente que ese informe se realizara por una sola persona que pudiera coordinar las informaciones que pudieran ofrecer distintas personas del lugar o instalación perteneciente a la Administración, con independencia de que estas personas también redacten por escrito su informe si se estima necesario para constancia de los hechos. Es evidente que para cada caso habrá un informe distinto. A pesar de ello, a continuación se inserta un modelo para hacer el informe, que recoge las preguntas que recogería el escrito del instructor o instructora solicitando ese informe.

Pueden solicitarse los informes que el instructor considere oportunos, si bien se establece en todo caso como trámite necesario la solicitud del informe del servicio cuyo funcionamiento haya ocasionado el daño o perjuicio. En consecuencia y por aplicación de las reglas generales de procedimiento resulta que salvo este último el resto de los informes son potestativos, por otra parte son todos ellos informes no vinculantes.

El plazo de emisión es el mismo que se establece en las reglas generales del procedimiento —diez días—, aun cuando éste es reducible o ampliable por el órgano instructor en función de sus características o las del procedimiento, precisándose que en caso de ampliación no se podrá exceder del plazo de un mes (65).

---

(65)   Artículo 10 del Reglamento.

Hay que tener en cuenta que la LRJ contempla (66) dos tipos de informes:

a) Los informes preceptivos

b) Los informes necesarios para resolver el procedimiento.

En este sentido el artículo 10 del Reglamento solo hace referencia a estos últimos; por otra parte y en el ámbito de la Administración Local la normativa que regula la emisión de informes en este tipo de procedimientos se encuentra en el Texto Refundido de la Disposiciones legales vigentes en materia de Régimen Local (67) en su artículo 54, el Reglamento de Organización, Funcionamiento y Régimen Jurídico de las Entidades Locales (68) en su artículo 173 y el Real Decreto 1174/1987 por el que se regula el régimen jurídico de las funcionarios públicos de la Administración Local con habilitación de carácter nacional en su artículo 3 y en esencia disponen que los informes serán emitidos en el plazo de diez días; de no emitirse en el plazo señalado, y sin perjuicio de la responsabilidad en que incurra el responsable de la demora, se podrán proseguir las actuaciones cualquiera que sea el carácter del informe solicitado, excepto en supuestos de informes vinculantes (69). En el caso de que el informe deba ser emitido por una Administración Pública distinta de la que tramita el procedimiento, en orden a expresar el punto de vista relativo a sus competencias respectivas y transcurriera el plazo sin que se hubiera emitido, podrán proseguirse las actuaciones correspondientes del procedimiento (70). Por otra parte el informe emitido fuera de plazo no puede ser tenido en cuenta al adoptar la resolución correspondiente; además, en casos especiales y atendiendo a las características del informe solicitado o del procedimiento seguido, el órgano instructor podrá señalar un plazo mayor o menor de diez días, pero en cualquier caso el plazo máximo para emitir el informe no puede ser superior al mes.

Aun cuando el dictamen del órgano consultivo sea en esencia un informe, atendida su posición en el tracto de este procedimiento y las peculiaridades del mismo que se regulan separadamente de los informes, lo examinamos en un apartado concreto.

32. TERMINACIÓN CONVENCIONAL

La terminación convencional está prevista en la propia LRJ (71) como un modo de finalizar el procedimiento administrativo; por otra parte, el Reglamento

---

(66)   Artículo 82 LRJ.
(67)   Aprobado por Real Decreto Legislativo 781/1976, de 18 de abril.
(68)   Aprobado por Real Decreto 2568/1986, de 28 de noviembre.
(69)   Artículo 83.3 LRJ.
(70)   Artículo 83.4 LRJ.
(71)   Artículo 88.

de los Procedimientos de las Administraciones Públicas en materia de responsabilidad patrimonial dispone que en cualquier momento del procedimiento anterior al trámite de audiencia, el órgano competente, a propuesta del instructor, podrá acordar con el interesado la terminación convencional del procedimiento mediante acuerdo indemnizatorio (72). En estos casos en que la Administración y el perjudicado llegan a un acuerdo con relación a la Administración es necesario realizar los siguientes trámites.

a) Propuesta de acuerdo de terminación convencional por parte del instructor

b) Dictamen del órgano consultivo en caso de que supere la cuantía necesaria.

c) Resolución por el órgano competente de la propuesta de terminación convencional y Formalización del acuerdo indemnizatorio con la parte interesada. Puede que el órgano administrativo no esté de acuerdo con la terminación convencional. En este caso, se deberá pronunciar sobre los diferentes elementos de la resolución.

No es usual que el órgano de resolución se aparte de la propuesta de terminación convencional que le presenta el instructor del procedimiento; por eso, en las conversaciones que mantenga con la o el interesado, es aconsejable que cuente con la aquiescencia de ese órgano; a quien debe informar de sus intenciones.

También es recomendable acudir a este modo de terminación convencional del procedimiento cuando se vea con claridad que se han acreditado tanto los hechos alegados como la relación de causalidad. Sobre todo cuando se hayan producido por un defecto de los servicios públicos, porque, en tanto en cuento el perjuicio se encuentra probado, hay gran posibilidad de que la Administración tenga una sentencia condenatoria si el perjudicado reclama en vía jurisdiccional; pero además es aconsejable porque ahorra esfuerzo y recursos a la propia Administración. Esfuerzos, porque sus medios personales pueden dedicarse a otros asuntos y recursos porque negociando con el interesado hay posibilidad de alcanzar algún acuerdo que rebaje sus pretensiones y, en consecuencia otorgar una indemnización de coste inferior a la que podría corresponderle si, finalmente, no lograse una sentencia estimatoria.

33. AUDIENCIA DEL INTERESADO

Las peculiaridades del trámite de audiencia en el caso de los procedimientos de responsabilidad se concretan en que es una garantía necesaria y preceptiva en cualquier caso, siendo el momento de su práctica el periodo entre la culminación

---

(72)   Artículo 8.

de los actos de instrucción propiamente dichos y la redacción de la propuesta de resolución.

El trámite de audiencia se compone, como corresponde a su regulación general, de la puesta de manifiesto de las actuaciones y de la apertura de un plazo para formular alegaciones. Esta fase del procedimiento se cumple dando posibilidad al interesado para que pueda examinar las actuaciones llevadas a cabo, para lo cual puede solicitar el número de copias, de las actuaciones obrantes en el expediente, que estime necesarias; así como proponer medio de prueba y formular alegaciones.

Por lo que se refiere a la puesta de manifiesto de las actuaciones, la regulación específica de estos procedimientos de responsabilidad excluye de dicha puesta de manifiesto a los datos y documentos de carácter reservado, sin embargo es preceptivo que al notificar al interesado la apertura de este trámite de audiencia se enumeren e identifiquen los documentos obrantes en el expediente a los efectos de que el interesado pueda solicitar la copia de aquéllos que considere conveniente.

El plazo de la audiencia se establece reglamentariamente de diez a quince días (73), es decir el mismo que el establecido con carácter general para todos los procedimientos, durante dicho periodo deben permanecer de manifiesto las actuaciones con las limitaciones señaladas respecto de los datos y documentos reservados, y asimismo hasta la finalización del mismo los interesados pueden plantear las alegaciones que consideren oportunas.

Con todo, hay que reconocer a importancia del trámite de audiencia en los procedimientos administrativos se desprende de la propia previsión de la Constitución, que en su artículo 105 establece que debe garantizarse, cuando proceda, la audiencia del interesado, dentro del procedimiento administrativo.

Se trata de un trámite en el que se da participación a las y los interesados, tanto si se ha iniciado de oficio como a instancia de parte. Se pretende no sólo que realice alegaciones, sino que conozcan la totalidad del expediente y permitirle que defienda sus intereses en base a lo que se ha actuado. Si se le ha requerido para que especifique los hechos en que se va a basar su reclamación y los medios de prueba de los que se va a valer; ahora es la Administración quien le permite conocer el contenido del expediente en el que se va a fundar la resolución.

No es preciso esperar a este trámite para que los interesados e interesadas puedan presentar alegaciones y documentos ya que, de acuerdo con lo que establece la propia LRJ en su artículo 79.1 podrán, en cualquier momento del procedimiento anterior al trámite de audiencia, aducir alegaciones y aportar documentos u otros

---

(73)   Artículo 11 del Reglamento.

elementos. En el caso del trámite de audiencia, es a la Administración a la que le corresponde ofrecérselo expresamente, una vez concluido toda la tramitación.

Los interesados pueden tener acceso al expediente completo, en este trámite, para ello el Reglamento recoge una obligación, que consiste en que la Administración instructora debe facilitar a la persona interesada una relación de los documentos que obran en el procedimiento, señalándole que puede obtener copia de los documentos que estime convenientes.

En el plazo que se le conceda, entre diez y quince días, además de presentarse en la dependencia administrativa revisar y recoger copias del expediente, también pueden formular las alegaciones y presentar los documentos y justificaciones que estimen pertinentes. Además en dicho plazo, puede proponer al órgano instructor la terminación convencional.

En los procedimientos iniciados de oficio, si no comparecen las y los interesados y no han comparecido anteriormente, se declarará el archivo de las actuaciones. Este archivo será provisional y se convertirá en definitivo cuando haya prescrito la acción de reclamación sin que la parte interesada se persone en el procedimiento.

Se puede prescindir de este trámite en el supuesto de que no se vayan a tener en cuenta más alegaciones, pruebas o hechos que los que haya aducido la o el interesado. No obstante el hecho prescindir de este trámite sin causa justificada suficiente, puede dar lugar a la nulidad del propio procedimiento teniendo en cuenta la cobertura constitucional que tiene este trámite como garantías de los ciudadanos ante las actuaciones de la Administración Pública como por la situación de indefensión en la que se coloca al interesado.

El momento de la audiencia es cuando ya está instruido el procedimiento. Es decir, cuando constan en el expediente administrativo todos los documentos que quien instruye ha entendido necesarios para resolver el procedimiento, es decir actos de determinación, conocimiento y comprobación de los datos en virtud de los cuales deba pronunciarse la resolución según el tenor del ya comentado artículo 78 LRJ. En la práctica el trámite de audiencia se lleva a cabo antes de la propuesta de resolución, lo que es lógico, ya que para ello se deberán tener en cuenta las alegaciones de la parte interesada, estimándolas o argumentando lo que se considere para su desestimación.

Se trata de una fase importante del procedimiento para que los interesados puedan ejercer su derecho de defensa y aportar los datos necesarios para una resolución adecuada. El cumplimiento de esta fase no implica que los interesados deban conocer los realizados, dentro del mismo trámite, con anterioridad por ello es aconsejable apurar el momento de evacuar el trámite o la prórroga al final del plazo. En relación con el procedimiento electrónico la Ley 7/2007 dispone que cuando se utilicen medios electrónicos para la participación de los interesados en la instrucción del procedimiento a los efectos del ejercicio de su derecho a presentar alegaciones en cualquier momento anterior a la propuesta de resolución o en la práctica del trámite de audiencia cuando proceda, se emplearán los medios de comunicación y notificación que esta ley establece (74). Por su parte la normativa autonómica sobre regulación de procedimiento administrativo tiene en cuenta que la audiencia a los interesados en los procedimientos iniciados a instancia de parte, sean electrónicos o convencionales, se efectuará por sistemas electrónicos con todas las garantías jurídicas necesarias, cuando así se acepte de modo explícito por ellos. Por otra parte la administración competente debe habilitar una dirección electrónica de acceso restringido donde los interesados puedan consultar el estado de la tramitación del procedimiento que hayan iniciado. Esta información sobre el estado de tramitación del procedimiento comprenderá la relación de actos de trámite realizados, con indicación sobre su contenido y la fecha en que fueron emitidos (75).

Hay que tener en cuenta que si antes del vencimiento del plazo los interesados manifiestas su decisión de no presentar alegaciones ni aportar nuevos documentos o justificaciones, debe tenerse por realizado dicho trámite y podrá prescindirse del trámite de audiencia siempre que no figuren en el procedimiento ni vayan a ser tenidos en cuenta, en la resolución, otros hechos ni otras alegaciones y pruebas que las aducidas por el interesado. Durante el plazo establecido para el trámite de audiencia los interesados pueden proponer, al órgano instructor, la terminación convencional del procedimiento siguiendo los trámites que señala el Reglamento. También es preciso señalar que, en los procedimientos iniciados de oficio, no es necesario, hasta este trámite de audiencia, que los supuestos perjudicados comparezcan para que prosiga el procedimiento; pero si tampoco comparecen en este trámite, debe declararse el archivo provisional de las actuaciones, que se convierte en archivo definitivo en la fecha en que prescriba legalmente la reclamación sin que el interesado se haya personado en el procedimiento.

34. DICTAMEN DE ÓRGANO CONSULTIVO

La necesidad de dictamen del correspondiente órgano consultivo no se desprende de las reglas del procedimiento de responsabilidad, ni de las legales que no lo mencionan, ni de las normas reglamentarias, que se limitan a fijar el momento contenido y plazos del mismo pero no los supuestos en que procede y su naturaleza preceptiva o no, remitiéndose a lo establecido en la Ley orgánica reguladora del Consejo de Estado.

---

(74)   Artículos 27 y 28 de la Ley 7/2007 de acceso electrónico de los ciudadanos a los servicios públicos que regulan las comunicaciones y notificaciones electrónicas.

(75)   Ver artículos 30 y 31 de la Ley 11/2007 de Navarra.

En realidad y sin perjuicio de esta remisión la necesidad de dictamen específico de órgano consultivo se desprende efectivamente de la Ley Orgánica del Consejo de Estado, que establece que éste será preceptivo cuando se reclamen indemnizaciones por daños y perjuicios ante la Administración del Estado.

De este modo resulta que será preceptivo el dictamen de la Comisión Permanente del Consejo de Estado tan solo cuando se trate de responsabilidad patrimonial que se exija de la Administración del Estado, y en su caso dicha responsabilidad se exija de las Comunidades Autónomas cuando se trate de materias transferidas, en cuyo caso cabe que tal dictamen, en todo caso preceptivo, se emita por el órgano consultivo propio que puedan haber creado las mismas.

En el caso de que las Comunidades Autónomas hayan creado sus propios órganos consultivos, análogos al Consejo de Estado, cabe que dichas normas de creación establezcan un ámbito mayor para el carácter preceptivo de este dictamen, en cuyo caso se habrá de estar a lo que resulte de las mismas en cuanto al carácter preceptivo o no de este dictamen.

En suma y de lo expuesto se infiere que el Dictamen del Consejo de Estado o del correspondiente órgano consultivo de la Comunidad Autónoma es preceptivo siempre que la responsabilidad se exija del Estado o de la Comunidad Autónoma; quedan excluidos, pues, de tal carácter preceptivo los casos de responsabilidad patrimonial de las Administraciones locales y de la Administración institucional, salvo que expresamente se establezca tal carácter legalmente en cada caso.

En el caso de que sea preceptivo el dictamen del órgano consultivo, este no será vinculante, y se pedirá y emitirá después del trámite de audiencia sobre una propuesta de resolución con remisión de todas las actuaciones, debiendo emitirse en el plazo máximo de dos meses, debiendo pronunciarse el dictamen acerca de la concurrencia de los elementos esenciales de la responsabilidad, es decir acerca de la existencia de nexo causal, la lesión producida y su valoración económica, cuantía y modo de indemnización.

El Reglamento dispone, en su artículo 12, que concluido el trámite de audiencia en el plazo de diez días, el órgano instructor propondrá que se recabe el dictamen del órgano consultivo de la Comunidad Autónoma.

El contenido de lo que se debe remitir al órgano competente es el siguiente:

a) Todo lo actuado en el procedimiento (mediante fotocopia legitimada con el sello de la institución.

b) Propuesta de resolución o, en su caso, propuesta de acuerdo por el podría terminar convencionalmente el procedimiento.

En algunas normativas de las Comunidades Autónomas se dispone que corresponde la elaboración de esos dictámenes cuando la cantidad reclamada sea igual o superior a una cantidad concreta que en cualquier caso debe actualizarse a efectos de no propiciar el crecimiento desmesurado de la petición de dictámenes, en perjuicio de la calidad de los informes de la administración consultiva.

La petición debe hacerse de manera expresa y oficial, de forma que quien instruye debe proponer por escrito a quien corresponde actuar en representación del órgano o entidad que solicita el dictamen, además la adopción de dicha decisión y el propio dictamen deben incluir en su cuerpo la solicitud de dictamen realizada.

El dictamen debe emitirse en un plazo no superior a dos meses, si no se emite en dicho plazo podrán proseguirse las actuaciones correspondientes; por otra parte el dictamen emitido fuera de plazo podrá no ser tenido en cuenta al adoptar la correspondiente resolución.

A efectos prácticos es importante señalar que el Reglamento exige que la petición de informe debe estar acompañada de una propuesta de resolución; es decir, el órgano consultivo tiene que tener la posibilidad de conocer cuál es la opinión del órgano instructor (76).; aunque dicha previsión no se encuentra en la Ley 30/1992 que en su artículo 82 sólo señala «a efectos de la resolución del procedimiento......»

El contenido del dictamen debe circunscribirse a apreciar la concurrencia de los elementos y requisitos necesarios para que proceda la indemnización por daños y perjuicios en concretos los siguientes:

a) Nexo Causal, entre activad de la Administración y daño o perjuicio producido.

b) Cuantía de la indemnización.

c) Modo de indemnización.

35. TERMINACIÓN DEL PROCEDIMIENTO DE RESPONSABILIDAD

La fase de terminación de los procedimientos de responsabilidad no difiere sustancialmente de lo que acontece en los demás procedimientos administrativos, aun cuando se establecen algunas especialidades que expondremos a continuación distinguiendo, como viene normalmente recogido en la doctrina, entre modos normales o anormales de terminación del procedimiento.

---

(76)   Dicha previsión no se recoge en la LRJ que en su artículo 82 solo señala a efectos de la resolución del procedimiento.

La LRJ recoge (77) las diferentes formas mediante las cuales puede concluir cualquier procedimiento administrativo: resolución, desistimiento, renuncia al derecho, caducidad, imposibilidad material de continuar el procedimiento. No obstante también podemos decir que el procedimiento puede finalizar de un modo normal, por resolución o decisión, o de una manera anormal, por renuncia, caducidad, etc. cuyos aspectos más generales examinamos a continuación con independencia de que en la próxima práctica profesional estudiemos la resolución con más detalle.

35.1. Normal

Dentro de la terminación normal de los procedimientos de responsabilidad se han de incluir las distintas formas en que éste puede concluirse produciendo una decisión sobre la existencia o no de esta responsabilidad y en su caso la cuantificación de la misma.

La forma normal y habitual de finalización del procedimiento de responsabilidad será mediante la correspondiente resolución expresa, aun cuando también cabe que en caso de silencio administrativo ésta se produzca de forma presunta en los términos legales.

La resolución expresa deberá producirse en el plazo de veinte días desde la recepción del dictamen del órgano consultivo, en el caso de que éste sea preceptivo, o, en caso contrario, desde que se concluya el plazo del trámite de audiencia, es decir, de uno u otro modo desde que resulte concluida la fase de instrucción.

El contenido de la resolución expresa viene referido con carácter general a las reglas generales de las resoluciones establecidas para el procedimiento administrativo común, al que se ha de añadir necesariamente los pronunciamientos relativos a la existencia de nexo causal, y, en caso de existencia del mismo, la valoración del daño y la cuantía de la indemnización que se fije, expresando los criterios que han utilizado para ello.

La aplicación del mecanismo del silencio administrativo se opera en estos procedimientos de responsabilidad en sentido negativo o desestimatorio de la existencia de la responsabilidad en cuestión, en el plazo de seis meses desde que se inició el procedimiento, plazo ampliable en el tiempo acordado en su caso para un periodo extraordinario de prueba.

En estos casos los interesados podrán entender desestimada la procedencia de la responsabilidad y por tanto quedan en situación de plantear los correspondientes recursos que puedan proceder, tanto administrativos o contencioso-administra-

---

(77)   Artículo 87 LRJ.

tivos, sin que ello excluya la obligación de la Administración de dictar resolución expresa, que en este caso, al ser desestimatorios los efectos del silencio, podrá ser confirmatoria de la desestimación presunta o bien estimatoria de la responsabilidad, siendo en la práctica irrelevante que el procedimiento se haya iniciado de oficio —siempre que hayan comparecido los interesados— o a instancia de parte.

La LRJ contempla en su artículo 87.2 la imposibilidad material de continuar el procedimiento por causas sobrevenidas; en la práctica profesional de la Administración se entienden incluidos en este supuesto omnicomprensivo, situaciones como la muerte del interesado o la modificación de su situación jurídica, así como el cambio de circunstancias por razón de modificaciones normativas, etc. Aunque esta imposibilidad material de continuar el procedimiento no es, en realidad, un modo de finalización del procedimiento sino, más bien, la causa de la misma que de acuerdo con lo que dispone el citado precepto debe ser consecuencia de una resolución motivada que debe dictarse acreditando la imposibilidad material de continuar el procedimiento; sin embargo hay que tener en cuenta que no es muy claro que la resolución motivada a que aquí nos referimos sea equiparable a la resolución que regula el artículo 89 LRJ porque ésta, cuyas características examinaremos en una práctica profesional posterior, resuelve el fondo del asunto de que trata el procedimiento mientras que ésta de la que hablamos no resuelve sobre el fondo porque resulta imposible la continuación del procedimiento por causas sobrevenidas.

La muerte del interesado no produce la terminación automática del procedimiento, salvo que se trate de un derecho de naturaleza puramente personal e intrasmisible, toda vez que puede proseguirse por sus causahabientes (78). La modificación de la situación jurídica de los interesados sigue a estos efectos el mismo régimen que la muerte.

35.2. Convencional

La terminación convencional del procedimiento administrativo de responsabilidad puede producirse en cualquier momento del mismo hasta el momento en que termine el plazo del trámite de audiencia, último momento en el que se fija la posibilidad de llegar a un acuerdo indemnizatorio y con él a esta forma de terminación del procedimiento. En este sentido la LRJ dispone que las Administraciones Públicas podrán celebrar acuerdos, pactos, convenios o contratos siempre que no sean contrarios al Ordenamiento jurídico ni versen sobre materias no susceptibles de transacción y tengan por objeto satisfacer el interés público que tienen encomendado, con alcance, efectos y régimen jurídico específico que en cada caso haya previsto la disposición que lo regule pudiendo

---

(78)   También cuando la muerte del interesado prive de razón de ser al procedimiento.

tales actos tener la consideración de finalizadotes de los procedimientos administrativos o insertarse en los mismos con carácter previo, vinculante o no, a la resolución que les ponga fin.

La terminación convencional es una de las formas legales susceptibles de poner fin al procedimiento administrativo es una forma de terminación excepcional cuyo ejercicio se rodea de condiciones por lo que en la práctica cotidiana de la Administración no se utiliza mucho no obstante el Consejo de Estado ha señalado que esta posibilidad tiene un calado profundo que se enraíza en el principio de participación ciudadana como corrector de la unilateralidad en el actuar de la Administración Pública; no obstante la primacía de del interés general a cargo de la Administración exige una cuidadosa tutela de la independencia y objetividad de ésta que no puede disolverse en la autonomía de la voluntad como vehículo de expresión de intereses privados.

Para que pueda darse este modo de terminación convencional debe haber una norma sectorial que autorice el convenio concreto dictada por cualquiera de las Administraciones Públicas; esta norma sectorial debe fijar el alcance, efectos y régimen específico del pacto o convenio en cuestión; los pactos o convenios no pueden ser contrarios al Ordenamiento Jurídico; el procedimiento no podrá terminar de forma convencional cuando se trate de materias no susceptibles de transacción (79); debe tener por objeto satisfacer el interés público que la Administración tiene encomendado.

El contenido mínimo de estos instrumentos es el siguiente (80):

a) Identificación de las partes que intervienen.

b) Ámbito de aplicación personal, funcional y territorial.

c) Plazo de vigencia.

d) Publicación si su naturaleza lo exige en atención a las personas a las que estuviera destinadas.

En el caso de que se llegue a un acuerdo indemnizatorio antes del trámite de audiencia, la instrucción de éste queda interrumpida y se pasa directamente a la emisión del dictamen del órgano consultivo si éste es preceptivo, dictamen que en este caso tendrá por objeto la propuesta de convenio, en lugar de la propuesta de resolución, y, en caso de que no sea preceptivo, se pasará a la fase de terminación consistente en la formalización de la propuesta de acuerdo por el interesado.

---

(79)   Hay materias que no son susceptibles de transacción como la competencia administrativa, la responsabilidad de autoridades y funcionarios, la finalidad del procedimiento etc.

(80)   Artículo 82.2 LRJ.

El contenido del acuerdo convencional que ponga fin al procedimiento deberá responder, en cualquier caso, a las reglas generales del procedimiento común y concretar los elementos esenciales de la responsabilidad patrimonial correspondiente, es decir la lesión, el nexo causal, así como la cuantificación y forma de la indemnización.

Esta forma de terminación del procedimiento es congruente con la naturaleza de su objeto —la determinación de la responsabilidad patrimonial— y en especial del resultado indemnizatorio que su reconocimiento comporta, pues, en especial la cuantificación de la indemnización, comparte en cierto modo el carácter convencional del justiprecio expropiatorio, en tanto en cuanto que la valoración de la lesión patrimonial más justa y adecuada no es otra que la que el lesionado y la administración responsable convenga como tal.

35.3. Anormal

Las formas anormales de terminación del procedimiento son las establecidas con carácter general como las propias de todos los procedimientos administrativos, es decir, la renuncia, el desistimiento y la caducidad.

Sin embargo tales reglas generales presentan una especialidad en estos procedimientos de responsabilidad patrimonial, derivada del carácter de forma de ejercicio de la acción de responsabilidad con el que se configura este procedimiento administrativo, y que se muestra en el caso de los iniciados de oficio por la propia Administración.

En efecto y como ya se ha señalado antes, pese a que este procedimiento de responsabilidad es el modo o forma de ejercicio de la acción de responsabilidad patrimonial, lo que en un planteamiento estrictamente lógico llevaría a que el procedimiento se iniciara sólo a instancia de parte, las normas reguladoras de este procedimiento obligan a la Administración, que considere que se ha dado un supuesto de lesión generadora de responsabilidad, a iniciar de oficio el procedimiento para su determinación, llamando al procedimiento, desde su inicio de oficio, a los interesados, y disponiendo su instrucción aunque éstos no comparezcan en el mismo.

Sin embargo, estas reglas de procedimiento, en todo plausibles en cuanto que garantía de los derechos de los ciudadanos y asunción por los poderes públicos de sus responsabilidades en materia indemnizatoria, se ven en todo caso limitadas por el carácter de forma de ejercicio de la acción de responsabilidad de este procedimiento, que sólo corresponde a los interesados dañados.

Por ello, las reglas de este procedimiento disponen que, al término de la instrucción propiamente dicha, es decir al finalizar el plazo de audiencia al interesado, si no han comparecido los interesados titulares de la acción de responsabilidad, se acuerde el archivo provisional de las actuaciones, sin entrar en el fondo del asunto.

Tal archivo provisional se convierte en definitivo cumplido el término para el ejercicio de la acción de responsabilidad, transcurrido el cual sin comparecer el interesado en el procedimiento iniciado de oficio, es decir sin que por este se ejercite la acción de responsabilidad, ésta queda en todo caso prescrita, quedando, por tanto y consecuentemente y mientras no transcurra el plazo de prescripción de la acción de responsabilidad, abierta la posibilidad de reabrir el procedimiento archivado provisionalmente, si comparece y se persona el interesado, entendiendo con ello ejercitada la acción de responsabilidad en plazo.

36. RESOLUCIÓN DEL PROCEDIMIENTO

La resolución de un procedimiento consiste en la manifestación de voluntad que emite la Administración sobre un asunto. En los procedimientos de responsabilidad patrimonial, la Administración se pronunciará sobre la obligación por parte de la misma de indemnizar a un interesado o una interesada por las lesiones que ha sufrido como consecuencia del funcionamiento del servicio público.

La Administración está obligada a dictar resolución expresa de todos los procedimientos a notificarla cualesquiera que sea su forma de iniciación, se exceptúan de dicha obligación los supuestos de terminación del procedimiento por pacto o convenio, así como los procedimientos relativos al ejercicio de derechos sometidos únicamente al deber de comunicación previa a la Administración.

La LRJ establece a este respecto que la resolución que ponga fin al procedimiento decidirá todas las cuestiones planteadas por los interesados y las derivadas del mismo.

Por su parte el Reglamento de los procedimientos de las Administraciones Públicas en materia de responsabilidad patrimonial, dispone en su artículo trece sobre terminación del procedimiento que, en el plazo de veinte días desde la recepción, en su caso del dictamen o, cuando éste no sea preceptivo, desde la conclusión del trámite de audiencia, el órgano competente resolverá o someterá la propuesta de acuerdo para su formalización por el interesado y por el órgano administrativo competente para suscribirlo. Cuando no se estimase procedente formalizar la propuesta de terminación convencional, el órgano competente debe decidir con una resolución que se pronuncie sobre la existencia o no de la relación de causalidad entre el funcionamiento del servicio público y la lesión producida y, en su caso sobre la valoración del daño causado y la cuantía de la indemnización, explicando los criterios utilizados para su cálculo, en todo caso la resolución debe ajustarse a lo previsto en el artículo 89 LRJ.

En consecuencia, los procedimientos de responsabilidad deben resolverse por la Administración con expreso pronunciamiento sobre los extremos siguientes:

a) La relación de causalidad entre el funcionamiento del servicio público y la lesión.

b) La valoración del daño causado.

c) La cuantía de la indemnización, explicitando los criterios utilizados para su cálculo.

Por otra parte y desde un punto de vista práctico cabe señalar que resulta sumamente aconsejable pronunciarse sobre estas tres cuestiones, incluso en los casos en que la Administración decide pronunciarse sobre la inexistencia de nexo causal entre la responsabilidad de la administración y el perjuicio producido, aunque solo sea en términos de mayor abundamiento.

La resolución debe ser congruente con las peticiones formuladas por la parte interesada.

De esta forma, no puede agravarse su situación inicial y sin perjuicio de la potestad de la Administración de incoar de oficio un nuevo procedimiento. Es el principio de «reforma peyorativa» o *reformatio in peius*. Si a lo largo del desarrollo de un procedimiento sobre responsabilidad patrimonial se observa determinada situación que pudiera conllevar la apertura de oficio de un procedimiento bien sea de naturaleza tributaria, sancionadora, etc. la Administración no puede resolver esta cuestión dentro del procedimiento original, sino que debe abrir un procedimiento específico a fin de resolver la cuestión nueva mediante un acto administrativo determinado.

En lo relativo al contenido de la resolución la LRJ dispone que, las Administraciones Públicas deben informar a los interesados, del plazo máximo, normativamente establecido para resolución y notificación de los procedimientos, así como de los efectos que pueda producir el silencio administrativo, incluyendo dicha mención en la notificación o publicación del acuerdo de iniciación de oficio o en comunicación que se les dirija al efecto dentro de los diez días siguientes a la recepción de la solicitud en el registro del órgano competente para su tramitación. En este último caso, la comunicación debe indicar, además, la fecha en que la solicitud haya sido recibida por el órgano competente.

Un esquema legal obligatorio sacado de la práctica profesional cotidiana de la administración de la resolución podía formularse de la siguiente forma:

a. Necesidad de motivación, en los casos del artículo 54. Sólo afectaría el apartado c) Los que se separen del criterio seguido en actuaciones precedentes o del dictamen de órganos consultivos.

b. La decisión puede ser estimatoria, desestimatoria o parcialmente estimatoria.

c. Señalar los recursos que procedan, el órgano frente al cuál deben interponerse y el plazo de interposición.

Por otra parte, la aceptación de informes o dictámenes servirá de motivación a la resolución cuando se incorporen al texto de la misma.

Por lo tanto, a efectos prácticos, hay que tener en cuenta, que aunque la Ley no exige que en la resolución se recoja de forma exhaustiva el contenido del expediente. Sin embargo, es muy conveniente, hacer un mínimo esfuerzo para dejar constancia, en el expediente, de los datos o hechos relevantes del procedimiento, por escrito, en párrafos separados por lo general suelen denominarse resultandos, por que los hechos, datos o circunstancias que reflejan resultar de algún documento que consta en el expediente; por su parte los fundamentos legales que motivan la resolución, se denominan considerandos, porque consideran el tenor de una disposición legal de aplicación en el procedimiento, aunque no es necesario reproducir expresamente el contenido de la disposición.

37. RECOMENDACIONES Y SUPUESTOS PARA FORMALIZAR ESTAS RESOLUCIONES

A continuación, se ofrece una sistematización de los supuestos por los que suelen iniciarse los procedimientos de responsabilidad tomando como ejemplo un servicio municipal de instalaciones deportivas del que se haya derivado un perjuicio con la consiguiente reclamación y tramitación del procedimiento.

Aunque los supuestos se acompañan de una recomendación práctica, no hay que olvidar, sin embargo, que cada supuesto en la realidad es diferente y lo que pueda ser recomendable en un caso puede no serlo en otro.

Por otra parte, una misma reclamación podría imputarse a diferentes supuestos de los que aquí se contemplan. Incluso de aquellas que llegan a los órganos judiciales puede obtenerse diferente solución a pesar de tener, aparentemente, un presupuesto de hecho similar.

a) Lesiones producidas por la propia práctica deportiva, ya sea por objetos que él manejaba o sin mediación de ningún aparato.

La o el deportista asume el riesgo de sufrir una lesión, por lo que procede desestimar la reclamación.

b) Golpes con otras personas usuarias o con aparatos que estas manejaban.

Tanto para el caso de riesgo unilateral como bilateral, así como los sufridos por las y los espectadores, deberían ser desestimadas estas reclamaciones.

c) Daños producidos a terceras personas, debidos a que los efectos gravosos llegan a personas que no tienen que ver con la práctica deportiva.

Ya se señalaba antes cómo el dueño del coche al que le alcanza un balón y le casca el retrovisor no tiene la culpa; pero tampoco el deportista que haya actuado correctamente. Debería llegarse a un acuerdo con el o la interesada, reconociendo la responsabilidad de la Administración por haber dispuesto de una instalación de la que pueden salir esos objetos en un lance normal del juego.

d) Resbalones por charcos de lluvia o humedades exteriores provocados directamente por la lluvia

No debería imputarse responsabilidad a la Administración. A salvo de alguna deficiencia de la instalación (por ejemplo, mal diseño del piso que impide un buen drenaje o evacuación del agua); suponemos que esas humedades causadas por la lluvia son una causa que exonera de la responsabilidad por fuerza mayor.

e) Resbalones por humedades interiores

En este caso debe mirarse con cautela, si no se advierte una deficiencia como goteras, filtraciones o condensaciones se recomienda desestimar. Recordando lo apuntado antes sobre los resbalones en zonas húmedas y su consideración como hecho notorio, el interesado o interesada debe acreditar que el suelo estaba mojado y que era resbaladizo y, en caso de que sí lo lograra, se debe trasladar a él la responsabilidad de poner cuidado. Todo ello, teniendo en cuenta las circunstancias que rodeen cada supuesto (habrá que tener en cuenta si ha habido obras con posterioridad, o si las caídas se repiten con asiduidad). Si se advirtiera que puede acreditarse algún defecto en la instalación convendría llegar a una terminación convencional.

f) Tropezones, caídas y otros accidentes.

Si esos tropezones, caídas y accidentes no son por deficiencias de la instalación debería desestimarse la reclamación; por no ser consecuencia del funcionamiento del servicio público.

En el caso de que se produzcan por un defecto de la instalación, una vez acreditadas tanto la existencia de ese defecto como que es causa del accidente, no nos quedaría más remedio que negociar con el interesado o la interesada una terminación convencional.

g) Cortes, rotura de ropa por engancharse en puertas, bancos, etc.

Pueden producirse cortes en las plantas de los pies de niños y niñas, como consecuencia de tener algún azulejo de gres del fondo de la piscina; no en la zona de paso, ya que allí debe estar calzado. Debe pensarse, en este caso que se produce una deficiencia en la instalación y proceder a llegar a un acuerdo de indemnización; que, por otra parte no será excesivo.

Distinta solución se produciría, en principio, si la o el usuario se ha enganchado en puertas, bancos u otros elementos. Debemos estudiar en donde se encuentra ese objeto y si no se acreditara ninguna falta puede considerarse oportuno el desestimar la reclamación.

h) Sustracción de objetos en taquillas

En muchas ocasiones, los polideportivos se convierten en una cantera para las y los amigos de lo ajeno, ya que quien va a practicar deporte se desprende de su ropa de vestir y demás objetos que le molestan para hacer deporte y los deposita en alguna taquilla habilitada para ello. Si no depositó esos objetos en la taquilla, no parece que proceda la reclamación.

Si dejó sus pertenencias en la taquilla, de alguna manera se ha traicionado la confianza que ha depositado en la instalación y cierta dosis de «culpa in vigilando» podría atribuírsele a quien gestiona la instalación. No obstante, la responsabilidad sólo debería alcanzar a aquellos objetos de los que el sentido común nos dijera que no son muy valiosos. Sólo indemnizaríamos por la ropa y poco más, sin considerar objetos de valor o dinero.

En una sentencia judicial que planteó un supuesto de reclamación en instalaciones municipales de este tipo se analizó un supuesto de robo en una de las taquillas del vestuario de la instalación deportiva municipal señalando que además de carecer elemento probatorio del hecho alegado, «se produce la ruptura del nexo causal por la intervención de un tercero que comete un delito de robo tipificado como tal en el Código Penal y al que es imputable en exclusiva la comisión del delito sin que ninguna responsabilidad quepa imputar a la Administración cuando en su propio Reglamento de Servicios ya se indica que las taquillas quedan a disposición de los usuarios sin que la Administración Municipal se haga responsable del dinero u objetos de valor depositados.»

En consecuencia podemos concluir que es recomendable que las unidades responsables de estos servicios públicos actúen preventivamente incluyendo cláusulas similares en los Reglamentos u Ordenanzas que regulen el servicio.

i) Enfermedades repentinas

Como ataques al corazón o ahogamientos. Hay que estudiar con cautela la reclamación, sobre todo cuando el resultado producido es de gran magnitud. Si no hay nada especial se deberían desestimar las reclamaciones por ataques cardiacos o similares, puesto que se contemplarían dentro del punto a) de esta relación.

Los Juzgados no perdonan la carencia de socorrista. En los casos en que se acredita que no había socorrista, que éste no estaba en su sitio o que actuó negligentemente, que era menor de edad o que no tenía la suficiente titulación, y en los casos de que se estime que el número de socorristas es insuficiente; las sentencias son estimatorias.

En estos casos, y salvo que se aprecie claramente que ha existido un error por nuestra parte, hay que luchar por desvirtuar las alegaciones de la parte interesada que eventualmente argumenten una actuación incorrecta del servicio de socorrismo, ya que las circunstancias señaladas en el párrafo anterior pueden ser muy subjetivas.

Diversas normas sectoriales de Comunidades autónomas establecen la obligación de que las piscinas de uso colectivo dispongan de socorrista con formación en salvamento acuático y prestación de primeros auxilios y que la formación para ello sea impartida por organizaciones, instituciones o empresas, públicas o privadas, acreditadas por la autoridad sanitaria. Este socorrista permanecerá en la zona de baño durante todo el horario de funcionamiento de la piscina y deberá de conocer el manejo y localización de los elementos de seguridad disponibles y desarrollará exclusivamente las funciones propias de su puesto.

En estos casos el número de socorristas, no es un elemento subjetivo puesto que ese número estará establecido por alguien ajeno al gestor de la instalación. De manera que es la autoridad sanitaria quien *podrá determinar la necesidad de disponer de más de un socorrista cuando concurra alguna de las siguientes circunstancias:*

1. Que la separación física entre los vasos no permita una vigilancia eficaz.

2. Que el aforo de la piscina, sus dimensiones, la presencia de elementos recreativos, naturaleza y vasos existentes, exija una mejor vigilancia.

j) Contacto con líquidos o productos químicos

En algunos lugares de la instalación deportiva puede coincidir el lugar de trabajo del personal con el polideportivo. Puede que se produzca de esta forma contactos con líquidos o productos químicos o choques con objetos. Si corresponde a la ejecución de un servicio se contemplarían en el caso especial I expuesto posteriormente.

Puede ocurrir que en esos casos en que se acredita la relación de causalidad, ante la intención por parte de la Administración de acordar una terminación convencional, la o el interesado no tenga intención de llegar a un acuerdo y no rebaje sus pretensiones. Esto no es lo más habitual, pero en tal caso podría plantearse la alternativa de, bien estimar parcialmente la reclamación según lo que entendamos justo o, bien, desestimarla, para que así la parte interesada se gane su derecho ante los Tribunales.

En esta situación, jurídicamente procedería una estimación parcial de acuerdo a la valoración del daño que se estime justa. No es correcto desestimar íntegramente la reclamación para que la o el interesado tenga que acudir al Juzgado a hacer valer todo su derecho. Es más, seguro que el Juzgado ante una estimación parcial en el que se produce una reclamación por la cantidad rechazada; valorará el esfuerzo de la Administración y tendrá en cuenta la decisión.

38. RECURSOS CONTRA LA RESOLUCIÓN

Contra la resolución cabe interponer los siguientes recursos:

1. Recurso judicial Contencioso-administrativo directamente, que se interpone ante el correspondiente Juzgado de lo contencioso-administrativo en el plazo de dos meses desde la notificación de la resolución.

2. Recurso administrativo de reposición que se interpone ante el mismo órgano que dictó la resolución.

El recurso de reposición es potestativo, de forma que el interesado o la interesada puede interponerlo o acudir directamente a la vía contenciosa. Una vez resuelto, si el interesado pretende recurrir la resolución que resuelva el recurso deberá interponer el recurso contencioso-administrativo ante el Juzgado de lo contencioso-administrativo en el plazo de dos meses desde la notificación de esa resolución. Si en el plazo de un año no se obtiene respuesta, el recurso de reposición se entenderá desestimado.

Muchas veces, el recurso de reposición es visto como una pataleta por parte de la persona interesada, ya que se considera difícil que la Administración cambie de criterio. Incluso llegó a desaparecer en cierto momento la posibilidad de interponer este recurso, sustituyéndolo por una especie de anuncio a la Administración de la intención de interponer recurso contencioso-administrativo.

Es recomendable poner el mismo interés en la resolución de este recurso que en la del procedimiento principal, dando respuesta a todas las cuestiones planteadas por el o la reclamante en su escrito de recurso e, incluso, aclararle los puntos que en la resolución hayan podido quedar en parte vacíos o sobreentendidos.

Con respecto a esta recurso administrativo hay que recordar que los actos que pongan fin a la vía administrativa pueden ser recurridos potestativamente en reposición, ante el mismo órgano que los hubiera dictado o ser impugnados directamente ante la jurisdicción contencioso-administrativa.

Los motivos de interposición del recurso son los de nulidad del artículo 62 LRJ:

a) Los actos de las administraciones públicas que lesionen los derechos y libertades susceptibles de amparo constitucional.

b) Los actos dictados por órgano manifiestamente incompetente por razón de la materia o del territorio.

c) Los actos que tengan un contenido imposible.

d) Los que sean constitutivos de infracción penal o se dicten como consecuencia de ésta.

e) Los dictados prescindiendo o total o absolutamente del procedimiento legalmente establecido o de las normas que contienen las reglas esenciales para la formación de la voluntad de los órganos colegiados.

f) Los actos expresos o presuntos contrarios al ordenamiento jurídico por los que se adquieren facultades o derechos cuando se carezca de los requisitos esenciales para su adquisición.

g) Cualesquiera otros que se establezca expresamente en una disposición de rango legal.

En este sentido el mismo precepto añade que también son nulas de pleno derecho las disposiciones administrativas que vulneren la constitución, las leyes y otras disposiciones administrativas de rango superior, las que regulen materias reservadas a la ley y las que establezcan la retroactividad de disposiciones sancionadoras no favorables o restrictivas de derechos individuales.

El recurso de reposición también puede fundamentarse en los motivos de anulabilidad que regula el artículo 63 LRJ que dispone que son anulables los actos de la Administración que incurran en cualquier infracción del ordenamiento jurídico, incluso la desviación de poder; no obstante, el defecto de forma solo determinará la anulabilidad cuando el acto carezca de los requisitos formales indispensables para alcanzar su fin o de lugar a la indefensión de los interesados; además, la realización de las actuaciones administrativas fuera del tiempo establecido para ellas, solo implicará la anulabilidad del acto cuando así lo imponga la naturaleza del término o plazo.

Los plazos de interposición de reposición: Contra un acto expreso: un mes desde el día siguiente al de notificación o publicación del acto. Contra un acto presunto: tres meses a partir del día siguiente a aquel en que se producen los efectos del silencio.

El recurso se interpone ante el mismo órgano administrativo que dictó el acto objeto del recurso, en nuestro caso la resolución del procedimiento de responsabilidad patrimonial, además el plazo máximo para dictar y notificar resolución es de un mes.

No puede interponerse recurso contencioso-administrativo hasta que sea resuelto expresamente o se produzca desestimación presunta por silencio administrativo del recurso de reposición.

Transcurridos los plazos de interposición solo puede interponerse recurso contencioso-administrativo, sin perjuicio, en su caso, de la procedencia del recurso extraordinario de revisión en los casos que corresponda.

39. EL PROCEDIMIENTO ABREVIADO DE RESPONSABILIDAD DE LAS ADMINISTRACIONES PÚBLICAS

La regulación legal de los procedimientos de responsabilidad patrimonial prevé la existencia del llamado procedimiento abreviado de responsabilidad, que se desarrolla reglamentariamente para determinados supuestos especialmente claros en los que resulta sencilla y concluyente la determinación de la existencia y la fijación de la valoración de la indemnización de esta responsabilidad patrimonial.

La LRJ dispone que, iniciado el procedimiento general, cuando sean inequívocos la relación de causalidad entre el funcionamiento del servicio público y la lesión, así como la valoración del daño y el cálculo de la cuantía de la indemnización con el órgano competente podrá acordar la sustanciación de un procedimiento abreviado a fin de reconocer el derecho a la indemnización en el plazo de treinta días. En todo caso los órganos competentes podrán acordar o proponer que se siga el procedimiento general. Si no recae resolución expresa podrá entenderse desestimada la solicitud de indemnización.

El Reglamento de los procedimientos de las Administraciones públicas en materia de responsabilidad patrimonial regula el procedimiento abreviado en estos supuestos.

El llamado procedimiento administrativo abreviado para la reclamación de la responsabilidad patrimonial no es un verdadero procedimiento, en el sentido de un modelo secuencial de trámites de procedimiento, pues de su configuración normativa se desprende que de lo que se trata bajo esta denominación es del mismo modelo del llamado procedimiento ordinario con la abreviación de trámites y plazos.

Se trata, además y a mayor abundamiento de lo dicho, de un procedimiento inserto en el llamado procedimiento ordinario pues no cabe su iniciación autónoma del mismo sino que tan sólo puede plantearse una vez iniciado éste y antes del trámite de audiencia.

En realidad se trata de una serie de reglas especiales de procedimiento aplicables en determinados supuestos, que acortan la duración de los procedimientos administrativos de reclamación de responsabilidad, y que son aplicables sobre y en lugar de las reglas propias de los mismos —los tramitados con arreglo al llamado procedimiento general de responsabilidad— que se han venido describiendo antes.

40. SUPUESTOS DE APLICACIÓN

La aplicación de estas reglas especiales de acortamiento de los procedimientos administrativos de reclamación de responsabilidad patrimonial es potestativa, se ha de acordar expresamente de oficio por el órgano instructor, suspendiendo la aplicación de las reglas del procedimiento general, y en todo caso tal decisión se ha de producir iniciado el procedimiento y antes del trámite de audiencia.

Tanto la norma legal como la reglamentaria concretan la posibilidad de acudir a la tramitación abreviada del procedimiento administrativo de reclamación de responsabilidad, en que los elementos esenciales de la existencia de la responsabilidad patrimonial la lesión, el nexo causal con el servicio público, la valoración del daño y la cuantía de la indemnización, sean inequívocos a juicio del instructor del procedimiento ya iniciado en todo caso como general y a la vista de las actuaciones, documentos e informaciones producidas en dicho procedimiento general.

Las variaciones sobre las reglas generales del procedimiento administrativo de reclamación de responsabilidad en que se concreta el llamado procedimiento abreviado consisten en la omisión de trámites y el acortamiento de plazos para los que en todo caso se hayan de producir como parte del mismo.

La iniciación de esta forma abreviada del procedimiento administrativo de reclamación de responsabilidad, por lo expuesto —es decir entre la iniciación y antes de la audiencia—, se ha de producir en la fase de instrucción del procedimiento general y determina la suspensión de cualesquiera otros trámites de dicha fase de instrucción y el pase directamente al trámite de audiencia, situado como ya hemos señalado al final de la fase de instrucción.

Así el acuerdo de iniciación del procedimiento abreviado, es decir el acuerdo que determina la aplicación de estas reglas de acortamiento de trámites y plazos, ha de notificarse a los interesados abriendo ya el plazo de audiencia y con los requisitos exigidos para ella —es decir la enumeración de los documentos a los efectos de que el interesado pueda pedir las copias que considere necesarias—, si bien el plazo de audiencia se acorta a cinco días, dentro de los cuales podrá formular las alegaciones y presentar los documentos que estime convenientes a su derecho. Durante este plazo tanto la administración como el interesado podrán proponer la terminación convencional del procedimiento mediante el correspondiente acuerdo indemnizatorio.

En el caso de que sea preceptivo el dictamen de órgano consultivo, lo que resultará de la aplicación de las mismas reglas generales del procedimiento administrativo de reclamación de responsabilidad por remisión expresa a las mismas, la variación consiste en el acortamiento del plazo de emisión del dictamen que se reduce de dos meses a diez días, transcurridos los cuales aunque no se hubiera producido el dictamen —que será lo más frecuente atendida la cortedad del plazo de emisión— se deberá producir la resolución o la formalización del convenio indemnizatorio.

En el caso de que se emita dictamen del órgano consultivo —naturalmente en plazo— y éste sea disconforme o discrepe de la propuesta de resolución o de convenio indemnizatorio se dispone la necesaria terminación de la tramitación abreviada del procedimiento administrativo de reclamación de responsabilidad y la vuelta a las reglas generales del mismo, en suspenso desde que se acuerda la iniciación de la tramitación abreviada, con levantamiento de la suspensión, notificación al interesado y traslado al órgano instructor que deberá continuar el procedimiento por las reglas generales del mismo.

La terminación por silencio se produce también con acortamiento de plazo que queda reducido a treinta días desde que se acordó iniciar el procedimiento abreviado sin que se haya resuelto expresamente formalizado acuerdo o acordado volver al procedimiento general, debiendo entenderse que en este último caso el silencio se ha de producir en los plazos establecidos en las reglas generales del procedimiento administrativo de reclamación de responsabilidad.

41. REQUISITOS Y TRAMITACIÓN

La LRJ aporta un novedoso procedimiento. No es distinto al general, sino que cuando resulte evidente que concurren los elementos para reconocer la responsabilidad de la Administración en un supuesto que se esté tratando, podemos prescindir de trámites del procedimiento general. De esta forma, se ahorran tiempo y trámites en un asunto en el que por la Administración se constata que procede el derecho a la indemnización.

Señala la Ley que se deben dar los siguientes elementos:

a) Se debe haber iniciado el procedimiento general (ya sea de oficio o a instancia de parte)

b) Deben resultar inequívocos determinados elementos de la responsabilidad patrimonial de la Administración:

1 Relación de causalidad entre el funcionamiento del servicio público y la lesión.

2 Valoración del daño

3 Cálculo de la cuantía de la indemnización

De esta forma, el órgano competente puede acordar que se sustancie la tramitación por el procedimiento abreviado.

Las consecuencias son:

A) Reducción del plazo de resolución a 30 días. Si en este plazo no se produjera la resolución se entenderá desestimatoria. Puede considerarse que es contradictorio, ya que si el órgano da comienzo a la tramitación por este procedimiento es porque cree que hay suficientes datos para proceder a una resolución estimatoria. Pero incluso en el caso de ser desestimatoria como consecuencia del silencio de la Administración; ello constituiría una ventaja para el o la administrada puesto que se abriría así la vía judicial.

B) Reducción de trámites:

a) Inicio del procedimiento abreviado.

Quien instruye el procedimiento a la vista de cómo se desarrolla el expediente general; entendiendo que son inequívocos los elementos que hemos comentado (relación de causalidad, valoración del daño y cuantía) acuerda de oficio:

1 La suspensión del procedimiento general

2 Iniciación del procedimiento abreviado

El interesado o la interesada podrá proponer el inicio de un procedimiento abreviado, pero sólo el órgano instructor puede acordarlo. No hay previsión legal que le obligue a ello y tiene total potestad para continuar la tramitación por el procedimiento general.

La situación es reversible, de forma que si en algún momento esa convicción desapareciere, el órgano competente podrá acordar o proponer que se siga el procedimiento general, justificando las razones por las que considera que no se dan las circunstancias que antes sí observaba.

El momento de iniciar el procedimiento abreviado es antes del trámite de audiencia, lo que resulta coherente con la agilidad que se le otorga.

b) Trámite de audiencia, en el que al igual que en el ordinario, se facilitará a la parte interesada una relación de documentos del expediente a fin de que puedan obtener los que estimen convenientes, otorgándoles un plazo máximo de cinco días para formular alegaciones y presentar documentos y justificaciones.

Durante este plazo se podrá proponer la terminación convencional del procedimiento.

c) Dictamen, al igual que en el trámite de audiencia, tiene el mismo tratamiento que en el procedimiento general, salvo en el plazo que debe ser emitido en un breve plazo de 10 días.

d) Resolución. Presenta una característica específica. Si el dictamen discrepa de la propuesta de resolución o de terminación convencional, el órgano competente deberá acordar el levantamiento del procedimiento general. Se trataría de un caso de informe vinculante.

e) Resolución presunta, para considerar denegada la petición ha de transcurrir el plazo de 30 días sin que se haya pronunciado la Administración, pero además, no se debe haber levantado la suspensión del procedimiento general.

Se trata como en los iniciados de oficio de imprimir celeridad al procedimiento de responsabilidad. Como en ese caso, es escaso el uso que de él hace la Administración.

42. REGLAS ESPECIALES EN FUNCIÓN DEL TIPO DE ACTUACIÓN DETERMINANTE DE LA RESPONSABILIDAD

Se han expuesto antes el conjunto de reglas que rigen los procedimientos administrativos de reclamación de responsabilidad, tanto con carácter general que son las que las que corresponden al procedimiento común, como las específicas de los procedimientos de responsabilidad de tramitación de carácter general y las de los procedimientos abreviados; sin embargo con ello no ha quedado completamente examinado la dimensión del procedimiento administrativo de reclamación de responsabilidad; pues hay que tener en cuenta que, existen una serie de reglas especiales que son de aplicación a estos procedimientos de reclamación de responsabilidad aplicables en razón de la causa que haya determinado en cada caso la responsabilidad patrimonial. Estas reglas las expondremos, seguidamente, agrupándolas en función de los sujetos a los que cabe imputar la causa de la responsabilidad en cada caso.

43. RESPONSABILIDAD DERIVADA DE ACTOS LEGISLATIVOS

La responsabilidad patrimonial derivada de actos normativos es la primera regla específica que examinamos, la cual, tradicionalmente, se planteó, en nuestro Ordenamiento Jurídico-Administrativo, en el ámbito y contexto del Estado legislador y fundada en la regulación de la responsabilidad patrimonial que recogía en la legislación de expropiación forzosas, y posteriormente la Constitución y la emergencia de las Comunidades Autónomas con poder legislativo propio se ha de plantear respecto de los actos normativos autonómicos además de los estatales.

La regulación legal vigente sobre la responsabilidad patrimonial del Estado prevé la configuración de la misma disponiendo que las Administraciones públicas indemnizarán a los particulares por la aplicación de actos legislativos cuando así se establezca en los mismos y en los términos que estos fijen, sin precisar el procedimiento administrativo de reclamación de esta responsabilidad, lo que la jurisprudencia ha venido entendiendo que pueda caber siempre que se den los requisitos constitucionales y legales para ello, aún antes de esta precisión legal y las limitaciones sustantivas que conlleva. En este sentido la Constitución dispone que los particulares, en los términos establecidos por la Ley, tendrán derecho a ser indemnizados por toda lesión que sufran en cualquiera de sus bienes y derechos, salvo en los casos de fuerza mayor, siempre que la lesión sea consecuencia del funcionamiento de los servicios públicos

No vamos a entrar en la cuestión sustantiva de la existencia y requisitos de esta responsabilidad de órganos pertenecientes al Poder legislativo, sin embargo sí entra dentro del ámbito del mismo el estudio del procedimiento administrativo de reclamación de responsabilidad cuando ésta se exija teniendo como causa del daño la actividad legislativa.

En el Ordenamiento español, la responsabilidad administrativa es fruto de la propia Constitución, con especialidad en cada uno de los Poderes Públicos, sin embargo no hay una específica regulación con respecto al Estado legislador. A pesar de ello hay que reconocer que el legislador debe ajustarse en sus prescripciones a los mandatos de la Constitución y que el poder legislativo no es omnipotente y los ciudadanos deben estar protegidos de la arbitrariedad de los poderes públicos también en ese aspecto. Entre las teorías negativas sobre la responsabilidad del poder legislativo se argumenta que si el constituyente hubiera querido responsabilizar a dicho Poder por hecho o actos derivados de la aplicación de las leyes, hubiese debido incorporar dicha responsabilidad, expresamente a los preceptos constitucionales en los que se regula la responsabilidad de los poderes públicos. Entre las teorías positivas se indica que si la propia constitución se fundamenta sobre una serie de valores superiores en función de los que debe ser interpretada y aplicada, hay que tener en cuenta que dos de esos valores superiores son precisamente la justicia y la igualdad, sería ir contra el espíritu de la Constitución el hacer que prevalecieran normas, interpretaciones o aplicaciones que menoscabaran o contradijeran la efectividad de dichos valores superiores. En consecuencia esta postura positiva concluye que los vacíos o lagunas de la Constitución deben ser llenados recurriendo a los Principios Generales del Derecho que son fuente de Derecho y de criterio para la aplicación de las normas jurídicas.

A estos efectos el Tribunal Supremo ha examinado la responsabilidad del legislador mediante la clasificación de las leyes susceptibles de generar responsabilidad en tres grupos, el primero las leyes tributarias, que tienen un carácter oneroso para el contribuyente y por ello lesivo; pero que no comportan un perjuicio indemnizable; el segundo es que estas leyes expropiatorias, donde el Estado legislador responde al particular cuya propiedad ha sido expropiada en beneficio del interés general, con el pago de una compensación por lesionar un patrimonio lícito; finalmente el tercer grupo está formado por normas lesivas que no son expropiatorias ni inconstitucionales. Estas normas generarían un pura responsabilidad objetiva, porque a pesar de prescribir mandatos de carácter general causan un perjuicio que el perjudicado no está en la obligación de soportar, de este modo la jurisprudencia ha concebido las premisas de responsabilidad en el caso de leyes que se ajustan a la constitución; pero que al producir determinados perjuicios imponen algún tipo de compensación por ello.

Con todo, hay una cuestión que en este aspecto está bastante clara y es que los órganos judiciales del orden contencioso-administrativo no tienen en España poder jurisdiccional para declarar la responsabilidad patrimonial por hecho de las leyes; en este sentido procede recordar que el Tribunal Supremo en una conocida sentencia desestimó, como causa de inadmisibilidad el recurso planteado, en otra declaración posterior el mismo Tribunal declaró que en estos casos no se está ante una pretensión dirigida frente a una ley, sino a la petición de declaración de responsabilidad patrimonial derivada de la aprobación de una norma con rango de Ley rechazando la pretensión y condenando en costas. Es evidente que las sentencias condenatorias al pago de indemnización por el hecho de una ley supondrían una clara interferencia en la potestad legislativa, además de ello hay que recordar que la jurisdicción contencioso-administrativa no está configurada como un órgano de control del legislador pues la propia Constitución establece que los tribunales controlan la potestad reglamentaria y la legalidad de la actuación administrativa y dicho control se establece para que la Administración Pública actúe en cumplimiento y respeto de la ley sin que pueda hacer correcciones u observaciones a las determinaciones del poder legislativo.

44. REGULACIÓN LEGAL Y REQUISITOS DE LA RESPONSABILIDAD PATRIMONIAL POR ACTO LEGISLATIVO

La LRJ dispone que las Administraciones Públicas indemnizarán a los particulares por la aplicación de actos legislativos de naturaleza no expropiatoria de derechos y que éstos no tengan el deber jurídico de soportar cuando así se establezca en los propios actos legislativos y en los términos que especifiquen dichos actos, esto supuso una novedad en cuanto a los supuestos de responsabilidad teniendo en cuenta que prevé la viabilidad de ser indemnizados los particulares por la aplicación de actos legislativos.

La LRJ limita la responsabilidad al cumplimiento de varios requisitos:

a) Que se trate de actos legislativos de naturaleza no expropiatoria.

b) Que los particulares no tengan el deber jurídico de soportar el daño o perjuicio producido.

c) Que la indemnización se establezca en los propios actos legislativos.

En este sentido, también hay que recordar que en la ponencia de Estudios del Consejo de Estado sobre la reforma de la LRJ se decía de la redacción del artículo 139.3 que puede ser inconstitucional puesto que lejos de determinar en que casos debe responder el estado por daños, causados por la aplicación de actos legislativos, atribuye al propio legislador la facultad de decidir si debe responder y en caso afirmativo, en que medida. Esto es asumir un poder que no se somete a control alguno para declarar cuando debe o no responder de sus actos, lo que supone garantizar la irresponsabilidad y la arbitrariedad del poder legislativo.

Que el acto sea de naturaleza expropiatoria depende de que suponga la privación de derechos e intereses cualquiera que sea su naturaleza, la consecuencia ineludible es la indemnización lo cual implica la aplicación en estos casos de la legislación de expropiación forzosa, en este sentido pueden distinguirse varios casos:

— Que el acto legislativo establezca la improcedencia de la indemnización

En la medida en que tenga carácter expropiatorio es incuestionable que incurrirá en inconstitucionalidad y el órgano judicial competente deberá plantear la cuestión de inconstitucionalidad en el procedimiento en que se impugne el acto administrativo que haya denegado la indemnización en aplicación de la norma legal.

— Que el acto legislativo no contenga norma alguna sobre la indemnización.

En este sentido lo que procede en la práctica, con una interpretación favorable a la constitución, es entender que la inexistencia de norma sobre valoración de la indemnización no supone otra cosa que considerar que no existe razón para establecer criterios específicos, por lo que se aplicarán los criterios generales de la legislación de expropiación forzosa y otros a los que remite expresamente la LRJ.

— Que el acto legislativo contenga normas sobre la indemnización procedente.

En este caso habrá que estar a las disposiciones del acto legislativo salvo que sean insuficientes; por otra parte si aplicando los criterios establecidos en el acto legislativo se llegase a una indemnización que rompiera el equilibrio sería un situación inconstitucional y el órgano judicial debería plantear la correspondiente cuestión.

En lo relativo a los actos legislativos que no son de naturaleza expropiatoria, el legislador puede libremente establecer que los daños son o no son indemnizables y en su caso los criterios de valoración, pudiendo en estos casos hacerse varias distinciones según el acto legislativo establezca la improcedencia de cualquier indemnización, que, simplemente, no contenga norma alguna sobre indemnización, y que por el contrario, contenga normas sobre valoración del daño o perjuicio producido.

45. JURISPRUDENCIA CONCEPTUAL SOBRE RESPONSABILIDAD PATRIMONIAL LEGISLATIVA

En un asunto concreto que examinó el Tribunal Constitucional y tras señalar la carencia de un derecho concreto a la edad de jubilación, por tratarse de una mera expectativa, concluyó declarando que es posible que la finalidad de paliar los efectos negativos de la jubilación anticipada no quede asegurada y que estos efectos negativos pueden tener algún tipo de compensación. Sin embargo en otro pronunciamiento posterior confirma las reticencias para aceptar el principio de indemnización declarando expresamente que la actividad legislativa queda fuera de las previsiones del artículo 106.2 de la Constitución relativo al funcionamiento de los servicios públicos, concepto en el que no cabe comprender la función del legislador.

El Tribunal Supremo, por su parte ha declarado en varias ocasiones la procedencia de la responsabilidad patrimonial del estado por acto legislativo declarando que la Constitución Española consagra la responsabilidad de todos lo poderes públicos, sin excepción alguna y por ello es evidente que cuando el acto de aplicación de una norma, aún procedente del poder legislativo, supone para sus concretos destinatarios un sacrificio patrimonial que merezca el calificativo de especial en comparación del que pueda derivarse para el resto de la colectividad, el principio constitucional de la igualdad ante las cargas públicas impone la obligación del Estado de asumir el resarcimiento de las ablaciones patrimoniales producidas por dicha norma y el acto de su aplicación, salvo que la propi8a norma, por razones de interés público, excluya expresamente la indemnización cuya cuantía, de no concurrir tal excepción debe ser suficiente para cubrir el perjuicio efectivamente causado.

En otro pronunciamiento rechaza la responsabilidad patrimonial del Estado por disposiciones legislativas que aumentan los gravámenes tributarios y prohíben o restringen la publicidad de determinadas bebidas alcohólicas, remitiendo la responsabilidad por acto legislativo a los requisitos establecidos, con carácter general, para la responsabilidad patrimonial de la Administración por funcionamiento normal o anormal de los servicios públicos, declarando que en el campo del Derecho Tributario, es obvio que la responsabilidad del estado no puede fundarse en el principio de responsabilidad expropiatoria y concluyendo que el Poder legislativo no está exento de sometimiento a la constitución y su actos, las leyes, están bajo el imperio constitucional, de este modo en los casos en que la ley vulnere la Constitución, el Poder legislativo habrá conculcado su obligación de sometimiento y la antijuridicidad que ello supone conlleva la obligación de indemnizar.

Posteriormente y después de otras sentencias relativas a la jubilación anticipada de funcionarios públicos que establecen las leyes reguladoras de sus respectivos estatutos, ha declarado que no puede construirse por los tribunales una responsabilidad de la Administración por actos legislativo partiendo del principio general de responsabilidad de los poderes públicos que consagra el artículo 9.3 CE; sin que tampoco deba descartarse, el que haya responsabilidad, aún tratándose de actos legislativos, cuando la producción del daño revista caracteres suficientemente singularizados e imprevisibles, para que pueda considerarse intermediada o relacionada con la actividad de la Administración Pública obligada a aplicar la ley.

Por todo ello habría pie para pensar que en el criterio del legislador la responsabilidad por actos legislativos depende de lo que digan los `propios actos legislativos al respecto. No obstante y a pesar de la redacción del precepto el tribunal Supremo no atiende a si el acto legislativo recoge o no expresamente la indemnización sino al hecho de que el daño consiste en un sacrificio especial e imprevisible para alguna o algunas personas concretas, con quebrantamiento de los principios de confianza legítima, buena fe, seguridad jurídica y equilibrio de las prestaciones.

En sentencias posteriores, el mismo Tribunal, aun reconociendo que la eliminación de los cupos de pesca exentos de derechos arancelarios que derivaban del Tratado de adhesión a la Comunidad Europea podía considerarse producida como consecuencia de las determinaciones del poder legislativo, reconoció la existencia de responsabilidad patrimonial del estado, por apreciar que los particulares perjudicados habían efectuado fuertes inversiones, posteriormente frustradas, fundados en la confianza generadas por medidas de fomento del Gobierno, que a ello estimulaban, plasmadas en disposiciones muy próximas en el tiempo al momento en que se produjo la supresión de los cupos, de tal manera que se produjo un sacrificio particular de derechos o intereses patrimoniales legítimos, en contra del principio de la buena fe que debe regir las relaciones de la Administración con los particulares, de la seguridad jurídica y del equilibrio de prestaciones, que debe presidir las relaciones económicas.

Por su parte el Tribunal Constitucional ha mantenido una doctrina similar declarando que el silencio de la ley sobre una fórmula o un cauce reparador para compensar las prohibiciones y limitaciones para el ejercicio del derecho de propiedad que se derivan de la misma no puede ser considerado como una exclusión que vulnere lo dispuesto en el artículo 33.3 de la Constitución sino que ha de entenderse que ese extremo queda sometido a la normativa patrimonial por actos de los poderes públicos que procede otorgar a quienes resultan perjudicados en sus bienes y derechos. En otros pronunciamientos sobre la doctrina constitucional el Tribunal Supremo ha proclamado la conexión entre el perjuicio causado por una disposición de carácter general con valor de ley inherente a la privación singular de un derecho o interés legítimo y el mecanismo indemnizatorio a que da lugar la aplicación del principio de responsabilidad patrimonial de los poderes públicos.

46. CRITERIOS PRÁCTICOS SOBRE RESPONSABILIDAD PATRIMONIAL POR ACTO LEGISLATIVO

Ya hemos señalado anteriormente que la LRJ las Administraciones Públicas deben indemnizar a los particulares por la aplicación de actos legislativos de naturaleza no expropiatoria de derechos y que éstos no tengan el deber jurídico de soportar, cuando así se establezcan en los propios actos legislativos y en los términos que especifiquen dichos actos (81).

Ahora bien hay que señalar que la determinación de la responsabilidad de la Administración por actos del legislador es una cuestión algo compleja porque, las leyes, por definición, son actos con vocación transformadora o innovadora del ordenamiento jurídico y su función principal consiste precisamente en alterar la situación anterior a su entrada en vigor. Es decir, que la legislación siempre afecta bien a derechos subjetivos consolidados, bien a intereses o a meras expectativas de los ciudadanos, que, en unos casos se ven cumplidas y en otros, frustradas, como consecuencia de la entrada en vigor de la ley.

Por otra parte la naturaleza de los actos del poder legislativo, sin más límites que los derivados del respeto a la constitución es, en principio, contrario a toda pretensión indemnizatoria de aquéllos cuyos derechos o intereses resultan perturbados por la ley. Porque si la legislación tuviera como límite los derechos, intereses y expectativas de los ciudadanos, o sólo pudiera afectarlos estableciendo compensaciones para aquéllas personas que resultasen perjudicadas por la ley, tendría lugar a lo que el Tribunal Constitucional ha denominado (82) como situaciones congeladoras del ordenamiento jurídico o petrificación de situaciones dadas, consecuencias que son contrarias al contenido de lo que proclama el artículo 9.2 de nuestro texto constitucional (83).

La doctrina del Tribunal Constitucional ha llegado a negar radicalmente la responsabilidad del Estado legislador declarando que la presunta infracción del párrafo segundo del artículo 106 de la Constitución Española es inexistente, ya que la actividad legislativa queda fuera de las previsiones del citado artículo constitucional referentes al funcionamiento de los servicios públicos, concepto éste, en que no cabe comprender la función del legislador (84).

Sin embargo hay que tener en cuenta que, los fundamentos en que se fundamenta el Estado de Derecho nos impiden permanecer totalmente insensibles a las pretensiones indemnizatorias de los ciudadanos cuando el origen del daño

---

(81)   Artículo 139.3 LRJ.
(82)   Refiriéndose a otra cuestión.
(83)   STC 6/1986.
(84)   STC 127/1987.

o perjuicio que sufre un ciudadano sin merecerlo, se encuentra en los actos del legislativo.

Como ya hemos señalado a partir de lo dispuesto por el artículo 249 y 288 del Tratado Constitutivo de la Comunidad Europea, se ha construido una compacta jurisprudencia comunitaria que obliga a los Estados a reparar los daños causados por incumplimientos del Derecho comunitario que sean imputables a aquéllos. Así, la Sentencia del Tribunal de Justicia de la Comunidad Europea de 8 de octubre de 1996 (85) resume del siguiente modo la jurisprudencia del STJCE sobre la responsabilidad de los Estados por el retraso en adaptar el ordenamiento jurídico nacional a una Directiva, contestando las alegaciones de Alemania, Países Bajos y Reino Unido señalando como el propio Tribunal de Justicia europeo tiene declarado que el principio de la responsabilidad del Estado por daños causados a los particulares por violaciones del Derecho comunitario que le son imputables es inherente al sistema del Tratado (86). Además, el Tribunal de Justicia también ha señalado que los requisitos necesarios para que la responsabilidad del Estado genere un derecho a indemnización dependen de la naturaleza de la violación del Derecho comunitario que origine el perjuicio causado (87).

En sus sentencias citadas más arriba, y habida cuenta de las circunstancias que concurrían en dichos asuntos, declaró que los particulares perjudicados tienen un derecho a indemnización cuando se cumplen tres requisitos, a saber, que la norma de Derecho comunitario violada tenga por objeto conferirles derechos, que la violación esté suficientemente caracterizada y que exista una relación de causalidad directa entre tal violación y el perjuicio sufrido por los particulares. Por otra parte, de la sentencia Francovich, resulta que la plena eficacia del párrafo tercero del artículo 189 del Tratado (88) que impone un derecho a indemnización al Estado miembro, siempre que el resultado prescrito por la Directiva implique la atribución, a favor de ciudadanos particulares, de derechos cuyo contenido pueda ser identificado basándose en las disposiciones de la Directiva y exista, además, una relación de causalidad entre el incumplimiento de la obligación que incumbe al Estado y daño sufrido por las personas cuyos derechos han sido lesionados. De este modo continua el Tribunal señalando que una violación es suficientemente caracterizada cuando una Institución o un Estado miembro, en el ejercicio de su

---

(85) Asuntos acumulados C.178/1994, C-179/1994, C-188/1994, C-189/1994 y C-190/1994, Erich Dillenkofer y otros contra BundesrepublikDeutschland.

(86) Sentencias Francovich, apartado 35; de 5 de marzo de 1996, Brasserie du Pêcheur y Factortame, asuntos acumulados C-46/1993 y C-48/1993; de 26 de marzo de 1996, British Telecommunications, C-392/1993, y de 23 de mayo de 1996, Hedley Lomas, C-5/1994.

(87) SSTJCE, antes citadas, Francovich, apartado 38; Brasserie du pêcheur y Factortame, apartado 38, y Hedley Lomas, apartado 24.

(88) Artículo 189 aptdo. 3.º.

facultad normativa, vulnera, de manera manifiesta y grave (89), los límites impuestos al ejercicio de sus facultades y, por otra parte, en el supuesto de que el Estado miembro de que se trate, en el momento en que cometió la infracción, no estuviera confrontado a opciones normativas y dispusiera de un margen de apreciación considerablemente reducido, incluso inexistente, la mera infracción del Derecho comunitario puede bastar para demostrar la existencia de una violación suficientemente caracterizada.

En consecuencia, cuando un Estado miembro, infringiendo el párrafo tercero del apartado 189 del Tratado, no adopta ninguna de las medidas necesarias para conseguir el resultado prescrito por una Directiva dentro del plazo señalado por ésta, dicho Estado miembro vulnera, de manera manifiesta y grave, los límites impuestos al ejercicio de sus competencias. Por consiguiente, tal violación engendra a favor de particulares un derecho a obtener reparación si el resultado prescrito por la Directiva implica la atribución, a su favor, de derechos cuyo contenido pueda ser identificado basándose en las disposiciones de la Directiva y existe, además, una relación de causalidad entre el incumplimiento de la obligación que incumbe al Estado y el daño sufrido por las personas cuyos derechos han sido lesionados, sin que proceda tener en consideración otros requisitos. En concreto, no puede supeditarse la reparación del daño a la exigencia de que el Tribunal de Justicia haya declarado previamente la existencia de un incumplimiento del Derecho comunitario que sea imputable al Estado ni a la existencia de un acto intencional o negligencia del órgano estatal al que sea imputable.

Con todo, debemos reconocer que esta jurisprudencia comunitaria ha sido fuente de inspiración de nuestros tribunales (90) y de nuestro legislador, que introdujo la responsabilidad por actos legislativos en el citado artículo 139.3 de la LRJ A partir de ese momento no hay duda de que la Administración responderá de los daños causados por actos legislativos, pero esta afirmación está sujeta a las limitaciones, requisitos y condicionamientos que nuestra jurisprudencia, ha ido elaborando.

De este modo se ha admitido jurisprudencialmente que un título de imputación de responsabilidad al Estado legislador es la infracción de las normas constitucionales. Los daños causados a los particulares por una ley declarada inconstitucional pueden ser daños susceptibles de indemnización (91).

---

(89)   Ver SSTJCE de 25 de mayo de 1978, Asuntos acumulados 83/1976, 4/1977, 15/1977; Brasserie du Pêcheur y Factortame,, antes citadas.

(90)   Nuestro propio Tribunal Supremo ha declarado que el Poder Legislativo no está exento de sometimiento a la Constitución y sus actos, que son las leyes, quedan bajo el imperio de nuestra norma suprema, ver STS 13.6. 2000.

(91)   Siempre que concurra el resto de los requisitos.

En un caso concreto planteado en el ámbito de una Comunidad Autónoma el daño alegado por los reclamantes se había originado por los preceptos inconstitucionales de una Ley de la Comunidad Autónoma. Ciertamente, a partir de una fecha concreta pendía sobre la ley autonómica una duda de constitucionalidad suscitada por el correspondiente Tribunal Superior de Justicia. Sin embargo, la cuestión fue resulta por el Tribunal Constitucional mediante un auto de inadmisión.

La cuestión se planteó si, por tanto, en dilucidar si se puede esgrimir algún derecho de indemnización a la luz de los dispuesto por el artículo 139.3 de la LRJ y la respuesta es, a primera vista, negativa porque el propio precepto condiciona el reconocimiento del derecho a «que se encuentre establecido en los propios actos legislativos y en los términos que especifiquen dichos actos». Si la Ley objeto del recurso de responsabilidad patrimonial no ha previsto ningún derecho a favor de los perjudicados por la entrada en vigor de dicha ley foral, por lo que la conclusión que cabe deducir del artículo 139.3 LRJ en esta primera aproximación, es la de que los reclamantes no tienen derecho a indemnización alguna. Sin embargo esta conclusión preliminar debe ser matizada con lo que se desprende del desarrollo jurisprudencial de dicho precepto (92).

El Tribunal constitucional admite implícitamente la responsabilidad del Estado legislador, que el Tribunal Supremo había vinculado a la hipótesis de que la Ley superara el juicio de constitucionalidad. También acepta que el silencio de la ley sobre el derecho de indemnización queda sometido a la normativa general del ordenamiento jurídico sobre la responsabilidad patrimonial por actos de los poderes públicos que procede entregar a quienes, por causa de interés general, resulten perjudicados en sus bienes y derechos.

En consecuencia resulta obligado examinar en que casos de silencio legal cabe reconocer a los afectados por un acto legislativo de naturaleza no expropiatoria el derecho a la reparación de los daños o perjuicios sufridos, teniendo en cuenta que la existencia de daño indemnizable requiere, como requisito indispensable, la lesión de derechos subjetivos de carácter personal.

El título de imputación de la responsabilidad lo deja entrever algún pronunciamiento del Tribunal Supremo al hacer referencia a los principios de la buena fe y de la seguridad jurídica y al equilibrio de las prestaciones que debe existir entre la Administración y los Administrados en el desarrollo de relaciones con finalidad determinada que hemos mencionado más arriba (93). En otras sentencias, incluso relativas a supuestos de hechos anteriores a la vigencia de la LRJ, el alto

---

(92) STC 28/1997 planteada por el Tribunal Supremo en relación con la Ley 1/1984 del Parlamento de las Islas Baleares.

(93) STS 5.3.1993.

Tribunal destaca la singularidad e imprevisibilidad del daño como justificación del deber de indemnizar (94), en definitiva es la singularidad del daño y el derecho a la seguridad jurídica lo que constituye el fundamento tras el reconocimiento del derecho a la indemnización por actos legislativos no expropiatorios. La seguridad jurídica o su derivado, el principio de confianza legítima proclamado por el Tribunal de Justicia de la Comunidad Europea, justifica la tutela otorgada, por vía indemnizatoria a quienes son lesionados en sus derechos o intereses patrimoniales legítimos por actos completamente válidos del legislador.

Con todo, las reglas del procedimiento no vienen, expresamente previstas en la regulación de este sistema especial de responsabilidad patrimonial, sin embargo sí cabe reseñar algunas de ellas que se derivan de la doctrina jurisprudencial producida pese al vacío normativo existente, y que distingue, como ya hemos vista detalladamente en las líneas anteriores entre dos grupos principales de supuestos en función de que el acto legislativo del que trae causa el daño que genera la responsabilidad patrimonial haya sido declarado inconstitucional y consiguientemente declarado nulo, que es el caso más frecuentemente contemplado, y el acto legislativo que no haya sido objeto de tal declaración, lo que no excluye que se pueda formular la correspondiente reclamación.

Esta distinción no afecta sin embargo a la necesidad de que la reclamación de responsabilidad patrimonial del Estado legislador se haya de ejercer en vía administrativa y a través de un procedimiento administrativo de reclamación de responsabilidad, que se habrá de ajustar a las reglas generales para el mismo, ya reseñadas.

En todo caso y como regla especial de este tipo de responsabilidad cabe destacar que el órgano que ha de resolver en vía administrativa la reclamación de responsabilidad será el Consejo de Ministros cuando la responsabilidad derive de un acto del legislador estatal, y, en el caso de que el acto legislativo sea autonómico, la reclamación administrativa se ha de formular ante el Consejo de Gobierno de la Comunidad Autónoma correspondiente en aplicación de las reglas generales de competencia y lo resuelto por la jurisprudencia, si bien el plazo para el planteamiento de esta reclamación se ha de computar, en caso de inconstitucionalidad del acto legislativo, desde la declaración de inconstitucionalidad del acto legislativo correspondiente.

47. RESPONSABILIDAD POR ACTUACIONES JUDICIALES

La Constitución española declara (95) que los daños causados por error judicial, así como los que sean consecuencia del funcionamiento anormal de la Administración de justicia darán derecho a indemnización a cargo del estado conforme a la Ley.

---

(94)   STS 13.12.2001.
(95)   Artículo 121.

Cuando la responsabilidad patrimonial se deriva de la actividad jurisdiccional, es decir del Estado juez, las reglas de procedimiento administrativo de reclamación de esta responsabilidad presentan algunas especialidades, que se concretan, en primer lugar y en lo que se refiere a la responsabilidad patrimonial derivada de error judicial en que en todo caso —también en el de la responsabilidad por anormal funcionamiento de la Administración de Justicia— el órgano administrativo ante el que se ha de plantear es el Ministerio de Justicia. En segundo lugar, el ejercicio de la acción de responsabilidad derivada de actos judiciales, requiere con carácter previo a su formulación administrativa, la existencia de la declaración judicial de existencia y reconocimiento del error judicial en que se base —como ya se ha reseñado antes— bien como consecuencia de un recurso extraordinario de revisión o bien siguiendo un procedimiento judicial especial de declaración del error judicial. En tercer lugar, en el caso de que la responsabilidad traiga causa y se funde en haber padecido prisión preventiva, se excepciona la necesidad de declaración judicial expresa por el medio antes reseñado, pues la norma legal establece directamente la existencia de esta responsabilidad de la declaración judicial de absolución o de sobreseimiento libre por inexistencia del hecho imputado que hubiera determinado tal prisión preventiva.

El establecimiento de la responsabilidad patrimonial del Estado por daños o perjuicios derivados de actuaciones de la Administración de Justicia ha sido producto de una lenta evolución legislativa, tan lenta y difícil para establecer esta garantía para el ciudadano.

Este funcionamiento anormal tiene lugar cuando se producen anomalías, no necesariamente vinculadas a actuaciones culposas de los que intervienen o al órgano judicial o con ocasión del desarrollo del proceso, así como las actuaciones administrativas que constituyen el soporte de la función jurisdiccional, a saber, las de la oficina judicial.

Al margen de demostrar la existencia de dilaciones(presupuesto), deben acreditarse la realidad del perjuicio y que este se debe al anormal funcionamiento de la Administración.

El funcionamiento anormal de la Administración de Justicia, no implica referencia alguna necesaria al elemento de ilicitud o culpabilidad en el desempeño de las funciones judiciales al tratarse de un tipo de responsabilidad objetiva, el concepto de anormalidad en el funcionamiento de la Administración constituye un concepto jurídico indeterminado que debe quedar integrado en junción de la naturaleza de los actos emanados de la función y las circunstancias concretas concurrentes en el supuesto enjuiciado (96).

---

(96)   STS 11.11.1993.

El derecho a un procedimiento sin dilaciones (97) es una constante tanto en los ordenamientos como en los convenios internacionales.

Un resumen de esta doctrina jurisprudencial la encontramos tanto en sentencias del Tribunal Constitucional (98) como del Tribunal Europeo de Derechos Humanos (99).

En materia de retraso en la tramitación y decisión de los procesos, se ha establecido una triple gradación: simple, por el mero incumplimiento de plazos; el retraso constitutivo de funcionamiento anormal; y retraso grave o cualificado que supone violación del derecho fundamental a un proceso sin dilaciones indebidas tutelado por el artículo 24 CE (100). Para salvar el obstáculo de la apreciación de dilaciones por el Tribunal Constitucional, al no contener la sentencia como pronunciamiento la concesión de indemnización, en un voto particular formulado en un sentencia (101), se propone una solución que pueda acomodarse a lo dispuesto en la LOPJ (102), que entiende que si se reclama indemnización y en el proceso de amparo la Administración es parte, la eventual condena de futuro al Estado al pago de los intereses procesales legales (103).

En el ámbito del proceso penal, donde las dilaciones pueden dar lugar a situaciones gravemente perjudiciales para el ciudadano, hay que tener en cuenta que la vía de la responsabilidad cierra el camino hacia otras posibles formulas sustitutivas o complementarias de la indemnización como la aplicación del atenuante por analogía y la inejecución de la sentencia penal condenatoria (en este último caso sólo queda abierta la vía de la solicitud de indulto y la remisión condicional de la condena) (104).

Hay dilación indebida en el ámbito judicial, cuando se produce un retraso en el señalamiento del pleito y celebración de vista en recurso de apelación con efecto de impedir la admisión a trámite de demanda incidental de modificación (105).

No existe dilación indebida por cuanto el interesado intervino en el proceso con seis abogados y dos procuradores, no asistió a la celebración del juicio oral alegando supuesta enfermedad y planteó múltiples escritos y cuestiones que demoraron el proceso (106).

---

(97)   Artículo 24.2 CE.
(98)   STC 40/1987 y 10/1991.
(99)   SSTEDH Mavronichis 831/1997 y pilot v. Francia 877/1997.
(100)   SSTC 50/1989 y 35/1994.
(101)   STC 83/1989.
(102)   Artículo 293.2 LOPJ.
(103)   Ver artículo 571.º de la Ley de Enjuiciamiento Civil.
(104)   STC 35/1994 y STS 26.5.1992, 6.7.1992 y 10.5.1994.
(105)   SAN 13.5.1999.
(106)   SAN 28.2.1996.

La indemnización debe resarcir los daños causados por el funcionamiento de la Administración de Justicia, lo que no es equiparable necesariamente a la integridad de la pretensión que se ejercitaba en el proceso objeto de funcionamiento anormal. Para la determinación de la indemnización ha de tenerse en cuenta la actitud del perjudicado en el proceso y fuera del mismo en cuanto al ejercicio diligente de las distintas acciones (107).

El Estado responde en caso de dolo o culpa grave de los jueces y magistrados por los daños que se produzcan por dolo o culpa grave de los jueces y magistrados, en el ejercicio del cargo, ahora bien, ello no elimina la responsabilidad personal de éstos puesto que el Estado ejercitar la acción de regreso contra los mismos por los cauces del proceso declarativo que corresponda ante el tribunal competente. No obstante la definición de la anterior responsabilidad del Estado, los particulares pueden exigir directamente responsabilidad civil a los jueces y magistrados. En estos procesos el Ministerio Fiscal es siempre parte (108).

Para que sea procedente alguna indemnización del Estado debe contarse con una declaración previa de la responsabilidad, penal (109) o civil, en que haya incurrido el juez o magistrado. Las normas para depurar dichas responsabilidades se encuentran en la LOPJ art. 405 a 413, en relación a lo previsto en la LOPJ art. 119.1.

Una vez obtenida dicha declaración previa de responsabilidad podría exigirse la responsabilidad correspondiente.

Debe relacionarse Este último supuesto, ha de ponerse en relación con lo que dispone la LOPJ en su artículo 297, que posibilita, a pesar de lo previsto en los artículos anteriores (110) la exigencia de responsabilidad a los jueces y magistrados por los particulares con arreglo a lo dispuesto en esta Ley. Hay unanimidad en que este artículo debe interpretarse como una opción ante el supuesto inmediato anterior, es decir, el particular tiene la disyuntiva de la exigencia de la responsabilidad del Estado-juez por dolo o culpa grave del juez o magistrado, o la personal de éstos.

48. PROCEDIMIENTO DE RECLAMACIÓN DE RESPONSABILIDAD

El artículo La LRJ remite la responsabilidad patrimonial del Estado por el funcionamiento de la Administración de Justicia a lo establecido por la Ley Orgánica del Poder Judicial (111).

---

(107)   SAN 29.1.1997.
(108)   Artículo 296 LOPJ.
(109)   Ver artículo 351 Código Penal.
(110)   Artículos 292 a 296.
(111)   Artículo 139.4 LRJ.

La Ley Orgánica 6/1985 del Poder Judicial, de 1 de julio, reguló, en efecto, la responsabilidad del Estado en desarrollo de lo dispuesto por el artículo 121 de la CE, y, utilizando la misma fórmula que aquélla, declara la responsabilidad del Estado por los daños causados en cualesquiera de los bienes o derechos de los particulares.

El Título V de dicha Ley Orgánica regula en efecto la responsabilidad patrimonial del Estado por el funcionamiento de la Administración de Justicia, disponiendo que los daños causados en cualesquiera bienes o derechos por error judicial, así como los que sean consecuencia del funcionamiento normal o anormal de la Administración de justicia darán a todos los perjudicados derecho a una indemnización a cargo del Estado, salvo en los casos de fuerza mayor. En cualquier caso el daño alegado debe ser efectivo, evaluable económicamente e individualizado con relación a una persona o gruido de personas, además la mera revocación o anulación de las resoluciones judiciales no presupone, por si sola, el derecho a indemnización (112).

Al igual que en la responsabilidad administrativa general, también aquí se exige que el daño alegado sea efectivo, evaluable económicamente e individualizado con relación a una persona o grupos de personas, sin que la mera revocación o anulación de las resoluciones judiciales presuponga por sí sola derecho a indemnización. La reclamación, siguiendo las reglas generales, se dirigirá al Ministerio de Justicia en el plazo de un año a partir del día en que pudo ejercitarse la acción y se tramitará con arreglo a las normas reguladoras de la responsabilidad patrimonial del Estado, procediendo recurso contencioso-administrativo en caso de denegación (art. 293.2).

A la vista de esta disposición tenemos que la Ley Orgánica del Poder Judicial regula dos clases de responsabilidad por el defectuoso funcionamiento de la Administración de Justicia: la responsabilidad por error judicial y la responsabilidad por prisiones indebidas. No obstante, hay que entender que estos supuestos agotan únicamente los casos de posible responsabilidad por el ejercicio de la función judicial, pues es posible que, al margen del ejercicio estricto de esa función, los aparatos judiciales ocasionen daños por el funcionamiento anormal de los que debe responder igualmente el Estado.

La reclamación de la responsabilidad del Estado por error judicial exige que, antes de la reclamación al Ministerio de Justicia, tal error judicial sea expresamente declarado o reconocido por un Tribunal. Esta declaración podrá resultar directamente de una sentencia dictada en virtud de recurso de revisión o con arreglo a un procedimiento especial que la Ley establece, para lo que es preciso, en primer lugar, el agotamiento de los recursos previstos en el ordenamiento, y, en segundo

---

(112) Artículo 292 LOPJ.

lugar, que esa declaración sea efectuada por un órgano jurisdiccional con arreglo a las siguientes normas: a) la acción judicial para el reconocimiento del error judicial deberá instarse inexcusablemente en el plazo de tres meses a partir del día en que pudo ejercitarse; b) la pretensión de declaración de error se deducirán ante la Sala del Tribunal Supremo correspondiente al mismo orden jurisdiccional a que se imputa el error o a una Sala especial de éste si el error se imputa a una Sala o Sección del Tribunal Supremo; c) el procedimiento para sustanciar la pretensión será el propio del recurso de revisión en materia civil, siendo partes, en todo caso, el Ministerio Fiscal y la Administración del Estado; d) el Tribunal dictará sentencia definitiva, sin ulterior recurso, en el plazo de quince días, con informe previo del órgano jurisdiccional a quien se atribuye el error; e) si el error no fuere apreciado se impondrán las costas al peticionario.

En efecto la propia LOPJ dispone que la reclamación de indemnización por causa de error judicial debe ir precedida de una decisión judicial que expresamente lo reconozca, decisión que puede resultar directamente de una sentencia dictada en un recurso de revisión judicial. Por ello en los demás casos la LOPJ establece las siguientes normas de actuación:

La acción judicial para el reconocimiento del error debe instarse en el plazo de tres meses a partir del día en que pudo ejecutarse.

La pretensión de declaración de error se deduce ante la Sala del Tribunal Supremo correspondiente al mismo orden jurisdiccional que el órgano a quien se imputa el error.

Cuando el se atribuya a una Sala o Sección del Tribunal Supremo, la competencia corresponderá a una sala formada por el Presidente del Tribunal Supremo, los Presidentes de Sala y los Magistrados más antiguo y más moderno de cada una de ellas.

Cuando se trate de órganos de la jurisdicción militar, la competencia corresponde a la Sala Quinta de los Militar del Tribunal Supremo.

El procedimiento para sustanciar la pretensión será el propio del recurso de revisión en materia civil, siendo partes, en todo caso, el Ministerio Fiscal y la Administración del Estado.

El Tribunal debe dictar sentencia definitiva, sin recurso ulterior, en el plazo de quince días, con informe previo del órgano jurisdiccional a quien se atribuya el error. Cuando el error no sea apreciado se imponen las costas al peticionario.

No procederá la declaración de error contra la resolución judicial a la que se impute mientras no se hubieran agotado previamente los recursos previstos en el ordenamiento.

La mera solicitud de declaración del error no impide que la resolución se a ejecutada.

Por otra parte tanto en el supuesto de error judicial declarado como en el de daño causado por el funcionamiento anormal de la Administración de justicia, el interesado dirigirá su petición indemnizatoria directamente al Ministerio de Justicia tramitándose con arreglo a las disposiciones que regulan la responsabilidad patrimonial del Estado.

Se trata de un procedimiento administrativo mediante el cual se pueden reclamar al Ministerio de Justicia indemnizaciones por los daños y perjuicios ocasionados por actuaciones de la Administración de Justicia que el afectado no tiene el deber jurídico de soportar.

Son indemnizables los daños causados en cualesquiera bienes o derechos, salvo en los casos de fuerza mayor, que tengan su origen en los supuestos previstos en la Ley Orgánica del Poder Judicial.

En todo caso el daño alegado ha de ser efectivo, evaluable económicamente e individualizado en relación a una persona o grupo de personas.

Deberá existir una relación de causalidad directa, inmediata y exclusiva entre la actuación del órgano judicial y el daño reclamado.

49. SUPUESTOS DE INDEMNIZACIÓN POR ACTUACIÓN JUDICIAL

En cuanto a los supuestos indemnizatorios hay que distinguir como hemos visto varios supuestos:

a) Error judicial: como consecuencia de la adopción de resoluciones judiciales no ajustadas a Derecho, ya sea por la incorrecta aplicación de la norma jurídica o por la valoración equivocada de los hechos u omisión de los elementos de prueba que resulten esenciales.

b) Funcionamiento anormal de la Administración de Justicia: como consecuencia del funcionamiento irregular de los servicios judiciales que constituyen la estructura de la Administración de Justicia. Por ejemplo, el caso de las dilaciones indebidas en la tramitación del proceso judicial, la pérdida o deterioro de bienes que se encuentren bajo la custodia de órganos judiciales, etc.

En ningún caso hay lugar a la indemnización cuando el error judicial o el funcionamiento anormal de la Administración de Justicia haya sido causado por la conducta dolosa o culposa del perjudicado.

La mera revocación o anulación de las resoluciones judiciales no presupone por sí sola el derecho a indemnización.

c) Prisión preventiva indebida: el supuesto es aplicable a quienes hayan sufrido prisión preventiva y posteriormente sean absueltos o se dicte auto de sobreseimiento libre, en ambos casos por inexistencia del hecho imputado, siempre que se les hayan causado perjuicios.

La cuantía de la indemnización depende del tiempo de privación de libertad y de las consecuencias personales y familiares que se hayan producido.

En la reclamación indemnizatoria promovida por causa de error judicial es requisito necesario la existencia de una previa decisión judicial que expresamente lo reconozca.

La previa decisión podrá resultar directamente de una sentencia dictada en virtud de recurso de revisión.

En otro caso distinto, deberá solicitarse la declaración del error judicial ante la Sala del Tribunal Supremo correspondiente al mismo orden jurisdiccional que el órgano al que se le impute el error.

Plazo: la acción judicial para el reconocimiento del error debe instarse inexcusablemente en el plazo de tres meses a partir del día en que pudo ejercitarse.

No procede la declaración de error de una resolución judicial mientras no se hayan agotado previamente, contra la misma, los recursos previstos en el ordenamiento.

Una vez reconocida la existencia del error judicial, mediante sentencia dictada en recurso de revisión, o declaración judicial de la Sala correspondiente del Tribunal Supremo, se podrá solicitar la indemnización ante el Ministerio de Justicia.

50. TRAMITACIÓN ADMINISTRATIVA DE RECLAMACIONES POR ERROR JUDICIAL

La petición indemnizatoria debe dirigirse al Ministerio de Justicia.

La tramitación del procedimiento administrativo se sigue con arreglo a las normas reguladoras de la responsabilidad patrimonial del Estado (113). (En todo caso, el derecho a reclamar la indemnización prescribirá al año a partir del día en que pudo ejercitarse; esto es, de producido el hecho o el acto que motive la indemnización o de manifestarse su efecto lesivo. En caso de error judicial el

---

(113) LRJ artículo 139 y ss. y Reglamento de los Procedimientos de las Administraciones Públicas en materia de Responsabilidad Patrimonial, aprobado porReal Decreto 429/1993, de 26 de marzo.

plazo comenzará desde que fue declarado judicialmente el error o notificada la sentencia dictada en recurso de revisión; en el caso de funcionamiento anormal de la Administración de Justicia desde que se produjo de forma efectiva el daño reclamado; y en el supuesto de la prisión preventiva, desde que adquiriera firmeza la sentencia absolutoria o el auto de sobreseimiento libre.

La resolución que se dicte en el procedimiento pone fin a la vía administrativa; contra la misma cabe interponer, con carácter potestativo, recurso de reposición, o bien directamente el recurso contencioso-administrativo.

El interesado debe dirigir un escrito de petición indemnizatoria directamente al Ministerio de Justicia, en el que debe hacerse constar:

a. Nombre y apellidos del interesado y, en su caso, de la persona que lo represente. Identificación del lugar a efectos de notificaciones.

b. Hechos, razones y petición.

c. Lugar y fecha.

d. Firma del solicitante.

e. Daños y perjuicios.

f. Relación de causalidad entre las lesiones y el funcionamiento del servicio público.

g. Evaluación económica de la responsabilidad patrimonial.

h. Momento en que el daño efectivamente se produjo.

Irá acompañado de cuantas alegaciones, documentos e informaciones que se estimen oportunos, y de la proposición de prueba.

Además, deben acompañarse, cuantas alegaciones, documentos, justificantes e informaciones se consideren oportunas para que quede acreditado el derecho a indemnización.

Tienen derecho a indemnización quienes, después de haber sufrido prisión preventiva, sean absueltos por inexistencia del hecho imputado o por haber sido dictado auto de sobreseimiento libre en el mismo caso, siempre que se le hubieran irrogado perjuicios.

La cuantía de la indemnización se fija en función del tiempo de privación de libertad y de las consecuencias personales y familiares que se hayan producido. En este caso la petición indemnizatoria también se tramita de acuerdo con lo establecido en las normas que regulan la responsabilidad patrimonial del Estado.

En ningún caso procede la indemnización cuando el error judicial o el anormal funcionamiento de los servicios tuviera por causa la conducta dolosa o culposa del perjudicado.

El Estado también responde de los daños o culpa grave de los jueces y Magistrados sin perjuicio del derecho que le asiste de repetir contra ellos por los cauces establecidos para el proceso declarativo que corresponda ante el tribunal competente, teniendo en cuenta que en estos procesos siempre es parte el Ministerio Fiscal.

La especialidad de la responsabilidad por detenciones preventivas indebidas, cuando el acusado ha sido absuelto por inexistencia del hecho imputado, o cuando por esta misma causa haya sido dictado auto de sobreseimiento libre, consiste en la determinación de la cuantía de la indemnización en función del tiempo de privación de libertad y de las consecuencias personales y familiares que se haya producido (art. 294).

51. UN SUPUESTO PRÁCTICO DE RESPONSABILIDAD

Vamos a examinar un supuesto reciente de responsabilidad patrimonial de la Administración de Justicia por el extravío del soporte videográfico del juicio que supuso la declaración de nulidad y repetición de actuaciones, incidiendo negativamente en la duración de la causa (114). El Juzgado de Primera Instancia estimó en parte la demanda presentada por la hoy parte actora condenándola a abonar una cantidad. A instancia de la hoy demandante se dictó por el mismo Juzgado un auto acordando la ejecución provisional de la antedatada sentencia. La parte demandada y condenada interpuso el pertinente recurso de apelación contra aquella sentencia, dictándose por la Audiencia Provincial la correspondiente sentencia que declaró la nulidad de la sentencia recurrida habida cuenta la falta de un soporte videográfico del comienzo del juicio oral celebrado, en el que se había practicado el interrogatorio de las partes y la declaración testifical de Don Blas, y ello a fin de que se procediera nuevamente al interrogatorio de las partes y del referido testigo, conservando el resto de los actos procesales, y sin efectuar especial imposición de costas en la alzada.

La demandante presentó la reclamación administrativa por anormal funcionamiento de la Administración de Justicia. En su tramitación el Consejo General del Poder Judicial (CGPJ) informó que en el caso se había producido un anormal funcionamiento de la Administración de Justicia, mientras que el dictamen del Consejo de Estado se pronunció en el sentido de desestimar la reclamación dado su carácter prematuro al no haberse dictado todavía la segunda sentencia de apelación, a lo que añadía que en relación con los honorarios y derechos de abogado

---

(114)   SAN de 14.9.2010.

y procurador se habían presentado tan solo facturas pro forma y la satisfacción de los mismos debía encauzarse a través del incidente de las costas procesales en la oportuna sede jurisdiccional. La resolución puesta ahora en tela de juicio se dictó de acuerdo con el meritado dictamen del Consejo de Estado.

La demanda rectora del proceso reitera la petición de indemnización de una cantidad ya deducida en la vía administrativa, más los correspondientes intereses legales desde la fecha de la reclamación administrativa, a cuya pretensión se ha opuesto el Abogado del Estado en los términos que son de ver en su escrito de contestación a la demanda.

El título de imputación esgrimido por la demandante es el relativo al anormal funcionamiento de la Administración de Justicia, respecto del que interesa en este punto traer a colación algunos apuntes jurisprudenciales a propósito de los requisitos necesarios para el éxito de la reclamación patrimonial asentada en el referido título de imputación.

El Tribunal Supremo (115) tiene declarado que cuando se trata de exigir la responsabilidad patrimonial por el funcionamiento anormal de la Administración de Justicia, la viabilidad de la acción requiere la concurrencia de las siguientes circunstancias:

a) que exista un daño efectivo, individualizado y evaluable económicamente;

b) que se haya producido un funcionamiento anormal de la Administración de Justicia.

c) que exista la oportuna relación de causalidad entre el funcionamiento de la Administración de Justicia y el daño causado de tal manera, que éste aparezca como una consecuencia de aquél y por lo tanto resulte imputable a la Administración.

d) que la acción se ejecute dentro del plazo de una año desde que la producción del hecho determinante del daño propició la posibilidad de su ejercicio.

También ha declarado (116) que los presupuestos que generan la responsabilidad patrimonial en el ámbito judicial son el funcionamiento anormal de la Administración de Justicia, la existencia de un daño que sea su consecuencia.

Respecto al funcionamiento anormal, ha sido la propia jurisprudencia del Tribunal Supremo (117) la que ha declarado reiteradamente que la anormalidad de ese funcionamiento no implica, desde luego, referencia alguna necesaria al elemento de ilicitud o culpabilidad en el desempeño de las funciones judiciales

---

(115)   STS 21.1.1999.
(116)   STS 6.7.1999.
(117)   Entre otras STS 11.11.1993.

al tratarse de un tipo de responsabilidad objetiva y se ha tenido en cuenta en la referida sentencia que el concepto de anormalidad en el funcionamiento de la Administración constituye un concepto jurídico indeterminado que debe quedar integrado en función de la naturaleza de los actos emanados de la función y las circunstancias concretas concurrentes en el supuesto enjuiciado.

En cuanto a la responsabilidad patrimonial por funcionamiento anormal, deviene de la existencia de un daño o perjuicio que, para ser indemnizable, debe ser real y efectivo, no traducirse en meras especulaciones o expectativas, incidiendo sobre derechos e intereses legítimos evaluables económicamente y cuya concreción cuantitativa o las bases para determinarla puedan materializarse en ejecución de sentencia, de manera que permitan una cifra individualizada en relación con una persona, como consecuencia del daño producido por la actividad de la Administración en relación de causa a efecto, probando el perjudicado la concurrencia de los requisitos legales para que surja la obligación de indemnizar.

La existencia de un anormal funcionamiento de la Administración de Justicia está reconocida tanto en el informe del CGPJ, como en el dictamen del Consejo de Estado, y ello a partir del extravío de la correspondiente cinta de video, que determina la declaración de nulidad y consiguiente repetición de determinadas actuaciones judiciales, que, en definitiva y cual reconoce el Consejo de Estado, redunda de manera negativa en la duración general de la causa. Ahora bien, constatada dicha anormalidad, procede el estudio de los demás requisitos necesarios para que pueda surgir la responsabilidad patrimonial de la Administración por el título de imputación de referencia, siendo así que el dictamen del Consejo de Estado comienza al respecto por advertir que la reclamación es prematura, lo que determina su decadencia.

Ya en este punto, el alto Tribunal reconoce que la reclamación administrativa en el momento de su presentación era extemporánea por prematura, y ello al menos en relación con determinadas partidas incluidas en el monto indemnizatorio reclamado, pues todavía no había sido dictada la segunda sentencia de apelación. Ahora bien, se aportó al proceso la sentencia que desestima la alzada e impone las costas a la parte apelante, de tal manera que aquella circunstancia de extemporaneidad ha desaparecido y disponemos ya de los elementos de juicio necesarios para emitir un pronunciamiento de fondo en relación con todas las partidas indemnizatorias reclamadas, respecto de las que ha podido debatirse y probarse en plenitud en esta sede judicial, por lo que aquel pronunciamiento de fondo viene exigido por el derecho a la tutela judicial efectiva, que demanda que se aprovechen las actuaciones judiciales que se han producido en el actual proceso.

En consecuencia, el quantum que se impetra en la demanda viene dado por la suma de los intereses contemplados en la Ley de Enjuiciamiento Civil (118) desde

---

(118)   Artículo 579 LEC.

la primera hasta la segunda sentencia de primera instancia, más los honorarios de abogado y procurador correspondientes a las actuaciones que se han anulado o ha sido necesario repetir como consecuencia del anormal funcionamiento de la Administración de Justicia.

El citado precepto dispone que desde que fuere dictada en primera instancia, toda sentencia o resolución que condene al pago de una cantidad de dinero líquida determinará, a favor del acreedor, el devengo de un interés anual igual al del interés legar del dinero incrementado en dos puntos o el que corresponda por pacto de las partes o por disposición especial de la ley, siendo así que, este supuesto que se enjuiciaba, la cantidad reconocida a favor de la demandante no había podido devengar el interés a que la Ley de Enjuiciamiento Civil se refiere, lo que le ha generado un evidente perjuicio que se está en el caso de reparar por medio de la correspondiente indemnización, equivalente al importe de aquéllos intereses por el lapso temporal que corre desde la primera sentencia hasta la segunda sentencia.

Por otra parte, se reclama por la actora el importe de los honorarios y derechos del abogado y procurador que intervinieron en las actuaciones relativas a la repetición del juicio de primera instancia, las correspondientes a la tramitación de la ejecución provisional que devino inútil por la declaración de nulidad de la primera sentencia de instancia, y las relativas al primer recurso de apelación cuya sentencia no hizo una especial imposición de costas. Todos estos gastos han sido sufragados por la aquí demandante y tienen su origen en el anormal funcionamiento de la Administración de Justicia de que tratamos, por lo que han de ser indemnizados al suponer una lesión resarcible en la medida en que aquélla no estaba obligada a soportarlos, y ello teniendo en cuenta, además, que no han sido objeto de un concreto reproche en cuanto a su importe por el Abogado del Estado, que están debidamente acreditados en esta sede y que no son susceptibles de resarcimiento por el cauce del incidente relativo a las costas procesales en los correspondientes procesos, por lo que, en definitiva, concurren los requisitos para su indemnización al amparo del título de la responsabilidad patrimonial por el funcionamiento anormal de la Administración de Justicia. Por todo ello el Tribunal decide estimar el recurso y reconocer el derecho a la indemnización por anormal funcionamiento de la Administración de Justicia.

52. RESPONSABILIDADES CONCURRENTES ENTRE ADMINISTRACIONES

En los casos de responsabilidad concurrente entre varias administraciones tan sólo se contempla expresamente el caso de la derivada de actuaciones formalizadas de actuación conjunta. El procedimiento administrativo de reclamación de responsabilidad se rige por las reglas generales que ya hemos expuesto, con la especialidad de que se ha de consultar con las Administraciones implicadas en la misma. Para determinar cual sea la Administración que tenga la competencia para resolver el procedimiento administrativo de reclamación de responsabilidad, en estos casos de actuaciones instrumentadas jurídicamente se ha de estar a lo que resulte de las reglas establecidas en la formalización de la actuación conjunta, y en su defecto vendrá atribuida a la Administración con mayor participación financiera en la actuación.

Aun cuando la norma legal contempla el supuesto de que no exista tal actuación conjunta jurídicamente instrumentada, no se establecen reglas especiales de procedimiento para estos casos, por lo que se estará a lo establecido con carácter general para la responsabilidad concurrente, esto es se aplican las reglas generales del procedimiento administrativo de reclamación de responsabilidad con consulta a las Administraciones afectadas.

En cuanto a la determinación de la competencia para resolver habrá que estar a los criterios de reparto de esta responsabilidad que se establecen sustantivamente en la referida norma, es decir atendiendo a los criterios de competencia, interés público tutelado e intensidad en la intervención, y en su defecto —atendido el carácter solidario de la responsabilidad en este caso— será competente la Administración a que se dirija la reclamación, sin perjuicio de la distribución de la responsabilidad entre ellas que resulte en cada caso

53. DAÑOS PRODUCIDOS A OTRAS ADMINISTRACIONES

Si bien la normativa reguladora de la responsabilidad dispone que los particulares tendrán derecho a ser indemnizados por las Administraciones Públicas; sin embargo no se declara expresamente que, las Administraciones Públicas puedan ser sujetos del derecho a indemnización por haber sido perjudicadas. A pesar de ello, existen pronunciamientos judiciales (119) a favor de la admisión este tipo reclamaciones por parte de otras Administraciones Públicas empleando argumentos como el de analogía y porque al determinar el derecho de error judicial y funcionamiento anormal de la Administración de justicia tampoco contiene limitación que afecte a los sujetos lesionados para solicitar las debidas indemnizaciones.

Por otra parte hay que reconocer que la Ley 29/1998 de 13 de julio reguladora de la Jurisdicción Contencioso-Administrativa atribuye legitimación a la Administración del Estado así como a las autonómicas y locales de manera que no puede admitirse que una Administración Pública se halle indefensa ante cualquier acto de otras Administraciones (120), en consecuencia, están obligadas a la defensa de los intereses de sus administrados y administradas y se les debe reconocer la posibilidad de que puedan ejercitar las acciones necesarias para ello. Sin embargo, no deben acudir a la vía administrativa ordinaria. Se abre directamente la vía juris-

---

(119)   STSJ País Vasco 14.10.1994.
(120)   Artículo 19.

diccional si bien debe realizar antes cierta actividad en aplicación del artículo 44 de la Ley de la Jurisdicción de modo que en los litigios entre Administraciones públicas no cabrá interponer recurso en vía administrativa. No obstante, cuando una Administración interponga recurso contencioso-administrativo contra otra, podrá requerirla previamente para que derogue la disposición, anule o revoque el acto, haga cesar o modifique la actuación material o inicie la actividad a que éste obligada. El requerimiento deberá dirigirse al órgano competente mediante escrito razonado que concretará la disposición, acto actuación o inactividad y deberá producirse en el plazo de dos meses contados desde la publicación de la norma o desde que la Administración requeriente hubiera conocido o podido conocer el acto, actuación o inactividad El requerimiento se entenderá rechazado si, dentro del mes siguiente a su recepción, el requerido no lo contestara. Queda a salvo lo dispuesto sobre esta materia en la legislación de régimen local. El requerimiento debe realizarse por la Administración y por un órgano competente para ello. No es necesario que sea el órgano competente para ejercitar la acción, pero no valdría si el requerimiento lo hace una persona del entorno exterior a la Administración correspondiente.

54. RESPONSABILIDAD PATRIMONIAL DE AUTORIDADES Y FUNCIO-NARIOS

La responsabilidad administrativa patrimonial tiene naturaleza directa lo que determina la necesaria exigibilidad de indemnización a la administración Pública de la cual dependa el servicio público (121) cuyo funcionamiento es causa del daño. La LRJ dispone que para hacer efectiva la responsabilidad patrimonial, los particulares deben exigir, directamente, a la Administración pública correspondiente, las indemnizaciones por daños y perjuicios causados por las autoridades y personal a su servicio. La ley y el reglamento limitan la acción directa del perjudicado contra las personas físicas que dan lugar a la actividad administrativa cuya responsabilidad solo es exigible por vía de repetición.

En el caso de la responsabilidad patrimonial de las autoridades y personal al servicio de las Administraciones públicas, aun cuando ésta sea imputable a estos personalmente y no a la Administración pública a la pertenecen, la norma legal establece que en todo caso el interesado exigirá la misma de la Administración correspondiente y bajo las reglas del procedimiento administrativo de reclamación de responsabilidad patrimonial del Estado que hemos venido examinando. Se establece así una regla de garantía para el interesado de la que resulta que, en todo caso, sea responsable la autoridad o funcionario o la Administración de la que forma parte orgánicamente, ésta viene sometido al mismo procedimiento

---

(121) Que en cualquier caso siempre depende de personas determinadas como autoridades o empleados públicos.

de exigencia de responsabilidad, ante la Administración pública en cuyo seno se haya producido la actividad causante del daño o lesión, que además viene obligada a indemnizar por sí al interesado. En concreto el procedimiento administrativo de reclamación de responsabilidad de autoridades y personal al servicio de las Administraciones públicas es el de la exigencia de responsabilidad patrimonial del Estado, aunque la imputación de la misma no recaiga sobre la Administración sino contra las personas que la encarnan orgánicamente. Sin embargo ya hemos señalado que la Administración pública, que viene legalmente obligada a hacer frente a esta responsabilidad, ejercerá la correspondiente acción de regreso respecto el personal que resulte efectivamente responsable con arreglo a reglas específicas de procedimiento que se establecen a tal efecto expresamente.

De acuerdo con lo dispuesto en la propia LRJ y el Reglamento de procedimiento de responsabilidad patrimonial (122) las autoridades y el personal al servicio de las Administraciones Públicas tienen que responder de dos tipos de daños y perjuicios:

a) de los causados a particulares como consecuencia del funcionamiento, normal o anormal, de los servicios públicos, es decir derivados de la actividad que desarrollan como tales empleados públicos, esta responsabilidad solo se exige por vía de repetición, cuando la Administración haya indemnizado, previamente, a los lesionados y con fundamento en criterios como el resultado dañoso o perjudicial que se haya producido, la existencia o no de intencionalidad, la responsabilidad profesional del personal al servicio de las Administraciones Públicas y su relación con la producción del resultado dañoso.

b) Los daños o perjuicios causados a la propia Administración pública como consecuencia de su propia conducta, es una responsabilidad que se exige de manera directa.

En cualquier caso hay que destacar que esta responsabilidad no tiene naturaleza objetiva, de manera que solo puede procederse contra los empleados públicos cuando haya quedado acreditada su actuación con intencionalidad, dolo o negligencia grave, es decir con arreglo al principio de culpabilidad que regula el código Civil que la propia LRJ cualifica al exigir la gravedad de la culpa o de la negligencia.

La LRJ se remite a disposición reglamentaria en lo relativo al procedimiento que haya de seguirse para hacer efectiva la exigencia de responsabilidad patrimonial de los empleados públicos. De este modo, el RPRP (123) establece una vía

---

(122)   Art. 145 LRJ y arts. 19 y 20 RPRP.
(123)   Artículo 21.

procedimientos para que la Administración pueda reclamar la responsabilidad de las personas físicas a su servicio que consta de las siguientes fases de tramitación:

1) Inicio: El procedimiento se inicia de oficio por parte de la Administración que ha indemnizado a los particulares o haya sufrido daños o perjuicios en sus bienes y derechos.

2) Fase de alegaciones: El acuerdo de incoación debe notificarse a los interesados, concediendo un plazo de quince días para que aporten cuantos documentos, informaciones y pruebas estimen convenientes.

3) Informe del servicio administrativo en cuyo funcionamiento se haya producido la presunta lesión indemnizable, sin perjuicio de la solicitud de cuantos otros informes sean procedentes.

4) Periodo de prueba: Las pruebas admitidas, así como las que se estimen procedentes por parte del órgano instructor del procedimiento, deben practicarse en el plazo de quince días.

5) Trámite de audiencia, para lo cual debe notificarse a los interesados que disponen de un plazo de diez días para formular las alegaciones que estimen convenientes.

6) Propuesta de Resolución que deberá formularse en el plazo máximo de cinco días desde la finalización del trámite de audiencia.

7) Resolución que debe dictarse y notificarse en el plazo máximo de cinco días y que pone fin a la vía administrativa (124).

55. RESPONSABILIDAD DERIVADA DE INFRACCIÓN PENAL

Esta responsabilidad derivada de la comisión de delitos y faltas se regula procesal y sustantivamente por las correspondientes normas penales y se concreta en la llamada responsabilidad civil subsidiaria, pues la patrimonial directa derivada de delitos y faltas corresponde al condenado en su caso; así se desprende de la remisión expresa a las normas penales que formula la legislación administrativa en materia de responsabilidad patrimonial. No obstante lo anterior se ha de destacar que la última reforma de la regulación administrativa referida establece que la exigencia de esta responsabilidad penal a autoridades y funcionarios no suspenderá los procedimientos administrativos de reclamación de responsabilidad patrimonial, salvo que la determinación penal de los hechos sea necesaria para la fijación de la responsabilidad patrimonial, a lo que hay que añadir que en ningún caso cabe la duplicidad indemnizatoria.

---

(124)   Artículo 2.3 RPRP.

La LRJ establece (125) que la responsabilidad penal del personal al servicio de las Administraciones públicas, así como la responsabilidad civil derivada del delito, se exigirá de acuerdo con lo previsto en la legislación correspondiente.

Remisión que se entiende realizada al Código Penal que tipifica determinados delitos susceptibles de ser cometidos por funcionarios públicos en ejercicio de sus funciones. El propio artículo 121 de dicho Código dispone que responden subsidiariamente de los daños causados por los sujetos penalmente responsables de los delitos dolosos o culposos, cuando estos sean autoridad, agentes y contratados de la misma o funcionarios públicos en ejercicio de sus cargos o funciones, siempre que la lesión sea consecuencia directa del funcionamiento de los servicios públicos que les estuvieren confiados, sin perjuicio de la responsabilidad patrimonial derivada del funcionamiento normal o anormal de dichos servicios que es exigible conforme a las normas de procedimiento administrativo, y sin que, en ningún caso, pueda darse una duplicidad indemnizatoria.

El mismo precepto dispone que si en el proceso penal se exigiera la responsabilidad civil de las autoridades, agentes y contratados de la Administración o de funcionarios públicos, la pretensión penal deberá dirigirse simultáneamente contra la Administración o el Ente público que sea presuntamente responsable civil subsidiario.

En el ámbito judicial se propugna un interpretación extensiva de este precepto ampliando la cobertura de la responsabilidad civil subsidiaria de la Administración respecto de cualesquiera personas vinculadas a la misma que actúen, materialmente, en desarrollo de un servicio público; además en caso de que la responsabilidad civil subsidiaria comprendiera la indemnización de la totalidad de los perjuicios irrogados al perjudicado, como consecuencia del funcionamiento del servicio público no procederá iniciar el procedimiento de responsabilidad patrimonial (126).

56. RESPONSABILIDAD CONTABLE DE LAS AUTORIDADES Y EMPLEADOS PÚBLICOS

El RPRP (127) se remite a la normativa específica cuando los daños o perjuicios causados a los particulares hubieran sido originados por accione su omisiones de autoridades y funcionarios al servicio de las administraciones públicas que sean constitutivos de responsabilidad contable.

Esta responsabilidad es un tipo de responsabilidad patrimonial en la que pueden incurrir, aquellos que tenga a su cargo la responsabilidad del manejo de efectos o

---

(125)   Artículo 146.1.
(126)   SSTS 25.10.2006 y 13.6.2003 y SAN 4.3.2005.
(127)   Artículo 20.2.

caudales públicos, como consecuencia de los perjuicios irrogados a la Hacienda pública. Es una responsabilidad de tipo subjetivo por lo cual solo es exigible en caso de dolo o culpa graves (128).

Esta responsabilidad se exige de conformidad con la siguiente normativa especial:

a) En el ámbito de la Administración General del estado la Ley 47/2003 General Presupuestaria (LGP) en cuyo Título VII (129) se recogen las disposiciones que regulan las responsabilidades disponiendo que Las autoridades y demás personal al servicio de la Administración que por dolo o culpa graves adopten resoluciones o realicen actos con infracción de las disposiciones de esta Ley, estarán obligados a indemnizar a la Hacienda Pública estatal o, en su caso, a la respectiva entidad los daños y perjuicios que sean consecuencia de aquellos, con independencia de la responsabilidad penal o disciplinaria que les pueda corresponder. También es de aplicación el real decreto 700/1998 que regula los expedientes administrativos de responsabilidad contable y, además también es de aplicación la normativa específica sobre el Tribunal de Cuentas (130).

b) En el ámbito de las Comunidades Autónomas, son de aplicación las normas reguladoras de la hacienda autonómica así como la normativa del tribunal de cuentas puesto que, con independencia de los Órganos de fiscalización externa (Ocex) de las Comunidades autónomas, el Tribunal de Cuentas tiene jurisdicción en materia de enjuiciamiento contable.

c) En el ámbito de las entidades Locales las competencias para el enjuiciamiento contable son del Tribunal de Cuentas (131).

57. RESPONSABILIDAD MEDIANDO CONTRATO DE SEGURO

La Ley 50/1980, de 8 de octubre del Contrato de Seguro dispone que el perjudicado, o sus herederos, tienen acción directa contra el asegurador para exigirle el cumplimiento de la obligación de indemnizar, sin perjuicio del derecho del asegurador para repetir contra el asegurado, el importe del daño o perjuicio causado a tercero, en el supuesto de que el daño o perjuicio sea debido a conducta dolosa del asegurado.

Este mismo precepto establece la inmunidad de la acción directa respecto a las indemnizaciones que puedan corresponder al asegurador contra el asegurado.

---

(128) Ver art. 176 L47/2003 y 49 Ley 7/1998.
(129) Artículo 176 y ss.
(130) Ley Orgánica 2/1982, de 12 de mayo, del Tribunal de Cuentas y Ley 7/1998, de 5 de abril, de Funcionamiento del Tribunal de Cuentas.
(131) Artículo 223.3 Texto refundido de la Ley de Haciendas Locales aprobado por Real Decreto legislativo 2/2004 de 5 de marzo.

Respecto a si un particular perjudicado por el funcionamiento de aquellos servicios públicos amparados por una póliza de seguro de responsabilidad patrimonial puede reclamar directamente la indemnización a la entidad aseguradora y cual tenga que ser el cauce procedimental oportuno para plantear la reclamación hay que reconocer que desde un punto de vista práctica es perfectamente posible el ejercicio de la acción directa en la medida en que la disposición del artículo 76 de la Ley de Contrato de Seguro no exceptúa el supuesto de que el asegurado sea una Administración Pública (132).

La vía procesal para reclamar debe ser en cualquier caso la contencioso-administrativa, dado que la mera existencia de un contrato de seguro de responsabilidad civil entre una Administración pública y una compañía aseguradora no puede contravenir las normas de derecho público sobre atribución de competencias judiciales.

La práctica profesional aconseja demandar conjuntamente a la Administración pública asegurada y a la compañía aseguradora, toda vez que la condena al pago de la indemnización a la aseguradora exige un examen previo de la conducta del asegurado, de manera que resulta difícil si no imposible, concluir acerca de la existencia de responsabilidad de la aseguradora sin declara previamente la del ente a quien asegura (133).

Por otra parte no es posible sostener la pretensión de declaración de responsabilidad de la compañía aseguradora si solo se ha demandado a la administración asegurada, a la vista del artículo 76 de la Ley de Contrato de Seguro que permite el ejercicio de la acción directa contra el asegurador; pero si el perjudicado no lo demanda en su momento no es posible que el órgano judicial pueda extender al asegurador el fallo de condena pronunciado contra el causante del daño (134). Con todo también hay pronunciamientos judiciales que reconocen la procedencia de la vía procesal civil en los casos en que se reclame la indemnización exclusivamente a la compañía aseguradora (135).

58. RESPONSABILIDAD POR FUNCIONAMIENTO DEL TRIBUNAL CONSTITUCIONAL

La LRJ dispone en su artículo 139-5 (136) que El Consejo de Ministros fijará el importe de las indemnizaciones que proceda abonar cuando el Tribunal

---

(132)   Así se ha declarado en vía judicial SAP Madrid 3.11.2004.
(133)   STS 27.1.1998.
(134)   STS 25.5.2010.
(135)   SAP Asturias 5.10.2004.
(136)   La Ley 13/2009, de 3 de noviembre de reforma de la legislación procesal para la implantación de la nueva oficina judicial añadió un apartado 5 al artículo 139 de la LRJ que entró en vigor el pasado 4 de mayo de 2010.

Constitucional haya declarado, a instancia de parte interesada, la existencia de un funcionamiento anormal en la tramitación de los recursos de amparo o de las cuestiones de inconstitucionalidad. El procedimiento para fijar el importe de las indemnizaciones se tramitará por el Ministerio de Justicia, con audiencia al Consejo de Estado.

Esta nueva disposición de la LRJ conlleva la posibilidad de plantear reclamaciones por la existencia de un funcionamiento anormal en la tramitación de los recursos de amparo o de las cuestiones de inconstitucionalidad.

No obstante en esta materia se plantean varias cuestiones relativas al encuadramiento constitucional de la responsabilidad patrimonial del Estado por actuaciones del Tribunal Constitucional, y las relativas al régimen jurídico que establece la LRJ sobre responsabilidad patrimonial del Estado por actuaciones del Tribunal Constitucional.

Respecto al enmarque constitucional de la responsabilidad patrimonial del Estado por actuaciones del Tribunal Constitucional es decir si la no regulación o la no posibilidad de reclamar responsabilidad patrimonial del Estado por actuaciones del Tribunal Constitucional sería una situación de inconstitucionalidad por omisión. A esto hay que responder que la propia Constitución que establece (137), en términos generales, el principio de responsabilidad de los poderes públicos sin embargo el texto constitucional tiene otras dos disposiciones que regulan la responsabilidad patrimonial del Estado de manera concreta y específica. Por un lado, el artículo 106.2 que garantiza la responsabilidad patrimonial del Estado por el funcionamiento normal o anormal de las Administraciones Públicas y por otro el artículo 121 garantiza la responsabilidad patrimonial del Estado por error judicial o por funcionamiento anormal de la Administración de Justicia.

En consecuencia hay que reconocer que si en el primero se regula la responsabilidad patrimonial del Estado por el funcionamiento de los servicios públicos por lo cual hay que entender la actuación de las administraciones públicas en las que están incluidas las actuaciones administrativas de los órganos constitucionales; mientras que el segundo precepto constitucional citado regula la responsabilidad patrimonial del Estado por actuaciones de la Administración de Justicia.

A la vista de ambos preceptos se deduce que las responsabilidades que excedieran de estas concretas reguladas en ambos preceptos, es decir la responsabilidad de los órganos constitucionales, quedan cubiertas por el principio general de responsabilidad de los poderes públicos a que se refiere el artículo 9.3 de la Constitución. Con esto se obtienen un sistema de responsabilidad estatal completo por actuación de cualesquiera poderes públicos.

---

(137) Artículo 9.3.

Con otro criterio cabría entender que en la Constitución únicamente se incluyen dos garantías constitucionales de la responsabilidad patrimonial del Estado, reguladas en los artículos. 106.2 y 121, y que los supuestos no regulados en dichos preceptos no están garantizado por la Constitución, entendiendo que la responsabilidad que regula el art. 121 resulta aplicable a la responsabilidad patrimonial del Estado por cualesquiera actividades materialmente jurisdiccionales realizadas por los poderes públicos entre las que hay que incluir las relativas al Tribunal Constitucional. Otro criterio plantea la necesidad de que se regulara mediante una ley especial lo cual ya se ha realizado con la entrada en vigor del nuevo apartado 5 del artículo 139 LRJ.

Ahora bien este nuevo precepto limita la responsabilidad patrimonial del Estado por actuaciones del Tribunal Constitucional, de un lado, a los daños que provengan de su funcionamiento anormal, lo que, en principio, parece dejar fuera los que deriven de error judicial y, por otra parte, a los que se produzcan en la tramitación de recursos de amparo o de cuestiones de inconstitucionalidad, lo que deja fuera de cobertura los demás procesos constitucionales. Con todo ello surge la cuestión de si la responsabilidad patrimonial del Estado por actuaciones del Tribunal Constitucional es una exigencia de un mandato genérico principio de responsabilidad de los poderes públicos como el que regula el artículo 9.3 CE

En relación con el rango se ha planteado si es correcto que la responsabilidad patrimonial del Estado por actuaciones del Tribunal Constitucional esté regulada en una norma con rango de ley ordinaria. Hay que reconocer no existe reserva de ley orgánica para la regulación de la responsabilidad patrimonial del Estado; sin embargo, sí que existe reserva de ley orgánica para la regulación de las funciones del Tribunal Constitucional a este respecto se ha indicado que el nuevo apartado 5 del artículo 139 LRJ atribuye al Tribunal Constitucional una función nueva consistente en declarar, a instancia de parte interesada, la existencia de un funcionamiento normal en la tramitación de los recursos de amparo o de las cuestiones de inconstitucionalidad.

59. PROCEDIMIENTO Y DECLARACIÓN

El artículo 139.5 LRJ regula únicamente la responsabilidad patrimonial del Estado por actos u omisiones del Tribunal Constitucional en el ejercicio de su jurisdicción, de manera que la responsabilidad por actuaciones materialmente administrativas del Tribunal Constitucional está sometida al régimen general. Por otra parte aquella responsabilidad queda limitada a daños causados en la tramitación de recursos de amparo o de cuestiones de inconstitucionalidad, por lo que no están incluidos los demás procesos del Tribunal constitucional (138) de manera

---

(138)   Recursos de inconstitucionalidad, conflictos de competencia, conflictos entre órganos constitucionales, conflictos en defensa de la autonomía local, control previo de constitucionalidad de tratados internacionales.

que esta limitación responde a que sólo en el amparo y en la cuestión de constitucionalidad se ven involucrados los particulares.

Por otra parte la responsabilidad patrimonial del Estado se limita al funcionamiento anormal, lo cual conlleva una exclusión del funcionamiento normal como título de imputación de responsabilidad y, además, que se excluye la responsabilidad patrimonial por error judicial; lo cual en la práctica quiere decir que los únicos daños resarcibles son aquellos causados por actuaciones materiales o por omisiones (139) del Tribunal Constitucional en recursos de amparo o cuestiones de inconstitucionalidad, pero que se excluye que se pueda solicitar una declaración de error judicial. Por tanto, los procedimientos jurisdiccionales plasmados en resoluciones de amparo o en cuestiones de inconstitucionalidad no son susceptibles de responsabilidad patrimonial para el Estado, en consecuencia la mayor parte de las reclamaciones presentadas invocando el art. 139.5 LRJ pueden tener causa en la constatación de retrasos y otras irregularidades relacionadas con la dilación en la tramitación procesal.

Los trámites de este procedimiento de responsabilidad patrimonial tienen algunos aspectos especiales de modo que el procedimiento se articula en dos partes; en la primera es el propio Tribunal Constitucional quien debe declarar, a instancia de parte interesada, la existencia de un funcionamiento anormal en la tramitación de los recursos de amparo o de las cuestiones de inconstitucionalidad. La segunda parte sólo tiene lugar cuando el Tribunal Constitucional haya declarado expresamente el funcionamiento anormal; en cuyo caso debe fijarse el importe de la indemnización, lo cual da lugar a un procedimiento concreto que se tramita por el Ministerio de Justicia, y en el que se pide dictamen del Consejo de Estado, y cuya resolución corresponde al Consejo de Ministros.

En este procedimiento entra en juego tanto la competencia para declarar la existencia del título de imputación que corresponde al Alto Tribunal como la competencia para la fijación del importe indemnizatorio que corresponde al consejo de Ministros. La decisión acerca de otros requisitos legales de la responsabilidad patrimonial como la acreditación de los daños y perjuicios y la constatación del nexo causal cuya verificación corresponde a la Administración actuante en el procedimiento y por ello es competencia del Ministerio de Justicia a la vista del criterio del órgano consultivo y resolución posterior del Consejo de Ministros.

El procedimiento debe iniciarse mediante una solicitud dirigida al Tribunal Constitucional para que declare la existencia de un funcionamiento anormal y una vez obtenida esta declaración se inicia procedimiento administrativo ante el Ministerio de Justicia, para que, con dictamen del Consejo de Estado, y mediante

---

(139)   Las omisiones se refieren especialmente a los retrasos.

resolución del Consejo de Ministros quede fijado el importe de las indemnizaciones (140).

En relación con la naturaleza administrativa o jurisdiccional del proceso que desencadena la petición al Tribunal Constitucional, así como de la decisión que debe tomar el Tribunal Constitucional la práctica procesal y naturaleza del Alto Tribunal parece que aconseja considerarlo como un proceso jurisdiccional, al igual que sucede en el ámbito de la responsabilidad patrimonial del Estado por error judicial, en que antes de acudir al Ministerio de Justicia es necesario instar ante el Tribunal Supremo un procedimiento de declaración expresa del error judicial.

Con la entrada en vigor del artículo 139.5 LRJ el Tribunal Constitucional se encuentra con una nueva función consistente declarar la existencia o no de funcionamiento anormal en recursos de amparo o cuestiones de inconstitucionalidad, que le atribuye la LRJ que tiene rango de ley ordinaria y para cuyo ejercicio no cuenta con previsiones normativa concretas acerca del procedimiento para ejercerla o de las consecuencias de sus resoluciones en el ejercicio de dicha función.

Por ello desde un punto de vista práctico parece que la única salida consistirá en que el propio Tribunal Constitucional, en ejercicio de su propia potestad de organización (141) regule este procedimiento mediante Acuerdo, a pesar de lo cual no quedaría descartada la posibilidad de plantear la revisión por el tribunal Supremo de la decisión del Tribunal Constitucional abriéndose, de este modo, un posible conflicto entre ambos altos tribunales.

60. RESPONSABILIDAD PATRIMONIAL DE LOS CONTRATISTAS DEL SECTOR PÚBLICO

La Ley 30/2007 de Contratos del Sector Público establece (142) la obligación del contratista indemnizar todos los daños y perjuicios que se causen a terceros como consecuencia de las operaciones que requiera la ejecución del contrato. Cuando dichos daños y perjuicios hubieran sido ocasionados como consecuencia inmediata y directa de una orden de la Administración, será ésta responsable dentro de los límites señalados en las Leyes. También será la Administración responsable de los daños que se causen a terceros como consecuencia de los vicios del proyecto elaborado por ella misma en el contrato de obras o en el de suministro de fabricación. Los terceros podrán requerir previamente, dentro del

---

(140)   Teniendo en cuenta que previamente el Tribunal Constitucional ha declarado el funcionamiento anormal.

(141)   Que regula la Ley Orgánica 2/1979 del Tribunal Constitucional.

(142)   Artículo 198.

año siguiente a la producción del hecho, al órgano de contratación para que éste, oído el contratista, se pronuncie sobre a cual de las partes contratantes corresponde la responsabilidad de los daños. El ejercicio de esta facultad interrumpe el plazo de prescripción de la acción. La reclamación de aquéllos se formulará, en todo caso, conforme al procedimiento establecido en la legislación aplicable a cada supuesto. El contratista tiene la obligación de indemnizar todos los daños y perjuicios que se causen a terceros como consecuencia de las operaciones que requiera la ejecución del contrato. La naturaleza jurídica de esta acción de responsabilidad es, en todo caso, extracontractual, y tiene un plazo de prescripción de un año (143).

A estos efectos el Tribunal Supremo ha declarado que tiene la consideración de tercero el personal dependiente de la administración contratante (144)

En lo relativo a los procedimientos de reclamación hay dos líneas diferentes de interpretación (145):

a) Una de ellas defiende que, si se dan los requisitos de la responsabilidad, la Administración debe abonar en todo caso la indemnización al tercero lesionado, sin perjuicio de su derecho de repetición contra el contratista.

b) Otra considera que el tercero lesionado dispone de una acción dirigida a obtener del órgano de contratación un pronunciamiento sobre la responsabilidad en atención al reparto de la carga indemnizatoria, de acuerdo con los términos del propio precepto, es decir, que la Administración debe declarar que la responsabilidad es del contratista, salvo que exista una orden de aquélla que haya provocado el daño o salvo que el mismo obedezca a vicios del proyecto.

Reclamación directa:

La primera línea interpretativa considera que el particular lesionado debe exigir a la Administración contratante, titular de la obra pública, en régimen objetivo y directo, la indemnización por los daños derivados de la obra en trace de ejecución, realizada a través de contratista interpuesto, debiendo la Administración, si se dan los requisitos de responsabilidad, abonar la indemnización al dañado, sin perjuicio de su derecho de repetición frente al contratista. De ahí se extrae, como conclusión, que la Administración es responsable en todo caso, sin perjuicio de la facultad de repetir el pago al contratista cuando los daños causados no sean imputables a una orden de aquélla o a los vicios del proyecto elaborado por ella misma.

---

(143)   Artículo 142.5 LRJ.
(144)   STS 6.10.1994.
(145)   Ver SSTS 6.10.1994, 30.04.2001 y 30.10.2003.

Esta tesis ha sido defendida tradicionalmente por el Consejo de Estado, que sigue manteniéndola en la actualidad, ahora con base en el principio constitucional de responsabilidad patrimonial de la Administración (146).

Reclamación al contratista o a la Administración a través del órgano de contratación:

Con arreglo a la segunda línea interpretativa, es el órgano de contratación, previo requerimiento del tercero lesionado, quien debe declarar la responsabilidad del contratista, salvo que el daño se haya producido a consecuencia directa e inmediata de una orden de la Administración o de una cláusula contractual o como consecuencia de los vicios del proyecto.

Esta línea de opinión ha sido sostenida por la jurisprudencia más reciente (147):

61. PROCEDIMIENTO DE RECLAMACIÓN

Las fases de la reclamación son las siguientes:

a) El Requerimiento al órgano de contratación (148) debe plantearse dentro del año siguiente a la producción del hecho, y el órgano de contratación debe pronunciarse, oído el contratista, sobre a cuál de las partes contratantes corresponde la responsabilidad por los daños. El ejercicio de esta facultad interrumpe el plazo de prescripción.

La normativa anterior, exigía que el órgano de contratación se pronunciara sobre la procedencia de la reclamación, la cuantía de la indemnización y la persona responsable (149).

2) Cuando el órgano de contratación no se pronuncia sobre a cuál de las partes contratantes corresponde la responsabilidad, la jurisprudencia se la atribuye a la Administración contratante, sin perjuicio de que ésta puede repetir contra el contratista (150).

3) Cuando el órgano de contratación resuelve que la responsabilidad corresponde al contratista, éste, si no está conforme con dicho acuerdo, puede proceder a su impugnación ante la jurisdicción contencioso-administrativa, solicitando que se declare la responsabilidad de la Administración (151). También puede

---

(146)   Consejo de Estado Dictamen 36913/1970
(147)   SSTS 11.7.1995, 30.4.2001, 19.9.2002 y 30.10.2003.
(148)   Artículo 198.3 Ley 30/2007 LCSP.
(149)   Ver el derogado Decreto 3410/1975 así como la STS 7.3.1998.
(150)   STS 7.4.2001.
(151)   STS 20.4.1999 y 20.6.2006.

impugnar dicho acuerdo el tercero lesionado, demandando la responsabilidad de la Administración en vía contencioso-administrativa (152).

4) Cuando el órgano de contratación declara la responsabilidad de la Administración contratante, lo lógico es que el tercero lesionado, dada la solvencia del sujeto responsable, acepte la misma, sin perjuicio de posibles discrepancias en cuanto a la cuantía procedente.

b) Procedimientos de reclamación (153). Como el órgano de contratación sólo se pronuncia sobre a cuál de las partes contratantes correspondiente la responsabilidad, los terceros deben formular después la pertinente reclamación ante el sujeto responsable en solicitud de la indemnización pertinente:

Si la responsabilidad corresponde a la Administración, el perjudicado debe presentar reclamación de responsabilidad patrimonial en vía administrativa y, en su caso, en la jurisdicción contencioso-administrativa;

Si la responsabilidad es del contratista, el perjudicado debe exigirla indemnización acudiendo, en su caso, a la jurisdicción civil.

Reclamación directa al contratista. Junto con las dos alternativas mencionadas, sería posible que el tercero lesionado exigiese directamente la responsabilidad al contratista con arreglo a las normas civiles (154).

Sin embargo, esta opción plante el problema de que, en el caso de que la pretensión formulada contra cualquiera de estos dos sujetos sea desestimada en la jurisdicción competente, habrá prescrito el plazo para ejercitar la acción contra el otro.

Cualquiera que sea la vía elegida, el daño es imputable al contratista o a la Administración en función de los siguientes criterios (155):

a) Imputación al contratista. El contratista es responsable de todos los daños y perjuicios que se causen a terceros como consecuencia de las operaciones que requiera la ejecución del contrato, salvo que los mismos sean consecuencia de una orden de la Administración o de los vicios del proyecto.

El contratista es responsable del estricto cumplimiento de las disposiciones vigentes en materia de señalización de obras, por lo que la responsabilidad por una señalización defectuosa solo puede predicarse de aquél (156) y de los desper-

---

(152)   STS 8.7.2000.
(153)   Artículo 198.4 LCSP.
(154)   Artículos 1902 y siguientes del Código Civil.
(155)   Artículo 198 LCSP.
(156)   STS 19.9.2002.

fectos ocasionados por el tránsito de camiones de su propiedad por un camino durante la ejecución de la obra (157).

b) Imputación a la Administración. La Administración es responsable cuando los daños y perjuicios que se causen a terceros como consecuencia de las operaciones que requiera la ejecución del contrato:

Hayan sido ocasionados como consecuencia inmediata y directa de una orden de la Administración. Sean consecuencia de los vicios del proyecto elaborado por la Administración en el contrato de obras o en el de suministro de fabricación.

Los daños derivados de la demolición de una vivienda ilegal realizada, en ejecución de una sentencia judicial, por una empresa contratada por la Administración, no son consecuencia directa e inmediata de una orden administrativa, sino judicial (158).

62. CONTRATO DE OBRAS

El contratista es responsable durante la ejecución de la obra en dos aspectos; por un lado frente a la Administración por los defectos advertidos en la construcción y por otro lado frente a terceros por los posibles daños y perjuicios que haya podido irrogarles.

Defectos advertidos durante la ejecución de la obra (159) durante el desarrollo de las obras y hasta que se cumpla el plazo de garantía, el contratista es responsable de los defectos que en la construcción puedan advertirse, sin que sea eximente ni le dé derecho alguno la circunstancia de que los representantes de la Administración hayan examinado o reconocido, durante su construcción, las partes y las unidades de la obra o los materiales empleados ni que hayan sido incluidos éstos y aquéllas en las mediciones y certificaciones parciales. Ahora bien, el contratista quedará exento de responsabilidad cuando la obra defectuosa o mal ejecutada sea consecuencia inmediata y directa de una orden de la Administración o de vicios del proyecto, salvo que éste haya sido presentado por el contratista en el correspondiente concurso. Por tanto, el contratista responde únicamente de los defectos en la ejecución de la obra, pero no de los vicios de dirección o del proyecto. En caso de que los defectos en la ejecución de la obra sean consecuencia de un vicio del proyecto o de una mala orden de la dirección facultativa, la responsabilidad no es del contratista, sino del autor del proyecto y de la propia dirección facultativa.

---

(157)   STS 25.9.1996.
(158)   STS 24.4.2003.
(159)   Ley 30/2007 de Contratos del Sector Público artículo 213.3 Durante el desarrollo de la obras y hasta que se cumpla el plazo de garantía el contratista es responsable de los defectos que en la construcción puedan advertirse.

Los defectos en la ejecución de la obra conllevan la demolición y reconstrucción de las obras defectuosas o mal ejecutadas, debiendo el contratista hacerse cargo de los gastos. En este punto cabe distinguir dos supuestos:

a) Si se advierten vicios o defectos de construcción que son patentes, la dirección facultativa ordenará, durante el curso de la ejecución y siempre antes de la recepción, la demolición y reconstrucción de las unidades de obras viciosas o defectuosas. Los gastos de esas operaciones serán de cuenta del contratista, con derecho de éste a reclamar ante la Administración contratante en el plazo de diez días, contados a partir de la notificación escrita de la dirección.

b) Si se tienen razones fundadas para creer que existen vicios o defectos ocultos en la obra ejecutada, la dirección facultativa ordenará, durante el curso de la ejecución y siempre antes de la recepción, las acciones precisas para comprobar la existencia de tales defectos ocultos. En el caso de ordenarse la demolición y reconstrucción de unidades de obras por creer existentes en ellas vicios o defectos ocultos, los gastos incumbirán al contratista, si resulta comprobada la existencia real de aquellos vicios o defectos ocultos, y, en caso contrario, correrán a cargo de la Administración.

No obstante, en cualquiera de estos dos supuestos, si la dirección facultativa estima que las unidades de obra defectuosas y que no cumplen estrictamente las condiciones del contrato son, sin embargo, admisibles, puede proponer a la Administración contratante la aceptación de las mismas, con la consiguiente rebaja de los precios. El contratista queda obligado a aceptar los precios rebajados fijados por la Administración, a no ser que prefiera demoler y reconstruir las unidades defectuosas por su cuenta y con arreglo a las condiciones del contrato.

63. DAÑOS CAUSADOS A TERCEROS DURANTE LA EJECUCIÓN DE LA OBRA (160)

La responsabilidad por los daños causados a terceros durante la ejecución del contrato corresponde al contratista o a la Administración, según los casos:

a) La Administración será responsable cuando tales daños y perjuicios hayan sido ocasionados como consecuencia inmediata y directa de una orden suyo, o sean consecuencia de los vicios del proyecto de obras elaborado por ella misma.

b) En todos los demás casos, será obligación del contratista indemnizar todos los daños y perjuicios que se causen a terceros como consecuencia de las operaciones que requiera la ejecución del contrato.

---

(160)   Artículo 198 LCSP.

El Tribunal Supremo tiene declarado que no procede causa exonerativa de la responsabilidad del contratista si no se demuestra que los daños sean consecuencia de una orden inmediata y directa de la Administración contratante o que son debido a vicios del proyecto (161); además el alto Tribunal condenó a un contratista a pagar los desperfectos ocasionados por el tránsito de camiones de su propiedad por un camino durante la ejecución de la obra (162).

El procedimiento para la reclamación de los daños y perjuicios incorpora la posibilidad de un requerimiento previo ante el órgano de contratación. Concretamente, el tercero perjudicado podrá requerir previamente, dentro del año siguiente a la producción del hecho, al órgano de contratación, para que éste, oído el contratista, se pronuncie sobre a cuál de las partes contratantes corresponde la responsabilidad de los daños. El ejercicio de esta facultad interrumpe la prescripción de la acción, que es de un año, por cuanto se trata de una acción de responsabilidad extracontractual.

La reclamación del tercero perjudicado se formulará, en todo caso, conforme al procedimiento establecido en la legislación aplicable a cada supuesto, lo que supone una clara remisión a la normativa de regulación (163), cuando sea responsable la Administración, o la legislación civil, cuando sea responsable el contratista.

64. CONTRATO DE SERVICIOS

El contratista es responsable de la calidad técnica de los trabajos que desarrolle y de las prestaciones y servicios realizados, así como de las consecuencias que se deduzcan para la Administración o para los terceros de las omisiones, errores, métodos inadecuados o conclusiones incorrectas en la ejecución del contrato.

Por otra parte la propia Ley 30/2007 (LCSP) regula en su disposición adicional 22.ª una responsabilidad patrimonial y otra personal de los empleados públicos relacionada con la contratación pública.

La responsabilidad patrimonial de las Administraciones Públicas (164) mediante la cual puede exigirse de éstas por daños causados a particulares o a otras Administraciones Públicas y esta disposición establece que dicha responsabilidad se exija con arreglo a lo que prevé la norma general en materia de responsabilidad patrimonial de este tipo, es decir la LRJ (165) y el Reglamento de los

---

(161)   STS 20.4.1999.
(162)   STS 25.9.1996.
(163)   LRJ artículos 139 a 146 y Reglamento responsabilidad RD 429/1993.
(164)   Disp. Ad. 22.ª-1 LCSP.
(165)   Que en su Título X Regula la responsabilidad de las Administraciones Públicas y de sus autoridades y demás personal a su servicio, artículos 139 y ss.

Procedimientos de las Administraciones Públicas en materia de responsabilidad Patrimonial (166).

Por otra parte la responsabilidad disciplinaria del personal al servicio de las Administraciones Públicas (167), en el supuesto de que una persona al servicio de las mismas infrinja o aplique indebidamente algún precepto de la normativa reguladora de los contratos del sector público, con una conducta intencionada es decir dolosa o gravemente negligente, dicha infracción debe calificarse como falta muy grave y la responsabilidad disciplinaria personal debe exigirse conforme a lo establecido en la normativa reguladora sobre esta materia que se establece en el reglamento de Régimen disciplinario de los Funcionarios de la Administración del Estado (168).

También se encuentra en el Reglamento de Servicios de las Corporaciones Locales del año 1955 (vigente de acuerdo con el Reglamento de contratación del año 2001 en todo lo que no haya sido objeto de derogación): Serán obligaciones generales del concesionario indemnizar a terceros de los daños que les ocasionare el funcionamiento del servicio, salvo si se hubieren producido por actos realizados en cumplimiento de una cláusula impuesta por la Corporación con carácter ineludible.

Puede destacarse que, de acuerdo con estas disposiciones, se atribuye a diversas jurisdicciones el conocimiento de diferentes asuntos:

La jurisdicción Contencioso-administrativa, por los daños y perjuicios causados a terceras personas durante la ejecución de contratos cuando sean consecuencia de una orden directa e inmediata o de los vicios del proyecto elaborado por la Administración.

La jurisdicción Ordinaria, cuando sean ocasionados por contratistas en el resto de los supuestos.

Por su parte no hay que olvidar que la Ley 6/2006 de Contratos Públicos de la comunidad Autónoma de Navarra dispone (169) que, son imputables al contratista todos los daños y perjuicios que se causen como consecuencia de la ejecución del contrato. De modo que la Administración únicamente responde de los daños y perjuicios derivados de una orden, inmediata y directa de la misma y de los que se deriven de los vicios del proyecto en el contrato de obras, sin perjuicio de que proceda su repetición.

---

(166)   Aprobado por real Decreto 429/1993.
(167)   LCSP Disp. Ad. 22.ª-2.
(168)   Aprobado por Real Decreto 33/1986 ver artículo 6 del citado Reglamento que enumera las faltas disciplinarias calificadas como muy graves.
(169)   Artículo 101.

La solicitud de resarcimiento de los daños imputables a la Administración debe tramitarse de acuerdo con lo dispuesto en la legislación sobre responsabilidad patrimonial de las Administraciones Públicas de manera que cuando, en aplicación de dicha legislación se determine la solidaridad en la responsabilidad entre la Administración y el contratista, aquella debe abonar la indemnización repitiendo contra el contratista.

65. DETERMINACIÓN DEL SUJETO RESPONSABLE

La dificultad estará en determinar el sujeto al que imputarle el daño; la Administración o la o el contratista. Para ello, la Ley de Contratos prevé en su artículo 97 la posibilidad de que se pronuncie la Administración (170) el ejercicio de esta facultad interrumpe el plazo de prescripción de la acción.

El tenor de la Ley hace que el pronunciamiento de la Administración no constituya una manifestación de voluntad, sólo ofrece una vía potestativa para el perjudicado de escasa utilidad, que le podrá orientar sobre las causas del daño y sobre quien es realmente el o la responsable. El interesado, recibido el pronunciamiento, podrá decidirse por una vía o por otra. Es más, la jurisdicción elegida; según haya decidido atribuir la o el interesado el daño podrá decidir en sentido distinto al pronunciamiento.

En un segundo recurso, la otra jurisdicción tampoco estará sometida a ninguno de los anteriores pronunciamientos, por lo que si ambas jurisdicciones se declarasen incompetentes, la parte interesada sería perjudicada y sólo le cabría legalmente un conflicto negativo de competencia ante la Sala especial del Tribunal Supremo.

La actuación más recomendable para la o el interesado es que el pronunciamiento se produzca durante la tramitación de un procedimiento de responsabilidad patrimonial, en donde la Administración, a la luz de lo actuado, considere que la responsabilidad es de la o del contratista. Requeriría, por tanto, una reclamación por parte del interesado o interesada ante la Administración. En este caso, constituye una práctica recomendable la de iniciar un tramite incidental del procedimiento; como si fuera un procedimiento dentro del procedimiento principal.

Se otorga, así, el trámite de audiencia, tanto a la parte contratista como a la o al interesado. Si la Administración considera que el daño está causado como consecuencia de la ejecución de un contrato y, por lo tanto, la responsabilidad es de la parte contratista; procedería una resolución desestimatoria fundada en el artículo 97 de la Ley de Contratos y atribuyendo la responsabilidad ella.

---

(170)   Artículo 198 Ley 30/2007.

El interesado podría acudir a ambas jurisdicciones; bien a la ordinaria, que podría declarar la responsabilidad de la parte contratista o bien a la contencioso-administrativa demandando tanto a la Administración como a la contratista.

Aunque el sistema legal de la responsabilidad de los daños ocasionados por los contratistas está claramente determinado, siempre ha habido tanto en la doctrina como en alguna jurisprudencia ya abandonada discrepancia sobre la misma. Uno de los argumentos utilizados era la ubicación del mismo en normas reglamentarias (como el antiguo 134 Reglamento de contratación del Estado) y no de rango legal.

Es recomendable que la Administración se pronuncie, es decir, que en su resolución indique que la obligación de indemnizar los daños corresponde a la parte contratante. Es difícil que si en el procedimiento administrativo no se ha adoptado un pronunciamiento por parte de la Administración, como en el caso de desestimación por silencio negativo, sea atendida en la sede judicial la alegación de que el daño ha sido causado por el contratista. En este sentido una solución intermedia y justa sería reconocer la responsabilidad subsidiaria de la Administración en casos de insolvencia del contratista. Aumentaría así la garantía de los administrados pero, reconoce el autor que precisaría de una norma legal y básica que lo reconociese.

Puede contemplarse un ejemplo de la práctica judicial en alguna Sentencia estimatoria de juzgados por daños de empresa contratista declarando que la responsabilidad que se exige deriva de una caída producida en una calle con motivo de unas obras, adjudicadas a una empresa contratista. La Administración, tras recibir la reclamación por la parte actora, pide informe al contratista de las obras y desestima la reclamación al entender que el accidente sólo pudo ser como consecuencia de la falta de atención del propio perjudicado. La conclusión es que habiéndose comprobado la producción de una lesión que el perjudicado no tiene obligación jurídica de soportar, es responsable en primer término la empresa contratista el reparar el daño causado y, en todo caso y desde el punto de vista del perjudicado, de la Administración demandada que contrata las obras de pavimentación con carácter subsidiario.

Excepciones a la obligación de la o del contratista, en los siguientes casos:

Cuando tales daños y perjuicios hayan sido ocasionados como consecuencia inmediata y directa de una orden de la Administración, será ésta responsable dentro de los límites señalados en las leyes.

También será la Administración responsable de los daños que se causen a terceros como consecuencia de los vicios del proyecto elaborado por ella misma en el contrato de obras o en el de suministro de fabricación

Supuestos en donde no sea posible determinar con exactitud cuál de los dos agentes, contratista o Administración, ha causado el daño. Refiere el caso de los servicios sanitarios que se prestan en el devenir de un proceso, tanto en centros públicos como concertados.

Supuestos en los que el gestor privado de los servicios públicos actúa con los poderes de la Administración y por delegación de la misma.

Aquellos casos en los que debiendo hacerlo, no empleó la diligencia que le era exigible para prevenir y evitar el daño que el contratista causó, basado en un principio general según el cual es responsable de los daños causados por otro quien tiene sobre éste unas facultades de vigilancia y ordenación que le permiten determinar su actividad. No le falta razón al citado autor y puede encontrarse esta situación cuando la empresa contratista, sobre todo en los contratos de prestación de servicios, resulta excesivamente cautiva de los poderes de la Administración; sin margen libre de actuación en la ejecución del contrato.

En este último supuesto, la práctica profesional recomienda establecer en los pliegos de prescripciones técnicas con precisión las obligaciones de la parte contratista; sobre todo en aquellas contratas que van a tener un contacto directo con usuarios y usuarias; ya sea porque va a ser la propia contrata la que va prestarles el servicio o en el caso de que desarrolle su trabajo a su lado.

66. SUPUESTOS DE RESPONSABILIDAD DEL CONTRATISTA

Los siguientes casos han sido reales, si bien no todos han dado lugar a una reclamación.

66.1. En contratos de obras

Un usuario que está haciendo deporte en instalaciones públicas municipales se cae en unas escaleras al tropezarse con una manguera que la empresa contratista utilizaba para unas obras y que había extendido por la zona sin señalarlo.

Unos alumnos de un colegio que se manchan con pintura en una obra de la pared exterior del polideportivo con el consiguiente deterioro de su ropa.

Alumna de un colegio público, en cuya piscina se realizaban reparaciones de fugas con relleno de poliuretano, durante las clases de natación en una de ellas se traspasó la rendija protectora y el producto llegó al agua afectando a una alumna.

En este último caso, podría suponerse que hay un vicio en el proyecto y por lo tanto la responsabilidad correspondería a la Administración, toda vez que la empresa contratista, cuando está rellenando las fugas podría desconocer que existan fugas cuya dimensión sea suficiente para propiciar el traspaso de la rendija hasta el vaso de la piscina. También que podría tenerse en cuenta que la Administración responsable del colegio público no previó con la diligencia debida que, con la sobras de reparación podrían atravesarse los elementos de protección y además que debió cerrar la utilización de la piscina para todos los usuarios.

Incluso podría tenerse en cuenta que el contratista hubiera carecido de una pericia en su profesión (los mínimos elementos de precaución a tener en cuenta cuando se realizan trabajos en una piscina con elementos o productos de riesgo para la salud) y trasladarle, al menos, parte de la responsabilidad.

66.2. Contratas de limpieza

Señora que resbaló por causa de unos charcos de agua jabonosa en las escaleras de acceso a la piscina, dejados por una trabajadora de la contrata de limpieza que se hallaba realizando labores de limpieza en un horario de uso de la instalación cuando esa labor y en ese lugar debía realizarse en tiempo suficiente anterior a la entrada de los usuarios.

66.3. Contratas de servicios

Una persona que en un curso de gimnasia resbaló porque el suelo estaba deslizante por el polvo en suspensión de unas obras recientes. El profesor de la contrata no había suspendido el curso a pesar de ser consciente del estado del suelo.

Usuario de una máquina de musculación que se rompe y se le cae una pesa en el costado; estando obligada la contratista al mantenimiento y cuidado del material.

66.4. Contratos de arrendamiento

Una señora que se tropieza con una baldosa mal colocada en la cafetería del polideportivo.

66.5. Contratas de jardinería

Un niño que se corta con unos cristales que estaban detrás de unos setos, habiendo permanecido desde días anteriores sin recoger por los operarios de la contrata.

Es conveniente exigir al contratista la suscripción de un seguro de responsabilidad civil que cubra, en sus vertientes generales, de explotación, patronal y de trabajos terminados incluyendo como asegurado al contratista, a la Administración, y el subcontratista, en su caso.

Capítulo 28

Guía práctica de subvenciones

La actividad administrativa de fomento, en su faceta de concesión de subvenciones, constituye una de las funciones más importantes de la Administración dado que, con ella, los poderes públicos de diverso ámbito: comunitario, estatal, autonómico y local inciden e influyen, de manera directa o indirecta, en áreas económicas de su ámbito competencial. En este capítulo examinamos los aspectos que caracterizan la subvención frente a otras figuras de naturaleza similar, las exigencias legales requeridas para ser beneficiario y el procedimiento de concesión; las condiciones y requisitos previos de las subvenciones públicas con las circunstancias que inhabilitan para ser beneficiario de subvenciones y además los requisitos que deben contener las bases de convocatoria de las subvenciones públicas. También se analiza el procedimiento de la concesión y el régimen jurídico existente en materia subvenciones en los ámbitos estatal autonómico y local, incluyendo un examen concreto de las bases de regulación y su contenido mínimo de acuerdo con la exigencia legal así como las consecuencias que plantean las diversas circunstancias en la práctica del beneficiario y de la administración, también los trámites y procedimientos de pago de la subvención así como los aspectos prácticos de la justificación y comprobación de las subvenciones de enorme interés tanto para los beneficiarios de subvenciones como para los organismos concedentes dado que en ellas se basa en gran parte la posibilidad de seguimiento en los que se refiere al logro de los resultados perseguidos con las subvenciones públicas y en definitiva una posibilidad real de poder fundamentar un balance sobre la aplicación de los caudales públicos mediante acciones de fomento por las diversas administraciones públicas en diferentes ámbitos de la sociedad. Finalmente se examinan las infracciones y sanciones en materia de subvenciones., cerrándose, con ello, el examen completo del ciclo subvencional.

Referencias normativas:

— Ley 38/2003 de 17 de noviembre General de Subvenciones *(BOE* 18.11.2003).

— Real Decreto 887/2006 de 21 julio aprueba Reglamento de la Ley *(BOE* 25.7.2006) Ley 47/2003 General Presupuestaria *(BOE* 26.11.2003).

— Comunicación de la Intervención General de la Administración del Estado sobre aplicación de los artículos 58 y 63 de la Ley General de Subvenciones.

1. CONCEPTO LEGAL DE SUBVENCIÓN

Suele hablarse de subvención de modo genérico englobando en dicho concepto todas las medidas de fomento de la administración, pero desde un punto de vista estricto la figura de la subvención no es más que una de las diversas medidas de fomento de naturaleza económica, con un régimen específico que la diferencia de otro tipo de ayudas públicas. Por ello en términos estrictos hay que diferenciar entre los conceptos legales de ayudas y subvención teniendo en cuenta además que las ayudas públicas presentan diversas modalidades.

Hay que tener en cuenta que una medida de fomento tendrá carácter de subvención o ayuda no por la denominación que se le haya impuesto sino por el régimen jurídico que le sea de aplicación de este modo la subvención presenta varias diferencias frente a la ayuda pública:

A. La subvención es discrecional mientras que las ayudas tienen carácter reglado y por tanto son origen del nacimiento de derechos subjetivos que la administración está obligada a satisfacer. El establecimiento de subvenciones puede ser discrecional pero una vez anunciadas termina la discrecionalidad y comienza la regla y el reparto concreto escapa al puro voluntarismo de la Administración (1).

B. La subvención presenta un carácter netamente patrimonial pues consiste en una atribución financiera directa que determina un aumento patrimonial del beneficiario en la medida del importe de la subvención concedida y que se otorga para la realización de un fin de interés general previamente determinado por la ley. La mayor parte de las veces esta atribución económica consiste en una atribución de fondos públicos monetaria o en especie pero siempre evaluable económicamente.

C. La subvención tiene naturaleza gratuita pues a diferencia de los anticipos, aquella se otorga sin obligación de devolver el importe «a fondo perdido» por ello siempre y cuando se hayan cumplido las condiciones de su otorgamiento el beneficiario no está obligado a reintegrar la subvención.

D. La subvención siempre está afecta al fin para el que se otorgó por ello el beneficiario la recibe condicionada a su aplicación a dicha finalidad legalmente establecida.

La Ley 38/2003 General de Subvenciones define la subvención como toda disposición dineraria realizada por la Administración general del estado, las entidades que integran la administración local o la administración de las comuni-

---

(1)   STS 3.3.1993.

dades autónomas, a favor de personas públicas o privadas que cumpla los tres requisitos siguientes:

— Que la entrega se lleve a cabo sin contraprestación directa de los beneficiarios.

— Que la entrega esté sujeta al: cumplimiento de un objetivo determinado, la ejecución de un proyecto, a la realización de una actividad, la adopción de un comportamiento singular, realizados o pendientes de desarrollar o a la concurrencia de una situación, quedando obligado el beneficiario a cumplir las obligaciones materiales y formales que se hubieran establecido.

— Que el proyecto, acción, conducta o situación financiada tenga por objeto el fomento de una actividad de utilidad pública o interés social o de promoción de una utilidad pública.

En este concepto no se incluyen las aportaciones en dinero entre diferentes organismos o administraciones públicas destinadas a financiar la actividad de cada ente en el ámbito propio de sus competencias, ni las cantidades, en concepto de cuotas que lleven a cabo las entidades de la administración local a favor de asociaciones, además están expresamente excluidos, por la ley, del concepto de subvención pública los siguientes conceptos:

a) Todas las prestaciones del sistema de seguridad social.

b) Las pensiones asistenciales por ancianidad.

c) Las prestaciones asistenciales y subsidios económicos a favor de no residentes o minusválidos.

d) Las prestaciones derivadas del sistema de clases pasivas, pensiones de guerra y por terrorismo así como las específicas aplicadas al síndrome tóxico o ayudas sociales a hemofílicos (2).

e) Las prestaciones reconocidas por el Fondo de Garantía Salarial.

f) Los beneficios fiscales y beneficios de cotización a la Seguridad Social.

g) Las diversas formas de crédito oficial.

Además se encuentran excluidas del régimen general de subvenciones los premios concedidos sin previa solicitud del beneficiario, las subvenciones electorales, las de financiación de partidos políticos y las otorgadas a los grupos parlamentarios y el Reglamento añade que no se entenderán comprendidos en el ámbito de aplicación de la ley: los convenios celebrados entre administraciones

---

(2)   Ley 14/2002.

que conlleven una contraprestación a cargo del beneficiario; los convenios y conciertos entre administraciones públicas cuyo objeto sea la realización de planes o programas conjuntos, las aportaciones dinerarias que satisfaga la Administración a organismos internacionales.

Por otra parte hay que tener en cuenta que las subvenciones otorgadas con cargo a fondos de la Unión Europea se rigen por la normativa comunitaria aplicable a cada caso y por las nacionales aprobadas para transposición de aquellas.

2. PLANES ESTRATÉGICOS DE SUBVENCIONES: ELABORACIÓN Y CONTENIDO

La Administración pública debe concretar, con antelación y en un plan estratégico de subvenciones, los objetivos y efectos que se pretenden con la subvención, el plazo necesario para su consecución, los costes previsibles y las fuentes de financiación, además la gestión de subvenciones debe llevarse a cabo de acuerdo con los siguientes principios:

a) Publicidad, transparencia, concurrencia, objetividad, igualdad y no discriminación.

b) Eficacia en el cumplimiento de objetivos fijados por la administración.

c) Eficiencia en la asignación y utilización de recursos públicos.

Los planes estratégicos de subvenciones se configuran como un instrumento de planificación de las políticas públicas que tengan por objeto el fomento de una actividad de utilidad pública o interés social o promoción de una finalidad pública.

Esta exigencia de la Ley que se afirma en el reglamento está relacionada con la legitimación de la opinión pública para conocer lo que se hace y los resultados que se obtienen con el dinero público y en que medida se esté respondiendo con ello a las demandas sociales.

La planificación estratégica de subvenciones es una faceta más de la nueva cultura de administración orientada a los resultados, por ello la introducción de este principio supone una asunción de los principios de eficacia y buena gestión financiera que incluye una preocupación por loas consecuencias prácticas de los actos de gestión de caudales públicos que por otra parte se encuentra presente en la regulación comunitaria de los diferentes fondos financieros, por ello la introducción del Plan estratégico y de controlo y evaluación de resultados en este ámbito de gestión de las subvenciones públicas se identifica con la necesidad de establecer instrumentos de gestión que permitan mejorar los procesos de asignación de recursos incrementando la eficacia de la propia administración y de los beneficiarios.

El Reglamento (3) señala expresamente la necesidad de que estos planes estratégicos de subvenciones sean coherentes con los programas plurianuales de cada ámbito ministerial de la Administración General del Estado y deberán ajustarse a las restricciones que vengan impuestas en cada ejercicio por el cumplimiento de objetivos y estabilidad presupuestarias.

En el ámbito estatal deberá aprobarse un Plan estratégica para cada ministerio que abarque las subvenciones que corresponda gestionar a los diferentes centros directivos, a los organismos públicos adscritos y a otros entes públicos que se encuentren vinculados al departamento ministerial.; pero el reglamento también incluye la posibilidad de aprobar planes estratégicos especiales, de ámbito inferior al ministerial siempre que la importancia funcional justifique el desarrollo particularizado; además también se permite la posibilidad de aprobar Planes Estratégicos conjuntos, cuando en su gestión participen varios ministerios u organismos de diferente ámbito ministerial.

Los Planes estratégicos de subvenciones deberán incluir previsiones para un periodo de vigencia de tres años, salvo que fuera conveniente establecer un plan de duración diferente por que lo exija la naturaleza del sector afectado.

Los planes estratégicos deben tener el siguiente contenido mínimo:

a) Los objetivos estratégicos junto al efecto que se espera conseguir con la acción institucional durante el periodo de vigencia del plan y que deben estar vinculados con los objetivos establecidos en los programas presupuestarios correspondientes. Cuando los objetivos estratégicos afecten al mercado, deben identificarse las mejoras que pretendan llevarse a cabo como mejora de fallos, etc.

b) Líneas de subvención en las que se concreta el plan de actuación. Para cada línea de subvención deberán explicitarse los siguientes aspectos:

— Áreas de competencia afectadas y sectores hacia los que se dirigen las ayudas.

— Objetivos y efectos que quieren conseguirse con su aplicación.

— Plazo necesario para su consecución.

— Costes previsibles para su realización y fuentes de financiación, donde se detallan las aportaciones de los diferentes ámbitos públicos o privados que participen en las acciones de fomento, así como aquellas que, teniendo en cuenta el principio de complementariedad, correspondan a los beneficiarios de las subvenciones.

---

(3)   Reglamento de la Ley 38/2003 General de Subvenciones, aprobado por Real Decreto 887/2006 de 21 de julio.

— Un Plan de acción donde deben concretarse los procedimientos para poner en práctica las diferentes líneas de subvenciones identificadas en el plan, además deben definirse las líneas básicas que deben contener las bases reguladoras de cada concesión, el calendario de elaboración y, además, los criterios de coordinación entre las diferentes administración para llevara a cabo la gestión.

c) Régimen de seguimiento y evaluación continua aplicable a las diferentes líneas de subvención que se establezcan. Para ello deben concretarse los indicadores, relacionados con los objetivos del plan, que se estimen necesarios para cada línea de subvención. De este modo los indicadores podrán consultarse por los responsables del seguimiento y permitirán conocer la situación y progresos en el cumplimiento de objetivos y obtención de resultados.

d) Los resultados de la evaluación de los planes estratégicos que se hubieran aplicado anteriormente en los que debe trasladarse el contenido de los informes emitidos.

No obstante, en el caso de subvenciones de concesión directa o que se determinen por el titular del ministerio debido a su escasa relevancia económica o social el contenido del plan estratégico podrá reducirse a elaborar una memoria explicativa sobre los objetivos de la subvención, los costes de realización y las fuentes de financiación

Respecto al carácter vinculante para la administración y los derechos de terceros hay que recordar que el reglamento manifiesta expresamente el carácter programático de los planes estratégicos que no generan derechos ni obligaciones y su efectividad se encuentra condicionada en cualquier caso a la puesta en práctica de las diferentes líneas de subvención atendiendo, entre otras cosas a la disponibilidad presupuestaria.

La competencia de aprobación de los planes estratégicos de subvenciones corresponde a cada ministro responsable de su ejecución y posteriormente se remitirán a la Secretaría de Estado de Hacienda y presupuestos y también a las Cortes Generales para conocimiento.

Cada año deberá llevarse a cabo la actualización de estos planes de acuerdo con la información relevante de que se disponga; a este efecto cada ministerio deberá emitir dentro del primer cuatrimestre de cada año un informe sobre el grado de avance de la aplicación del plan, sus efectos y las repercusiones presupuestarias y financieras derivadas de su aplicación.

Este informe se remite a la Secretaría de Estado de Presupuestos y Gastos del Ministerio de Hacienda y Administraciones Públicas, por cada Departamento ministerial junto con el plan actualizado que además deberá dar comunicación a las Cortes Generales.

Con independencia de que la Intervención General de la Administración del Estado (IGAE) debe realizar un control financiero de los planes estratégicos, el Ministro de Economía y Hacienda debe seleccionar, cada año, aquellos planes estratégicos que deban ser objeto de un seguimiento especial por la IGAE dejando constancia de dicha selección en la Orden ministerial de elaboración de los Presupuestos Generales del Estado.

Cuando el resultado de los informes de seguimiento emitidos por los ministerios o por la IGAE demuestre que hay líneas de subvención que no alcanzan el grado de cumplimiento de objetivos perseguido de acuerdo con los recursos invertidos, estas líneas podrán ser sustituidas por otras de mayor eficacia y eficiencia incluso podrán ser eliminadas.

3. JUNTA CONSULTIVA DE SUBVENCIONES

El Reglamento de la Ley General de Subvenciones regula la Junta Consultiva de Subvenciones como órgano consultivo del sector público estatal en materia de subvenciones al que se da la posibilidad de poder ejercer también estas funciones respectos de las administraciones de las Comunidades Autónomas y Corporaciones locales.

Se trata de un valiosos instrumento cuyo principal objetivo es el de reducir incertidumbres en los que se refiere a la aplicación de la normativa sobre subvenciones pues la diversidad de estas regulaciones junto a las diferencias de interpretación entre administraciones públicas y beneficiarios exigen una unificación de criterios a base de crear un cuerpo doctrinal estable que elabore un órgano especializado.

La Junta Consultiva de Subvenciones se crea como órgano consultivo en materia de subvenciones de los órganos y entidades que integran el sector público estatal sin perjuicio que de la competencia de otros órganos consultivos.

Se encuentra adscrita al ministerio de Hacienda y su régimen jurídico se ajusta a las normas de organización y funcioname8into de los órganos colegiados que contiene la LRJ.

Tanto las Comunidades Autónomas como las Entidades Locales podrán instar de la Junta Consultiva de Subvenciones la emisión de informes sin perjuicio de que puedan crearse juntas consultivas de ámbito competencial autonómico.

La organización y funcionamiento de la Junta Consultiva se determina mediante Orden ministerial, pero en todo caso son competencias de la Junta las siguientes:

— Emitir informes sobre aquellas cuestiones sometidas a su consideración tanto en lo que se refiere a elaboración de normas como en materia de procedimientos administrativos ligados a la concesión de subvenciones nacionales o financiadas con cargo a fondos de la Unión europea. De modo particular podrá emitir informes sobre el contenido de las normas reguladoras de las subvenciones y sobre el alcance u y contenido de las convocatorias.

— Elaborar y proponer medidas e instrucciones generales que se consideren necesarias para garantizar una adecuada gestión y aplicación de las subvenciones.

— Emitir informe sobre anteproyectos de modificación de la normativa reguladora de subvenciones.

— Otras que se le otorguen normativamente.

No obstante los informes emitidos por la Junta Consultiva no podrán versar sobre el procedimiento de control de subvenciones ni podrán tener objeto la determinación de la corrección de los reintegros ni de las sanciones administrativas en los procedimientos incoados al amparo de lo dispuesto en el Ley General de Subvenciones.

Pueden solicitar informes de la Junta Consultiva de Subvenciones los siguientes órganos y autoridades:

— Secretarios de Estado, Subsecretarios, Secretarios Generales y Directores Generales de los Departamentos ministeriales.

— Presidentes o Directores de los organismo autónomos y de las entidades públicas empresariales y demás entidades del sector público estatal así como los de las entidades gestoras y servicios comunes de la Seguridad Social.

— Los presidentes de organizaciones asociativas federativas o empresariales representativas de los diferentes sectores afectados por las subvenciones, que acrediten su representatividad de acuerdo con las normas reguladoras de los sectores afectados.

— Los titulares de las Consejerías de las Comunidades Autónomas, sin perjuicio de que las mismas puedan crear Juntas Consultivas de Subvenciones de dicho ámbito territorial.

— Los Presidentes de las Corporaciones Locales, en aquellos supuestos en que la Junta consultiva tuviera competencia para emitir informes.

4. PRESUPUESTOS DE LA SUBVENCIÓN

La primera condición para el establecimiento y posterior concesión o modificación de las subvenciones se encuentra en la prohibición general contenida en el Derecho comunitario (4) de otorgar ayudas que afecten a los intercambios comerciales entre Estados miembros, cualquiera que sea su modalidad, apariencia jurídica o financiera siempre que falseen o amenacen falsear la libre competencia favoreciendo a determinadas empresas o producciones.

Con carácter previo a la convocatoria debe aprobarse las normas que establezcan las bases reguladoras de la concesión de acuerdo con lo establecido en la Ley 38/2003 General de Subvenciones norma que afecta al conjunto de las Administraciones públicas por su naturaleza de precepto básico en materia de subvenciones de este modo:

— En cuanto al conjunto de la Administración estatal las bases se aprueban mediante orden ministerial de conformidad con lo previsto en el artículo 24 de la Ley 50/1997 del Gobierno, previo informe del Servicio Jurídico del estado y de la Intervención delegada en el departamento correspondiente, sin embargo no es necesaria la publicación de Orden ministerial cuando las normas sectoriales específicas de cada subvención incluyan las bases reguladoras con el alcance que prevé la Ley General de subvenciones en su artículo 17.

— Por lo que respecta alas Comunidades Autónomas se estará a lo regulado por el propio ordenamiento.

---

(4)   Artículo 87 del Tratado constitutivo de la Comunidad Europea que distingue dos rangos de compatibilidad de ayudas:

a) Ayudas compatibles con el mercado común

— Ayudas de naturaleza social concedidas a los consumidores individuales, siempre que se otorguen sin discriminaciones basadas en el origen de los productos.

— Ayudas destinadas a reparar los perjuicios causados por desastres naturales o por otros acontecimientos de carácter excepcional.

b) Ayudas susceptibles de ser compatibles con el mercado común:

— Ayudas destinadas a favorecer el desarrollo económico de región es en las que el nivel de vida sea anormalmente bajo o en las que exista una grave situación de subempleo,

— Ayudas para fomentar la realización de un proyecto importante de interés común europeo o destinadas a poner remedio a una grave perturbación en la economía de un Estado miembro.

— Ayudas destinadas a facilitar el desarrollo de determinadas actividades o de determinadas regiones económicas siempre que no alteren las condicione sde los intercambios en forma contraria al interés común.

— Ayudas destinadas a promover la cultura y la conservación del patrimonio, cuando no alteren las condiciones de los intercambios y de la competencia en la Comunidad en contra del interés común;

— Las demás categorías de ayudas que determine el consejo por decisión tomada por mayoría cualificada, a propuesta de la Comisión.

— Las bases reguladoras de subvenciones otorgadas por Entidades locales se deberán aprobar en el marco de las bases de ejecución del presupuesto a través de una ordenanza general de subvenciones o mediante una ordenanza espacial para las diferentes modalidades de subvención.

Por otro lado, el otorgamiento de toda subvención debe cumplir los siguientes requisitos:

a) Competencia del órgano concedente, pues los actos dictados por órgano manifiestamente incompetente son nulos de pleno derecho, si la incompetencia es por razón del rango existirá una infracción susceptible de anulabilidad

b) Existencia previa de crédito adecuado y suficiente para atender las obligaciones de contendido económico que se derivan de la concesión de la subvención. Teniendo en cuenta que los créditos para gastos son limitativos como dispone la Ley 47/2003 General Presupuestaria, de manera que no pueden adquirirse compromisos de gasto ni obligaciones por cuantía superior al importe de los créditos autorizados en los estados de gastos siendo nulos de pleno derecho los actos administrativos y disposiciones ge perales que, con rango inferior a ley incumplan esta obligación, además de acuerdo con la citada Ley la carencia o insuficiencia de crédito comporta la nulidad absoluta del acto administrativo de otorgamiento

c) Tramitación del procedimiento de concesión. El procedimiento general de concesión se encuentra regulado en la Ley General de Subvenciones y en el Reglamento (5), teniendo en cuenta que cuando en un acto se haya prescindido total y absolutamente del procedimiento legalmente establecido, sea el común o el especial aplicable a cada supuesto concreto el acto será nulo de pleno derecho mientras que si concurren defecto de procedimiento que sean subsanables o convalidables estaremos ante un supuesto de anulabilidad (6).

d) Fiscalización previa por los órganos de intervención. A diferencia del resto de condiciones básicas para el establecimiento y concesión de las subvenciones, este requisito solo es aplicable a la Administración del estado, respetando así la autonomía de las Comunidades Autónomas en lo que hace al régimen de control interno de la actividad de sus órganos administrativos, establecido por su propia legislación. En el ámbito estatal, la Ley general Presupuestaria regula la función de intervención que se extiende a la fiscalización previa de:

a) los actos que reconozcan derechos de contenido económico,

b) que aprueben gastos

---

(5)   Título I en ambos textos.
(6)   Ley 38/2003 art. 36 y LRJ arts. 62 y 63.

c) Que adquieran compromisos de gasto, o

d) Acuerden movimientos de fondos y valores

Por ello en los casos en que la función interventora fuera preceptiva y se hubiese omitido, no será posible reconocer la obligación, tramitar el pago incluso ni intervenir favorablemente estas actuaciones hasta que dicha omisión sea subsanada expresamente (7).

e) Aprobación del gasto por órgano competente. Simultáneamente a la tramitación del procedimiento administrativo, la gestión del crédito presupuestario para atender la obligación económica requiere la aprobación del gasto correspondiente por el órgano competente para la concesión del acto administrativo de la subvención.

Un presupuesto de importancia capital en las subvenciones son las bases reguladoras cuyos aspectos prácticos se examinan en un apartado posterior.

5. CONCEDENTES, BENEFICIARIOS Y ENTIDADES COLABORADORAS

En toda concesión existen dos figuras principales el órgano otorgante y el beneficiario así como otra figura auxiliar como es la entidad colaboradora.

Los órganos competentes para la concesión de subvenciones en la AGE son los ministros y secretarios de estado así como presidentes y directores de los organismos y entidades públicas. Esta facultad de concesión puede ser objeto de desconcentración mediante real decreto. No obstante para autorizar la concesión de subvenciones de cuantía superior a doce millones de euros es necesario acuerdo del Consejo de Ministros o, en caso de que así se establezca en la normativa que regule la subvención, de la Comisión Delegada del Gobierno para asuntos económicos.

La competencia para la concesión y gestión de subvenciones en el ámbito de las Comunidades Autónomas corresponde a los órganos administrativos que la tengan atribuida en función de su propia normativa. En caso de subvenciones estatales gestionadas por Comunidades Autónomas, la atribución de competencias de los írganos que intervienen corresponde a la normativa propia de cada ámbito competencia.

Por su parte la competencia para conceder subvenciones en las Corporaciones Locales corresponde a los órganos que tengan atribuidas dichas funciones en la legislación de régimen local.

---

(7)   Ley 47/2003 General Presupuestaria artículo 156.

Tiene la consideración legal de beneficiario de una subvención la persona que deba llevara cabo la actividad que fundamentó el otorgamiento o que se encuentre en una situación que legitime la concesión.

Cuando el beneficiario sea una persona jurídica, también tendrán condición de beneficiarios los miembros asociados que se comprometan a llevara a cabo la totalidad o parte de las actividades que fundamentan la concesión de la subvención (8).

Cuando se trate de agrupaciones sin personalidad deben hacerse constar tanto en la solicitud como en la resolución de concesión los compromisos asumidos por cada miembro, así como el importe de la subvención aplicado a cada uno; pero en cualquier caso debe nombrarse un representante o apoderado único de la agrupación.

Tienen la consideración de entidad colaboradora en una subvención aquella que, actuando en nombre y por cuenta del órgano concedente a los efectos de la subvención, entregue y distribuya los fondos públicos a los beneficiarios cuando así se establezca en la bases o colabore en la gestión de aquella sin que tenga efecto la entrega previa y distribución de fondos recibidos, además las comunidades autónomas y corporaciones locales pueden actuar como entidades colaboradoras de las subvenciones concedidas por la AGE y viceversa, sus organismos públicos y demás entes que tengan que ajustar su actividad a derecho público.

Para obtener la condición de beneficiario o entidad colaboradora las personas o entidades deben encontrarse en situación que fundamente la concesión de la subvención o cumplir las circunstancias previstas en las bases reguladoras y en la convocatoria. En un sentido eminentemente práctico puede decirse que corresponde a la s bases reguladoras la determinación del objeto y requisitos que deben reunir los beneficiarios para poder ser acreedores del destino de los fondos de la subvención (9).

El reglamento establece la posibilidad de que la administración concedente cree registros en los que se inscriban voluntariamente los solicitantes de subvenciones, aportando la documentación acreditativa de su personalidad y capacidad de obrar, así como en su caso la representación de los que actúen en su nombre. Los certificados expedidos por estos registros eximen de presentar en cada convocatoria los documentos acreditativos de los requisitos mencionados siempre que no se hayan producidos modificaciones que afecten a los datos inscritos.

Para hacer efectivo todo esto el propio Reglamento establece que en la AGE y entidades de la Seguridad Social el ministerio de Economía y hacienda podrá es-

(8)   Siempre que así se prevea en las bases de concesión.
(9)   Elegibles.

tablecer mecanismos de coordinación entre los diversos registros que hayan establecido las los centros directivos u organismos concedentes incluyendo convenios de colaboración con otras administraciones públicas.

6. CIRCUNSTANCIAS QUE INHABILITAN PARA SER BENEFICIARIO DE SUBVENCIONES PÚBLICAS

No podrán aquellos en quienes concurra alguna de las circunstancias siguientes:

A. Condenados por sentencia o resolución administrativa firmes a la pérdida de posibilidad de obtener ayudas o subvenciones públicas, el alcance de la prohibición será el que determine la sentencia o resolución.

B. Los declarados insolventes mediante cualquier procedimiento concursal, estar sujetos a intervención judicial o haber sido inhabilitados. La inhabilitación personal en el proceso de calificación de concurso no solo es causa de incapacidad jurídica en el ámbito mercantil sino también de incapacidad jurídica en el ámbito administrativo (10).

C. Que haya sido resuelto de modo firme un contrato con la administración pública por su culpa declarada mediante resolución que sea firme. Las causas de resolución imputables al contratista son la falta de presentación de garantía definitiva o las especiales y complementarias, la no formalización del contrato, la demora en el cumplimiento de los plazos por parte del contratista y el inicio en mora de una obra por el procedimiento de urgencia y el incumplimiento de las obligaciones contractuales esenciales y las que se señalan de modo especial para cada tipo de contrato.

D. Estar incurso en causa de incompatibilidad legal.

E. No estar al corriente en el cumplimiento de obligaciones tributarias o de Seguridad social. Con este pronunciamiento la norma confirma el deber de hallarse al corriente de esta obligaciones en el momento de la concesión sin perjuicio de que esta obligación deba perdurar durante todo el procedimiento administrativo por que para el pago de las diferentes obligaciones económicas se requiere asimismo el cumplimiento que examinamos según diferente ámbito competencias.

En el ámbito esta materia fue desarrollada mediante Ordenes del Ministro de Hacienda de 26 de abril de 1986 relativa a obligaciones tributarias y Orden 25 de noviembre de 1987 relativa a obligaciones frente a la Seguridad Social.

---

(10)   En este ámbito de subvenciones y en la contratación pública. Ver Ley Contratos del Sector Público.

En cuanto a las obligaciones tributarias están obligados a justificar el cumplimiento todos los beneficiarios salvo que hayan sido exonerados por la Administración. Además deberá entenderse que el beneficiario se halla al corriente de sus obligaciones tributarias cuando concurran las siguientes circunstancias:

a) Estar dado de alta en el Impuesto de Actividades Económicas y se acredita mediante el alta o el último recibo.

b) Haber presentado las declaraciones o documentos de ingreso del Impuesto sobre la Renta de las Personas Físicas, del Impuesto sobre Sociedades, de los pagos a cuenta o fraccionados o de las retenciones a cuenta de ambos, y del Impuesto sobre el Valor Añadido.

c) Haber presentado la relación anual de ingresos y pagos (11). Estas dos últimas circunstancias se acreditan presentando las declaraciones y documentos de ingreso cuyo plazo reglamentario de presentación hubiese vencido durante los doce meses inmediatamente anteriores a la fecha de solicitud de la subvención. Cuando se realicen pagos en ejercicios posteriores al de la concesión, la acreditación debe realizarse tanto referida al momento de la concesión como para la expedición de las primeras órdenes o propuestas de pago que tengan lugar en ejercicios posteriores siguientes. Además en el caso de que, por haberse concedido aplazamiento o fraccionamiento en el pago de las deudas tributarias no hubieran tenido lugar los ingresos correspondientes, deberá acreditarse dicha circunstancia mediante copia de la Resolución en que se conceda dicho beneficio. Los documentos a que se refiere este apartado se presentan en original, copia autenticada o compulsada y deberán incluir el número de identificación fiscal. Por lo que hace a las obligaciones derivadas de la Seguridad Social, también resultan obligados todos los beneficiarios. Se considera que el beneficiario de la subvención cumple sus obligaciones de Seguridad Social cuando concurran las siguientes circunstancias:

d) Que la empresa se halle inscrita en la Seguridad Social o que el beneficiario se encuentre afiliado y de alta en el Régimen de la Seguridad Social que corresponda, por razón de la actividad empresarial o sujeto responsable.

e) Haber dado de alta a los trabajadores que tuviera a su servicio.

f) Estar al corriente en el pago de las cuotas y demás conceptos de recaudación conjunta de las mismas y además, estar al corriente del pago de los capitales costerenta y otras cantidades que deban ingresar las empresas que hubieran sido declaradas responsables por prestaciones a su cargo. Todas estas circunstancias deben acreditarse mediante certificados de la Tesorería de la Seguridad Social correspondiente acerca de que se figura inscrito o afiliado en el régimen que corresponda de Seguridad Social por razón de la actividad del beneficiario de la subvención,

---

(11)   Declaración de operaciones con terceros; modelo 347.

además hallarse al corriente en el pago de las cuotas y otros conceptos de recaudación conjunta o mediante los oportunos documentos de cotización debidamente diligenciados por la oficina recaudadora relativos a la liquidación de cuotas no incluidas en la certificación, pudiendo exigirse, como máximo, documentos de cotización o justificantes de pago correspondientes a doce meses anteriores a la fecha de solicitud de la subvención. Además en la certificación citada anteriormente deberá figurar si el beneficiario resulta o no deudor de la Seguridad Social por los capitales coste-renta o por prestaciones, y en caso afirmativo si está o no al corriente de las mismas. Estos documentos deben presentarse en original, copia autenticada o compulsada.

El reglamento de la Ley General de Subvenciones establece que el cumplimiento de obligaciones tributarias y de Seguridad social se acredita mediante la presentación ante el órgano concedente de la subvención de las certificación correspondiente, pero también admite la «declaración responsable» cuando no haya obligación legal de presentar la documentación. Las certificaciones deberán ser emitidas preferentemente por medios electrónicos, informáticos o telemáticos con la misma validez ¡que los originales siempre que quede garantizada su autenticidad, integridad y conservación. Además cuando las bases reguladoras así lo prevean, la mera presentación de la solicitud de subvención supondrá la autorización implícita del solicitante para que el órgano concedente pueda obtener, de forma directa, la acreditación del cumplimiento de obligaciones tributarias y de Seguridad social, sin embargo el solicitante puede denegar expresamente el consentimiento mediante declaración expresa en cuyo caso estará obligado a presentar la certificación correspondiente.

Estas certificaciones se expiden a los efectos de la constancia de este cumplimiento o incumplimiento de obligaciones, pero no originan derechos ni expectativas a favor de los solicitantes no de terceros, no interrumpen la prescripción ni pueden servir de medio de notificación de los procedimientos a que pudieran hacer referencia, su contenido no afecta a lo que pueda resultar de actuaciones posteriores de comprobación o investigación y, además una vez expedida cada certificación tiene validez durante seis meses desde la fecha de expedición.

La presentación de una declaración responsable sobre este cumplimiento sustituye a la presentación de certificaciones en los siete casos siguientes:

a) Subvenciones que se concedan a mutualidad de funcionarios, colegios de huérfanos y entidades similares.

b) Becas y demás subvenciones, concedidas a alumnos, destinadas a financiar acciones de formación profesional reglada y en centros de formación públicos y privados.

c) Becas y demás subvenciones concedidas a investigadores en programas destinados a financiar proyectos de investigación.

d) Subvenciones en las que la cuantía a otorgar a cada beneficiario no supere en cada convocatoria el importe de tres mil euros.

e) Aquellas subvenciones en que por concurrir circunstancias justificadas, derivadas de la naturaleza, régimen o cuantía de la subvención, se establezca mediante Orden del Ministro de Economía y Hacienda, de la Consejería Competente de la comunidad Autónoma o el departamento de la entidad Local.

f) Las subvenciones otorgadas a las Administraciones públicas, a sus organismos y entidades así como a las fundaciones del sector público, salvo que se haya establecido una previsión expresa en contrario en las Bases reguladoras de la subvención.

g) Las subvenciones destinadas a financiar proyectos o programas de acción social y cooperación internacional o que se concedan a entidades sin fines lucrativos, así como a federaciones, confederaciones o agrupaciones de las mismas (12).

En el ámbito de las Comunidades Autónomas son de aplicación sus propios preceptos que por lo general son análogos a los establecidos en el ámbito estatal, con la especialidad de que limitan la acreditación y verificación al cumplimiento de obligaciones con la Hacienda de la Comunidad Autónoma.

Por lo que respecta a las Entidades Locales, los perceptores de subvenciones concedidas con cargo a sus presupuestos deben acreditar, antes de su percepción, que se encuentran al corriente de sus obligaciones fiscales con la Entidad, así como posteriormente, a justificar la aplicación de los fondos recibidos. Corresponde a las bases de ejecución del presupuesto establecer la forma en que los perceptores de subvenciones acreditarán el encontrarse al corriente de sus obligaciones fiscales con la Entidad Local correspondiente y deberán justificar la aplicación de los fondos recibidos.

F. Tener residencia fiscal en un territorio calificado como paraíso fiscal.

G. No hallarse al corriente en el pago de reintegros de subvenciones. Este incumplimiento de la obligación de pago deberá abarcar necesariamente la falta de abono de la deuda en periodo ejecutivo y reglamentariamente deberá determinarse si el impago de la deuda por reintegro, abierto todavía el periodo voluntario, puede constituir al beneficiario en causa de incumplimiento. Además como quiera que la obligación de reintegro, se extiende no solo a los beneficiarios y Entidades colaboradoras, sino también a los responsables solidarios y subsidiarios, incumbe

---

(12)   Artículos 23 y 24 del Reglamento.

a éstos el deber de cumplimiento de las obligaciones de pago derivadas del procedimiento de reintegro.

7. OTRAS CIRCUNSTANCIAS INHABILITANTES

Tampoco podrán tener la condición de beneficiario o entidad colaboradora de subvenciones las asociaciones que en su proceso de admisión o funcionamiento discriminen por razón de nacimiento, raza, sexo, religión, opinión o cualquier circunstancia personal o social, ni aquellas que con su actividad promuevan o justifiquen el odio o la violencia contra personas físicas o jurídicas o los delitos de terrorismo o a quienes hayan participado en su ejecución. Tampoco podrán obtener dicha condición las asociaciones respecto de las que se haya suspendido el procedimiento de inscripción por encontrarse indicios racionales de ilicitud penal.

La justificación por parte de las personas o entidades de no estar incurso en prohibiciones para obtener la condición de beneficiario o entidad colaboradora puede realizarse mediante testimonio judicial, certificado telemático o transmisión de datos, de acuerdo con la regulación de esta materia, cuando dicho documento no pueda ser expedido por la autoridad competente, podrá ser sustituido una declaración del interesado otorgada ante autoridad administrativa o notario.

8. OBLIGACIONES DE BENEFICIARIOS Y ENTIDADES COLABORADORAS

Entre los derechos de que goza el beneficiario se encuentra la capacidad para exigir de la administración el deber de motivación en la concesión.

8.1. Obligaciones de los beneficiarios

— Cumplir el objetivo, ejecutar el proyecto, realizar la actividad o adoptar el comportamiento que fundamenta la concesión de la subvención. De modo que el incumplimiento total o parcial del objetivo, de la actividad del proyecto o la no adopción del comportamiento que fundamentan la concesión de la subvención es causa de reintegro; pero cuando el cumplimiento del beneficiario se aproxime al cumplimiento total y se acredite por éste una actuación inequívocamente tendente a la satisfacción de sus compromisos deberá modularse el reintegro en función de los criterios que se hayan establecido en las bases reguladoras.

— Justificar ante el órgano concedente o entidad colaboradora el cumplimiento de requisitos, la realización de la actividad y la consecución de la finalidad que determinen la concesión y disfrute de la subvención. El incumplimiento de la obligación de justificación o la justificación insuficiente en los términos establecidos por los artículos 30 y 37 de la Ley general de Subvenciones es causa de reintegro. Los perceptores o beneficiarios de ayudas con cargo a los Presupuestos Generales del Estado o procedentes de entidades integrantes del sector público, sean subvenciones, créditos o avales, sean personas físicas o jurídicas, públicas o privadas así como los particulares que administren, recauden o custodien fondos o valores del Estado, Comunidades Autónomas o Corporaciones Locales, se encuentran obligados a rendir cuentas, tanto a través de la obligación de justificación al órgano concedente o entidad colaboradora como al Tribunal de Cuentas u órgano de control externo competente en el ámbito de la Comunidad Autónoma.

— Someterse a las actuaciones de comprobación a realizar por el órgano concedente o la entidad colaboradora así como otras de control financiero que legalmente correspondan aportando la información que sea requerida. La resistencia, excusa, obstrucción o negativa a estas actuaciones de comprobación y control financiero por parte del beneficiario, cuando de ello se derive la imposibilidad de verificar el empleo dado a los fondos percibidos, el cumplimiento del objetivo, la realidad y regularidad de las actividades subvencionadas es causa de reintegro.

— Comunicar, tan pronto como se conozca, a la administración concedente o entidad colaboradora la obtención de otras subvenciones que financien las actividades subvencionadas. El deber de comunicación es independiente del hecho de que la suma de las ayudas y subvenciones sobrepasen el coste de la actividad subvencionada, además la obligación de informar a la administración permanece durante todo el periodo desde que la subvención hubiera sido concedida. La concurrencia de subvenciones, ayudas ingresos o recursos para la misma finalidad, procedente de cualesquiera administraciones o entes públicos o privados, nacionales, comunitarios o internacionales es causa de reintegro.

— Acreditar en plazo que se está al corriente del pago de obligaciones tributarias y de seguridad social. Ya hemos examinado los modos de acreditar esta obligación. El incumplimiento del deber de hallarse al corriente de obligaciones tributarias y de Seguridad Social puede ser, de acuerdo con las bases reguladoras, una circunstancia que impida la obtención de la condición de beneficiario. La aportación de certificados tributarios o de Seguridad Social junto con solicitudes o comunicaciones podrá sustituirse por la cesión de los correspondientes datos al órgano gestor de la subvención por parte de las entidades competentes

— Disponer de los libros, registros y otra documentación contable en los términos exigidos por la ley a cada beneficiario

— Conservar los documentos justificativos sobre los fondos recibidos incluyendo los que se hallen en soportes electrónicos. El incumplimiento de las obligaciones contables, registrales o de conservación de documentos, cuando de ello se derive la imposibilidad de verificar el empleo dado a los fondos recibidos es causa de reintegro.

— Dar publicidad al carácter público de los fondos recibidos y proceder al reintegro en los casos en que así se establezca por mandato legal.

8.2. Obligaciones de las entidades colaboradoras que se concretan en un convenio de colaboración entre la Administración concedente y la entidad

a) Entregar a los beneficiarios los fondos recibidos con los criterios establecidos en las bases reguladoras.

b) Comprobar el cumplimiento y efectividad de las condiciones y requisitos determinantes de la concesión.

c) Justificar la entrega de los fondos percibidos ante el órgano de la administración concedente de la subvención.

d) Someterse a los controles y comprobaciones legales respecto a la gestión de los fondos que integran la subvención.

El convenio de colaboración no puede tener un periodo de vigencia superior a cuatro años aunque puede preverse su prórroga y modificación por acuerdo de las partes antes de la finalización. Cuando una subvención tenga por objeto el subsidio de préstamos, la vigencia del convenio de colaboración puede prolongarse hasta la total cancelación de los préstamos.

El instrumento que formaliza la relación entre el órgano administrativo concedente y la entidad colaboradora es el convenio de colaboración en que se regulan las condiciones y obligaciones asumidas por ésta. Se trata de un instrumento jurídico con características y formalismos propios regulados por la Ley general de Subvenciones que lo diferencian de los convenios de colaboración que regula la LRJ.

Cuando las Comunidades Autónomas o Corporaciones Locales actúen como entidades colaboradoras, la Administración General del Estado o sus organismos vinculados deben suscribir, con aquellas, los correspondientes convenios en los que se concreten los requisitos para la distribución y entrega de los fondos, los criterios de justificación y de rendición de cuentas.

Del mismo modo se procede cuando la Administración General del Estado o los organismos públicos vinculados actúen como entidades colaboradoras respecto de las subvenciones concedidas por las comunidades autónomas o las Corporaciones locales.

El convenio de colaboración no podrá tener un plazo de vigencia superior a cuatro años; pero podrá ser objeto de prórroga, sin embargo cuando la subvención tenga por objeto el subsidio de préstamos, la vigencia del convenio podrá prolongarse hasta la cancelación total de aquellos.

La Ley de Subvenciones exige como contenido mínimo de estos convenios de colaboración:

a) Definición del objeto de la colaboración y de la Entidad colaboradora.

b) Identificación de la normativa reguladora específica de las subvenciones que vayan a ser gestionadas por la Entidad colaboradora.

c) Plazo de duración del convenio de colaboración.

d) Medidas de garantía que sea preciso constituir a favor del órgano concedente, medios de constitución y proceso de cancelación.

e) Requisitos que debe cumplir y hacer cumplir la entidad colaboradora en las diferentes etapas del procedimiento de gestión de la subvención.

f) Cuando la colaboración se extienda a la distribución de los fondos públicos, se incluirá la determinación del periodo de entrega de los fondos a la Entidad colaboradora y las condiciones de depósito de los fondos recibidos hasta su entrega posterior a los beneficiarios y las condiciones de entrega a éstos.

g) La forma de justificación por parte de los beneficiarios del cumplimiento de condiciones para el otorgamiento de subvenciones y requisitos de verificación de las mismas.

h) Plazo y forma de presentación de la justificación de las subvenciones aportada por los beneficiarios

i) Determinación de los libros y registros contables específicos que deba llevar la entidad colaboradora para facilitar la adecuada justificación de la subvención y la comprobación del cumplimiento de las condiciones establecidas.

j) Obligación de reintegro de los fondos en supuestos de incumplimiento de requisitos y obligaciones de los requisitos establecidos para la concesión de la subvención.

k) Obligación de la entidad colaboradora de someterse a las actuaciones de comprobación y control previstas en la ley

La entidades colaboradoras sujetas a derecho privado deben ser seleccionadas previamente mediante un procedimiento que siga los principios de publicidad, concurrencia, igualdad y no discriminación y esta colaboración se formaliza mediante el convenio salvo que resulte de aplicación la normativa sobre contratos de las administraciones públicas, en cuyo caso el contrato deberá contener el contenido mínimo previsto para los convenios de colaboración, así como el que sea preceptivo de acuerdo con la normativa reguladora de los contratos administrativos haciendo mención expresa al sometimiento del contratista a las obligaciones de las entidades colaboradoras en la subvención.

9. OBLIGACIONES ADICIONALES

Cuando la normativa reguladora de la subvención exija un importe de financiación propia para cubrir la actividad subvencionada, la aportación de fondos propios al proyecto o acción subvencionada deberá ser acreditada con los medios establecidos por la propia Ley General de Subvenciones.

La normativa reguladora de cada subvención determina el régimen de compatibilidad e incompatibilidad para percibir otras subvenciones, ayudas, ingresos o recursos públicos para la misma finalidad procedentes de diversos entes públicos; pero en ningún caso el importe de las subvenciones podrá ser de cuantía tal que aislada o en unión de otras fuentes de financiación supere el coste de la actividad subvencionada, por ello cualquier alteración de las condiciones para la concesión así como la obtención concurrente de otras fuentes de ayuda fuera de los casos permitidos normativamente puede dar lugar a la modificación de la resolución de concesión.

Las administraciones públicas concedentes deben facilitar a la IGAE información sobre las subvenciones gestionadas por ellos al objeto de formar una base de datos nacional dar cumplimiento a las exigencias legales de derecho comunitario, mejorar la eficacia, controlar la acumulación y concurrencia de subvenciones y facilitar la planificación, seguimiento y actuaciones de control. Esta base de datos debe tener, al menos, referencia a las bases reguladoras de cada subvención, convocatorias, identificación de los beneficiarios con la subvención convocada y efectivamente percibida, resoluciones de reintegro y sanciones impuestas además debe contener identificaciones de las personas y entidades incursas en prohibición de ser beneficiarios o entidades colaboradoras. La cesión de datos se realiza a la IGAE y no precisa el consentimiento del afectado y el contenido tiene carácter reservado y solo puede ser objeto de cesión o comunicación a terceros cuando tenga por objeto:

a) La colaboración con cualquier administración pública para la lucha contra el fraude en la obtención o percepción de ayudas o subvenciones a cargo de fondos públicos nacionales o comunitarios.

b) La investigación o persecución de delitos públicos por órganos judiciales o por el ministerio fiscal.

c) La colaboración con administraciones tributarias o de seguridad social en su ámbito competencial.

d) La colaboración con las comisiones parlamentarias de investigación en el ámbito establecido por la ley.

e) La colaboración con la comisión de vigilancia de actividades de financiación del terrorismo en el ejercicio de sus funciones.

En estos casos las autoridades y personal que tengan conocimiento de estos datos están obligados al más estricto y completo secreto profesional respecto de los mismos siendo en cualquier caso considerado falta disciplinaria muy grave salvo en los casos enumerados.

Otra de obligación que la administración concedente debe llevar a cabo antes de la convocatoria de subvención o, en su caso de la concesión directa de la misma, es la aprobación del gasto en los términos que establece la Ley General Presupuestaria o normas correspondientes de las administraciones públicas que se trate.

En la Administración General del Estado corresponde a los ministros, salvo reserva por ley al Gobierno, y demás órganos con dotaciones diferenciadas y directores de organismos autónomos en los presupuestos aprobar los gastos propios de los servicios a su cargo estas facultades son llevadas a cabo por las autoridades en que se halla delegado esta facultad.

La resolución de concesión de subvención conlleva el correspondiente compromiso del gasto, además previamente a la expedición de órdenes de pago, con cargo al presupuesto, debe acreditarse de modo documental la realización efectiva de la prestación o el derecho del acreedor, de conformidad con el previo compromiso o autorización del gasto, ante el órgano al que corresponda reconocer estas obligaciones.

10. PRINCIPIOS GENERALES DE CONCESIÓN

El procedimiento de concesión de subvenciones públicas se encuentra sometido a los mismos principios que el conjunto de la gestión administrativa de la actividad subvencionadora.

Estos principios derivan de los mandatos constitucionales de igualdad y no discriminación que reconoce el artículo 14 el principio de objetividad recogido en el artículo 103 y de distribución equitativa de recursos del artículo 31 y además responden a los principios generales de eficacia, eficiencia, coordinación, transparencia y participación que incluye la LRJ, además la propia Ley General de Subvenciones (LGS) establece como principios rectores los de publicidad transparencia, concurrencia, objetividad, igualdad y no discriminación.

11. FORMAS DE CONCESIÓN

La LGS contempla dos formas de procedimiento de concesión de subvenciones (13) el procedimiento ordinario en régimen de concurrencia competitiva y el procedimiento de concesión directa, en la primera forma de concesión la determi-

---

(13)   LGS art. 22.

nación del destinatario de la subvención se somete a un procedimiento selectivo, a tenor del artículo 8 de la LGS el principio de concurrencia es uno de los que rigen el otorgamiento de subvenciones y por ello solo en aquellos casos en que expresamente esté exceptuado por la ley podrán otorgarse subvenciones sin atenerse al mismo, se trata de un régimen que viene a ser una modalidad de concurso, la forma de concesión directa se caracteriza porque la determinación del beneficiario queda excluida de la concurrencia y régimen de publicidad, este sistema es de aplicación

El procedimiento de otorgamiento de subvenciones por concesión directa es excepcional y solo pueden concederse de este modo las siguientes subvenciones:

A. La previstas nominativamente el los presupuestos, en los convenios o en su normativa de regulación.

B. Aquellas cuyo otorgamiento o cuantía venga impuesto por una norma de rango legal si ésta establece este tipo de procedimiento de concesión.

C. Las demás subvenciones cuando se acrediten razones de interés público, social, económico, humanitario u otras, debidamente justificadas, que dificulten la convocatoria pública.

Con todo, el Reglamento de desarrollo de la LGS dispone en su artículo 22 que el procedimiento ordinario de concesión de subvenciones es el de concurrencia competitiva sin embargo, las bases reguladoras de la subvención podrán exceptuar de fijar un orden de prelación entre las solicitudes presentadas que reúnan los requisitos establecidos para el caso en que el crédito consignado en la convocatoria fuese suficiente atendiendo al número de solicitudes una vez finalizado el plazo de presentación.

12. TRAMITACIÓN ANTICIPADA Y SUBVENCIONES PLURIANUALES

El Reglamento de desarrollo de la LGS permite la posibilidad de que aprobar la convocatoria de subvención en un ejercicio presupuestario anterior al que vaya a tener lugar la resolución de la misma, siempre que la ejecución del gasto se realice dentro de la misma anualidad en que se produce la concesión y además se cumpla alguna de las siguientes condiciones:

— Que haya normalmente un crédito adecuado y suficiente para la cobertura presupuestaria del gasto de que se trate en los Presupuestos Generales del Estado.

— Que exista crédito adecuado y suficiente en el proyecto de Presupuestos Generales del Estado que haya sido sometido a la aprobación de las Cortes Generales correspondiente al ejercicio siguiente, en el cual se adquirirá el compromiso de gasto como consecuencia de la aprobación de la resolución de concesión.

En estos supuestos la cuantía total máxima que figure en la convocatoria tienen carácter estimado por ello debe hacerse constar expresamente en la misma que la concesión de las subvenciones queda condicionada a la existencia de crédito adecuado y suficiente en el momento que se resuelva la concesión. En aquellos casos en que el crédito aprobado en la Ley de Presupuestos fuese superior a la cuantía inicialmente estimada en convocatoria, el órgano gestor podrá decidir su aplicación o no a la convocatoria, previa tramitación del expediente de gasto antes de la resolución sin necesidad de nueva convocatoria.

En el expediente anticipado de gasto que se tramite antes de la convocatoria, se sustituye el certificado de existencia de crédito por un certificado de la oficina presupuestaria del ministerio en el que se haya hecho constar que concurre alguna de las dos circunstancias mencionadas anteriormente.

Con independencia de todo ello los efectos de todos los actos de trámite dictados en el expediente de gasto se entienden condicionados a que al dictarse la resolución de concesión, subsistan las mismas circunstancias de hecho y de derecho que existían cuando se produjeron dichos actos.

El Reglamento también regula la posibilidad de que puedan autorizarse convocatorias de subvenciones plurianuales, es decir cuyo gasto sea imputable a ejercicio posteriores a aquel en que recaiga la resolución de concesión. En estos casos deberá indicarse en la convocatoria la cuantía total máxima a conceder, así como su distribución por anualidades dentro de los límites fijados por el artículo 47 de la Ley 47/2003 General Presupuestaria, atendiendo al momento en que se prevea realizar el gasto derivado de las subvenciones que se concedan. Dicha distribución tendrá carácter estimado cuando las normas reguladoras hayan contemplado la posibilidad de los solicitantes de optar por el pago anticipado. La modificación de la distribución inicialmente aprobada requiere además la tramitación del correspondiente expediente de reajuste de anualidades.

Cuando en la normativa reguladora se haya previsto expresamente la posibilidad de efectuar pagos a cuenta, deberá señalarse además en la resolución de concesión de una subvención plurianual la distribución de la cuantía por anualidades atendiendo al ritmo de ejecución de la acción subvencionada, además la imputación a cada ejercicio presupuestario debe realizarse previa aportación de la justificación equivalente a la cuantía que corresponda, con todo la alteración del calendario de ejecución acordado en la resolución deberá regirse por lo dispuesto en el Reglamento en materia de modificación de la resolución (14).

(14)   Art. 64.

13. PROCEDIMIENTO EN RÉGIMEN DE CONCURRENCIA

En principio hay que señalar que el plazo máximo para resolver y notificar a los interesados no puede exceder de seis meses, salvo que una norma con rango de ley o normativa comunitaria establezca un plazo mayor. Este plazo se computa a partir de la publicación de la correspondiente convocatoria salvo que en la misma se pospongan estos efectos a un plazo posterior.

13.1. Inicio

Siempre se inicia de oficio mediante convocatoria aprobada por el órgano competente que desarrollará el procedimiento general establecido en la Ley 30/1992 tanto en lo que se refiere a las presentadas por escrito o por vía telemática; pero que deberá tener necesariamente el siguiente contenido:

— Indicación de la disposición que establece las bases reguladoras y diario oficial donde hubiera sido publicada salvo que éstas se incluyan en la propia convocatoria.

— Créditos presupuestarios a los que se imputa la subvención y cuantía total máxima de subvenciones dentro de los créditos disponibles o en su defecto cuantía estimada de las subvenciones.

— Objeto, condiciones y finalidad de la subvención.

— Manifestación de que la concesión se lleva a cabo por régimen de concurrencia competitiva.

— Requisitos para solicitar la subvención.

— Órganos competentes para instruir y resolver el expediente.

— Plazos para presentación de solicitudes, para resolución y para notificación.

— Documentos e informaciones que deben acompañar a la solicitud.

— Si la resolución pone, o no, fin a la vía administrativa y recurso que proceda.

— Criterios de valoración de solicitudes.

— Medio de notificación o publicación.

La convocatoria debe fijar necesariamente la cuantía total máxima destinada a las subvenciones convocadas y los créditos presupuestarios a los que se imputan, además no podrán concederse subvenciones por importe superior a la cuantía total máxima fijada en la convocatoria sin que se realice previamente una nueva convocatoria con la excepción que contempla el Reglamento de desarrollo de la LGS que permite que la convocatoria fije además de la cuantía total máxima una cuantía adicional cuya aplicación a la concesión de subvenciones no precisará nueva convocatoria. No obstante la fijación de esta cuantía adicional se somete a las siguientes reglas:

a) Será admisible siempre que los créditos no se encuentren disponibles pero su disponibilidad se prevea obtener en cualquier momento anterior a la resolución de concesión por que dependa de un aumento de los créditos derivado de que se hubieran presentado, en convocatorias anteriores, solicitudes de ayudas por importe inferior al gasto inicialmente previsto o que se hayan resuelto convocatorias anteriores por importe inferior al gasto inicialmente previsto para las mismas, que se hayan reconocido o liquidado obligaciones derivadas de convocatorias anteriores por importe inferior a la subvención concedida o se haya incrementado el importe del crédito presupuestario disponible como consecuencia de una generación, una ampliación o una incorporación de crédito.

b) La convocatoria deberá hacer constar expresamente que la efectividad de la cuantía adicional queda condicionada a la declaración de disponibilidad del crédito.

Con carácter previo a la convocatoria de la subvención deberá tramitarse el oportuno expediente de gasto por la cuantía total máxima fijada en ella.

Cuando la cuantía total máxima de las subvenciones convocadas se distribuya con «carácter estimativo» entre distintos créditos presupuestarios, la alteración de dicha distribución no precisará de nueva convocatoria pero si las modificaciones que procedan en el expediente de gasto antes de la resolución de concesión.

En las convocatorias en que se haya fijado una cuantía adicional o distribuido entre diversos créditos presupuestarios con «carácter estimativo» el órgano concedente debe publicar la declaración de créditos disponibles y la distribución definitiva con carácter previo a la resolución de concesión en los mismos medios que la convocatoria sin que dicha convocatoria implique apertura de plazo para presentar nuevas solicitudes ni el inicio de nuevo plazo para resolver.

13.2. Convocatoria abierta

El Reglamento de desarrollo de la Ley General de Subvenciones define la convocatoria abierta como el acto administrativo por el que se acuerda de forma simultánea la realización de varios procedimientos de selección sucesivos a lo largo de un ejercicio presupuestario, para una misma línea de subvención.

En la convocatoria abierta debe concretarse el número de resoluciones sucesivas que deberán recaer incluyendo los siguientes aspectos:

a) El importe máximo que se pretende otorgar.

b) El plazo máximo de resolución de cada procedimiento.

c) El plazo en que podrá presentarse la solicitud para cada convocatoria.

El importe máximo que pretenda otorgarse en cada convocatoria debe especificarse atendiendo a su duración y al volumen de solicitudes previstas, además cada resolución debe comparar las solicitudes presentadas en su periodo y acordar el otorgamiento sin superar la cuantía que se haya establecido para cada resolución en la convocatoria abierta.

Cuando al final del periodo total resulte que habiendo concedido la subvenciones no se hubieran agotado los créditos disponibles, las cantidades no agotadas podrán pasarse a los siguientes periodos para que sean otorgadas mediante las resoluciones posteriores; pero para ello deben cumplirse los siguientes requisitos:

a) Que se haya previsto expresamente en las bases reguladoras donde también se hayan incluido los criterios que deban seguirse para la «colocación» de fondos no asignados, entre los restantes periodos.

b) Una vez que haya recaído resolución, el órgano concedente deberá acordar expresamente las cuantías que deban trasladarse y el periodo en que deban aplicarse.

c) La utilización de esta posibilidad en ningún caso puede suponer el menoscabo de los derechos que tuvieran los solicitantes del periodo originario.

13.3. Presentación de solicitudes

La solicitud es una petición formalizada del interesado a la Administración que debe presentarse en las oficinas registros y lugares que señala la LRJ.

Caben dos modos de presentación de la solicitud:

— Mediante documento escrito que cumpla los requisitos generales del procedimiento o en su caso en el modelo establecido y aprobado en la convocatoria.

— Mediante soporte telemático en los términos que dispone la LRJ.

Las solicitudes deben acompañarse de los documentos e informaciones que se hayan indicado en la convocatoria o normativa de regulación de la subvención salvo que ya se encuentren en poder de la administración actuante en cuyo caso la ley exige al interesado que haga constar la fecha y el órgano o dependencia en que fueron presentados siempre que no hayan transcurrido más de cinco años desde que finalizara el procedimiento a que correspondan en cuyo caso debe volverlos a presentar. Cuando haya imposibilidad material de obtener el documento, el órgano competente podrá requerir al solicitante la presentación o acreditación por otros medios de los requisitos a que se refiere el documento, antes de se emita propuesta de resolución.

La presentación de solicitud de subvención presupone autorización implícita para que el órgano gestor pueda pedir certificados a la Agencia Estatal de Administración Tributaria y a la Tesorería General de la Seguridad Social, además la ley autoriza para que la normativa reguladora de cada subvención pueda admitir la sustitución de la presentación de determinados documentos por una declaración en que se responsabilice el propio solicitante, en cuyo caso antes de que tenga lugar la propuesta de resolución de concesión debe requerirse la efectiva presentación documental que acredite, en un plazo no superior a quince días, los datos contenidos en la declaración. Por otra parte, cuando la solicitud no reúna los requisitos exigidos en la convocatoria, el órgano competente debe requerir al interesado para que subsane los defectos en plazo de diez días. Si no lo hace se le tienen por desistido de su solicitud previa Resolución.

La solicitud que cumpla los requisitos de la convocatoria provoca la admisión del interesado en el procedimiento.

En el supuesto en que el importe de la subvención de la propuesta de resolución provisional sea inferior al que figure en la solicitud presentada por el interesado, la administración podrá, siempre que así se hubiera previsto en las bases reguladoras, instar al beneficiario para que reformule la solicitud para ajustarla a los compromisos y requisitos de la subvención; en cualquier caso la reformulación de solicitud deberá respetar la finalidad y condiciones previstas y además adecuarse a los criterios de valoración incluidos en la convocatoria.

13.4. Instrucción del procedimiento

El órgano designado para la instrucción en la propia convocatoria realiza de oficio las estimaciones que estime necesarias para determinación, conocimiento y comprobación de los datos que fundamenten la propuesta de resolución.

La propuesta de concesión se presenta al órgano concedente por un órgano colegiado cuya composición debe incluirse en las bases de convocatoria.

En la práctica los trámites de instrucción comprenden las siguientes actividades:

— Petición de los informes exigidos por la normativa y aquellos se estimen necesarios para resolver. En la petición de informe debe hacerse constar el carácter determinante de los informes que sean preceptivos. De todos modos los informes deben ser emitidos en plazo de diez días hábiles, salvo que se pida su emisión en plazo menor o mayor que no puede exceder de dos meses. Una cuestión de interés práctico a tener en cuenta para cuando en el plazo señalado no se haya emitido informe que hubiera sido calificado como preceptivo y determinante, la administración podrá interrumpir el plazo de los trámites del procedimiento de concesión.

— Evaluación de las solicitudes de acuerdo con los criterios, formas y prioridades de valoración establecidos por la convocatoria y en la norma reguladora de la subvención. En algún caso esta norma puede establecer una fase de preevaluación en la que se verifique el cumplimiento de las condiciones para ser beneficiario.

Una vez evaluadas las solicitudes el órgano colegiado designado emitirá informe en que se concrete el resultado de la evaluación, tras lo cual y a la vista del expediente el instructor formula propuesta motivada de resolución provisional que debe notificarse a los interesados concediendo un plazo de diez días para presentar alegaciones. A través de las alegaciones, el solicitante ejerce su derecho a manifestar su opinión sobre los documentos e informes aportados en el procedimiento de concesión.

Cuando no figuren en el expediente ni se vayan a tener en cuenta otros motivos, hechos, alegaciones ni pruebas que las que hayan aducido los interesados podrá prescindirse del trámite de audiencia.

Examinadas las alegaciones de los interesados se formula propuesta definitiva de resolución que debe incluir el solicitante o solicitantes para los que se propone la concesión y la cuantía de la subvención en cada caso, concretando su evaluación y los criterios de valoración que se hayan seguido para efectuarla. De todos modos debe incluirse, en el expediente de instrucción, un informe del órgano instructor en que conste que de la información que obra en su poder se desprende que los beneficiarios cumplen todos los requisitos necesarios para acceder a la subvención.

También se notifica a los interesados designados, la propuesta definitiva de resolución para que comuniquen su aceptación en plazo, si bien estas propuestas no crean ningún derecho a favor de los designados frente a la administración mientras no se haya notificado en forma la propia resolución, además la propuesta de resolución debe ir acompañada de una propuesta de aprobación de gasto por importe del acto de concesión.

13.5. La resolución y su notificación

La Resolución definitiva es un acto administrativo declarativo de derechos que pone fin al procedimiento administrativo de concesión de subvenciones que debe resolver cuantas cuestiones hayan sido planteadas por los interesados y además ser congruente con las peticiones formuladas.

La autoridad competente para la concesión de subvenciones es quien debe resolver el procedimiento motivadamente de modo que deben quedar acreditados los fundamentos de la resolución que se adopte.

Hay dos límites a la capacidad de resolver los procedimientos de concesión de subvenciones:

— No pueden otorgarse subvenciones por cuantía superior a la que se haya determinado en la convocatoria ni por importe superior al crédito presupuestario disponible.

— No pueden otorgarse cantidades que superen el coste de la actividad subvencionada. No obstante, de modo excepcional y siempre que se haya previsto en las Bases reguladoras, el órgano competente podrá proceder al prorrateo del importe global máximo de la subvención, entre los beneficiarios destinado a las subvenciones.

La resolución debe estar motivada de acuerdo con lo que se haya dispuesto en las bases reguladoras y, en el procedimiento deben quedar acreditados los fundamentos de la resolución adoptada.

Además de incluir la identidad de solicitantes a los que se concede la subvención, la resolución también debe hacer constar expresamente la desestimación del resto de solicitudes.

El plazo máximo para resolver y notificar no puede sobrepasar los seis meses desde la publicación de la convocatoria y cuando las subvenciones tramitadas por otras administraciones territoriales tengan que ser resueltas por la AGE o sus organismos dependientes, este plazo debe computarse a partir de la publicación de la correspondiente convocatoria, salvo que la misma posponga sus efectos a una fecha posterior. De todos modos las bases reguladoras no podrán incluir un plazo superior, aunque sí inferior, para la tramitación procedimental.

La notificación de resolución debe practicarse a los interesados con los requisitos establecidos en la LRJ, en el plazo de diez días a partir de la fecha en que el acto haya sido dictado y debe contener el texto íntegro de la resolución con indicación de si es o no definitivo en vía administrativa, expresando los recursos que procedan, el órgano ante el que deban presentarse y el plazo para interponerlos, sin perjuicio de que los interesados puedan ejercitar cualquier otro que estimen procedente.

Las notificaciones se practicas por cualquier medio que permita tener constancia de la recepción por el interesado o su representante, así como la fecha, la identidad y el contenido del acto notificado, de todos modos debe incorporarse al expediente algún documento que acredite la notificación.

Las notificaciones defectuosas surten efecto a partir de la fecha en que el interesado realice actuaciones que supongan el conocimiento del contenido de la resolución o acto objeto de la notificación o interpongan el recurso que consideren oportuno.

En los procedimientos iniciados a petición del interesado, la notificación hay que practicarla en el lugar que éste haya señalado y cuando ello no fuera posible en cualquier lugar y a través de cualquier medio que permita acreditarla, en caso de que el último domicilio conocido estuviera en un país extranjero la notificación se llevara a cabo en el tablón de anuncios del consulado o sección consular de la embajada correspondiente.

Los modos generales de notificación de de notificación son los siguientes:

— La notificación en el domicilio y cuando no se encuentre el interesado en dicho domicilio en el momento de hacerle entrega de la notificación, la ley autoriza que pueda hacerse cargo de la misma cualquier persona que se encuentre en el domicilio y haga constar su identidad.

— Cuando se haya producido un rechazo expreso de la notificación, debe hacerse constar en el expediente, especificando las circunstancias del intento de notificación y además se tendrá por efectuado el trámite siguiendo el procedimiento.

— En el caso de interesados desconocidos o que se haya practicado notificación infructuosa, la notificación se hará por medio de edictos en el tablón de anuncio del Ayuntamiento de su último domicilio conocido y en el Boletín Oficial del Estado de la Comunidad Autónoma o de la Provincia, según sea la Administración de la que proceda el acto de concesión subvencional y el ámbito territorial del órgano que lo dictó.

La publicación sustituye a la notificación en los casos siguientes:

— Cuando el acto tenga por destinatario a una pluralidad indeterminada de personas o cuando la Administración estime que la notificación efectuada a un solo interesado resulta insuficiente para garantizar la notificación a todos, siendo en este caso adicional a la notificación practicada.

— Cuando se trate de actos integrantes de un procedimiento selectivo o de concurrencia competitiva de cualquier tipo En este supuesto la convocatoria de concesión debe indicar el tablón de anuncios o medio de comunicación donde deberán llevarse a cabo las sucesivas publicaciones, careciendo de validez las que se efectúen en lugares distintos.

Cuando se hayan cumplido las condiciones establecidas en el acuerdo de concesión o en su caso en el momento establecido en las normas de cada subvención, el departamento gestor emite un documento contable de pago OK que se remite a la oficina de contabilidad, junto con el acuerdo de reconocimiento de la obligación. Por el contrario si concluye el plazo establecido sin que se haya notificado la resolución, los interesados podrán entender desestimada la solicitud por silencio administrativo.

14. PROCEDIMIENTO DE CONCESIÓN DIRECTA

Ya hemos señalado los supuestos en que pueden concederse subvenciones de forma directa.

La Ley General de Subvenciones distingue dos sistemas para la formalización y regulación de las condiciones de concesión de las subvenciones de concesión directa:

a) En el caso de subvenciones nominativas previstas en presupuestos de las que puntualiza el Reglamento de la LGS que se consideran subvenciones de este tipo, las previstas en los Presupuestos Generales del Estado, de las Comunidades Autónomas o de las Entidades Locales aquellas cuyo objeto no necesita explicación sino que se deduce directamente de la correspondiente partida presupuestaria. El procedimiento de concesión de estas subvenciones se inicia de oficio por el centro gestor del crédito presupuestario al que se imputa la subvención o a instancia del interesado y concluye con la resolución de concesión o con la extinción del correspondiente convenio de colaboración. En cualquiera de dichos supuestos el acto de concesión o el convenio tendrán carácter de bases reguladoras de la concesión a los efectos de la normativa de subvenciones.

La resolución de bases reguladoras o en su caso las cláusulas del convenio deberán incluir los siguientes aspectos:

—   La determinación del objeto de la subvención y de sus beneficiarios, de acuerdo con la asignación presupuestaria.

—   El crédito presupuestario al que se imputa el gasto y cuantía de la subvención, individualizada para cada beneficiario cuando fuesen varios.

—   Compatibilidad o incompatibilidad con otras subvenciones, ayudas, ingresos o recursos para la misma finalidad procedentes de cualquier administración, ente público o privado, nacional comunitario europeo o internacional.

—   Plazos y modos de pago de la subvención, posibilidad de efectuar pagos anticipados y abonos a cuenta, así como el régimen de garantías que deban aportar los beneficiarios, en su caso.

—   Plazo y forma de justificación por parte del beneficiario del cumplimiento de la finalidad para la que se concedió la subvención y de la aplicación de los fondos percibidos.

b) Subvenciones de concesión directa impuesta por normas con rango de ley, se rigen por dicha norma y por las demás de aplicación especial a la Administración correspondiente.

En la Administración General del Estado, en las Entidades Locales y en sus organismos adscritos o dependientes será de aplicación supletoria en defecto de aquella normativa lo previsto en la LGS y su Reglamento de desarrollo salvo que en una y otra afecte a la aplicación de los principios de publicidad y concurrencia. Cuando la Ley que determine su otorgamiento se remita a la formalización de un convenio de colaboración entre la entidad concedente y los beneficiarios para canalizar la subvención dicho convenio deberá tener el contenido mínimo que exige el Reglamento de la LGS (15), además para que sea exigible el pago de las subvenciones es precisa la existencia de crédito adecuado y suficiente en el correspondiente presupuesto.

c) Las subvenciones de concesión directa por razones de interés público, social, económico, humanitario u otras justificadas que dificulten su convocatoria pública se regirán por las normas aprobadas por el Gobierno a propuesta del ministerio competente con informe del de Hacienda. La normativa que regule estas subvenciones debe incluir como mínimo los siguientes aspectos (16):

— Definición del objeto de la subvención con indicación de su carácter singular las razones que acreditan el interés público, social, económico o humanitario y las que justifican la dificultad de su convocatoria pública.

— El régimen legal aplicable.

— Los beneficiarios y las modalidades de ayuda.

— El procedimiento de concesión y el régimen de justificación de la aplicación dada a las subvenciones por beneficiarios o entidades colaboradoras.

En la Administración General del Estado se aprobarán las normas especiales que regulen estas subvenciones mediante Real Decreto a propuesta del ministerio competente previo informe del de Economía y Hacienda. Este Real Decreto tendrá el carácter de bases reguladoras de las subvenciones que establezca incluyendo los extremos mencionados que exige el art. 28.3 de la LGS. La elaboración de este Real Decreto debe ajustarse al procedimiento de instrucción establecido en el artículo 24 de la LGS incluyendo, además de los documentos que menciona dicho precepto, los siguientes:

---

(15)   Art. 65.3.
(16)   LGS art. 28.3.

— Una memoria del órgano gestor de las subvenciones competente por razón de la materia que justifique el carácter singular de estas subvenciones, las razones que acreditan el interés publico, social, económico o humanitario u otras que justifiquen la dificultad de su convocatoria pública.

— El informe del Ministerio de Economía y Hacienda que será el último que se emita con carácter previo a la elevación del expediente, con el proyecto de disposición al Consejo de Ministros, salvo que fuera preceptivo el dictamen del Consejo de Estado.

Con todo hay que tener en cuenta que si, para atender las obligaciones de contenido económico derivadas de la concesión de estas subvenciones, fuese preciso llevar a cabo una previa modificación presupuestaria, el expediente correspondiente debería tramitarse en la forma establecida en la Ley 47/2003 General Presupuestaria, una vez que hubiera sido aprobado el Real Decreto que comentamos.

15. CONVENIOS DE COLABORACIÓN EN MATERIA DE SUBVENCIONES

Aunque la forma ordinaria de concesión de las subvenciones es un acto administrativo unilateral, la propia normativa de subvenciones contempla el empleo de los convenios de colaboración como instrumento para la canalización de la gestión de las subvenciones.

Aunque la LGS considera a los convenios como negocios entre la administración concedente y un ciudadano, también cabe la suscripción de convenios para la canalización de subvenciones entre dos administraciones públicas una de las cuales actúa en calidad de concedente y la otra como entidad colaboradora o como beneficiaria. Incluso cabe que ambas administraciones actúen como concedente y un tercero como beneficiario.

La LGS contempla, en su artículo 28, el empleo de los convenios de colaboración con las subvenciones de concesión directa y con el recurso a las entidades colaboradoras en la gestión de las subvenciones, tanto nominativas como a los demás supuestos de concesión directa.

La regulación de estos convenios será la contenida en:

— Ley General de Subvenciones Reglamento de desarrollo, bases reguladoras, etc.

— La Ley 30/992 de Régimen Jurídico de las Administraciones Públicas (LRJ).

— Los principios contenidos en la Ley de Contratos del Sector Público.

La administración dispone en ejecución del convenio de las facultades de inspección y control para verificar su exacto cumplimiento, la administración dispone también de la facultad de interpretar el convenio y además puede variar el objeto y la otra parte tienen la obligación de soportar las variaciones con la justa compensación o restablecimiento del equilibrio financiero.

La forma ordinaria de extinción de los convenios se el cumplimiento de su finalizado por el transcurso del plazo de vigencia convenido en el mismo; pero además cabe la extinción por incumplimiento de una de las partes que si es el beneficiario perderá el derecho a los beneficios; en el caso de que el incumplimiento sea de la Administración bien por diferente apreciación del interés publico o debido a una variación normativa resultará obligada respecto al beneficiario a adoptar una medida de compensación que resarza los eventuales perjuicios causados.

Entre los posibles convenios en materia de subvenciones deben mencionarse además los llamados convenios o contratos programa en el ámbito de las entidades y empresas públicas, los llamados conciertos educativos y otras medidas de fomento en materia de asociaciones.

16. RÉGIMEN JURÍDICO DE LAS SUBVENCIONES

Las subvenciones públicas se rigen por Ley 38/2003 de 17 de noviembre General de Subvenciones, por el Reglamento de desarrollo de dicha Ley aprobado por Real Decreto 887/2006 de 21 de julio y otras disposiciones de desarrollo y por las demás normas de Derecho Administrativo que le sean aplicables así como otras normas de derecho privado de aplicación subsidiaria., sin embargo esta disposición no agota en absoluto la importante cuestión del régimen jurídico de la actividad subvencional en nuestro Derecho.

17. PRINCIPIO DE LEGALIDAD

La primera cuestión que se plantea es la aplicación del principio de legalidad cuyo análisis debe partir de la consideración de lo que la propia Constitución Española dispone en sus artículo 9.3, 103.1 y 106.1y en relación con el gasto público en los artículos 133.2 y 134 las cuales despliegan su eficacia a través en varias facetas pero para examinar concretamente esta cuestión desde un punto de vista práctico es preciso distinguir entre dos aspectos:

a) El establecimiento de la subvención

b) La concesión u otorgamiento de la subvención.

Establecimiento de una subvención es la creación mediante la determinación de los supuestos de hecho que dan origen a la misma a través de la fijación de sus aspectos subjetivos, objetivos y temporales lo cual se ha de llevar a cabo mediante una norma jurídica sea de rango legal o reglamentario. La concesión consiste en un acto administrativo concreto de aplicación de la norma, mediante el cual se reconoce en un sujeto concreto, dentro de una pluralidad indeterminada, el derecho a percibir la subvención porque cumple los requisitos y condiciones previamente establecidos.

La Ley General de subvenciones se centra en esta cuestión sin que regule una exigencia legalidad para el establecimiento de las subvenciones públicas, por ello la cuestión que se plantea es saber si existe habilitación jurídica a favor de la Administración para el establecimiento de subvenciones o bien hay una reserva de ley formal; por otra parte interesa conocer los posibles requisitos legales a que esté sujeta la actividad subvencional de la Administración y además los aspectos en que se concreta el principio de legalidad financiera en materia de gastos público en lo que respecta a la actividad subvencional.

El principio de legalidad significa la existencia de una serie de materias cuya regulación ha de hacerse mediante normas de rango legal (reserva material de ley) cuya enumeración se encuentra en el texto de la Constitución; pero entre ellas no se encuentra ningún precepto que establezca reserva de ley expresa y general en lo que respecta al establecimiento de subvenciones, sin embargo, aunque no haya reserva de ley, hay que preguntarse si existe una habilitación a la Administración para establecer subvenciones a través del ejercicio de la potestad reglamentaria, pues la Administración solo puede actuar en tanto se le haya atribuido legalmente potestad para ello lo cual se infiere de lo establecido en el citado artículo 9 de la LGS que hace referencia a la existencia de bases reguladoras referidas a cada tipo de subvención las cuales deben referirse a la definición del objeto de la subvención, a los requisitos que debieran reunir los beneficiarios para la obtención y a la cuantía individualizada de la subvención o criterios para su determinación tres elementos que constituyen el aspecto material, subjetivo y cuantitativo de la subvención.

Pero además hay que tener en cuenta que esta potestad subvencional de los poderes públicos debe ejercerse dentro del marco y respeto a los principios constitucionales y de Derecho comunitario europeo, por ello la norma creadora de la subvención debe estar sometida a la constitución, pensemos en la posibilidad de que a través de las cargas que se imponen al beneficiario pueden producirse intromisiones ilegítimas en la esfera de derechos y libertades fundamentales de aquel, por ello hay que tener en cuenta que si la subvención se establece por ley, ésta deberá respetar el contenido esencial de estos derechos constitucionalmente protegidos, y si se establece mediante norma reglamentaria, ésta deberá ajustarse al régimen establecido en la Ley General de Subvenciones; pues, en relación con los requisitos y condiciones fijados en Orden ministerial para poder acceder a las subvenciones previstas (Educación y Ciencia), el Tribunal Supremo declaró que estas condiciones mínimas, esa potestad reguladora del Estado en materia de enseñanza, tienen como limitación el no vaciar el contenido esencial, ya que esas normas mínimas ni autorizan el poder público a imponer a los centros docentes privados, que se deseen crear o que estén funcionando con la pertinente autorización administrativa, nuevas exigencias, como alguna de las examinadas, sin que necesariamente supongan poner obstáculos o coartar y hasta impedir de hecho el pluralismo educativo institucionalizado por la Constitución (17).

Una importante relación de exigencias es la que contiene al respeto del principio de igualdad, la libertad de empresa en el marco de la economía de mercado y las que se refieren a la justicia y equidad en el reparto del gasto (arts. 24, 31 y 38 de la Constitución).

Con todo también debe tener en cuenta la reserva de ley en lo que se refiere a la contracción de obligaciones financieras y realización de gastos derivados de la actividad subvencional que quedará cubierta siempre que la subvención hubiera sido establecida por Ley o contraída por la administración a través de los cauces y condiciones legalmente establecidos para obligar legítimamente al Estado tanto con carácter general contenidas en el Ley General Presupuestaria como específicamente en materia de subvenciones contenidas en el Ley General de Subvenciones. Además el principio de legalidad en relación con los actos administrativos de gasto público comporta un doble condicionalidad, la primera derivada de una ley que habilite para realizar el gasto y la segunda por la puesta a disposición de la Administración pública de los medios adecuados por la Ley General Presupuestaria, (consignación presupuestaria previa, que las obligaciones sean exigibles, etc.), por ello las competencias atribuidas por la legislación sustantiva deben ejercerse en la práctica administrativa dentro de los límites de los créditos asignados a cada centro directivo u organismo para el cumplimiento de sus fines.

Respecto a los requisitos legales de la Administración, el artículo 9 de la Ley General de subvenciones dispone que con carácter previo al otorgamiento de las subvenciones, deberán aprobarse las normas que establezcan las bases reguladoras de concesión en los términos establecidos por la ley, salvo que exista otra norma sectorial específica que cumpla la misma finalidad que las bases reguladoras, que no son otra cosa que normas reglamentarias que disponen de la cobertura de la Ley General de Subvenciones y que establecen la subvención siempre que no hubiera sido establecida por una norma previa.

En relación con el principio de legalidad las subvenciones públicas se rigen por normas de aplicación directa y normas de aplicación supletoria, las primeras se derivan de la propia LGS y su normativa de desarrollo y el resto de normas de derecho administrativo, generales y sectoriales.

---

(17)   Sentencia del Tribunal Supremo de 24.1.1984.

En este aspecto la Ley General de Subvenciones desempeña un papel de cabecera y por tanto es la que debe inspirar, informar y dar unidad a la regulación de subvenciones, prevaleciendo sobre normas anteriores especiales máxime con la entrada en vigor del reglamento de aplicación.

Una cuestión práctica que debe tenerse en cuenta es la existencia de disposiciones administrativas contenidas en resoluciones y circulares de la Administración que aunque, en principio, carecen del carácter y condición de reglamento.

18. BASES REGULADORAS DE LA SUBVENCIÓN

Las Bases reguladoras constituyen un elemento de importancia singular en la configuración del régimen jurídico de las subvenciones públicas pues constituyen disposiciones de desarrollo de la propia Ley General de Subvenciones.

El otorgamiento de subvenciones debe estar precedido por la aprobación de las bases reguladoras en los términos establecidos por la Ley, la exigencia de establecimiento de las Bases se justifica por la gran variedad de subvenciones existente y por la necesidad de adaptar a cada tipo de subvención los principios generales que establece la LGS.

Las normas que aprueban las bases de regulación, constituyen normas reglamentarias y se diferencian con la orden o resolución de convocatoria tanto en lo que hace a su procedimiento de elaboración como a su propio contenido.

La norma que aprueba las bases reguladoras complementa y desarrolla la Ley y el Reglamento de subvenciones su duración tendrá el carácter que ella misma establezca o en su caso indefinido y se extiende a todas las subvenciones de la misma clase que gestione el Departamento ministerial, es decir no es un acto meramente aplicativo sino innovador del ordenamiento susceptible de una pluralidad indeterminada de aplicaciones y cumplimientos, por el contrario la convocatoria es un acto administrativo ordenado producido dentro del ordenamiento y previsto por éste como mera aplicación del mismo.

Naturalmente estas diferencias quedan difuminadas cuando utilizando una técnica inadecuada se incluyen en una misma Orden ministerial las bases y la convocatoria; si bien hay que tener presente que la Ley General de Subvenciones solo permite realizar esta acumulación en casos excepcionales en atención a su especificidad (18).

El marco jurídico básico de la actividad subvencional se distribuye con peculiaridades dentro de cada ámbito estatal, autonómico o local, además junto a estas

---

(18)   Art. 23.1 a).

normas comunes existen otras de carácter específico que tienen diferentes grados de aplicación para cada ámbito competencial:

a) En el caso de la Administración General del Estado y demás organismos y entidades vinculadas a aquella las disposiciones principales de aplicación en materia de subvención son la Ley General de Subvenciones el Reglamento de desarrollo de la Ley, normativa de desarrollo y bases reguladoras de cada subvención que se aprueban siguiendo el procedimiento establecido en la Ley 50/1997 previo informe del Servicio Jurídico del estado y de la intervención delegada correspondiente. Sin embargo no será necesaria la promulgación de la Orden ministerial cuando las normas sectoriales específicas de cada subvención incluyan las bases reguladoras con el alcance previsto en el artículo 17 de la LGS.

b) En el caso de las subvenciones de Comunidades autónomas hay que diferenciar entre la potestad para establecer las subvención y la normativa de carácter administrativo, presupuestario y contable que regula su gestión. Respecto del primer aspecto las Comunidades autónomas son titulares de la potestad para aprobar subvenciones en aquellas materias en las que dispongan de competencias estatutarias y dicha potestad debe ser respetada por la Administración del Estado. Por lo que hace la las normas que regulan la gestión hay que recordar que la LGS establece unos preceptos de carácter básico» dictados al amparo de lo establecido en el artículo 149.1.13.ª, 14.ª y 18.ª de la Constitución (19). Por ello constituye legislación básica la definición del ámbito de aplicación de la Ley, las disposiciones comunes que definen los elementos de la relación subvencional, el régimen de coordinación de actuación de las diferentes Administraciones Públicas, determinadas normas de gestión y justificación de las subvenciones, la invalidez de resolución de la concesión, las causas y obligados al reintegro de las subvenciones, el régimen material de infracciones y reglas básicas reguladoras de las sanciones administrativas en el orden subvencional.

A las comunidades Autónomas compete el desarrollo de la normativa básica, potestad que incluye la de dictar las normas precisas para que esta materia que de completamente regulada, respetando el marco fijado en la normativa básica; dentro de este marco de regulación, las Comunidades autónomas tienen libertad de configurar su propia política subvencional.

Pero además en tanto la actividad subvencional se desarrolla mediante un procedimiento administrativo también deberá tener en cuenta los preceptos de carácter básico de la LRJ pues como ha indicado el Tribunal Constitucional cuando la competencia legislativa sobre una materia ha sido atribuida a una Comunidad Autónoma, a ésta también cumple la aprobación de las normas de procedimiento

---

(19)   Bases y coordinación de la planificación general de la actividad económica, Hacienda y Bases del Régimen Jurídico de las Administraciones Públicas.

administrativo destinadas a ejecutarla, si bien deberán respetarse en todo caso las reglas de procedimiento establecidas en la legislación del Estado dentro de su propio ámbito competencial (20), por todo ello será esencial tener en cuenta la normativa autonómica que en cada caso se haya dictado, en concreto en lo que hace a las bases reguladoras, su aprobación es competencia del órgano habilitado de la Comunidad Autónoma y el contenido de las mismas debe respetar las disposiciones de carácter básico a que se ha hecho referencia. Con todo no debe olvidarse el carácter supletorio que en este y otros aspectos tiene la normativa estatal en supuestos de ausencia de regulación autonómica.

c) Las Corporaciones locales pueden tener una doble faceta relacional en materia de subvenciones como beneficiarias y como concedentes.

En el primer aspecto les resulta de aplicación la normativa estatal o autonómica que regule las ayudas y estarán sometidas a los deberes y obligaciones que exija dicha legislación.

Por lo que hace a las subvenciones que otorgan estas entidades, se encuentran sujetas a la LGS si bien cuando la Comunidad Autónoma correspondiente hubiera asumido competencias en materia de régimen local la LGS solo será de aplicación en lo que respecta al carácter básico de sus disposiciones. Por otra parte la disposición adicional decimocuarta de la LGS dispone que los procedimientos regulados en esta ley se adaptarán reglamentariamente a las condiciones, organización y funcionamiento de las corporaciones locales y los organismos públicos de ellas dependientes.

La fundamentación jurídica para la actividad subvencional de estas entidades se encuentra en la Ley Reguladora de Bases de Régimen Local cuyo artículo 25 establece que el municipio puede promover, en el ámbito de sus competencias, toda clase de actividades y prestar cuantos servicios públicos contribuyan a satisfacer las necesidades y aspiraciones de la comunidad vecinal, además hay otros preceptos que sirven de cobertura para esta actividad municipal (21) resumiendo serán de aplicación a las subvenciones locales la Ley General de Subvenciones y Reglamento de desarrollo, la Legislación básica estatal en materia de régimen local, la normativa autonómica correspondiente en materia de régimen local si tiene competencias, la normativa de Derechos Administrativo y las bases reguladoras de cada subvención y otros normas que apruebe la Entidad Local.

Con respecto a las bases reguladoras de subvencione sen el ámbito local deben aprobarse en el marco de las bases de ejecución del presupuesto, a través de una

---

(20)   Sentencia del Tribunal Constitucional 227/1998.
(21)   Ver artículos 72 Ley de bases de Régimen Local, artículos 170.2 y 195 Ley de Haciendas Locales, artículo 30 del Texto Refundido en materia de Régimen Local.

© El Consultor de los Ayuntamientos

ordenanza general de subvenciones o bien mediante un ordenanza especial que regule las diferentes modalidades de subvención de la Corporación local.

19. REQUISITOS MATERIALES Y CONTENIDO DE LAS BASES REGULADORAS

Los requisitos materiales para el otorgamiento de la subvención que deben cumplirse para no incurrir en vicio de nulidad son los siguientes:

— La competencia del órgano administrativo concedente.

— La existencia de crédito adecuado y suficiente.

— La tramitación del procedimiento de concesión.

— La fiscalización previa.

— La aprobación del gasto.

Respecto al contenido de las bases reguladoras la LGS establece una serie de extremos que deben contener al menos todas las bases reguladoras de subvenciones:

a) Definición del objeto de la subvención. Pues toda subvención entendida desde una perspectiva teleológica debe tener una finalidad mediata consistente en la satisfacción general de un fin de interés público; por ello puede decirse que el objeto de la subvención es la expresión normativa de la condición principal que se impone al beneficiario de modo que las restantes condiciones son complementarias y auxiliares de aquella, y dirigidas a garantizar el cumplimiento efectivo de la finalidad subvencional.

b) Requisitos que deben reunir lo beneficiarios para poder obtener la subvención así como las entidades colaboradoras, así como forma y plazo de presentación de solicitudes La condición de beneficiario debe recaer, con carácter general en las personas físicas o jurídicas que se encuentren en la situación que fundamenta la concesión de la subvención a en las que concurran circunstancias previstas en las bases reguladoras y en la convocatoria. A este respecto la Ley General de Subvenciones (22) reconoce dos supuestos en que la obligación dimanante de la subvención se irroga hacia los miembros individuales de la entidad beneficiaria ya sea entidad mercantil o tanga base asociativa o federativa, en ambos casos las bases reguladoras deberán definir, además, los requisitos que deben reunir los agentes:

---

(22)   LGS art. 11.

• Los miembros asociados de una persona jurídica que se comprometan a efectuar la totalidad o parte de las actividades que fundamentan la concesión de la subvención en nombre y por cuenta de la primera que participan de la condición de beneficiarios con aquella.

• Los miembros de agrupaciones de personas físicas o jurídicas, públicas o privadas sin personalidad, cuando hayan asumido compromisos de ejecución, de acuerdo con lo establecido en el ley general de Subvenciones.

La forma y plazo de presentación de solicitudes deben ser definidas en la Orden de aprobación de las bases reguladoras, sin embargo corresponde a cada convocatoria concretar, en cada caso, los requisitos de solicitud de la concesión y la forma de acreditarlos, de acuerdo con lo establecido en la propia LGS (23).

c) Condiciones de solvencia y eficacia que deben reunir las entidades colaboradoras. Ya se ha indicado que son entidades colaboradoras las personas jurídicas públicas o privadas que, actuando en nombre y por cuenta del órgano concedente a todos los efectos relacionados con la subvención, entregan y distribuyen fondos públicos a los beneficiarios cuando así lo hayan establecido las bases reguladoras, o colaboren en la gestión de la subvención sin que se produzca la entrega previa y distribución de los fondos recibidos.

d) Procedimiento de concesión de la subvención. Las bases reguladoras deben contener la expresión de las fases a que debe someterse necesariamente el procedimiento administrativo de concesión a cuyo fin deberá completarse con las indicaciones concretas que se incluyan en cada convocatoria.

e) Cuantía individualizada de la subvención o criterios para su determinación. El importe de la subvención podrá encontrarse expresado en una cantidad determinada o por el contrario ser el resultado de determinadas operaciones de cálculo en función de los parámetros que sean de aplicación o de cualquier otro proceso de cálculo, pero en cualquier caso las bases reguladoras deben incluir la información exacta del contenido del procedimiento de liquidación de la subvención.

f) Órganos competentes para la ordenación, instrucción y resolución del procedimiento de concesión y plazo en que deba notificarse la resolución.

g) Determinación de los libros, registros y documentos para garantizar la justificación de la subvención. El incumplimiento de la obligación de custodia de los libros y registros es causa de reintegro y además supuesto de infracción con las consecuencias sancionadoras que establece la LGS.

---

(23)   LGS art. 23.

h) Plazo y forma de justificación por parte del beneficiario o entidad colaboradora del cumplimiento de la finalidad para la que se de la aplicación de los fondos percibidos. La fase de justificación del cumplimiento de la finalidad y de la aplicación de los fondos exige el sometimiento de los obligados, beneficiarios y entidades colaboradoras a unos requisitos formales y temporales que resultan indicadores de contraste y referencia para la verificación del exacto cumplimiento de los objetivos de la subvención.

i) Medidas de garantía que se considere oportuno constituir, medios de constitución y procedimiento de cancelación.

j) Posibilidad de efectuar pagos anticipados a abonos a cuenta y régimen de garantías que deban aportar los beneficiarios. La posibilidad de anticipar y fraccionar el pago de la subvención debe estar expresamente reconocida en las bases reguladoras, con el fin de que pueda establecerse un régimen de garantías adecuado que permita asegurar el cumplimiento real del objetivo de la subvención.

k) Circunstancias que puedan dar lugar a modificación de la resolución.

l) Compatibilidad o incompatibilidad con otras subvenciones, ayudas, ingresos o recursos para la misma finalidad, procedentes de otras administraciones o entidades públicas o privados nacionales comunitario o internacionales.

El alcance y consecuencias de este requisito debe ponerse en relación con estas alternativas posibles:

— La incompatibilidad absoluta de la subvención que se regula con cualquier otra subvención, ayuda, ingreso o recurso o bien solo incompatibilidad en aquellos casos en que la suma de aportaciones recibidas supere el coste de la actividad subvencionable o del porcentaje que, según las bases reguladoras, es susceptible de financiación ajena.

— Alcance subjetivo de la prohibición que puede extenderse a cualquier persona pública o privada o por el contrario a uno de los sectores indicados.

— Proyección temporal de la incompatibilidad, que puede extenderse a las ayudas o ingresos ya percibidos, o también a las ayudas e ingresos susceptibles de ser percibidos en el futuro.

Respecto a la extensión de la prohibición debe distinguirse:

— Casos en que a pesar de la incompatibilidad establecida, el beneficiario percibe otra transferencia pública en concepto de ayuda o subsidio, aun cuando la suma de todas las aportaciones no supere el coste de la actividad subvencionable, en cuyo caso se da un supuesto de incompatibilidad absoluta que da lugar al reintegro de la subvención, además de las sanciones que correspondan por haber incurrido en infracción de la Ley General de Subvenciones.

— Supuesto en que admitida la compatibilidad total o parcial de la subvención con otras subvenciones o ayudas, se produce un sobreexceso sobre el coste de la actividad subvencionada, circunstancia que tiene como consecuencia el reintegro del excedente siendo exigible el abono de intereses de demora.

m) Criterios de graduación de posibles incumplimientos de condiciones impuestas con motivo de la concesión de subvenciones, criterios que resultarán de aplicación para determinar la cantidad que finalmente deba percibir el beneficiario o el importe a reintegrar y deberán responder al principio de proporcionalidad.

20. PUBLICIDAD DE LA SUBVENCIÓN

En relación con la publicidad de las subvenciones hay que tener en cuenta que, como regla general los órganos de la Administración General del Estado, de las Comunidades Autónomas y de las Entidades Locales están obligados a publicar en el Boletín Oficial del Estado o diario oficial correspondiente las subvenciones concedidas haciendo referencia expresa a la orden de convocatoria, el programa y crédito presupuestario al que se imputa la subvención, el beneficiario, la cantidad concedida y la finalidad o finalidades de la subvención. El Reglamento de desarrollo de la Ley General de Subvenciones dispone que la publicación de las subvenciones concedidas debe realizarse durante el mes siguiente a cada trimestre natural incluyendo todas las concedidas durante dicho periodo, cualquiera que sea el procedimiento de concesión y la forma de instrumentación salvo aquellas cuya publicación estuviera excluida por la Ley; cuando la resolución comprenda tanto el otorgamiento de subvenciones que, de manera individualizada, superen el límite de tres mil euros como de aquellas otras que no alcancen dicha cuantía, en la publicación deberán señalarse también los datos individualizados de las subvenciones de cuantía superior a tres mil euros, el o medio en el que aparecen publicados el resto de los beneficiarios.

En la publicación deben expresarse los siguientes extremos:

— La convocatoria y la identificación de las subvenciones.

— El programa y crédito presupuestario al que se imputen.

— La existencia de financiación con cargo a fondos de la Unión europea y, en su caso, porcentaje de financiación.

— Nombre o razón social del beneficiario, número de identificación fiscal, finalidad o finalidades de la subvención con expresión, de los diferentes programas o proyectos subvencionados y cantidad concedida. En caso de subvenciones plurianuales, importe total concedido y distribución de anualidades.

La publicidad de subvenciones concedidas por entidades locales de menos de cincuenta mil habitantes puede llevarse a cabo mediante tablón de anuncios, además cuando se trate de entidades locales de más de cinco mil habitantes, se publicará en el diario oficial correspondiente un extracto de la resolución por la que se ordena la publicación, indicando los lugares donde se encuentre expuesto su contenido íntegro.

Con todo, la Ley General de Subvenciones no considera necesaria la publicación de las subvenciones en Diario oficial en los casos siguientes:

— Cuando las subvenciones tengan asignación nominativa en los presupuestos de las administraciones, organismos y demás entidades públicas otorgantes.

— Cuando su otorgamiento y cuantía, a favor de beneficiario concreto, resulten impuesto por norma de rango legal.

— Cuando los importes de las subvenciones concedidas individualmente consideradas sean de cuantía inferior a tres mil euros, en estos casos las bases reguladoras deben prever la utilización de otros procedimientos que aseguren la publicidad de los beneficiarios de la subvención.

— Cuando la publicación de datos sobre el beneficiario pueda chocar con el derecho al honor e intimidad personal y familiar de las personas (24) y se encuentre previsto en la normativa que regule la subvención.

En otra faceta de la publicidad la ley exige al beneficiario que de adecuada publicidad del carácter público de la financiación de programas, actividades, inversiones o actuaciones que sean objeto de subvención. La importancia de este requisito hace que en la LGS se haya considerado su incumplimiento se hay incluido como causa de reintegro. A este respecto dispone el Reglamento de desarrollo de la LGS que las bases reguladoras de las subvenciones deben establecer las medidas de difusión que tienen que adoptar el beneficiario de una subvención para dar adecuada publicidad al carácter público de la financiación del programa, actividad, inversión o actuación de cualquier tipo que sea objeto de subvención.

Las medidas de difusión deben adecuarse al objeto subvencionado, tanto en su forma como en su duración, pudiendo consistir en la inclusión de la imagen institucional de la entidad concedente, así como leyendas relativas a la financiación pública en carteles, placas conmemorativas, materiales impresos, medios electrónicos o audiovisuales o bien menciones realizadas en los medios de comunicación.

---

(24)   Ley Orgánica 1/1982.

Cuando el programa, actividad inversión o actuación disfrute de otras fuentes de financiación y el beneficiario esté obligado a dar publicidad a esta circunstancia, los medios de difusión de la subvención concedida y su importancia deberán ser análogos a los empleados respecto de otras fuentes de financiación.

Cuando se haya incumplido esta obligación se aplicarán las siguientes reglas:

— Si aún resulta posible su cumplimiento en los términos establecidos, el órgano concedente deberá requerir al beneficiario que adopte las medidas de difusión establecidas en un plazo no superior a quince días hábiles, pero no podrá adoptarse ninguna decisión de revocación o reintegro sin que se haya dado cumplimiento9 a este trámite.

— Cuando, habiéndose llevado a cabo las actividades afectadas, no resulte posible el cumplimiento en los términos establecidos, el órgano concedente podrá establecer medidas alternativas, siempre que éstas permitan dar difusión de la financiación pública recibida con el mismo alcance que las acordadas inicialmente. En el requerimiento que se dirija al beneficiario deberá fijarse un plazo no superior a quince días hábiles para su adopción con expresa advertencia de las consecuencias de dicho incumplimiento.

Todo ello sin perjuicio de las responsabilidades que pudieran corresponder por haberse incurrido en infracción.

Con la resolución o acuerdo de concesión se produce un conjunto de derechos y obligaciones: unos con cargo a la administración concedente de la subvención y otros con cargo al destinatario de la misma lo cual viene a constituir lo que se den omina relación jurídica subvencional.

21. EL GASTO Y EL PAGO DE LA SUBVENCIÓN

La dinámica de cumplimiento de esta relación jurídica se encuentra regulada por un lado la LRJ desde la óptica de los deberes que corresponden al ciudadano y por la normativa presupuestaria que constituyen dos facetas normativas, administrativa y financiera, de una misma materia cuyo punto de unión reside en la resolución administrativa de concesión de la subvención que sirve de fundamento único a su vez a la ejecución y al compromiso de gasto.

El proceso de ejecución del gasto público incluye los actos de cumplimiento de las obligaciones financieras de carácter público que en la Administración General del Estado se producen a iniciativa de los departamentos ministeriales concedentes de las subvenciones y a los cuales corresponde llevar a cabo los trámites para la liquidación del gasto, la propuesta de pago dirigidos al órgano gestor de la ordenación de pagos estatales (25).

Pero todo procedimiento de pago de la administración se encuentra generalmente precedido por un expediente de gasto que se encuentra formado por varias actuaciones previas:

a) Certificado de existencia y retención de crédito. Legalmente el gastos de la subvención no puede rebasar los créditos aprobados por la Ley de presupuestos y para garantizar este requisito legal deberá incluirse en el expediente un certificado del jefe de contabilidad del ministerio gestor de la subvención en el que se acredite la existencia de crédito y al tiempo se produce una anotación contable registrando la retención del importe correspondiente lo cual implica que dicha cantidad no puede disponerse para otras finalidades. Este certificado debe estar referido al crédito que resulte adecuado a la naturaleza y finalidad de gasto, en el caso de subvenciones, capítulos IV y VII, hay que tener en cuenta que los créditos son vinculantes a nivel de concepto presupuestario, por tanto el certificado de existencia debe acreditar la existencia de crédito a dicho nivel, así como en el programa y servicio al que sea imputable el gasto. Cuando se tramite una subvención plurianual, el certificado de contabilidad deberá acreditar que el gasto imputable a ejercicios posteriores no sobre pasa los límites que para estos compromisos establece la Ley General Presupuestaria. Una vez efectuado el registro del gasto imputable a la anualidad y a las posteriores que correspondan en su caso, las cuantías correspondientes quedarán reservadas para su utilización posterior en el procedimiento, por ellos los certificados se unen al expediente antes de que tenga lugar la fiscalización previa y autorización del gasto.

b) Propuesta de gasto. El expediente de gasto debe incorporar la propuesta de gasto dirigida al órgano competente para la aprobación, cuyo contenido debe incluir mención a la finalidad de la subvención, el importe de la misma al menos el máximo, la aplicación presupuestaria y disposiciones que den cobertura legal a la propuesta.

c) Fiscalización previa. Hay que tener en cuenta que están legalmente sujetos a fiscalización previa aquellos actos administrativos por los que se aprueben gastos o se adquieran compromisos de gasto y entre ellos figuran los expedientes de gasto subvencional con excepción de las subvenciones imputables a créditos nominativos que no se tramitan en régimen de concurrencia competitiva. La finalidad de la fiscalización previa es el control de la legalidad de la propuesta de gasto. La intervención formal se lleva a cabo mediante examen de todos los documentos que deban estar incorporados al expediente.

---

(25)   Dirección General del Tesoro y Política Financiera del Ministerio de Hacienda y Administraciones Públicas «el Tesoro público».

d) Autorización del gasto, compromiso de gastos o disposición de crédito. Una vez incorporados al expediente el certificado de existencia y retención de crédito, el informe de intervención, así como el proyecto de convocatoria de subvención, además de otras actuaciones que resulten exigidas por la normativa que regule la subvención, tendrá lugar la autorización del gasto por el órgano competente dando lugar a la expedición del documento contable mediante el cual queda registrada la autorización.

De estas actuaciones, las tres primeras son anteriores a la resolución que pone fin al procedimiento de concesión, en tanto que la última se encuentra incluida la misma concesión, posteriormente se desarrollan otras actuaciones con finalidad del cumplimiento de la obligación derivada de la subvención concedida que integran la segunda fase que es expediente de pago.

La principal obligación del centro directivo u organismo concedente de la subvención, después de la resolución, es el pago o cumplimiento de la misma que consiste en la entrega de los fondos públicos comprometidos; pero el Tesoro público, solo puede hacer efectivas las obligaciones que hayan sido previamente reconocidas, mediante un acto administrativo, como vencidas, líquidas y exigibles (26).

Como quiera que la subvención consiste en un disposición de dinero sin contrapartidas directas de los beneficiarios

Por lo que hace a la obligatoriedad hay que tener en cuenta que una vez concedidas las subvenciones, resulta obligatorio para la administración hacer efectivo el importe de la subvención tanto en el caso de subvenciones aprobadas por norma de rango legal como las que se otorgan mediante acto administrativo por ello una vez concedidas son irrevocable y por tanto obligatorias para la administración salvo en los casos en que concurra alguna causa legal de revocación o modificación.

Pero una vez otorgada la subvención, su exigibilidad y reconocimiento no son automáticos, pues el cobro de su importe se encuentra sujeto al cumplimiento de unos requisitos legales adicionales a los que se exigen para obtener la concesión propiamente dicha y solo cuando aquellos requisitos se cumplan estará perfeccionada la obligación de pago de la administración. De acuerdo con lo dispuesto por la Ley General Presupuestaria artículo 73.4 el reconocimiento de la obligación es el acto mediante el cual se declara la existencia de un crédito exigible contra la Hacienda Pública Estatal o contra la Seguridad Social derivado de un gasto aprobado y comprometido que comporta una propuesta de pago.

---

(26)   Un acto de reconocimiento de la obligación.

Por ello el reconocimiento de obligación con cargo a la Hacienda pública estatal se produce previa acreditación documental ante el órgano competente para la realización de la prestación o el derecho del acreedor de conformidad con los acuerdos emitidos en su día sobre aprobación y compromiso del gasto.

Pero tanto desde el punto de vista de la legalidad presupuestaria como en el proceso de la relación subvencional entre el beneficiario y la administración el reconocimiento de la obligación es un acto sometido a posibles modificaciones pues se acuerda por el órgano concedente de la subvención sometido a la condición resolutoria tácita de los resultados que resulten de las comprobaciones posteriores realizadas por el propio órgano gestor o de las ulteriores operaciones de control financiero de subvenciones. El Tribunal Supremo ha declarado que la existencia de actas de comprobación no excluye la posterior realización de controles financieros al beneficiario y que los "certificados de correcta utilización" no constituyen actos declarativos de derechos pues tanto ellos como los restantes actos intermedios del procedimiento subvencional se encuentran sometidos a que sea acreditada la realidad efectiva de que el preceptor de la subvención haya cumplido las obligaciones a que esta estaba sujeta y a cuyo efecto se le concedió.

22. REQUISITOS PREVIOS AL RECONOCIMIENTO DE OBLIGACIONES DE PAGO SUBVENCIONALES

El Reglamento de la Ley General de Subvenciones establece, en su artículo 88, que el pago de la subvención se realizará previa justificación por el beneficiario y en la parte proporcional a la cuantía de la subvención justificada de la realización de la actividad, proyecto, objetivo o adopción del comportamiento para el que se concedió en los términos establecidos en la normativa reguladora de la subvención, salvo que, en atención a la naturaleza de aquella, dicha normativa prevea la posibilidad de realizar pagos anticipados. Además cuando la subvención se conceda en atención a la concurrencia de una determinada situación en el preceptor no se requerirá otra justificación que la acreditación conforme a los medios que establezca la normativa reguladora.

A) Justificación de la finalidad subvencional

El primer requisito que debe cumplir el beneficiario para que se realice el pago consiste en acreditar ante la entidad concedente la aplicación de los fondos recibidos a la finalidad establecida; y a este efecto pueden distinguirse dos tipos de subvenciones:

1 Subvenciones de justificación previa o post-pagables, en las cuales constituye requisito necesario para el reconocimiento y liquidación de la obligación que sean aportados los documentos que acrediten el cumplimiento de la finalidad y de la realización de la actividad subvencionada

2 Subvenciones de justificación diferida o prepagables, en las que no es necesaria la aportación de dichos documentos, no obstante las bases reguladoras pueden exigir que en su lugar los beneficiarios aporten garantías, pero no es legalmente obligatorio.

La Ley General de Subvenciones establece tres modalidades de pago la primera tienen carácter general y se aplica en defecto de previsión específica y las otras solo son aplicables cuando hayan sido contempladas en las normas reguladoras de la subvención: pago previa acreditación de la justificación, pago a cuenta y pago anticipado.

a) Pago previa aportación de la justificación

La realización del pago al beneficiario por parte de la Administración previa aportación de la documentación justificativa de la subvención es el procedimiento seguido con carácter general de acuerdo con lo establecido al respecto por la Ley General Presupuestaria: si las obligaciones de pago tienen por causa prestaciones o servicios, el pago no podrá efectuarse si el acreedor no ha cumplido o garantizado su correlativa obligación (27) y la Ley General de Subvenciones: el pago de la subvención se realizará previa justificación, por el beneficiario, de la realización de la actividad, proyecto, objetivo o adopción del comportamiento para el que se concedió en los términos establecidos en la normativa reguladora de la subvención (28). La aplicación de esta disposición supone que el beneficiario, antes de que se reconozca el crédito a su favor, deberá reunir dos requisitos adicionales a los que le hubieran sido exigidos para el otorgamiento de la subvención:

— Haber realizado efectivamente la actividad, proyecto, objetivo o adopción del comportamiento para el que se le concedió.

— Haber justificado en requisito anterior mediante la aportación de los documentos exigibles.

b) Pagos a cuenta que vienen a ser una especia de pagos provisionales cuyo importe se deduce posteriormente de la cantidad final que proceda pagar al beneficiario o entidad colaboradora de acuerdo con lo establecido en la resolución de concesión o en el convenio de colaboración correspondiente. Esta modalidad de pago también se aplica en el procedimiento de contratación pública y la Ley de Contratos del Sector Público regula el abono del precio que puede hacerse total o parcialmente mediante abonos a cuenta y resulta que en materia de subvenciones concurren los mismos motivos para introducir este sistema de pago; así algunas subvenciones que llevan consigo la obligación de realizar inversiones importantes por parte del beneficiario con los correspondientes problemas financieros.

---

(27)   Art. 21.
(28)   Art. 34.

Si cuando se lleva a cabo la liquidación final resulta que la cantidad pagada a cuenta fue excesiva o indebida el preceptor beneficiario estará obligado a reintegrar el importe que corresponda pues se trata de pagos que por su propia naturaleza tienen carácter condicional a resultas de la liquidación final. Con todo, la posibilidad de realizar pagos a cuenta debe estar prevista en las bases reguladoras.

c) Pagos anticipados

Todo pago anticipado en estos casos supone la entrega de fondos en que consiste la subvención previamente a la justificación. Estos pagos se producen como financiación para que el beneficiario pueda llevar a cabo las actuaciones correspondientes a la subvención. La figura, al igual que la del pago a cuenta, está motivada por la necesidad de atender a las necesidades financieras del beneficiario que no siempre puede llevar a cabo la actividad subvencionada si no dispone de la liquidez adecuada, pero en este caso no se trata de pagos paralelos a la presentación de justificantes sino que los fondos son anteriores a los justificantes por eso se denomina anticipado; pero no tiene que ser de la totalidad y lo usual en la administración es la existencia de anticipos parciales y una vez que se hayan aportado la justificación de los mismos se efectuarán nuevos anticipos en realidad, en la administración, se utiliza, para estos casos un sistema que combina el pago a cuenta con el pago anticipado.

En este caso también debe estar previsto es las bases reguladoras la posibilidad de llevar cabo pagos anticipados.

El Reglamento de la LGS dispone (29) que con carácter general, salvo que las bases reguladoras establezcan lo contrario y en función de las disponibilidades presupuestarias, se llevarán a cabo pagos anticipados en los términos y condiciones previstos en la propia Ley en los supuestos de subvenciones destinadas a financiar proyectos o programas de acción social y cooperación internacional que se concedan a entidades sin fines lucrativos o a federaciones, confederaciones o agrupaciones de las mismas, así como subvenciones a otras entidades beneficiarias siempre que no dispongan de recursos suficientes para financiar transitoriamente la ejecución de la actividad subvencionada.

A este efecto debe incluirse en el expediente que se tramite para el pago de la subvención un certificado, expedido por el órgano responsable del seguimiento de la subvención, en el que se acrediten los siguientes extremos:

1. En el caso de subvenciones de pago posterior, la justificación total o parcial de la subvención, según haya o no pagos fraccionados.

---

(29)   Art. 88.

2. Que no ha sido emitida resolución declarativa de procedencia de reintegro de la subvención o de la pérdida del derecho al cobro de la misma.

3. Que no ha sido acordada, por el órgano concedente, la retención cautelar de los libramientos de pago o de las cantidades pendientes de abonar al beneficiario e entidad colaboradora.

23. GARANTÍAS EN LOS PAGOS A CUENTA O ANTICIPADOS

Una cuestión que ha regulado el Reglamento LGS es la posibilidad de exigir garantías de los fondos entregados cuando se prevea la posibilidad de realizar pagos a cuenta o anticipados. De este modo la garantía deberá constituirse por un importe igual a la cantidad del pago a cuenta o anticipado, incrementada en el porcentaje establecido en las bases reguladoras y que no podrá exceder del veinte por ciento de dicha cantidad.

Cuando las bases exijan la prestación de garantías en caso de pagos a cuenta o anticipados deberán constituirse de acuerdo con el procedimiento establecido en el Reglamento de la Caja General de Depósitos, de este modo las garantías deberán constituirse en la Caja General de Depósitos o en sus sucursales en cuadradas en las Delegaciones de Hacienda o en los establecimientos públicos equivalentes de las entidades locales según la administración ante la que vaya a surtir efecto.

Las garantías prestadas por pagos anticipados y abonos a cuenta se cancelan en los casos siguientes:

1 Cuando haya sido comprobada de conformidad la adecuada justificación del anticipo.

2 Cuando se hayan reintegrado las cantidades anticipadas.

La cancelación será acordada antes de que trascurra el plazo de tres meses desde el reintegro o liquidación del anticipo o antes del plazo de seis meses desde que hubiera tenido entrada en la administración la justificación presentada por el beneficiario y, ésta no se hubiera pronunciado sobre su adecuación y no hubiera iniciado procedimiento de reintegro. Estos plazos quedaran en suspenso cuando se realicen requerimientos o se soliciten aclaraciones en relación a las justificaciones presentadas reanudándose en el momento en que sean atendidas.

Solo son admisibles las garantías prestadas por terceros cuando el fiador presta fianza con carácter solidario renunciando expresamente al derecho de excusión.

El avalista o asegurador es considerado parte interesada en todos aquellos procedimientos administrativos que afecten directamente a la garantía prestada

B) Necesidad de estar al corriente de obligaciones tributarias, de seguridad social y de posibles reintegros.

La LGS se refiere a la necesidad de estar al corriente de obligaciones tributarias y de Seguridad Social en dos momentos diferentes del procedimiento:

1 En un momento previo en que el futuro beneficiario o entidad colaboradora deben cumplir los requisitos legales exigibles (30) cuya dinámica y caracteres se han examinado en una práctica profesional anterior.

2 En el momento del pago, porque la propia ley dispone que no podrá realizarse el pago de la subvención en tanto el beneficiario no se halle al corriente en el cumplimiento de sus obligaciones tributarias y frente a la Seguridad Social o sea deudor por resolución de procedencia de reintegro.

Por ello puede decirse que el requisito de estar al corriente en estas obligaciones es una exigencia legal tanto para la concesión de la subvención como para el pago de las subvenciones concedidas.

El apartado 4 del artículo 88 del Reglamento de la LGS dispone que la valoración del cumplimiento por el beneficiario de sus obligaciones tributarias y frente a la Seguridad Social y de que no resulta deudor por resolución de procedencia de reintegro, así como su forma de acreditación, se llevara a cabo en los mismos términos previstos en las disposiciones que regulan los requisitos para obtener la condición de beneficiario o entidad colaboradora, además no será necesario aportar nueva certificación si desde la presentación de la solicitud de concesión de la subvención con la que se aportó la primera no han transcurridos más de seis meses (31).

La obligación alcanza tanto a los beneficiarios como a las entidades colaboradoras que pretendan percibir subvenciones públicas y es exigible tanto para que pueda dictarse la resolución de concesión como para el cobro efectivo de la subvención concedida.

Se considera que el beneficiario se halla al corriente de sus obligaciones tributarias, de Seguridad Social y de reintegro cuando concurran las circunstancias que el Reglamento en los artículos 18, 19 y 21 que se han examinado en una práctica anterior.

24. TRÁMITES DEL PROCEDIMIENTO DE PAGO

El pago es un acto administrativo dirigido a extinguir la obligación de la Hacienda pública que puede tener lugar de dos modos o bien mediante una salida material de fondos o bien mediante una compensación.

---

(30)   Art. 13.
(31)   Art. 88.4.

La tramitación del pago material de la subvención debe ajustarse a lo dispuesto en la normativa presupuestaria, así la Ley General Presupuestaria contempla las actuaciones de reconocimiento de la obligación de pago pero los actos materiales de pago se encuentran regulados en la normativa de desarrollo de esta norma según la administración que se trate. Así en la Administración General del Estado la ordenación de pagos es competencia de la Dirección General del Tesoro y Política Financiera a propuesta de los ministerios gestores que emiten los actos de reconocimiento de obligaciones.

La expedición de propuestas de pago debe hacerse a favor de:

1 Acreedores directos en nuestro caso beneficiarios de la subvención, entre ellos los que hayan sido beneficiarios de subvenciones o ayudas.

2 Quienes fuesen contraídas obligaciones.

3 De modo excepcional, en el caso de que los preceptores finales tengan carácter de pagos masivos como en los casos de preceptores de becas las percepciones podrían hacerse a través de la caja de pagos especiales del Tesoro Público que actúa en estos casos como agente mediador en los pagos.

La Ley General Presupuestaria (LGP) dispone la competencia del Director General del Tesoro y política Financiera para llevara cabo las funciones de ordenador general de pagos del Estado (32).

La función propia del ordenador de pagos consiste en emitir una serie de actos administrativos denominados órdenes de pago con finalidad de cumplir las obligaciones de pago. Hay que tener en cuenta que, en el ámbito estatal, una vez reconocida y liquidad una obligación en el ámbito presupuestario, su cumplimiento o pago es competencia exclusiva del ministerio de Economía y Hacienda. El ordenador de pagos establece cuando debe tener lugar el pago de acuerdo con los criterios legales en vigor, así la LGP dispone en su artículo 107 que el ordenador de pagos deberá tener en cuenta criterios objetivos al expedir las órdenes de pago, tales como la fecha de recepción, el importe de la operación, la aplicación presupuestaria y la forma de pago además de otros.

Por otra parte la Orden de 19 de junio de 2002 dispone la comprobación por el citado centro directivo que las propuestas de pago se ajustan al Plan de disposición de fondos aprobado y teniendo en cuenta los criterios de gestión de tesorería seleccionará aquellas propuestas que vayan a ser ordenadas aunque como ha señalado doctrina muy autorizada esta previsión debe tomarse con cautelas a partir de la entrada en vigor la LGP, pues los criterios legales de ordenación son si cabe más estrictos que los de la Orden ministerial citada.

(32)   LGP art. 75.

En el ciclo de la subvención hay varios procedimientos de carácter netamente administrativos como el de concesión, el de comprobación y control, el de reintegro en su caso, pero además paralelamente hay otros procedimientos económico-financieros como el procedimiento de gasto y el de pago la conexión entre ambos se encuentra en un acto llamado propuesta de pago, materializada en un documento contable OK, dirigida al ordenador de pagos por el centro directivo u organismo; el ordenador actúa como puente o bisagra entre los órganos gestores del gasto que proponen el pago y la tesorería que lo lleva a ejecución.

Una vez recibidas las propuestas de pago en la Dirección General del Tesoro y Política Financiera se llevan a cabo las correspondientes comprobaciones para verificar si los datos de aquellas coinciden con las que obran en tesorería y validar la forma de pago señalada y además comprobar la posible existencia de retenciones, por embargos, compensaciones, etcétera y son seleccionadas aquellas propuestas que vayan a ser objeto de ordenación siguiendo criterios objetivos. La citada Dirección General emite la órdenes de pago sobre la base de las propuestas recibidas y se comunican a la Caja pagadora que corresponda, este acto de ordenación se encuentra sujeto a intervención que se practica mediante diligencia practicada en la propia orden de pago o en un documento resumen de la caja pagadora.

Tanto la recepción de propuestas como las propias órdenes de pago se efectúan a través de medios informáticos lo cual supone la sustitución del envío de documentos, la firma y los sellos por otras garantías técnicas con el consiguiente ahorro de tiempo y simplificación de trámites ya que los datos son contabilizados inmediatamente y producen los documentos precisos en el órgano que deba continuar con los trámites de procedimiento.

Una cuestión de gran interés práctica es la clasificación de las órdenes de pago atendiendo al momento de su justificación en órdenes de pago en firme y órdenes de pago a justificar.

a) Los pagos en firme son aquellos que tiene por objeto hacer efectivas obligaciones reconocidas y liquidadas a favor de acreedores de Estado, para que puedan hacerse efectivos estos pagos debe acreditarse documentalmente, antes de la emisión de la orden de pago, la realización efectiva de la prestación por parte del acreedor o de su derecho al pago, pero es irrelevante que se incorpore o no a los documentos contables O o P la justificación de las cuentas pues la documentación debe quedar en el departamento que presentó la propuesta de lago, sin embargo la justificación del pago propiamente dicho al acreedor es responsabilidad exclusiva de la caja pagadora.

b) Los pagos a justificar son aquellas cantidades que se libran de modo excepcional con la finalidad de atender gastos sin que exista previamente una documentación justificativa de la realización efectiva de la prestación o del derecho del acreedor al pago. Constituye un procedimiento excepcional de gasto y pago, mediante el cual los libramientos de fondos salen de la caja pagadora de Hacienda y se ponen a disposición de los departamentos ministeriales para que los empleen en las diversas necesidades para los que se autorizan.

En muchos casos se contabilizan como pagos en firme algunos libramientos que en realidad son verdaderos pagos a justificar como el caso que nos ocupa de las subvenciones en el que se permite realizar pagos anticipados, siempre que se haya previsto en las bases reguladoras correspondientes de acuerdo con lo que establece el artículo 34.4 de la Ley de subvenciones lo cual deberá llevarse a cabo sin perjuicio de que la Administración exija las garantías correspondientes para que quede asegurada la cobertura del riesgo que supone realizar un pago sin la existencia de la previa prestación.

Con todo hay que subraya que en el procedimiento de pago la regla general es la utilización del procedimiento del pago en firme a favor del acreedor directo.

Las órdenes de pago expedidas por el ordenador central de pagos se comunican a través de medios informáticos a las correspondientes cajas pagadoras en las que el pago deba materializarse para su ejecución previa intervención que verifica la identidad del perceptor y la cuantía del pago.

Los pagos de la Administración General del Estado y de sus organismos autónomos podrán realizarse mediante transferencia bancaria, cheque efectivo o cualesquiera otros medios de pago, sean o no bancarios, sin embargo en casos determinados pueden establecerse solo ciertos medios de pago especificando en cada caso las condiciones particulares de utilización.

Los trámites que se siguen en la Caja pagadora dependen de la modalidad de pago establecida en cada caso, así los pagos por transferencia se llevan a cabo a través del Banco de España a las cuentas bancarias de los acreedores que deben designar sus cuentas a través de un modelo oficial a la Dirección General del Tesoro o ante las Delegaciones de Hacienda, la Caja pagadora debe comunicar a cada perceptor las transferencias que se hallan realizado a su cuenta.

Otro modo de paga es la llamada «formalización» que es un modo de extinción de la deuda mediante compensación, de este modo las órdenes de pago en efectivo, por cheque o transferencia, pueden ser con descuentos o sin descuentos, pues las compensacio9nes no se formalizan contablemente en las fases de obligación reconocida y derecho liquidado sino en las de pago e ingreso.

La justificación del pago a los acreedores consiste por el recibo del interesado en los supuestos en que se haya autorizado pago por medio de cheque, transferencia al Banco de España o en su caso con los descuentos que correspondan en la orden de pago.

25. PERCEPTORES, COBRO POR TERCEROS Y RETENCIONES QUE PROCEDAN

Todos los documentos que se expiden por la Administración para pago de obligaciones deben extenderse a favor de los acreedores directos de la Administración, en nuestro caso a favor del beneficiario de la subvención o ayuda pública.

Por otra parte, el pago de obligaciones de la Hacienda pública solo puede ser aplazado en supuestos excepcionales como en caso de pago de inmuebles de importe superior a seis millones de euros o en contratos de obras que se efectúen bajo la modalidad de abono total, por ello no se permite a ninguna administración pública acreedora retener pagos debidos a un deudor de la misma a menos que exista una previsión legal expresa en dicho sentido. En el caso de la subvenciones es lo que ha previsto la Ley general de Subvenciones que en su artículo 35 establece como medida cautelar para supuestos en que se halle en tramitación un expediente de reintegro a cargo del perceptor de la subvención siempre que haya indicios racionales que permitan prever la imposibilidad de obtener el resarcimiento o si éste pudiera verse frustrado o dificultado pero sobre todo si el perceptor hubiera llevado a cabo actos de ocultación, gravamen o disposición de sus bienes.

La retención de pagos se encuentra sujeta a varias reglas:

1 Debe ser proporcionada a la finalidad que se pretende conseguir y en ningún caso debe adoptarse si pudiera producir efectos de difícil o imposible reparación.

2 Debe mantenerse hasta que se dicte la resolución que ponga fin al procedimiento de reintegro y además no puede superar el plazo máximo prorrogado que se haya fijado para su tramitación.

3 La retención debe levantarse cuando desaparezcan las circunstancias que dieron lugar a ella o cuando el interesado proponga la sustitución de esta medida cautelar por la constitución de una garantía que se considere suficiente.

El acuerdo de retención es competencia del órgano concedente de la subvención a iniciativa propia o de algún órgano de control financiero como la Intervención General de la Administración del Estado, La Comisión Europea en caso de ayudas comunitarias, o bien de la autoridad pagadora y conlleva la suspensión de los libramientos de pago de las cantidades pendientes de abonar al beneficiario o entidad colaboradora, sin superar, el importe que hubiera fijado la propuesta o resolución de inicio del expediente de reintegro.

La imposición de la retención cautelar, debe acordarse mediante resolución motivada que deberá notificarse al interesado.

Con respecto a la posibilidad de practicar retenciones sobre fondos objeto de subvención por otras causas como embargos u otro tipo de de decisiones administrativas o judiciales hay que tener en cuenta dos casos diferentes:

1 En caso de subvenciones comunitarias en las que frecuentemente se incluye la cláusula legal de «pago íntegro» que impide cualquier tipo de embargo salvo los que hubieran sido ordenados por autoridad judicial u órganos independientes, sin embargo no impediría la compensación de la deuda que un beneficiario adeude por razón de un reintegro derivado de las mismas ayudas comunitarias. Este régimen será el que sigan los fondos nacionales de cofinanciación de las ayudas comunitarias.

2 Sin embargo por lo que hace al derecho interno español, en el caso de que la subvención concedida no se hubiera hecho efectiva y el embargo o retención recayera sobre el derecho de cobro del beneficiario sería admisible éste cuando la realización de la actividad o resultado a que se destina la ayuda hubiera sido acreditado previamente ante la Administración (es decir que sería admisible solo en el caso de pagos en que la obligación es exigible previa aportación justificativa; pero no en el caso de pago a cuenta ni en el de pago anticipado; lo cual es consecuencia de la vinculación a la finalidad pública concreta que se indica en su regulación. Además la propia LGS dispone que en ningún caso podrán realizarse pagos anticipados a beneficiarios cuando se haya solicitado la declaración de concurso, hayan sido declarados insolventes en cualquier procedimiento, se hallen declarados en concurso, estén sujetos a intervención judicial o hayan sido inhabilitados conforme a la Ley concursal sin que hubiera concluido el periodo de inhabilitación fijado en la sentencia de calificación del concurso, hubieran sido declarados en quiebra o cualquier otro procedimiento sujeto a intervención judicial, expediente de quita y espera, suspensión de pagos o presentado solicitud judicial para dichos procedimientos en tanto no hayan sido rehabilitados (33). Esta disposición impide el libramiento anticipado de fondos (pero no que se libren después de su justificación como se ha indicado). Lo que la LGS persigue es evitar que la situación financiera del beneficiario provoque una canalización de los fondos para enjugar las deudas de sus acreedores y con ello una desviación de los fines propios de la subvención. Así el artículo 13.3 de la citada Ley prevé la pérdida del derecho al cobro total o parcial de la subvención en el caso de que falte justificación o concurrencia de algunas de las causas legales de reintegro. En su virtud, la retención a favor de un acreedor del beneficiario devendría ineficaz si fuera anterior a la realización de la actividad o justificación de la subvención, dado que legalmente se hubiera perdido el derecho sobre el que recae.

3 Sin embargo, en los casos de pagos anticipados o a cuenta, cuando los fondos hubieran entrado en el patrimonio del beneficiario de forma anticipada y por

(33)   LGS art. 34.

ello antes de la plena aplicación a los fines subvencionales lo habitual es que sea de aplicación el sistema de garantías previsto en las bases reguladoras y de este modo queden a buen recaudo los fondos públicos; pero si no se hubiera previsto régimen de garantías o éste resultara insuficiente o inadecuado, la ausencia de una normativa expresa impediría descartar el posible embargo, quedando la Administración obligada a las consecuencias debidas por su propia imprevisión al no haber previsto y exigido las garantías correspondientes, puede debe tener en cuenta que la subvención no es sino una disposición dineraria de fondos públicos y cuando éstos pasan al patrimonio del beneficiario, dado su carácter fungible, allí se confunden con otros fondos existentes, sin que haya otro privilegio legal para su recuperación que el de preferencia para el cobro de las cantidades a reintegrar en cuanto sean ingresos de derecho público.

26. PAGOS INDEBIDOS

Respecto a los pagos indebidos realizados por la Administración la Ley General Presupuestaria entiende por pago indebido el que se lleva a cabo por error material, aritmético o de hecho, a favor de persona en quien no concurra derecho alguno de cobro frente a la Administración con respecto a dicho pago o en cuantía que exceda de la consignada en el acto o documento que reconoció el derecho del acreedor. Además también establece que el perceptor de un pago indebido ya sea total o parcial queda obligado a la restitución sin perjuicio de la incoación de expediente por responsabilidad contable en el ordenador o la posible avocación que pudiera hacer del procedimiento el Tribunal de Cuentas.

La LGS dedica un capítulo a la gestión y justificación de subvenciones y regula, en su artículo 30, la justificación como un trámite tomado de la terminología de la contabilidad pública en relación con los gastos.

27. LA JUSTIFICACIÓN DE SUBVENCIONES

El concepto justificación se emplea en el ordenamiento jurídico-presupuestario en dos sentidos, en uno amplio se denominan justificantes contables aquellos documentos donde se contienen los distintos actos con efectos registrales del procedimiento de gasto, así la fase de compromiso de gasto tiene como justificante el documento en que conste el acuerdo de concesión, que a su vez supone la culminación de un expediente en que se ha debido acreditar que se reúne las condiciones para acceder a la ayuda de que se trate. Sin embargo en un sentido más estricto la justificación consiste en acreditar que los gastos comprometidos se han realizado (34),

---

(34)   Además estos dos tipos de justificación reciben diferente denominación según que los medios probatorios sean documentales o se basen en la comprobación material o física de la inversión realizada.

En las subvenciones la actividad justificativa está orientada a acreditar que el beneficiario ha cumplido el gravamen que se le ha impuesto. Pues todos lo ciudadanos particulares que reciben fondos públicos, así como los gestores están obligados de administrarlos con transparencia y honradez y además con la carga de probar que los han empleado en las finalidades que se ordenan y de acuerdo con lo establecido en la ley.

La Ley General de Subvenciones impone al beneficiario de la subvención dos tipos diferentes de obligación:

— Una obligación material de cumplir el objetivo, ejecutar el proyecto o realizar la actividad.

— Otra obligación formal dirigida aprobar que la obligación material ha sido cumplida.

En el artículo 30 dispone que la rendición de la cuenta justificativa, constituye un acto obligatorio del beneficiario o entidad colaboradora (35); pero además de justificar el beneficiario también está legalmente obligado a conservar los documentos justificativos en cualquier soporte correspondiente a la aplicación de los fondos recibidos puesto que pueden ser objeto de operaciones posteriores de comprobación y control.

La obligación legal de justificar recae además sobre entidades colaboradoras en tanto hayan participado en la entrega y distribución de los fondos y además se hace extensiva a los miembros de otras entidades previstas en la LGS (36).

28. OBJETO DE LA JUSTIFICACIÓN

Como según la LGS la justificación consiste por un lado en acreditar la realización de la actividad y el cumplimiento de la finalidad de la subvención art. 14, por otro en el cumplimiento de la finalidad para la que se concedió n la subvención y por otro probar el cumplimiento de las condiciones impuestas y de la consecución de los objetivos previstos por el acto de concesión art. 30; pero además otras disposiciones como la Ley de Funcionamiento del Tribunal de Cuentas establecen don finalidades a la justificación de subvenciones, el acreditar que los fondos públicos se han aplicado a los fines para los que fueron concedidos y demostrar

---

(35) En el ordenamiento presupuestario se conoce con la expresión CUENTA JUSTIFICATIVA al conjunto de documentos que acreditan la realización de un gasto y constituyen el contenido de la cuenta, comprendiendo los debidamente relacionados y cuantificados, los justificantes originales y además el informe sobre la comprobación material de la inversión en el caso de que se hubiera realizado.

(36) Miembros asociados de la entidad beneficiaria, miembros de agrupaciones de personas, etc.

efectivamente el logro de los resultados obtenidos (37). Pero hay que tener en cuenta que la justificación del gasto subvencional debe hacerse a través de unos medios que están predeterminados legalmente de manera que el obligado no puede justificar el gasto subvencional arbitrariamente.

La determinación del plazo de justificación del cumplimiento de la finalidad para la que se concedió la subvención y de la aplicación de los fondos percibidos se determina por la Bases reguladoras o convenio de colaboración correspondiente, a falta de determinación concreta, la presentación de la justificación se realizará en el plazo de tres meses desde la finalización del plazo para la realización de la actividad; pero el órgano concedente de la subvención puede otorgar una ampliación en el plazo de presentación de la justificación salvo que las bases se opongan a ello o se perjudique derechos de terceros. Transcurrido el plazo concedido para la justificación sin que se haya presentado ante el órgano administrativo competente este requerirá al beneficiario para que la presente en el plazo de quince días, además, la falta de presentación, conlleva el reintegro de la subvención.

De este modo la Ley y el reglamento distinguen tres modalidades de justificación mediante cuenta justificativa, por módulos y mediante la presentación de estados financieros.

29. CUENTA JUSTIFICATIVA

El sistema de justificación mediante cuenta justificativa ha sido regulando admitiendo varias modalidades.

a) La cuenta justificativa ordinaria sistema regulado en el Reglamento de subvenciones (38).

Este el sistema ordinario de justificación de las subvenciones.

La cuenta justificativa del gasto realizado, la cual deberá venir determinada por las bases reguladoras y en cualquier caso debe rendirse al órgano concedente incluyendo, bajo responsabilidad del declarante, los justificantes de gasto o cualquier otro documento con validez jurídica que permitan acreditar el cumplimiento del objeto de la subvención, además cuando las actividades hayan sido financiadas, además de con la subvención, con fondos propios u otras subvenciones o recursos, deberá acreditarse en la justificación el importe, procedencia y aplicación de tales fondos de las actividades subvencionadas. La aportación de cuenta

---

(37)   Artículo 38.
(38)   Artículos 72 y 73.

justificativa consiste en el empleo de justificantes directos del gasto realizado es decir aquellos que sean válidos tanto en contabilidad pública como privada (39).

La forma de la cuenta justificativa será la que se haya determinado en las bases reguladoras de la subvención, pero en caso de falta de previsión deberá incluir la declaración de las actividades realizadas financiadas con la subvención así como su coste con el desglose de cada uno de los gastos realizados.

El Reglamento regula tres modalidades de cuenta justificativa, con aportación de justificantes, con aportación de informe de auditor y cuenta justificativa simplificada.

a) Cuenta justificativa con aportación de justificantes de gasto

Esta cuenta justificativa debe contener con carácter general la documentación siguiente:

— Una memoria de actuación justificativa del cumplimiento de las condiciones impuestas en la concesión con indicación de las actividades realizadas y de los resultados obtenidos.

— Una memoria económica justificativa del coste de las actividades realizadas que contenga lo siguiente:

• Una relación clasificada de los gastos e inversiones de la actividad con identificación del acreedor y del documento, su importe, fecha de emisión y fecha de pago en su caso.

• Las facturas o documentos de valor probatorio equivalente en el tráfico jurídico mercantil o con eficacia administrativa incorporados en la relación mencionada en el apartado anterior y la documentación acreditativa del pago.

• Certificado de tasador independiente debidamente acreditado e inscrito en el correspondiente registro oficial en caso de que se haya producido adquisición de bienes inmuebles.

• Indicación de los criterios de reparto de los costes generales o indirectos incorporados en la relación de gastos e inversiones excepto en los casos en que las bases reguladoras hayan previsto la compensación a tanto alzado.

• Una relación detallada de otros ingresos o subvenciones que hayan financiado la actividad subvencionada con indicación del importe y su procedencia.

---

(39)   Los gastos se acreditarán mediante facturas y demás documentos de valor probatorio equivalente con validez en el tráfico jurídico mercantil o con eficacia administrativa art. 30 de la Ley.

• Los tres presupuestos que haya pedido el beneficiario.

• Carta de pago del reintegro, cuando los remanentes no hayan sido aplicados así como respecto a los intereses.

b) Cuenta justificativa con aportación de informe de auditor

Regulada en el artículo 74 del Reglamento de subvenciones contiene una serie de indicaciones introducidas a instancia de la Intervención General de la Administración del estado sobre la auditoría privada de subvenciones.

La información que debe llevar la memoria económica puede ser reducida mediante una previsión en las bases reguladoras siempre que se den los siguientes casos:

— La cuenta justificativa vaya acompañada de un informe de un auditor de cuentas inscrito como ejerciente en el registro Oficial de Auditores de Cuentas dependiente del Instituto de Contabilidad y Auditoría de Cuentas.

— El auditor de cuentas lleve a cabo la revisión de la cuenta justificativa con el alcance que señalen las bases y de acuerdo con las normas de actuación y supervisión atribuidas al órgano de control financiero de subvenciones en el ámbito del órgano concedente.

— Que la cuenta justificativa incorpore también una memoria económica abreviada.

El contenido de la memoria económica abreviada deberá establecerse en las bases reguladoras de la subvención conteniendo al menos un estado representativo de los gastos derivados de actividades subvencionadas junto con las cantidades inicialmente presupuestadas y las desviaciones acaecidas.

En los casos en que el beneficiario deba auditar sus cuentas anuales mediante un auditor legalmente autorizado, la revisión de la cuenta se lleva por el propio auditor salvo indicación en contra de las bases; en los casos en que el beneficiario no esté obligado a auditar sus cuentas anuales el órgano concedente designará auditor pudiendo considerarse como gasto subvencionado el gasto derivado de la auditoria de la cuenta. En cualquier caso el beneficiario está obligado a poner en manos del auditor cuantos libros, registro y documentos le sean exigibles de acuerdo con la Ley General de Subvenciones

c) Cuenta justificada simplificada

El nuevo reglamento ha introducido, la posibilidad de contar con una cuenta justificativa simplificada para subvenciones concedidas por importe inferior a 60.000 euros. Esta cuesta simplificada debe tener al menos los siguientes datos:

— Memoria de actuación justificativa del cumplimiento de las condiciones impuestas en la concesión de la subvención, indicando las actuaciones realizadas y resultados obtenidos.

— Listado clasificado de gastos e inversiones de la actividad, que incluya la identificación del acreedor y del documento, su importe, fecha de emisión y además fecha de pago incluyendo las desviaciones cuando la subvención se hubiera otorgado de acuerdo a un presupuesto estimado.

— Un detalle de los ingresos o subvenciones que hayan financiado la actividad subvencionada indicando importe y procedencia.

— Carta de pago del reintegro en caso de remanentes no aplicados así como de los intereses derivados.

Para evitar el riesgo de que unos mismos justificantes se aporten ante diferentes organismos concedentes obteniendo una financiación adicional fraudulenta, la Ley exige la validación y estampillado de justificantes del gasto que permita el control de la concurrencia de subvenciones. El reglamento establece que los gastos, deben justificarse con facturas y demás documentos con valor probatorio equivalente en el tráfico jurídico mercantil o con eficacia administrativa, en original o fotocopia compulsada, cuando así se haya establecido en las bases reguladoras. Cuando las bases reguladoras así lo establezcan, los justificantes originales presentados deberán marcarse con una estampilla indicando en la misma la subvención para cuya justificación hayan sido presentados y si el importe del justificante se imputa total o parcialmente a la subvención y además la cuantía que resulte afectada por la subvención.

El órgano concedente puede comprobar los justificantes que estime oportunos y que permitan obtener evidencia de la aplicación adecuada de la subvención.

29.1. Justificación de subvenciones por módulos

La realización de la actividad, del gasto y de la inversión puede quedar acreditada, indirectamente, a través de módulos siempre que se haya previsto en las bases reguladoras y se cumplan los siguientes requisitos:

— Que la actividad subvencionable o los recursos para su realización sean susceptible de mediación en unidades físicas.

— Que haya una evidencia o referencia de valoración de mercado de la actividad subvencionable o del recurso que se emplea.

— Que el importe unitario de los módulos se fundamente en un informe que tenga en cuenta la variables técnicas, económicas y financieras consideradas para determinar el módulo, sobre la base de valores medios de mercado estimados para llevara cabo la actividad o servicio.

La concreción de los módulos y elaboración del correspondiente informe podrán llevarse a cabo de forma diferenciada para cada convocatoria, además las propias bases deben indicar los modos de actualización de los módulos aprobados y el sistema de revisión para cuando fuera necesaria.

En este régimen, los beneficiarios están dispensados de la obligación de presentación de libros, registros y documentos de transcendencia contable o mercantil por ello la justificación de la subvención por módulos, debe llevarse a cabo, presentando la siguiente documentación:

— Memoria de actuación justificativa del cumplimiento de las condicione s y requisitos de la subvención donde se indique las actividades realizadas y resultados obtenidos.

— Declaración o acreditación sobre el número de unidades físicas consideradas como módulo.

— Cuantía de la subvención calculada sobre la base de las actividades cuantificadas en la memoria de4 actuación y los módulos aprobados.

— Un detalle de otros ingresos o subvenciones que hayan financiado la actividad subvencionada con indicación del importe y su procedencia.

29.2. Justificación mediante presentación de estados financieros

Cuando los fondos se encuentren destinados a una finalidad genérica y no sea posible individualizar los gastos financiados con fondos públicos mediante facturas u otros documentos justificativos procederá la presentación de cunetas o estados financieros donde pueda apreciarse el déficit o realización del programa y actividad subvencionada.

A este efecto el Reglamento establece la posibilidad de que las bases reguladoras prevean este sistema de justificación en dos casos:

— Cuando la información necesaria para determinar la cuantía de la subvención pueda deducirse directamente de los estados financieros incorporados a la información contable presentada.

— Cuando la información contable haya sido auditada de acuerdo con el sistema previsto en la normativa a que se halle sometido el beneficiario.

Pero además de esta información también puede preverse la entrega de un informe complementario elaborado por el auditor de cuentas.

29.3. Justificación telemática de subvenciones

El Reglamento de la Ley general de Subvenciones autoriza la utilización de medios electrónicos, informáticos y telemáticos en los procedimientos de justificación de las subvenciones siempre que en las bases reguladoras se admita dicha posibilidad, para locuaz deberán incluir los trámites que puedan ser cumplimentados por vía electrónica, informática o telemática y los medios electrónicos y sistemas de comunicación utilizables que deban ajustarse a las especificaciones que se establezcan en la regulación correspondiente.

29.4. Justificación de las subvenciones percibidas por entidades públicas estatales

El propio Reglamento de desarrollo de la Ley General de Subvenciones dispone que cuando un organismo o ente del sector público estatal perciba de otra entidad perteneciente a este mismo sector una subvención sometida a la LGS su justificación debe realizarse de acuerdo con lo establecido para la cuenta justificativa simplificada sin que resulte de aplicación el límite máximo de sesenta mil euros siempre que la entidad preceptora se halle sometida a control financiero permanente de la Intervención General de la Administración del Estado y que la modalidad de justificación revista la forma de cuenta justificativa ordinaria.

30. PROCEDIMIENTO DE COMPROBACIÓN DE SUBVENCIONES PÚBLICAS

La fase de justificación de las subvenciones culmina con la fase de comprobación que constituye un actividad administrativa dirigida a verificar el destino de los fondos recibidos en tres aspectos o dimensiones:

a) Aspecto formal es decir la comprobación de que la justificación de la subvención por los obligados a ello se ha realizado adecuadamente.

b) Aspecto material porque el ordenamiento económico presupuestario no se conforma con la mera comprobación documental, junto a ésta el órgano concedente está obligado a comprobar la realización efectiva de la actividad.

c) Aspecto teleológico que incluye la comprobación del cumplimiento de la finalidad que determina la concesión y disfrute de la subvención.

El resultado de la comprobación material como teleológica comprobación suele incluirse en un acta o certificado suscrito por el beneficiario y la Administración.

El Reglamento de la LGS regula la comprobación de la justificación adecuada de la subvención disponiendo que el órgano concedente debe llevar acabo la comprobación de la justificación documental de la subvención, con arreglo al método que se haya establecido en sus bases reguladoras, a cuyo fin se revisa la documentación justificante que haya presentado el beneficiario o entidad colaboradora.

En aquellos supuestos en que el pago de la subvención se realice previa aportación de la cuenta justificativa, la comprobación formal para la liquidación de la subvención podrá comprender exclusivamente los siguientes documentos.

— Memoria de actuación justificativa del cumplimiento de las condiciones impuestas en la concesión de la subvención, con indicación de las actividades realizadas y los resultados obtenidos.

— La relación clasificada de los gastos e inversiones de la actividad, con identificación del acreedor y del documento, su importe, fecha de emisión, y en su caso, fecha de pago.

— El detalle de otros ingresos o subvenciones que hayan financiado la actividad subvencionada con indicación del importe y su procedencia. En este supuesto, la revisión de las facturas o documentos de valor probatorio análogo que formen parte de la cuenta justificativa, deberán ser objeto de comprobación en los cuatro años siguientes sobre la base de una muestra representativa.

Pero el reglamento también regula la comprobación de la realización de la actividad y del cumplimiento de la finalidad que determinen la concesión y disfrute de la subvención, lo que se ha denominado comprobación material de manera que el órgano concedente debe elaborar un plan anual de actuación para comprobar la realización por parte de los beneficiarios de las actuaciones subvencionadas, este plan debe indicar si la obligación de comprobación alcanza a la totalidad de la subvenciones o bien a una muestra de las concedidas y en este caso su forma de selección

El Reglamento regula además los efectos de las alteraciones de las condiciones de la subvención en la comprobación de modo que cuando el beneficiario ponga de manifiesto que se han producido alteraciones de las condiciones tenidas en cuenta para la concesión que no alteren la naturaleza u objetivos de la subvención que hubieran podido dar lugar a la modificación de la resolución el órgano concedente podrá aceptar la justificación presentad siempre que tal aceptación no suponga dañar los derechos de terceros.

La comprobación puede recaer en tres tipos de órganos:

— en primer lugar en el órgano administrativo concedente de la subvención o aquel al que correspondan funciones de verificación en el organismo o departamento ministerial correspondiente.

— En la entidad colaboradora que debe llevara acabo en nombre y por cuenta del órgano concedente, las comprobaciones que correspondan.

— En la Intervención ya sea mediante operaciones de fiscalización previa o mediante control a posteriori.

Como regla general el control de la subvención en las subvenciones «pospagables» se lleva a cabo dentro del acto de fiscalización del reconocimiento de la obligación, si bien el objeto del control se limita a la verificación de la existencia de una certificación expedida por el órgano concedente sobre recepción y conformidad con la justificación rendida. Por el contrario en las subvenciones «prepagables» se lleva a cabo la intervención en la modalidad de control financiero

Comprobación de valores en la subvención

La comprobación de valores es una técnica de verificación tanto sobre aspectos formales de procedimiento como de fondo económicos importada de la legislación tributaria que en el ordenamiento jurídico español se encuentra regulada en la Ley general Tributaria que autoriza a la administración para comprobar el valor de rentas, productos y demás elemento de las obligaciones tributaria mediante diversos medios, en materia de subvenciones se aplica un principio de especialidad según el cual los principios de valoración subvencional no son de aplicación a otras áreas donde proceda la comprobación de valores por parte de la Administración como en el ámbito tributario, de contratación pública, expropiatorio, etcétera.

El artículo 33 de la Ley General de Subvenciones dispone que la Administración, podrá comprobar en valor de mercado de los gastos subvencionados empleando uno o varios de los siguientes medios:

— Precios de mercado.

— Cotizaciones de mercados nacionales y extranjeros.

— Estimación por referencia a los valores que figuren en los registros oficiales de carácter fiscal.

— Dictamen de peritos de la Administración.

— Tasación pericial contradictoria.

— Cualesquiera otros medios admitidos en derecho.

— Con todo el valor comprobado por la administración debe servir de base para calcular la subvención llevando a cabo una notificación debidamente motivada y con expresión de los medios y criterios empleados junto con la resolución que contiene la liquidación de la subvención.

El procedimiento de comprobación de valores se lleva a cabo siguiendo la estructura procedimental establecida en la Ley general tributaria y se inicia mediante comunicación de la administración concedente mediante notificación, si el valor determinado por la administración es diferente al declarado por el beneficiario de la subvención, aquella debe notificarle la propuesta motivada de regularización indicando los medios y criterios que haya empleado.; transcurrido el plazo de alegaciones abierto con la citada propuesta; los beneficiario puede presentar recurso contra la resolución de valoración; pero, además la Ley General de Subvenciones permite que el beneficiario promueva la tasación pericial contradictoria dirigida a la corrección de los demás medios de valoración empleados. Esta solicitud debe hacerse dentro del plazo del primer recurso que proceda contra la resolución de valoración y la presentación de tasación pericial tiene como efecto la suspensión de la ejecución del procedimiento resuelto y del plazo para interponer recurso.

El Reglamento de la Ley General de Subvenciones dispone a estos efectos que la Administración deberá solicitar al colegio, asociación o corporación profesional legalmente reconocida, teniendo en cuenta la naturaleza de los bienes o derechos a valorar, el envío de una lista de colegiados o asociados dispuestos a llevar a cabo actuaciones como terceros peritos. Elegido por sorteo el colegiado o asociado las siguientes designaciones deberán hacerse por orden correlativo, además en caso de que no exista colegio o asociación profesional competente por la naturaleza de los bienes o derechos a valorar o profesionales dispuestos a actuar como peritos terceros, deberá solicitarse del Banco de España la designación de una sociedad de tasación inscrita en el registro oficial que corresponda.

Una vez realizada la tasación por el perito, se entregará al beneficiario que deberá satisfacer los honorarios periciales cuando proceda salvo que deban correr por cuenta de la Administración.

Cuando la diferencia entre el valor comprobado por la Administración t la tasación pericial practicada por el perito del beneficiario sea inferior a 120.000 euros y al diez por ciento del valor comprobado por la administración, la tasación de este perito sirve de base para calcular la subvención en caso contrario se designa un perito tercero siguiendo el procedimiento reglamentario cuya valoración debe servir de base para determinar el valor de la subvención.

31. LA RETENCIÓN COMO MEDIDA CAUTELAR

Una de las cuestiones importes en materia de gestión que incluimos en la práctica sobre la justificación y comprobación de subvenciones es la aplicación de la medida cautelar de la retención de pagos que procede una vez hincado en procedimiento de reintegro.

El órgano concedente puede acordar la suspensión de libramientos por propia iniciativa o a propuesta de la Intervención General de la Administración del estado, la Comisión Europea o el organismo pagador. Esta suspensión de libramientos de pago debe referirse a cantidades pendientes de abonar al beneficiario por entidad colaboradora, sin superar en modo alguno los límites que fijen la propuesta o resolución de inicio del expediente de reintegro, con los intereses de demora.

La imposición de esta medida se acuerda mediante resolución motivada que debe notificarse al interesado, con indicación expresa de los recursos que procedan.

La suspensión de libramientos de pago procede en los casos siguientes:

— Cuando haya indicios racionales que permitan prever la imposibilidad de obtener el resarcimiento.

— Si el resarcimiento pudiera verse frustrado o gravemente obstaculizado y sobre todo si el beneficiario o perceptor lleva a cabo actos de ocultación, gravamen o disposición de sus bienes.

En cualquier caso la retención de pagos deberá ser proporcional a la finalidad que se pretenda conseguir y nunca deberá adoptarse si puede producir efectos de difícil o imposible reparación; además debe mantenerse hasta se dicte resolución que ponga fin al procedimiento de reintegro y, su duración no podrá superar el periodo máximo fijado para su tramitación, incluyendo las prórrogas, sin embargo debe levantarse en cuanto desaparezca las circunstancias que dieron lugar a ella o cunado el interesado proponga la sustitución de la medida cautelar por la constitución de una garantía alternativa adecuada.

32. EL REINTEGRO DE LAS SUBVENCIONES PÚBLICAS

La LGS y su Reglamento de desarrollo regulan el procedimiento de reintegro de subvenciones de modo detallado. La Ley dedica un capítulo a la regulación de los reintegros, en primer lugar aquellos derivados de la nulidad del acuerdo de concesión, incluyendo seguidamente los reintegros que proceden en casos concretos tipificados por la propia ley; por su parte el reglamento recoge los reintegros por incumplimiento de las obligaciones establecidas con motivo de la concesión y el reintegro por incumplimiento de obligaciones de justificación.

Con carácter general los supuestos en que procede el reintegro de las subvenciones pueden agruparse en dos clases aquellos que están ligados a la invalidez de la resolución de concesión o en su caso del convenio de colaboración y aquellos otros que derivan de la ineficacia sobrevenida del acuerdo o convenio inicialmente válido.

En los casos de invalidez inicial de la resolución o convenio lo que procede es la devolución de la subvención y ese es el término legal que utiliza la LGS que es consecuencia de la teoría y práctica de la nulidad de los actos administrativos de acuerdo con la regulación contenido en la LRJ, mientras que en los casos de invalidez sobrevenida procede el reintegro propiamente dicho de la subvención. En ambos supuestos el reintegro supone una anomalía en la relación subvencional, pues mientras esta se lleve a cabo con arreglo a las prescripciones legales y bases de regulación no procede pedir el reintegro a los beneficiarios, por ello vamos a examinar los dos casos de retrocesión de la subvención percibida.

33. DEVOLUCIÓN POR INVALIDEZ DEL ACTO CONCESIONAL

La resolución de concesión de subvenciones constituye un acto declarativo de derechos, por lo cual no es posible la revisión, la modificación ni la revocación posterior de las subvenciones concedidas por la Administración; sin embargo este régimen general tienen como excepción aquellos supuestos en que la resolución de concesión fue dictada contraviniendo el ordenamiento jurídico por eso la LGS recoge dos tipos de causas de invalidez de la resolución:

A) Causas de nulidad de pleno derecho

a) Las causas incluidas en el artículo 62.1 de la LRJ que dispone que los actos de las administraciones públicas son nulos de pleno derecho en los siguientes casos:

— Los que lesionen los derechos y libertades susceptibles de amparo constitucional.

— Los dictados por órgano manifiestamente incompetente por razón de la materia o del territorio.

— Los que tengan un contenido imposible.

— Los que sean constitutivos de infracción penal o se dicten como consecuencia de ésta.

— Los dictados prescindiendo total y absolutamente del procedimiento legalmente establecido o de las normas que contienen las reglas esenciales para la formación de voluntad de los órganos colegiados.

— Los actos expresos o presuntos contrarios al ordenamiento jurídico por los que se adquieren facultades o derechos cuando se carezca de los requisitos esenciales para su adquisición.

— Cualquier otro que se establezca expresamente en una disposición de rango legal.

b) La carencia o insuficiencia de crédito de conformidad con lo establecido en el artículo 60 de la Ley General Presupuestaria y las demás normas de igual carácter de las administraciones públicas sujetas a la LGS.

La declaración de nulidad del acto de concesión solo cabe si nació viciado por falta de competencia al dictarlo o defectos esenciales de procedimiento o contenido, es decir por circunstancias existentes cuando se dictó, en consecuencia las declaraciones judiciales o administrativas de nulidad llevarán consigo como consecuencia necesaria la obligación de devolver las cantidades percibidas, siendo obligado para la administración concedente el poner en marcha el procedimiento para la declaración (40).

B) Causas de anulabilidad

El apartado 2 del artículo 36 de la LGS recoge las causas de anulabilidad de la resolución de concesión, considerando que son cualquier infracción del ordenamiento jurídico, en especial las contenidas en el artículo 63 de la LRJ.

En estos supuestos, el órgano concedente procederá a su revisión de oficio o, en su caso, a la declaración lesividad y ulterior impugnación ante el orden jurisdiccional contencioso-administrativo, de conformidad con lo establecido en los artículos 102 y 103 de la citada LRJ. Además la declaración judicial de anulación llevará consigo, como norma general, la obligación de devolver las cantidades percibidas.

Los fondos públicos percibidos deben devolverlos los beneficiarios, ya los hayan recibido directamente de la Administración, ya lo han hecho a través de entidades colaboradoras, así como las propias entidades colaboradoras, si fueron las que percibieron la subvención.

Los plazos para llevar a cabo la revisión de los actos de concesión de subvenciones incursos en causas de nulidad o anulabilidad son los establecidos con carácter general para la revisión de oficio; sin embargo una vez nacida la obligación legal de devolver lo percibido será de aplicación la normativa sobre ingresos de naturaleza pública contenidos en la Ley General Presupuestaria y Reglamento General de Recaudación, puesto que las normas de la LGS en esta materia, artículo 37, se refieren a reintegros por causas de incumplimiento no por invalidez.

34. REINTEGROS POR INCUMPLIMIENTO DE LAS OBLIGACIONES Y MODIFICACIÓN DE CIRCUNSTANCIAS

Además de las devoluciones examinadas la LGS contempla en s independiente de serie de supuestos de reintegro cuya causa, independiente de la validez del acto

---

(40)   Ahora bien las circunstancias que pueden dar lugar a la devolución de la subvención por invalidez del acto de concesión pueden ser detectadas en el ámbito de un control financiero que lleve a cabo la Intervención General de la Administración del Estado, en cuyo caso la propia LGS establece un procedimiento incidental en su artículo 49 para que los hechos sean puestos en conocimiento del centro directivo u organismos concedente que es quien debe hincar el procedimiento de revisión de oficio.

de concesión, reside en incumplimientos de obligaciones sustantivas o formales por parte del beneficiario o entidad colaboradora.

Para comprender mejor este aspecto conviene recordar el carácter condicional que tiene la recepción de subvenciones y que ha señalado el Tribunal Supremo subrayando que su otorgamiento se produce siempre bajo la condición resolutoria de que el beneficiario tenga un determinado comportamiento o realice una determinada actividad en los términos concretos en que procede su concesión. La subvención quedó subordinada a la constatación de la observancia por el beneficiario de determinadas condiciones reservándose la administración concedente la procedencia para proceder a la revocación en caso de incumplimiento de lo comprometido por quien recibió los fondos públicos o en el supuesto de que la inversión realizada no se adecuara a la esencia y finalidad de lo que se subvencionaba (41).

El reintegro que contempla la LGS deriva de una revocación por motivos previstos en la propia ley y que constituyen una condición del acto de otorgamiento que con razón han sido calificadas como reservas de revocación de origen legal y aplicación reglada (42).

Procede el reintegro de las cantidades percibidas y la exigencia del interés de demora correspondiente desde el momento del pago de la subvención hasta la fecha en que se acuerde la procedencia del reintegro en los casos siguientes enumerados en el citado artículo 37 de la LGS:

—   Obtención de la subvención falseando las condiciones requeridas para ello u ocultando aquellas que lo hubieran impedido; ambas actuaciones de falseamiento u ocultación presuponen una actuación dolosa (conocer y querer la falsedad u ocultación) que coinciden con la que el Código Penal tipifica como delito de fraude de subvenciones en la modalidad de obtención fraudulenta de las mismas.

—   Incumplimiento total o parcial del objetivo, de la actividad, del proyecto o la no adopción del comportamiento que fundamentan la no concesión de la subvención. El artículo 91 del Reglamento ha regulado el reintegro por incumplimiento de obligaciones establecidas con motivo de la concesión de subvenciones, señalando que el beneficiario debe cumplir todos los objetivos, actividades y proyectos adoptando los comportamientos que fundamentaron la concesión de la subvención cumpliendo los compromisos asumidos con motivo de la misma. En estos casos tendrá lugar el reintegro total o parcial de la subvención de acuerdo

---

(41)   STS DE 16.9.2002 R 2002/9777.
(42)   Pascual García, José, *Régimen de Subvenciones Públicas*, Madrid 2004, Garcés Sanagustín, Mario, *La actividad subvencional en el sector público español. Revocación, régimen sancionador y control.* Madrid 2001.

con lo previsto en las bases reguladoras que, además pueden prever un reintegro proporcional cuando el coste efectivo final de la actividad resulte inferior al presupuestado

— Incumplimiento de la obligación de justificación o la justificación insuficiente, en los términos establecidos en el artículo 30 de la LGS y en todo caso en las normas concretas que regulen la subvención; pero el Reglamento regula, en su artículo 92, el reintegro por incumplimiento de la obligación de justificación, de modo que transcurrido el plazo otorgado para la presentación de justificaciones y éstas no se hubieran efectuado, debe acordarse el reintegro de la subvención previo requerimiento al beneficiario de que presente la justificación. Se entiende incumplida la obligación de justificar cuando la Administración, en actuaciones de comprobación, o control financiero detecte que, en la justificación realizada por el beneficiario, se hubieran incluido gastos que no respondan a la actividad subvencionada, que no hubieran supuesto un coste susceptible de subvención o que hubieran sido ya financiados por otras subvenciones o recursos o cuando se hubieran justificado mediante documentos que no reflejen la realizada de las operaciones. En todos estos supuestos procede el reintegro de la subvención correspondiente a cada uno de los gastos anteriores cuya justificación indebida hubiera detectado la administración (43).

— Incumplimiento de la obligación de adoptar las medidas de difusión contenidas en el apartado 4 del artículo 18 de la LGS. Además el artículo 93 del Reglamento regula el reintegro por incumplimiento de la obligación de adoptar medidas de difusión de la financiación pública recibida, que hubieran establecido las bases de regulación ni se hubieran cumplido las medidas alternativas impuestas por la Administración concedente.

— Resistencia, excusa, obstrucción o negativa a las actuaciones de comprobación o control financiero previstas en los artículos 14 y 15 de la LGS, así como el incumplimiento de las obligaciones contables, registrales o de conservación de documentos cuando de ello se derive la imposibilidad de verificar el empleo dado a los fondos percibidos, el cumplimiento del objetivo, la realidad y la regularidad de las actividades subvencionadas, o la concurrencia de subvenciones, ayudas, ingresos o recursos para la misma finalidad, procedentes de cualesquiera administraciones o entes públicos o privados, nacionales, de la Unión Europea o de organismos internacionales.

En este apartado hay que recordar que los beneficiarios están sometidos a la obligación de someterse a las actuaciones de comprobación acordadas por la ad-

---

(43)   Sin perjuicio de las responsabilidades que puedan corresponder que se deducen en procedimiento sancionado cuyos trámites, requisitos y aspectos prácticos examinaremos en otra específica práctica profesional dedicada a esta cuestión.

ministración concedente, así como a las actuaciones de control financiero o fiscalización de los órganos competentes y el incumplimiento de esta obligación es causa de reintegro.

— Incumplimiento de las obligaciones impuestas por la Administración a las entidades colaboradoras y beneficiarios, así como de los compromisos asumidos por éstos, con motivo de la concesión de la subvención siempre que afecten o se refieran al modo en que se han de conseguir los objetivos, realizar la actividad, ejecutar el proyecto o adoptar el comportamiento que fundamente la concesión de la subvención.

— Incumplimiento de las obligaciones impuestas por la Administración a las entidades colaboradoras y beneficiarios, así como de los compromisos por éstos asumidos, con motivo de la concesión de la subvención, distintos de los anteriores cuando de ello se derive la imposibilidad de verificar el empleo dado a los fondos públicos así como la concurrencia de otras subvenciones o ayudas de cualquier origen.

— La adopción, en virtud de lo establecido, en el Tratado de la Unión Europea (44), de una decisión de la cual se deriva una necesidad de reintegro. Dichos artículos regulan las circunstancias que hacen incompatibles las ayudas de los estados miembros con el Derecho Comunitario Europeo.

— En los demás supuestos previstos en la normativa reguladora de la subvención.

35. SUJETOS OBLIGADOS AL REINTEGRO

Son obligados principales al reintegro total o parcial los beneficiarios y entidades colaboradoras.

Junto al deudor principal, originario o por sucesión, la LGS atribuye a ciertos sujetos la condición de responsables del reintegro, que serán llamados al pago con el beneficiario o entidad colaboradora, distinguiéndose los dos tipos de responsabilidad conocidos en nuestro ordenamiento: la responsabilidad solidaria y la subsidiaria, teniendo en cuenta que el responsable es un deudor situado junto al obligado principal, sin que por ello éste pierda su condición.

La solidaridad implica que cada uno de los obligados responde de la totalidad de la deuda, de manera que la Administración podrá dirigirse contra cualquiera de ellos, exigiéndola en su integridad, sin perjuicio de la subsistencia del derecho de repetición que asiste al que pague contra los demás deudores. Por lo que hace a la responsabilidad subsidiaria el responsable queda obligado al reintegro si no lo hace el deudor principal.

---

(44)   Artículos 87 a 89.

Son responsables solidarios:

— Los miembros asociados de personas y entidades en relación con las actividades subvencionadas que se hubieran comprometido a efectuar en nombre y por cuenta de éstas y los miembros de las agrupaciones de personas físicas o jurídicas, sin personalidad, que tengan la condición de beneficiarias en relación con los compromisos de ejecución que hubieran asumido.

— Los representantes legales del beneficiario cuando este carezca de capacidad de obrar.

Son responsables subsidiarios:

— Los administradores de las sociedades mercantiles, o aquellos que ostenten la representación legal de otras personas jurídicas, que no realizasen los actos necesarios que fueran de su incumbencia para el cumplimiento de las obligaciones infringidas, adoptasen acuerdos que hicieran posibles los incumplimientos o consintieran el de quienes de ellos dependan.

— Los que ostenten la representación legal de las personas jurídicas, de acuerdo con las disposiciones legales o estatutarias que les resulten de aplicación, que hayan cesado en sus actividades responderán subsidiariamente en todo caso de las obligaciones de reintegro de éstas.

Procede la transmisión de responsabilidades en los siguientes casos:

— En caso de sociedades o entidades disueltas y liquidadas, sus obligaciones de reintegro pendientes se transmiten a los socios o partícipes en el capital que responderán de ellas solidariamente y hasta el límite del valor de la cuota de liquidación que se les hubiera adjudicado.

— En caso de fallecimiento del obligado al reintegro, la obligación de satisfacer las obligaciones pendientes de restitución se transmite a sus causahabientes, sin perjuicio de lo que establezca el derecho civil común, foral o especial aplicable a la sucesión para determinados supuestos, en particular para el caso de aceptación de la herencia a beneficio de inventario.

36. OBJETO DEL REINTEGRO

Por lo general el reintegro comprende la totalidad del importe de fondos públicos percibidos aunque como ya hemos visto el Reglamento de la LGS posibilita (45) que las bases de regulación prevean la subvención como un porcentaje

---

(45)   Arts. 32 y 91.

del proyecto total y entonces proceda el reintegro proporcional si el coste efectivo final de la actividad resulta inferior al presupuestado.

En los casos en que proceda el reintegro total el importe será el que se haya recibido de la administración; pero cuando proceda el reintegro parcial deberá hacerse una liquidación, previa la realización de controles y presentación de informe técnicos que sean necesarios para determinar el importe en función del grado de cumplimiento de la actividad o de la cantidad correctamente justificada, además también procede el reintegro parcial cuando se haya producido un concurrencia de subvenciones que supere el coste de la actividad subvencionada.

Las cantidades a reintegrar tienen la consideración de ingresos de derecho público lo que supone que de acuerdo con la Ley General Presupuestaria y demás normativa que regula esta materia la Hacienda pública goza de prerrogativas para su exacción.

La LGS establece el devengo de intereses de demora cuando proceda el reintegro de las subvenciones percibidas por algunas de las causas contempladas en el artículo 37; el momento del devengo es el del pago de la subvención y debe aplicarse el tipo que se encuentre vigente que será el interés legal del dinero incrementado en un veinticinco por ciento.

El tipo legal puede modificarse con periodicidad anula en la Leyes anuales de Presupuestos que fijan el que es de aplicación en cada ejercicio económico. Si el periodo sobre el que han de aplicarse los intereses de demora abarca más de un ejercicio económico y en el transcurso del mismo ha experimentado variaciones el interés legal del dinero o el fijado por la Ley de Presupuestos de dicho ejercicio, el cálculo de intereses deberá tener en cuenta dichas variaciones.

Sin embargo hay que tener en cuenta que estos preceptos sobre el interés de demora no son de aplicación en los casos en que proceda la devolución de la subvención por razón de nulidad de la resolución de concesión hasta que la sentencia que declare la nulidad no sea firme.

La prescripción de los derechos de reintegro se funda en los mismos principios que la de las obligaciones de manera que la Ley General Presupuestaria fija en primer lugar un plazo de prescripción para el reconocimiento y liquidación del crédito a favor de la Hacienda Pública y solo a partir del mismo nacerá la acción para exigir el cobro mediante el ejercicio de la acción recaudatoria para lo cual se establece un segundo plazo.

La LGS no establece plazo legal para llevar a cabo la exigencia de cobro del reintegro, por ello es de aplicación el de cuatro años a contar desde la fecha de notificación de la liquidación, sin embargo si que se establece un plazo de prescripción legal para reconocer o liquidar el reintegro el plazo se computa desde que venció el plazo para presentar justificación por el beneficiario que es el caso normal de las subvenciones post-pagables en las que el plazo de justificación estará en función de lo dispuesto en las bases reguladoras; desde el momento de la concesión en el caso de subvenciones concedidas en atención a una determinada situación del perceptor que deberá quedar acreditada antes del otorgamiento y en tercer lugar en aquellos supuestos en que se hubieran establecido condiciones u obligaciones que debieran ser cumplidas o mantenidas por parte del beneficiario o entidad colaboradora durante un periodo determinado de tiempo, desde el momento en que venciera dicho plazo.

La LGS incluye también tres causas de interrupción de la prescripción: cuando la administración entabla cualquier acción con conocimiento del beneficiario conducente a determinar la existencia de alguna causa de reintegro por ejemplo comprobaciones o controles financieros; la interposición de recursos de cualquier clase, remisión del tanto de culpa a la jurisdicción penal o presentación de denuncia, así como todas las actuaciones realizadas en el curso de dichos procedimientos con conocimiento del beneficiario; finalmente como tercera causa de interrupción se encuentra cualquier actuación fehaciente del beneficiario conducente a la liquidación de la subvención o del reintegro.

El Reglamento de la LGS dispone que (46) las deudas por razón de acuerdos de reintegro que tengan con la Administración General del Estado (AGE), las fundaciones del sector público estatal o los organismos o entidades de derecho público vinculados o dependientes de aquella podrán extinguirse mediante la deducción de sus importen en futuros libramientos o mediante su compensación con deudas de la AGE, vencidas, líquidas y exigibles.

37. PROCEDIMIENTO DE REINTEGRO

En las actuaciones que debe llevar a cabo la Administración cuando concurre alguna causa de reintegro hay que diferenciar dos fases, la declarativa y la recaudatoria.

La fase declarativa se dirige a constatar si se ha producido la invalidez o algunas de las causas de reintegro cuya declaración conllevara la obligación de devolver las cantidades percibidas.

La LGS no establece un procedimiento concreto para declarar la invalidez de la resolución y la correspondiente procedencia del derecho de reintegro, sino que se remite a lo dispuestos en la LRJ en materia de revisión de oficio.

---

(46) Art. 95.

Las circunstancias que pueden dar origen al reintegro por invalidez pueden ser detectadas en el desarrollo de un control financiero a cargo de la Intervención; pero en este supuesto la LGS establece un procedimiento incidental (47) a fin de que los hechos se pongan en conocimiento del órgano concedente que es el que debe iniciar el procedimiento de revisión. Los órganos de control pueden adoptar medidas cautelares al objeto de impedir la desaparición de documentos relativos a las operaciones en los que aparezcan indicios de irregularidad.

El procedimiento para el reintegro por alguno de los casos de incumplimiento del beneficiario o entidad colaboradora incluidos en el artículo 37 de la LGS no es el que se encuentra establecido para la revisión de oficio en la LRJ, sino es el procedimiento establecido con carácter general con las especialidades que se incluyen en la LGS y disposiciones de desarrollo.

Dejando al margen los trámites seguidos en el procedimiento de aplicación de los artículos 102 o 103 de la LRJ para la revisión de oficio aquí nos interesa que la LGS designa como órgano competente para declarar la procedencia del reintegro de cantidades percibidas por el beneficiario o la entidad colaboradora al órgano otorgante de la subvención lo cual es lógico ya que es al que corresponde apreciar el grado de cumplimiento de los requisitos a cuya observancia estaba condicionada la subvención que él mismo concedió.

La LGS establece en su artículo 42.2 que el procedimiento de reintegro podrá iniciarse, además de por los medios previstos en el la LRJ: iniciativa del órgano competente, orden superior, petición razonada de otros órganos o denuncia) como consecuencia de un informe de control financiero, emitido por la Intervención General de la Administración del estado IGAE o en su caso órgano de control interno de la administración autonómica o local.

El Reglamento de la LGS dedica un capítulo entero a regular el procedimiento de reintegro, estableciendo unas reglas generales para el procedimiento de carácter general y unas reglas especiales para los procedimientos de reintegro a propuesta de la IGAE.

38. REINTEGROS DE CARÁCTER GENERAL

En los procedimientos de reintegro de carácter general deben seguirse las reglas siguientes:

a) En el acuerdo por el que se inicie el procedimiento de reintegro deberán indicarse:

— La causa que determine su inicio.

---

(47)   LGS art. 49.4.

— Las obligaciones incumplidas.

— El importe de la subvención afectado.

b) El acuerdo debe ser notificado al beneficiario o a la entidad colaboradora en su caso, concediendo un plazo de quince días para presentar alegaciones o los documentos que estime convenientes.

c) El inicio del procedimiento de reintegro interrumpirá el plazo de prescripción de que dispone la Administración para exigir el reintegro.

d) La resolución del procedimiento debe identificar los extremos siguientes:

— El obligado al reintegro.

— Las obligaciones incumplidas.

— La causa de reintegro que concurra de las previstas en el artículo 37 de la LGS.

— El importe de la subvención a reintegrar.

— La liquidación de los intereses de demora.

Lo demás trámites se ajustan a los generales del procedimiento administrativo general regulado en la LRJ.

La resolución debe ser notificada al interesado requiriéndosele para realizar el reintegro correspondiente en el plazo y forma que establece el Reglamento General de Recaudación.

39. REINTEGROS A PROPUESTA DE LA INTERVENCIÓN GENERAL DE LA ADMINISTRACIÓN DEL ESTADO

39.1. Inicio

En primer lugar hay que tener en cuenta que el inicio del procedimiento de reintegro a propuesta de la IGAE tiene carácter vinculante para el órgano otorgante de la subvención.

A este respecto el reglamento de la LGS dispone que cuando el informe emitido por la intervención, en el ejercicio de control financiero de subvenciones, se hubiera puesto de manifiesto la concurrencia de alguna de la causas de reintegro previstas en la LGS y se hubiera propuesto inicio del procedimiento de reintegro, el órgano gestor deberá acordar el inicio del procedimiento o manifestar la discrepancia con su incoación.

Este procedimiento estará sometido a las siguientes reglas:

a) El acuerdo de inicio del procedimiento debe adoptarse en el plazo de un mes desde que se reciba el informe y deberá trasladar el contenido de la propuesta de inicio de reintegro formulada por la IGAE.

b) El acuerdo debe ser notificado al beneficiario o a la entidad colaboradora y a la IGAE.

c) El transcurso de un mes sin que se haya iniciado el procedimiento de reintegro o planteado la oportuna discrepancia, tendrá los siguientes efectos:

— Quedarán automáticamente levantadas las medidas cautelares que se hubieran adoptado en desarrollo del control financiero.

— No se considerará interrumpida la prescripción por las actuaciones de control financiero de las que la propuesta de inicio del procedimiento trajera causa.

— El órgano gestor no quedará liberado de su obligación de iniciar el procedimiento de reintegro, sin perjuicio de las responsabilidades que se deriven, si hubiera perjuicio para la hacienda pública, de la prescripción del derecho a iniciar el procedimiento.

39.2. Alegaciones

Recibida la notificación del inicio de este procedimiento el interesado podrá presentar las alegaciones y documentos que considere oportunos, en relación con los hechos que se hubieran puesto de manifiesto en el informe de control financiero que dieron lugar al inicio del procedimiento. Además no pueden tenerse en cuenta hechos, documentos o alegaciones presentados por el sujeto controlado cuando, habiendo podido aportarlos en el control financiero no lo haya hecho.

Cuando el control financiero hubiera finalizado como consecuencia de resistencia, excusa, obstrucción o negativa, únicamente serán admisibles alegaciones y documentación tendentes a constatar que tal circunstancia no se produjo durante el control, sin que quepa subsanar la falta de colaboración unja vez concluido el control financiero.

Si el beneficiario o sujeto controlado no presentara alegaciones, el órgano competente podrá resolver sin más el procedimiento de reintegro sin necesidad de dar traslado a la IGAE; pero en caso de que se presenten alegaciones el órgano deberá expresar su opinión, indicando cual es a su parecer el importe exigible de reintegro y señalando las causas por las que se separa del importe inicialmente exigido. Las alegaciones presentadas por el beneficiario y la opinión del órgano gestor serán examinadas por el órgano de control que hubiera emitido el informe de control financiero y darán lugar a la emisión del informe de reintegro que debe ser emitido en el plazo de un mes desde que haya sido recibida la documentación y deberá concretar el importe de reintegro que debe exigirse.

40. RESOLUCIÓN DE PROCEDIMIENTOS

El plazo máximo para resolver y notificar la resolución de cualquier procedimiento de reintegro es de doce meses desde la fecha del acuerdo de inicio; este plazo puede suspenderse y ampliarse de acuerdo con lo dispuesto por la LRJ.

La resolución del procedimiento de reintegro pone fin a la vía administrativa lo que significa que puede ser recurrida en reposición, con carácter voluntario o ser directamente impugnaba ante la jurisdicción contencioso-administrativa (48).

Cuando el procedimiento de reintegro se hubiera iniciado como consecuencia de hechos que pudieran ser constitutivos de infracción administrativa, deberán ponerse en conocimiento del órgano competente para el inicio del correspondiente procedimiento sancionador.

Si transcurre el plazo para resolver sin que se haya notificado resolución expresa, se produce la caducidad del procedimiento, sin perjuicio de continuar lasa actuaciones hasta su terminación y sin que se considere interrumpida la prescripción por las actuaciones realizadas hasta la finalización del citado plazo.

41. FASE RECAUDATORIA DEL REINTEGRO

A falta de disposiciones especiales de la LGS en materia de recaudación de reintegros, hay que acudir a lo dispuesto en la Ley General Presupuestaria y en el Reglamento General de Recaudación.

De acuerdo con lo dispuesto en este Reglamento el procedimiento recaudatorio contiene dos fases o periodos: el voluntario y el de apremio.

El periodo voluntario se inicia con la notificación, por parte del órgano concedente de la subvención, de la resolución que haya declarado la procedencia del reintegro, que debe comunicarse además al órgano competente para tramitar el ingreso. Cuando dicho órgano no consiga recaudar la cantidad fijada como reintegro, el órgano concedente de la subvención debe dar traslado de las actuaciones a la Agencia Estatal para la Administración Tributaria.

Con el ello comienza el periodo de apremio o ejecutivo del que se encarga la citada Agencia estatal una vez que se haya dictado la correspondiente providencia de apremio.

---

(48)   Como excepción las resoluciones de los procedimientos de reintegro del Instituto Nacional de Empleo no ponen fin a la vía administrativa.

Además en los casos en que se hubieran constituido garantías para pagos a cuenta o anticipados el procedimiento de cobro podrá dirigirse contra quienes las hubieran prestado.

42. SANCIONES EN MATERIA DE SUBVENCIONES PÚBLICAS

Al igual que en otros ámbitos del derecho público sancionador las sanciones tienen un carácter meramente punitivo a diferencia del reintegro de fondos y los intereses de demora que tiene una naturaleza compensatoria de los perjuicios causados a la Hacienda pública, a estos efectos la LGS es muy clara al respecto pues establece que las sanciones son independientes de la obligación de reintegro.

A las tres clases de infracciones que hemos visto la LGS regula tres categorías de sanciones atendiendo a la gravedad de las conductas infractoras, de modo que el artículo 61 incluye las aplicables a las infracciones leves, el 62 contienen las que se aplican a la graves y el 63 a las de carácter muy grave.

El artículo 59 regula las sanciones dividiéndolas en dos clases:

a) Sanciones pecuniarias o multas que son aplicables a toda clase de infracciones y pueden ser fijas o proporcionales. Las multas fijas se aplican siempre que exista infracción simple, por el contrario las multas proporcionales se calculan sobre la cantidad de subvención indebidamente obtenida, aplicada o no justificada o, en el caso de entidades colaboradoras, de los fondos indebidamente aplicados o justificados (49).

Una cuestión atener en cuenta es que al igual de las cantidades debidas por reintegro, el importe de las sanciones también tienen carácter de ingreso de derecho público y el procedimiento de cobranza es el mismo y se rige por lo establecido en el Reglamento General de Recaudación.

b) Sanciones no pecuniarias son aquellas que pueden imponerse en caso de infracciones graves y muy graves y en concreto son las siguientes:

— Pérdida durante un plazo de hasta cinco años de la posibilidad de obtener subvenciones, ayudas públicas y avales de las Administraciones Públicas u otros entes públicos.

— Pérdida durante un plazo de hasta cinco años de la posibilidad de actuar como entidad colaboradora en relación con las subvenciones reguladas en esta ley.

---

(49)   Estas multas proporcionales, sancionan las infracciones graves y muy graves con independencia de que puedan concurrir con sanciones no pecuniarias.

— Prohibición durante un plazo de hasta cinco años de contratar con las Administraciones Públicas.

Las sanciones se atribuyen en función de la gravedad de las conductas infractoras y de acuerdo con el principio de proporcionalidad que establece la LRJ (guardar la debida adecuación entre la gravedad del hecho constitutivo de la infracción y la sanción aplicada) (50). La LGS, por su parte, regula unos criterios concretos de graduación que deben atender a los siguientes aspectos (51):

— La comisión repetida de infracciones en materia de subvenciones. Se entenderá producida esta circunstancia cuando el sujeto infractor haya sido sancionado por una infracción de la misma naturaleza, ya sea grave o muy grave, en virtud de resolución firme en vía administrativa dentro de los cuatro años anteriores a la comisión de la infracción. Cuando concurra esta circunstancia en la comisión de una infracción grave o muy grave, en virtud de resolución firme en vía administrativa dentro de los cuatro años anteriores a la comisión de la infracción.

— La resistencia, negativa u obstrucción a las actuaciones de control recogidas en la LGS, de manera que cuando concurra esta circunstancia en la comisión de una infracción grave o muy grave, el porcentaje de la sanción mínima se incrementa entre diez y setenta y cinco puntos.

— La utilización de medios fraudulentos en la comisión de infracciones en materia de subvenciones, considerándose medios fraudulentos los siguientes:

• Las anomalías sustanciales en la contabilidad y en los registros legalmente establecidos.

• El empleo de facturas, justificantes u otros documentos falsos o falseados.

• La utilización de personas o entidades interpuestas que dificulten la comprobación de la realidad de la actividad subvencionada.

Cuando concurra esta circunstancia en la comisión de una infracción grave o muy grave la sanción mínima se incrementa entre veinte y cien puntos.

— La ocultación a la Administración, mediante la falta de presentación de la documentación justificativa o la presentación de documentación incompleta o inexacta, de los datos necesarios para la verificación de la aplicación dada a la subvención recibida. Cuando concurra esta circunstancia en la comisión de una infracción grave o muy grave, el porcentaje de la sanción se incrementa entre diez y cincuenta puntos.

---

(50)   LRJ art. 31.
(51)   LGS art. 60.

— El retraso en el cumplimiento de las obligaciones formales

Los criterios de graduación son de aplicación simultánea pero el criterio del retraso solo debe utilizarse para graduar las sanciones leves. Además los criterios de graduación no pueden ser utilizados para agravar la infracción cuando se hallen incluidos en la tipificación de la conducta infractora o formen parte de la propia conducta ilícita definida.

El importe de las sanciones leves que se impongan a un mismo infr4actor por cada subvención no puede exceder en su conjunto del importe de la subvención inicialmente concedida.

El importe de las sanciones graves o muy graves impuestas a un mismo infractor cada subvención no puede exceder, en su conjunto, del triple del importe de la cantidad indebidamente obtenida, aplicada o no justificada o, en el caso de entidades colaboradoras, de los fondos indebidamente aplicados o justificados.

43. SANCIONES CORRESPONDIENTES EN FUNCIÓN DE LA GRAVEDAD DE LA INFRACCIÓN

43.1. Sanciones leves

Para las infracciones leves la sanción que se establece es la multa la multa fija en cuantía que oscila entre setenta y cinco y novecientos euros, sin embargo para supuestos de especial gravedad que impidan o dificulten la aplicación de la subvención se han previsto multas de 150 a 6.000 euros.

Cuadro de infracciones leves (52):

— Cada infracción leve será sancionada con multa de 75 a 900 euros, salvo lo dispuesto en el apartado siguiente.

— Serán sancionadas en cada caso con multa de 150 a 6.000 euros las infracciones siguientes:

• La inexactitud u omisión de una o varias operaciones en la contabilidad y registros legalmente exigidos.

• El incumplimiento de la obligación de la llevanza de contabilidad o de los registros legalmente establecidos.

• La llevanza de contabilidades diversas que, referidas a una misma actividad, no permita conocer la verdadera situación de la entidad.

---

(52)   LGS art. 61.

• La utilización de cuentas con significado distinto del que les corresponde, según su naturaleza, que dificulte la comprobación de la realidad de las actividades subvencionadas.

• La falta de aportación de pruebas y documentos requeridos por los órganos de control o la negativa a su exhibición.

• El incumplimiento de las entidades colaboradoras de las obligaciones establecidas en el artículo 15 de la LGS.

• El incumplimiento por parte de las personas o entidades sujetas a la obligación de colaboración y de facilitar la documentación requerida en el ejercicio de las funciones de control, cuando de ello se derive la imposibilidad de contrastar la información facilitada por el beneficiario o la entidad colaboradora.

43.2. Sanciones graves

Por lo general las infracciones graves son sancionadas con sanción pecuniaria proporcional que puede importar del tanto al doble de la cantidad indebidamente obtenida, aplicada o no justificada que en supuestos de especial gravedad podrán ser acompañadas de sanciones no pecuniarias (cuando el perjuicio económico correspondiente a la infracción grave represente más de la mitad de la subvención concedida o recibida y exceda de treinta mil euros y concurra circunstancia de resistencia, negativa u obstrucción a las actuaciones de control o utilización manifiesta de medios fraudulentos.

Cuadro de sanciones graves (53).

Las infracciones graves serán sancionadas con multa pecuniaria, proporcional del tanto al doble de la cantidad indebidamente obtenida, aplicada o no justificada o, en el caso de entidades colaboradoras, de los fondos indebidamente aplicados o justificados.

Cuando el importe del perjuicio económico correspondiente a la infracción grave represente más del cincuenta por ciento de la subvención concedida o de las cantidades recibidas por las entidades colaboradoras, y excediera de 30.000 euros, concurriendo alguna de circunstancia de comisión repetida de infracciones o utilización de medios fraudulentos (artículo 60 b) y c) LGS) los infractores podrán ser sancionados además con:

— Pérdida, durante un plazo de hasta tres años, de la posibilidad de obtener subvenciones, ayudas públicas y avales de la Administración u otros entes públicos.

---

(53)   LGS art. 62.

— Prohibición, durante un plazo de hasta tr4es años para celebrar contratos con la Administración u otros entes públicos.

— Pérdida durante un plazo de hasta tres años, de la posibilidad de actuar como entidad colaboradora en relación con las subvenciones reguladas en esta ley.

43.3. Sanciones muy graves

Las infracciones muy graves son sancionadas con multa pecuniaria proporcional del doble al triple de la cantidad indebidamente obtenida, aplicada o no justificada, sanciones que pueden ir acompañadas de otras no pecuniarias cuando el importe del perjuicio económico correspondiente a la infracción muy grave exceda de treinta mil euros concurriendo alguna circunstancia de graduación como resistencia, negativa u obstrucción a las actuaciones de control o la de utilización de medios fraudulentos.

Cuadro de sanciones muy graves (54)

Las infracciones muy graves serán sancionadas con multa pecuniaria proporcional al del doble al triple de la cantidad indebidamente obtenida, aplicada, no justificada o, en el caso de entidades colaboradoras, de los fondos indebidamente aplicados o justificados.

No obstante no se sancionarán las infracciones de no aplicación de los fondos a los fines de la subvención y resistencia, excusa, obstrucción o negativa a las actuaciones de control (55) cuando los infractores hubieran reintegrado las cantidades y los correspondientes intereses de demora sin previo requerimiento.

Cuando el importe del perjuicio económico correspondiente a la infracción muy grave exceda de treinta mil euros, concurriendo las circunstancias de de comisión repetida de infracciones o utilización de medios fraudulentos (artículo 60 b) y c) LGS) los infractores podrán ser sancionados además con:

— Pérdida, durante un plazo de hasta cinco años, de la posibilidad de obtener subvenciones, ayudas públicas y avales de la Administración u otros entes públicos.

— Prohibición, durante un plazo de hasta cinco años para celebrar contratos con la Administración u otros entes públicos.

— Pérdida durante un plazo de hasta cinco años, de la posibilidad de actuar como entidad colaboradora en relación con las subvenciones reguladas en esta ley.

---

(54)   LGS art. 62.
(55)   LGS art. 58 b) y c).

44. TRÁMITES DEL PROCEDIMIENTO SANCIONADOR

La LGS dedicó los artículos 67 y 68 a la regulación del procedimiento sancionador en materia de subvenciones remitiéndose a lo dispuesto en los artículos 134 y siguientes de la LRJ desarrollados por el Reglamento de la potestad sancionadora (56).

De acuerdo con el artículo 67 de la LGS la imposición de sanciones en materia de subvenciones debe llevarse a cabo mediante un procedimiento en el cual debe darse audiencia al interesado antes de dictarse la Resolución.

Los órganos competentes para acordar e imponer sanciones son los Ministros y Secretarios de Estado de los departamentos ministeriales concedentes de la subvención. En los expedientes por infracción en materia de subvenciones concedidas por de organismos autónomos las sanciones deben ser acordadas por los titulares de los departamentos ministeriales a los que estuvieran adscritos, sin embargo cuando la sanción consista en la pérdida de la posibilidad de actuar como entidad colaboradora, la competencia corresponde al Ministro de Hacienda.

El Reglamento de la LGS contiene en el artículo 102 disposiciones de aplicación general al procedimiento sancionador mientras que en el artículo 103 se incluyen las disposiciones de aplicación a procedimientos sancionadores tramitados a propuesta de la IGAE.

El procedimiento de carácter general a que se refiere la LGS en su artículo 67 es el regulado en el Reglamento del procedimiento para el ejercicio de la potestad sancionadora tanto en su modalidad de ordinario como simplificado, con las especialidades contempladas en la normativa de subvenciones.

El procedimiento sancionador en materia de subvenciones se inicia de oficio, como consecuencia de las actuaciones previstas en el artículo 11 del citado Reglamento para el ejercicio de la potestad sancionadora, por acuerdo del órgano competente, bien por propia iniciativa o como consecuencia de orden superior, petición razonada de otros órganos o denuncia.

Los órganos de control financiero y los de entidades colaboradoras que conozcan, en el ejercicio de sus funciones, de los hechos que puedan ser constitutivos de infracción deben ponerlos en conocimiento de los órganos competentes para imponer sanciones, además en las comunicaciones debe hacerse constar cuantas circunstancias se estimen relevantes para la calificación de la infracción aportándose los medios de prueba de que se disponga.

---

(56)   Aprobado por Real Decreto 1398/1993.

A efectos de lo dispuestos en el artículo 137-3 de la LRJ que dispone que «los hechos constatados por funcionarios a los que se reconoce la condición de autoridad, y que se formalicen en documento público observando los requisitos legales pertinentes tendrán valor probatorio sin perjuicio de las pruebas que en defensa de los respectivos derechos o intereses puedan señalar o aportar los propios administrados», el Reglamento de la LGS considera documentos públicos de valor probatorio a las diligencias e informes en que se documenten las actuaciones de control financiero.

Respecto a la tramitación de procedimientos a propuesta de la IGAE, el Reglamento de la LGS dispone en su artículo 103 que si como resultado de dichos controles la IGAE emitiera propuesta de inicio de expediente sancionador el órgano competente lo iniciará, o en su caso, comunicará a dicho órgano de control interno los motivos por los que considera que no procede la iniciación del procedimiento.

Cuando el interesado presente alegaciones, el instructor debe solicitar informe a la IGAE que tendrá carácter preceptivo y determinante para la resolución del procedimiento, el informe debe ser emitido en el plazo de un mes por el órgano controlador, procediéndose del mismo modo en fase de resolución del procedimiento sancionador cuando el órgano competente para resolver acuerde la realización de actuaciones complementarias; con todo la resolución de procedimiento, en estos casos, debe comunicarse a la IGAE por conducto del órgano controlador.

En las comunidades autónomas esta competencia de imponer sanciones sigue un esquema similar al de la Administración General del Estado, en las Entidades locales corresponde a los órganos de gobierno que tengan atribuidas dichas funciones por la normativa que les es de aplicación puesto que la LGS no contiene ninguna especialidad al respecto.

Contra los acuerdos de imposición de sanciones, que ponen fin a la vía administrativa, solo cabe interponer, potestativamente, recurso de reposición previo al contencioso-administrativo.

En relación con las posibles acumulaciones entre el procedimiento sancionador con el de reintegro hay que tener en cuenta que, aunque se trata de cuestiones diferentes, no es raro que unos mismos hechos puedan ser al tiempo que constitutivos de infracción, en estos casos los hechos deberán ponerse en conocimiento del órgano competente para la iniciación del correspondiente procedimiento sancionador estableciéndose una simple medida de coordinación pero sin dejar excluida la posible acumulación, sin embargo cuando las conductas sancionadas hayan causado daños y perjuicios a la Administración, la resolución podrá declarar la exigencia al infractor de la reposición al estado originario de la situación alterada por la infracción y la indemnización de daños y perjuicios causados, cuando su cuantía haya quedo determinada durante el procedimiento. Si la cuantía no hubiera quedado determinada, deberá determinarse mediante un procedimiento complementario por lo tanto puede concluirse que en ambos casos se admite tanto la tramitación independiente como la acumulación.

45. EXTINCIÓN DE LA RESPONSABILIDAD POR INFRACCIÓN

La LGS establece en su artículo 68 las causas de extinción de la responsabilidad por infracciones: pago o cumplimiento de la sanción, la prescripción y el fallecimiento del infractor, pero además pueden añadirse la prescripción o caducidad, la exclusión de la sanción y la condonación.

a) Pago o cumplimiento

La forma natural del cumplimiento de las sanciones pecuniarias es el pago, por eso el Reglamento de procedimiento para el ejercicio de la potestad sancionadora dispone en su artículo 21 que las resoluciones que pongan fin a la vía administrativa no serán ejecutivas en tanto no haya recaído resolución del recurso ordinario que, en su caso, se haya interpuesto o haya transcurrido el plazo para su interposición sin que ésta se haya producido.

Para el cobro de los importes de la sanción es de aplicación, al igual que para los ingresos derivados de procedimientos de reintegro, la normativa aplicable a los ingresos de derecho público; sin embargo la Ley General Presupuestaria remite a lo establecido en la Ley General Tributaria y el Reglamento General de Recaudación por lo que hay que seguir los trámites previstos en ambas disposiciones. El Reglamento de procedimiento de la potestad sancionadora dispone la posibilidad de que el responsable de la infracción realice el pago voluntario en cualquier momento anterior a la resolución lo que puede dar lugar a la finalización del procedimiento, con independencia de los recursos que procedan.

Por su parte las sanciones que consistan en privación de derechos durante un tiempo deben cumplirse por la privación de su ejercicio durante el plazo establecido en la resolución. Por lo que se refiere a la prohibición de contratar con las administraciones públicas la Ley de Contratos del Sector Público incluye esta prohibición en su artículo 49 (57).

---

(57)   En iguales términos se expresa la LGS que en su artículo 13 prohíbe obtener la condición de beneficiario o entidad colaboradora añadiendo que si la resolución sancionadora no ha fijado plazo, el alcance se fijará de acuerdo con el procedimiento determinado reglamentariamente, sin que pueda exceder de cinco años en caso de que la prohibición no derive de sentencia firme.

b) Muerte del infractor

Las sanciones al igual que las penas se hallan sometidas a un régimen general de la personalidad de la medida punitiva que hace que se extingan en caso de fallecimiento del infractor, por ello no puede ser exigida a los causahabientes del infractor, como la LGS no incluye disposiciones especiales aplicables este supuesto serán de aplicación las disposiciones contenidas en la Ley General Tributaria y el Reglamento General de Recaudación.

c) Caducidad o prescripción

El artículo 65 de la LGS establece la prescripción de las infracciones en el plazo de cuatro años desde la fecha en que la infracción se hubiera cometido, las sanciones prescriben en el mismo plazo a contar desde el día en que la resolución que impuso la sanción hubiera sido firme.

La caducidad del procedimiento sancionador por causa imputable a la administración puede producirse por retraso en la notificación al interesado del inicio del procedimiento, así el Reglamento para el ejercicio de la potestad sancionadora dispone en su artículo 6 que transcurridos dos meses desde la fecha de inicio del procedimiento sin haberse practicado la notificación al imputado, deberá procederse al archivo de la actuaciones notificándoselo a éste sin perjuicio de las responsabilidades en que se hubiera podido incurrir por todo ello; pero hay que añadir que en caso de que no se dicte resolución en plazo se seguirá la misma consecuencia de cuando con lo dispuesto por el citado Reglamento (58).

La caducidad produce como consecuencia le archivo de actuaciones pero de acuerdo con lo establecido en el artículo 92 de la LRJ no se interrumpe el plazo para ejercitar las acciones de los particulares o de la administración, sin embargo los procedimientos caducados no interrumpen la prescripción, por ello aunque en el procedimiento caducado no pueda ya dictarse resolución si cabe reiniciar el procedimiento caducado en tanto no hayan prescrito las acciones (59).

d) Exclusión de la sanción

La LGS contiene en su artículo 63 una causa de exclusión de la sanción, similar a la contenida en el Código Penal cuando tipifica el fraude de subvenciones, que tiene operatividad una vez que la infracción ha sido cometida y en tanto no haya sido impuesta la sanción, de manera que no se sancionarán las infracciones

(58)   Art. 20.
(59)   Puede incluso sostenerse que la Administración, en tanto no haya sido cumplimentado el deber de aplicar la norma sancionadora, está obligada a iniciar un nuevo procedimiento sancionador en todos lo casos en que habiendo sido archivado un expediente por caducidad la acción sancionadora un hubiera prescrito (Ver STSJ Castilla-La Mancha 4.9.1997, SSTSJ Murcia 2.7.1997 y 25.2.1998).

recogidas en los párrafos b) (la no aplicación, en todo o en parte, de las cantidades recibidas a los fines para los que la subvención fue concedida) y d) (la falta de entrega, por parte de las entidades colaboradoras, cuando así se establezca, a los beneficiarios de los fondos recibidos de acuerdo con los criterios previstos en las bases reguladoras de la subvención) del artículo 58 de la LGS cuando los infractores hubieran reintegrado las cantidades y los correspondientes intereses de demora sin previo requerimiento. En consecuencia la aplicación de esta causa de exención de la sanción exige que se lleve a cabo el reintegro de los fondos recibidos con los intereses de demora, antes de que sea requerido oficialmente por la Administración.

e) Condonación de la sanción

Si bien el Texto Refundido de la Ley General Presupuestaria aprobado por Real Decreto Legislativo 1091/1988 disponía en su artículo 82-5 que los titulares de los Departamentos ministeriales competentes para imponer sanciones podrán acordar la condonación de las mismas cuando hubiere quedado suficientemente acreditado en el expediente la buena fe y la falta de lucro personal del responsable, esta causa de exclusión excluida expresamente por la Ley 47/2003 General Presupuestaria en tanto que las sanciones pecuniarias constituyen derechos de la hacienda pública, no fue contemplada por la LGS. Sin embargo la condonación será de aplicación a los procedimientos de subvención otorgados bajo la vigencia del texto refundido, además hay que recordar que la Ley General Presupuestaria en vigor si autoriza en su artículo 16 a que el Ministro de Hacienda pueda decidir la no liquidación o anulación de aquellas liquidaciones de las cuales resulten deudas inferiores a la cuantía que se fije como insuficiente para la cobertura del coste de recaudación.

Capítulo 29

La calidad de la Administración Pública

El marco general para la calidad en la Administración General del Estado introducido mediante el Real Decreto 951/2005 ha supuesto, junto con otras medidas complementarias y subsiguientes, un desarrollo efectivo de los nuevos principios introducidos por la LOFAGE y por le Ley 30/1992 de Régimen Jurídico de las Administraciones Públicas que vinieron a consagrar, en la Administración, la sustitución del concepto de administrado por el de ciudadano. Sobre esta base se han redactado estas líneas donde se examinan los conceptos generales de calidad en las organizaciones y en especial en la Administración del Estado; los modelos de evaluación y el papel y elaboración de las cartas de servicios como marco de compromiso y referencia entre los ciudadanos-usuarios de los servicios públicos y la administración, así como un aspecto tan importante como es la gestión de quejas y sugerencias que constituyen una de las manifestaciones del derecho que asiste los usuarios de los servicios públicos y a los ciudadanos en general. Finalmente también se examinan los sistemas de evaluación de esta calidad en las administraciones públicas.

1. EL CONCEPTO DE CALIDAD EN LAS ORGANIZACIONES

Como cuestión previa podemos apuntar que se denomina calidad a cualquier función o característica de un producto o servicio que sea necesaria bien para satisfacer las necesidades del cliente o usuario o para alcanzar la aptitud que requiere su utilización. Entre las propiedades que pueden caracterizar la calidad pueden mencionarse la accesibilidad, la confianza, la precisión, la cortesía, la efectividad, la seguridad, etc. y son estas características y son ellas las que deben especificarse al definir el producto o servicio y las que deben controlarse, garantizarse, mejorarse y en su caso demostrarse.

La Calidad total, término derivado de la expresión *Total Quality Management*, en inglés es una estrategia de gestión, o dicho de otro modo, una forma de gestionar cualquier tipo de organizaciones. Su propósito consiste en satisfacer de manera equilibrada a todos los agentes que intervienen en la organización clientes o usuarios, empleados y a toda la sociedad.

Es un tipo de estrategia compuesta por tres grandes tipos de elementos: los principios, los modelos y las metodologías.

Los Principios de la calidad total son conceptos de aplicación a todo tipo de organizaciones públicas o privadas y son dinámicas pues su contenido evoluciona y se matiza con el tiempo. Son los siguientes:

— Orientación hacia los clientes o usuarios: la organización trabaja en la búsqueda de satisfacción de sus clientes tanto externos como interno(otras personas o departamentos de su organización).

— Relaciones de asociación con proveedores basada sen la confianza.

— Desarrollo y capacidad para involucrar a personas.

— Mejora continua e innovación.

— Responsabilidad social de la organización.

— Orientación a los resultados.

Los principios estructurados e interrelacionados dan lugar a los modelos de calidad Total que vienen a ser herramientas para la organización puesto que establecen todos los aspectos que deben contemplarse para poder gestionar la organización y además son modelos de evaluación que permiten detectar los avances y realizar ejercicios de autoevaluación o evaluaciones externas.

El modelo Europeo de Gestión de la Calidad Total consta de dos elementos:

a) Los nueve criterios que define las áreas sobre las cuales debe realizarse la reflexión o el análisis.

b) Las tablas de puntuación que permiten evaluar el grado de eficacia en cada área y situar la organización en un punto determinado de la vía hacia la excelencia.

2. SISTEMAS DE CALIDAD

Un Sistema de calidad puede definirse como el conjunto de estructura de organización, de responsabilidades, procedimientos y recursos que se establecen para llevar a cabo la gestión de la calidad.

Cualquier sistema de calidad resulta condicionado por cuatro tipos de factores:

a) La organización con la que cuenta pues un sistema de calidad no se concibe como algo separado del resto de la organización.

b) Exigencias del mercado o de los usuarios: un tipo de usuario con un grado de cultura cada vez más alto, con mayor información y conciencia de sus derechos, exige al profesional que presta los servicios, cada vez más explicaciones acerca del funcionamiento del servicio y de los resultados, explicaciones comprensivas en cuanto a las opiniones, estimaciones y responsabilidad.

c) El producto o servicio que se ofrece.

d) Los medios o recursos con los que se cuenta: para ello hay que conocer el punto de partida, que recursos posee la organización (internos y externos) y los que está en condiciones de emplear.

Los sistemas de calidad pueden estar enfocados a uno de los objetivos de la calidad de la organización o a todos, por ejemplo, pueden ser específicos de un proyecto o pueden estar limitados al control de calidad, pueden incluir programas de mejora de calidad o abarcar la calidad total, ero en cualquier caso es indiscutible que proporcionan importantes beneficios a las organizaciones en que se han implantado, entre ellos los siguientes:

— Establecer mecanismos que aseguren el cumplimiento de los compromisos establecidos con los clientes y evitando situaciones abusivas.

— Constituyen un importante instrumento de comunicación pues los estándares de calidad deben expresar tanto el estado como la valoración de la opinión pública sobre el desarrollo y resultados del servicio.

— La seguridad de obtener retroalimentación a los proveedores de servicios para favorecer la mejora e intensidad de los programas.

— Garantizar el mantenimiento de los beneficios conseguidos.

Sin embargo en la práctica de empresas y organizaciones se ponen de manifiesto dos inconvenientes unos derivados de la implantación: actividades, costes y resultados que antes no había (la implantación de un sistema de calidad exige una dedicación de tiempo adicional especialmente difícil de conseguir para todo tipo de directivos, aún los desocupados, salvo que por formación o funciones dispongan de una correcta mentalización o clara visión de su utilidad estratégica). Además también se mencionan inconvenientes no resueltos con la implantación del sistema de calidad.

Para lograr una mínima normalización en un conjunto de organizaciones como puede ser el entramado institucional de las Administraciones Públicas y para ello es importante utilizar un modelo común a todas las organizaciones para ello pueden llevarse a cabo dos clases de modelos de calidad, los sistemas de gestión de calidad previamente normalizados, por ejemplo las normas ISO y los modelos de evaluación por ejemplo el Modelo de la Fundación Europea para la Gestión de Calidad (EFQM) que examinamos seguidamente.

3. SISTEMAS NORMALIZADOS DE ASEGURAMIENTO DE LA CALIDAD

El aseguramiento de la calidad puede definirse como el conjunto de acciones planificadas y sistemáticas que son precisas para proporcionar la confianza adecuada que un producto o servicio satisfará los requisitos esperados sobre su calidad. Por ello es preciso dotar un sistema adecuado y dotado de recursos y medios necesarios para asegurar la confianza de que con él se satisfacen los requisitos y exigencias de calidad. Este enfoque debe referirse, necesariamente, a todas las actividades de la organización.

La implantación y medida de la calidad en empresas de servicios se basan en los principios de gestión desarrollados en las normas ISO-9000, que se refieren a la garantía y gestión de la calidad y a las pautas para su utilización.

Con un origen en la Administración militar posteriormente fueron adaptadas y asumidas por la Internacional *Organizationfor Standardization* (ISO) reagrupándolas en diferentes series temáticas y en 1987 la Comunidad Europea puso de manifiesto la necesidad de aproximación técnica de las empresas europeas para la implantación del mercado libre adoptándose por el Centro Europeo de Normalización (CEN) las normas ISO-9000 como referencia para la certificación de los sistemas de calidad. Además el CEN decidió que las especificaciones de producto debían ser armonizadas y creó la marca CE, que indica que un producto se fabrica de acuerdo con los requisitos específicos en materia de salud, seguridad, medio ambiente y protección del consumidor. Se trata de una marca que se ha convertido en un requisito para todos los productos sujetos a directivas de la Unión Europea o de legislaciones nacionales.

En España las normas son UNE-EN-ISO y el organismo encargado de la normalización y certificación es la Asociación Española de Normalización y Certificación (AENOR), entidad creada en 1986 como única entidad acreditada en España para llevar a cabo actividades de normalización y certificación, es una entidad, de naturaleza privada, sin ánimo de lucro y de ámbito nacional que tienen personalidad jurídica y capacidad de obrar.

Los fines generales de la normalización son los siguientes:

a) Simplificación pues por medio de la normalización se pretenden controlar, unificar y simplificar productos y procesos.

b) Comunicación pues las normas que se definen deben tener en cuenta los intereses de todas las partes incluidas en la producción y el consumo del producto o servicio.

c) Economía en la producción pues a través de la racionalización y optimización de los procesos productivos se trata de lograr la compatibilidad entre los aspectos técnicos de las normas y las ventajas económicas para el productor y consumidor.

d) Seguridad, protección de la salud pues casi todas las normas que afectan a la seguridad a la salud y a la protección del medio ambiente adquieren finalmente obligatoriedad mediante la inclusión en las leyes positivas.

e) Protección de los intereses del consumidor, y en la medida en que éste tome conciencia de que un bien normalizado guarda relación con su calidad, el objetivo será cumplido.

f) Eliminación de barreras comerciales pues la existencia, conocimiento y aplicación de normas facilita el comercio, en tanto en cuanto los productos se ajusten a normas nacionales o internacionales de aceptación general.

Además las normas ISO tienen como objetivos establecer diferencias y relaciones entre los diferentes conceptos relativos a la calidad y establecer directrices para escoger y utilizar el resto de normas de calidad. La norma ISO-9000 establece que los objetivos a alcanzar por cualquier organización son los siguientes:

1) Conseguir mantener la calidad real del producto o servicio.

2) Ofrecer a su propia dirección la confianza de que se obtiene y mantienen la calidad deseada.

3) Ofrecer al cliente la confianza de que se está obteniendo, o que será conseguida, la calidad deseada en el producto suministrado o servicio prestado.

En definitiva, ISO-9000 es un conjunto ordenado de estándares que especifican las recomendaciones y requisitos para el diseño y valoración de un sistema de gestión, con el propósito de asegurar que la organización proporcione productos o servicios que satisfagan los requisitos especificados. Hay que destacar que ISO-9000 no es un estándar de producto. No contiene ningún requisito con el cual un producto o servicio tenga que cumplir, los requerimientos o recomendaciones se aplican a las organizaciones que suministran el producto o servicio y por ello afectan a la forma en que los productos o servicios se diseñan, fabrican, instalan o se prestan.

Las normas ISO pretenden colmar los tres órdenes de necesidades que surgen cuando se establece un sistema de calidad:

a) Resolver las dudas conceptuales que se plantean describiendo un conjunto básico de elementos con los que puede implantarse un sistema de calidad. La norma ISO-9004 establece las directrices generales para la gestión de la calidad y los elementos que forman un sistema.

b) Las normas ISO-9000 contemplan tres modelos de garantía de la calidad:

— ISO-9001 son un modelo para el aseguramiento de la calidad en el diseño, desarrollo, producción, instalación y servicios postventa. Se reserva a empresas y organizaciones que incluyan en su actividad el diseño y desarrollo de sus servicios.

— ISO-9002 constituyen un modelo para el aseguramiento de la calidad en la producción, instalación y servicio postventa.

— ISO-9003 son un modelo para aseguramiento de la calidad en la inspección y ensayos finales.

La norma ISO-9001 abarca las otras dos al ser la más completa y se aplica a las organizaciones que llevan a cabo actividades de diseño, desarrollo producción y servicios postventa, la normas ISO-9002 no contiene actividad de diseño y la ISO-9003 se limita a las actividades de control y se basa en tres aspectos: a) todo debe estar documentado; b) todo lo documentado debe ser implantado y c) todo lo implantado debe ser mantenido a través de un sistema de auditorías internas. Sin embargo el modelo ISO-9003 no incluye auditorías internas de calidad lo cual implica que el modelo no está sujeto a mantenimiento por ello apenas tiene aplicación.

c) La implantación de un sistema de calidad requiere ampliar diferentes aspectos para mayor comprensión. El tercer grupo son de consulta y amplían los aspectos definidos con insuficiencia o ambigüedad en los modelos definidos por las normas anteriores.

Con todo, los sistemas ISO exigen que todas las actividades de gestión se documenten, desarrollen y su cumplimiento se revise, entre la documentación exigida podemos mencionar:

— El Manual de la calidad, que es el documento que resume las disposiciones adoptadas para garantizar y gestionar la calidad (1) Tiene como objetivo informar al personal y a los clientes o usuarios sobre el sistema de calidad.

— Los procedimientos plasmados en documentos que responden a varias cuestiones: ¿Quién hace que?, ¿Cuándo se realiza la actividad? Un procedimiento se genera para que las personas tengan rumbo u objetivo en la ejecución de una actividad particular.

— Las instrucciones de trabajo cuyo contenido responde a la cuestión: ¿Cómo se hace el trabajo?

— Los registros cuya razón de ser es dar fe que el sistema está implantado con eficacia.

---

(1)   Una descripción de la organización incluyendo medios y medidas adoptadas para garantizar y gestionar la calidad.

4. VENTAJAS E INCONVENIENTES DE LAS NORMAS ISO 9000

Las normas ISO.9000 son normas que aseguran la calidad de productos y servicios en lo que se refiere a garantizar niveles uniformes y estables pero no abordan una cuestión esencial como es la eficacia de la propia organización que suministra los servicios, además se han constatado dificultades para su aplicación en el sector de servicios pues tienen una orientación principalmente fabril y de manufacturas.

Por otra parte estas normas constituyen un lenguaje común en materia de calidad y pueden adaptarse a cualquier tipo de empresa, además las organizaciones que las han adoptado han disminuido los costes de producción y han mejorado la gestión y el diseño y para los usuarios se han registrado aumentos de los niveles de calidad y seguridad en los productos y servicios.

5. LA CERTIFICACIÓN COMO VERIFICACIÓN DE LA CALIDAD

La certificación de conformidad es la manifestación por un tercero ajeno a la organización mediante la cual se establece un cierto nivel satisfactorio de confianza en que los productos, procesos o servicios debidamente identificados, cumplen las exigencias normativas y técnicas determinadas.

Certificar un producto es someterlo de forma voluntaria a un dictamen de un organismo cualificado, mediante superación de una serie de pruebas y comprobaciones que demuestran que cumple con una serie de cláusulas contractuales o compromisos previamente establecidos con los clientes, usuarios (consumidores u opinión pública). Con este mismo criterio se expresa el concepto acuñado por AENOR para quien la certificación es la acción de acreditar, por medio de un documento fiable, emitido por un organismo autorizado, que un determinado producto o servicio cumple con los requisitos o exigencias definidas por una norma o especificación técnica.

Suele hacerse diferencia entre el concepto descrito de certificar y el de homologar un producto que es someterlo, no voluntariamente sino por obligación legal, al dictamen de un organismo cualificado l concepto que comprueba si éste cumple con las normas establecidas.

Cuando se llevan a cabo estas comprobaciones después de una auditoria y se comprueba que los procedimientos de la organización cumplen las normas de calidad, por parte de un organismo externo, la organización recibe un certificado.

El trámite de certificación consiste en varias fases:

— La organización desarrolla un manual de calidad que describe la estructura organizacional y la política de calidad.

— Después se establece un manual de procedimientos donde se presentan procedimientos de acuerdo los objetivos requeridos.

— Un documento final contiene instrucciones de trabajo para tareas específicas.

AENOR ha definido los diferentes sistemas de certificación de acuerdo con los normas ISO-9000 entre los que cabe destacar tres:

a) La certificación de productos que certifica que un producto se ajusta a determinadas normas ISO definiendo las características de seguridad y aptitud a la función de dicho producto.

b) La certificación de personal para la cual se exigen unos conocimientos y destrezas según el trabajo que se deba desarrollar la persona concreta.

c) La certificación de los sistemas de aseguramiento de calidad también denominado certificación de registro de empresa, que tienen por objeto identificar la conformidad del sistema de aseguramiento de calidad de una empresa, respecto de los requisitos contenidos en las normas ISO-9000.

Ahora bien el verdadero objetivo del desarrollo de un sistema de calidad no puede reducirse a la obtención de un simple papel, la orientación adecuada debe encuadrarse en un ciclo de mejora continuada, por ello desde los órganos directivos de la organización debe fomentarse el desarrollo de un proceso de mejora permanente, orientado a todas las áreas de actividad. Por ello debe quedar claro que si bien la certificación es un elemento de suma utilidad, para garantizar el logro de la competitividad debe orientarse la organización hacia un proceso de mejora permanente y continuada para lo cual la certificación puede ser un primer paso.

Los objetivos más importantes de la certificación de calidad cuando se lleva a cabo voluntariamente son los siguientes:

— Satisfacer a clientes, que precisan asegurarse que reciben lo que les han prometido.

— Que sea posible proporcionar al cliente un registro del suministrador de productos o prestador de servicios que permita mostrar, fácil y fehacientemente, los aspectos concernientes a la efectividad del sistema de gestión de calidad en su organización., sanos y adecuados para su uso.

— Estimular al productor a que eleve la calidad del producto, al menos hasta el nivel especificado en las normas de referencia.

— Promover la mejora del sistema de calidad en la empresa.

— Proteger al consumidor de los productos, garantizando que éstos son seguros.

— Facilitar el uso o la adquisición al usuario o consumidor.

Entre las ventajas más citadas de seguir un sistema de certificación se encuentran las siguientes:

a) La empresa u organización será incluida en un registro de organismos de calidad.

b) Si mantienen el registro durante un periodo superior a tres años habrá demostrado su seriedad respecto de la calidad.

c) Demostrar que la empresa u organización tiene implantado un sistema de aseguramiento de la calidad para los servicios o productos que ofrece.

d) Cimentación para llegar a metas superiores.

e) Aumento de la confianza de sus compradores.

f) Obtener una certificación es un objetivo concreto y puede tener un efecto movilizador.

g) Una vez obtenida la certificación puede usarse como instrumento de marketing por la propia organización, pues el desarrollo de un sistema que garantice la calidad hace tiempo que es una exigencia del mercado y de los clientes o usuarios.

También se hacen algunas críticas al sistema de certificación, entre ellas:

— La concesión de un certificado no significa que no tenga ninguna no conformidad; significa que no se ha encontrado ninguna significativa. Tampoco significa que su sistema documentado sea perfecto y conforme.

— El proceso de certificación no lleva directamente a la mejora permanente, ni asegura que el proceso garantizado sea el mejor posible. Si la organización tienen unos fundamentos excesivamente teóricos, la implantación del sistema de calidad no conllevará necesariamente una mejora efectiva.

— El creciente número de certificados de todo tipo emitidos ha comenzado a producir ciertos riesgos de pérdida de credibilidad en las certificaciones

— La certificación supone trabajar para los auditores de la entidad certificadora.

— También supone desaprovechar oportunidades de mejora de la calidad y competitividad buscándose sólo la certificación.

— Se mencionan elevados costes del proceso certificador y que el proceso limita la iniciativa y capacidad de innovación.

6. MODELOS DE EVALUACIÓN

Podemos definir un Modelo de Calidad Total como un conjunto de criterios agrupados en áreas o capítulos que sirven como referencia para estructurar una estrategia de calidad total en una empresa u organización o en una parte de la misma.

Todos los modelos están basados en los principios de calidad total, antes mencionados, de modo que cubren todas las áreas clave.

Aunque a través de diversas obras y publicaciones se han desarrollado modelos de calidad, incluso muchas empresas y organizaciones han llegado a definir su propio modelo de calidad sobre el que basar la implantación de la calidad total. La experiencia de las más recientes e innovadoras formas de implantar estos modelos confirma el fortalecimiento de la tendencia que apoya los modelos propios diseñados internamente por la propia organización o concierta ayuda externa, pero en todo caso perfectamente adecuados a las características específicas de las organizaciones, lo cual no puede suponer en absoluto abandonar los modelos estándares sino más bien la utilización de dichos modelos como elemento dentro de un modelo marco construido a medida.

Hay que tener en cuenta que muchas organizaciones han logrado su objetivo de calidad aplicando algún modelo de autoevaluación basado en algún premio de calidad como, por ejemplo, el premio de calidad en la Unión Europea.

La idea fundamental de estos modelos estándar, es que una institución solo puede trabajar orientada a la calidad si tiene un apoyo decidido y proactivo de la dirección y además debe manifestarse en una satisfacción de los trabajadores, en los clientes o usuarios y en definitiva en la proyección de una correcta imagen social de la organización de que se trate.

El modelo de autoevaluación está fundado en la consideración de que nadie se conoce mejor de uno mismo, pero para que tenga posibilidades de éxito, la evaluación debe estar integrada en el sistema de planificación operativa y estratégica de la empresa.

El modelo de autoevaluación más utilizado en la unión Europea es el definido por la Fundación Europea para la Gestión de la Calidad (EFQM) que tiene dos aspectos uno de carácter teórico que pretende el logro de la satisfacción de todos los interesados de dentro y fuera en el entorno organizacional y otro como herramienta de gestión para el logro de la mejora continua y permanente y se compone de dos bloques, uno relativo a los agentes que examina el modo en que la organización consigue resultados analizando la aplicación del enfoque tanto de modo vertical como horizontal en todas las áreas y actividades (liderazgo, política y estrategia, gestión de personal, recursos, y procesos) y otro relativo a los resultados que se refiere a los logros conseguidos comprobando hasta que punto se han cumplido las expectativas de las actividades de la organización (satisfacción de clientes o usuarios, satisfacción del personal, impacto social y resultados del negocio — eficacia y eficiencia). Debido a su importancia dedicamos un apartado especial al examen del modelo EFQM en las Administraciones Públicas en España.

Al igual que los sistemas de aseguramiento de la calidad, también los modelos de evaluación tienen ventajas e inconvenientes. Entre las primeras, cabe mencionar, la posibilidad de comparación entre las organizaciones, se trata de una estrategia universal practicada por organizaciones de todo tipo, es un modelo pensado para establecer un plan de mejora a medio y largo plazo, permite medir la situación actual y las situaciones futuras, como inconveniente se menciona que los modelos de autoevaluación consisten en un sistema para evaluar la situación de calidad global de una organización pero no suponen mejora de la calidad.

Cualquier tipo de mejora en una organización pública o privada exige escoger una metodología concreta que resulte apropiada: análisis d expectativas de usuarios o clientes, plan de comunicación, puesta en marcha de grupos de mejora continuada, etc.

Esta cuestión es objeto de desarrollo en lo que respecta a los diferentes aspectos de la calidad total en el seno de las organizaciones públicas en España.

Hay que recordar que la Constitución dispone, expresamente (2) que la Administración sirve con objetividad los intereses generales y actúa de acuerdo con los principios de eficacia, jerarquía, descentralización, desconcentración y coordinación, con sometimiento pleno a la ley y al derecho, lo cual es ratificado por la Ley 30/1992 que añade que las Administraciones Públicas se rigen en sus relaciones por el principio de cooperación y colaboración y en su actuación por los criterios de eficiencia y servicio a los ciudadanos.

Además la LOFAGE confirma que la Administración General del Estado se organiza y actúa con pleno respeto al principio de legalidad y de acuerdo con los siguientes principios:

1. Principios de organización.

a) Jerarquía.

b) Descentralización funcional.

c) Desconcentración funcional y territorial.

---

(2)   CE art. 103.

d) Economía, suficiencia y adecuación estricta de los medios a los fines institucionales.

2. Principios de funcionamiento.

a) Eficacia en el cumplimiento de los objetivos fijados.

b) Eficiencia en la asignación y utilización de los recursos públicos.

c) Programación y desarrollo de objetivos y control de gestión y de los resultados.

d) Responsabilidad por la gestión pública.

e) Racionalización y agilidad de los procedimientos administrativos y de las actividades materiales de gestión.

f) Servicios efectivo a los ciudadanos.

g) Objetividad y transparencia de la actuación administrativa.

h) Cooperación y coordinación con las otras administraciones públicas.

Pero ante todo la LOFAGE establece y regula por lo menudo en su artículo cuatro el principio de servicio a los ciudadanos disponiendo que la actuación de la Administración General del Estado debe asegurar a los ciudadanos dos cuestiones:

a) La efectividad de sus derechos ante la Administración en sus relaciones con ésta.

b) La mejora continuada de tramitaciones, procedimientos, servicios y prestaciones públicas de acuerdo con las directrices políticas de cada gobierno y en función de los recursos existentes.

c) Determinar las prestaciones que proporcionan los servicios estatales, sus contenidos y los grados mínimos de calidad exigibles en cada momento.

Con todo, la ley ordena a la Administración General del Estado desarrollar su actividad y organizar las dependencias administrativas (especialmente las periféricas por más cercanas a los ciudadanos) de modo que:

— Puedan resolver sus asuntos, ser auxiliados en la redacción formal de documentos administrativos y recibir información de interés general por medios telefónicos, informáticos y telemáticos.

— Puedan presentar reclamaciones sin el carácter de recursos administrativos sobre el funcionamiento de las dependencias administrativas.

Por otro lado, también se establece la obligación de mantener actualizadas en las unidades de información de los ministerios y a disposición de los ciudadanos, su organigrama y organismos dependientes así como las guías informativas sobre los procedimientos administrativos, servicios y prestaciones aplicables en el ámbito de su competencia.

Todos estos principios y declaraciones deben ser desarrollados y por ello tanto el concepto y definición de la calidad como la legislación establecen la necesidad de que estos principios tuvieran un desarrollo normativo que se lleva a cabo mediante el Real Decreto 951/2005 por el que se establece el Marco general para la mejora de la calidad en la Administración General del Estado.

7. MEJORA DE LA CALIDAD EN LA ADMINISTRACIÓN PÚBLICA

El marco general para mejora de calidad en la Administración General del Estado está formado por siete programas de calidad que son instrumentos para mejora de la calidad de los servicios públicos, y debieran servir, además de como fuente de información completa, consolidada y fiable, para la toma de decisiones y sobre todo para fomentar e incrementar la transparencia en el seno de la Administración Pública mediante la circulación de datos e informaciones y la comunicación a los representantes de los ciudadanos y a la opinión pública el grado y niveles de calidad contrastada que debiera ofrecerse y se esté ofreciendo de hecho en cada momento.

Cada subsecretario o titular de organismo público debe determinar el órgano o unidad que se encargará de las funciones de coordinación y seguimiento global de los programas en su respectivo ámbito ministerial.

Los programas de calidad que integran el marco son los siguientes:

a) Programa de análisis de la demanda y de evaluación de satisfacción de los usuarios de los servicios.

b) Programa de cartas de servicios.

c) Programa de quejas y sugerencias.

d) Programa de evaluación de la calidad de las organizaciones.

e) Programa de reconocimiento.

f) Programa del observatorio de la calidad de los servicios público.

La implantación, puesta en marcha y seguimiento de estos programas corresponde a la Administración General del Estado (AGE) y sus organismos autónomos así como a las entidades gestoras y servicios comunes de la Seguridad social que a través de los subsecretarios departamentales y titulares de organismos públicos llevarán a cabo las funciones de coordinación y seguimiento global de los programas en su ámbito competencial debiendo remitir todos ellos a la Secretaría general para la Administración Pública Ministerio de Hacienda y Administraciones Públicas (MINHAP), un informe conjunto de seguimiento de estos programas de calidad, dentro del primer semestre de cada año.

Los titulares de órganos y organismos de la AGE y sus organismos Autónomas y de las Entidades gestoras y Servicios comunes de la Seguridad Social son responsables de la implantación y desarrollo de los programas a, b, c y d que deben ser coordinados por las unidades de coordinación y seguimiento designadas en cada ministerio.

Por su parte al MINHAP le corresponde, de acuerdo con lo dispuesto en la LOFAGE (3), el impulso, la coordinación y el seguimiento global de los programas que integran el marco general para la mejora de la calidad en la AGE así como la gestión de los programas e y f.

8. ANÁLISIS DE DEMANDA Y EVALUACIÓN DE SATISFACCIÓN DE LOS USUARIOS

Los responsables de cada departamento u organismos de la Administración debe llevar a cabo estudios para analizar la demanda y evaluar la satisfacción de los ciudadanos con respecto a la existencia, funcionamiento servicios públicos y las prestaciones a los usuarios, utilizando técnicas que evalúen los aspectos de cantidad y calidad.

Los estudios de análisis de demanda tienen por objeto la detección de necesidades y expectativas de los usuarios acerca de los aspectos esenciales del servicio público, en especial los requisitos, formas y medios para acceder al mismo y los tiempos y dificultades de respuesta.

Los trabajos de evaluación de la satisfacción de los usuarios tienen por objeto la medición de la percepción que tienen éstos sobre la organización y servicios públicos.

Los estudios sobre demanda se llevarán a cabo en función de los que determine la correspondiente carta de servicios del departamento u organismos mientras que la evaluación sobre la satisfacción de los usuarios de llevarán a cabo de forma permanente a modo de un control continuada sobre el funcionamiento y del servicio y su proyección al ciudadano.

Como quiera que estos estudios y trabajos constituyen un modo de evaluación continuada de la calidad y la capacidad de mejora son considerados como una

(3)   LOFAGE art. 15.1.g).

fase incluida en el funcionamiento de la organización por ello los gastos que se deriva de su realización se incluyen en los presupuestos ordinarios de los correspondientes servicios presupuestarios u organismos públicos.

La administración debe utilizar, para el diseño de los trabajos de investigación ya sean encuestas, sondeos entrevistas, etc., modelos referenciales que respeten las características y necesidades de cada organismo e incluyan, además, la previsión de todos los aspectos relevantes para el usuario y que permitan su consolidación y la posibilidad de contraste entre el conjunto de organismos y Departamentos de la AGE.

Un aspecto importante es que los resultados de investigación deben ser utilizados para el desarrollo de otros programas de calidad en especial para la elaboración y actualización de las Cartas de Servicios.

9. CARTAS DE SERVICIOS: CONCEPTO Y CLASES

Las cartas de servicios son documentos que constituyen un instrumento a través del cual los órganos, organismos y entidades de la AGE informan los ciudadanos y usuarios sobre tres aspectos:

A) Servicios que tienen encomendados.

B) Derechos que les asisten en relación con aquellos.

C) Compromisos de calidad en su presentación.

Las cartas de servicios de la Administración General del Estado deben expresar sui contenido de forma clara e inteligible para todos los ciudadanos y debe estar estructurada, al menos, en cuatro apartados que se refieran a los aspectos generales del organismo o departamento, a los compromisos de calidad a las medidas para caso de incumplimiento de estos compromisos y medidas complementarias de información que se desarrollan en una detallada enumeración legal.

Apartados de la carta de servicios:

A) De carácter general y legal:

— Datos de identificación y finalidades de la organización.

— Principales servicios que presta.

— Derechos concretos de los ciudadanos o usuarios en relación con los servicios.

— Fórmulas de colaboración o participación de los usuarios en la mejora de los servicios.

— Relación sucinta y actualizada de la normativa reguladora de las principales prestaciones y servicios

— Acceso al sistema de quejas y sugerencias.

B) De compromisos de calidad:

— Niveles o estándares de calidad que se ofrecen y en cualquier caso indicando los plazos previstos para tramitación de procedimientos y para prestación de los servicios, así como los mecanismos de información y comunicación general o personalizada disponibles.

— Medidas que aseguren la igualdad de género que faciliten el acceso al servicio y mejoren las condiciones de prestación.

— Sistemas normalizados de gestión de la calidad, medio ambiente y prevención de riesgos laborales con los que cuente la organización.

— Indicadores utilizados para evaluar la calidad y seguimiento de compromisos.

C) Medidas de subsanación en caso de incumplimiento de compromisos declarados de acuerdo con el contenido y régimen legal del servicio:

En este aspecto la carta de servicios debe señalar, expresamente, la manera de plantear las reclamaciones por incumplimiento de los compromisos, cuyo reconocimiento corresponderá al titular de la organización a que se refiera la carta de servicios. Esta reclamación es independiente a las que se pudieran plantear por responsabilidad patrimonial de la administración por funcionamiento de los servicios públicos.

La carta puede incluir la previsión de medidas de compensación económica por incumplimiento de compromisos de calidad siempre que se haya aprobado por el Ministerio de Economía y Hacienda.

D) De carácter complementario que consisten en datos de acceso e información:

— Direcciones telefónicas, telemáticas y postales de todas las oficinas donde se prestan cada uno de los servicios relacionados debiendo indicar la forma de acceso y medios de transporte público hasta las oficinas.

— Dirección postal y telefónica y telemática de la unidad operativa responsable para todo lo relacionado con la carta de servicios, incluyendo las reclamaciones por incumplimiento de compromisos.

— Otros datos de interés para el ciudadano sobre la organización y los servicios.

Otra clasificación de las cartas de serviciases la que las divide en:

— Cartas de servicios convencionales por Departamentos u Organismos.

— Cartas de servicios electrónicos que son aquellos documentos mediante los cuales los Departamentos y Organismos que cuentan con estos servicios electrónicos operativos, informan a los ciudadanos sobre los servicios a los que pueden acceder electrónicamente e indican las especificaciones técnicas y uso de los compromisos de calidad en su prestación.

Cada Departamento u Organismo tienen posibilidad de elaborar o participar en varios tipos de cartas de servicios:

— Carta de servicios global: Carta de servicios que se refiere a todos los servicios de su competencia que un Organismo o Departamento está en disposición de ofrecer al ciudadano.

— Carta de servicios sectorial: Carta de servicios que tienen por objeto un servicio concreto de los diversos que gestione un Organismo o Departamento.

— Carta de servicios multilateral es la carta de servicios que se refiere a los servicios de varios Organismos o departamentos que a su vez puede ser global o sectorial y su elaboración se tramita de acuerdo con las normas que determine el MAP.

10. ELABORACIÓN, GESTIÓN Y SEGUIMIENTO DE LA CARTA DE SERVICIOS

La elaboración, gestión y seguimiento de las cartas de servicios corresponden a los titulares de los Centros directivos unidades u organismos a los que se refiera cada carta de servicios. También les corresponde aplicar las medidas de subsanación cuando sea necesario.

Para ello cada subsecretario debe disponer de lo necesario para que los órganos del ministerio a su cargo incluidos los organismos vinculados o dependientes elaboren su correspondiente carta de servicios y para que lleven a cabo su actualización periódica de acuerdo con el procedimiento legal establecido. Lo cual exige una evaluación periódica de unidades para comprobar que esto se cumple con unos niveles mínimos de calidad de fondo y forma debiéndose tomar las medidas correspondientes sobre los titulares responsables en caso de incumplimiento.

Además el Ministerio de Hacienda y Administraciones Públicas debe impulsar la implantación generalizada de cartas de servicios de dos modos: por un lado, evaluando y comprobando el grado de implantación (iniciativa) y por otra colaborando con los órganos y organismos que lo requieran en su elaboración (respuesta efectiva), pues el precepto sobre elaboración y gestión de las cartas de servicios establece un mandato taxativo de actualizar al menos cada tres años las cartas de servicios además de las necesidades de menor periodicidad, dirigido a los titulares de los organismos responsables de cada carta de servicios y a las citadas autoridades responsables de la supervisión y control de cumplimiento.

Los departamentos y organismos que cuenten con servicios electrónicos cartas de servicios que recojan estos servicios informando a los ciudadanos sobre los servicios a los que pueden acceder electrónicamente e indicando las especificaciones técnicas de uso y compromisos de calidad en su prestación.

Las cartas de servicios y sus actualizaciones son aprobadas por Resolución del Subsecretario de cada ministerio, previo informe no vinculante de la Secretaría de Estado de Administraciones Públicas (4), que se publica en el Boletín Oficial del Estado y además cada órgano u organismo titular de la carta debe llevar a cabo las acciones de divulgación de su carta de servicios que estime más adecuadas debiendo garantizarse en cualquier caso que puedan ser conocidas por todos los usuarios en todas las dependencias con servicio de atención al público, además de en el servicio de atención e información al ciudadano y a través de Internet.

Además todas las cartas de servicios aprobadas deben estar disponibles en los servicios de información y atención al ciudadano del MINHAP (incluida la dirección de Internet: www.administracion.es) así como en las delegaciones y subdelegaciones del gobierno y direcciones insulares.

Los organismos y departamentos titulares deben llevar un sistema continuado de control de varios aspectos de su carta de servicios:

— Del grado de cumplimiento de compromisos declarados en la carta de servicios, a través de los indicadores establecidos.

— Del análisis de las reclamaciones por incumplimiento.

— De las evaluaciones de la satisfacción de los usuarios con los servicios ofrecidos en la carta.

Además los titulares de cartas de servicios de cada ministerio deben remitir dentro del primer trimestre de cada año un informe sobre el grado de cumplimiento al órgano o gabinete de coordinación y seguimiento de programas de calidad que el subsecretario del departamento haya designado, en el que deben concretarse las desviaciones y medidas correctoras adoptadas, así como

(4)   La inclusión en la Carta de servicios de medidas económicas de subsanación por incumplimiento de compromisos de calidad precisa informe favorable del Ministerio de Economía y Hacienda.

las medidas de subsanación aplicadas, esta es la información que debe incorporarse al informe conjunto, referido a todo el ministerio que cada subsecretaría debe remitir anualmente al Ministerio de Hacienda y Administraciones Públicas (MINHAP).

Con todo, la Inspección General de Servicios del Departamento podrá verificar, tanto con ocasión de evaluaciones o inspecciones como de modo directo y especial, el grado de cumplimiento de los compromisos de calidad declarados en las cartas de servicios, «utilizando los procedimientos que estime convenientes» dice el Real Decreto.

Por otra parte es el propio MINHAP el que determina el sistema procedimental para articular un sistema de certificación de las cartas de servicios previo examen de tres parámetros:

— Rigor en la elaboración.

— Calidad de los compromisos asumidos.

— Grado de cumplimiento.

11. GESTIÓN DE QUEJAS Y SUGERENCIAS

La gestión de quejas y sugerencias permite a cualquier organización tomar conciencia de la opinión que tienen los usuarios por los servicios prestados, si bien a diferencia de los sistemas de medición de la satisfacción de clientes o usuarios, con la gestión de quejas y sugerencias se busca la obtención de información de carácter más cualitativo que datos cuantitativos, de este modo la gestión de quejas permite a la organización cuatro tipos de posibilidades para mejorar:

— Recopilar información relevante aportada por los usuarios de los servicios, escuchando sus sugerencias y atendiendo sus quejas de manera rápida y efectiva.

— Mejorar la atención y prestación del servicio gracias a la valoración que del mismos se hace.

— Recuperar la satisfacción de los clientes o usuarios de servicios que hubieran perdido algún grado de confianza en la buena prestación o en la capacidad de la organización, mediante la atención y respuesta personalidad de sus quejas y sugerencias.

— Desarrollar la capacidad del personal especializado de la organización para resolver problemas planteados por los clientes, usuarios de los servicios fomentado su implicación personal y avanzando en la búsqueda de opciones para dar solución a las quejas y sugerencias presentadas.

Mediante Resolución de 6 de febrero de 2006 de la Secretaria General para la Administración Pública fueron aprobadas las Guías para desarrollo y aplicación de los programas del marco general para mejora de la calidad en la AGE disponiendo en lo que respecta a la presentación de quejas y sugerencias que el contenido mínimos de los modelos de presentación de las mismas se incluyen en la Guía para la presentación de quejas y sugerencias (5).

Todos los órganos y organismos de la Administración General del Estado deben designar una unidad responsable de la gestión de quejas y sugerencias con objeto de recoger y tramitar las manifestaciones de satisfacción de los usuarios como las iniciativas para mejorar la calidad de los servicios. Esta unidad debe ofrecer:

— Respuestas a las quejas de los ciudadanos.

— Informar de las actuaciones realizadas y medidas adoptadas.

Ante todo cada departamento u organismo debe ubicar la unidad gestora de quejas y sugerencias en lugar accesible y bien señalizado.

La cultura de la calidad en la Administración pública actual concibe la queja de un ciudadano como una oportunidad para mejorar la organización y el funcionamiento, por ello siempre es un elemento que debe valorarse porque proporciona información directa sobre la percepción de los usuarios acerca de la calidad del servicio público, además este concepto debe llevar implícita la voluntad de mejorar que puede ser utilizada por la Administración para actualizar los servicios a las necesidades reales de los ciudadanos, por ello es necesario disponer de un sistema adecuado para la gestión de quejas que permita aprovechar esta oportunidad de mejora.

El proceso de gestión de quejas que estable la Guía oficial del MAP (6) establece cuatro fases:

— Designación de una unidad de gestión de quejas y sugerencias.

— Preparación de dicha unidad.

— Sistema interno de información.

— Procedimiento para gestión de quejas y sugerencias.

— Seguimiento del programa.

(5)   Que se ha seguido para elaborar este apartado.
(6)   En la actualidad MINHAP Ministerio de Hacienda y Administraciones Públicas.

11.1. Establecimiento de la unidad de gestión

La primera obligación que establece, al respecto, el RD 951/2005 es la determinación de la Unidad responsable de la gestión de quejas y sugerencias que tendrá las siguientes funciones:

— Recibir y tramitar las manifestaciones de insatisfacción de ciudadanos y usuarios.

— Recoger y gestionar iniciativas de los ciudadanos para mejorar la calidad de los servicios que presta el órgano administrativo, o para cualquier mejora efectiva que pueda ser de aplicación.

— Dar respuesta a los ciudadanos informando de las actuaciones realizadas y medidas tomadas para lograr la protección efectiva de sus derechos y la mejora constante de los servicios públicos.

— Elaborar información resumida sobre la situación de las quejas y sugerencias recibidas por el organismo.

La unidad o unidades responsables de esta materia deben tener al frente un responsable que cuente con un equipo de apoyo para la correcta ejecución de sus funciones, además es recomendable que dicha Unidad de Gestión de Quejas y Sugerencias mantenga un contacto permanente con la Inspección General de Servicios del Departamento debido a la relación funcional que se precisa entre ambas unidades.

11.2. Preparación de la unidad de gestión de quejas y sugerencias

Esta preparación se refiere principalmente al personal que forme parte de la Unidad cuyas materias han de versar, principalmente, sobre cuatro aspectos:

— Proceso de gestión de quejas y sugerencias resaltando las diferencias en la gestión de quejas presentadas por incumplimientos de compromisos incluidos en las cartas de servicios. Por ello es necesario recopilar las cartas del organismo o departamento, que estén en vigor, y explicar sus compromisos en el periodo de formación como fundamento para diferenciar los diferentes procedimientos de gestión de cada tipo de quejas.

— Funcionamiento interno de la Inspección General de Servicios del departamento y su relación con la Unidad de quejas y sugerencias.

— Funcionamiento de la Administración General del Estado en lo que respecta al cumplimiento del principio general del servicio al ciudadano que permite la presentación de quejas en cualquier oficina de registro de la AGE.

— Destrezas y habilidades personales en el trato personal con los ciudadanos en que se incluye todo lo que se refiere a saber escuchar de modo activo, claridad de expresión y fluidez verbal y capacidad para resolución de conflictos entre otras.

Con respecto a la preparación de la ubicación física de la Unidad, se recomienda que se sitúe en lugar bien visible y accesible a ciudadanos y funcionarios como lugares de paso frecuente y afluencia de público, de cualquier modo debe estar correctamente identificada de modo independiente y dotada con medios informáticos precisos para el cumplimiento de sus funciones.

También es necesario que reciba algún tipo de formación adecuada, al respecto, el personal de los registros a fin de que conozca los procedimientos seguidos en caso de presentación de quejas y sugerencias de modo presencial o por correo postal.

Además, como quiera que, la llamada telefónica es admitida para la presentación de quejas y sugerencias, resulta necesario cierto grado de formación para el personal empleado en las centralitas de manera que sepan gestionar aquellas llamadas que tengan por objeto presentar quejas o sugerencias a la administración.

11.3. Comunicación interna

El objetivo primordial de esta fase es que la totalidad del personal del organismo o departamento tenga constancia de la existencia y funciones de la Unidad de gestión de quejas y sugerencias, para ello deberá llevarse a cabo un proceso paralelo de formación y de información de los empleados públicos informado sobre las funciones de la Unidad, de las personas que la dirigen, su ubicación física y aquellos aspectos esenciales de la gestión de quejas y sugerencias.

Los medios que se recomiendan para alcanzar la difusión requerida son los siguientes:

— Intranet en cuyo caso la información podrá aparecer como un «banner» en la entrada de la intranet o en forma de mensaje cuando se abre el correo electrónico. Una vez pasado un mes desde la puesta en marcha de la Unidad de quejas y Sugerencias, podría dejarse como un apartado más en la intranet donde se informe de la ubicación física de la Unidad, su composición, procedimientos aplicables y cualquier información que sea de utilidad para los empleados públicos.

— Elaboración de información documental de fácil comprensión para ciudadanos y empleados públicos y con formato similar al de las cartas de servicios incluyendo los compromisos y plazos temporales a los que esté sometido el funcionamiento de la Unidad.

— Impartición de charlas o sesiones informativas en dependencias más alejadas y dirigidas principalmente a empleados sin acceso a intranet.

— Actos de comunicación más concretos para empleados públicos que deban tener mayor contacto con los ciudadanos y para los que el sistema de gestión de quejas y sugerencias tenga una incidencia mayor.

A fin de llevara cabo las rectificaciones y mejoras que procedan, es recomendable hacer un seguimiento del grado de conocimiento general de la existencia y funcionamiento de la Unidad así como de las funciones que lleva a cabo.

11.4. Procedimiento de gestión de quejas y sugerencias

Regulado concretamente por el RD 951/2005 en sus artículos 15 a 17 incluye la presentación y la tramitación de las quejas y sugerencias.

11.4.1. Presentación

Las quejas y sugerencias pueden presentarse en la Unidad de gestión del propio organismo o departamento, o en cualquier otra Unidad u oficina de registro de la AGE desde donde se remitirá al organismo o departamento al que corresponsal su tramitación.

Cualquier tipo de presentación admitida debe incluir la cumplimentación del formulario que da inicio a la fase de tramitación.

Las quejas y sugerencias pueden presentarse de tres modos: presencial, por correo postal o por medios telemáticos.

11.4.1.1. Presencial

Las quejas o sugerencias presenciales deben estar cumplimentadas en los formularios aprobados y firmadas por el interesado que puede solicitar ayuda de los funcionarios responsables.

• Presentación en Unidades de Quejas y sugerencias

Aquellos quienes deseen presentar quejas o sugerencias de modo presencial en cualquier Unidad de gestión tienen derecho a disponer de un número suficiente de formularios autocopiativos y además a contar con la ayuda del personal que la citada Unidad.

Se trata de un formulario autocopiativo de tres hojas que una vez cumplimentado y firmado, la hoja original y la segunda copia quedan para la tramitación y archivo en la Unidad de gestión y al interesado se entrega la primera copia como justificante de la presentación.

La tramitación es diferente según se trate de una queja sugerencia competencia del organismo o no:

— En caso afirmativo dará comienzo la tramitación de la misma notificando al interesado.

— En caso negativo serán remitidos por correo ordinario el original firmado y la segunda copia del formulario al registro del organismo competente que procederá a tramitarla de acuerdo con el procedimiento general. También debe notificarse al interesado esta remisión.

• Presentación en Registros generales

Los registros de los organismos están obligados a aceptar a trámite las quejas y sugerencias en los casos en que lo soliciten los ciudadanos, para ello deben disponer de un número suficiente de formularios como los indicados anteriormente que puedan ser cumplimentados en la misma oficina del registro.

Una vez cumplimentado y firmado el formulario, el registro entrega la primera copia al interesado y envía el original y segunda copia a la Unidad de quejas y sugerencias para que lleve a cabo su tramitación del modo indicado en el apartado anterior.

11.4.1.2. Por correo postal

Las quejas y sugerencias recibidas por correo postal en los registros oficiales deben ser remitidas a la Unidad de gestión correspondiente aunque no aparezca la mima en la dirección del destinatario y será en la Unidad donde se llevará a cabo el correspondiente examen para determinar si la queja o sugerencia presentada es competencia o no del organismo:

— En caso de que el organismo o departamento sea competente la propia Unidad de quejas y sugerencias rellena el formulario, archivando el original junto a la carta firmada enviando por correo postal al ciudadano la copia del formulario comenzando a correr el plazo para la tramitación.

— En caso de que el organismo no sea competente la Unidad envía el original de la carta al registro del organismo al que corresponda la tramitación de la queja o sugerencia, notificando el traslado al interesado.

11.4.1.3. Por medios telemáticos

La Guía oficial de Administraciones públicas hace una interpretación extensiva de lo establecido por el RD 951/2005 entendiendo por medios telemáticos no solamente el correo electrónico sino también las comunicaciones telefónicas.

Las quejas y sugerencias presentadas por correo electrónico o a través de Internet deben estar suscritas con la firma electrónica del interesado, caso de no ser así, el personal de la Unidad de gestión debe contestar al ciudadano requiriendo la correspondiente firma electrónica o informándole de otras vías permitidas por la normativa reguladora del procedimiento para la presentación de quejas y sugerencias.

En cualquier caso aquellas quejas y sugerencias que carezcan de firma electrónica serán almacenadas a efecto de su posterior tratamiento estadístico.

Además la Unidad de gestión debe diferenciar asimismo si procede la tramitación de la queja previa cumplimentación del formulario por la propia Unidad o por el contrario enviarla por medios telemáticos al organismo competente para su tramitación, en el primer caso debe enviarse al interesado copia correspondiente del formulario dando inicio al procedimiento.

Otra vía de presentación de quejas y sugerencias son las comunicaciones telefónicas el procedimiento de presentación que sigue a la llamada es la grabación que debe hacer la Unidad de gestión de aquellas llamadas que le transfiera la centralita telefónica del organismo, además el empleado que reciba la llamada debe advertir al ciudadano que su llamada va a ser grabada y que dicha grabación se ajustará a la normativa vigente en materia de protección de datos, si la Unidad de gestión no dispone de medios para llevar a cabo la grabación, el empleado que atiende la llamada deberá estar instruida para solicitar del interesado los datos que permitan rellenar el formulario de presentación de la queja o sugerencia, seguidamente el empleado examinará si el organismo tiene competencia para tramitarla y en cada caso deberá proceder de igual manera que si hubiera sido presentada por correo postal, siendo aplicable a la grabación lo que se ha indicado respecto a las cartas en el caso anterior.

En cualquier caso la administración está obligada a entregar constancia de la presentación a los usuarios por el medio que hayan indicado.

11.4.2. Tramitación y contestación

La tramitación se inicia en el momento en que la Unidad de gestión considera que la queja o sugerencia recibida es de su competencia:

a) La Unidad debe dejar constancia de la presentación de la queja o sugerencia al ciudadano poniendo de manifiesto los plazos establecidos en el RD 951/2005, además el ciudadano que llevó a cabo la presentación puede pedir que el acuse de recibo sea llevado a cabo por otro medio diferente del que hubiera sido presentada la queja o sugerencia, en el caso de que no haya mostrado una preferencia sobre el medio por el que desea recibir el acuse de recibo la Unidad de gestión contestará por el mismo medio que fue recibida aquella.

b) Cuando se haya determinado que la queja o sugerencia es de propia competencia deberá valorarse si corresponde o no a un compromiso de una carta de servicios.

En caso de que así fuera, la queja o sugerencia deberá remitirse al organismo al que esté referida la carta de servicios (Por ello es conveniente que se disponga de todas las cartas de servicios en vigor).

Si, por contra, la queja no correspondiera al incumplimiento de un compromiso establecido en una carta de servicios la Unidad de gestión iniciará los trámites para dar respuesta al ciudadano para lo cual deberá ponerse en contacto con el organismo que haya sido objeto de la queja o sugerencia e informarse de los detalles acordando la respuesta al ciudadano.

c) La unidad de gestión tiene un plazo de veinte días hábiles para contestar informando al ciudadano de las actuaciones llevadas a cabo, este plazo puede dejarse en suspenso si la Unidad de gestión requiere al ciudadano información adicional para completar la contestación que éste deberá remitir en plazo de diez días hábiles, pero una vez recibida la información requerido, se reanudará el cómputo del plazo hasta que sea completado.

Si este plazo legal es sobrepasado el ciudadano puede dirigir un escrito a la Inspección General de Servicios del Ministerio correspondiente que estará obligada a contestarle explicando los motivos del retraso; pero para que pueda ejercerse este derecho la Unidad de quejas y sugerencias debe informar previamente al ciudadano de esta posibilidad, por ello la propia Guía del MAP (7) señala que el mismo formulario de presentación de quejas y sugerencias deberá contener la información dirección y teléfono de la Inspección General de Servicios. Además dicha Inspección General de Servicios debe proponer a los órganos directivos competentes la adopción de medidas oportunas. Con todo, en esta materia, la aplicación de las disposiciones del Real Decreto 951/2005 implica el establecimiento de un método propio, de cada organización administrativa, para la gestión de quejas y sugerencias caracterizado por cuatro aspectos:

— Eficacia y agilidad que en un sentido positivo debe significar el enfoque a la obtención de resultados.

— Flexibilidad: que supone un mínimo grado de capacidad de adaptación a los cambios que sugieran los usuarios. La difusión de estos cambios se lleva a cabo a través de las cartas de servicios.

— Seguridad y documentación que supone la utilización de soportes conocidos y concretos en papel o electrónicos, consistentes en formularios, plantillas, cuestionarios, etc.

---

(7)   El anterior Ministerio de Administraciones Públicas (MAP) actualmente Ministerio de Hacienda y Administraciones Públicas (MINHAP).

Lo cual exige que la organización diseñe Formularios de fácil comprensión, relleno y posterior tratamiento; fomente la participación de los usuarios de los servicios mediante la presentación de quejas y sugerencias y sobre todo con un sentido continuado de autocrítica constructiva interprete objetivamente la información obtenida.

— Accesibilidad a los ciudadanos mediante difusión de información adecuada del sistema de quejas y sugerencias

Además el sistema de quejas y sugerencias tiene otra faceta relativa a las quejas y sugerencias del personal de la propia organización cuya implantación será favorable en cuatro aspectos de la organización:

— La mejora de la gestión por procesos mediante la implicación del personal relacionado con el servicio.

— El aumento de la satisfacción general de la organización.

— La mejora de la comunicación interna.

— La detección de necesidades específicas en las personas de la organización.

11.4.3. Codificación de las causas y motivos de las quejas y razones de las sugerencias

A fin de identificar con mayor facilidad los motivos de queja o sugerencia, se clasifican por la propia Administración. La estructura de los códigos de clasificación puede elaborarse a partir de los productos y servicios o de los procesos de un servicio que constituyan el primer nivel del código precedido de la letra Q de queja o de la S de sugerencia y seguido por los niveles relativos a ala dimensión, atributo y características:

11.4.4. Dimensiones

1. Información

1.1 Accesibilidad de las instalaciones:

1.1.1 Presencial

1.1.2 Telefónica

1.1.3 telemática

1.2 Calidad de la información

1.2.1 Información deficiente o incompleta

1.2.2 Falta de capacidad o nivel de conocimientos del funcionario

1.2.3 Nivel de definición de los requisitos previos

2. Trato de los ciudadanos

2.1 Falta de amabilidad

2.2 Falta de interés en ayudar al ciudadano

2.3 Autoritarismo

2.4 Falta de equidad en el trato

2.5 Conocimientos y ayuda de los funcionarios

2.6 Nivel de comprensión de los problemas planteados.

3. Calidad del servicio

3.1 Falta de simplicidad del procedimiento administrativo

3.2 Tiempos de espera excesivos

3.3 Problemas de coordinación entre departamentos

3.4 Petición de documentación innecesaria.

3.5 Falta de recursos humanos.

3.6 Horarios.

3.7 Falta de cumplimiento de las expectativas de servicios al ciudadano.

3.8 Otras incidencias en la gestión

4. Instalaciones

4.1 Accesibilidad de las instalaciones

4.2 Barreras físicas o arquitectónicas

4.3 Condiciones ambientales y físicas

4.4 Recursos tecnológicos

4.5 Mobiliario

4.6 Falta de espacios o inadecuación de los existentes

5. Incumplimiento de cartas de servicios

6. Otras

11.4.5. Seguimiento del programa

La Inspección general de Servicios debe hacer el seguimiento de las quejas y sugerencias relativas a los órganos, unidades y organismos de su ámbito tanto centrales como periféricos. El seguimiento de las quejas y sugerencias de los servicios integrados en las Delegaciones y Subdelegaciones del Gobierno corresponde a la Inspección general de Servicios del M.A.P.

Parra llevar a cabo este seguimiento cada Unidad gestora que quejas y sugerencias debe remitir, durante el mes de enero de cada año, a la Inspección general de Servicios departamental un informe global sobre las mismas incluyendo una copia de las contestaciones que se hayan dado, además esta información debe adjuntarse al informe conjunto sobre seguimiento de los Programa de Calidad, que los subsecretario y titulares de organismos públicos deben remitir anualmente al MINHAP (Secretaría General para la Administración Pública)

Este informe debe contener como mínimo los siguientes aspectos:

1) Informe estadístico del número de quejas y sugerencias recibidas a lo largo del año con, al menos, los siguientes datos segmentados:

— Causas de las quejas y sugerencias relacionando las relativas a cartas de servicios y modo de presentación.

— Organismos afectados.

— Segmento temporal (fechas y horas) en que se concentran las quejas y sugerencias.

— Impacto de las quejas sobre el servicio (porcentaje de quejas sobre el total de actos administrativos).

— Empleados públicos afectados (número y puesto desempeñado).

— Cumplimiento de plazos de contestación.

— Impacto económico de las quejas y sugerencias.

— Relación entre las quejas y sugerencias y el nivel de satisfacción de los ciudadanos con los servicios.

2) Copias de los formularios cumplimentados y de las con testaciones y medidas adoptadas en todas las quejas y sugerencias formuladas. En caso de que varias

quejas o sugerencias hayan dado motivo a cambios en el funcionamiento administrativo del organismo implicado, se reflejará haciendo referencia a las quejas y sugerencias que motivaron este cambio. También podrá reflejarse la participación de la Inspección general de Servicios en la definición de las acciones de mejora para la prestación de servicios, como consecuencia de una queja o sugerencia.

3) Debe hacerse un tratamiento estadístico específico para las quejas y sugerencias presentadas por correo electrónico. Aunque no vengan acompañadas de la firma electrónica aunque no tengan la consideración de quejas o sugerencias por defecto de forma, tienen un gran valor como elementos a tener en cuenta para elaborar planes de mejora de los servicios.

4) Los responsables de coordinar y seguir los programas de calidad en la Administración General del Estado recibirán en informe de la Inspección General de servicios correspondiente incorporándolo al informe anual de seguimiento de los programas de calidad para remitirlo a la Secretaría general para la Administración Pública.

Las quejas formuladas conforme a esta normativa de calidad no tienen el carácter ni los requisitos de los recursos administrativos y su presentación interrumpe los plazos establecidos en la normativa sobre recursos administrativos o judiciales.

Además la existencia o formulación de estas quejas no condiciona el ejercicio de acciones o derechos que correspondan a los que, de acuerdo con la ley, se consideren interesados en el procedimiento.

12. EVALUACIÓN DE LA CALIDAD DE ORGANIZACIONES PÚBLICAS

La evaluación permite a una organización conocer su grado de progreso en relación con la Calidad total, identificando sus puntos fuertes y áreas de mejora.

La evaluación puede ser llevada a cabo por el propio equipo directivo de la organización en cuyo caso estamos ante una autoevaluación o por un equipo autorizado de expertos externos. Es conveniente que sean los equipos directivos quienes realicen la autoevaluación, identifiquen sus áreas de mejora y actúen sobre ellas, para, más adelante, invitar a un equipo de evaluadores externos que les sirvan de contraste.

Toda autoevaluación debe apuntar a cuatro objetivos:

— Formativo y de reflexión para lo cual el equipo debe formarse en el modelo y, tomándolo como referencia, analizar como está gestionada su organización.

— De comunicación pues la autoevaluación debe ser realizada contrastando y consensuando sus valoraciones es un buen instrumento de convergencia de opiniones.

— Evaluación de la situación de la organización.

— Identificación de las áreas de mejora.

Una vez concluida la autoevaluación las siguientes fases consisten en priorizar las áreas de mejora y desplegar los planes de acción para intervenir en ellas.

13. EVALUACIÓN DE LOS ÓRGANOS Y ORGANISMOS DE LA ADMINISTRACIÓN GENERAL DEL ESTADO

La evaluación de los órganos y organismos de la AGE se debe llevar a cabo de modo armonizado mediante un nivel mínimo o conjunto de modelos y parámetros de calidad oficialmente aprobados por el MINHAP sin perjuicios de los que de modo adicional o especial se apliquen en los diferentes departamentos ministeriales.

La evaluación organizacional se articula en dos escalones: autoevaluación y evaluación externa.

a) Autoevaluación

Es una actividad habitual y regular de autocontrol mediante la cual la propia organización analiza sus procesos de funcionamiento y resultados de gestión a fin de identificar los puntos fuertes y deficiencias y determinar los oportunos planes de mejora.

b) Evaluación externa

Es un proceso mediante el cual las unidades o gabinetes encargadas de coordinar los programas de calidad en su ministerio realizan un examen agregado de ámbito y extensión ministerial, a fin de optimizar los resultados de la autoevaluación y de los planes de mejora establecidos.

Este examen agregado consiste en la validación de las autoevaluaciones en curso o en la realización de evaluaciones conforme a modelos oficialmente aprobados por el MINHAP y llevados a cabo por la Inspección General de Servicios del Departamento que deberán servir para iniciar a las organizaciones evaluadas en la práctica de la autoevaluación.

Parra llevar a cabo la autoevaluación el órgano u organismo afectado debe tomar como referencia el modelo más adecuado a su situación de entre los que estén oficialmente aprobados durante los preparativos pueden contar con el apoyo de las unidades o gabinetes encargados de la coordinación de programas de calidad en el Ministerio así como el apoyo que proporcione la Secretaría General Técnica.

Es importante que estas tareas directas de autoevaluación sean llevadas a cabo por organismos de gestión sin involucrar a los organismos de control (inspección general de servicios) en una primera fase toda vez que estos deben actuar a posteriori para evitar que se invalide disminuya la eficacia del sistema.

Las organizaciones autoevaluadas deben, consecuentemente, elaborar planes o programas de mejora y para su desarrollo puede contar con el asesoramiento de las unidades departamentales de evaluación externas al organismos evaluado (Inspección General de Servicios) a fin de identificar mejores prácticas y promover la transferencia de criterios y métodos derivados y aprendidos de la iniciativas de mejora implantadas.

Además las organizaciones deben examinar el cumplimento de objetivos en la siguiente autoevaluación que se lleve a cabo.

Con todo corresponde a la Secretaria General para la Administración Pública del MINHAP coordinar y seguir el proceso de implantación, desarrollo y utilidad de las iniciativas de mejora implantadas mediante el análisis y procesamiento de contenidos a fin de poder establecer la aplicación comparativa a de los mismos entre los organismos que estime similares en esos aspectos.

Modelos estándares sino más bien la utilización de dichos modelos como elemento dentro de un modelo marco construido a medida.

Hay que tener en cuenta que muchas organizaciones han logrado su objetivo de calidad aplicando algún modelo de autoevaluación basado en algún premio de calidad (premio Deming en Japón, premio Baldrige en Estados Unidos, Premio Europeo de Calidad en la Unión Europea).

La idea fundamental de estos modelos estándar, es que una institución solo puede trabajar orientada a la calidad si tiene un apoyo decidido y proactivo de la dirección y además debe manifestarse en una satisfacción de los trabajadores, en los clientes o usuarios y en definitiva en la proyección de una correcta imagen social de la organización de que se trate.

El modelo de autoevaluación está fundado en la consideración de que nadie se conoce mejor de uno mismo, pero para que tenga posibilidades de éxito, la evaluación debe estar integrada en el sistema de planificación operativa y estratégica de la empresa.

El modelo de autoevaluación más utilizado en la unión Europea es el definido por la Fundación Europea para la Gestión de la Calidad (EFQM) que tiene dos aspectos uno de carácter teórico que pretende el logro de la satisfacción de todos los interesados de dentro y fuera en el entorno organizacional y otro como herramienta de gestión para el logro de la mejora continua y permanente y se compone de dos bloques, uno relativo a los agentes que examina el modo en que la organización consigue resultados analizando la aplicación del enfoque tanto de modo vertical como horizontal en todas las áreas y actividades (liderazgo, política y estrategia, gestión de personal, recursos, y procesos) y otro relativo a los resultados que se refiere a los logros conseguidos comprobando hasta que punto se han cumplido las expectativas de las actividades de la organización (satisfacción de clientes o usuarios, satisfacción del personal, impacto social y resultados del negocio — eficacia y eficiencia). Debido a su importancia dedicamos un apartado especial al examen del modelo EFQM en las Administraciones Públicas en España.

Al igual que los sistemas de aseguramiento de la calidad, también los modelos de evaluación tienen ventajas e inconvenientes. Entre las primeras, cabe mencionar, la posibilidad de comparación entre las organizaciones, se trata de una estrategia universal practicada por organizaciones de todo tipo, es un modelo pensado para establecer un plan de mejora a medio y largo plazo, permite medir la situación actual y las situaciones futuras, como inconveniente se menciona que los modelos de autoevaluación consisten en un sistema para evaluar la situación de calidad global de una organización pero no suponen mejora de la calidad.

14. MODELO DE EVALUACIÓN, APRENDIZAJE Y MEJORA

El modelo diseñado por el Ministerio de Administraciones Públicas (8) de evaluación, aprendizaje y mejora (modelo EVAM) permite llevara cabo, sobre la base de la identificación de puntos fuertes y áreas de mejora, un diagnóstico organizacional con metodología propia proveniente de la experiencia acumulada en los procesos de autoevaluación y modelos validados por la Administración pública, aconsejando medidas para mejorar continuada de la organización.

Los objetivos del modelo EVAM son los siguientes:

— La evaluación externa de organizaciones que no han iniciado procesos de autoevaluación.

— Promover el proceso de evaluación de organizaciones de la Administración General del Estado (AGE).

— Facilitar la propia incorporación del modelo al proceso general de evaluación.

— Servir de instrumento inicial de evaluación que facilite los primeros pasos hacia la excelencia organizativa.

---

(8)   Posteriormente, Ministerio de Hacienda y Administraciones Públicas.

— Suministrar los métodos y medidas que permitan, en cada caso, la mejora en materia de gestión.

El despliegue del moleo EVAM se lleva a cabo en varias fases: Proceso de evaluación, ejes del modelo EVAM, aspectos que incluye cada uno de los ejes del modelo, materias a evaluar desarrolladas en cada uno de los ejes del modelo y propuesta de recomendaciones que favorecen el desarrollo del modelo.

14.1. Proceso de evaluación

El proceso se lleva a cabo mediante cuestionario que el equipo evaluador utiliza entrevistando a los directivos de la organización explicando el sistema a seguir. La aplicación del modelo a organizaciones que no hayan llevado a cabo ningún tipo de autoevaluación está prevista en dos etapas sucesivas:

Primera etapa Se evalúan las cuestiones básicas de cada uno de los ejes de la organización y si no se da cumplimiento a las cuestiones de esta primera etapa este eje no se evaluará en la segunda etapa. En este caso los evaluadores dan a la organización recomendaciones para la mejora de los ejes usando un documento marco y manuales de actuación.

Segunda etapa: los evaluadores continúan en cada uno de los ejes de evaluación, durante la misma deben aportarse evidencias que soliciten los evaluadores conforme a los esquemas definidos en el cuestionario de evaluación.

Como fase final el equipo evaluador presenta a la organización un informe de la evaluación que contenga:

— Resultados que la organización alcanza en cada uno de los ejes de evaluación.

— Áreas de mejora y puntos fuertes detectados.

— Si no se ha superado la primera etapa se redactan unas recomendaciones para mejora de cada uno de los ejes que la organización deberá desarrollar.

— Dependiendo de los resultados de la segunda etapa el equipo evaluador redactará unas recomendaciones que la organización deberá desarrollar para garantizar la mejora de los resultados obtenidos.

14.2. Ejes del modelo EVAM

Los ejes de evaluación son cinco:

— Eje 1: Política, planificación y estrategia a través del liderazgo.

— Eje 2: Procesos

— Eje 3: Personas

— Eje 4: Alianzas y recursos

— Eje 5: resultados

La lógica que subyace en este sistema de evaluación es la dinámica del ciclo Plan, desarrollo, control y actuación (PDCA) de tal modo que el orden de presentación de los ejes y aspectos de evaluación es el siguiente:

— Definición de la política y estrategia de la organización basada en políticas públicas, de acuerdo a los requisitos de los usuarios de servicios y ciudadanos en general y de la comunicación interna y externa de la organización.

— Despliegue de la política y estrategia mediante los planes operativos que muestren los objetivos organizativos.

— Planificación y despliegue de los procesos de acuerdo a la política y estrategia previas.

— Gestión de recurso adecuada a estos parámetros. Recursos humanos, materiales y alianzas.

— Determinación de los mecanismos de seguimiento y control del grado de cumplimiento de la política y estrategia organizativa.

— Planificación y desarrollo de la mejora en función de los resultados a fin de garantizar la consecución de la política y estrategia de la organización.

14.3. Aspectos que componen cada eje del modelo

1) **Política, planificación y estrategia:** La política y estrategia se desarrolla a través del liderazgo y se comunica y despliega a través de un esquema de procesos clave.

2) **Procesos**: Diseño y gestión de los procesos, introducción de mejoras en los mismos; diseño de servicios sobre las expectativas de los usuarios, gestión y mejora de las relaciones con clientes y usuarios.

3) **Personas**: Planificación, gestión y mejora de los recursos humanos, identificación, desarrollo y capacidad de las personas de la organización.

4) **Alianzas y recursos:** Gestión de proveedores, gestión presupuestaria, de edificios, equipos y materiales, de tecnología de información y del conocimiento.

5) **Resultados**: en clientes, en personas y resultados clave.

14.4. Cuestiones a evaluar

En una primera etapa las cuestiones a evaluar son las siguientes:

Eje 1: que los clientes/ usuarios de los servicios que presta la organización están identificados y que la política y estrategia de la organización están definidas.

Eje 2: que los procesos de la organización está identificados.

Eje 3: que la organización emprende efectivamente, acciones en materia de personal.

Eje 4: que las necesidades de recursos para el correcto despliegue de los procesos están identificadas.

Eje 6: que la organización lleva a cabo mediciones periódicas.

En la segunda etapa las cuestiones a evaluar son más concretas y diversificadas dentro de cada eje y aspecto.

14.5. Propuestas de actividades asociadas (recomendaciones) para favorecer el desarrollo de los diversos aspectos que componen el modelo EVAM

Estas propuestas incluyen los siguientes puntos:

— Aspectos a evaluar en cada uno de los ejes de evaluación.

— Cuestiones que componen cada eje de evaluación.

— Propuesta de actividades concretas a desarrollar por las organizaciones (recomendaciones) para dar cumplimiento, si es preciso, a los aspectos determinados del modelo EVAM. En función de las actividades propuestas para dar respuesta a cada uno de los aspectos y ejes de evaluación, han sido elaborados los Manuales de Actuación para facilitar a las organizaciones, de forma breve y práctica el desarrollo de las mismas.

Recomendaciones en cuanto a los directivos, procesos, canales de comunicación, objetivos, diseño de servicios, mejora de relaciones con ciudadanos, gestión de recursos humanos, alianzas externas, gestión de material e información. También se incluyen recomendaciones en cuanto a los resultados.

14.6. Documento marco y manuales de actuación

Para facilitar la interpretación de las recomendaciones por las unidades evaluadas así como el despliegue del modelo EVAM hay dos tipos de documentos:

— El documento marco que recoge el orden lógico de los pasos que debiera seguir una organización para la implantación del modelo.

— Los manuales son documentos más resumidos y prácticos para conducir a la organización en el desarrollo y puesta en práctica de recomendaciones de algunas actividades en función de los resultados obtenidos en la evaluación.

15. RECONOCIMIENTO A LA MEJORA DE LA CALIDAD E INNOVACIÓN

Este programa tiene por finalidad contribuir, mediante el reconocimiento de las organizaciones, a la mejora de la calidad e innovación en la gestión pública a través del reconocimiento a la excelencia y los premios a la calidad e innovación en la gestión pública.

Reconocimiento a la excelencia

Consiste en la certificación, por parte del Ministerio de Administraciones Públicas, de las organizaciones conforme a los modelos que gestión de calidad oficialmente reconocidos y la concesión de un sello de acuerdo con el grado y nivel de excelencia comprobado.

Pueden solicitar esta certificación, siguiendo el procedimiento que se determine oportunamente, aquellas organizaciones que hayan realizado su correspondiente autoevaluación de acuerdo con lo legalmente previsto.

Para fomentar e incentivar la aplicación y desarrollo de la calidad se establecieron los premios a la calidad e innovación en la gestión pública destinados a reconocer y galardonar a las organizaciones públicas que se hayan distinguido en alguno de los siguientes ámbitos:

— La excelencia de su rendimiento global por comparación a modelos de referencia reconocidos.

— La innovación en la gestión de la información y del conocimiento, así como de las tecnologías.

— La calidad e impacto de las iniciativas singulares de mejora implantadas.

Estos Premios de calidad e innovación en la gestión pública, se convocan por Orden del MAP, y están abiertos a los diferentes ámbitos de las Administraciones Públicas:

— Administración general del Estado.

— Comunidades y Ciudades Autónomas.

— Administración Local.

— Otras entidades del Sector Público.

Además los diferentes departamentos ministeriales de la AGE deben desarrollar en sus propios ámbitos un primer escalón de premios referidos a sus propios órganos, organismos y entes adscritos y respecto a las propias competencias ministeriales.

Estos premios departamentales deben configurarse tal modo que estas convocatorias ministeriales resulten un tipo de preselección para participar con los premios a la de premios de calidad e innovación en la gestión pública y de este modo promover la participación de mayor número de organizaciones preseleccionadas.

16. OBSERVATORIO DE LA CALIDAD DE LOS SERVICIOS PÚBLICOS

El Observatorio de la Calidad de los servicios públicos es una plataforma de análisis periódico y uniforme de la percepción ciudadana acerca de los servicios públicos de la Administración, con el fin de proponer iniciativas generales de mejora y facilitar a los ciudadanos información global sobre la calidad en la prestación de servicios.

El Observatorio es un órgano de carácter colegiado adscrito al MAP a través de la Secretaría General para la Administración Pública que está formado por representantes de la administración y de los usuarios (9) y en su formación debe adecuarse al criterio de paridad entre hombres y mujeres.

En cada momento el Observatorio debe llevar a cabo análisis de los servicios públicos de mayor demanda ciudadana y relevancia social.

Los datos utilizados en estos análisis son los procedentes de las evaluaciones de satisfacción de los usuarios, pero en razón de la importancia de los objetivos pueden utilizarse otro tipo de datos de mayor concreción que se requerirán a los organismos prestadores sobre la base de una regulación de procedimientos específicos de colaboración que la normativa de calidad denomina protocolos de actuación.

Pero en la satisfacción sobre los servicios públicos no solo se refleja en los usuarios directos de los mismos sino en la opinión pública en general que tienen una percepción de su funcionamiento y eficacia por ello el observatorio también incluye el examen de los datos de percepción ciudadana acerca de los servicios públicos que se obtienen mediante la elaboración de encuestas y estudios de opinión que encargará la Administración.

El esquema de procedencia de datos que examina el observatorio es el siguiente:

(9) De los órganos y organismos prestadores de los servicios así como de diferentes agentes socioeconómicos.

a) Datos procedentes de los usuarios de los servicios que transmiten grado de satisfacción con el servicio público concreto.

b) Datos procedentes de la ciudadanía que transmiten la percepción de la opinión pública sobre el servicio público concreto.

También se prevé cuidar la imagen ante los medios especializados de manera que el Observatorio establezca un sistema de comunicación con informadores representativos de los agentes socioeconómicos a fin de completar la valoración de la calidad de los servicios ofertados y fomentar al tiempo la participación ciudadana.

Estos informadores clave son propuestos por los órganos de representación y participación constituidos en la AGE o por las entidades sociales más representativas y serán designados por el Secretario General para la Administración Pública.

Con todo la normativa establece una especie de rendición de cuentas del Observatorio pero no se establece ante que órgano ni un periodo o lapso de tiempo de los informes como suele ser común en los órganos de control, aquí simplemente se establece que el Observatorio informará periódicamente del nivel de calidad con el que se prestan los servicios públicos y anualmente presentará y difundirá públicamente un informe de evaluación global del conjunto de los servicios públicos analizados, así como la derivada de la aplicación de otros programas de calidad.

Este informe anual debe incluir las conclusiones y recomendaciones o propuestas de mejora derivadas del examen conjunto de toda la información.

Aunque la norma ha eludido pronunciarse sobre esta cuestión es d destacar la mejora que supondría el que estos informes tuvieran que publicarse necesariamente en el Boletín Oficial del Estado tanto para su constancia difusión y valoración oficial, como por lo que el mismo hecho de su aparición en el periódico oficial supondría de acicate para la calidad y puntualidad de los informes a lo largo del tiempo.

Además de estos programas también se prevé que los órganos y organismos de la AGE que desarrollen iniciativas propias de calidad no previstas en esta normativa deben suministrar al MINHAP (Secretaría General para la Administración Pública) información sobre las mismas a efectos de su incorporación al informe de evaluación global del Observatorio.

17. COMPETENCIAS ADMINISTRATIVAS EN MATERIA DE CALIDAD DE LOS SERVICIOS PÚBLICOS

Se ha indicado que los titulares de órganos y organismos son responsables de la implantación y desarrollo de los programas a, b, c y d que deben ser coordinados por las unidades de coordinación y seguimiento designadas en cada ministerio.

Por su parte al MINHAP le corresponde respecto a los mismos impulsar, coordinar y seguir globalmente estos programas de mejora de la calidad en la AGE pero también le corresponde la gestión de los programas relativos al reconocimiento y Observatorio.

Por su parte la Secretaría General para la Administración Pública desarrolla en esta materia diversas funciones:

a) Relativas al Marco general para mejora de la Calidad en la AGE:

— Coordinar y garantizar la integración y seguimiento de los programas.

— Elaborar directrices prácticas de aplicación de los programas.

— Impulsar, asesorar y apoyar a las unidades responsables de los órganos y organismos sobre el desarrollo de los programas de calidad.

— Armonizar y desarrollar los programas y acciones de formación en materia de calidad.

— Recibir información sobre iniciativas sobre calidad.

— Representar a la Administración española en organismos y foros internacionales en materia de su competencia.

b) Relativas al Programa de análisis de la demanda y de evaluación de la satisfacción de los usuarios:

— Impulso a la implantación de metodologías sobre detección de necesidades y medición de la satisfacción de los usuarios.

— Elaborar y armonizar parámetros generales para analizar y medir la satisfacción con los servicios públicos.

— Establecer metodologías y garantías de fiabilidad de los trabajos de investigación de opinión que se encomienden.

c) Relativas al Programa de Cartas de Servicios:

— Establecer directrices metodológicas de elaboración de la Cartas de Servicios y los procedimientos de actuación para la Cartas de Servicios de gestión compartida.

— Emitir informe previo a la aprobación de cada Carta de Servicios.

— Certificar las Cartas de Servicios a petición de las organizaciones interesadas.

— Llevar a cabo el seguimiento global de cumplimiento de compromisos en la s Cartas, así como las medidas de subsanación aplicadas.

d) Relativas al Programa de evaluación de organizaciones:

— Colaborar con los órganos y organismos interesados en la implantación y seguimiento de Programas de evaluación.

— Determinar los modelos de gestión de calidad reconocidos oficialmente.

— Diseñar y promover el uso del modelo de aprendizaje e innovación en calidad para evaluaciones.

— Coordinar el proceso global de evaluación.

e) Relativas al Programa de reconocimiento:

— Certificar organizaciones públicas conforme a los modelos de gestión de la calidad.

— Certificar la capacitación de los funcionarios como evaluadores de organizaciones públicas candidatas a premios.

— Gestionar el proceso de los premios de calidad.

f) Relativas al Observatorio de la Calidad de los servicios

— Organizar la recogida y análisis de datos y suscribir protocolos de actuación con órganos y organismos afectados, encargar realización de estudios, gestionar el panel de informadores clave y elaborar los informes periódicos y el informe anual sobre nivel de calidad de los servicios públicos.

Como complemento de las disposiciones el Real Decreto 951/ 2005 incluye una serie de incentivos al rendimiento por participación de funcionarios en los programas de calidad que consisten en la percepción de un complemento especial de productividad que con varias limitaciones y directrices sobre su plazo máximo de devengo y sistema de distribución se establece en la medida que se alcancen los resultados previstos según las correspondientes evaluaciones de calidad.

No deben finalizarse estas líneas sin hacer referencia a la labor del Ministerio de Administraciones Públicas que viene llevando a cabo una importante labor para la mejora de la calidad en la Administración Pública y al Instituto Nacional de Administración Pública por la importante función en materia formación e información del personal al servicios de las Administraciones públicas en materias de calidad de los servicios públicos.

Capítulo 30

Las agencias estatales y su régimen jurídico administrativo

La Ley 28/2006 de Agencias Estatales para la mejora de los servicios públicos fue justificada por la necesidad de satisfacer la demanda ciudadana en materia de calidad y que por ello ha venido a complementarse con otras iniciativas recientemente aprobadas sobre mejora de la calidad en los servicios públicos de la Administración General del Estado y que pretende corregir determinadas disfunciones en el modelo actual de organismos públicos en la Administración pública estatal, en muchos casos derivadas tanto de la rigidez que presenta el actual modelo y maneras de la gestión pública como la escasa autonomía con que cuentan los diversos organismos para conseguir sus metas y objetivos.

1. FUNDAMENTOS

Las insuficiencias del sistema actual que ha quedado obsoleto, han provocado la creación de una considerable cantidad de organismos públicos de variada taxonomía que trataban de buscar, en el sistema de traje a medida, hacia la mejora en la eficacia, eficiencia y mejora en la gestión, que en la mayoría han consagrado la ya clásica huída hacia ámbitos del derecho privado al margen de las garantías que contienen los sistemas generales de gestión pública en la Administración.

Pero con el nuevo sistema, que consagra la reciente Ley de Agencias Estatales, se quiere variar esa tendencia tratando de enmarcar un funcionamiento de eficacia y responsabilidad por resultados en el ámbito público mediante un cambio en las categorías de organización.

El objetivo general de este nuevo enfoque organizativo y funcional de los organismos públicos que se plantea en la nueva ley consiste en que los ciudadanos puedan visualizar de modo claro y comprensible cuales son los fines de los diferentes agencias públicas, los resultados de la gestión encomendada a cada una de ellas, así como el modo en que se responsabilizan sus gestores en el caso de incumplimiento de objetivos decididos con antelación.

Las agencias, como se ha dicho, constituyen una nueva forma de organización administrativa dotada de mayor grado de autonomía y flexibilidad en la gestión que además refuerza los mecanismos de control que en la actualidad constituyen uno de los pilares de mejor legitiman la actuación de la administración.

La puesta en marcha de este nuevo sistema de organización administrativa responde a una necesidad y además supone la ocasión de poner en marcha un escenario más oportuna para la mejora de la prestación de los servicios que corresponden a la administración estatal como apunta el propio preámbulo de la ley esta necesidad deriva de un compromiso que deben asumir los poderes públicos de satisfacer las demandas ciudadanas con el nivel de calidad y eficacia que actualmente está exigiendo la sociedad lo cual requiere un nuevo enfoque organizativo y funcional de los organismos públicos.

Pero además, con razón se ha dicho en diferentes ámbitos de su tramitación parlamentaria que no conviene dejar pasar la oportunidad, en la actual coyuntura de reformas en la Administración, de implantar un nuevo modelo y una nueva cultura de gestión que, frente al modelo tradicional burocrático (1), ponga el acento en los valores de eficacia eficiencia y calidad, debiéndose subrayar la necesidad y oportunidad de una nueva cultura de legitimación por resultados que permita lograr una administración más operativa que responda mejor a las necesidades reales del ciudadano.

2. PRINCIPIOS BÁSICOS DE LA LEY

Es el espíritu que informa la Ley de Agencias Estatales en la que pueden destacarse seis principios básicos en materia de gestión pública de la Administración:

a) El primero se refiere a la transparencia de los servicios públicos de modo que el ciudadano pueda visualizar con facilidad los organismos o entidades responsables de cada servicio público y que tipo de compromisos asumen estos organismos en la prestación de estos servicios.

b) El segundo, la implantación de un sistema de gestión por objetivos, mediante el cual se implanten mecanismos y herramientas que permitan que los controles departamentales sobre los organismos responsables de la gestión se dirijan a la verificación de resultados y productos previstos, programados y cuantificados mediante indicadores referenciales adecuados.

c) El tercer principio se refiere a la autonomía de gestión y asunción de los gestores de responsabilidad por los resultados obtenidos, de manera que la actividad directiva en el sector público lleve aparejada una responsabilidad por los resultados que se obtengan en la gestión, para ello debe dotarse a todos ellos de

---

(1) Válido, básicamente, para el ejercicio de competencias reguladoras de la Administración.

un mayor grado de autonomía sobre los medios puestos a su disposición, para alcanzar los objetivos establecidos del que, por lo general, gozan en la actualidad.

d) El cuarto principio en materia de gestión, consiste en el reforzamiento e incentivo para la utilización habitual de tres clases de herramientas de gestión:

— La planificación.

— El diseño de políticas.

— La distribución de la responsabilidad en diferentes escalones de la administración.

De este modo por un lado deberán ser potenciados, en departamentos y unidades responsables, los instrumentos de diseño de estrategias, formulación de políticas y control de resultados, con el nivel de responsabilidad pública que corresponda en cada ámbito competencial, en todo caso con un flujo de responsabilidad gestora, también llamada responsabilidad operativa, hacia organizaciones autónomas responsables de la prestación de los servicios públicos.

e) El quinto principio hace referencia a la cooperación interadministrativa y participación institucional, lo cual conlleva la articulación de mecanismos de colaboración y de cooperación entre distintos niveles de administración y entre ellos y los agentes sociales para hacer frente a desafíos cada vez más complejos.

f) Por último el sexto principio es el de evaluación de las políticas públicas y la calidad de los servicios, dotando a la administración estatal de organismos especializados en este tipo de controles lo cual permitirá evaluar el grado de eficacia con el que se prestan los servicios públicos así como la escala de satisfacción de la sociedad en relación con el funcionamiento de la Administración pública estatal.

3. CATEGORÍA Y RÉGIMEN JURÍDICO

Las agencias estatales constituyen, principalmente, una categoría de organización a la que se dota, dentro del ámbito público, de mayor autonomía y flexibilidad para la gestión a través de instrumentos cuya utilización tienda a la mejora en los resultados en la prestación de servicios públicos asentando este nuevo sistema administrativo en dos pilares básicos: la responsabilidad y retribución de los gestores exigible en función de los resultados y la presencia permanente de los sistemas de control de resultados a través de una herramienta consistente en un programa plurianual que ha venido regulando la Ley General Presupuestaria al regular los requisitos de financiación de las sociedades estatales que con la denominación de contrato de gestión se incluye en la Ley de Agencias como contrato plurianual de gestión que debe establecer una serie de elementos para su periodo de vigencia.

Pero además de este instrumento de gestión la Ley de agencias establece una cabeza de puente en lo que se refiere a la regulación de las nuevas figuras de gestor públicos en el siglo actual pues adelanta la potenciación del directivo público configurando una figura de profesional de la administración auténticamente responsable por los resultados de su actividad otorgándole capacidad y atribuciones para adoptar decisiones sobre los medios que tiene a su cargo a fin de facilitar el logro de los resultados sobre los que haya asumido un compromiso de obtención, para hacer esto verdaderamente efectivo la ley utiliza en modelo retributivo vinculando el complemento de productividad al grado de cumplimiento de los objetivos establecidos en el contrato de gestión.

El nuevo texto legal establece el régimen jurídico, naturaleza, constitución y funcionamiento de las agencias estatales que se creen para la gestión de programas correspondientes a políticas públicas de competencia estatal, se trata de entidades dotadas de personalidad, patrimonio y autonomía en su gestión facultadas para ejercer potestades administrativas que serán creadas por el ejecutivo para cumplimiento de programas incluidos en las políticas públicas que desarrolle la Administración General del Estado en el ámbito de sus competencias.

Por ello puede decirse que las Agencias estatales deberán regirse por el régimen jurídico establecido en su propio estatuto y en la Ley de Agencias y por ello tendrán que regirse por estas normas y no por otras a diferencia de lo que ocurría con la Ley 6/1997 de 14 de abril de organización y funcionamiento de la Administración General del Estado que admitía además de organismos públicos exceptuados del régimen general también la posibilidad de admitir peculiaridades en los régimen de personal, patrimonial, fiscal y patrimonial.

Las agencias estarán dotadas de mecanismos de autonomía funcional, responsabilidad por la gestión y control de resultados y se regirán por la Ley de Agencias Estatales para la mejora de los servicios públicos, por su propio estatuto y supletoriamente por la normativa aplicable a las entidades estatales de derecho público

4. REQUISITOS Y PROCEDIMIENTOS DE CREACIÓN

La Ley de Agencias estatales para la mejora de los servicios públicos tiene un ámbito de regulación material referido a la Agencias que desarrollen competencias estatales y gestionen servicios propios de la Administración general del Estado aunque también está prevista la participación de las Comunidades Autónomas en los órganos de gobierno de las agencias en todos los casos en que se a conveniente y necesario, como, por otra parte ocurre en la actualidad con diversos organismos públicos de naturaleza estatal.

Una Agencia estatal solo puede crearse si previamente las Cortes han dado autorización mediante una ley que deberá establecer el objeto y los fines generales de la Agencia, que se produce por la aprobación de su Estatuto por Real Decreto adoptado a propuesta conjunta de los Ministerios de Administraciones Públicas y Economía y Hacienda la ley que autoriza la creación establece el objeto y los fines generales de la agencia estatal que se crea (2).

La creación de Agencias estatales requiere una autorización por una ley que establezca el objeto y los fines generales de la Agencia que se autoriza. El procedimiento general de autorización para las agencias exige la aprobación previa de su Estatuto y Memoria que serán redactados por el Departamento ministerial cuya competencia corresponda al objeto y fines generales de la Agencia, para ello, una vez que esté en vigor la ley que autorice al Gobierno a crear una agencia, deberá seguirse un procedimiento que, a grandes rasgos sigue las varias fases: iniciativa del ministerio interesado que elabora un proyecto de Estatuto y de Memoria cuyos contenidos se indican más adelante y serán el antecedente de la Ley que autorice la creación de la agencia, examen y aprobación del estatuto y la Memoria y publicación del real decreto de creación de la Agencia.

Sin embargo la Ley 28/2006 de 18 de julio de Agencias Estatales para los Servicios Públicos dio autorización al Gobierno, en sus Disposiciones adicionales primera, segunda y tercera, para crear varias agencias estatales incluyendo en cada uno su objeto y fines generales, de este modo habrá dos tipos de agencias, s autorizadas por la Ley de Agencias y otras posteriores que tendrán que ser autorizadas por una Ley específica, previa aprobación del Estatuto y la Memoria. Las agencias mencionadas en estas disposiciones adicionales de la Ley de Agencias Estatales disponen ya de autorización legal de creación antes de haber tenido aprobado o redactado el Estatuto y la Memoria.

Pero con la Ley de Agencias también cabe la posibilidad de transformar en Agencias aquellos organismos públicos cuyos objetivos y actividades se puedan corresponder con los de las agencias estatales, lo cual consiste en una habilitación para la adaptación de los organismos existentes y con ello la puesta en marcha de un proceso que posibilita la renovación de gran parte de la Administración estatal, pues el modelo de Agencias previsto en la Ley se encuentra abocado a generalizarse a los organismos públicos que tengan posibilidad de transformarse en agencias estatales para lo cual se concede al Gobierno un plazo de dos años.

No obstante también hay que tener en cuenta que antes del próximo veinte de julio de 2007 el Gobierno deberá remitir a las Cortes un informe sobre los actuales Organismos públicos y fundaciones donde se indique la viabilidad de su transformación en Agencias estatales.

---

(2)   Actualmente ambos ministerio unificados en el Ministerio de Hacienda y Administraciones Públicas (MINHAP).

Por lo que hace a los requisitos para la creación la ley de Agencias Estatales establece que el Estatuto de las agencias deberá incluir, como mínimo, el siguiente contenido:

1 Funciones a desarrollar por la Agencia estatal y en su caso las facultades decisorias correspondientes a las competencias estatales que se atribuyan a dicha agencia.

2 Determinación de su sede, estructura orgánica, con la concreción de los órganos de gobierno que se creen así como las facultades de cada uno de ellos, forma de designación de sus componentes, régimen de funcionamiento y desarrollo de la actividad, con indicación de los actos y resoluciones que sean definitivos en vía administrativa.

3 Los medios personales, materiales y económico-financieros y patrimonio que se adscribe a la agencia.

4 La determinación del carácter temporal de la agencia si procede determinando en su caso los objetivos a que se vincule su vida o el plazo de duración.

5 También podrá prever la participación de otras administraciones públicas en el Consejo rector en los términos que se determinen en el propio Estatuto.

6 Además la ley de Agencias establece la posibilidad de que los estatutos también puedan incluir la participación de otras administraciones públicas en el Consejo rector de la Agencia, en este sentido hay que recordar que se trata de organismos para la ejecución de políticas estatales por ello este es un instrumento en que se brinda la posibilidad de colaboración a las administraciones públicas territoriales de participar en las políticas del Estado y constituye un instrumento de colaboración interadministrativa en sectores concretos lo cual puede redundar en una gestión más coordinada de muchas materias y en beneficio de los ciudadanos.

Por su parte la Memoria, otro de los documentos que deben elaborar los ministerios competentes afectados por razón de la materia de que se trate, deberá precisar el objeto de la agencia que pretende crearse, justificando la previa autorización por Ley, además debe precisar y justificar el objeto de la Agencia y los objetivos perseguidos con su creación, indicando las consecuencias organizativas, económico-financieras derivadas de la creación de la Agencia (es decir si se crea estructura nueva porque se desarrollan nuevas funciones o si por el contrario se transfiere estructura que figure en otra unidad administrativa existente). También debe contener información sobre el rango orgánico de sus órganos directivos, los recursos humanos necesarios, las retribuciones del personal y la propuesta del marco de actuación en materia de recursos humanos, todo lo cual implica unos criterios de decisión. Además la memoria deberá incluir un Plan inicial de actuación que tendrá funcionamiento hasta que se apruebe por ella el primer contrato de gestión, hay que señalar la importancia de este plan inicial pues es el elemento que permitirá la puesta en marcha de los nuevos organismos y cuyo desarrollo servirá para comprobar las mejoras que son necesarias cuando se redacten los contratos de gestión sucesivos.

Comos se ha apuntado antes, el ministerio de iniciativa deberá remitir los proyectos de Estatuto y Memoria de la futura Agencia al Ministerio de Hacienda y Administraciones Públicas a los Ministerios de Administraciones Públicas y Economía y Hacienda para examen y aprobación de su contenido de acuerdo con las indicaciones legales y una vez aprobados ambos documentos se procederá por estos departamentos junto con el de iniciativa a la tramitación conjunta del real decreto aprobatorio del estatuto de la agencia y una vez en Vigor, la constitución y puesta en funcionamiento de la Agencia se producirá en los términos que haya previsto el propio estatuto. Por ello vemos que si la memoria de las agencias estatales es el documentos que justifica la necesidad de su creación y dotación de medios personales, materiales y financieros, el estatuto es la norma constitucional que rige la vida de la agencia una vez que haya sido creada por el real decreto del gobierno, con ello se propicia que la dinámica de cada agencia pueda adaptarse a las necesidades de su objeto y fines generales, lo cual también se permite en materia de organización toda vez que la ley permite que los estatutos puedan tener, sobre un mínimo homologado general para todas, un contenido diferente.

5. SISTEMA ORGANIZATIVO DE LAS AGENCIAS ESTATALES

Las agencias se estructuran en los órganos de gobierno, ejecutivos y de control y se adscriben a los ministerios que hayan ejercido la iniciativa de su creación en los Términos establecidos en los Reales Decretos aprobados.

Los máximos órganos de gobierno son el Presidente y el Consejo rector pudiendo preverse otros órganos en el Estatuto, el primero es nombrado y separado por Consejo de Ministros a propuesta del ministro de adscripción. Los miembros del Consejo Rector son nombrados por el ministerio de adscripción siendo miembro nato el Director de la Agencia, además en las agencias con objeto interministerial, cada uno de los ministerios responsables de las funciones encomendadas debe contarse al menos con un representante del Consejo rector.

Este órgano de gobierno es competente para proponer el contrato de gestión de la agencia, la aprobación de objetivos y planes de acción, anuales y plurianuales, así como los criterios de medición del cumplimiento de objetivos y el grado de eficiencia en la gestión, también la aprobación del anteproyecto de presupuestos anuales y el informe general de actividad y las cuentas anuales. También hay un órgano ejecutivo de la agencia que el director y una comisión de control que informará al Consejo rector acerca de la ejecución del contrato de gestión.

En cualquier caso las atribuciones mínimas que tiene que tener el Consejo Rector de todas las agencias son ocho:

1 Propuesta del contrato de gestión de la Agencia.

2 Aprobación de objetivos y planes de acción, anuales y plurianuales, así como los criterios que se sigan para medir el cumplimiento de objetivos y grado de eficiencia en la gestión.

3 Aprobación del anteproyecto de Presupuestos anual y contrataciones de la agencia.

4 Control y exigencia de responsabilidad al Director.

5 Seguimiento, supervisión y control de la agencia, aprobación de informes sobre actividad de la Agencia, aprobación de cuentas anuales y criterios de selección de personal.

Uno de los aspectos que mejor caracterizan las nuevas agencias estatales, respecto de otros centros y organismos de la Administración, es la gestión transparente por objetivos, de modo que la actuación de las agencias se produce, con arreglo a un Plan de acción anual, bajo la vigencia de un contrato plurianual de gestión donde deben recogerse por un lado loas compromisos concretos de la agencia y, además, los medios necesarios para alcanzarlos.

En concreto la ley de agencias exige que el contrato plurianual de gestión incluya para su periodo de vigencia los elementos siguientes:

a) Los objetivos que haya que perseguir, los resultados que haya que obtener y con carácter general la gestión que haya que desarrollar.

b) Los planes que sean necesarios para alcanzar los objetivos especificando los ámbitos temporales que correspondan, así como los proyectos asociados a cada una de las estrategias y sus plazos temporales, además de los indicadores para evaluar los resultados que se obtengan.

c) Las previsiones máximas de plantilla de personal y el marco de actuación en materia de recursos humanos.

d) Los recursos personales, materiales y presupuestarios que deben aportarse para la consecución de objetivos.

e) Los efectos asociados al cumplimiento de los objetivos establecidos por lo que hace a exigencia de responsabilidad por la gestión de los órganos ejecutivos y el personal directivo, así como el montante de masa salarial destinada al complemento de productividad o concepto equivalente del personal laboral.

f) El procedimiento a seguir para la cobertura de los déficits anuales que pudieran producirse por insuficiencia de los ingresos reales respecto de los estimados y las consecuencias de responsabilidad en la gestión que deban seguirse en consecuencia.

g) El procedimiento para la introducción de modificaciones o adaptaciones anuales que procedan.

Además en el contrato de gestión deberá determinarse los mecanismos que permitan la exigencia de responsabilidad por incumplimiento de objetivos, resultados y mala gestión.

Uno de los elementos fundamentales del contrato de esta figura de gestión plurianual es la exigencia de que contenga los efectos asociados al grado de cumplimiento de objetivos en lo que se refiere a la responsabilidad por la gestión de órganos ejecutivos y personal directivo, así como los mecanismos concretos para llevar a cabo y hacer efectiva la exigencia de responsabilidad por incumplimiento de objetivos. Por ello se dice que el contrato de gestión es un documento que compromete a todas las partes involucradas en el buen funcionamiento de la agencia y sus resultados; pero además también vinculará a la agencia con los ciudadanos destinatarios de los servicios públicos.

El Consejo Rector de la Agencia deberá aprobar la propuesta de plan inicial de gestión en el plazo de tres meses desde su constitución, y los posteriores deberán ser presentados en el último trimestre de vigencia del contrato de gestión en vigor. La aprobación del contrato de gestión se lleva a cabo mediante Orden conjunta de los ministros de adscripción de la agencia, el de Administraciones Públicas y el de Economía y hacienda en un plazo de tres meses desde su presentación y en caso de no ser aprobado seguirá vigente el contrato anterior. El contrato de gestión plurianual tiene aplicación mediante sucesivos planes anuales de acción que aprueba el Consejo Rector, ante del uno de febrero, a propuesta del Director de la agencia.

La Ley impone un deber concreto a todas las agencias de informar sobre la ejecución y cumplimiento de los objetivos fijados en el contrato de gestión a los departamentos que lo aprobaron por orden ministerial.

6. MEDIOS Y FUNCIONAMIENTO

La contratación de las agencias estatales se rige por la normativa de contratación de las administraciones públicas y su patrimonio estará diferenciado de la administración y integrado por el conjunto de bienes y derechos de los que sean titulares pero además pueden tener adscritos bines del Patrimonio del Estado.

El personal directivo puede estar constituido por el personal que esté ocupando puestos de trabajo en servicios que se integren en la Agencia estatal, el personal que se incorpore a la agencia desde cualquier administración pública y el personal seleccionado por la agencia mediante pruebas selectivas convocadas al efecto. Este personal directivo es nombrado y cesado por el Consejo rector a propuesta de sus órganos ejecutivos atendiendo a criterios de competencia profesional y experiencia entre titulados superiores preferentemente funcionario y mediante el procedimiento que garantice el mérito, la capacidad y la publicidad.

Los conceptos retributivos del personal funcionario y estatutario de las agencias serán los establecidos en la normativa sobre función pública de la Administración General del Estado y sus cuantías se determinan en el marco del correspondiente contrato de gestión de conformidad con la Ley de Presupuestos del Estado

Por lo que toca a la gestión financiera la ley asigna al Consejo Rector la tarea de elaborar y aprobar el anteproyecto de presupuesto de la agencia que será remitido al ministerio de adscripción para su examen y posterior traslado al de Economía y hacienda que una vez examinado lo incorpora al anteproyecto de presupuestos generales del Estado para su aprobación siguiendo el procedimiento legal establecido.

Por lo que hace a la contabilidad las agencias estatales estarán sometidas al régimen que establece la Ley General Presupuestaria, debiendo aplicar los principios contables públicos previstos en su artículo 122, el Plan General de Contabilidad Pública y las normas de desarrollo. Además corresponde a la Intervención General de la Administración del Estado IGAE establecer criterios específicos que precise la aplicación de la normativa contable a las Agencias Estatales que en cualquier caso deberán disponer de un sistema de información económica que muestre su imagen patrimonial, su situación financiera y sus resultados de ejecución presupuestaria y además proporcione información sobre costes de actividad suficientes para adopción de decisiones, también deberán disponer de un sistema de contabilidad de gestión que permita efectuar el seguimiento de compromisos asumidos en el contrato de gestión.

Las cuentas anuales se someten, una vez auditadas por la Intervención general de la Administración del Estado, a la aprobación del Consejo rector antes del treinta de junio del año siguiente y una vez aprobadas se remiten, a través de la IGAE, al Tribunal de Cuentas para su fiscalización.

Para finalizar hay que reconocer que se ha concedido mucha importancia, desde varios ámbitos directivos de la Administración a los procedimientos, documentación y justificaciones exigidas para la creación de agencias que tiene una dimensión situada preferentemente en el ámbito de la gestión interna de la Administración.

También es de reseñar que el poco éxito de esta figura ha venido dado por la resistencia a comprometerse plurianualmente con recursos y por las dificultades para elaborar contratos de gestión o contratos programas realistas, lo cual dada la directa relación entre los recursos asignados y los resultados comprometidos desvirtúa el sistema.

Capítulo 31

El contrato de gestión de las Agencias Estatales

Las agencias estatales creadas para satisfacer las necesidades y demandas de calidad de los ciudadanos en los servicios públicos deben llevar a cabo su actuación en un régimen de transparencia con arreglo a un contrato de gestión que establece los objetivos, planes, recursos personales y materiales así como los procedimientos necesarios para lograr hacer efectivo y con calidad el objetivo de la Agencia. En el contrato de gestión se determinan, además de los recursos personales y materiales mencionados, los efectos asociados al grado de cumplimiento de los objetivos de la agencia, lo cual debería servir para evaluar la eficacia y eficiencia de estos organismos.

1. INTRODUCCIÓN

La Ley 28/2006 de Agencias Estatales para la mejora de los servicios públicos ha tratado de establecer un funcionamiento de eficacia y responsabilidad por resultados en el ámbito de la Administración General del Estado a través de un cambio en las categorías de organización y funcionamiento del sector público que se oriente a resultados. El objetivo general de este nuevo enfoque de los organismos públicos que se aborda mediante la creación de agencias estatales es, principalmente, potenciar la trasparencia y mejorar la calidad del sector público de manera que los ciudadanos puedan visualizar de manera clara y comprensible la finalidad de estos nuevos organismos públicas, los resultados de la gestión encomendada a cada uno de ellos, así como el modo en que se responsabilizan sus gestores en el caso de incumplimiento de objetivos decididos con antelación y eso se lleva a cabo en la practica mediante la aplicación de un instrumento de gestión que regula la Ley citada y que se denomina contrato de gestión cuya estructura y rasgos fundamentales examinamos en la presente práctica profesional.

Las agencias, como se ha dicho, constituyen una nueva forma de organización administrativa dotada de mayor grado de autonomía y flexibilidad en la gestión que además refuerza los mecanismos de control que en la actualidad constituyen uno de los pilares de mejor legitiman la actuación de la administración.

La puesta en marcha de este nuevo sistema de organización administrativa responde a una necesidad y supone la ocasión de poner en marcha un escenario más oportuna para la mejora de la prestación de los servicios que corresponden a la administración estatal como apunta el propio preámbulo de la ley esta necesidad deriva de un compromiso que deben asumir los poderes públicos de satisfacer las demandas ciudadanas con el nivel de calidad y eficacia que actualmente está exigiendo la sociedad lo cual requiere un nuevo enfoque organizativo y funcional de los organismos públicos.

Las agencias estatales constituyen, principalmente, una categoría de organización a la que se dota, dentro del ámbito público, de mayor autonomía y flexibilidad para la gestión a través de instrumentos cuya utilización tienda a la mejora en los resultados en la prestación de servicios públicos asentando este nuevo sistema administrativo en dos pilares básicos: la responsabilidad y retribución de los gestores exigible en función de los resultados y la presencia permanente de los sistemas de control de resultados a través de una herramienta consistente en un programa plurianual que ha venido regulando la Ley General Presupuestaria al regular los requisitos de financiación de las sociedades estatales que con la denominación de contrato de gestión se incluye en la Ley de Agencias como contrato plurianual de gestión que debe establecer una serie de elementos para su periodo de vigencia.

Las agencias estatales estarán dotadas de mecanismos de autonomía funcional, responsabilidad por la gestión y control de resultados y se regirán por la Ley de Agencias Estatales para la mejora de los servicios públicos, por su propio estatuto y supletoriamente por la normativa aplicable a las entidades estatales de derecho público

2. EL CONTRATO DE GESTIÓN Y SU NATURALEZA

La Ley de Agencias Estatales dispone, que la actuación de dichos organismos públicos se lleva a cabo, con arreglo a un plan de acción anual, de acuerdo al correspondiente contrato de gestión plurianual (1). De manera que el Consejo rector de cada agencia aprueba la propuesta de contrato de gestión cuya aprobación definitiva tiene lugar por orden conjunta del ministerio de adscripción y el de Hacienda y Administraciones Públicas, o en su caso los que sustituyan a éstos en caso de que se produzca alguna remodelación ministerial que sustituyera la denominación o adscripción de estos departamentos.

El contrato de gestión debe tener, al menos el siguiente contenido:

a) Los objetivos a perseguir, los resultados a obtener y en general la gestión a desarrollar.

(1)   Art. 13.1 LAE.

b) Los planes necesarios para alcanzar los objetivos, con especificación de los marcos temporales correspondientes a los proyectos asociados a cada una de las estrategias y sus plazos, así como los indicadores para evaluar los resultados obtenidos.

c) Las previsiones máximas de plantilla de personal y el marco de actuación en materia de gestión y recursos humanos.

d) Los recursos personales, materiales y presupuestarios a aportar para la consecución de los objetivos.

e) Los efectos asociados al grado de cumplimiento de los objetivos establecidos por lo que hace a la exigencia de responsabilidad por la gestión de los órganos ejecutivos y el personal directivo, así como el montante de masa salarial destinado a complemento de productividad o concepto equivalente del personal laboral.

f) El procedimiento a seguir para la cobertura de los déficits anuales que, en su caso, pudieran producirse por insuficiencia de los ingresos reales respecto de los estimados y las consecuencias de responsabilidad en la gestión que, en su caso, deban seguirse de los mismos.

g) El procedimiento para la introducción de las modificaciones o adaptaciones anuales que procedan en cada caso.

En relación con la figura contractual que se plantea se indicó en la fase de tramitación parlamentaria de la Ley de agencias estatales que se trata de una cuestión semántica porque apenas hay diferencia entre lo que es un contrato de gestión y lo que la LOFAGE denomina programa de actuación. Como la Ley de agencias estatales enfatiza la gestión trasparente por objetivos en el ámbito de actuación de las agencias estatales, a través de la puesta en práctica de los contratos de gestión plurianuales y de los correspondientes planes de acción anuales.

Hay que tener en cuenta que la LOFAGE, además de establecer el principio de programación y desarrollo de objetivos y control de la gestión y resultados, como una de los principios generales de actuación de la Administración General del Estado obliga a todos los organismos y entidades públicas empresariales del Estado a aprobar un plan inicial de actuación similar al contrato inicial de gestión que regula la Ley de Agencias Estatales.

Las diferencias formales en cuanto a la aprobación de ambas figuras no tienen carácter sustantivo; además parece aunque se haya querido instrumentar de una manera generalizada la forma contractual en vez de un acto de potestad como resultaría más propio del origen y desarrollo de nuestro sistema de Administración ello no cambia las consecuencias y efectos de esta figura de gestión. Solo hemos de señalar brevemente que el origen contractual de esta figura, se encuentra en el sistema de organización de las administraciones de corte anglosajón donde la figura de agencia en una entidad separada que contrata con su principal que puede ser el gobierno, un ministerio determinado u otro tipo de organismos oficial, la consecución de una serie de finalidades y objetivos que debe obtener mediante la contraprestación de una serie de recursos personales, materiales y financieros que administra de manera independiente y el contrato de gestión es la figura mediante la cual ambas partes acuerdan el objeto del contrato y las consecuencias del cumplimiento o incumplimiento de objetivos.

Ahora bien en nuestro sistema de administración no está claro que nos encontremos ante un contrato administrativo *stricto sensu* sino más bien ante una suerte de delegación de competencias. A este respecto la Ley 47/2003, de 26 de noviembre, General Presupuestaria regula las entidades empresariales, sociedades mercantiles estatales y fundaciones del sector público estatal, disponiendo que (2), en los supuestos en que se estipulen convenios y contratos-programa con el Estado que den lugar a regímenes especiales, tanto por las sociedades mercantiles estatales y entidades públicas empresariales como cualesquiera otras que perciban subvenciones públicas con cargo a los presupuestos del Estado se establecerán, como mínimo, deberán incluirse, como mínimo, en los mismos las siguientes materias:

a) Hipótesis macroeconómicas y sectoriales que sirvan de base al acuerdo.

b) Objetivos de la política de personal, rentabilidad, productividad o reestructuración técnica de la explotación económica, así como métodos indicadores de evaluación de aquellos.

c) Aportaciones con cargo a los presupuestos estatales.

d) Medios a emplear para adaptar los objetivos acordados.

e) Efectos que deben derivarse del incumplimiento de compromisos acordados.

f) Control de la ejecución del convenio y de los resultados derivados de su aplicación.

Por otra parte tanto en las relaciones entre la Administración y ciudadano como en las que se refieren entre diferentes entidades de las Administraciones Públicas la designación de un negocio jurídico con el concepto de convenio,. Acuerdo, concierto, protocolo o cualquiera otro similar muchas veces no pretende remitirse u a un sistema concreto de regulación sino evitar un pronunciamiento concreto y cerrado sobre la naturaleza de aquellos acuerdos (3); en este sentido la Ley 30/2007,

---

(2)   Art 68 LGP.
(3)   En este escenario de ambigüedad se mueven muchas de las actuales resoluciones de la Administración que aparecen revestidas de acuerdo con el fin de lograr una mejor aceptación por los destinatarios, en este sentido podría hablarse mucho del papel que vuelven a tener las formas para conseguir los objetivos en el ámbito de la Administración pública actual.

de 30 de octubre, de Contratos del Sector Público excluye de su ámbito de aplicación, entre otros los convenios de colaboración que celebre la Administración General del Estado con las Entidades gestoras y servicios comunes de la Seguridad Social, las universidades públicas, las Comunidades autónomas, las Entidades locales, Organismos autónomos y restantes entidades públicas, o los que celebren estos organismos y entidades entre sí (4), de este modo queda excluida la aplicación de disposiciones que regulan los contratos de gestión objeto del funcionamiento de las Agencias estatales por lo cual puede concluirse que la naturaleza jurídica del contrato de gestión puede asimilársela de un contrato-plan de acción en el que no existe una clara voluntad de vinculación contractual y sometimiento a un órgano independiente de jurisdicción para resolver posibles conflictos entre las partes; teniendo en cuenta, además, que el objeto primordial de las Agencias estatales es la gestión de los programas de políticas públicas competencia de la Administración General del Estado por ello tiene más sentido una figura como la delegación competencial entendida en sentido amplio entre la administración general del estado y una entidad de derecho pública vinculada a ella.

En cualquier caso se trata de una figura contractual celebrada entre dos personas jurídicas diferentes y la vinculación existente responde a la función de tutela y por ello la figura y forma contractual es la que mejor responde a la necesidad de establecer obligaciones para ambas partes teniendo en cuenta que queda descartada la posibilidad de utilizar la facultad de dar instrucciones u órdenes vinculantes propias de un a relación de jerarquía.

Aunque del contenido del contrato de gestión se derivan compromisos y obligaciones para las dos partes y que existe una bilateralidad, no debe confundirse con un libre acuerdo de voluntades, por otra parte no es posible el control judicial de las obligaciones contraídas mediante el contrato de gestión, sino que se utilizará otros mecanismos como las medidas sobre el personal directivo, etc. y por ello podemos decir que estamos ante un pacto de carácter político administrativo con un procedimiento especial de elaboración.

Las estipulaciones incluidas en una disposición normativa son de obligado cumplimiento; pero su carácter general, el tipo de vinculación existente entre ambas partes, la imposibilidad de denuncia o rescisión unilateral del contrato de gestión así como su manera de extinción o la dificultad para proceder a su ejecución forzosa, impiden el acceso a la jurisdicción.

Es cierto que una de las partes puede garantizar la eficacia a través de otros mecanismos de responsabilidad por incumplimiento y la otra alegar el incumplimiento de resultados cuando sea debido o causado por el incumplimiento en la prestación de los medios previstos en el contrato de gestión.

---

(4)   Art. 4 LCSP.

En este sentido los mecanismos previstos en los apartados 2 y 3 del artículo 13 de la Ley de Agencias Estatales son los únicos que aparecen manifiestamente previstos que deben ser precisados en los contratos de gestión; exigencia de responsabilidad por la gestión basada en la orientación de resultados y consecución de los objetivos establecidos en una doble faceta: para los órganos ejecutivos y el personal directivo consistente en el cese o sustitución y disminución de productividad; pero como se indica habrá que examinar el desarrollo de los diferentes contratos de gestión que se vayan publicando en el Boletín oficial del estado para verificar si se prevé algún otro tipo de responsabilidad así como el procedimiento para su exigencia.

Otro aspecto interesante es el relativo a la eficacia del contrato de gestión frente a terceros, que sería plenamente exigible no tanto por el contenido del contrato cuanto porque su objeto lo integren servicios públicos.

Por todo ello es preciso insistir en la importancia del Contrato de Gestión en la constitución y puesta en marcha de las Agencias Estatales, pues se trata de un instrumento que, sin ser un contrato en el sentido jurídico del término, presenta los elementos de compromiso, responsabilidad y acuerdo entre partes propios de toda relación contractual que se manifiesta en la aprobación del Contrato de gestión que exige una orden ministerial del Ministerio de Hacienda y Administraciones Públicas. De ahí el enorme interés que reviste su adecuada elaboración y el rigor con que han de definirse los objetivos, indicadores de gestión y demás elementos de su contenido.

3. OBJETO Y VIGENCIA DEL CONTRATO DE GESTIÓN

El objeto del contrato de gestión es el establecimiento del marco de relaciones entre el Ministerio de adscripción, el Ministerio de Hacienda y Administraciones Públicas y la propia Agencia para el desarrollo de las funciones encomendadas a la Agencia, en el que determinan los objetivos a perseguir y los planes y actuaciones necesarios para alcanzarlos, los recursos asignados para la consecución de esos objetivos, el procedimiento para evaluar su cumplimiento y las consecuencias presupuestarias, retributivas y de otro orden derivadas de su grado de cumplimiento.

El período de vigencia que se estima aconsejable es de cuatro años o el relacionado con la duración de los planes plurianuales.

4. OBJETIVOS Y PLANES ESTRATÉGICOS. PROYECTOS Y PROGRAMAS ASOCIADOS

Con objeto de dotar de una estructura común en lo posible al conjunto de los elementos de planificación que deben integrar el Contrato de Gestión es conveniente que el contrato de gestión siga un esquema de articulación más o menos armonizado del modo que se indica a continuación.

Partiendo de la misión de la Agencia establecida por la Ley que autoriza su creación y recogida en su Estatuto, así como de las funciones y competencias que se le asignan, y teniendo en cuenta el escenario previsible en el plazo de vigencia del Contrato, se establecen unos objetivos estratégicos, para cuya consecución se desarrollarán planes plurianuales o con marco temporal delimitado, integrados por un conjunto de objetivos específicos alcanzables mediante el desarrollo de programas y proyectos, cuya ejecución debe generar unos resultados comprobables o mensurables mediante los correspondientes indicadores.

A continuación se ofrecen unas propuestas sobre cada uno de estos conceptos clave que incluyen una caracterización, varios ejemplos y ciertas sugerencias metodológicas.

Para vertebrar de forma unitaria y lógicamente secuenciada la ilustración de los distintos conceptos y fases de la planificación que deben figurar en el contrato de gestión, se ha seleccionado como ejemplo el de un plan común a todas las Agencias Estatales. Se trata del Plan de Gestión de Calidad que, conforme a la propia finalidad de las Agencias estatales para la mejora de los servicios públicos y de acuerdo con lo previsto en el apartado 3 de la Disposición adicional primera de la Ley 28/2006, deben incorporar todas las Agencias. El ejemplo se desarrolla tomando como base la Agencia Estatal de Evaluación de las Políticas Públicas y la Calidad de los Servicios.

4.1. Objetivos estratégicos

Son enunciados de carácter generalmente cualitativo que expresan las metas, propósitos o prioridades de la Agencia para un periodo de tiempo determinado, habitualmente el medio plazo, y que teniendo en cuenta los condicionantes propios y del entorno, así como su posible evolución (escenario previsible), deben contribuir al cumplimiento del objeto o misión de la misma. Dado su carácter, es aconsejable limitar su número y dirigirlos prioritariamente a orientar las actuaciones de la Agencia directamente vinculadas a su objeto o finalidad.

Como ejemplo de objetivos estratégicos de Agencia Estatal de Evaluación de las Políticas y la Calidad de los Servicios:

1. Promover la cultura de la evaluación y la calidad e impulsar su práctica en la gestión pública.

2. Desarrollar metodologías y conceder acreditaciones y certificaciones que favorezcan el reconocimiento y homologación de la evaluación.

3. Realizar trabajos de evaluación de políticas y programas.

4. Fomentar la mejora de la calidad de los servicios públicos como compromiso con la ciudadanía.

5. Analizar la actividad desplegada por las Agencias Estatales.

6. Prestar un servicio eficaz, eficiente y de calidad en un marco equilibrado de responsabilidad, autonomía y flexibilidad.

Metodologías asociadas

Para la determinación de los objetivos estratégicos de la Agencia se requiere necesariamente la realización de una reflexión o análisis estratégico, que partiendo de su objeto o finalidad, de su propia realidad institucional (normativa, estructura, medios) y de los datos de su ambiente o entorno institucional y social, establezca sus carencias y concrete sus potenciales. A estos efectos, se considera aconsejable el uso de metodologías como la de la matriz para el Análisis de Debilidades, Amenazas, Fortalezas y Oportunidades (DAFO), que constituye una herramienta de primer orden y cuyo desarrollo, mediante técnicas de grupo, permite una implicación efectiva de los directivos y cuadros de la organización.

4.2. Planes y marcos temporales

Los planes estructuran el conjunto de actuaciones que hacen operativa la consecución de uno o varios de los objetivos estratégicos en un marco temporal determinado. Requieren un esfuerzo especial para la plasmación lo más ordenada y racional posible de objetivos concretos y medibles, de las actividades necesarias para su consecución, de los recursos humanos y financieros y medios materiales aplicables, sus plazos o tiempos para su ejecución, los resultados esperables y su sistema de seguimiento, medición y evaluación.

Dependiendo de la naturaleza y diversidad de los objetivos estratégicos perseguidos, el Contrato de gestión puede establecer un plan general que abarque la totalidad de las actuaciones programadas durante su periodo de vigencia, o bien formalizar planes específicos para el logro de uno o algunos de dichos objetivos.

Adicionalmente, conviene tener presente que la Agencia viene obligada por ley a formular cada año un Plan de acción, que en todo caso debe recoger la totalidad de las actuaciones del plan o planes generales cuyo desarrollo se prevea para el año en curso.

Como ejemplo de planes de la Agencia Evaluación:

— Formación de Evaluadores

— Difusión de la evaluación

— Modelos Excelencia

— Acreditación y certificación

— Consolidación metodológica

— Evaluación política y programas

— Mejora calidad servicios públicos

— Apoyo a Agencias Estatales

— Gestión de calidad

Existen diversos sistemas o metodologías de planificación utilizables. En todo caso, se considera necesario que cumplan estos dos requisitos:

— El proceso de planificación tiene que tener un cierto nivel de participación del conjunto de la organización de Agencia y no ser exclusivamente obra de un órgano o equipo especializado. A partir de unos criterios finalistas establecidos por la dirección, debe producirse un proceso descendente-ascendente, que permita incorporar en una síntesis final el caudal de conocimientos, experiencias y datos de la realidad que ofrecen los distintos niveles y sectores de la organización.

— Todo plan debe incorporar un sistema de retroalimentación que permita su modificación o adaptación a los cambios que tanto en la propia Agencia como especialmente en el entorno se producen a lo largo de su proceso de ejecución. El sistema de seguimiento, y especialmente los indicadores de ejecución o proceso de actividades, debe facilitar periódicamente la información necesaria para efectuar las modificaciones o reajustes precisos para asegurar la flexibilidad y adaptabilidad del Plan.

4.3. Objetivos específicos

Los objetivos estratégicos, por su carácter genérico, deben ser precisados a través de un conjunto de objetivos específicos, claramente delimitados, cuya consecución se ha de lograr mediante el desarrollo de los correspondientes programas o proyectos.

La precisión y concreción en la formulación de estos objetivos es condición indispensable para la operatividad real del Contrato de Gestión y para el éxito de cualquier proceso de planificación, dado que de ello depende la posibilidad de objetivar la evaluación del desempeño, tanto de la Agencia en su conjunto como de sus directivos y responsables sectoriales. Esta necesidad de concretar los objetivos específicos suele ser una de las mayores dificultades a superar en el proceso planificador.

Además de contribuir a la consecución del objetivo estratégico al que se vinculan, estos objetivos específicos deben ser compatibles entre sí y ser de fácil coordinación. Igualmente, deben ser asignados de forma clara e inequívoca a los directivos o responsables de las áreas funcionales o ámbitos sectoriales a las que corresponde la realización de las actividades necesarias para su logro.

El número de estos objetivos, que van a requerir un esfuerzo adicional y representar un desafía para la Agencia, debería ser relativamente limitado, centrándose en aquellas áreas que más directamente puedan contribuir a la consecución de los objetivos estratégicos.

Básicamente, los objetivos específicos pueden desglosarse en dos grupos:

a) Objetivos sectoriales o finalistas que responden directamente al objeto y funciones específicamente encomendadas a la Agencia y que son propios y distintos para cada una de ellas.

b) Objetivos comunes, o de gestión interna de la Agencia, y que suelen vincularse a la gestión de los recursos humanos, a la labor administrativa y de gestión de recursos económicos y medios materiales, a la aplicación y desarrollo de tecnologías de la información y de gestión del conocimientos, la comunicación externa, etc.

Asimismo, y como extensión de estos últimos objetivos, el Contrato de Gestión debería incluir los impactos que se espera se produzcan en los ámbitos sociales o funcionales sobre los que se proyecta la acción de la Agencia.

Entre los objetivos específicos que pueden incluirse en un Plan de Gestión de Calidad podemos mencionar los siguientes:

a) Conocer de manera fiable las necesidades y expectativas de los usuarios de los servicios de la Agencia.

b) Conocer de forma fiable el grado de satisfacción de los usuarios de la Agencia.

c) Gestionar la información procedente de los contactos habituales con los usuarios, incluidas las quejas.

d) Declarar públicamente los compromisos de calidad en la prestación de los servicios.

e) Mejorar continuamente el rendimiento global de la Agencia mediante la autoevaluación organizacional.

f) Dotar a la Agencia de un sistema integrado de gestión que incluya calidad, medio ambiente y prevención de riesgos laborales.

g) Obtener el reconocimiento externo al nivel de excelencia de la Agencia.

4.4. Programas y proyectos

Los programas o proyectos integran el conjunto estructurado de actividades, necesarias para la consecución de los objetivos específicos del plan, con sus ejecutores, medios, plazos de realización y productos resultantes, requeridas para el logro de cada objetivo específico. Su elaboración requiere por tanto un análisis sistemático de lo que hay que hacer, cómo, cuándo, dónde, con qué, por quién y cuánto es necesario para lograr dicho objetivo.

Aunque se suelen utilizar ambos términos indistintamente, generalmente se usa el de programas para aquellas actuaciones que tienen una vocación de continuidad, reservándose el de proyectos para las que se vinculan a plazos de tiempo o finalización en fecha determinada

Entre los programas del Plan de Gestión de Calidad

Marco temporal: General de un trienio

— Estudios de análisis de la demanda y de evaluación de la satisfacción de los usuarios de los servicios de la Agencia.

— Carta de Servicios.

— Gestión de quejas y sugerencias.

— Autoevaluación organizacional.

Marco temporal: primer año

— Diseño e implementación del Sistema Integrado de Gestión de la Agencia.

— Primera autoevaluación de calidad.

Marco temporal: segundo año

— Introducción de mecanismos de control del sistema de gestión (auditorías, revisión por la Dirección).

— Segunda autoevaluación conforme al modelo aprobado.

Marco temporal: tercer año

a) Elaboración de la memoria de la Agencia conforme al modelo de calidad aprobado por la Administración General del Estado y solicitud de certificación externa de calidad.

Los programas o proyectos pueden tener muy distinta extensión y complejidad, dependiendo del objetivo específico perseguido, de las unidades orgánicas implicadas en su proceso de desarrollo o de los medios a utilizar. Por este motivo, su planificación o elaboración puede ser relativamente sencilla, requiriendo solamente establecer un cierto orden secuencial o de coordinación temporal entre las distintas previstas, o bien puede llegar a requerir la utilización de instrumentos o metodologías sofisticadas de planificación, como pueden ser el PERT u otras herramientas y paquetes informáticos accesibles y de mayor facilidad de uso.

4.5. Resultados

El desarrollo de programas o proyectos debe concluir necesariamente en la obtención de unos determinados resultados, que en todo caso deben formularse en términos preferentemente cuantitativos, o en su defecto, en expresiones cualitativas susceptibles de medición. En puridad, el resultado esperable sería el objetivo específico hecho presente o realidad. No obstante, no suele ser habitual esa coincidencia, en la medida en la que lo más frecuente es que el resultado obtenido en la ejecución de un programa o proyecto sea una gradación del objetivo perseguido. Puede ocurrir igualmente que se prevea la obtención de varios resultados, como sucede cuando el objetivo puede descomponerse a su vez en subobjetivos.

También debe tenerse en cuenta que los resultados y su medición y evaluación son un elemento central del Contrato de Gestión, dado que aquellos constituyen la contraprestación más inmediata y tangible a las facultades, recursos humanos y medios financieros y materiales que la Administración pone en manos de la Agencia

4.6. Indicadores

Los indicadores son sistemas de medida que se utilizan para conocer y evaluar la evolución de una situación o realidad determinada. Son por tanto los elementos nucleares del proceso de seguimiento y evaluación de los compromisos asumidos por la Agencia en su Contrato de Gestión.

El sistema de seguimiento y evaluación de los planes y programas debe estar integrado por los tres tipos de mediciones o indicadores que se señalan:

a) Indicadores de proceso, que son aquellos que permiten comprobar el desarrollo en tiempo y forma de las actividades desarrolladas en la ejecución de un programa o proyecto y tomar medidas de corrección ante retrasos o desviaciones significativas respecto a lo planificado.

b) Indicadores de resultados, que se utilizan para evaluar los obtenidos en el desarrollo de los planes, programas o proyectos y su grado de adecuación a sus objetivos específicos.

c) Indicadores de impacto, que permiten evaluar los efectos o cambios que se hayan producido en la realidad (o en los ámbitos funcionales y sociales afectados) sobre la que opera la Agencia, como consecuencia de los objetivos logrados en el desarrollo de sus planes y programas.

Desde una perspectiva temporal, los indicadores de proceso se aplican durante la ejecución de las actividades programadas, los indicadores de resultado, generalmente una vez finalizadas, y los indicadores de impacto un cierto tiempo después (habitualmente en el medio plazo) de su conclusión.

Para cumplir adecuadamente su función, los indicadores deben reunir las siguientes condiciones básicas:

a) Estar directamente relacionados con el resultado que pretenden medir.

b) Proporcionar información objetiva y fiable.

c) No ser excesivos en cuanto a su número y de obtención lo más sencilla e inmediata posible, atendiendo a principios de economía.

Por otra parte, la fiabilidad de un indicador, es decir el nivel seguridad con el que mide un resultado, depende de factores tales como el grado en que su relación es directa y unívoca con el resultado, su mensurabilidad, la exactitud con que pueden medirse y su independencia de factores aleatorios.

5. EFECTOS ASOCIADOS AL GRADO DE CUMPLIMIENTO DE LOS OBJETIVOS

El contrato de gestión, no sólo debe indicar los objetivos generales y específicos de la Agencia, sino que debe establecer igualmente los efectos asociados al grado de cumplimiento de dichos objetivos, y en particular, todo lo relativo a las consecuencias derivadas del incumplimiento de los mismos.

Los efectos vinculados al grado de cumplimiento se encuadran en dos vertientes de acuerdo con la Ley de Agencias:

a. por un lado, en relación con la exigencia de responsabilidades por la gestión de los órganos ejecutivos (Director) y del personal directivo,

b. por otro, en relación con el montante de masa salarial destinada al complemento de productividad o concepto equivalente que se establece para todo el personal de la Agencia.

Por ello, en el contrato de gestión, deben preverse dos tipos de efectos asociados al grado de cumplimiento de los objetivos establecidos:

5.1. Responsabilidad por incumplimiento de objetivos

La responsabilidad por incumplimiento de la gestión resulta aplicable exclusivamente, según el tenor literal de la Ley de Agencias, al órgano ejecutivo y al personal directivo.

En el Contrato de gestión se tienen que determinar, no sólo los efectos de ese incumplimiento, sino además los mecanismos que permitan la exigencia de responsabilidades.

El incumplimiento de los objetivos derivado de la gestión de los órganos ejecutivos y directivos podría conllevar tanto efectos de penalización económica como la remoción de su cargo.

La penalización económica estará vinculada a la percepción de los incentivos al rendimiento. La Ley de Agencias establece que el personal directivo percibe una parte de su retribución como incentivo de rendimiento, mediante el complemento correspondiente que valore la productividad, de acuerdo con los criterios y porcentajes que se establezcan por el Consejo Rector, a propuesta de los órganos directivos de la Agencia Estatal.

La responsabilidad del Director debe estar fundamentalmente vinculada a la consecución de resultados globales de la Agencia, mientras que para el personal directivo deben tenerse en cuenta los resultados del área funcional o departamento que dirigen, así como otras variables más cualitativas, como son las capacidades o habilidades de dirección, o el grado de compromiso con los objetivos estratégicos de la Agencia.

Los mecanismos para la exigencia de responsabilidades deben consistir en instrumentos que ofrezcan datos objetivos, a modo de indicadores, para ejercitar la exigencia de responsabilidad. Es decir, instrumentos de información que permitan conocer el grado de consecución de los objetivos de la Agencia y de qué modo se ha llevado a cabo la gestión permitiendo, de esta forma, determinar la responsabilidad del Director y de los directivos.

Estos instrumentos de información son diferentes según se trate del Director o del directivo; para el Director se recurre fundamentalmente a instrumentos de información que determinen el cumplimiento o no de objetivos, mientras que en el caso del personal directivo, pueden entrar en juego elementos más valorativos, y no exclusivamente cuantitativos.

A partir de estas consideraciones, los mecanismos que se fijen en el Contrato de gestión para determinar la responsabilidad de los órganos ejecutivos y del personal directivo pueden ser:

Para el Director: El análisis de los resultados globales de la Agencia, mediante los instrumentos de información previstos en la propia Ley de Agencias:

— Los informes anuales de actividad.

— Los informes de la Comisión de control sobre la ejecución del contrato de gestión.

— Las cuentas anuales acompañadas del informe de auditorías de cuentas.

— El informe al Congreso de los Diputados, acerca de la actividad desplegada por las agencias estatales, realizado por la Agencia Estatal de Evaluación de las Políticas Públicas y la Calidad de los Servicios.

Para el personal directivo: La evaluación del desempeño, realizada, tal y como establece la Ley de Agencias, con arreglo a los criterios de eficacia, eficiencia y cumplimiento de la legalidad, responsabilidad por su gestión y control de resultados, en relación con los objetivos que le hayan sido fijados.

Asimismo, con carácter general, en ambos casos deberán tenerse en cuenta:

1 Los informes realizados dentro del marco general para la mejora de la calidad en la Administración General del Estado: análisis de la demanda y de evaluación de la satisfacción de los usuarios de los servicios, programas de cartas de servicios, programas de quejas y sugerencias, programas de evaluación de la calidad de las organizaciones, etc.

2 El análisis de impacto de las políticas desarrolladas por la Agencia, como mecanismo de valoración vinculado al largo plazo.

Todos estos instrumentos integran un sistema de información debe permitir, además de valorar de la consecución de objetivos, conducir a un proceso de autoevaluación de la situación de la Agencia en su dinámica interna y externa.

También debe de tenerse en cuenta que las Agencias Estatales estarán sometidas a un control de eficacia por parte de los Ministerios de adscripción, que tiene por finalidad comprobar el grado de cumplimiento de los objetivos y la adecuada utilización de los recursos asignados y que será ejercido a través del seguimiento del contrato de gestión.

5.2. Determinación del montante de masa salarial destinada al complemento de productividad o concepto equivalente del personal laboral

La Ley de Agencias establece que la cuantía de la masa salarial destinada al complemento de productividad, o concepto equivalente del personal laboral, está en todo caso vinculada al grado de cumplimiento de los objetivos fijados en dicho Contrato de gestión.

Ello supone que en el Contrato de gestión se deberá acordar la cuantía de la masa salarial destinada a complemento de productividad que corresponderá a la Agencia inicialmente, así como el sistema que permita determinar a qué porcentaje de la misma tendrá derecho en razón del grado de consecución de objetivos.

Para todo el personal (ejecutivo, directivo y resto del personal) el montante de masa salarial destinada a atender el complemento de productividad, estará vinculado en su totalidad al grado de cumplimiento de los objetivos establecidos en el Contrato de Gestión.

El citado montante, se determinará anualmente y estará incluido dentro del capítulo 1 del Presupuesto de gastos de la Agencia. Tendrá carácter finalista, no pudiendo utilizarse para mejora de retribuciones fijas, nuevas contrataciones, ni ninguna otra medida de política de personal.

La productividad se asocia al grado de cumplimiento de los objetivos y se expresará como un porcentaje de las retribuciones fijas (Valor Objetivo de Referencia —VOR— para funcionarios o su equivalente para el personal laboral).

6. CRITERIOS PARA EL CÁLCULO Y DISTRIBUCIÓN DE LA PRODUCTIVIDAD

Personal Directivo:

1 La dotación anual de complemento de productividad, para este tipo de personal, se determinará como suma de las cuantías anuales de cada directivo.

2 Los objetivos considerados para cada directivo son los de la Agencia y los asignados al Departamento que dirigen.

3 La productividad será variable en función del grado de cumplimiento de los objetivos, desde cero hasta el 40% del VOR.

Resto del Personal:

1 En la situación de partida será la cuantía de productividad asignada al organismo, dirección general u órgano que se transforme en Agencia Estatal, excluida la productividad adicional por cumplimiento de objetivos, si existiera, separada entre personal funcionario y laboral. Si la creación de la Agencia precisa de unas incorporaciones mínimas para su constitución efectiva, se le dotará de un importe adicional de productividad que se calculará mediante los procedimientos utilizados habitualmente. La cuantía total así obtenida se expresará, como siempre, en términos porcentuales respecto a las retribuciones fijas, es decir, sobre el VOR.

2 Para cada Agencia se determinará un porcentaje máximo, en virtud del cumplimiento de objetivos. Su fijación tendrá en cuenta la situación de partida en relación con el complemento de productividad, que dependerá de cada Agencia, así como la existencia de modelos de productividad adicional por cumplimiento de objetivos aprobados con anterioridad.

3 Una vez calculada la cuantía anual máxima destinada a atender el complemento de productividad de este personal para el ejercicio considerado, se podrá efectuar la distribución dentro de las disponibilidades existentes. Los criterios de asignación interna del complemento de productividad entre el personal de la Agencia Estatal serán determinantes y se ajustarán a lo dispuesto en la normativa vigente en relación con este complemento.

Por lo que respecta a la distribución del complemento de productividad, el artículo 23.3 de la Ley 30/1984 establece que el responsable de la gestión de cada programa de gasto, dentro de las correspondientes dotaciones presupuestarias, determinará, de acuerdo con la normativa establecida en la Ley de Presupuestos, la cuantía individual que corresponda, en su caso, a cada funcionario.

La vinculación clara que la Ley de Agencias establece entre la consecución de los objetivos fijados en el Contrato de gestión y el complemento de productividad, implica que las Agencias deberán contar con un sistema de evaluación del desempeño que, entre otras finalidades, valore la consecución de objetivos y permita la distribución interna de la masa salarial destinada a complemento de productividad, es decir, que permita determinar individualmente la cuantía de la retribución variable ligada al cumplimiento de objetivos.

Es más, la orientación por el resultado es un eje vertebrador del proyecto de Ley de Estatuto Básico del Empleado Público, que apuesta por la evaluación del desempeño del conjunto de su personal, en el marco de una nueva gestión de los servicios públicos, orientada hacia el principio de eficacia, la calidad de los servicios, y la profesionalidad de los recursos humanos. La evaluación del desempeño, se impregna de todos estos valores, puesto que busca motivar al personal, premiando la excelencia, vinculando, especialmente, el resultado de su actividad profesional a sus retribuciones y en concreto a la percepción de un complemento de productividad.

La evaluación del desempeño se llevará a cabo, de conformidad con lo previsto en el proyecto de ley de Estatuto Básico, según métodos y sistemas implementados por cada Administración Pública, pero que en todo caso deben atender una serie de criterios de transparencia, de manera que se permita conocer de antemano no sólo su funcionamiento, sino igualmente el resultado de la evaluación, objetividad, imparcialidad y no discriminación y se aplicarán de forma periódica y siempre sin menoscabo de los derechos de los empleados públicos.

Por tanto, se han de prever en el contrato de gestión los aspectos precisos sobre el sistema de evaluación del desempeño que se vaya a implantar, esto es, qué se va a someter a evaluación, la metodología a emplear, el responsable en cada caso de la evaluación, la posibilidad de que se realice interna o externamente, la periodicidad con la que se va a evaluar, la forma de devengo del complemento de productividad.

Cada Agencia deberá establecer el sistema más acorde con su organización y funciones pero, a modo orientativo, pueden tomarse en consideración las siguientes notas que caracterizan los actuales sistemas de retribución variable.

Las variables a tener en cuenta serían en esencia cuatro:

1. Resultados de la Agencia

2. Resultados por departamentos/unidades/áreas/equipos

3. Resultados individuales

4. Actitudes y competencias

Para la asignación del complemento de productividad, han de ponderarse las cuatro variables en razón del nivel del puesto y de la unidad en que se ubica. En los niveles directivos deben pesar más los resultados de la Agencia y el peso ha de ser mayor cuanto más alto sea el nivel directivo. Para un directivo intermedio, sin embargo, se ponderarían más los de su unidad/área/departamento/equipo, mientras que con respecto al personal sin responsabilidades directivas, se valorarán fundamentalmente sus resultados individuales.

Ello no obsta a que, con independencia del nivel, deba haber diferencias de ponderación para una misma variable en función del tipo de trabajo desarrollado u otros factores, de forma que en unos casos pesará más el logro de objetivos individuales mientras que en otros primarán los resultados de grupo. El peso que la valoración de actitudes y competencias tenga estará también en función de todos estos criterios.

La apreciación de los resultados obtenidos debe basarse en objetivos e indicadores previamente fijados.

El resultado de la evaluación debe traducirse en una calificación que puede ser numérica o conceptual, pero que debe clasificar al evaluado en una escala cuyos niveles se correspondan con un determinado porcentaje del complemento de productividad correspondiente.

Finalmente, sería interesante arbitrar mecanismos que permitan determinar hasta que punto el incumplimiento de objetivos se debe a una mala gestión del directivo o a un inadecuado desempeño del personal de la Agencia o bien obedece a elementos externos a la propia Agencia, a factores ajenos al desempeño individual o, incluso, a un problema en la propia definición de los objetivos planteados.

En este sentido, hay que hacer una breve referencia a lo que ya se ha apuntado con anterioridad, como es el hecho de que todos los mecanismos o herramientas de información antes expuestos, incluida la evaluación del desempeño, al margen de sus efectos en relación con la exigencia de responsabilidad de los órganos ejecutivos y personal directivo y con la asignación del complemento de productividad, configuran un sistema integrado de información.

Este sistema ayudará a conocer la propia situación de la Agencia a través de una autoevaluación permanente que permita articular las medidas necesarias para corregir desviaciones y, en su caso, justifique la necesidad de introducir alguna modificación, redefinición o adaptación al propio contrato de gestión en lo que se refiere a los objetivos específicos y, en última instancia, estratégicos de la Agencia.

Ello se debe tener en cuenta a la hora de determinar en el contrato de gestión, el procedimiento para la introducción de las modificaciones o adaptaciones anuales del mismo que, en su caso, procedan.

7. MARCO DE ACTUACIÓN EN MATERIA DE GESTIÓN DE RECURSOS HUMANOS

El Plan inicial/Contrato de Gestión deberá contener, como mínimo, los siguientes aspectos:

Por previsión de plantilla se entiende la determinación de las necesidades de efectivos, de los que podrá disponer la Agencia a lo largo de la vigencia del Contrato de Gestión.

A estos efectos. Se define como plantilla máxima la totalidad de puestos de trabajo agrupados por categorías, grupos de clasificación o grupos profesionales que figuren en la RPT de la Agencia.

El objetivo de plantilla de la Agencia estatal se plasmará mediante una serie de indicadores de actividad ligados a unos objetivos específicos, debiendo existir una correlación directa entre necesidades de personal, dotación económica y relaciones de puestos de trabajo y sus correspondientes plantillas.

Se consignará el presupuesto de gastos de personal, desglosado en artículos, conceptos y subconceptos. Se incluirá una previsión presupuestaria del capítulo de gastos de personal para cada ejercicio de vigencia del contrato de gestión.

Debido a la existencia de vacantes coyunturales en proceso de provisión que no generan gasto a lo largo de la vigencia del presupuesto, el coste de las plantillas, y las correlativas RPT, podrá exceder hasta un máximo del 5% del capítulo 1 del presupuesto de gastos de la agencia correspondiente a los conceptos de sueldo base, complemento de destino y complemento específico (VOR), y retribuciones fijas de personal laboral.

Dicho margen no supone la supresión del límite de gasto establecido presupuestariamente, sino al contrario, debe entenderse como un instrumento cuyo objeto es permitir la completa ejecución del crédito, al tener en cuenta el menor gasto que inevitablemente se producirá como consecuencia del proceso de provisión de vacantes y conseguir por tanto, una mejor correlación entre el coste de la RPT y el crédito presupuestario.

Esta correlación se considera un factor clave en la planificación de recursos humanos, facilitando su gestión y evitando, al propio tiempo, la existencia de unas RPT por encima de las necesidades reales no dotadas presupuestariamente.

La previsión de plantilla de la agencia figurará como Anexo al contrato de gestión, desglosada por categoría del personal y grado de cobertura que se prevea alcanzar por cada ejercicio de vigencia del contrato.

Durante el periodo de vigencia del contrato de gestión, la Agencia no podrá superar el número total de dotaciones ni el coste medio de las retribuciones fijas correspondiente al total de las dotaciones de personal funcionario o de personal laboral fijo.

Con los límites señalados en párrafo anterior, la Agencia podrá modificar la distribución interna de dotaciones de los grupos de clasificación de personal funcionario y de los grupos profesionales de personal laboral.

Las propuestas de modificaciones presupuestarias del capítulo de personal que afecten a la Agencia, además de su adecuada justificación, requerirá de la revisión de la plantilla y de la RPT correspondiente.

Las variaciones de la plantilla máxima podrán precisar la modificación del contrato de gestión. En este caso será de aplicación lo previsto en el artículo 13.2 g) de la Ley de agencias. En cualquier caso, la modificación de la plantilla máxima debe vincularse a variaciones en los objetivos o indicadores de actividad que se establezcan.

En el apartado correspondiente, el contrato de gestión incluirá: Personal directivo y Personal funcionario.

Se recogerán el número total de dotaciones y el coste medio por grupos de clasificación.

Respecto al Personal laboral no acogido a convenio colectivo debe figurar el número máximo de dotaciones y el coste medio de las retribuciones fijas.

Respecto a personal laboral fijo, las retribuciones que figurarán en la RPT serán las que recoja el convenio colectivo que sea de aplicación al personal laboral de la Agencia.

En el supuesto de conceptos salariales que responden a condiciones específicas de trabajo y por tanto no son de aplicación automática al conjunto de efectivos de una categoría laboral, las cuantías que figuren en la RPT no podrían superar a las recogidas en la autorización de la masa salarial del organismo en dichos conceptos.

La Agencia puede llevara cabo la contratación del personal laboral temporal con el límite del crédito presupuestario y previo las autorizaciones que legalmente proceden; además para permitir una mayor flexibilidad en el funcionamiento de la Agencia se procurará que dichas autorizaciones puedan realizarse de manera agrupada por modalidades de contrato de acuerdo con la planificación anual que realice el organismo.

El nombramiento o contratación de personal interino, con independencia del cumplimiento de los requisitos previstos en la normativa de empleo público, requerirá de la existencia de las correspondientes vacantes en las RPT de personal funcionario y laboral, computándose el coste de los mismos a efectos del máximo establecido en el párrafo anterior.

Toda vez que dichos nombramientos o contrataciones suponen un compromiso de inclusión en la posterior OEP, su número y distribución deberá respetar los parámetros establecidos al respecto en la planificación anual que recoge el Contrato de Gestión en materia de OEP.

Cualquier procedimiento para incorporar personal estará condicionado a la plantilla máxima determinada según el apartado anterior.

El contrato de gestión contendrá la previsión que la Agencia considere incluir en la OEP anual, distinguiendo el número de puestos de cada año con especificación de Cuerpos/Escalas de funcionarios y Categorías de personal laboral.

Para cada colectivo profesional procedente de la OEP, los puestos de entrada, tendrán una retribución homogénea dentro de las Agencias del mismo ámbito y tendrán como finalidad incorporar personal procedente de la OEP. Hasta la incorporación de este personal, la Agencia podrá cubrir dichos puestos con personal temporal interino.

8. RELACIONES DE PUESTOS DE TRABAJO Y SU MODIFICACIÓN

La Agencia elabora y aprueba su RPT dentro del marco establecido en el contrato de gestión. No obstante, un marco desconcentrado de decisión precisa que las actuaciones en esta materia cuenten con un modelo que permita que la asignación de complementos a los puestos de trabajo guarde conexión con sus características y contenidos, así como con los requisitos necesarios para su desempeño.

Este modelo, además, por imperativo del artículo 21.2 de la Ley de Agencias estatales debe contener elementos que permitan una carrera basada en criterios de homogeneidad dentro de agencias del mismo ámbito, facilite similares retribuciones para niveles profesionales semejantes y posibilite medidas de movilidad en su caso.

Esta mayor autonomía y flexibilidad ha de ir acompañada de los correspondientes mecanismos de control, rendición de cuentas y responsabilidad por la gestión. Por ello, las modificaciones de la RPT que efectúe la Agencia en ejecución del presente Contrato de Gestión han de ser objeto de seguimiento por parte de los Ministerios de Economía Hacienda, de Administraciones Públicas y del Ministerio de Adscripción.

La RPT inicial de la Agencia figurará como anexo al Contrato de Gestión, sobre la que el propio Organismo podrá aprobar modificaciones conforme a lo que se indica en los apartados siguientes.

El Contrato de Gestión contendrá una definición de las áreas funcionales que existan en la Agencia y los puestos tipo existentes, los niveles o escalones retributivos y los sistemas de valoración de los puestos, que permita incardinar cada puesto en un escalón retributivo determinado y que figurará como anexo al contrato de gestión.

Las retribuciones de las áreas funcionales de carácter horizontal (de personal, de gestión económica, de informática, de atención al público, de habilitación, etc.) se ajustarán a los escalones prefijados. Las áreas específicas de la propia Agencia serán objeto de estudio y desarrollo en el propio Contrato de Gestión.

Criterios para la modificación de la RPT.

Debería instituirse, en el seno de la Agencia, una Comisión de Valoración que será el órgano encargado de analizar y proponer al Director o al órgano competente la aprobación de las modificaciones de las RPT.

La Agencia podrá disponer de una RPT cuyo coste no podrá superar el límite máximo del 5% sobre el presupuesto de gastos de los efectivos, en relación al VOR (retribuciones básicas, c. destino y c. específico). En este sentido, se podrá modificar la distribución interna de dotaciones de los grupos de clasificación del personal funcionario y de los grupos profesionales de personal laboral.

Las modificaciones de la RPT habrán de ser equilibradas de modo que el coste total de la misma no sobrepase el límite indicado en el apartado anterior, y coadyuvarán en la consecución de los objetivos del Organismo definidos en el plan estratégico aprobado.

La modificación de los complementos de destino y específicos de los puestos de trabajo tendrá como objetivo que las retribuciones guarden la relación con su contenido.

Los complementos específicos se moverán dentro de los tipos o escalones retributivos por puesto previamente definidos.

Semestralmente, se dará cuenta de las modificaciones aprobadas de las RPT al Ministerio de Hacienda y Administraciones Públicas y al ministerio de adscripción.

Los puestos directivos de la Agencia son los determinados como tales en el Estatuto de la Agencia y serán provistos por personal funcionario en servicio activo o por personal laboral en régimen de alta dirección conforme prevea dicho Estatuto. La RPT, por tanto, reflejará lo que al respecto establezca el mismo.

Respetando la estructura básica establecida en su Estatuto, el Contrato de gestión debe determinar cuál es la estructura de personal directivo fijando sus dotaciones y retribuciones medias y máximas de carácter fijo para cada uno de los niveles de personal directivo.

Las modificaciones en el número y retribuciones medias de los puestos de carácter directivo determinados en el Contrato de gestión serán objeto de autorización por parte de los Ministerios de Economía y Hacienda y de Administraciones Públicas.

Al Consejo Rector le corresponde fijar los criterios de asignación y porcentaje respecto de la retribución total de los directivos que corresponde a incentivos al rendimiento, de acuerdo con los mínimos que se determinen en el contrato de gestión.

La Agencia se compromete a diseñar y poner en aplicación un sistema de evaluación del desempeño que tendrá como finalidad, entre otras, la fijación de las retribuciones de incentivo al rendimiento.

9. PROCEDIMIENTO PARA LA INTRODUCCIÓN DE LAS MODIFICACIONES O ADAPTACIONES ANUALES QUE, EN SU CASO PROCEDAN

Por último, el contrato de gestión debe recoger el íter procedimental necesario para incorporar todas aquellas modificaciones o adaptaciones anuales del mismo que, en su caso, procedan.

Estas previsiones procedimentales deberían estar incluidas en las disposiciones finales del contrato de gestión.

El procedimiento debe ponerse en conexión con la necesidad, que se ha señalado en el Apartado III, sobre efectos asociados al grado de cumplimiento, de contar con un sistema integral de información que permita, no sólo poder determinar el grado de consecución de los objetivos fijados por la Agencia, sino igualmente introducir una variable de *feed-back* o retroalimentación, a través de una autoevaluación permanente de la posición de la Agencia que permita articular las medidas necesarias para corregir desviaciones y, en su caso, justifique la necesidad de introducir alguna modificación, redefinición o adaptación al propio contrato de gestión.

Las citadas modificaciones pueden afectar a distintos aspectos del Contrato de Gestión. A modo de ejemplo, se pueden citar algunas de las causas que pueden conllevar la procedencia de incorporar modificaciones o adaptaciones anuales del contrato de gestión:

Eliminación, redefinición o introducción de nuevos objetivos específicos o, en última instancia, estratégicos de la Agencia por razones de oportunidad.

Modificaciones en los planes, proyectos o programas o no realización de las modificaciones normativas previstas en el contrato de gestión.

Si los Presupuestos Generales del Estado no dotasen a la Agencia de la financiación prevista en el contrato de gestión, o el Estado no pusiese a disposición de la Agencia los recursos humanos y los medios materiales previstos en el contrato de gestión.

Cambios en los sistemas de evaluación.

Alteraciones en los indicadores o niveles de calidad.

Aparición de circunstancias exógenas que condicionen de forma muy sustancial el cumplimiento de los objetivos.

El procedimiento para incorporar las modificaciones anuales al contrato de gestión, variará en función de los extremos que se pretenda alterar, debiendo preverse en el Contrato de gestión los distintos supuestos procedimentales.

De acuerdo con la Ley de Agencias pueden producirse dos situaciones:

10. MODIFICACIONES EN LAS QUE SE DEBA, NECESARIAMENTE, SEGUIR EL PROCEDIMIENTO UTILIZADO PARA LA APROBACIÓN INICIAL DEL CONTRATO DE GESTIÓN

En este caso, las modificaciones o adaptaciones se incorporarían al Contrato de Gestión mediante Orden del Ministro de la Presidencia, dictada a propuesta del Ministro de Hacienda y Administraciones Públicas y del titular del Ministerio o Ministerios de adscripción.

En el Contrato de gestión se deben fijar, expresamente, los supuestos concretos en que se seguirá este procedimiento. A modo orientativo, pueden incluirse en este apartado las modificaciones se refieran a los resultados a obtener, afecten sustancialmente a los objetivos y planes estratégicos, alteren el marco de gestión de recursos humanos acordado o impliquen una nueva aportación de recursos personales, materiales o presupuestarios.

Finalmente, las modificaciones anuales al Contrato de gestión, se incorporarían por la propia Agencia.

Para este segundo supuesto, se detallará en el Contrato de gestión el procedimiento concreto a seguir. Se considera que, con carácter general, las modificaciones debieran ser acordadas por el Consejo Rector, previo informe de la Comisión de Seguimiento.

Otros aspectos procedimentales a fijar son los estrictamente internos, en particular, la determinación del órgano o responsable a los que corresponda la propuesta y el informe.

Capítulo 32

Reingreso de los funcionarios públicos y suspensión de funciones

En este capítulo se plantea la cuestión desde un caso sacado de la práctica administrativa para examinar la figura de la situación administrativa derivada de una suspensión de funciones aplicada a un funcionario y la contratación de un funcionario interior, examinando la figura del reingreso al servicio activo.

Una Corporación Local recibe una solicitud de reincorporación al servicio activo por parte de un funcionario, que ha sido objeto de una sanción disciplinaria consistente en dos años de suspensión. Solicitud que es formulada en el plazo legalmente establecido. El funcionario, Técnico de Administración General, era titular, por vía de concurso, del puesto de trabajo de Jefe de Servicio de Régimen Interior, hasta que fue suspendido. Con posterioridad, se nombró como funcionario interino a otro funcionario el cual, tras pasar el correspondiente proceso selectivo, que ha desempeñado las funciones y cometidos en dicho puesto de trabajo hasta la actualidad.

En el caso práctica se trata de examinar a cual de los dos empleados públicos corresponde el derecho a reincorporarse y examinar la figura del reingreso al servicio activo de los funcionarios públicos.

1. SITUACIÓN DE LOS FUNCIONARIOS

Respecto del Primero que tiene el puesto de trabajo por concurso, como funcionario de Administración Local, partiendo de la base de la aplicación de las disposiciones del estatuto Básico del Empleado Público que más adelante se examinan, la normativa aplicable a la situación administrativa de suspensión de un funcionario de la Administración Local se encuentra en el artículo 140.2 del Texto Refundido de las disposiciones legales vigentes en materia de Régimen Local, Real Decreto Legislativo 781/1986 (1), dispone el sistema de fuentes que deben aplicarse en materia de situaciones administrativas de funcionarios de Administración Local, señalando que dichas situaciones se regularán por la normativa básica estatal, y

_____

(1)   TR/1986.

por la legislación de función pública de la respectiva Comunidad Autónoma y, supletoriamente, por la legislación de los funcionarios de la Administración del Estado, teniéndose en cuenta las peculiaridades del régimen local.

Por otra parte y en lo que se refiere a situaciones administrativas, es preciso atenerse a lo previsto en el artículo 85 del Estatuto Básico del Empleado Público (2) sobre las Situaciones Administrativas de los funcionarios de carrera que dispone además que las leyes de la función pública que se dicten en desarrollo del Estatuto Básico podrán regular otras situaciones administrativas en los supuestos, condiciones y con los efectos que se determinen cuandor4esulte imposibilidad transitoria de asignar un puesto de trabajo o la conveniencia de incentivar la cesación del servicio activo o cuando los funcionarios accedan a otros cuerpos o escalas y no les corresponda quedar en alguna de las situaciones previstas en el Estatuto Básico y cuando pasen a prestar servicio en organismos o entidades del sector público en régimen diferente del de funcionario de carrera. Dicha regulación prevista, según la situación administrativa de que se trate, podrá conllevar garantías de índole retributiva o imponer derechos u obligaciones en relación con el reingreso al servicio activo.

El artículo 90 del Estatuto Básico del empleado Público dispone que el funcionario declarado en la situación de suspensión, quede privado, durante el tiempo de permanencia en la misma, del ejercicio de sus funciones y de todos los derechos inherentes a la condición. La suspensión determina la pérdida del puesto de trabajo cuando exceda de seis meses. La suspensión firme se impone en virtud de sentencia judicial en causa criminal o en virtud de sanción disciplinaria que no puede exceder de seis años.

El funcionario declarado en la situación de suspensión de funciones no puede prestar servicios en ninguna Administración pública o entidades de derecho público durante el tiempo de cumplimiento de la pena o sanción.; además puede acordarse la suspensión de funciones con carácter provisional con ocasión de la tramitación de un procedimiento judicial o expediente disciplinario.

Hay que tener en cuenta que aunque la Disposición derogatoria del Estatuto Básico derogó el artículo 29 de la Ley 30/1984 sobre situaciones de funcionarios, hay que reconocer que esta derogación no será efectiva hasta que se dicten las leyes de función pública y normas reglamentarias de desarrollo de cada Administración pública siempre que no se opongan a lo establecido en el propio Estatuto Básico. Por otra parte el estatuto Básico no ha derogado el artículo 29 bis de la citada Ley 30/1984.

El artículo 29 en su momento creó situaciones administrativas nuevas, derogó otras y mantuvo las restantes, dicho artículo es preciso complementarlo, en

---

(2)   Ley 7/2007, de 12 de abril, del Estatuto Básico del Empleado Público.

tanto no se aprueben las normas de desarrollo del Estatuto Básico referentes a cada Administración Pública, con lo establecido en el estatuto Básico y en su caso con lo dispuesto en el artículo 40 y siguientes de la Ley de Funcionarios de Administración Civil del Estado, que regula otras situaciones, por todo ello con los matices que ha añadido la Sentencia del Tribunal Constitucional 37/2002, que establece seria dudas sobre el carácter básico de algunos de los preceptos de dicha norma. En concreto, el artículo 47 y siguientes del mismo regulan la suspensión; y el artículo 50 establece que La condena y la sanción de suspensión determinará la pérdida del puesto de trabajo, cuya provisión se realizará según las normas generales de esta ley.

2. SITUACIÓN DEL FUNCIONARIO INTERINO

La regulación de los funcionarios interinos se encuentra en el artículo 10 del Estatuto Básico del empleado Público que dispone que son funcionarios interinos los que, por razones expresamente justificadas de necesidad y urgencia, son nombrados como tales para el desempeño de funciones propias de los funcionarios de carrera, cuando se de alguna de las circunstancias siguientes:

a) La existencia de plazas vacantes y no sea posible cu cobertura por funcionarios de carrera.

b) La sustitución transitoria de los titulares.

c) La ejecución de programas de carácter temporal.

d) El exceso o acumulación de tareas por plazo máximo de seis mes dentro de un periodo de doce meses.

La selección de funcionarios interinos debe llevarse a cabo mediante procedimientos ágiles que respeten los principios de igualdad, mérito, capacidad y publicidad.

El cese de funcionarios interinos por su parte se produce, además de por las causas previstas en el artículo 63 cuando finalice la causa que dio lugar a su nombramiento.

Las plazas ocupadas por funcionarios interinos nombrados por razones de necesidad y urgencia deberán incluirse en la oferta de empleo público inmediatamente posterior a la permanencia de un año del interino en su puesto, sin perjuicio de lo contemplado en el apartado c) del párrafo anterior, para ser objeto de provisión de acuerdo con los procedimientos establecidos en la ley, a excepción de las plazas ocupadas por interinos para sustituir a funcionarios con derecho a reserva de puestos de trabajo (3).

---

(3)   Apartado que fue modfificado por la Ley 24/2001.

Para su selección habrá que estar a lo dispuesto en la disposición adicional del Real Decreto 896/1991 de 7 de junio, por el que se establecen las reglas básicas y los programas mínimos a que debe ajustarse el procedimiento de selección de los funcionarios de administración local, que dispone previa convocatoria pública y con respeto, en todo caso, de los principios de mérito y capacidad, el Presidente de la Corporación podrá efectuar nombramientos de personal funcionario interino para plazas vacantes siempre que no sea posible, con la urgencia exigida por las circunstancias, la prestación del servicio por funcionarios de carrera. Tales plazas habrán de estar dotadas presupuestariamente e incluidas en la oferta de empleo público, salvo cuando se trate de vacantes realmente producidas con posterioridad a la aprobación de ésta. El personal funcionario interino deberá reunir los requisitos generales de titulación y las demás condiciones exigidas para participar en las pruebas de acceso como funcionarios de carrera. Se dará preferencia a aquellos aspirantes que hayan aprobado algún ejercicio en las pruebas de acceso de que se trate.

El personal interino cesará cuando la plaza se provea por funcionario de carrera o la Corporación considere que han cesado las razones de urgencia que motivaron su cobertura interina.

La nota más destacada es la de la temporalidad de su condición de funcionario, subordinado a una de las cuatro causas indicadas.

3. REINGRESO DEL FUNCIONARIO SUSPENDIDO

Está claro que de acuerdo con lo dispuesto en el artículo 90 del Estatuto Básico el funcionario ha perdido el puesto de trabajo porque la suspensión ha excedido de seis meses por ello se examina el aspecto que se refiere al reingreso al servicio activo.

Esta cuestión se encuentra regulada en artículo 29 bis de la Ley 30/1984, que dispone que el reingreso al servicio activo de los funcionarios que no tengan reserva de plaza y destino se efectuará mediante su participación en las convocatorias de concursos o de libre designación para la provisión de puestos de trabajo. Asimismo, el reingreso podrá efectuarse por adscripción a un puesto con carácter provisional, condicionado a las necesidades del servicio y siempre que se reúnan los requisitos para el desempeño del puesto (4). El puesto asignado con carácter provisional se convocará para su provisión definitiva en el plazo máximo de un año, y el funcionario reingresado con destino provisional tendrá obligación de participar en la convocatoria. Si no obtuviese destino definitivo se le aplicará lo dispuesto en el artículo 21.2 b) de esta ley.

---

(4)   Apartado redactado conforme Ley 13/1996, de 30 de diciembre, de medidas fiscales, económicas y de orden social.

A su vez, y en defecto de las previsiones que el legislador autonómico haya establecido para su propia función pública, tal y como ordena el 140.2 del TR/1986, es preciso estar a lo establecido, con carácter supletorio, en los artículos 22 y 13 y siguientes del Real Decreto 365/1995, de situaciones administrativas, de 10 de marzo; concretamente el artículo 22.3, 4 y 5, dispone que el funcionario que haya perdido su puesto de trabajo como consecuencia de condena o sanción deberá solicitar el reingreso al servicio activo con un mes de antelación a la finalización del período de duración de la suspensión. Dicho reingreso tendrá efectos económicos y administrativos desde la fecha de extinción de la responsabilidad penal o disciplinaria. De no solicitarse el reingreso en el tiempo señalado en el párrafo anterior, se le declarará, de oficio, en la situación de excedencia voluntaria por interés particular, con efectos desde la fecha de finalización de la sanción. Si una vez solicitado el reingreso al servicio activo no se concede en el plazo de seis meses, el funcionario será declarado, de oficio, en la situación de excedencia forzosa prevista en el artículo 13.1 b) con efectos de la fecha de extinción de la responsabilidad penal o disciplinaria.

Por su parte el artículo 13.1 b), 3 y 4, dispone que la excedencia forzosa se produce cuando el funcionario declarado en la situación de suspensión firme, que no tenga reservado puesto de trabajo, solicite el reingreso y no se le conceda en el plazo de seis meses contados a partir de la extinción de la responsabilidad penal o disciplinaria, en los términos establecidos en el artículo 22 de este reglamento.

Los restantes excedentes forzosos estarán obligados a participar en los concursos que se convoquen para la provisión de puestos de trabajo cuyos requisitos de desempeño reúnan y que les sean notificados, así como a aceptar el reingreso obligatorio al servicio activo en puestos correspondientes a su Cuerpo o Escala.

El incumplimiento de las obligaciones recogidas en este artículo determinará el pase a la situación de excedencia voluntaria por interés particular.

Por todo ello puede decirse que hay un derecho al reingreso, subordinado, en los términos que se han indicado anteriormente, a que haya puestos de trabajo vacantes. La imposibilidad de reingreso en un plazo de seis meses conlleva unos efectos económicos que tal y como se ha visto se retrotraen al momento en que se produce la finalización de la responsabilidad disciplinaria.

En ese sentido, el elemento fundamental en esta cuestión consiste en determinar si existen otros puestos de trabajo vacantes a los que pudiera ser adscrito el funcionario, o si por el contrario, éste es el único puesto vacante que puede desempeñar un funcionario de dicha categoría (en este caso Técnico de Administración General). Si existieran otros puestos de trabajo vacantes, habrá que entender que queda a libre voluntad del órgano decidor la cobertura del puesto en cuestión, de este modo el Alcalde, el decidir si se adscribe provisionalmente al funcionario que había sido suspendido dicho puesto de Jefe de Servicio de Régimen interior o a otro de los que se encuentran vacantes.

Por otra parte el funcionario adscrito provisionalmente no puede alegar en ese sentido ningún derecho de preferencia, ya que su condición de funcionario interino determina que su permanencia quede subordinada a que se articule un medio de adscripción mejor par dicho puesto. Lo que no sería justificable sería su sustitución por otro interino, pero sí por un funcionario de carrera de la Corporación, que reingresa en la misma finalizada su sanción. Como ya hemos apuntado anteriormente, el funcionario que fue suspendido no tiene derecho a exigir la reincorporación a su antiguo puesto porque ha perdido el derecho de reserva al mismo.

El margen de libre disposición del órgano decisor se entiende, sin embargo, que desaparece en el caso en que sólo se encuentre dicho puesto vacante. En ese caso, se entiende que prevalece el derecho de reincorporación del funcionario, derecho recogido en la norma antes indicada, y ante el que el funcionario interino, por su carácter de provisional y temporal, no puede argumentar un mejor derecho.

En este sentido y a los efectos de preservar al funcionario interino en su puesto, no está justificado bajo ningún concepto que se coloque al funcionario que había sido suspendido en una situación de excedencia forzosa, pues esta situación conllevaría, por otra parte, un coste económico superior para la Corporación municipal, por tener que abonarle los correspondientes derechos económicos, a que se refiere el artículo 13 del Real Decreto 365/1995, sin contraprestación profesional de ningún tipo.

En conclusión en este segundo caso no se produce el presupuesto de hecho necesario para que surja el derecho a la excedencia forzosa, que es la inexistencia de puestos vacantes de su categoría. El puesto está cubierto de forma transitoria por un funcionario interino y, por lo tanto, como antes se ha dicho, pendiente de provisión por una mejor fórmula, articulada expresamente en la norma.

4. REGULACIÓN DE LA FIGURA DEL REINGRESO DE LOS FUNCIONARIOS

El estatuto Básico del Empleado Públicos regula el reingreso al servicio activo dentro del Título VI relativo a las situaciones administrativas disponiendo en su artículo 85 que los funcionarios podrán quedar en alguna de las cinco situaciones de enumera: servicio activo, servicios especiales, servicio en otras Administraciones públicas, excedencia y suspensión de funciones. Por otra parte el mismo precepto añade que las Leyes que se dicten en desarrollo del Estatuto Básico (5) podrán regular otras situaciones administrativas de los funcionarios de carrera, en los supuestos y condiciones y con los efectos que se determinen dicha regulación, según la situa-

---

(5)   Esta y otras cuestiones ponen de manifiesto la necesidad y urgencia de que se apruebe una legislación en materia de empleados públicos en el ámbito de la Administración General del Estado.

ción administrativa de que se trate podrá conllevar garantías de índole retributiva o imponer derechos u obligaciones en relación con el reingreso al servicio activo. Por otra parte en el artículo el artículo 91 del estatuto Básico se dispone que reglamentariamente se regularán los plazos, procedimientos y condiciones, según las situaciones administrativas de procedencia, para solicitar el reingreso al servicio activo de los funcionarios de carrera, con respeto al derecho a la reserva de puesto de trabajo en los casos en que proceda conforme al propio Estatuto Básico. Por su parte el artículo 87 dispone en su punto 3 que quienes se encuentren en situación de servicios especiales tendrán derecho, al menos, a reingresar al servicio activo en la misma localidad, en las mismas condiciones y con las retribuciones correspondientes a la categoría nivel o escalón de la carrera consolidados, de acuerdo con el sistema de carrera administrativa vigente en la administración a que pertenezcan.

Respecto a las normas reguladoras de los funcionarios públicos que mencionan el derecho de reingreso podemos mencionar las siguientes:

a) El Reglamento de Situaciones Administrativas de los Funcionarios Civiles de la Administración General del Estado (6) cuyo artículo 15 apartado 3 dispone que los funcionarios podrán permanecer en la situación de excedencia voluntaria en tanto se mantenga la relación de servicios que dio origen a la misma. Una vez producido el cese, en ella deberán solicitar el reingreso al servicio activo en el plazo máximo de un mes, declarándoles, de no hacerlo, en la situación de excedencia voluntaria por interés particular.

b) El artículo 16.4 se dispone que En las resoluciones por las que se declare la situación de excedencia voluntaria se expresará el plazo máximo de duración de la misma. La falta de petición de reingreso al servicio activo dentro de dicho plazo comportará la pérdida de la condición de funcionario.

c) El artículo 17.2 dispone que antes de finalizar el periodo de quince años de duración de esta situación deberá solicitarse el reingreso al servicio activo, declarándose, de no hacerlo, de oficio, la situación de excedencia voluntaria por interés particular.

d) Por su parte el artículo 18 del mismo Reglamento de situaciones dispone en su apartado 4 que la excedencia voluntaria incentivada tendrá una duración de cinco años e impedirá desempeñar, puestos de trabajo en el sector público, bajo ningún tipo de relación funcionarial o contractual, sea ésta laboral o administrativa, si no se solicita el reingreso al servicio activo dentro del mes siguiente al de finalización del periodo aludido, el departamento ministerial al que esté adscrito el cuerpo o escala del funcionario le declarará en excedencia voluntaria por interés particular.

---

(6)   Aprobado por Real Decreto 365/1995 de 10 de marzo.

e) El artículo 22, incluido en el capítulo en el que se regula la suspensión de funciones, se refiere a la suspensión firme cuando se impone por condena criminal o sanción disciplinaria. La condena y la sanción determinarán la pérdida del puesto de trabajo, excepto cuando la suspensión firme no exceda de seis meses; además, en tanto no transcurra el plazo de suspensión de funciones no procederá ningún cambio de situación administrativa. El funcionario que haya perdido su puesto de trabajo como consecuencia de condena o sanción deberá solicitar el reingreso al servicio activo con un mes de antelación a la finalización del periodo de duración de la suspensión. Dicho reingreso tendrá efectos económicos y administrativos desde la fecha de extinción de la responsabilidad penal y disciplinaria. De no solicitarse el reingreso en el tiempo señalado se le declarará de oficio en la situación de excedencia voluntaria por interés particular, con efectos de la fecha de finalización de la sanción. Finalmente si una vez solicitado el reingr4eso al servicio activo éste no se concede en el plazo de seis meses, el funcionario será declarado de oficio, en la situación de excedencia forzosa con efecto de la fecha de extinción de la responsabilidad penal o disciplinaria.

f) El Reglamento General de ingreso del personal al servicio de la Administración General del Estado, provisión de puestos de trabajo y promoción profesional de los funcionarios civiles de la Administración General del Estado (7), dispone en su artículo 60.3 que los funcionarios que tras las anteriores fase de reasignación de efectivos no hayan obtenido un puesto de trabajo serán adscritos al Ministerio de Administraciones Públicas (8) a través de las relaciones específicas de puestos en reasignación, siendo declarados en la situación administrativa de expectativa de destino: podrán ser reasignados a puestos de similares características a los que tenían, de otros ministerios y organismos adscritos, a estos efectos se entienden por puesto de similares características los que guarden semejanza en su forma de provisión y retribuciones respecto al que venía desempeñando. La reasignación conllevará el reingreso en el servicio activo. Tendrá carácter obligatorio cuando el puesto esté situado en la misma provincia y voluntario cuando radique en provincia diferente a la del puesto que se desempeñaba en el departamento de origen.

g) Por otra parte el artículo 62 del citado Reglamento general de ingreso regula en su artículo 62 el reingreso al servicio activo disponiendo que el reingreso al servicio activo de los funcionarios que no tengan reserva de puesto de trabajo se efectuará mediante su participación en las convocatorias de concurso o libre designación para la provisión de puestos de trabajo o, en su caso, por reasignación de efectivos para los funcionarios en situación de expectativa de destino o en la modalidad de excedencia forzosa.

---

(7)   Aprobado por Real decreto 364/1995 de 10 de marzo.
(8)   En la actualidad Ministerio de la Presidencia.

h) Por otra parte el reingreso también puede llevarse a cabo mediante adscripción provisional condicionado a las necesidades del servicio, de conformidad con los criterios que establezca el citado Ministerio y siempre que se reúnan los requisitos para desempeño del puesto.

Por otra parte el artículo 148.6 del Texto Refundido de disposiciones legales vigentes en materia de Régimen Local de 1986, que señala que la suspensión firme determina la pérdida del puesto de trabajo, que será cubierto reglamentariamente sin perjuicio de lo establecido en el número anterior para los funcionarios con habilitación de carácter nacional.

En consecuencia, el funcionario suspendido al que se refiere al caso que encabeza la presente práctica profesional no tiene derecho a la reserva del puesto de trabajo al que estaba adscrito por la vía de concurso; por lo tanto el mismo no puede exigir, no tiene derecho a volver al puesto de trabajo que ocupaba con anterioridad a la suspensión a la que fue condenado.

Desde este punto de vista el funcionario suspendido no goza de un derecho prevalente sobre el otro funcionario para ocupar ese puesto de trabajo en cuestión. El funcionario suspendido conserva la condición de funcionario de carrera ya que la sanción disciplinaria que puede hacer perder dicha condición es la de separación el servicio y no es la que se le a aplicado art. 138.1 c) del TR/1986. En este caso la suspensión tiene un carácter temporal.

Finalmente recordar que el apartado 1 de la Resolución de 15 de febrero de 1996 por la que se dictan reglas aplicables a determinados procedimientos en materia reingreso al servicio activo y de asignación de puestos de trabajo estableció los criterios que había anunciado el Reglamento General de ingreso, antes citado del Ministerio de Administraciones Públicas, señalando respecto a los funcionarios procedentes de la situación de suspensión de funciones como quiera que el artículo 22 del citado Reglamento dispone cuando la situación de suspensión firme de funciones implique la pérdida del puesto de trabajo, el funcionario deberá solicitar el reingreso al servicio activo con un mes de antelación a la finalización del periodo de duración de la suspensión. El reingreso tiene efectos económicos y administrativos desde la fecha de extinción de la responsabilidad penal o disciplinaria.

Si no se solicita el reingreso en el plazo señalado se le declara de oficio en la situación de excedencia voluntaria por interés particular en la que deberá permanecer un mínimo de dos años continuados, con efectos desde la fecha de finalización de la sanción. Si una vez solicitado el reingreso no se concede el servicio activo en el plazo de seis meses, procede declarar de oficio la situación de excedencia forzosa, con efectos desde la fecha de extinción de la responsabilidad penal o disciplinaria.

La misma Resolución establece una serie de disposiciones sobre el procedimiento administrativo que debe seguirse en estos casos:

A) Inicio.

El interesado solicitará al Departamento en el que esté adscrito su cuerpo o escala el reingreso al servicio activo el reingreso al servicio activo con un mes de antelación a la finalización del periodo de duración de la suspensión mediante instancia en la que, a título meramente orientativo, aquel debe manifestar el orden de preferencia de municipios. En cualquier caso el cómputo del plazo de seis meses para la declaración de oficio en la situación de excedencia forzosa se inicia a partir de la fecha de extinción de la responsabilidad penal o disciplinaria.

B) Tramitación.

El Departamento que debe tramitar el reingreso por adscripción provisional debe dirigirse a los diferentes ministerios solicitando informe sobre la existencia de puesto vacante que, con arreglo a las necesidades del servicio, resulte adecuado proveer. En el caso de que se informe negativamente el Departamento encargado de tramitar el reingreso debe dirigirse, de nuevo, al ministerio donde el funcionario tuvo su último destino en servicio activo, comunicándole que deberá de poner a su disposición un puesto de trabajo, o, en caso de carecer del mismo, proponer a la Comisión Ejecutiva de la Interministerial de Retribuciones la creación de un puesto idóneo, antes del transcurso del plazo de seis meses.

C) Terminación.

El departamento al que se halle adscrito el cuerpo o escala deberá disponer el reintegro por adscripción provisional, antes del transcurso del plazo de seis meses, en el puesto vacante de que se trate, con efectos desde la fecha de extinción de la responsabilidad penal o disciplinaria. En este caso el ministerio de último destino debe abonar las retribuciones correspondientes.

Finalmente en lo que respecta a la incorporación al puesto de trabajo asignado la citada Resolución dispone que la toma de posesión del funcionario en el puesto asignado provisionalmente debe producirse en el plazo de tres días, si no implica cambio de residencia, contados a partir del siguiente al de la notificación de la resolución de reingreso al servicio activo.

El puesto de trabajo adjudicado es irrenunciable y la falta de toma de posesión en plazo determina el pase a la situación de excedencia voluntaria por interés particular en la que debe permanecer un mínimo de dos años continuados, con efectos de la fecha de finalización de la sanción.

Capítulo 33

Prácticas sobre retribuciones en la Administración Pública

En este capítulo el supuesto de hecho, lo constituye la percepción de retribuciones económicas por diversas clases de funcionarios públicos, reguladas por un conjunto de normas que definen diferentes conceptos retributivos cada uno de naturaleza propia cuyas características debe conocer todo el personal al servicio de las Administraciones Públicas.

1. RETRIBUCIONES PÚBLICAS: CONCEPTO Y REGULACIÓN

Las normas básicas del régimen retributivo de los funcionarios públicos están reguladas en la Ley 30/1984 de Medidas para la Reforma de la Función Pública cuyo capítulo V dedicado a las Bases del régimen de retribuciones cuyos artículos 23 y 24 son aplicables a todo el personal de las Administraciones Públicas e incluye la regulación de las retribuciones con el estatuto de los funcionarios públicos, de manera que uno de los primeros derechos del funcionario es el derecho a ser retribuido como contraprestación al trabajo que lleve a cabo en la Administración en la que desempeña su servicio pues la correspondencia entre trabajo y retribución está reconocida en el artículo 35 de la Constitución.

El concepto legal de retribución de los funcionarios públicos lo encontramos en la Ley 53/1984 de Incompatibilidades cuyo artículo 1.2 la define de modo amplio como «cualquier derecho de contenido económico derivado, directa o indirectamente, de una prestación o servicio personal, sea su cuantía fija o variable y su devengo periódico u ocasional.»

Por ello puede decirse que el sistema retributivo en el sector público contiene dos aspectos en su concepción:

— Uno amplio como parte del sistema global de recompensas, consistente en el conjunto global de compensaciones valorables económicamente que el funcionario percibe por su trabajo.

— Uno más estricto que contempla exclusivamente la compensación económica recibida por el servicio realizado.

Pero hay que tener en cuenta que el sistema de retribuciones públicas no se limita a lo establecido en la Ley de medidas toda vez que las prestaciones sociales en sentido amplio (por maternidad, hijos, prestaciones vacacionales, etc.), la duración de la jornada de trabajo, el conjunto de permisos y licencias y otros son elementos ligados con el concepto de compensación que hay que tener en cuenta cuando se valora el sistema global de retribuciones de los funcionarios públicos.

El Régimen de retribuciones consiste en la gestión y distribución de fondos públicos y por ello está basado en una serie de normas y principios ligados a la buena gestión de los mismos y a la diferenciación de los conceptos retributivos: legalidad, publicidad, justa contraprestación, suficiencia, distinción por conceptos, armonización de la cuantía de retribuciones básicas y discrecionalidad de las complementarias:

A) De acuerdo con el principio de legalidad de las retribuciones públicas, los funcionarios solo pueden ser retribuidos por los conceptos fijados por ley y aunque la Ley 30/1984 mantuvo el sistema seguido por la Ley de funcionarios de 1964 el sistema vigente se encuentra, ahora, avalado por la propia constitución que estableció la reserva de ley en su artículo 103.4. En consecuencia la regulación legal de los conceptos está recogida por la Ley 30/1984 y es revisada por sucesivas Leyes de Presupuestos por ello ningún funcionario puede ser retribuido por conceptos diferentes a los establecidos en la ley.

B) La necesaria publicidad de las retribuciones se hace efectiva mediante la inclusión de las mismas en las normas presupuestarias y en los presupuestos de todas las Administraciones Públicas, principio que se refuerza en conceptos como el de productividad al exigirse el conocimiento público y principalmente por la representación sindical de las retribuciones percibidas por cada interesado por dicho concepto.

C) El carácter bilateral de la retribución consiste en que ésta responsa a una auténtica prestación de servicios por parte del funcionario que la percibe pues legalmente solo puede percibirse la totalidad de las retribuciones si la prestación de trabajo realizada por el funcionario en cuestión, se ajusta al sistema previamente establecido de horario y jornada laboral y en caso de que no fuera así la percepción deberá ajustarse al trabajo realmente desempeñado de modo proporcional (1). Sin embargo hay determinados periodos como vacaciones, permisos, licencias que deben computarse como tiempo de trabajo plenamente realizado a efectos de retribución.

D) El principio de suficiencia de la retribución de los funcionarios se deriva de la propia constitución cuyo artículo 35 reconoce a todos los españoles el derecho a una remuneración suficiente para satisfacer sus necesidades y las de su familia y

---

(1)   Días trabajados por mes.

tiene una manifestación en la actualización de retribuciones públicas que se lleva a cabo mediante leyes presupuestarias.

E) Las retribuciones públicas están legalmente diferenciadas por conceptos referidos al funcionario o al puesto de trabajo que este desempeña, los primeros son de carácter subjetivo y se refieren al sueldo según el grupo, al nivel del grado que tenga consolidado o a los trienios perfeccionados, etc., los segundos son de carácter objetivo y van unidos al puesto de trabajo desempeñado con independencia de sus condiciones personales: complemento de destino, complemento específico. El sistema establece la uniformización de las cuantías básicas que son iguales para todos los funcionarios del mismo grupo. El sistema es diferente en lo que se refiere a las retribuciones complementarias pues tienen carácter discrecional aunque normativo y pueden ser recurridas las normas de aprobación. Esta facultad de la Administración para fijar las retribuciones complementarias de los funcionarios está, por tanto, sometida a revisión judicial.

F) Con todo, las retribuciones básicas no son objeto de negociación mientras que respecto de las complementarias, hay más posibilidades de negociación debiendo respetarse los límites presupuestarios o legales preestablecidos.

G) Finalmente la ley establece la imposibilidad de percibir más de una retribución pública por concepto asimilado a jornada laboral tanto en lo que se refiere a haberes activos como a las pensiones.

2. LAS RETRIBUCIONES BÁSICAS

El sistema de regulación actual de retribuciones de los funcionarios ha disminuido la importancia tradicional de las retribuciones básicas en el montante global lo cual significa una disminución de los derechos a largo plazo además se ha dicho que la cuantía por trienios sigue siendo insuficiente para compensar la antigüedad ya que ni siquiera llegan a compensar las consecuencias de la inflación.

Las retribuciones básicas se definen desde la óptica subjetiva del funcionario perceptor, de acuerdo con el Cuerpo o escala a que pertenezca y responden al principio de uniformidad entre los funcionarios por ello son vinculantes para todas las Administraciones Públicas y vienen establecidas en las Leyes de Presupuestos generales del Estado (Ley 30/1984 art. 23; Real Decreto 861/1986 art. 2 respecto Entidades Locales). Las retribuciones básicas son el sueldo, los trienios y las pagas extraordinarias.

2.1. Sueldo

Es una percepción independiente que corresponde a cada grupo de titulación de los cinco en que se clasifican los cuerpos, escalas y categorías de funcionarios

(A, B, C, D y E) que se corresponden con la titulación académica exigida para ingreso en cada uno de aquellos y que determina el derecho a percibir una cuantía concreta fijada para cada grupo, de este modo la Ley de medidas establece que corresponde a cada índice de proporcionalidad (fijado por Ley) asignado a cada uno de los grupos en que se organizan los cuerpos escalas y categorías.

La cuantía del sueldo que corresponde a cada uno de los grupos se fija en las leyes de presupuestos y el sueldo percibido por los funcionarios de grupo A no podrá exceder en más del triple que el percibido por funcionarios del grupo E de modo que se trata de aplicar el principio de proporcionalidad entre sueldos de diferentes grupos para logra un espectro retributivo más armonizado.

El sueldo constituye un derecho adquirido de origen legal del que la Administración no puede disponer pero es un concepto que por su propio carácter tiende a mantenerse inamovible sin que recepcione las variaciones del coste de la vida lo cual ha supuesto hasta el presente una disminución efectiva de los derechos económicos de los funcionarios.

2.2. Trienios

La Ley define este concepto retributivo como una cantidad a percibir igual para cada grupo por cada tres años de servicio en cada Cuerpo, escala o categoría. Es una cantidad que se incrementa cada tres años de servicio y se establece, cada año, por la Ley de Presupuestos Generales del Estado.

La finalidad de este concepto es compensar al funcionario por la prestación de servicio de manera continuada y en tanto se encuentre en servicio activo o en situaciones administrativas asimiladas al servicio activo y se percibe de modo acumulativo y permanente con independencia de los avatares de la carrera del funcionario.

Para computar los trienios hay que tener en cuenta la totalidad de los servicios prestados desde que se comenzó a trabajar en las Administraciones Públicas cualquiera que haya sido la relación laboral (funcionario de carrera, eventual, interino o contratado laboral o administrativo, periodos de prácticas, etc.) lo cual está regulado en la Ley 70/1978 y el Real Decreto 1461/1982, normativa que solo tiene validez a efectos de computar los trienios (2).

La Ley de medidas establece en su art. 23.2 que cuando el funcionario haya prestado servicios sucesivamente en cuerpos, escalas o categorías de diferente grupo, tendrá derecho a seguir percibiendo los trienios devengados en los grupos anteriores. Si cambia de grupo antes de completar un trienio, la fracción de tiem-

---

(2)   STS 23.4.1995.

po antes del cambio se computa como tiempo de servicios prestados en el nuevo grupo a efectos de determinar la cuantía que falta para completar un trienio (3).

El cómputo de la cuantía por trienios debe llevarse a cabo cuando el funcionario se integra en un determinado grupo de titulación mediante la toma de posesión y si ello no se realiza de dicho modo pueden ser reclamados cada vez que se computen trienios. El Tribunal Supremo ha diferenciado entre el reconocimiento de servicios previos y su cuantificación, señalando que ésta debe llevarse a cabo de conformidad con la normativa vigente en el momento del reconocimiento (4). Los efectos económicos se producen desde el m omento de su percepción siempre que no haya habido ninguna prescripción de derechos y la fecha de vencimiento de cada trienio es el último día del tercer año natural, su devengo se hace por meses completos y ningún periodo puede ser computado más de una vez aún cuando el funcionario haya prestado servicios simultáneos en uno más ámbitos de la misma o diferente Administración, además tampoco son computables los servicios prestados en régimen de contratación si cuando finalizó el vínculo laboral y recibir la indemnización correspondiente se hizo renuncia expresa por el interesado a cualquier otro derecho que pudiera derivarse por dichos servicios.

Al igual que en el caso del sueldo, el cómputo de trienios tampoco tiene en cuenta el puesto de trabajo que desempeña el funcionario, además se ha señalado que su cuantía no responde a la finalidad de compensar la antigüedad puesto que no llegan ni a equilibrar los efectos negativos causados por la inflación, además cada vez tienen menor peso en relación con el total de conceptos retributivos del funcionario, lo cual sigue siendo muy criticado por la doctrina.

2.3. Pagas extraordinarias

Es una retribución que se percibe dos veces al año por importe mínimo de una mensualidad del sueldo y trienios devengándose el primer día hábil de los meses de junio y diciembre. Desde el año 2003 se ha modificado este concepto pues se ha incorporado a estas pagas una parte del complemento de destino mensual que percibe el funcionario (para el resto de personal se aplica una medida en función de sus peculiaridades retributivas en caso de personal laboral, etc.).

La cuantía de las pagas extraordinarias se refiere a la situación y derechos del perceptor en el periodo considerado de manera que la realización de jornadas de trabajo reducidas tiene inmediata consecuencia sobre el montante de las pagas extraordinarias aplicándose una reducción proporcional de las mimas.

---

(3)   Sentencias de la Audiencia Nacional de 4.6.1996 y 29.10.1996.
(4)   STS 15.2.1996.

En el caso de compatibilidad de dos puestos de trabajo en el sector público está prohibida la percepción de más de una paga extraordinaria y, además el tiempo de las licencias sin derecho a retribución no tienen consideración de servicios efectivamente prestados para devengar paga extraordinaria. Cuando el cese en servicio activo se produce en diciembre la liquidación de la parte proporcional de la paga extraordinaria de los días de dicho mes se realizará de acuerdo con las cuantías de retribuciones básicas vigentes en el mismo.

El Tribunal Supremo ha señalado que estas retribuciones básicas de los funcionarios mantienen un carácter marcadamente subjetivo y personalista (5).

3. RETRIBUCIONES COMPLEMENTARIAS

Son retribuciones complementarias el complemento de destino, el complemento específico, el complemento de productividad y las gratificaciones por servicios extraordinarios.

3.1. Complemento de destino

Es el complemento que corresponde al nivel del puesto de trabajo que se desempeña o que se haya consolidado.

La jurisprudencia ha reiterado que se trata de un concepto retributivo de naturaleza objetiva, directamente vinculado al puesto de trabajo e independiente de la persona que lo desempeñe, además es un concepto genérico pues todos los puestos de trabajo tienen complemento de destino que es de la misma cuantía para cada nivel que se actualiza en los presupuestos de cada año.

El Tribunal Supremo ha determinado que con el complemento de destino se retribuye la especial preparación añadida a la genérica para ingreso en la función pública o la especial responsabilidad que lleva la adscripción a un servicio determinado lo cual, en los términos establecidos podría dar lugar a cierta confusión con el complemento específico (6).

No se trata de un complemento de carácter personal o individual pues las características personales del perceptor no afectan al complemento de destino fijado para el correspondiente puesto de trabajo, por lo tanto será el mismo sea un funcionario nuevo o con experiencia quien cubra el puesto, o el título académico que posea, además la asignación de complemento de destino a los puestos de trabajo permite a los funcionarios consolidar grados, por su permanencia durante cierto tiempo en los mismos de manera que cada funcionario tiene derecho a percibir al

---

(5)   STS 28.2.1992.
(6)   STS 3.3.1994.

menos el complemento de destino correspondiente a su grado personal, cualquier a que sea el puesto de trabajo que desempeñe (si el nivel del puesto de trabajo es igual o superior, se percibe el complemento del puesto desempeñado, pero si es inferior se percibe el complemento del grado personal consolidado).

Los funcionarios no pueden obtener puestos de trabajo no incluidos en los niveles de intervalo correspondiente al grupo en el que figure clasificado su cuerpo o escala de manera que el reglamento General de Provisión de Puestos de Trabajo, aprobado por Real Decreto 364/1995, establece niveles máximo y mínimo para cada uno de los grupos: Grupo A (niveles 20 a 30), Grupo B (16 a 26), Grupo C (11 a 22), Grupo D (9 a 18) y Grupo E (7 a 14) una consecuencia de esta superposición de niveles en los diferentes grupos es que determinados puestos de trabajo pueden ser desempeñados por funcionarios pertenecientes a distinto grupo de titulación (7). Además hay que tener en cuenta que la asignación de niveles debe hacerse de tal forma que el nivel de un puesto de trabajo sea siempre superior al que corresponda a cualquier otro subordinado al mismo, lo cual es una consecuencia lógica del actual sistema de retribución.

Aunque la existencia de este complemento tiene carácter básico no está tan claro en cuanto a la fijación de su cuantía cuyo carácter básico ha sido varias veces discutido por las Comunidades Autónomas (8) lo cual podría extrapolarse en lo que se refiere a los funcionarios de la Administración locales resto de funcionarios públicos pero su cuantía global es fijada por el Pleno de la Corporación dentro de los límites señalados por el Estado (Ley 7/1985 reguladora de Bases del Régimen Local art. 93) que fueron establecidos por RRDD 861/1986, 2617/1985, 28/1990, 364/1995, etc. El primero de ellos establece que los intervalos de niveles para los funcionarios de la administración local serán los que en cada momento se establezcan para los funcionarios del Estado y dentro de estos límites el pleno de la Corporación asignará nivel a cada puesto atendiendo a varios criterios de especialización, responsabilidad, competencia y complejidad del puesto.

En consecuencia puede decirse que el complemento de destino es concepto retributivo referido al contenido de cada puesto de trabajo con relación a su jerarquía en la organización ya sea por la especial preparación técnica o responsabilidad que requiera el desempeño o por el nivel mínimo que tenga asignado en razón del grupo al que pertenezca el funcionario. Por todo ello puede decirse que el complemento de destino constituye una forma de retribuir el desempeño de un determinado puesto de trabajo, de manera paralela a la establecida para el complemento específico que examinamos seguidamente, prescindiendo totalmente de circunstancias personales del funcionario que lo desempeñe, sin perjuicio de que

---

(7)   STS 3.2.1996.
(8)   Ver STS 24.1.1994.

este deba reunir los requisitos que se exijan para cubrir el mismo en la correspondiente relación de puestos de trabajo.

La doctrina ha señalado la necesidad de que el complemento de destino esté más conectado con la carrera administrativa y por tanto con el cuerpo o escala del funcionario desvinculando la progresión en el mismo de la ocupación de puestos de trabajo y asignando algún efecto al transcurso del tiempo desempeñando puestos de trabajo evaluados satisfactoriamente, además podría tenerse en cuenta la integración de este complemento en las retribuciones básicas otorgándole mayor peso retributivo.

3.2. Complemento específico

Se define legalmente como un concepto retributivo destinado a retribuir las condiciones particulares de algunos puestos de trabajo en atención a su especial dificultad técnica, dedicación, incompatibilidad, responsabilidad, peligrosidad o penosidad (9).

Al igual que el resto de las retribuciones complementarias, el complemento específico está vinculado el desempeño de un puesto de trabajo no el Cuerpo o Escala a que pertenezca el perceptor (10). El complemento específico tiene como finalidad retribuir las especiales características de los puestos de trabajo y constituye un instrumento técnico de reforma de las retribuciones de los funcionarios públicos pues se basa en la idea de valoración del puesto de trabajo, en contraposición a la valoración de la carrera o de los cuerpos, por ello se dice que es un complemento general destinado a retribuir especiales circunstancias que no se dan necesariamente en todos los puestos (11).

Ha declarado el Tribunal Supremo que este complemento constituye un modo retributivo de carácter complementario dependiente de los puestos de trabajo que lo tingan reconocido a través de la relación de puestos de trabajo al concurrir en ellos determinadas condiciones particulares como la especial dificultad técnica, la dedicación requerida, la responsabilidad exigida, la incompatibilidad necesaria, la peligrosidad o penosidad, retribuyendo la concurrencia en algunos puestos de trabajo, efectiva y realmente desempeñados por el funcionario, de todas o algunas características particulares enumeradas independientemente de las persona que desempeñe el puesto (12).

---

(9)   Ley 30/1984 art. 23 y Real Decreto 861/1986 art. 4.1.
(10)   STS 30.4.1993.
(11)   STS 30.5.1991.
(12)   SSTS 4.7.1994 y 26.6.1996.

El complemento específico de cada puesto de trabajo se establece en la relación de puestos de trabajo y no es el mismo para los puestos del mismo nivel ni para los asignados a un cuerpo, escala o titulación, pero tampoco se trata de un complemento personal sino de carácter objetivo de modo que todos los puestos en que concurran las mismas circunstancias determinantes de este tipo de complemento y con la misma intensidad deben tenerlo con igual dotación, sin embargo no es lícito atribuirlo de la misma manera a todos los funcionarios de una entidad o cuerpo, escala o categoría sin justificación alguna confundiéndolo con las retribuciones básicas (13).

No es posible atribuir más de un complemento específico a un puesto de trabajo aunque concurra más de una condición particular en el mismo, además no puede justificarse por la concurrencia de cualquier condición particular sino solo por las que se han enumerado (14) lo cual limita las posibilidades de remuneración para el funcionario lo cual tiene su justificación en la intención de la ley de controlar la utilización de este concepto retributivo.

Hemos dicho que el complemento específico es una retribución de naturaleza objetiva lo cual se desprende de su propia definición legal y quiere decir que solo está vinculado al determinado puesto de trabajo que se desempeña y son totalmente indiferentes las características del funcionario que lo desempeñe.

Este carácter objetivo tiene una serie de consecuencias que han señalado los tribunales de justicia:

— Para generar el derecho a percibir el complemento específico asignado a un puesto se exige el efectivo desempeño del puesto de trabajo. En definitiva retribuye el trabajo concreto que se desarrolla en el periodo de devengo.

— Para fijar el complemento específico de cada puesto de trabajo la Administración solo debe tener en cuenta las funciones asignadas objetivamente al puesto no las realmente desempeñadas por el funcionario que lo cubre.

— Las condiciones particulares del puesto que hayan generado la asignación del complemento específico deben mantenerse con carácter permanente no ocasional. Esta es una cuestión que se debiera tener en cuenta pues en la práctica administrativa conocemos muchos casos de complementos específicos incluso de puestos de trabajo, del más alto nivel, que habiendo sido creados en función de tareas ocasionales su existencia se ha perpetuado de modo in justificado una vez concluida la tarea.

---

(13)   STS 11.9.1993.
(14)   Art. 23.3.b).

— El sistema regulador de las retribuciones públicas no permite la asignación generalizada e indiscriminada de completo específico a la totalidad de puestos de trabajo incluidos en una relación de puestos de trabajo o a los funcionarios integrantes de un cuerpo o escala, sino solo a determinados puestos objetivamente justificados (15).

— En caso de que las funciones de distintos puestos sean sustancialmente iguales, por aplicación del principio de igualdad les corresponde tener el complemento específico en igual cuantía (16), por ello es posible encontrar puestos de trabajo de inferior nivel que tengan un complemento específico que puestos de escaló superior. En todo caso los tratamientos diferentes en relación con la asignación de complemento específico a puesto de análogas funciones deben estar motivados por la Administración. La compatibilidad de estos criterios con la existencia de acceso a la función pública a través de cuerpos y escalas de funcionarios genera disfunciones a ser relativamente frecuente que miembros de cuerpos cuya dificultad de acceso es superior acaben por desempeñar puestos con complementos específicos iguales o inferiores (17).

— Resultan indiferentes las características de la persona que desempeñe el puesto lo esencial es que ese puesto haya sido considerado por la Administración como objetivamente generador de un complemento específico determinado (18), además también resulta indiferente el tipo de adscripción del funcionario, provisional o definitiva, al puesto de trabajo: el complemento específico va unido al puesto que se desempeña, entendida la adscripción en sentido no formal sino material, independiente de que la adscripción sea definitiva o provisional.

— Una vez fijado y firme el acuerdo de asignación del complemento específico, su posterior modificación solo puede producirse por una nueva reclasificación del puesto o por la alteración de sus funciones debidamente acreditada y justificada en el expediente de reclasificación que se remita a la Comisión Interministerial de Retribuciones, por ello su reducción o supresión sobre la base de circunstancias personales de su titular, implica de hecho una sanción encubierta que enjuicia una conducta funcionarial sin las garantías de un procedimiento sancionador.

Ni el complemento específico ni otras retribuciones complementarias tienen carácter derecho adquirido que pueda subsistir con independencia del puesto de trabajo que en cada momento se desempeñe, a diferencia de las retribuciones básicas que siguen al funcionario por el mero hecho de serlo. Por ello, puede de-

---

(15)   SSTS 30.4.1993 y 14.7.1993.
(16)   STS 11.9.1993.
(17)   SSTS 26.4.1991 y 20.5.1994.
(18)   STS 28.2.1992.

© EL CONSULTOR DE LOS AYUNTAMIENTOS

cirse que el complemento específico solo pertenece al puesto de trabajo al que se encuentra asignado: acompaña al puesto no al funcionario.

Además el complemento específico es un concepto retributivo de carácter nivelador pues, como ha recordado el Tribunal Supremo se asigna cuando dicha asignación resulte necesaria para asegurar que la retribución total de cada puesto de trabajo guarde relación adecuada con el contenido de especial dificultad técnica, dedicación, responsabilidad, peligrosidad o penosidad del mismo, es decir que no se trata de un complemento más sino de un complemento nivelador para que la retribución total de cada puesto de trabajo se halle en consonancia con las circunstancia que exige la ley. Es una retribución al puesto de trabajo que trata de asegurar que la retribución de cada puesto tenga una relación adecuada a sus especiales exigencias (19).

Además el Tribunal Supremo ha definido las características del complemento específico:

a) La concreción pues se establece atendiendo a las características del puesto de trabajo.

b) La objetividad pues se toman en cuenta las condiciones del puesto y no de los cuerpos o escalas de los funcionarios que los desempeñan.

En su virtud es el contenido del puesto el que determina el complemento específico (20).

Respecto a la fijación del complemento específico de un puesto de trabajo hay que distinguir dos momentos:

1. Las actuaciones previas que tienden a determinar el complemento específico que consisten en la evaluación de los elementos indeterminados que permiten asignar el complemento a los puestos de trabajo: penosidad, dedicación, responsabilidad, etc. Aunque hay un amplio margen de actuación para la administración no se trata de una actuación discrecional sino comprobable y fiscalizable por organismos de control. La Administración debe atender exclusivamente al contenido del puesto de trabajo en cuestión para aplicar los criterios de valoración que se hayan adoptado (21). Con todo y a la vista de la regulación legal de este complemento lo que está claro es que la única conclusión que puede extraerse de la definición es que sin la concurrencia de ninguno de los factores que enumera la ley (22) no es, legalmente, adecuado establecer complemento específico.

---

(19)   SSTS 5.4.1989 y 4.7.1989.
(20)   SSTS 1.7.1994 y22.12.1994.
(21)   SSTS 5.12.1994 y 22.12.1994.
(22)   Art. 23.3.c).

Una vez decididos los puestos de trabajo que deben tener complemento específico y se han valorado los puestos de trabajo la fase siguiente consiste en la cuantificación del mismo expresada económicamente para lo cual aunque la Administración tiene una amplio grado de discrecionalidad está obligada a respetar los límites legales y financieros existentes, además la existencia de principios reconocidos por la jurisprudencia permiten al interesado que lo estime adecuado reclamar a la Administración para que aplique los principios anteriormente enumerados como el de igualdad que han sido reconocidos por la Jurisprudencia pues no hay que olvidar que el Tribunal Supremo ha declarado que una de las consecuencias de que la valoración de los puestos de trabajo no consista en una facultad totalmente discrecional está en que es plenamente revisable por la vía jurisdiccional (23).

A continuación viene la fase de aprobación de los complementos asignados en las relaciones de puestos de trabajo que constituyen instrumentos capitales para definir las características de cada unidad orgánica con un margen elevadísimo de discrecionalidad basado en la capacidad auto-organizativa de la Administración

2. La comprobación que llevan a cabo la propia administración a través de sus unidades de controlo o también el control jurisdiccional a través de los tribunales de justicia con el fin de examinar si la fijación de complementos específicos ha sido legalmente procedente para recurrir esta cuestión el interesado debería probar que ha existido arbitrariedad y falta de objetividad en la actuación administrativa, para ello puede recurrirse a cualquier tipo de elemento probatorio principalmente y a falta de otra más concluyente y manifiesta una prueba pericial bien articulada. Además hay que tener en cuenta que aunque no se hayan tenido en cuenta ciertas condiciones para fijar el complemento la mera percepción del mismo produce esta en el funcionario perceptor (24).

3.3. Complemento de productividad

Es el único concepto de las retribuciones complementarias que tienen carácter subjetivo o individual (25) pues su finalidad es retribuir el especial rendimiento, la actividad extraordinaria y el interés o iniciativa con que el funcionario desempeñe su trabajo. No obstante el resultado de la productividad debe ser objetivo, pues la leyes financieras y presupuestarias exigen que los fondos públicos destinados a productividad deben redundar en mejoras del resultado de los puestos de trabajo, con lo cual la mayor o menor cuantía de este complemento debe estar en directa dependencia del grado de consecución de los objetivos fijados en los programas.

---

(23)   STS 29.1.1988.
(24)   SSTS 30.11.1993 y 11.3.1994.
(25)   En teoría; puesto que, se sabe que, en la mayor parte de los casos de la práctica, no es así.

A través del complemento de productividad se pretende incentivar al funcionario en el desarrollo concreto de su puesto de trabajo animando su eficacia en el mismo.

Su asignación debe realizarse de forma individualizada (previa evaluación diferenciada de cada funcionario por sus superiores u órganos especializados de control) y no de forma general para categorías, cuerpos o grupos ya que se trata por definición de un complemento personal.

La ley de medidas de 1984 estableció una serie de principios objetivos para su aplicación:

— Garantía en la cuantía que no podrá exceder de un porcentaje sobre los costes totales de personal de cada programa y de cada órgano, además no es un complemento fijo sino que se asigna y reasigna aunque se percibe mensualmente.

— Garantía de publicidad de modo que las cantidades percibidas serán de conocimiento público por el resto de funcionarios del departamento.

— Conocimiento sindical en la fijación del complemento.

3.4. Gratificaciones por servicios extraordinarios

Están destinadas a retribuir los servicios extraordinarios, fuera de la jornada normal que en ningún caso podrán ser fijas en su cuantía y periódicas en su devengo y constituyen conceptos retributivos que tienen las siguientes características:

— Se retribuyen servicios concretos prestados no es una retribución genérica.

— No forman parte de la retribución mensual ordinaria, por ello no procede su abono por el periodo de vacaciones.

— Tienen carácter excepcional de modo que solo podrán se reconocidas cuando no sea posible remunerar los servicios mediante las restantes retribuciones complementarias.

— Su importe no es fijo ni regular su percepción.

— Con ellas se retribuyen servicios extraordinarios u ocasionales fuera de la jornada normal pues los servicios ordinarios que se prolongan más allá de la jornada normal se retribuyen a través del complemento de productividad.

— Es un concepto retributivo de carácter discrecional, tanto en los requisitos para su concesión (26) como en otros aspectos como la cuantía (27).

---

(26)   Si bien debe estar motivada, en todo caso.
(27)   En la Administración municipal, corresponde al Pleno determinar, en el presupuesto, la cantidad global, y al Alcalde, o en quien éste delegue, la asignación individual.

La prestación de servicios extraordinarios está relacionada con el derecho al descanso o a la salud del trabajador y por ello la definición de la duración de la jornada laboral no queda al arbitrio de la Administración pues hay normativa comunitaria europea de aplicación a todos los sectores de actividad públicos y privados que regulan la aplicación del tiempo de trabajo y sus limitaciones.

4. OTROS CONCEPTOS RETRIBUTIVOS

Dentro de los mismos pueden incluirse las indemnizaciones por razón de servicio, el complemento personal transitorio y la indemnización por residencia.

4.1. Indemnizaciones por razón de servicio

Son conceptos retributivos que no tienen carácter de retribución básica ni complementaria.

Dentro del ámbito de aplicación del Real Decreto 462/2002 son servicios con derecho a indemnización los siguientes:

A) Las comisiones de servicio. De modo que son comisiones de servicio con derecho a indemnización, aquellos cometidos especiales que circunstancialmente se ordene al personal que deba desempeñar fuera del término municipal donde radique su residencia oficial. Los tipos de comisión de servicio son los siguientes:

B) Dietas: cantidad que se devenga diariamente para satisfacer los gastos que origina la estancia oficial.

C) Indemnización de residencia eventual: cantidad que se devenga diariamente para satisfacer gastos que se originan por la estancia fuera de la residencia oficial.

D) Gastos de viaje: cantidades que se abonan por la utilización de cualquier medio de transporte autorizado por razón del servicio.

a. El personal a quien se encomienda una comisión de servicio tienen derecho a percibir por adelantado el importe aproximado de la s dietas, pluses, residencias eventuales y gastos de viaje sin perjuicio de la devolución del anticipo al finalizar la comisión de servicio.

E) Desplazamiento dentro del término municipal por razón del servicio. El pago para gastos de este desplazamiento debe preverse con cargo al anticipo de caja fija o, en su caso, la existencia de fondos a justificar.

F) Traslados de residencia: pueden ser dentro del territorio nacional o al extranjero. Estos fondos también pueden ser objeto de anticipo previa petición.

G) Asistencia por concurrencia a Consejos de Administración u Órganos colegiados, por participación en Tribunales de oposiciones y concursos y por la colaboración en centros de formación y perfeccionamiento del personal de las Administraciones Públicas.

Además hay otros supuestos vinculados al servicio como la indemnización por traslado de residencia como consecuencia de la reasignación de efectivos en el marco de un plan de empleo y la indemnización de servicio por atribución temporal de funciones.

4.2. Complemento personal transitorio

Es un concepto cuya finalidad fue compensar a los funcionarios experimenten disminución en el total de retribuciones anuales por la aplicación de los criterios de la Ley 30/1984. Es un concepto retributivo transitorio pues es absorbido por cualquier mejora retributiva pero en la absorción en ningún caso se considerarán los trienios, el complemento de productividad ni las gratificaciones por servicios extraordinarios y solo se computará el cincuenta por ciento de su importe, las mejoras retributivas.

El doble carácter de concepto retributivo personal y transitorio lo ha reconocido el Tribunal Supremo (28).

4.3. Indemnización por residencia

Es un concepto retributivo que prima la permanencia de los funcionarios en determinados lugares geográficos alejados de la península (Islas Baleares, Islas Canarias, Ceuta y Melilla) u otros que se encuentren mal comunicados durante parte del año por razones climáticas (Valle de Arán). Concepto expresamente derogado por la Ley 30/1984 pero que sigue vigente a través de previsiones que se vienen renovando anualmente en los presupuestos anuales que determinan su cuantía.

Consiste en una cantidad bruta anual calculada en función del grupo de clasificación.

---

(28)   SSTS 14.4.1992 y 2.12.1994.

Capítulo 34

Guía práctica de procedimiento disciplinario en la Administración Pública

> Hay materias y trámites internos de la Administración que todos los gestores públicos conocemos en mayor o menor medida; pero cuando, en la práctica, hay que llevar a cabo un procedimiento, se ve que son muchos los requisitos formales y los plazos que hay que conocer, es el caso en que un funcionario sea designado para actuar de instructor en un procedimiento disciplinario, sirvan las siguiente líneas a modo de modelo a seguir para instruir un procedimiento disciplinario en la Administración.
>
> El procedimiento para sancionar de faltas disciplinarias de los funcionarios públicos se impulsa de oficio en todos sus trámites, por lo general se trata de procedimientos que llevan a cabo las inspecciones de servicios de los ministerios a través de hechos comprobados en expedientes de información reservada cuya finalidad es decidir el archivo de actuaciones o la incoación del expediente disciplinario permitiendo verificar hasta qué punto existe base racional para estimar que se ha cometido una infracción.

1. INCOACIÓN DEL PROCEDIMIENTO

El conjunto de actuaciones que componen la denominada información reservada, por su propia naturaleza, no forma parte del expediente disciplinario dado que su finalidad consiste exclusivamente en aportar, al órgano competente, elementos de juicio suficientes para fundamentar la decisión de incoar o no el procedimiento, por ello no tiene plazo de interrupción.

También puede tenerse conocimiento a través de los propios hechos comprobados en actuaciones de inspección o auditoria de los que conoce por comunicados de unidades u organismos administrativos o por denuncia de los particulares y decide proponer la incoación de expediente disciplinario, acusando recibo de las comunicaciones recibidas poniendo en conocimiento los hechos.

El Subsecretario o Director General competente incoa expediente, mediante resolución administrativa en la que se nombra instructor y secretario si estima procedente suspendiendo provisionalmente al inculpado, en su caso, y adoptando las medidas provisionales que se consideren oportunas al respecto.

2. ABSTENCIÓN Y RECUSACIÓN

La resolución por la que se incoa expediente disciplinario se comunica a la inspección general de servicios donde se compulsa con el original con las copias que deben comunicarse a los diferentes afectados.

La copia de la resolución se remite en el plazo de diez días junto con el escrito de la inspección general de servicios a los interesados siguientes:

A) Inculpado.

B) Instructor y secretario del expediente.

C) Titular del centro directivo u organismo en que se halle destinado el inculpado.

D) Al responsable de la unidad de personal.

E) A la Junta de personal y Comité de empresa cuando el inculpado sea representante sindical, cargo electivo o lo haya sido hasta el año anterior a los hechos o si es candidato en periodo electoral.

F) Al denunciante si lo hay.

Si, notificada la resolución, el inculpado recusa al instructor o al secretario, la Inspección General de Servicios, departamental elevará al órgano que acordó el nombramiento el acuerdo que corresponda, previo informe del recusado y de otros informes que se estimes oportunos. Esta resolución debe dictarse en el plazo de tres días desde que se planteó la abstención o recusación; además, la resolución sobre la abstención o recusación debe notificarse al inculpado y al instructor y secretario en el plazo de diez días sin que proceda recurso. Si es aceptada se procede a nombrar un nuevo instructor por resolución del órgano competente y se notifica en los mismos términos que el nombramiento anterior. Si no se plantea abstención o recusación, instructor y secretario comunicarán su aceptación mediante escrito dirigido al subsecretario del departamento dirigiendo copia a la inspección general de servicios.

3. NOTIFICACIONES

Como formas más ágiles para llevar a efecto las notificaciones se recomiendan las siguientes:

• Notificación por comparecencia personal del inculpado.

En primer lugar se cita a comparecencia al inculpado, y una vez personado éste, el instructor le exhibe el original y una copia del acto que haya que notificar: Una vez registrado de salida, el original, le será entregado al inculpado que debe firmar la diligencia de recibo en la copia incorporándose ésta al expediente. En caso de que, el inculpado, no quiera firmar la diligencia de recibo o se niegue a recibir la notificación del acto administrativo, deberá levantarse acta en que se haga constar esta circunstancia y sea firmada por el instructor y el secretario o a falta de éste por cualquier otro funcionario, dándose por cumplido el trámite y prosiguiendo las actuaciones de instrucción. Cuando el inculpado no comparezca se intentará llevar a cabo la notificación con testigos.

• Notificación con testigos.

El original y duplicado del acto administrativo que haya que notificar, con la diligencia antes mencionada y registrado de salida, se introducen en un sobre dirigido al inculpado, debidamente cerrado, en el que debe hacerse constar la palabra «notificación» y debajo de ella la clase de acto que se notifica y el número de expediente a que se refiere, acompañándose al mismo un oficio dirigido al jefe inmediato del inculpado, que se registrará igualmente de salida quedando la copia incorporada al cuerpo del expediente. El sobre y el oficio se introducen en un sobre mayor dirigido al citado Jefe que ordenará su entrega al inculpado bien en la oficina o en su domicilio. Si el inculpado se negara a abrir el sobre o a firmar el duplicado, se levantará acta en que quede constancia de estas circunstancias, siendo firmada por dos personas presentes en el acto y enviándose al remitente junto con el sobre cerrado o abierto y con los documentos que contenía.

• Notificación por correo.

La entrega de las notificaciones administrativas que se cursen por correo se llevarán a cabo con arreglo a las formalidades señaladas para los certificados en general, circulen, o no, con aviso de recibo. Cuando al remitente le interese conocer la fecha de entrega de estas notificaciones a sus destinatarios, podrá solicitarse «aviso de recibo» en el acto de imposición o con posterioridad.

• Notificación por edictos.

Cuando no sea posible tener constancia documental de la recepción de acto administrativo por el inculpado, por ignorarse su domicilio, ser desconocido en éste o encontrarse en situación de paradero desconocido, la notificación se realizará por medio de anuncios en el tablón de edictos del Ayuntamiento de su último domicilio conocido y en el Boletín Oficial del Estado o en el de su provincia.

4. DILIGENCIAS

El instructor cita a declarar al inculpado por correo certificado o a través del jefe de la unidad de destino, o por agente y destino con acta de comparecencia. En la fecha acordada el instructor toma declaración al inculpado de la cual levantará acta que debe ser firmada por ambos, entregado copia al inculpado.

El instructor realiza otras diligencias o actuaciones y recaba antecedentes e informes necesarios.

El trámite de audiencia al inculpado consiste en oírle a fin de que alegue en su defensa lo que estime oportuno, con aportación de cuantas pruebas o documentos considere de interés en relación con los hechos que s ele imputan.

El trámite de audiencia puede realizarse mediante dos modalidades:

a)   Mediante comparecencia personal que a su vez presenta dos variantes, por desplazamiento del funcionario que practique las actuaciones al lugar de destino del inculpado o por desplazamiento del inculpado al lugar de destino del funcionario. En cualquiera de ambas modalidades debe indicarse al inculpado el lugar, día y hora en que se llevará a cabo el trámite de audiencia, mediante escrito en que han de constar los hechos que s ele imputan, las posibles responsabilidades y las consecuentes sanciones.

b)   Mediante notificación por correo, en cuyo caso se remite escrito al inculpado, por correo certificado con aviso de recibo, por conducto de su jefe inmediato o por cualquier otro medio que se estime conveniente, asegurándose, en todo caso, de su recepción por el interesado. En este escrito deben detallarse los hechos imputados, las posibles responsabilidades y sanciones, indicando al inculpado que durante el plazo general de diez días, puede remitir escrito al instructor del expediente alegando lo que estime pertinente en su defensa.

Además corresponde al instructor formular el Pliego de cargos (1) en el plazo de un mes desde la fecha de incoación del expediente, salvo que solicite ampliación de plazo por causas justificadas al órgano competente que dictó la resolución de incoación. La resolución de ampliación debe notificarse en el plazo de diez días tanto al inculpado como al instructor y secretario. La ampliación del plazo puede pedirse antes de que las diligencias se lleven a efecto, una vez dictada la resolución de Ampliación y notificada, el procedimiento prosigue en la fase en que se encuentre: citación, declaración y otras diligencias, petición de antecedentes, informes, etc.

5.   PLIEGO DE CARGOS

Formulado el pliego de cargos se notifica al inculpado en el plazo de diez días bien por correo certificado, a través del jefe de la unidad de destino, o por agente y testigo mediante acta de comparecencia o por edictos.

El instructor, a la vista de las actuaciones practicadas en el momento de elaborar el pliego de cargos, propone el mantenimiento o levantamiento de la medida

___
(1)   Pieza fundamental en este procedimiento.

de suspensión provisional que se hubiera adoptado. La propuesta origina una resolución del Subsecretario correspondiente que comunica a la Inspección General de Servicios del Departamento, en el plazo de diez días desde la resolución se notifica mediante copia compulsada de la misma y escrito del Inspector General de Servicios al inculpado y al instructor (y secretario) y se comunica a la unidad en que el inculpado esté destinado y los titulares de la unidad y centro directivo.

En el plazo de diez días la resolución notifica mediante copia compulsada de la misma y escrito de la inspección general del ministerio, a la unidad en que el funcionario esté destinado y al titular del centro directivo u organismo autónomo y a la subdirección general de personal.

El pliego de cargos concede un plazo de diez días al inculpado para que pueda contestar con las alegaciones que considere convenientes a su defensa y con la aportación de cuantos documentos considere de interés, además el inculpado puede solicitar en este trámite la práctica de las pruebas que para su defensa estime necesarias.

Además el inculpado debe presentar escrito de descargo con los documentos presentados y escrito de petición de pruebas que dirigidos al instructor del expediente.

6. PRÁCTICA DE PRUEBAS

Si el instructor acepta las pruebas solicitadas (bien acepta solo algunas y acuerdo practicar otras) lo notifica al inculpado en plazo de diez días señalando lugar, fecha y hora para su práctica, que llevará a cabo en el plazo de un mes desde la recepción de las alegaciones.

Cuando el instructor deniegue la admisión y práctica de las pruebas solicitadas, por considerarlas innecesarias, deberá motivarlo en escrito que notifique al inculpado en el plazo de diez días sin que contra esta resolución quepa recurso.

El instructor también puede interesarla práctica de diligencias adicionales de cualquier órgano de la Administración, además la intervención del instructor en la práctica de las pruebas es esencial y debe incorporar al expediente tanto la recepción de las notificaciones como las actas de las pruebas practicadas o diligencias interesadas.

7. VISTA DEL EXPEDIENTE

Finalizadas las diligencias anteriores debe citarse al inculpado para el trámite de vista del expediente señalando el instructor, fecha, hora y lugar de la diligencia. El día señalado se realiza el trámite de vista al inculpado o su representante haciendo entrega de la copia del expediente si lo solicita. Desde el acto de la vista dispone del plazo de diez días para alegar lo que estime pertinente a su defensa y aportar cuantos documentos considere de interés. Tanto las alegaciones como la documentación recibida se anotarán en el registro para constancia.

8. PROPUESTA DE RESOLUCIÓN

El instructor debe formular la propuesta de resolución en el plazo de diez días desde que finalizó el plazo de alegaciones al expediente fijando con precisión:

— Los hechos su valoración jurídica.

— El resultado de las pruebas practicadas.

— La motivación de las denegadas.

— La determinación de la falta cometida.

— La responsabilidad y la sanción propuesta.

La propuesta de resolución se redacta por el instructor que la notifica al inculpado, en el plazo de diez días, por cualquiera de los siguientes medios:

— Correo certificado.

— A través del jefe de unidad de su destino.

— Por agente y testigo con acta de comparecencia.

— Por edictos.

Desde la notificación el inculpado dispone de diez días de plazo para hacer alegaciones a la propuesta de resolución que una vez presentadas se registran y entregan al instructor.

Transcurrido el periodo de alegaciones es conveniente que el instructor incorpore al expediente un índice de documentos, para mayor facilidad de su manejo y comprensión, remitiendo el original del mismo y una copia de la información reservada que hubiera a la unidad responsable de personal del departamento u organismo mediante el correspondiente escrito de remisión.

La unidad responsable de personal redacta el texto de la resolución y la pasa a la firma del órgano de incoación.

9. RESOLUCIÓN

El órgano de incoación tiene potestad para ordenar al instructor que practique nuevas diligencias que se consideren necesarias y en su caso una vez realizadas, se envía el expediente de nuevo a la subdirección general de personal y al órgano de incoación, que remite todo el expediente al órgano resolutorio. Este a su vez puede devolverlo al instructor para la práctica de las diligencias que considere imprescindibles para la Resolución, en cuyo caso el instructor debe notificarlo al inculpado en el plazo de diez días en caso de que en las nuevas diligencias deba participar éste señalando día, hora y lugar de realización. Una vez practicadas debe darse en todo caso vista al inculpado de todo lo actuado para que presente a su vez alegaciones en el plazo de diez días, cumplimentado el mismo el instructor remite el expediente a la unidad competente en materia de personal para lo eleve al órgano resolutorio.

El plazo para dictar resolución es de diez días salvo en el caso en que la sanción fuera la separación del servicio.

Son órganos competentes para la imposición de sanciones disciplinarias:

— El ministro del departamento en caso de separación del servicio. Y por delegación el subsecretario en los casos de faltas graves y muy graves.

— El Ministro de Administraciones Públicas (2) en las sanciones por faltas muy graves y graves en materia de incompatibilidades en relación con actividades desarrolladas en diferentes ministerios.

— El subsecretario del departamento en todo caso, los directores generales respecto del personal dependiente de su centro directivo en el caso de faltas leves y los delegados y subdelegados del Gobierno respecto de los funcionarios destinados en su correspondiente ámbito territorial, para la imposición de sanciones de deducción proporcional de retribuciones y apercibimiento.

La resolución debe ser motivada y en ella no pueden incluirse hechos distintos de los que sirvieron de base al pliego de cargos y a la propuesta de resolución, sin perjuicio de su distinta valoración jurídica, además debe determinar con toda precisión la falta cometida señalando los preceptos en que aparezca recogida la clase de falta, el funcionario responsable y la sanción que se impone, haciendo pronunciamiento expreso sobre las medidas provisionales adoptadas durante la tramitación del procedimiento. Cuando se estime la inexistencia d e falta disciplinaria o de responsabilidad del funcionario inculpado, la resolución debe contener las declaraciones pertinentes en orden a las medidas provisionales.

La resolución debe ser notificada al inculpado con expresión del recurso o recursos que quepan contra la misma, órgano ante el que ha de presentarse y plazos para interponerlos, también debe ser notificada al denunciante si el procedimiento se inició como consecuencia de denuncia.

---

(2)   En la actualidad, Ministro de Hacienda y Administraciones Públicas.

10. EJECUCIÓN

La notificación se lleva a cabo a través del órgano competente en materia de personal por correo certificado, a través del jefe de la unidad de destino o por agente y testigo con acta de comparecencia o, según los casos, por vía notarial o por edictos.

La unidad competente en materia de personal notifica al instructor y secretario comunicándolo a la unidad de destino del sancionado, al titular del centro directivo u organismo autónomo y a la junta de personal por las sanciones impuestas en caso de falta muy grave.

Las sanciones disciplinarias deben ser ejecutadas según los términos de la resolución que las imponga en el plazo máximo de un mes, salvo que por causas justificadas se establezca en la propia resolución un plazo distinto. Excepcionalmente, la inejecución de la sanción corresponde al Ministro de Hacienda y Administraciones Públicas y al Consejo de Ministros en caso de separación del servicio, además la suspensión temporal de la ejecución corresponde al órgano resolutorio y al consejo de ministros en caso de separación del servicio y en caso de que se acordara debe ser por tiempo inferior a la prescripción de la sanción (Las sanciones impuestas por faltas muy graves prescriben a los seis años, por faltas graves a los dos años y por faltas leves al mes y la prescripción comienza a contarse desde el día siguiente a aquel en que adquiera firmeza la resolución por la que se impone la sanción o desde que se quebrantase el cumplimiento de la sanción si hubiere comenzado).

Las sanciones disciplinarias que se impongan a los funcionarios públicos deben ser anotadas en el Registro central de personal, con indicación de las faltas que las motivaron. Transcurridos seis meses desde el cumplimiento de la sanción por faltas leves, dos años si se trata de faltas graves o seis años si se trata de faltas muy graves no sancionadas con la separación del servicio, además s e producirá la cancelación de aquellas anotaciones, de oficio o a petición del interesado.

Las sanciones canceladas o que hubieran podido serlo no se computan a efectos de reincidencia.

FORMULARIOS

1. PRUEBA (A PETICIÓN DEL INTERESADO)

Recibida su solicitud de práctica de prueba en el expediente disciplinario que le ha sido incoado con fecha [.../...]. Por la subsecretaría d este departamento, esta Instrucción ACUERDA:

1.º Practicar la prueba *(detallar en que consiste la prueba)*, para lo que se abre un periodo probatorio durante [.../...] días, a contar desde el siguiente al de la recepción, del presente acuerdo.

2.º *(Si procede)* Practicar de oficio las pruebas, consistentes en:

(detallarlas)

La práctica de las pruebas se llevará a cabo el día [.../...], a las [.../...] horas, n los locales de [.../...] calle de [.../...], núm. [.../...], de [.../...].

Lugar y fecha

Antefirma

Al inculpado

2. DENEGACIÓN DE PRUEBA

Recibida su solicitud de práctica de prueba *(detallar la prueba concreta que se deniega)* en el expediente disciplinario incoado con fecha [.../...], esta instrucción acuerda:

Denegar la prueba solicitada por considerarla innecesaria, dado que *(motivar las causas denegatorias de la prueba solicitada),* significándole que contra esta resolución no cabe recurso alguno, de conformidad con lo establecido en el art. 37.2 del Reglamento de Régimen Disciplinario.

Lugar y fecha

Antefirma

Al inculpado.

3. OFRECIMIENTO DE VISTA DEL EXPEDIENTE

Para proceder a darle vista del expediente disciplinario que se le sigue, incoado por la subsecretaría de este departamento, con fecha [.../...] se le comunica que podrá examinar el referido expediente cualquier día de lunes a viernes, en horas comprendidas entre las [.../...], durante el plazo de diez días hábiles a contar desde el siguiente al de la recepción de este escrito, en *(indicar sede),* calle [.../...] núm. [.../...], de [.../...] para que pueda presentar las alegaciones y documentos que estimo oportunos para su defensa.

Lugar y fecha

Antefirma

Al inculpado.

4. ACTA DE CELEBRACIÓN DEL TRÁMITE DE VISTA

En [.../...], a las [.../...] horas del día [.../...], comparece D. [.../...], inculpado en el expediente disciplinario que se le sigue, y ante el Instructor (o Secretario) del mismo, se procede a darle vista del expediente, lo que se lleva a cabo en el presente acto

(si el inculpado solicitase copia del expediente, al amparo del artículo 41 del reglamento de Régimen Disciplinario, se hará constar esta circunstancia en el acta).

Y para constancia en el expediente, firman la presente todos los intervinientes en el acto.

Lugar y fecha

Antefirma

Incorporar al expediente.

5. PROPUESTAS DE RESOLUCIÓN

5.1. Propuesta de resolución con sanción (art. 42 Reglamento de régimen disciplinario)

Tramitado el expediente disciplinario incoado con motivo de (reseñar las causas) por la subsecretaría de este departamento en el que aparece como inculpado el funcionario D. [.../...] *(datos de identificación),* y

RESULTANDO: *(fijar con precisión los hechos materiales y actuaciones procedimentales seguidas en el expediente).*

RESULTANDO: *(continuación de la exposición).*

VISTOS: *(disposiciones de aplicación)*

CONSIDERANDO: *(consideraciones jurídicas sobre los hechos y circunstancias, con especial referencia a los motivos de denegación de las pruebas en su caso)*

CONSIDERANDO: (continuación de las consideraciones)

[.../...]

Por cuanto antecede, formulo la presente PROPUESTA DE RESOLUCION:

Declarar al funcionario D. [.../...] con destino en [.../...], responsable de la comisión de una falta de carácter *(grave o muy grave),* tipificada en el apartado [.../...] del art. [.../...] del Reglamento de Régimen Disciplinario, a corregir con la sanción de [.../...], prevista en el apartado [.../...] del art. [.../...] del mismo Reglamento.

Lugar y fecha

Antefirma

Al órgano que ordenó la incoación del expediente.

5.2. Propuesta de resolución con sobreseimiento (art. 42 del Reglamento de régimen disciplinario)

Tramitado el expediente disciplinario que fue incoado con motivo de (*detallar las causas*), en el que aparece como inculpado el funcionario D. [.../...] (*datos de identificación*), y

RESULTANDO: (fijar con precisión los hechos materiales y actuaciones procedimentales seguidas en el expediente).

RESULTANDO: (*continuación de dicha exposición*) [.../...]

VISTOS: (*disposiciones de aplicación*)

CONSIDERANDO: (consideraciones jurídicas sobre los hechos y circunstancias, con especial referencia a los motivos de denegación de las pruebas, en su caso)

CONSIDERANDO: (continuación de dichas consideraciones)

[.../...]

Por cuanto antecede, formulo la siguiente PROPUESTA DE resolución:

EL SOBRESEIMIENTO de las presentes actuaciones, por no haberse deducido de su práctica responsabilidad imputable a ningún funcionario.

Lugar y fecha

antefirma

Al órgano que ordenó la incoación del expediente

6. NOTIFICACIÓN DE LA PROPUESTA DE RESOLUCIÓN AL IN- CULPADO

Con esta fecha se ha formulado la propuesta de resolución siguiente:

(transcripción del texto íntegro de la propuesta de resolución)

Lo que traslado a usted para su conocimiento y efectos procedentes, en virtud de lo dispuesto en el art. 43 del Reglamento de Régimen Disciplinario, significándole que en el plazo de diez días hábiles puede alegar ante esta Instrucción cuanto considere conveniente a su defensa.

Lugar y fecha

Antefirma.

Al inculpado.

7. CITACIÓN DE COMPARECENCIA

Para proceder a

(oírle en declaración, hacerle entrega de notificaciones, etc.),

se le requiere para que el día [.../...], a las [.../...] horas, comparezca ante esta instrucción, en la calle[.../...], núm. [.../...], de [.../...]

De no poder verificar su presentación por causas justificadas, deberá comunicarlo, con anticipación aportando documentos acreditativos de tal imposibilidad, significándole que en caso de incomparecencia, no justificada, proseguirán las actuaciones sin perjuicio de las responsabilidades en que pudiera incurrir.

Lugar y fecha

Antefirma

Al interesado en el expediente

8. ESCRITO QUE ACOMPAÑA A LA CITACIÓN CON TESTIGOS

En el ejercicio del cargo de Instructor del expediente disciplinario que se sigue al funcionario D. [.../...]adjunto le remito, pliego cerrado que contiene *(notificación del acuerdo de incoación, pliego de cargos, propuesta d e resolución, etc)* interesándole su entrega a dicho funcionario de quien habrá de recabar la devolución de la copia en la que figura la diligencia de recepción, fechada y firmada por el interesado.

En caso de que la entrega de dicho pliego se realice por funcionario que esta Jefatura designe, se le indicará proceda de igual forma.

Deberá remitir dicha copia a esta Instrucción para que surta los reglamentarios efectos en el procedimiento.

Lugar y fecha

Antefirma.

(en el reverso de este mismo escrito se debe poner la siguiente nota: Si al tratar de entregar el pliego cerrado a que se hace referencia, el destinatario se hallara ausente por tiempo indeterminado, no quisiera recibirlo o pusiera alguna objeción para firmar la notificación, se intentará nuevamente la entrega por dos funcionarios que, en su caso, levantarán la correspondiente acta, la cual remitirá esta Instrucción, en unión del pliego que contienen los documentos a notificar.

En cualquier caso, a los diez días d e recibida esta comunicación se dará cuenta de las causas que impidan cumplimentar el contenido del presente escrito).

A la Jefatura que ha de efectuar la notificación.

9. NOTIFICACIÓN DE ACUERDOS A INTERESADOS EN PARADERO DESCONOCIDO

EDICTO

D. [.../...] *(datos de identificación)*, Instructor del expediente disciplinario que se sigue al funcionario D. [.../...], con destino en [.../...], en situación de paradero desconocido,

Hago saber: que por el presente edicto se emplaza a D. [.../...], funcionario del Cuerpo o Escala [.../...] con destino en [.../...] en paradero desconocido y cuyo último domicilio conocido lo tuvo en la población de [.../...], calle [.../...] núm. [.../...], para que en el plazo de [.../...] días a contar del siguiente al de la publicación del presente edicto en el Boletín Oficial del Estado, se persone ante esta instrucción en la calle [.../...], núm.. [.../...], de [.../...] en horas de [.../...], para *(detallar el acto administrativo cuya cumplimentación se le requiere)* referente al expediente que se le sigue, apercibiéndole que de no acudir a este requerimiento se proseguirán las actuaciones correspondientes con el perjuicio que en derecho haya lugar.

Lugar y fecha

Antefirma

Para incorporar al expediente en su caso

Capítulo 35

Procedimientos de control judicial en materia de personal

En este capítulo examinamos la función de control que, en materia de personal, ejercen los órganos judiciales sobre la Administración Pública. Como se indica en el texto se trata de una materia que no ha dejado de crecer en el ámbito de las actuaciones judiciales contencioso-administrativas. Se plantea una posible mejora y modificación del sistema más acorde con las necesidades de la moderna Administración pública y se examinan algunas especialidades del proceso así como los efectos de estas sentencias y las especialidades del recurso judicial contra las mismas.

La función de control en materia de personal que ejercen los órganos judiciales es cada vez más importante y en este capítulo examinamos la impugnación de la sentencia judicial en estos procedimientos, así como los efectos y consecuencias de estas sentencias y su extensión a otros supuestos.

1. INTRODUCCIÓN

El presente Capítulo recoge las características esenciales y particulares en que la Ley de la Jurisdicción Contencioso-administrativa establece en el enjuiciamiento de las cuestiones del personal, término con el que se hace referencia al enjuiciamiento de las cuestiones derivadas de la aplicación del estatuto de los funcionarios públicos —en expresión constitución del artículo 103.3 de la CE— y, por tanto, incluyendo tanto la aplicación a las relaciones de los funcionarios públicos (en su acepción más general y al margen de su estatuto concreto de aplicación) o en aquellas parcelas administrativas de la relación laboral pública.

La novedad más importante de la regulación establecida por la Ley 29/1988, de 13 de julio, reguladora de la jurisdicción contencioso-administrativa (LJCA) consiste en haber sustituido la existencia de un proceso especial para el enjuiciamiento de estos asuntos por su sometimiento al proceso general, si bien, manteniendo una serie de peculiaridades en la tramitación procesal cuya esencia no es otra que la de intentar una abreviación del proceso para tratar de conseguir, a su vez, que la resolución de estos asuntos no se vea contagiada e implicada en la que, sin duda, sigue siendo una cuestión pendiente de superar en la jurisdicción contencioso-administrativa: su lentitud. Es lo cierto que la atribución competencial de muchos de estos asuntos a los órganos jurisdiccionales contencioso-administrativo de carácter unipersonal ha puesto una reducción evidente del problema y ha señalado algunas de las reglas de lo que puede ser una fórmula para diseñar el modelo tipo de enjuiciamiento.

El enjuiciamiento de las cuestiones de personal está sometido, al fenómeno de adaptación general del contencioso-administrativo a los postulados constitucionales.

En este sentido hay que reconocer que las disfuncionalidades de nuestro proceso contencioso no consisten solo en un defectuoso sistema de ejecución de las sentencias, sino de otras más entre ellas, la regulación de las medidas cautelares, la lentitud de los procesos, las propias técnicas de anulación y plena jurisdicción, la necesidad del recurso administrativo previo y obligatorio (cuyo índice de resolución favorables, el plazo en el que se realizan y lo que se tarda en cumplir dichas resoluciones, hacen meditar seriamente la conveniencia y utilidad de su mantenimiento como presupuesto procesal obligatorio), el escaso interés que la Administración presta a la confección del expediente administrativo, o las dificultades prácticas para articular los medios probatorios, y que configuran un panorama que exige la adopción de medias para evitar una pérdida de legitimación popular que, sin duda, se ha iniciado ya en un proceso de difícil reversión.

Casi todos estos aspectos han sido regulados, concretamente, por la Ley 29/1998 y, más tarde, y en forma genérica y subsidiaria con la publicación de la Ley 1/2000, de 7 de enero, de Enjuiciamiento Civil. El acierto y eficacia de la regulación deberá evaluarse cuando pase algo de tiempo con su aplicación efectiva cuando algunos puntos dudosos —como el alcance de supletorio de la LEC— resulten definitivamente zanjados.

Ahora bien, desde una perspectiva, eminentemente, práctica, las cuestiones generales han pesado sobre el funcionamiento de este orden jurisdiccional pero, también es cierto, que cobran una concreta importancia en los procedimientos de personal en que los valores de agilidad, rapidez y eficacia son presupuesto necesario para la validez del propio procedimiento.

2. LA REVISIÓN DE LOS ACTOS ADMINISTRATIVOS DICTADOS EN MATERIA DE PERSONAL

La importancia cuantitativa de los contenciosos de personal sobre el volumen total de los contenciosos administrativos es de tal magnitud que suponen la materia cuantitativamente más numerosa de las que conocen los actuales Tribunales del orden contencioso-administrativo y esta tendencia se traslada progresivamente a otros ámbitos como el del entramado institucional comunitario europeo.

Por ello es preciso replantear el sistema de solución de conflictos que no siempre proporciona resultados satisfactorios desde un punto de vista temporal por ello es preciso encontrar un mecanismo que permita enjuiciar los contenciosos en materia de personal en un tiempo admisible y real, compatibilizando dicha prescripción con el derecho final al proceso y a la tutela ejecutiva de los jueces y tribunales. Esta solución debería arbitrarse, a nuestro juicio, en torno a unos tribunales administrativos que, dotados de independencia funcional, puedan solucionar aquellos en un tiempo admisible y con posibilidad de reducir el ámbito judicial de aquellos conflictos.

La independencia funcional debería asegurarse, buscando un sistema de selección de los miembros del Tribunal que legitimara su independencia, así la composición debería realizarse sobre una base no predeterminada con acceso a funcionarios, ámbito académico especializado, representantes de las organizaciones sindicales incluso, miembros de la carrera judicial a título personal y en función de sus propias cualidades. La pluralidad en la composición siempre es un elemento esencial para asegurar la credibilidad de las resoluciones y aun la ejecutividad de las mismas.

La eficacia del órgano administrativo al que nos referimos debería completarse con la regulación de un procedimiento más ágil para la resolución de conflictos y ejecución de las resoluciones que permitiera a éstas tener una eficacia real no desvirtuada por el excesivo tiempo que ha tardado en resolverse.

La existencia de una vía previa, eficaz y real es uno de los retos pendientes en el enjuiciamiento de las cuestiones de personal de las que hoy existe una clara insatisfacción como sistema de resolución de recursos.

3. COMPETENCIA DE ÓRGANOS JUDICIALES

La Jurisdicción contencioso-administrativo ha sufrido una amplia transformación con la publicación de la Ley Orgánica 6/1985, de 1 de julio, del Poder Judicial (LOPJ) y Ley 33/1988, de 28 de diciembre, de Demarcación y Planta Judicial y con la configuración realizada en la Ley 29/1998, de 13 de julio, reguladora de la Jurisdicción Contencioso-Administrativa (LJCA) de modo que la composición de órganos jurisdiccionales de lo contencioso-administrativo queda configurada de la forma siguiente:

a) Sala de lo Contencioso-administrativo del Tribunal Supremo.

b) Sala de lo Contencioso-administrativo de la Audiencia Nacional.

c) Sala de lo Contencioso-administrativo de los Tribunales Superiores de Justicia.

d) Juzgados centrales de lo Contencioso-administrativo.

e) Juzgados de lo Contencioso-administrativo.

La competencia de estos órganos, conforme indica la LOPJ en su artículo 9.4 que los Órganos jurisdiccionales de lo contencioso-administrativo conocen de las pretensiones que se deduzcan en relación con los actos de la Administración Pública sujetos al Derecho Administrativo y con las disposiciones reglamentarias. Esta cuestión reviste aún más importancia si se tiene en cuenta que a los órganos jurisdiccionales de lo contencioso-administrativo corresponde resolver las cuestiones de personal que puedan suscitarse entre el Consejo General del Poder Judicial y en Congreso de los Diputados, Senado, el Tribunal Constitucional, el Tribunal de Cuentas y el Defensor del Pueblo y las personas que, respectivamente, estén unidas a estos órganos en virtud de una relación de Derecho Administrativo.

Por ello, el hecho de que sea la jurisdicción contencioso-administrativa la que conozca de los actos de aquellos órganos implica, al menos, una conceptuación diferencial a efectos procesales, del término Administración Pública ya que ésta es la interpretación más plausible del artículo 9 de la LOPJ, que incluye los actos de gestión personal dictados por órganos constitucionales.

En lo que se refiere a las competencias de los distintos órganos jurisdiccionales en relación al personal es una cuestión que ha dado lugar a diversas opiniones en el mundo de la práctica administrativa judicial y académica:

3.1. Sala de lo Contencioso-administrativo del Tribunal Supremo

El Tribunal Supremo, en aplicación de las normas de función pública, conoce de los actos dictados por el Consejo de Ministros y de las Comisiones Delegadas del mismo, además de los que proceden de los Órganos Constitucionales (1). El repaso de las materias susceptibles de resolución por ambos órganos nos permite señalar que son muy escasas las competencias de aplicación de la normativa general y diferentes, claro está, de la potestad reglamentaria, que quedan atribuidas a aquellos órganos. En el orden de competencias derivadas de las revisiones de actuaciones judiciales de otros órganos jurisdiccionales, a los que más adelante conoce de los recursos de casación de cualquier modalidad y los recursos de revisión contra las sentencias firmes dictadas por las Salas de lo Contencioso-administrativo de los Tribunales Superiores de Justicia, la Audiencia Nacional y del propio Tribunal Supremo.

3.2. Sala de lo Contencioso-administrativo de la Audiencia Nacional

La competencia de este órgano jurisdiccional, según el artículo 66 de la LOPJ, alcanza al conocimiento de los actos y disposiciones de los Ministros y Secretarios

---

(1)   Arts 12 y 13 LJCA.

de Estado, en general y en materia de personal cuando se refieran al nacimiento y/o extinción de la relación de servicio de funcionarios de carrera les corresponde, asimismo, conocimiento de los recursos contra los actos de los Ministros y Secretarios de Estado que, rectifiquen, en vía de recurso los actos dictados por órganos distintos a aquellos pero siempre que su competencia se extienda a todo el territorio nacional. El Tribunal Supremo ha declarado que el artículo 66 de la LOPJ excluye del conocimiento de la Sala de lo Contencioso-administrativo de la Audiencia Nacional de los actos y disposiciones de Ministros y Secretarios de Estado que confirmen el dictado en la vía administrativa de recurso y si bien pueden señalarse algunas lagunas cuando se trata de adaptar dicho concepto (Ministros y Secretarios de Estado) a la Administración Militar y Funcionarios al Servicio de la Administración de justicia (2).

Con carácter general le corresponde conocer de los recursos de apelación contra autos y sentencias dictados por los Juzgados Centrales de lo Contencioso-administrativo, así como de las cuestiones de competencias que puedan plantearse entre los mismos.

3.3. Sala de lo Contencioso-administrativo de los Tribunales Superiores de Justicia

Conforme al artículo 74 de la LOPJ le están atribuidas las siguientes competencias:

a) Los recursos frente a actos y disposiciones de los órganos de la Administración General del Estado que no estén atribuidos a otros órganos jurisdiccionales.

b) El conocimiento de los recursos frente a actos y disposiciones del Consejo de Gobierno de la Comunidad Autónoma, su Presidente y los Consejeros.

c) De los recursos frente a actos y disposiciones de los órganos de gobierno de la Asamblea Legislativa de la Comunidad Autónoma y de sus comisionados, en materia de personal y actos de administración (3).

Concretando dichas competencias, el citado artículo establece las competencias de estos órganos en torno a las siguientes cuestiones:

a) Actos de las Entidades Locales y de las Administraciones de las Comunidades Autónomas cuyo conocimiento no esté atribuido a los Juzgados de lo Contencioso-administrativo. La línea divisoria pasa por la determinación de los supuestos que afecten al nacimiento y extinción de la relación de servicio de los funcionarios de carrera.

---

(2)   Ver art. 11 LJCA y STS de 27.9.1994.
(3)   Art. 10 LJCA.

b) Disposiciones generales enmendadas de las Comunidades Autónomas y de las Entidades Locales.

En segunda instancia conocen de las apelaciones contra sentencias y autos dictados por los Juzgados de lo Contencioso-administrativo y los correspondientes recursos de queja. De esta forma el régimen del recurso depende de la cuantía fijada ya que, de conformidad, con lo dispuesto en el artículo 81 de la LJCA no puede ser objeto de recurso de apelación aquellos cuya cuantía no exceda de tres millones de pesetas. Son, sin embargo, susceptibles de recurso los de cuantía indeterminada que conforme dispone el artículo 42.2 de la LJCA debe ser la regla en el enjuiciamiento de estos temas salvo aquellos que versen sobre derechos o sanciones de valoración económica que se rigen por las reglas generales y el límite cuantitativo fijado.

Esta competencia también se extiende al conocimiento de los recursos de revisión contra las sentencias firmes de los Juzgados de lo Contencioso-administrativo y las cuestiones de competencia que pudieran plantearse en el mismo.

Finalmente le corresponde el conocimiento de los recursos de casación para la unificación de la doctrina y en interés de la Ley (4).

3.4. Juzgados Centrales de lo Contencioso-administrativo

Les corresponde conocer en primera o única instancia en las materias de personal cuyas resoluciones procedan de Ministros y Secretarios de Estado, salvo que se refieran al nacimiento o extinción de la relación de servicio de funcionarios de carrera que, como acaba de verse, corresponden a las salas del mismo orden de los Tribunales Superiores de Justicia o, eventualmente, a la Sala de la propia Audiencia Nacional (5). Las resoluciones dictadas por la Comisión Interministerial de Retribuciones y su comisión ejecutiva (CECIR), ambas son órganos colegiados de la Administración General del Estado que no participan de su estructura jerárquica conforme dispone el artículo por lo que su nivel orgánico viene determinado por el de quienes los componen en cada caso y como quiera que todos los integrantes de la CECIR tienen nivel inferior a Secretario de Estado, la competencia para conocer corresponde al Tribunal Superior de Justicia.

Asimismo conocen —en primera o única instancia de los recursos— cualquiera que sea la materia y por tanto, incluidas las cuestiones de personal dictadas por los titulares de los organismos públicos con personalidad jurídica propia cuya competencia se extiende a todo el territorio nacional.

---

(4)   Arts 99 y 101 LJCA.
(5)   Art 9 LJCA.

3.5. Juzgados de lo contencioso-administrativo

Su competencia se extiende, en el ámbito de las Entidades Locales, al cono-cimiento de las cuestiones de personal, salvo que se refiera al nacimiento o ex-tinción de la relación de servicio de los funcionarios de carrera que, al igual que hemos analizado en el apartado anterior, corresponden a los Tribunales Superiores de Justicia (6).

En relación con los actos de las Comunidades Autónomas su competencia, alcanza a las cuestiones de personal salvo que, como se ha dicho, se refieran al nacimiento o extinción de la relación de servicios de los funcionarios de carrera.

Finalmente y en lo que a la AGE se refiere su competencia alcanza a los actos y disposiciones de la misma en el territorio (7) así como de sus organismos públicos, cuya competencia no se extienda a todo el territorio nacional y contra las resoluciones de los órganos superiores de la misma cuando confirmen en vía de recurso los actos dictados por los mismos.

4. EL CONTROL DE LOS ACTOS ADMINISTRATIVOS EN MATERIA DE PERSONAL Y SU PERSPECTIVA

El objeto del proceso en materia de personal está representado por un acto administrativo mediante el cual se aplican las normas que, componen el estatuto de los empleados públicos o para ser más concretos y utilizando la terminología de la LJCA los derechos estatutarios de los funcionarios públicos. A este respecto se entiende por acto administrativo toda declaración de voluntad, de juicio, de conocimiento o deseo realizada por la Administración en ejercicio de una potes-tad administrativa distinta de la potestad reglamentaria o bien todo acto jurídico dictado por la Administración y sometido al Derecho Administrativo.

Ahora bien debe tratarse de normas en materia de función pública o de aplica-ción del denominado estatuto de la función pública, cuestión a la que ya nos he-mos referido. El análisis efectuado en el Título II, sobre la base de los precedentes jurisprudenciales más modernos, demuestran que las normas de función pública están prácticamente de una forma continua en un proceso reforma y modificación que afecta, esencialmente, a la posibilidad de un control adecuado ya que en la medida que se crea un ámbito de mayor discrecionalidad en funcionamiento de aquella va creando una mayor inmunidad de hecho de los actos administrativos en esta materia.

(6)   Art 8 LJCA.
(7)   LOFAGE Tít. II Cap. II.

A la vista de las nuevas formas de legislación en materia de personal de las administraciones Públicas, la jurisdicción contencioso-administrativa debe afrontar, la búsqueda de nuevos parámetros de control con los que hacer efectivo el derecho a la tutela efectiva de los Tribunales. El examen de la jurisprudencia que hasta ahora establecida revela, la existencia en materia de personal de un elemento diferencial respecto al enjuiciamiento del resto de actos administrativos que se identifica con la pérdida de eficacia e intensidad en el control judicial de esta materia, consecuencia inmediata del cambio o la modificación de la propia técnica normativa y del que las actuales leyes de función pública son un claro ejemplo. Como muestra es suficiente con comprobar que el artículo 15 de la Ley 30/1984, cuando se refiera a la clasificación de los puestos de trabajo o el artículo 23 del mismo texto legal al referirse al complemento específico lo hacen de forma que la posibilidad de control de la potestad de desarrollo y, por tanto, de los actos dictados en aplicación de aquélla, sean difícilmente controlables, salvo por los posibles desajustes con la norma. En su virtud la fiscalización jurisdiccional de retribuciones de los funcionarios públicos se encuentra mermada en este aspecto dada la ausencia de parámetros de referencia objetivos de carácter normativo y en consecuencia, del amplio margen de actuación que lleva el enjuiciamiento sobre esta materia a planos de conceptos muy genéricos, tales como el control de la discrecionalidad o la aplicación del principio de igualdad, las pautas de fiscalización.

La jurisprudencia en relación con régimen retributivo muestra que la pérdida de intensidad del control judicial en materia de retribuciones, deriva de la técnica legislativa utilizada.

Pero hay varios ámbitos concretos del estatuto funcionarial que resultan, en mayor o menor grado representativos de este fenómeno: por ejemplo las facultades genéricas, sin limitación legal alguna que, en materia de méritos, las normas vigentes atribuyen a la Administración en materia de provisión de puestos de trabajo lo que hace que nos encontremos ante otra zona del estatuto funcionarial respecto a la que el control judicial tiene una notable dificultad para llevarse a cabo con eficacia. No obstante, y teniendo en cuenta la importancia de las materias de retribuciones y provisión de puestos de trabajo hay que admitir que el control judicial sobre la aplicación de la potestad disciplinaria y sus modulaciones, la selección de funcionarios públicos y la declaración de situaciones justifican ampliamente la utilidad real (8) del proceso que se analiza que quizá debería modificar su estructura para responder con mayor celeridad a las prestaciones deducidas por los funcionarios públicos.

Por topo ello hay que recalcar que la propia técnica legislativa con su tendencia a establecer criterios generales y a determinar a los responsables generales de la

---

(8)   Con independencia de la obligatoriedad que resulta del propio mandato constitucional.

organización a los que les atribuye la competencia para el ejercicio de las potestades administrativas ha tenido como consecuencia un cambio en los modelos tradicionales de control judicial, que obliga a los órganos jurisdiccionales a buscar nuevas formas de revisión para hacer eficaz el principio de tutela judicial efectiva que consagra la Constitución.

5. ESPECIALIDADES EN LOS PROCEDIMIENTOS DE PERSONAL

Las especialidades en esta materia derivan de lo dispuesto e la LRJCA (9), conforme al cual podrán, no obstante, comparecer por sí mismos los funcionarios públicos en defensa de sus derechos estatutarios, cuando se refieran a cuestiones de personal que no impliquen separación de empleados públicos inamovibles. Aunque el primer proyecto de LJCA (10), trató de imponer también a los funcionarios públicos la necesidad de asistir representados por procurador y defendidos por abogado, justificado en su «no infrecuente interposición de recursos manifiestamente mal fundados en esta materia», a ello se impuso, con acierto, la opinión del Consejo de Estado, en su dictamen al Anteproyecto y el Informe de la Ponencia, del Congreso de los Diputados, por lo que el proyecto de LJCA mantuvo, finalmente, la regla especial para los funcionarios públicos.

La justificación teórica de esta excepción a la regla general de representación y defensa, aparte de su propia tradición se encuentra en la presunción fundada de que el funcionario conoce el estatuto de la función pública que se le aplica y que está en condiciones de discutir las interpretaciones que la Administración Pública hace de aquél (11).

Sin embargo su escasa aplicación práctica y las dificultades reales que la legislación parcial y fragmentaria, en este aspecto, de la normativa sobre función pública está produciendo debe hacer pensar sobre el futuro de esta excepción procesal, que concebida desde una posición histórica no mermaba las facultades de defensa de las partes y, por tanto, del cumplimiento del principio de igualdad de partes, pero respecto de la cual hoy existen dudas fundadas dada la complejidad y dificultad del estatuto aplicable, en este aspecto cabe recordar la urgente necesidad de regulación de legislación reguladora sobre función pública en el ámbito de la Administración General del Estado que desarrollen y completen las disposiciones del Estatuto Básico del Empelado Público.

Todo lo ello teniendo en cuenta la opinión negativa que para los empleados públicos podría significar esta supresión sobre todo si se barajan razones de orden comparativo con el resto de trabajadores en general y del resto de trabajadores

---

(9)   Art. 23 párraf. 3.ª LJCA.
(10)   Rompiendo la fórmula tradicional.
(11)   Al funcionario se le presume este conocimiento al igual que al militar el valor.

públicos, en particular, a los que no les es exigible dicho requisito postulación en el marco de la jurisdicción social.

En todo caso debemos recordar que en su actual regulación se trata solo de una alternativa que, en ningún caso, excluye la posibilidad de comparecer en el proceso conforme a las reglas generales es decir, representado por procurador y defendido por abogado en ejercicio, o, exclusivamente, valiéndose de este último que asume, por tanto, ambas funciones.

Sin perjuicio de la restricción para los funcionarios públicos de interponer recurso de casación contra las sentencias que decidan los denominados asuntos de personal debemos señalar que para los supuestos en que proceda la interposición de dicho recurso, es obligatoria la personación ante la Sala de lo Contencioso-administrativo del Tribunal Supremo a través de Procurador.

Al regularse este requisito sin excepción ni remisión alguna hay que entender que, la misma es exigible en todos los casos, lo que supone una nueva definición del ámbito de aplicación de la excepción que venimos examinando.

Sin embargo queda pendiente el determinar si este privilegio de los funcionarios públicos que se recorta respecto de la representación se mantiene en lo que hace a la dirección jurídica del proceso.

Y aunque nada se dice en la redacción actual, debemos recordar que indicar que en la doctrina procesal clásica, al respecto, la presencia de procurador implica la de abogado, cada uno en su ámbito y funciones, por lo que poco sentido tendría exigir la presencia del uno y negar la del otro.

6. LA IMPUGNACIÓN DE LA SENTENCIA

La impugnación de la sentencia en materia de personal ha sufrido algunas variaciones en relación con el sistema que se seguía en la Ley de la Jurisdicción Contencioso-administrativa anterior a la actual que consistía en un recurso ordinario de apelación, y dos recursos extraordinarios, el de revisión y el de apelación en interés de la Ley.

En lo relativo al recurso de apelación, es necesario indicar que la regla general era la de que el enjuiciamiento de los asuntos de personal se llevaba a cabo en única instancia, por lo cual, en principio y como regla, estos asuntos están excluidos de apelación (12), con la excepción de que se trate de la separación del servicio de empleados públicos inamovibles; que la sentencia aprecie la existencia de desviación de poder, o, que la misma se hubiese dictado en el curso de la impugnación indirecta de un Reglamento. El Tribunal Supremo ha reconocido

---

(12)   Art 94.1 LJCA.

un principio básico en la aplicación de la regla general de inapelabilidad de las Sentencias dictadas en materia de personal, indicando que al no hallarnos ante una pura cuestión de personal, por cuanto el tema trasciende los estrictos límites de las cuestiones de esa naturaleza, y haberse de interpretar restrictivamente los preceptos limitativos de la recurribilidad contenidos en el artículo 94 de la Ley Jurisdiccional habida cuenta los derechos que a una tutela judicial efectiva garantiza el artículo 24 de la Constitución (13).

Esta doctrina jurisprudencial viene a ratificar la que había establecido el mismo Tribunal, conforme a la cual el concepto de separación del servicio debía ser objeto de una interpretación amplia, equiparando al mismo. En esta línea de ampliación de los contornos del recurso de apelación el Supremo, que si se da por buena la competencia de la Sala y la procedencia del recurso de apelación es porque, a pesar de que la materia tratada en este proceso es de personal, esta materia queda en el proceso en un segundo plano, eclipsada, por la que ha dado razón de ser a la pretensión formulada por la representación del Estado. La relacionada con el reparto de competencias entre el Estado y las Comunidades Autónomas en asuntos de personal conforme a lo establecido en el artículo 149.11.8 de la Constitución (14).

En lo relativo a los recursos extraordinarios es necesario resaltar su importancia en las cuestiones de personal dada la inexistencia a priori, de un órgano jurisdiccional unificador en segunda instancia a diferencia de lo que ocurría hasta ahora en el que, desde el punto de vista del recurrente, el recurso de revisión producía efectos entre las partes y pueda alterar las situaciones jurídicas reconocidas o denegadas en instancia, mientras que el de apelación en interés de Ley sólo tenía efectos de cara a la unificación de doctrina.

La cuestión de la impugnación fue objeto de un profundo cambio tras la Ley 10/1992, de 30 de abril, de medidas urgentes de reforma procesal, suprimió, en ámbito contencioso-administrativo, el recurso de apelación, e introdujo, como recurso tipo, el de casación que, pese a su tradicional concepción como recurso extraordinario, no supone una merma de la seguridad jurídica, ni del derecho al recurso, ya que la amplitud de sus motivos le convierte en la práctica en una segunda instancia ordinaria.

El esquema se completa con dos recursos de casación específicos. Uno, el denominado casación para la unificación de doctrina y, otro, recurso de casación en interés de la Ley. El panorama se cerrara con una nueva redacción del recurso de revisión

---

(13)   STS 22.4.1987.
(14)   SSTS 18.3.1986 y 14.4.1987.

En este estado de cosas se produce la publicación de la LRJCA de 1998, que configura un panorama diferente que pasamos a analizar.

7. RECURSO DE CASACIÓN

La Ley de la Jurisdicción Contencioso-Administrativa, mantiene, en su artículo 86, la impugnabilidad de todas las sentencias dictadas por los diversos Tribunales que integran el orden contencioso-administrativo, con la excepción de:

a) Las sentencias que se refieran a cuestiones de personal al servicio de las Administraciones Públicas, salvo que, afecten al nacimiento o la extinción de la relación de servicio de funcionarios de carrera.

Desde una perspectiva histórica podemos decir que nos encontramos ante un claro recorte del ámbito de la segunda instancia en el enjuiciamiento de las cuestiones de personal que consagra, la opción por el enjuiciado en una sola instancia de estos asuntos. El Tribunal Supremo ha declarado la posibilidad del recurso de casación, aunque el asunto sea de personal, cuando se trata d una impugnación indirecta de una disposición general. La constitucionalidad de esta opción de enjuiciamiento en una instancia única ha sido abordada por el Tribunal Constitucional, reconociendo el papel esencial de la Ley en el señalamiento de las instancias procesales y, por otro, una redefinición del concepto separación del servicio acuñado por la jurisprudencia y al que nos hemos referido anteriormente (15).

Las bases para mantener la redefinición son tres:

a)   En primer término, el hecho de que se establezca la excepción o no recurribilidad de la sentencia en materia de personal precediéndola del término estrictamente.

b)   En segundo lugar, que expresamente se identifica separación del servicio con extinción de la relación de servicio, lo cual quiebra, como anteriormente se ha dicho, la similitud entre extinción y ruptura o no nacimiento, que la jurisprudencia venía estableciendo (16).

c)   En último término y por si quedase alguna duda, el artículo 86 se refiere, textualmente, a que la extinción de la relación de servicio únicamente es predicable respecto de los que ya son funcionarios de carrera.

---

(15)   Ver ATS de 27.9.1994, STS 10.11.1994 y SSTC 54/1984,87/1986,59/1988 y 177/1991, Ver asimismo SSTS 3.7.1990 y 18.4.1991.
(16)   STS 28.2.1989.

Estas tres premisas nos permiten indicar que la voluntad deliberada del legislador ha consistido en reducir el ámbito de aplicación de la segunda instancia en las cuestiones de personal frente a una interpretación generosa de los Tribunales contencioso-administrativos que había producido una generalización de la misma.

La oportunidad de esta opción legislativa es analizada por GIL IBÁÑEZ quien mantiene que el sistema establecido instaurado impide, con carácter general, una correcta unificación de doctrina por parte del Tribunal Supremo en una materia como la referida a cuestiones de personal, permitiendo esta labor únicamente por vía indirecta y limitar legitimación, ya que mientras el ciudadano ordinario se ve impedido totalmente a acudir a la más alta instancia judicial, la Administración, a través del Abogado y otras Entidades o Corporaciones, sí pueden acceder a dicho Alto Tribunal, la conclusión no puede ser otra sino la insatisfactoria regulación.

Desde otra perspectiva también puede analizarse el alcance de esta exclusión que se ha formulado de una forma diferente a la citada Ley 10/1992 al haberse suprimido el adverbio estrictamente referido la extinción de la relación que se contemplaba en 1992, lo que le lleva a indicar que el legislador se inclina ahora por una solución más permisiva, introduciendo del nuevo como susceptibles de casación, las cuestiones de personal que afecten al nacimiento de la relación de servicio y de ahí que no haya considerado necesario mantener la palabra estrictamente.

Por lo demás, en los ya contados supuestos en los que sea posible la interposición de este recurso debe indicarse que su procedimiento se ajusta a los moldes clásicos de la casación, esto es, preparación, interposición, admisión, formalización de la oposición y resolución, cuya esencia pasamos a examinar.

7.1. Preparación del recurso

El recurso se prepara ante el mismo órgano jurisdiccional que hubiese dictado la resolución en el plazo de tres días desde la notificación de la Sentencia o resolución judicial recurrida. En el escrito de preparación debe hacerse sucinta referencia de la concurrencia de los requisitos exigidos, básicamente, los de orden procesal, esto es, la no concurrencia de alguno de los supuestos de improcedencia de la casación, la legitimación como parte para la interposición; los de orden temporal, fundamentalmente, la justificación del cumplimiento del plazo procesal y, claro está, los de orden material, como la inclusión en alguno de los supuestos del artículo 88 LJCA.

Cumplidos los requisitos citados, el Tribunal de instancia tendrá por preparado el recurso y en el plazo de cinco días remitirá los autos originales a la Sala de lo Contencioso-administrativa del Tribunal Supremo a la vez que emplaza a las partes para su comparecencia ante el mismo en el plazo de treinta días.

Por el contrario si las partes no hubiesen cumplido los anteriores trámites o se tratase de resoluciones judiciales no susceptibles de recurso de casación, el Tribunal de instancia resolverá mediante auto, denegando la remisión del expediente y el emplazamiento de las partes. Contra este auto podrá interponerse recurso de queja que se tramitará en la forma prevista en la Ley de Enjuiciamiento Civil (17).

7.2. Interposición del recurso

Se produce a la vez que la personación que deriva del emplazamiento del artículo 92. En esta personación debe formularse el escrito de interposición en el que se expresará razonadamente el motivo o motivos en que se ampare, de entre los señalados en el artículo 88 de la LJCA.

Transcurrido el plazo sin efectuar la interposición, el recurso se declara desierto, ordenándose la devolución de las actuaciones recibidas a la sala de que precedieren. Cuando el recurrente es defensor de la Administración o el Ministerio Fiscal la Sala les dará traslado de lo actuado a fin de que manifieste si sostienen el recurso interpuesto y, en caso afirmativo, formulen el escrito de interposición de conformidad con las reglas generales.

Interpuesto el recurso de casación, se pasan las actuaciones al Magistrado ponente para que se instruya y someta a la Sala la declaración de admisión e inadmisión del recurso interpuesto.

La sala dicta auto de inadmisión en alguno de los cinco supuestos siguientes:

1) Si, a pesar de haberse tenido por preparado el recurso, se apreciase en este trámite que no se han observado los requisitos exigidos o que la resolución impugnada no es susceptible de recurso de casación. A estos efectos la Sala podía rectificar fundadamente la cuantía inicialmente fijada, de oficio o a instancia de la parte recurrida, si ésta lo solicita dentro del término del emplazamiento.

2) Cuando el motivo indicado en la interposición no es de los comprendidos en el artículo 88, si no se citan las normas o la jurisprudencia que se reputan infringidas, si las citas hechas no guardan alguna con las cuestiones debatidas; o si, siendo necesario haber pedido la subsanación de la falta no hay constancia de que se haya hecho o sino se hubiese editado la subsanación de la falta.

3) Cuando otros recursos sustancialmente iguales en el fondo, hubieran sido desestimados.

4) Cuando el recurso carezca manifiestamente de todo fundamento.

---

(17)   Artículos 494 y 495.

5) En asuntos de cuantía indeterminada que no se refieran a la impugnación directa o indirecta de una disposición general, si el recurso estuviese fundado en el motivo del artículo 88.1.d) (18), y se apreciase que el asunto carece de interés casacional por no afectar a un gran número de situaciones o no posee el suficiente contenido de generalidad.

Con carácter general la Sala, antes de resolver, pondrá de manifiesto sucintamente la posible causa de inadmisión a las partes personadas para que formulen que las alegaciones que estimen procedentes. Finalmente la Sala resuelve mediante Auto.

De admitirse el recurso por todos o por alguno de los motivos, se entregará copia del mismo a las partes recurridas y personadas para que formalicen por escrito su oposición en el plazo de treinta días.

El último trámite del recurso es la resolución final, esto es, la Sentencia, cuyo contenido está en función del motivo alegado y por el que se admitió el recurso. Así:

— Si se estimara por el motivo del artículo 88.1.a) se anulará la Sentencia o resolución recurrida, indicándose el concreto orden jurisdiccional que se estima competente resolverá el asunto, según proceda.

— De estimarse por el motivo del artículo 88.1.b) se remitirán las actuaciones al órgano jurisdiccional competente para que resuelva o se repondrán al estado y momento exigidos por el procedimiento adecuado para la sustanciación de las mismas, salvo que, por la aplicación de sus normas específicas, dicho procedimiento adecuado no pueda seguirse.

— De estimarse las infracciones procesales mencionadas en el artículo 88.1.c) se mandarán reponer las actuaciones al estado y momento en que se hubiera incurrido en la falta, salvo si la infracción consistiere en la vulneración de las normas reguladoras de la sentencia en cuyo caso se estará a lo dispuesto en el siguiente apartado.

— En los demás casos el tribunal resuelve lo que corresponda dentro de los términos en que apareciera planteado el debate.

— Si se estimase por alguno de los motivos 1.º y 2.º, del apartado 1.º del artículo 95, la sentencia anulará la de instancia o la resolución recurrida, dejando a salvo el derecho de ejercitar las pretensiones ante quien corresponda o por el procedimiento adecuado.

---

(18)   Infracción de las normas del ordenamiento jurídico o de la jurisprudencia que fueran aplicables para resolver las cuestiones objeto de debate

— De estimarse la existencia de las infracciones procesales mencionadas en el motivo 3.º ap. 1.º, artículo 95 de la Ley de la Jurisdicción Contencioso-administrativa, se mandará reponer las actuaciones al estado y momento en que se hubiera incurrido en la falta, salvo si la infracción consistiera en vulneración de las normas reguladoras de la sentencia, en cuyo caso se aplican las prescripciones previstas en el apartado anterior.

— En todos los demás casos, la Sala resolverá lo que corresponde dentro de los términos en que apareciera planteado el debate.

Por último, señalar que la Sentencia que declare haber lugar al recurso resolverá, en cuanto a las costas de la instancia, conforme a las reglas generales; y en cuanto a las del recurso, que cada parte satisfaga las suyas. Son éstas unas determinaciones que, en su conjunto, suponen una mayor onerosidad para el recurrente, dado que, hasta la Ley 10/1992, la imposición de costas iba ligada a la apreciación de la mala fe o la temeridad, regla que se sustituye ahora por la de que cada parte satisfaga las suyas, de forma que, aun ganando o venciendo en juicio, siempre va a conllevar gastos el recurso.

7.3. Recurso de casación para la unificación de doctrina

Se trata de un recurso introducido en la citada Ley 10/1992, y cuya aplicación práctica devolvió al recurso de revisión contencioso-administrativo su verdadera esencia, un tanto desvirtuada con la inclusión, junto a los motivos de la revisión civil, de nuevos motivos, hoy recogidos en esta nueva forma de casación contencioso-administrativa cuya virtualidad es la de resolver la disparidad de criterios entre órganos jurisdiccionales de un mismo orden procesal.

En el ámbito del contencioso-administrativo que aquí analizamos, la reforma debe ser enjuiciada de forma muy crítica, ya que el artículo 102 a) de la Ley de la Jurisdicción Contencioso-administrativa declara que en ningún caso serán recurribles las sentencias a que se refieren los apartados a), b) y c) del apartado 2.º del artículo 93.

En consecuencia las llamadas cuestiones de personal no son susceptibles de interposición de recurso de casación para la unificación de la doctrina. Esta premisa significa lisa y llanamente un recorte de las posibilidades procesales y de defensa en el procedimiento en materia de personal, ya que en la redacción anterior del recurso de revisión la exclusión que ahora analizamos no existía.

Esta circunstancia pone de relieve la minusvaloración general de este proceso ya que aunque pueda ser perfectamente constitucional (ya que el Tribunal Constitucional ha señalado que no existe un derecho subjetivo a la segunda instancia), es lo cierto que el cómputo global de los asuntos que se fallan en única instancia es relativamente pequeña.

Fuera de lo anterior, debe indicarse que la introducción de los órganos unipersonales puede agravar los efectos de la eliminación del ámbito de aplicación del recurso, cuya esencia se encuentra en unificar los pronunciamientos judiciales dispares de los órganos jurisdiccionales de un mismo orden.

7.4. Recurso de casación en interés de la ley

La LJCA de 13 de julio de 1998 ha conservado el recurso en interés de la ley, introduciendo importantes novedades que despejan las dudas que habían surgido en torno a la legitimación para interponerlo.

La redacción del artículo 100 de la citada Ley, presenta algunas notas diferenciales frente a la anterior regulación. Las más significativas son las siguientes:

A) En lo que hace a legitimación. Se le atribuye a la Administración Pública Territorial, al Abogado del Estado, así como a los representantes de las Entidades o Corporaciones que ostenten la representación y defensa de intereses de carácter general o corporativo y tuviesen interés legítimo en el asunto. Asimismo se atribuye legitimación al Ministerio Fiscal y a la Administración General del Estado.

B) En relación con las resoluciones judiciales recurribles. Lo son todas las Sentencias dictadas por la Sala de lo Contencioso-administrativo de la Audiencia Nacional y de los Tribunales Superiores de Justicia y de los Jueces de lo contencioso-administrativo, siempre que quienes están legitimados para la interposición estimen que las mismas son gravemente dañosas para el interés general y errónea la resolución dictada. Este recurso tiene por objeto únicamente la correcta interpretación y aplicación de normas emanadas del Estado que hayan sido determinantes del fallo recurrido. Asimismo, y con carácter general, debe cumplirse el requisito de que las sentencias no puedan ser objeto del recurso de casación previsto en el artículo 86 de la LRJCA.

C) Por lo que hace al procedimiento. El recurso se interpone mediante escrito razonado en el plazo máximo de tres días, directamente ante la Sala de lo Contencioso-administrativo del Tribunal Supremo, acompañando copia certificada de la Sentencia impugnada. El Tribunal Supremo reclama los autos de la Sala de instancia y previo emplazamiento de las partes y formulación de alegaciones, sin más trámites, resolverá lo que proceda. Este procedimiento tiene carácter preferente.

D) Finalmente respecto de la sentencia. En caso de que se estime el recurso, la sentencia fija la doctrina legal, si bien respetará, en todo caso, la situación jurídica derivada de la Sentencia recurrida.

7.5. Recurso de revisión

Es un recurso extraordinario llamado a remediar en el marco de un proceso, defectos esenciales fruto de otros pronunciamientos judiciales o de hechos de importancia notable en el curso del proceso.

Sus características esenciales son las siguientes:

A. Son recurribles las sentencias firmes de cualquiera de los órganos jurisdiccionales del orden contencioso-administrativo siempre que se dé alguno de los siguientes casos:

a) Cuando después de pronunciada la sentencia se recobraren documentos decisivos, detenidos por fuerza mayor o por obra de la parte en cuyo favor se hubiere dictado.

b) Si recae la sentencia en virtud de documentos que, al tiempo de dictarse aquélla, ignoraba una de las partes haber sido reconocidos y declarados falsos o cuya falsedad se reconociese o declarase después.

c) Cuando se haya dictado la sentencia en virtud de prueba testifical, los testigos hubieren sido condenados por falso testimonio dado en las declaraciones que sirvieron de fundamento a la sentencia.

d) En caso de que la sentencia se hubiere ganado injustamente en virtud de cohecho, violencia y otra maquinación fraudulenta.

B. La legitimación se atribuye a quienes hubiesen sido parte en el proceso de instancia.

C. El artículo 102.2) de la Ley de la Jurisdicción Contencioso-administrativa remite íntegramente a la regulación de ese recurso a lo dispuesto en el Título VI del Libro II de la Ley de Enjuiciamiento Civil.

8. LA EXTENSIÓN DE LOS EFECTOS DE UNA SENTENCIA EN MATERIA DE PERSONAL

El artículo 110 de la Ley Jurisdiccional prevé que en esta materia, los efectos de una sentencia firme que hubiese sido reconocida una situación jurídica individualizada a favor de una o varias personas podrán extenderse a otras, en ejecución de sentencia, cuando concurran las siguientes circunstancias:

A) Que los interesados se encuentren en idéntica situación jurídica que los favorecidos por el fallo.

B) Que el Juez o Tribunal sentenciador fuera también competente, por razón del territorio, para conocer con sus pretensiones de reconocimiento de dicha situación individualizada.

C) Que pidan la extensión de los efectos de la sentencia en el plazo de un año desde la última notificación de ésta a quienes fueron parte en el proceso. Si se hubiere interpuesto recurso en interés de la ley o de revisión, este plazo se contará desde la última notificación de la resolución que ponga fin a éste.

La petición de extensión se dirige a la Administración demandada. Si transcurren tres meses sin que se notifique resolución alguna o cuando la Administración denegare la solicitud de modo expreso, podrá acudirse sin más trámites al Juez o Tribunal de la ejecución en el plazo de dos meses, contados desde el transcurso del plazo antes indicado o desde el día siguiente a la notificación de la resolución denegatoria.

La extensión se lleva a cabo mediante un trámite de incidentes en la forma prevista en los artículos 749 y ss. de la LEC. Este incidente comienza con un escrito razonado al que deben acompañarse los documentos que acrediten la identidad de la situación jurídica individualizada.

A esta solicitud le sigue el requerimiento del expediente administrativo y, en su caso, la puesta de momento del mismo a las partes por plazo común de tres días. La resolución del incidente se realiza mediante Auto, que si es dictado por los Juzgados es apelable en ambos efectos (19) y si lo es por el resto de órganos jurisdiccionales puede revisarse mediante recurso de casación.

El efecto de la apelación supone cambiar las reglas generales de recurso en la primera instancia que si se deciden por el procedimiento ordinario no serían susceptibles de apelación y por el hecho de tramitarse por la vía incidental de extensión de efectos se transmuta en apelable.

9. CONCLUSIÓN

Como resumen de lo expuesto, debe indicarse que nuestro Organismo Jurídico opta, en la actualidad, por el enjuiciamiento por la justicia ordinaria de los recursos que se plantean en relación con la aplicación de las normas que componen el estatuto de los funcionarios públicos. Dicho enjuiciamiento se realiza por el orden contencioso-administrativo y conforme al proceso general al que se aplican algunos elementos característicos y singulares, subsistía en los momentos actuales, por lo que su mantenimiento parece plenamente acorde con la necesidad que intentaba satisfacerse mediante el mismo.

Es lo cierto que ante la necesidad de culminar la reforma del contencioso, y de implantar los órganos jurisdiccionales de carácter unipersonal, no debe perderse la ocasión de modificar este proceso para dotarle de una eficacia y celeridad

---

(19)   Art 80 LJCA.

reales, pues como reiteradamente se ha señalado aquí, el procedimiento especial examinado carecía de auténtica vitalidad. En este terreno no pueden mantenerse posturas dogmáticas aprioristicas de forma que, a nuestro juicio, el elemento esencial no es el mantenimiento del procedimiento especial cuanto si el mantenimiento de especialidades procedimentales que aseguren la eficacia en la satisfacción de los intereses de los empleados públicos.

Sólo este reconocimiento y plasmación real puede frenar una tensión siempre existente y fuertemente reclamada: el sometimiento a la jurisdicción laboral de los asuntos de personal.

Detrás de esta pretensión no hay en la mayor parte de las ocasiones una postura científicamente sería, pero sí un sentimiento de que las reglas y pautas (esencialmente la rapidez y el antiformalismo) que rigen el proceso laboral son los que deberán mantenerse en el ámbito del enjuiciamiento de los asuntos de personal de los funcionarios públicos.

Compartiendo la esencia del planteamiento, esto es, la necesidad de encontrar una fórmula ágil y eficaz de enjuiciamiento, no podemos compartir la reubicación competencial propuesta ya que dicha atribución supondría que las reglas de formación de voluntad (Derecho imperativo) y los de revisión (Derecho dispositivo) no son coincidentes y por más que en la relación jurídica del funcionario público se hayan encontrado aspectos laborales no pueden, ni con mucho, entenderse definitivamente arruinado el carácter público de aquella relación.

Fuera de este plano es claro que, tras el análisis de las resoluciones judiciales de los últimos años, no es aventurado indicar que se aprecia una menor intensidad en la revisión jurisdiccional, no como consecuencia de la lentitud o de la torpeza judicial, sino del marco legal en el que se desarrolla la función jurisdiccional, que es tributaria de las nuevas fórmulas de legislar, esto es, del establecimiento de fórmulas que implican una menor concreción de requisitos, lo que dificulta, por tanto, la labor revisora.

En este sentido destaca sobre manera el apoderamiento a la capacidad organizativa de la Administración que reenvía el enjuiciamiento a marcos muy amplios y genéricos (desigualdad, arbitrariedad, etc.) cuya consecuencia es la pérdida de intensidad en la función fiscalizadora en algunos sectores del Estatuto, normalmente, los más próximos a los aspectos de organización.

Estas consideraciones, lejos de abonar la idea de que se produce un retorno a los orígenes de exención revisora de este tipo de actos, supone necesariamente, la búsqueda de nuevos parámetros de control que hagan plenamente eficaz el principio de tutela judicial efectiva de los jueces y Tribunales que proclama la Constitución, en su artículo 24.

Al margen de la necesidad de encontrar los nuevos ámbitos y elementos de contraste para el enjuiciamiento que permitan indicar que la decisión judicial constituye un control no meramente formal, seria preciso encontrar un procedimiento de resolución por la Administración de los «asuntos de personal» que evite la judicialización de estos conflictos, siempre y cuando los sistemas administrativos sean más efectivos en la práctica profesional de la Administración.

ÍNDICE SISTEMÁTICO

CAPÍTULO 1

Las potestades administrativas: significado y dinámica

CAPÍTULO 2

Las potestades administrativas:
organización, planificación y autotutela

CAPÍTULO 3

La potestad reglamentaria de las Administraciones Públicas

CAPÍTULO 4

Prontuario de técnica normativa en la Administración Pública

CAPÍTULO 5

La potestad sancionadora de las Administraciones Públicas

CAPÍTULO 6

Guía de procedimientos sancionadores

CAPÍTULO 7

Práctica profesional sobre documentos en la Administración

CAPÍTULO 8

Los actos administrativos y su conservación

CAPÍTULO 9

Revocación de los actos administrativos

CAPÍTULO 10

Concepto y fundamento de los errores materiales en la actividad de las Administraciones Públicas

CAPÍTULO 11

Procedimiento y silencio administrativo en el ámbito de licencias urbanísticas

CAPÍTULO 12

El procedimiento administrativo electrónico

CAPÍTULO 13

Interposición de recursos administrativos y reclamaciones

CAPÍTULO 14

Régimen jurídico de la inactividad de la Administración Pública

CAPÍTULO 15

La suplencia en las Administraciones Públicas

CAPÍTULO 16

La delegación de firma en las Administraciones Públicas

CAPÍTULO 17

La avocación como figura instrumental de la Administración

CAPÍTULO 18

La encomienda de gestión

CAPÍTULO 19

El convenio de colaboración como instrumento de eficacia y eficiencia de la Administración Pública

CAPÍTULO 20

La notificación administrativa y sus modalidades

CAPÍTULO 21

Régimen práctico de las comunicaciones y notificaciones en la Administración Pública

CAPÍTULO 22

La ejecución forzosa en el procedimiento administrativo

CAPÍTULO 23

El apremio sobre el patrimonio en la práctica de la Administracion Pública

CAPÍTULO 24

La compulsión sobre las personas como instrumento ejecutivo de la Administración Pública

CAPÍTULO 25

La ejecución subsidiaria en la práctica de la Administración Pública

CAPÍTULO 26

La multa coercitiva como instrumento de ejecución de las Administraciones Públicas

CAPÍTULO 27

Práctica profesional sobre reclamación de responsabilidad a las Administraciones Públicas

CAPÍTULO 28

Guía práctica de subvenciones

     © El Consultor de los Ayuntamientos

CAPÍTULO 29

La calidad de la Administración Pública

CAPÍTULO 30

Las agencias estatales y su régimen jurídico administrativo

CAPÍTULO 31

El contrato de gestión de las Agencias Estatales

CAPÍTULO 32

Reingreso de los funcionarios públicos y suspensión de funciones

CAPÍTULO 33

Prácticas sobre retribuciones en la Administración Pública

CAPÍTULO 34

Guía práctica de procedimiento disciplinario en la Administración Pública

CAPÍTULO 35

Procedimientos de control judicial en materia de personal